DUDEN-TASCHENBÜCHER

Herausgegeben vom Wissenschaftlichen Rat der Dudenredaktion: Dr. Günther Drosdowski · Professor Dr. Paul Grebe · Dr. Rudolf Köster · Dr. Wolfgang Müller

Band 1: Komma, Punkt und alle anderen Satzzeichen
Sie finden in diesem Taschenbuch Antwort auf alle Fragen, die im Bereich der deutschen Zeichensetzung auftreten können. 208 Seiten.

Band 2: Wie sagt man noch?
Hier ist der Ratgeber, wenn Ihnen gerade das passende Wort nicht einfällt oder wenn Sie sich im Ausdruck nicht wiederholen wollen. 224 Seiten.

Band 3: Die Regeln der deutschen Rechtschreibung
Dieses Buch stellt die Regeln zum richtigen Schreiben der Wörter und Namen sowie die Regeln zum richtigen Gebrauch der Satzzeichen dar. 232 Seiten.

Band 4: Lexikon der Vornamen
Mehr als 3000 weibliche und männliche Vornamen enthält dieses Taschenbuch. Sie erfahren, aus welcher Sprache ein Name stammt, was er bedeutet und welche Persönlichkeiten ihn getragen haben. 237 Seiten.

Band 5: Satzanweisungen und Korrekturvorschriften
Dieses Taschenbuch enthält nicht nur die Vorschriften für den Schriftsatz und die üblichen Korrekturvorschriften, sondern auch Regeln für Spezialbereiche. 185 Seiten.

Band 6: Wann schreibt man groß, wann schreibt man klein?
In diesem Taschenbuch finden Sie in mehr als 7500 Artikeln Antwort auf die Frage „groß oder klein"? 256 Seiten.

Band 7: Wie schreibt man gutes Deutsch?
Dieses Duden-Taschenbuch enthält alle sprachlichen Erscheinungen, die für einen schlechten Stil charakteristisch sind und die man vermeiden kann, wenn man sich nur darum bemüht. 163 Seiten.

Band 8: Wie sagt man in Österreich?
Das Buch bringt eine Fülle an Informationen über alle sprachlichen Eigenheiten, durch die sich die deutsche Sprache in Österreich von dem in Deutschland üblichen Sprachgebrauch unterscheidet. 268 Seiten.

Band 9: Wie gebraucht man Fremdwörter richtig?
Mit 4000 Stichwörtern und über 30000 Anwendungsbeispielen ist dieses Taschenbuch eine praktische Stilfibel des Fremdwortes. 368 Seiten.

Band 10: Wie sagt der Arzt?
Dieses Buch unterrichtet Sie in knapper Form darüber, was der Arzt mit diesem oder jenem Ausdruck meint. 176 Seiten mit ca. 9000 Stichwörtern.

Band 11: Wörterbuch der Abkürzungen
Berücksichtigt werden 35000 Abkürzungen, Kurzformen und Zeichen aus allen Bereichen. 260 Seiten.

Band 13: mahlen oder malen?
Hier werden gleichklingende, aber verschieden geschriebene Wörter in Gruppen dargestellt und erläutert. 191 Seiten.

Band 14: Fehlerfreies Deutsch
Viele Fragen zur Grammatik erübrigen sich, wenn man dieses Duden-Taschenbuch besitzt. Es macht grammatische Regeln verständlich und führt den Benutzer zum richtigen Sprachgebrauch. 200 Seiten.

Band 15: Wie sagt man anderswo?
Fleischer oder Metzger? fegen oder kehren? Dieses Buch will allen jenen helfen, die mit den landschaftlichen Unterschieden in Wort- und Sprachgebrauch konfrontiert werden. 159 Seiten.

Band 16: Wortschatz und Regeln des Sports – Ballspiele
Der erste Teil behandelt die Regeln der Sportarten. Der zweite Teil enthält ein Wörterbuch mit etwa 3700 Stichwörtern, die sowohl aus dem Fachwortgut als auch aus dem Jargon stammen. 377 Seiten.

Band 17: Leicht verwechselbare Wörter
Der Band enthält Gruppen von Wörtern, die auf Grund ihrer lautlichen Ähnlichkeit leicht verwechselt werden: z. B. vierwöchig oder vierwöchentlich? real oder reell? konvex oder konkav? 334 Seiten.

Bibliographisches Institut
Mannheim/Wien/Zürich

DER GROSSE DUDEN
BAND 3

DER GROSSE DUDEN
in 10 Bänden

Herausgegeben vom Wissenschaftlichen Rat der Dudenredaktion:
Dr. Günther Drosdowski, Prof. Dr. Paul Grebe, Dr. Rudolf Köster, Dr. Wolfgang Müller

1. Rechtschreibung
2. Stilwörterbuch
3. Bildwörterbuch
4. Grammatik
5. Fremdwörterbuch
6. Aussprachewörterbuch
7. Etymologie
8. Sinn- und sachverwandte Wörter
9. Zweifelsfälle der deutschen Sprache
10. Bedeutungswörterbuch

DUDEN

Bildwörterbuch
der deutschen Sprache

2., vollständig neu bearbeitete Auflage

Herausgegeben von den Fachredaktionen
des Bibliographischen Instituts und der
Dudenredaktion

DER GROSSE DUDEN: BAND 3

Bibliographisches Institut Mannheim/Wien/Zürich
Dudenverlag

784 Seiten mit 368 Bildtafeln, davon 8 vierfarbig;
Register mit 25000 Stichwörtern

Bibliographisches Institut AG, Mannheim 1958
Satz: Zechnersche Buchdruckerei, Speyer
Druck und Einband: Klambt-Druck GmbH, Speyer
Printed in Germany
ISBN 3-411-00903-9
W

VORWORT

Als wir 1936 ein Bildwörterbuch der deutschen Sprache vorlegten, war damit zum ersten Male ein deutsches Wörterbuch geschaffen, das alle Bereiche dinglicher Vorstellung in ihrem Wortgut bildlich erfaßte. Da es das erste Werk dieser Art war, wurde es ein Welterfolg.

In den mehr als 30 Jahren, die seitdem vergangen sind, haben sich die Fachwörter nicht nur stark verändert, sondern auch stark vermehrt. So wurde eine grundlegende Neubearbeitung notwendig. Sie mußte ihrem Umfang nach einer fast völligen Neuschaffung gleichkommen, wenn das Bildwörterbuch gleichberechtigt neben den anderen Bänden des Großen Dudens stehen sollte.

Aufgabe des Großen Dudens ist es, das Wort von seinen verschiedenen Seiten her zu erfassen. Während der 1. Band die Schreibung festlegt, der 2. Band die Anwendung des Wortes im Satz im Hinblick auf den Stil behandelt, veranschaulicht der vorliegende Band Sinn und Inhalt der Wörter durch das Bild. Wörter und Bilder wurden, soweit es möglich war, zu Sachgruppen zusammengefaßt, da erst auf diese Weise die begriffliche Bestimmung des Einzelwortes wirklich klar und zugleich einfach wird.

Dem Bildwörterbuch wurde ein Verzeichnis der Tafeln vorangestellt, in dem das bildlich dargestellte Wortgut der deutschen Sprache in 15 Gruppen aufgeteilt ist. In das Wörterverzeichnis (S. 673 ff.) wurden alle Begriffe aus den Bildtafeln in alphabetischer Reihenfolge aufgenommen. Somit hat der Benutzer zwei Möglichkeiten, zu dem von ihm gesuchten Begriff zu kommen.

Entsprechend der Aufgabe des Großen Dudens wurde vom Einzelwort ausgegangen. Auch die synonymen Ausdrücke sind weitgehend berücksichtigt worden.

Die Hauptlast der Bearbeitung dieses Buches trugen Fräulein Dipl.-Phil. Gisela Preuß und Herr Dr. phil. Otto Weith, denen der Verlag auch an dieser Stelle dafür seinen Dank ausspricht.

BIBLIOGRAPHISCHES INSTITUT

INHALTSVERZEICHNIS

Jagd und Fischerei

Handwerk und Gewerbe

Industrie

Graphisches Gewerbe

Verkehrs- und Nachrichtenwesen

Büro, Bank, Börse

Staat und Stadt

Reise und Freizeit

Sport

Unterhaltung und Musik

Wissen, Glaube, Kunst

Tiere und Pflanzen

1 Atom I

1-4 Modell eines Atoms *n*,

1 u. 2 der Atomkern:
1 das Proton [positiv]
2 das Neutron [unelektrisch, neutral];
3 das Elektron [negativ]
4 die Elektronenbahn [die die Elektronenschale bildet];

5-8 Modell eines zu 1-4 gehörigen Isotops *n* [radioaktiv]:

5 das Proton
6 das Neutron
7 das Elektron
8 die Elektronenbahn;

9-12 spontaner Zerfall *m* **eines Atoms** *n* [Radioaktivität]:

9 der Atomkern
10 die Alphastrahlung [Heliumkern]
11 die Betastrahlung [Elektronen]
12 die Gammastrahlung (Röntgenstrahlung);

13-17 die Kernspaltung:

13 der Atomkern
14 der Beschuß durch Neutron *n*
15 zwei neue Atomkerne *m*
16 freiwerdende Neutronen *n* [Wärmeentwicklung]
17 röntgenähnliche Strahlung *f* (Gammastrahlung);

18-21 die Kettenreaktion:

18 das Neutron, welches den Atomkern spaltet
19 der Atomkern vor der Spaltung
20 die Bruchstücke des gespaltenen Kerns *m*
21 bei der Spaltung freiwerdende Neutronen *n*, die weitere Atomkerne *m* spalten;

22-30 die gelenkte Kettenreaktion:

22 der Atomkern eines spaltbaren Elements *n*
23 der Beschuß durch ein Neutron *n*
24 ein freiwerdendes Neutron *n*, das anderen Atomkern *m* spaltet
25 zwei neue Atomkerne *m*
26 der Moderator, eine Bremsschicht aus Graphit *n*
27 die freiwerdenden Neutronen *n* [Wärmeentwicklung]
28 die Wärmeableitung [Energiegewinnung]
29 die röntgenähnliche Strahlung
30 der Beton- oder Bleischutzmantel;

31-46 der Atomreaktor (Kernreaktor, Atommeiler, Graphitmeiler, Atomofen):

31 der Betonschutzmantel
32 die Luftschicht
33 der Luftkanal
34 der Moderator
35 das Kühlrohr
36 das Rohr für Radioisotope *n*
37 die Ladeseite
38 die Ladeöffnung
39 der Uranstab (Füllstab) [der Brennstoff des Reaktors]
40 der Atomphysiker (Kernphysiker)
41 der Techniker
42 die Galerie, eine Hebebühne zum Laden *n* des Reaktors *m*
43 die Steigeleiter
44 die Öffnung für Radioisotope *n*
45 der Kontrollstab aus einer Cadmium- oder Borverbindung
46 der Kontrollstabmotor;

47 die Atombombe:

48 das Plutonium oder die Uranisotope *n*
49 der Zeitschalter
50 der Reflektor (Tamper) aus Beryllium

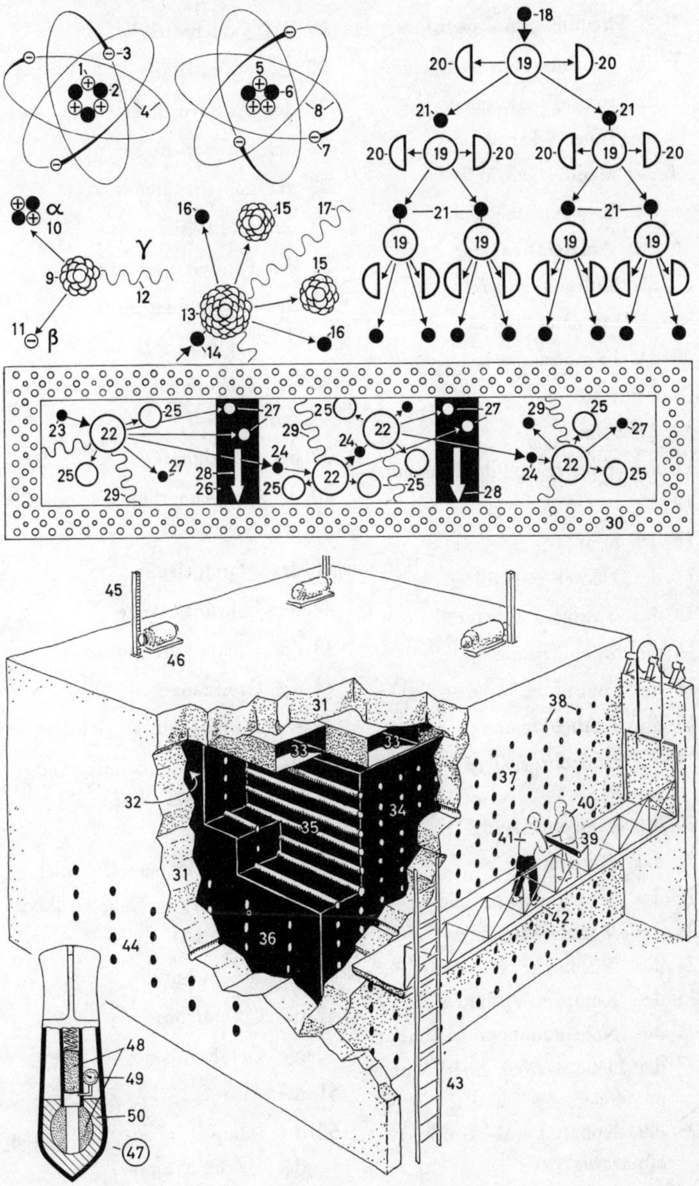

1
2
3
4
5
6
7
8
9
α
10
11
β
γ
12
13
14
15
16
17
18
19
20
21
22
23
24
25
26
27
28
29
30
31
32
33
34
35
36
37
38
39
40
41
42
43
44
45
46
47
48
49
50

2 Atom II

1-23 Strahlungsmeßgeräte *n*,
1 das Strahlenschutzmeßgerät:
2 die Ionisationskammer
3 die Innenelektrode
4 der Meßbereichwähler
5 das Instrumentengehäuse
6 das Ableseinstrument
7 die Nullpunkteinstellung;
8-23 Dosimeter *n*,
8 das Filmdosimeter:
9 der Filter
10 der Film;
11 das Fingerring-Filmdosimeter:
12 der Filter
13 der Film
14 der Deckel mit Filter *m*;
15 das Taschendosimeter:
16 die Schauöffnung
17 die Ionisationskammer
18 die Taschenklemme;
19 das Zählrohrgerät (der Geigerzähler):
20 die Zählrohrfassung
21 das Zählrohr
22 das Instrumentengehäuse
23 der Meßbereichwähler;
24 die Wilsonsche Nebelkammer:
25 der Kompressionsboden;
26 die Nebelkammeraufnahme:
27 der Nebelstreifen einer Alphapartikel;
28 die Kobalt-Fernbestrahlungsapparatur:
29 das Säulenstativ
30 die Halteseile *n*
31 der Strahlenschutzkopf
32 der Abdeckschieber
33 die Lamellenblende
34 das Lichtvisier
35 die Pendelvorrichtung
36 der Bestrahlungstisch
37 die Laufschiene;
38 der Kugelmanipulator (Manipulator):
39 der Handgriff
40 der Sicherungsflügel (Feststellhebel)
41 das Handgelenk
42 die Führungsstange
43 die Klemmvorrichtung
44 die Greifzange
45 das Schlitzbrett
46 die Bestrahlungsschutzwand, eine Bleisiegelwand [im Schnitt];
47 der Greifarm eines Parallelmanipulators *m* (Master-Slave-Manipulators):
48 der Staubschutz;
49 das Cosmotron:
50 die Gefahrenzone
51 der Magnet
52 die Pumpen *f* zur Entleerung der Vakuumkammer

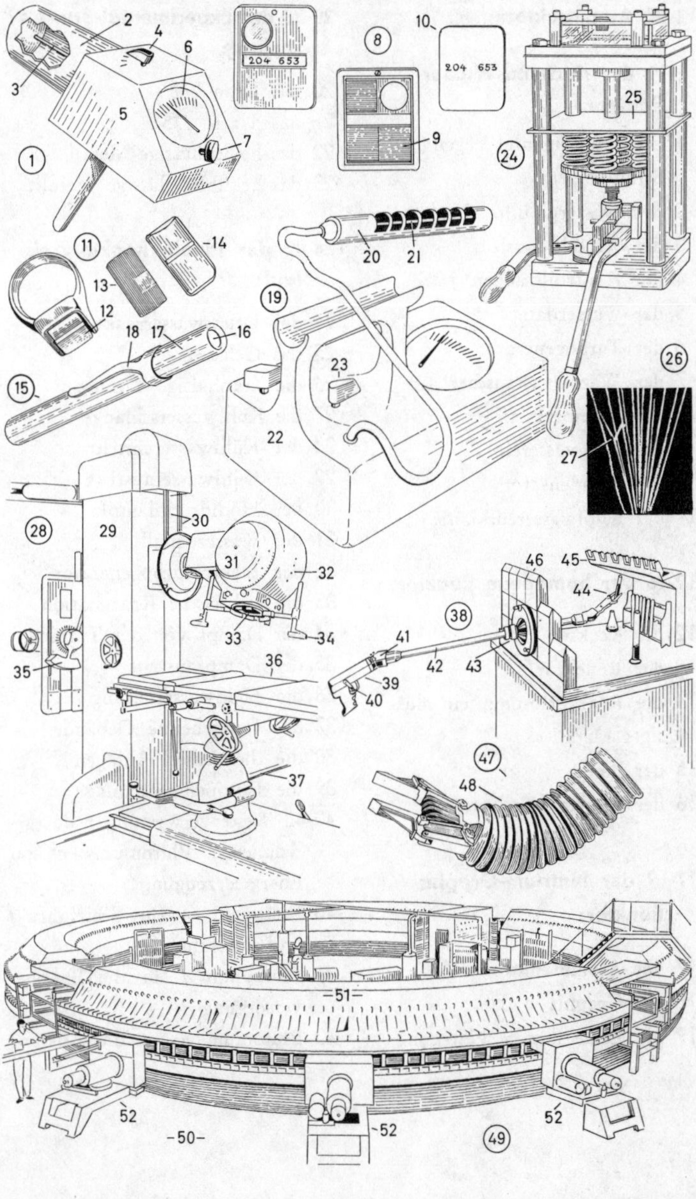
1
2
3
4
5
6
7
204 653
8
9
10
204 653
11
12
13
14
15
16
17
18
19
20
21
22
23
24
25
26
27
28
29
30
31
32
33
34
35
36
37
38
39
40
41
42
43
44
45
46
47
48
49
50
51
52
52
52

1-23 Atomreaktoren *m*,

1-11 der Kochend-Wasser-Reaktor:

1 der Schutzmantel gegen Strahlung *f*
2 der wassergefüllte Tank
3 der Atombrennstoff
4 die Kontrollstangen *f*
5 der Wasserdampf
6 der Turbogenerator
7 der Wärmeaustauscher
8 der Dampfeinlaß
9 der Kaltwassereinlaß
10 der Kondensator
11 der Kühlwasserrücklauf;

12-16 der homogene Reaktor:

12 der Reaktor
13 der Reflektor
14 die Reaktorlösung, ein flüssiges Metall *n*
15 der Boiler
16 der erhitzte Treibstoff;

17-19 der Natrium-Graphit-Reaktor:

17 der Atombrennstoffstab
18 das Graphit
19 das heiße flüssige Natrium;

20-23 der Experimental-Brutreaktor:

20 das Uran 238
21 das Uran 235
22 das heiße flüssige Metall
23 das gekühlte flüssige Metall;

24-42 der ideale Reaktorkreislauf:

24 der Druckwasserreaktor
25 das Gehäuse
26 die uranhaltige Lösung
27 die Kühlwasserschlange
28 der Kühlwassereintritt
29 der Kühlwasseraustritt
30 der Hochdruckdampf
31 der Wassereinlaß
32 der Elektroturbogenerator
33 die elektrische Kraftstation
34 der Dampf von der Turbine
35 der Dampfaustritt
36 die Heißwasserleitung
37 das ferngeheizte Gebäude
38 die chemischen Anlagen *f*
39 die Isotopentrennanlage
40-42 Weiterverwertung *f* des gewonnenen Plutoniums *n* zur Energieerzeugung:
40 Plutonium *n* für Schiffahrt *f* und Luftfahrt *f*
41 Plutonium *n* für die Energieversorgung
42 Plutonium *n* für die Rüstung

3

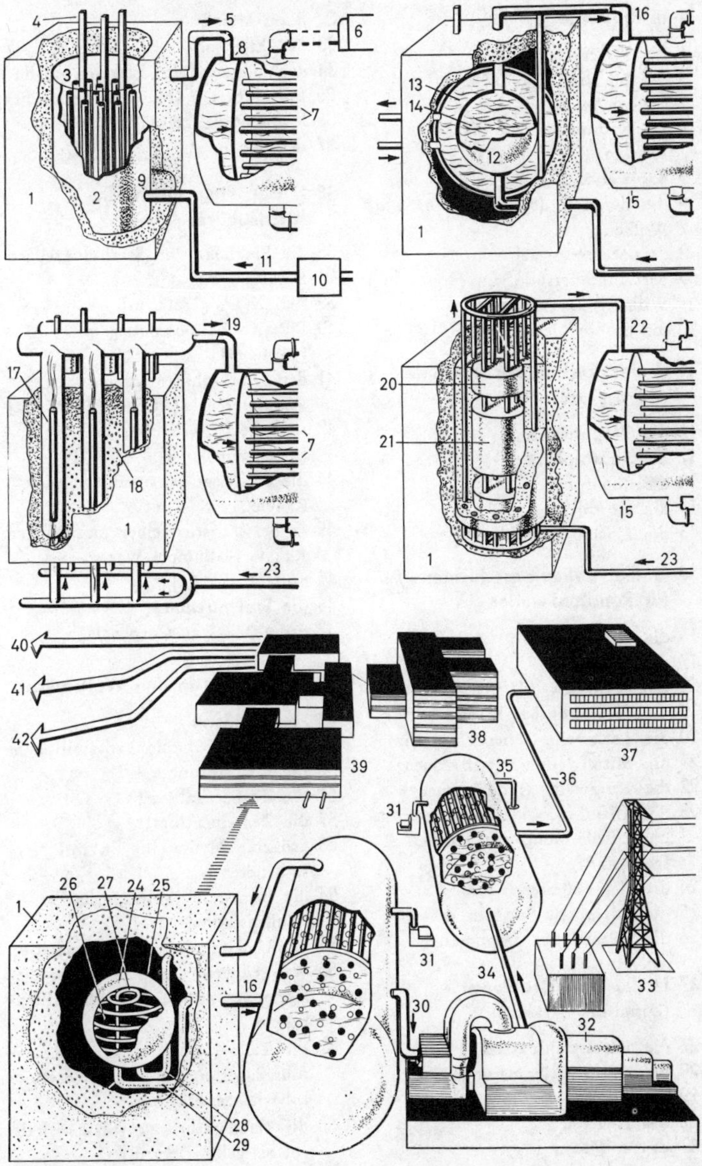

1
2
3
4
5
6
7
8
9
10
11
12
13
14
15
16
17
18
19
20
21
22
23
24
25
26
27
28
29
30
31
32
33
34
35
36
37
38
39
40
41
42

4 Die Atmosphäre

1-10 die Erde:

1 die Erdkruste
2 der höchste Berg [8882 m]
3 Vulkan *m*
4 die Rauchwolke des Krakatau [30 km]
5 das tiefste Bergwerk [2800 m]
6 die tiefste Erdölbohrung [6170 m]
7 Wolken *f*
8 der Meeresspiegel
9 der Tauchversuch von Houot und Willm [4050 m]
10 die größte Meerestiefe [10899 m];

11-15 der Aufbau der Lufthülle (Atmosphäre):

11 die Troposphäre
12 die Stratosphäre
13 die Ionosphäre
14 die Exosphäre
15 die Chemosphäre;

16-19 die Reflexionsschichten *f* **für Rundfunkwellen** *f*:

16 die D-Schicht
17 die E-Schicht
18 die F_1-Schicht bei Tag
19 die F_2-Schicht bei Nacht;
20 die Langwelle (Niederfrequenz)
21 die Mittelwelle (Mittelfrequenz)
22 die Kurzwelle (Hochfrequenz)
23 die Ultrakurzwelle (Radarverbindung Erde-Mond mit Höchstfrequenz *f*)
24 die ultravioletten Strahlen *m*
25 die infraroten Strahlen *m*
26 die Grenze der Dämmerung

27-34 die Ultrastrahlung (kosmische Strahlung):

27 die Ultrastrahlpartikel
28 die Kernzertrümmerung
29 das Proton
30 das Neutron
31 das π-Meson
32 das μ-Meson
33 das Elektron
34 der Endpunkt der Elektronenbahn;
35 Polarlichter *n* (Nordlicht, Südlicht)
36 leuchtende Nachtwolken *f*
37 der Meteor

38-47 der Flug durch die Atmosphäre:

38 die Flughöhe von Strahlflugzeugen *n* [16000 m]
39 Bell X-1A [27500 m]
40 Piccards Ballonaufstieg *m* [16940 m]
41 der Stratosphärenballon »Explorer II«, USA [23490 m]
42 u. 43 Registrierballons *m* [unbemannt]
44 die Aufstiege *m* verschiedener Raketen *f*
45-47 der Aufstieg einer zweistufigen Rakete [»Bumper-Wac«]:
45 Stufe 1 [»V 2«]
46 die Stufentrennung
47 Stufe 2 [»Wac Corporal«];

48-58 der Flug in den Weltraum:

48 Meßsatellit *m*
49 die Umlaufbahn des Erdsatelliten *m*
50 die Flugrichtung
51 die Zentrifugalkraft
52 die Zentripetalkraft
53 größerer Meßsatellit *m*, mit Versuchstieren *n*
54 die bemannte Weltraumstation (Außenstation)
55 die Umlaufbahn der Außenstation
56 die geflügelte Endstufe einer bemannten, mehrstufigen Satellitenrakete
57 die Teile (*m* od. *n*) eines Raumfahrzeuges *n*, nur für außeratmosphärischen Flug *m*
58 die Temperaturskala [blau = kalt, rot bis gelb = warm]

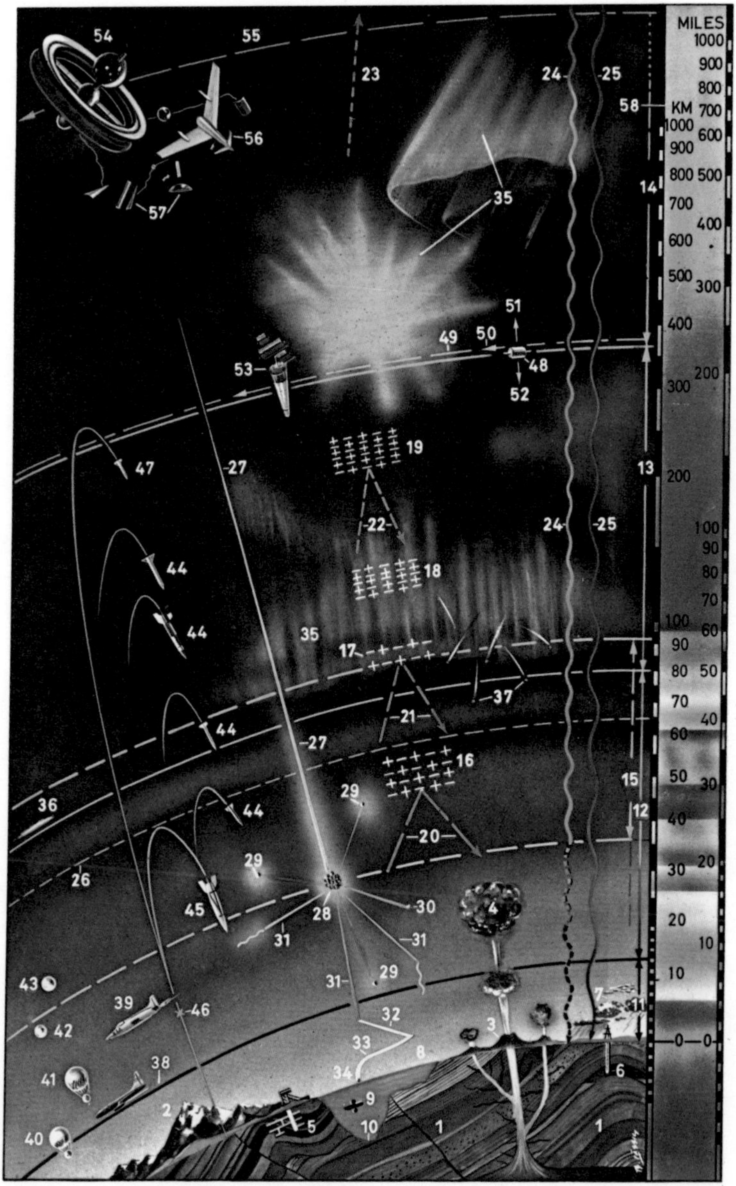
MILES
KM
1000
900
800
700
600
500
400
300
200
100
90
80
70
60
50
40
30
20
10
0
1
2
3
4
5
6
7
8
9
10
11
12
13
14
15
16
17
18
19
20
21
22
23
24
25
26
27
28
29
30
31
32
33
34
35
36
37
38
39
40
41
42
43
44
45
46
47
48
49
50
51
52
53
54
55
56
57
58

5 Astronomie I

1-35 Sternkarte *f* des nördlichen Fixsternhimmels *m* (der nördlichen Hemisphäre), eine Himmelskarte,

1-8 Einteilung d. Himmelsgewölbes *n*:

1 der Himmelspol mit dem Polarstern *m* (Nordstern)

2 die Ekliptik (scheinbare Jahresbahn der Sonne)

3 der Himmelsäquator

4 der Wendekreis des Krebses *m*

5 der Grenzkreis der Zirkumpolarsterne *m*

6 u. 7 die Äquinoktialpunkte *m* (die Tagundnachtgleiche, das Äquinoktium):

6 der Frühlingspunkt (Widderpunkt, Frühlingsanfang)

7 der Herbstpunkt (Herbstanfang);

8 der Sommersonnenwendepunkt (Sommersolstitialpunkt, das Solstitium, die Sonnenwende);

9-48 Sternbilder *n* (Vereinigung von Fixsternen *m*, Gestirnen *n* zu Bildern) **u. Sternnamen** *m:*

9 Adler *m* (Aquila) mit Hauptstern *m* Altair (Atair)

10 Pegasus *m*

11 Walfisch *m* (Cetus) mit Mira, einem veränderlichen Stern *m*

12 Fluß *m* Eridanus

13 Orion *m* mit Rigel, Beteigeuze u. Bellatrix

14 der Große Hund (Canis major) mit Sirius, einem Stern *m* 1. Größe

15 der Kleine Hund (Canis minor) mit Prokyon

16 Wasserschlange *f* (Hydra)

17 Löwe *m* (Leo) mit Regulus

18 Jungfrau *f* (Virgo) mit Spika

19 Waage *f* (Libra)

20 Schlange *f* (Serpens)

21 Herkules *m* (Hercules)

22 Leier *f* (Lyra) mit Wega

23 Schwan *m* (Cygnus) mit Deneb

24 Andromeda *f*

25 Stier *m* (Taurus) mit Aldebaran

26 die Plejaden *f* (das Siebengestirn), ein offener Sternhaufen *m*

27 Fuhrmann *m* (Auriga) mit Kapella (Capella)

28 Zwillinge *m* (Gemini) mit Kastor (Castor) u. Pollux

29 der Große Wagen (Große Bär, Ursa major) mit Doppelstern *m* Mizar u. Alkor

30 Bootes *m* (Ochsentreiber) mit Arktur (Arcturus)

31 Nördliche Krone *f* (Corona Borealis)

32 Drache *m* (Draco)

33 Kassiopeia *f* (Cassiopeia)

34 der Kleine Wagen (Kleine Bär, Ursa minor) mit dem Polarstern *m*

35 die Milchstraße (Galaxis);

36-48 der südliche Sternhimmel:

36 Steinbock *m* (Capricornus)

37 Schütze *m* (Sagittarius)

38 Skorpion *m* (Scorpius)

39 Kentaur *m* (Centaurus)

40 Südliches Dreieck *n* (Triangulum Australe)

41 Pfau *m* (Pavo)

42 Kranich *m* (Grus)

43 Oktant *m* (Octans)

44 Kreuz *n* des Südens, Südliches Kreuz (Crux)

45 Schiff *n* (Argo)

46 Kiel *m* des Schiffes (Carina)

47 Maler *m* (Pictor, Staffelei, Machina Pictoris)

48 Netz *n* (Reticulum)

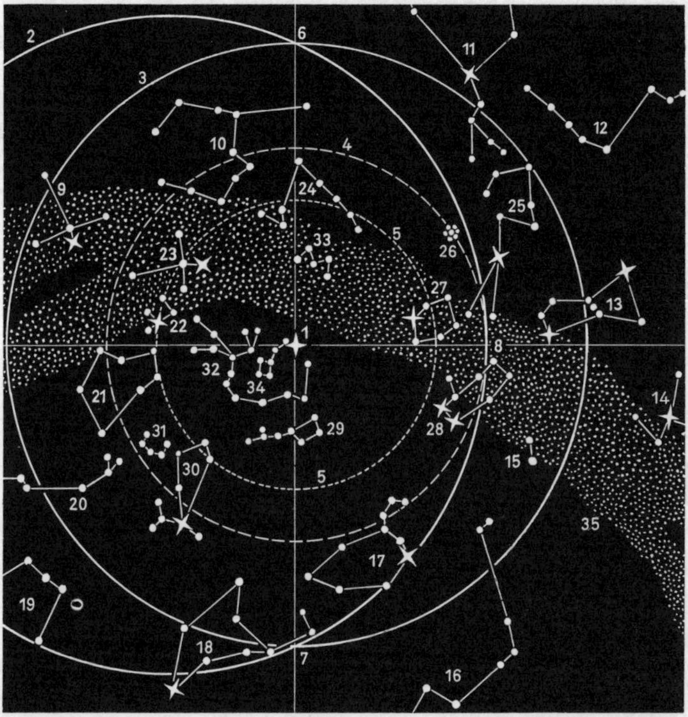
2
3
6
4
5
1
7
8
9
10
11
12
13
14
15
16
17
18
19
20
21
22
23
24
25
26
27
28
29
30
31
32
33
34
35

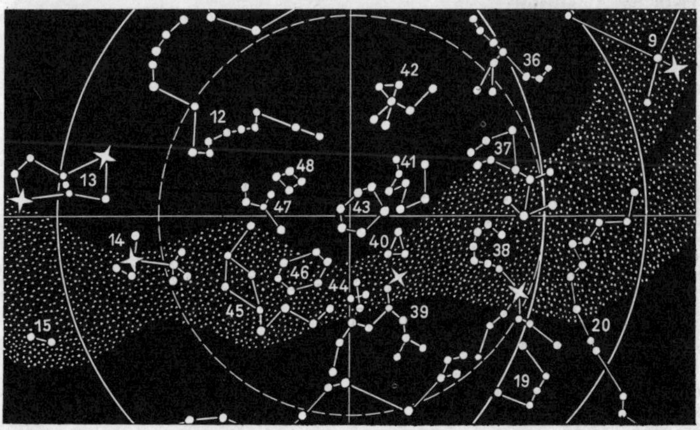
9
12
13
14
15
19
20
36
37
38
39
40
41
42
43
44
45
46
47
48

6 Astronomie II

1-51 Sternkunde *f* (Himmelskunde):
1 das Firmament (der Sternhimmel, Himmel, die Himmelssphäre)

2-11 die Sternwarte (das Observatorium),

2-7 das Spiegelteleskop (Teleskop, der Reflektor):
2 der Gittertubus
3 das Okular bzw. eine Kamera zur Sternfotografie (Astrofotografie)
4 der Spiegel (Hohlspiegel, Parabolspiegel)
5 die Stundenachse
6 die Deklinationsachse
7 die Fundamente *n*;
8 die Drehkuppel
9 der Beobachtungsspalt
10 der Beobachtungsstand des Astronomen *m*
11 der Laufkranz;

12-14 das Planetarium:

12 die feststehende Kuppel
13 das künstliche Firmament
14 das Projektionsgerät;

15-20 der Einsteinturm,

15-18 der Coelostat:

15 die Spiegel *m*
16 der Holzturm
17 der Lichtschacht
18 der untere Spiegel;
19 der thermokonstante (wärmebeständige) Raum
20 Laboratorien *n* für Untersuchungen *f* des Sonnen- und Sternenlichts *n* (Sonnenphysik *f*, Astrophysik *f*, Spektralanalyse *f*) u. zur Einsteinschen Relativitätstheorie *f*;

21-31 das Planetensystem (Sonnensystem, der Planetenumlauf um die Sonne) u. **die Planetenzeichen** *n* (Planetensymbole):

21 die Sonne

22-31 die Planeten *m* (Wandelsterne):
22 Merkur *m*
23 Venus *f*
24 die Erde und der Erdmond, ein Satellit *m* (Trabant)
25 Mars *m* u. 2 Monde
26 die Planetoiden *m* (Asteroiden, Kleinen Planeten, Planetenreste)
27 Jupiter *m* u. 12 Monde
28 Saturn *m* u. 9 Monde
29 Uranus *m* u. 5 Monde
30 Neptun *m* u. 2 Monde
31 Pluto *m*;

32-43 die Tierkreiszeichen *n* (Zodiakussymbole):

32 Widder *m* (Aries)
33 Stier *m* (Taurus)
34 Zwillinge *m* (Gemini)
35 Krebs *m* (Cancer)
36 Löwe *m* (Leo)
37 Jungfrau *f* (Virgo)
38 Waage *f* (Libra)
39 Skorpion *m* (Scorpius)
40 Schütze *m* (Sagittarius)
41 Steinbock *m* (Capricornus)
42 Wassermann *m* (Aquarius)
43 Fische *m* (Pisces);

44-46 Spiralnebel *m:*

44 der Spiralnebelkern
45 die Spiralarme *m*
46 der Spiralnebeldurchmesser;
47-50 schemat. Seitenansicht der Milchstraße:
47 der Kern des Milchstraßensystems *n*
48 der ungefähre Ort unseres Sonnensystems *n*
49 die Randzone aus Dunkelnebeln *m*
50 die Dicke;
51 der große **Orionnebel,** ein Gasnebel *m*

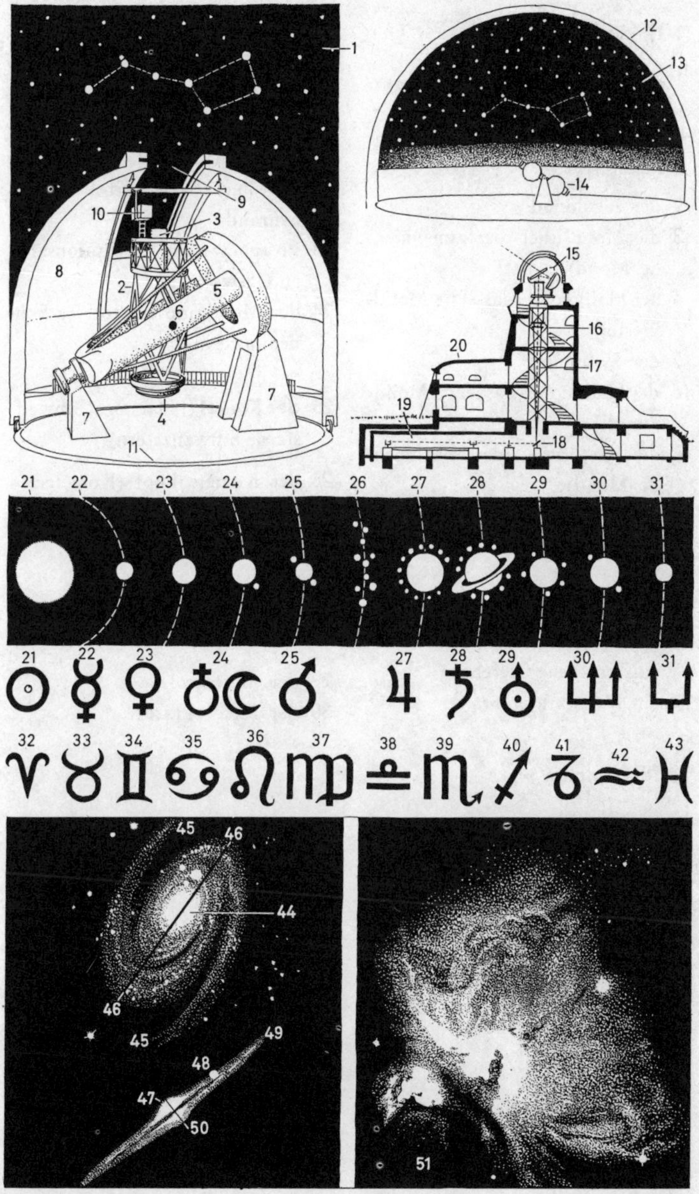
1
2
3
4
5
6
7
8
9
10
11
12
13
14
15
16
17
18
19
20
21
22
23
24
25
26
27
28
29
30
31
32
33
34
35
36
37
38
39
40
41
42
43
44
45
46
47
48
49
50
51

1-12 der Mond:

1 die Mondbahn (der Mondumlauf um die Erde)
2-7 die Mondphasen *f* (der Mondwechsel):
2 der Neumond
3 die Mondsichel (der zunehmende Mond)
4 der Halbmond (das erste Mondviertel)
5 der Vollmond
6 der Halbmond (das letzte Mondviertel)
7 die Mondsichel (der abnehmende Mond);
8 die Erde (Erdkugel)
9 die Richtung der Sonnenstrahlen *m*
10 die Mondoberfläche:
11 ein Mondmare *n* (Mondmeer), eine trockene Tiefebene
12 ein Mondkrater *m;*

13-18 Planeten *m*,

13 die Marsoberfläche:
14 die Marspolkappe
15 die sog. Marskanäle *m;*
16 der Saturn:
17 die Saturnringe *m*
18 Streifen *m* in der Saturnatmosphäre;

19-23 die Sonne:

19 die Sonnenscheibe (Sonnenkugel)
20 Sonnenflecken *m* (Sonnenfackeln *f*)
21 Wirbel *m* in der Umgebung von Sonnenflecken *m*
22 die Korona (Sonnenkorona, Corona), der bei totaler Sonnenfinsternis *f* od. mit Spezialinstrumenten beobachtbare Sonnenrand
23 Protuberanzen *f* (eruptionsartige Gaswolken);
24 der Mondrand bei totaler Sonnenfinsternis *f*

25 der Komet (Haarstern, Schweifstern, Schwanzstern):

26 der Kometenkopf (Kometenkern)
27 der Kometenschweif;

28 die Sternschnuppe (der oder das Meteor, die Feuerkugel):

29 der Meteorit
30 der Meteorkrater

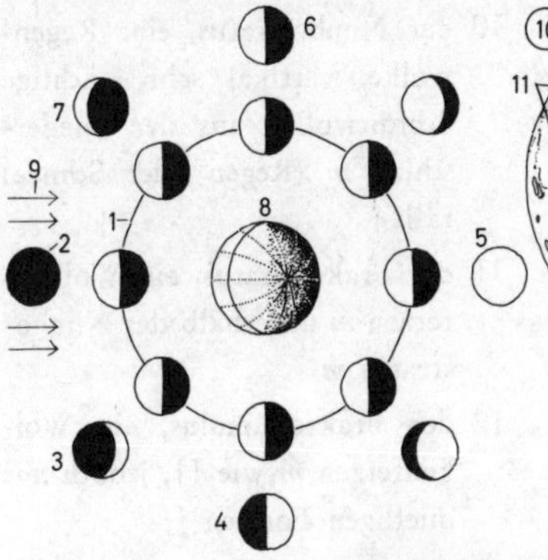
1
2
3
4
5
6
7
8
9

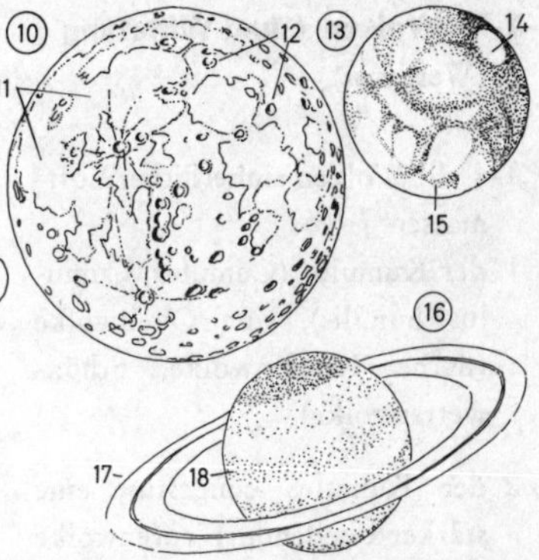
10
11
12
13
14
15
16
17
18

19
20
21
22

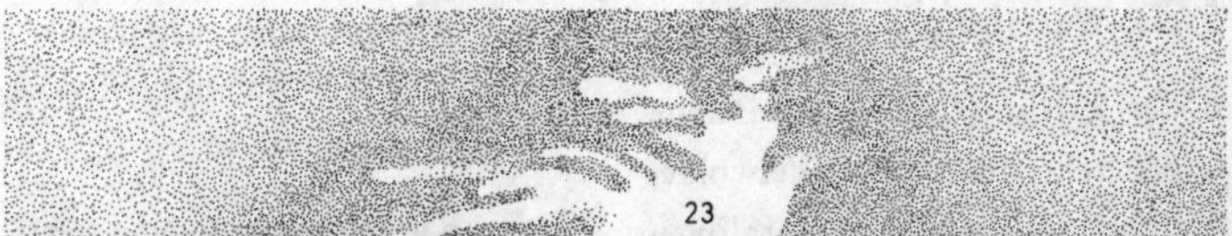
23
24

25
26
27
28
29

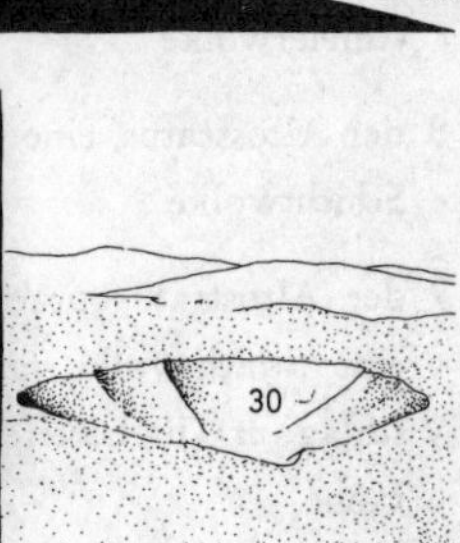
30

8 Meteorologie I (Wetterkunde)

1-19 Wolken *f* und Witterung *f* (Wetter *n*),

1-4 die Wolken einheitlicher Luftmassen *f*:

1 der Kumulus (Cumulus, Cumulus humilis), eine Quellwolke (flache Haufenwolke, Schönwetterwolke)

2 der Kumulus congestus, eine stärker quellende Haufenwolke

3 der Stratokumulus, eine tiefe, gegliederte Schichtwolke

4 der Stratus (Hochnebel), eine tiefe, gleichförmige Schichtwolke;

5-12 die Wolken *f* an Warmfronten *f*:

5 die Warmfront

6 der Zirrus (Cirrus), eine hohe bis sehr hohe Eisnadelwolke, dünn, mit sehr mannigfaltigen Formen *f*

7 der Zirrostratus, eine Eisnadelschleierwolke

8 der Altostratus, eine mittelhohe Schichtwolke

9 der Altostratus praecipitans, eine Schichtwolke mit Niederschlag *m* (Fallstreifen) in der Höhe

10 der Nimbostratus, eine Regenwolke, vertikal sehr mächtige Schichtwolke, aus der Niederschlag *m* (Regen oder Schnee) fällt

11 der Fraktostratus, ein Wolkenfetzen *m* unterhalb des Nimbostratus *m*

12 der Fraktokumulus, ein Wolkenfetzen *m* wie 11, jedoch mit quelligen Formen *f*;

13-17 die Wolken *f* an Kaltfronten *f*:

13 die Kaltfront

14 der Zirrokumulus, eine feine Schäfchenwolke

15 der Altokumulus, eine grobe Schäfchenwolke

16 der Altokumulus castellanus und der Altokumulus floccus, Unterformen zu 15

17 der Kumulonimbus, eine vertikal sehr mächtige Quellwolke, bei Wärmegewittern *n* unter 1-4 einzuordnen;

18 u. 19 die Niederschlagsformen *f*:

18 der Landregen oder der verbreitete Schneefall, ein gleichförmiger Niederschlag *m*

19 der Schauerniederschlag (Schauer), ein ungleichmäßiger (strichweiser) Niederschlag *m*

schwarze Pfeile = Kaltluft; weiße Pfeile = Warmluft

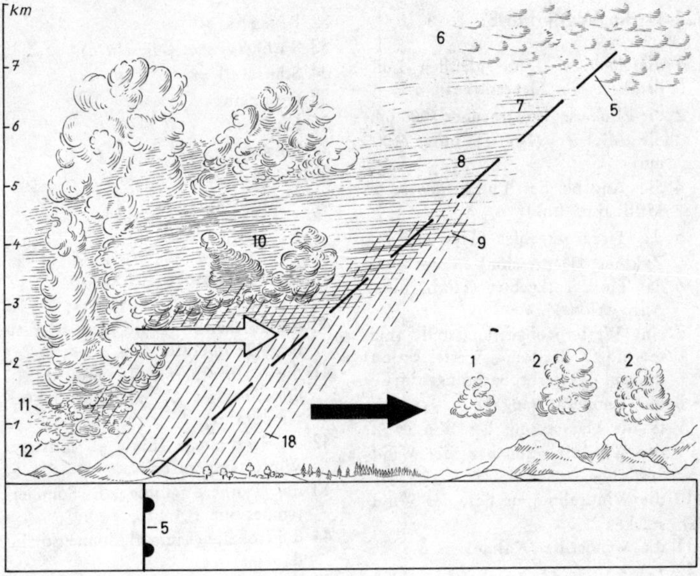
km
7
6
5
4
3
2
1
6
7
5
8
9
10
1
2
2
11
12
18
5

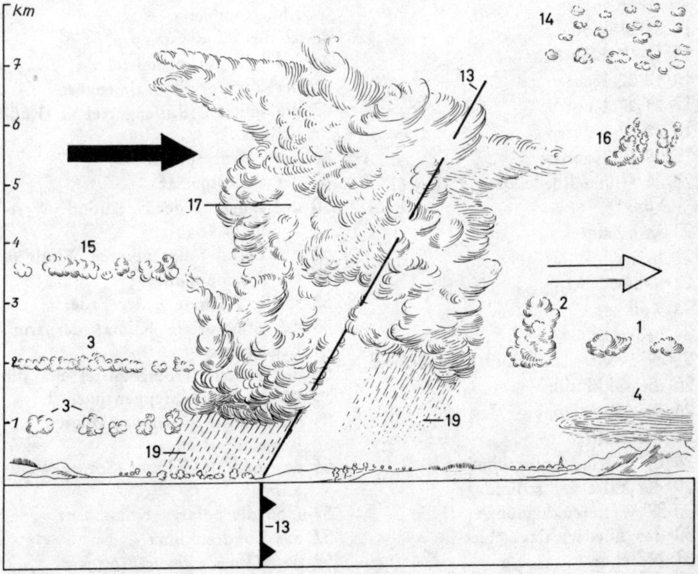
km
7
6
5
4
3
2
1
14
13
16
17
15
3
3
2
1
4
19
19
13

9 Meteorologie II (Wetterkunde) und Klimakunde

1-39 die Wetterkarte:

1 die Isobare (Linie gleichen Luftdrucks *m* im Meeresniveau *n*)
2 die Pliobare (Isobare über 1000 mb)
3 die Miobare (Isobare unter 1000 mb)
4 die Angabe des Luftdrucks *m* in Millibar *n* (mb)
5 das Tiefdruckgebiet (Tief, die Zyklone, Depression)
6 das Hochdruckgebiet (Hoch, die Antizyklone)
7 eine Wetterbeobachtungsstelle (meteorolog. Station, Wetterstation) od. ein Wetterbeobachtungsschiff *n*
8 die Temperaturangabe
9-19 die Darstellung des Windes *m*:
9 der Windpfeil zur Bez. der Windrichtung
10 die Windfahne zur Bez. der Windstärke
11 die Windstille (Kalme)
12 1-2 Knoten *m*
13 3-7 Knoten
14 8-12 Knoten
15 13-17 Knoten
16 18-22 Knoten
17 23-27 Knoten
18 28-32 Knoten
19 58-62 Knoten;
20-24 Himmelsbedeckung *f* (Bewölkung):
20 wolkenlos
21 heiter
22 halbbedeckt
23 wolkig
24 bedeckt;
25-29 Fronten *f* u. Luftströmungen *f*:
25 die Okklusion
26 die Warmfront
27 die Kaltfront
28 die warme Luftströmung
29 die kalte Luftströmung;
30-39 Wettererscheinungen *f*:
30 das Niederschlagsgebiet
31 Nebel *m*
32 Regen *m*
33 Sprühregen *m* (Nieseln *n*)
34 Schneefall *m*
35 Graupeln *n*
36 Hagel *m*
37 Schauer *m*
38 Gewitter *n*
39 Wetterleuchten *n*;

40-58 die Klimakarte:

40 die Isotherme (Linie gleicher mittlerer Temperatur)
41 die Nullisotherme (Linie durch alle Orte *m* mit 0° mittlerer Jahrestemperatur)
42 die Isochimene (Linie gl. mittlerer Wintertemperatur)
43 die Isothere (Linie gl. Sommertemperatur *f*)
44 die Isohelie (Linie gl. Sonnenscheindauer *f*)
45 die Isohyete (Linie gl. Niederschlagssumme *f*);
46-52 die Windsysteme *n*,
46 u. 47 die Kalmengürtel *m*:
46 der äquatoriale Kalmengürtel
47 die subtrop. Stillengürtel *m* (Roßbreiten *f*);
48 der Nordostpassat
49 der Südostpassat
50 die Zonen *f* der veränderl. Westwinde *m*
51 die Zonen *f* der polaren Winde *m*
52 der Sommermonsun;
53-58 die Klimate *n* der Erde:
53 das äquatoriale Klima: der trop. Regengürtel
54 die beiden Trockengürtel *m*: die Wüsten- und Steppenzonen *f*
55 die beiden warm-gemäßigten Regengürtel *m*
56 das boreale Klima (Schnee-Wald-Klima)
57 u. 58 die polaren Klimate *n*:
57 das Tundrenklima
58 das Klima ewigen Frostes *m*

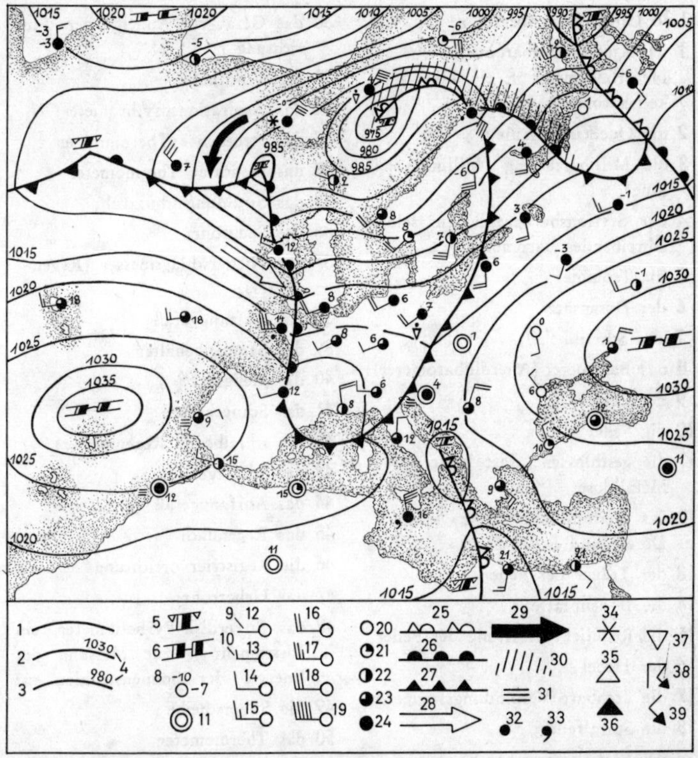
1015
1020
1025
1030
1035
985
980
975
1000
1005
1010
995
990
1
2
3
4
1030
980
5
6
7
8
9
10
11
12
13
14
15
16
17
18
19
20
21
22
23
24
25
26
27
28
29
30
31
32
33
34
35
36
37
38
39

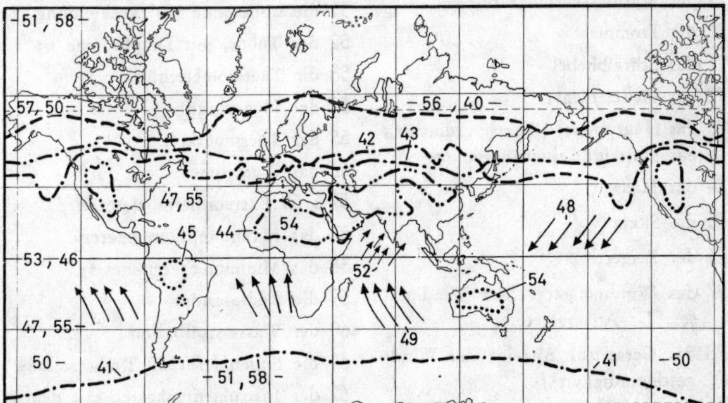
51, 58
57, 50
56, 40
42
43
47, 55
45
44
54
48
53, 46
52
49
47, 55
50
41
51, 58
41
50

10 Meteorologische Instrumente

1-18 Luftdruckmeßgeräte *n*,
1 das Quecksilberbarometer, ein Heberbarometer *n*, ein Flüssigkeitsbarometer *n*:
2 die Quecksilbersäule
3 die Millibarteilung (Millimeterteilung);
4 der Stationsbarograph, ein selbstschreibendes Barometer *n*:
5 die Trommel
6 der Dosensatz
7 der Schreibhebel;
8 das Barometer (Aneroidbarometer):
9 der Zeiger
10 die Feder
11 die geschlossene, fast luftleere Metalldose
12 das Verbindungsstück zwischen Dose *f* und Feder *f*
13 der Träger der Feder
14 die Bodenplatte
15 die Reguliervorrichtung der Feder
16 der Hebel
17 die drehbare Verbindungsstange
18 die Spiralfeder;
19 der Stationsthermograph:
20 die Trommel
21 der Schreibhebel
22 das Meßelement;
23 das Hygrometer (Haarhygrometer), ein Luftfeuchtigkeitsmesser *m*:
24 das Haar
25 die Skala
26 der Zeiger;
27 das Windmeßgerät (der Windmesser, das Anemometer):
28 das Gerät zur Anzeige der Windgeschwindigkeit *f*
29 das Schalenkreuz mit Hohlschalen *f*
30 das Gerät zur Anzeige der Windrichtung *f*
31 die Windfahne;
32 das Aspirationspsychrometer:
33 das »trockene« Thermometer
34 das »feuchte« Thermometer
35 das Strahlungsschutzrohr
36 das Saugrohr;
37 der Niederschlagsmesser (Regenmesser):
38 das Auffanggefäß
39 der Sammelbehälter
40 das Meßglas
41 das Schneekreuz;
42 der schreibende Regenmesser:
43 das Schutzgehäuse
44 das Auffanggefäß
45 das Regendach
46 die Registriervorrichtung
47 das Heberrohr;
48 das Silverdisk-Pyrheliometer, ein Instrument *n* zur Messung der Energie der Sonnenstrahlen *m*:
49 die Silberscheibe
50 das Thermometer
51 die isolierende Holzverkleidung
52 der Tubus, mit Diaphragma *n*;
53 die Thermometerhütte:
54 der Hygrograph
55 der Thermograph
56 das Psychrometer
57 u. 58 Extremthermometer *n*:
57 das Maximumthermometer
58 das Minimumthermometer;
59 die Radiosonde:
60 der Wasserstoffballon
61 die Folien *f* für die Radarpeilung
62 der Instrumentenkasten mit dem Kurzwellensender *m*

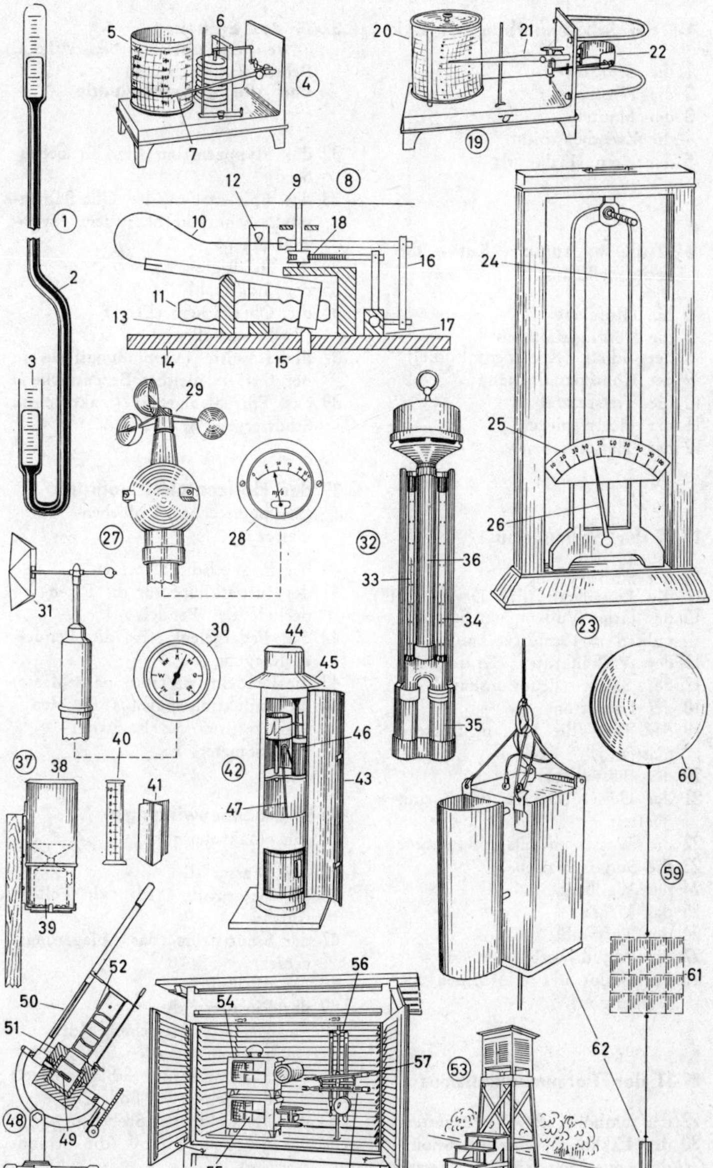
1
2
3
4
5
6
7
8
9
10
11
12
13
14
15
16
17
18
19
20
21
22
23
24
25
26
27
28
29
30
31
32
33
34
35
36
37
38
39
40
41
42
43
44
45
46
47
48
49
50
51
52
53
54
55
56
57
58
59
60
61
62

1-5 der Schalenaufbau der Erde:

1 die Erdkruste
2 die Fließzone
3 der Mantel
4 die Zwischenschicht
5 der Kern (Erdkern);

6-12 die hypsometr. Kurve der Erdoberfläche:

6 die Gipfelung
7 die Kontinentaltafel
8 der Schelf (Kontinentalsockel)
9 der Kontinentalabhang
10 die Tiefseetafel
11 der Meeresspiegel
12 der Tiefseegraben;

13-20 der Vulkanismus:

13 der Schildvulkan
14 die Lavadecke (der Deckenerguß)
15 der tätige Vulkan, ein Stratovulkan *m* (Schichtvulkan):
16 der Vulkankrater (Krater)
17 der Schlot (Eruptionskanal)
18 der Lavastrom
19 der Tuff (die vulkan. Lockermassen *f*)
20 der Subvulkan;
21 der Geiser (Geysir, die Springquelle):
22 die Wasser-und-Dampf-Fontäne
23 die Sinterterrassen *f*;
24 der Wallberg
25 das Maar:
26 der Tuffwall
27 die Schlotbrekzie
28 der Schlot des erloschenen Vulkans *m*;

29-31 der Tiefenmagmatismus:

29 der Batholit (das Tiefengestein)
30 der Lakkolith, eine Intrusion
31 der Lagergang, eine Erzlagerstätte;

32-38 das Erdbeben
(*Arten:* das tekton. Beben, vulkan. Beben, Einsturzbeben)
und die Erdbebenkunde
(Seismologie):

32 das Hypozentrum (der Erdbebenherd)
33 das Epizentrum (der Oberflächenpunkt senkrecht über dem Hypozentrum *n*)
34 die Herdtiefe
35 der Stoßstrahl
36 die Oberflächenwellen *f* (Erdbebenwellen)
37 die Isoseiste (Verbindungslinie *f* der Orte *m* gleicher Bebenstärke *f*)
38 das Epizentralgebiet (makroseism. Schüttergebiet);

39 der Horizontalseismograph
(Seismometer *n*, Erdbebenmesser *m*):

40 der magnetische Dämpfer
41 der Justierknopf für die Eigenperiode des Pendels *n*
42 das Federgelenk für die Pendelaufhängung
43 die Pendelmasse (stationäre Masse)
44 die Induktionsspulen *f* für den Anzeigestrom des Registriergalvanometers *n*;

45-54 Erdbebenwirkungen *f*
(die Makroseismik):

45 der Wasserfall
46 der Bergrutsch (Erdrutsch, Felssturz):
47 der Schuttstrom (das Ablagerungsgebiet)
48 die Abrißnische;
49 der Einsturztrichter
50 die Geländeverschiebung (der Geländeabbruch)
51 der Schlammerguß (Schlammkegel)
52 die Erdspalte (der Bodenriß)
53 die Flutwelle, bei Seebeben *n*
54 der gehobene Strand (die Strandterrasse)

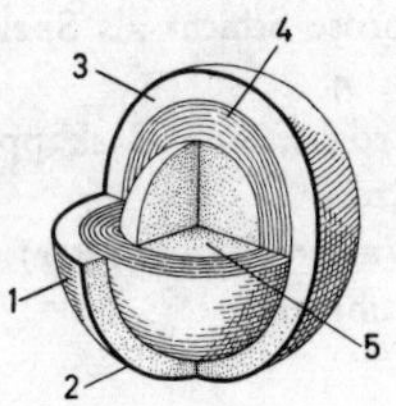
1
2
3
4
5

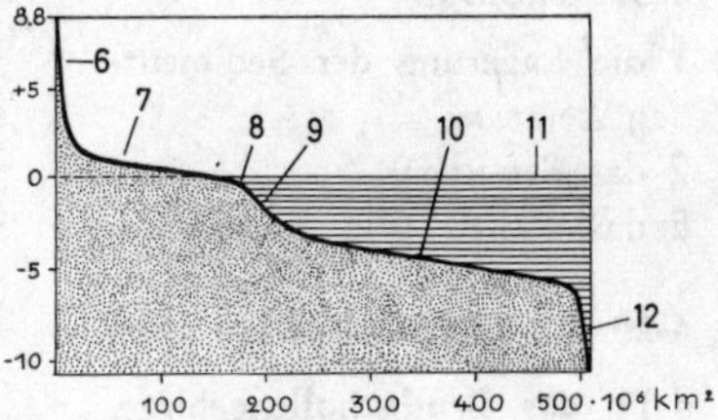
km
8,8
+5
0
-5
-10
6
7
8
9
10
11
12
100
200
300
400
500 · 10⁶ km²

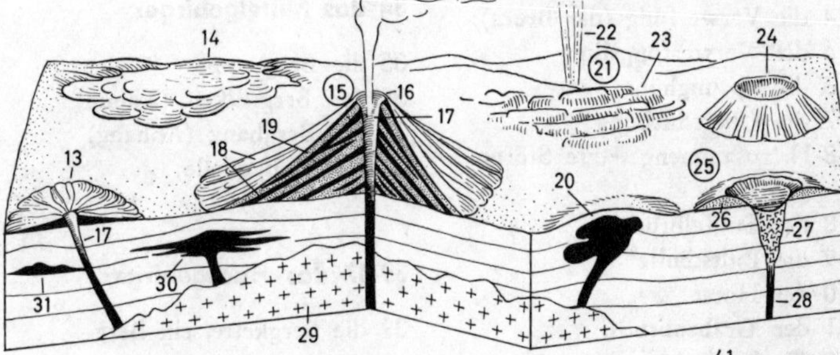
13
14
15
16
17
18
19
20
21
22
23
24
25
26
27
28
29
30
31

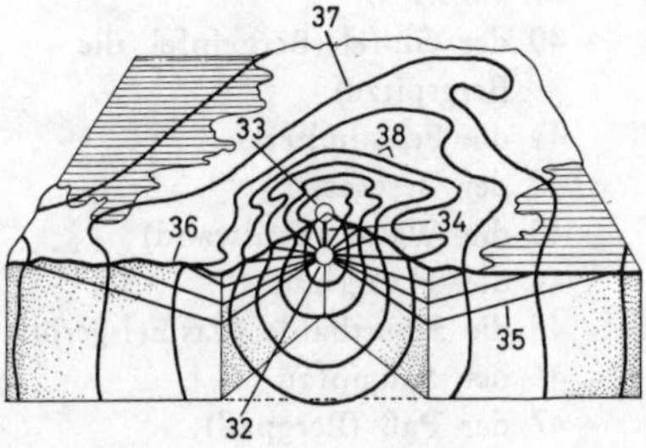
32
33
34
35
36
37
38

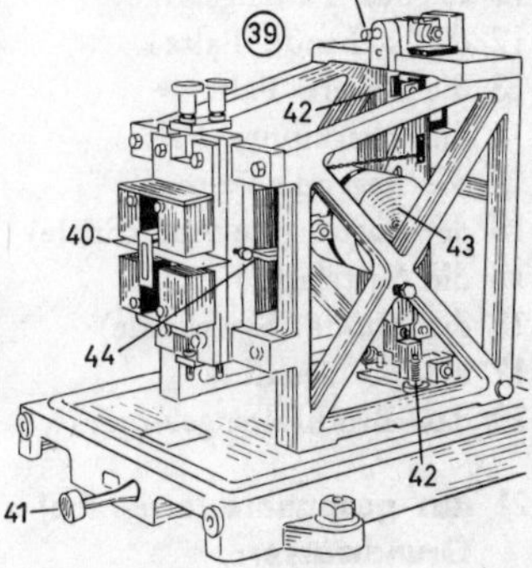
39
40
41
42
43
44

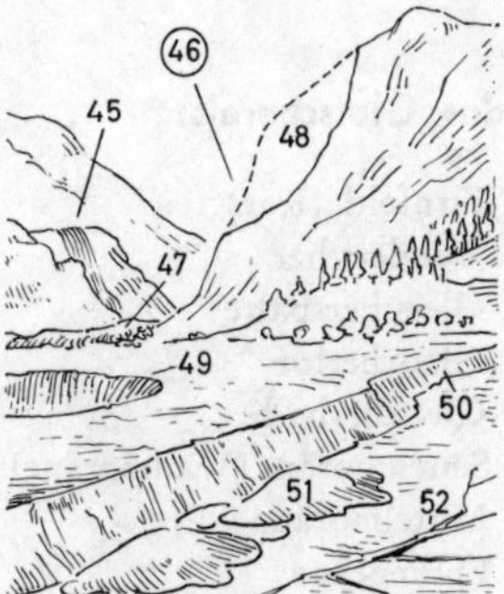
45
46
47
48
49
50
51
52

53
54

12 Allgemeine Geographie II

1-33 Geologie,

1 die Lagerung der Sedimentgesteine *n:*
2 das Streichen
3 das Fallen (die Fallrichtung);

4-20 die Gebirgsbewegungen *f,*

4-11 das Bruchschollengebirge,
4 die Verwerfung (der Bruch):
5 die Verwerfungslinie
6 die Sprunghöhe;
7 die Überschiebung
8-11 zusammengesetzte Störungen *f:*
8 der Staffelbruch
9 die Pultscholle
10 der Horst
11 der Grabenbruch;
12-20 das Faltengebirge:
12 die stehende Falte
13 die schiefe Falte
14 die überkippte Falte
15 die liegende Falte
16 der Sattel (die Antiklinale)
17 die Sattelachse
18 die Mulde (Synklinale)
19 die Muldenachse
20 das Bruchfaltengebirge;

21 das gespannte (artesische) **Grundwasser:**

22 die wasserführende Schicht
23 das undurchlässige Gestein
24 das Einzugsgebiet
25 die Brunnenröhre
26 das emporquellende Wasser, ein artesischer Brunnen *m;*

27 die Erdöllagerstätte an einer Antiklinale:

28 die undurchlässige Schicht
29 die poröse Schicht als Speichergestein *n*
30 das Erdgas, eine Gaskappe
31 das Erdöl
32 das Wasser (Randwasser)
33 der Bohrturm;

34 das Mittelgebirge:

35 die Bergkuppe
36 der Bergrücken (Kamm)
37 der Berghang (Abhang)
38 die Hangquelle;

39-47 das Hochgebirge:

39 die Bergkette, ein Bergmassiv *n*
40 der Gipfel (Berggipfel, die Bergspitze)
41 die Felsschulter
42 der Bergsattel
43 die Wand (Steilwand)
44 die Hangrinne
45 die Schutthalde (das Felsgeröll)
46 der Saumpfad
47 der Paß (Bergpaß);

48-56 das Gletschereis:

48 das Firnfeld (Kar)
49 der Talgletscher
50 die Gletscherspalte
51 das Gletschertor
52 der Gletscherbach
53 die Seitenmoräne (Wallmoräne)
54 die Mittelmoräne
55 die Endmoräne
56 der Gletschertisch

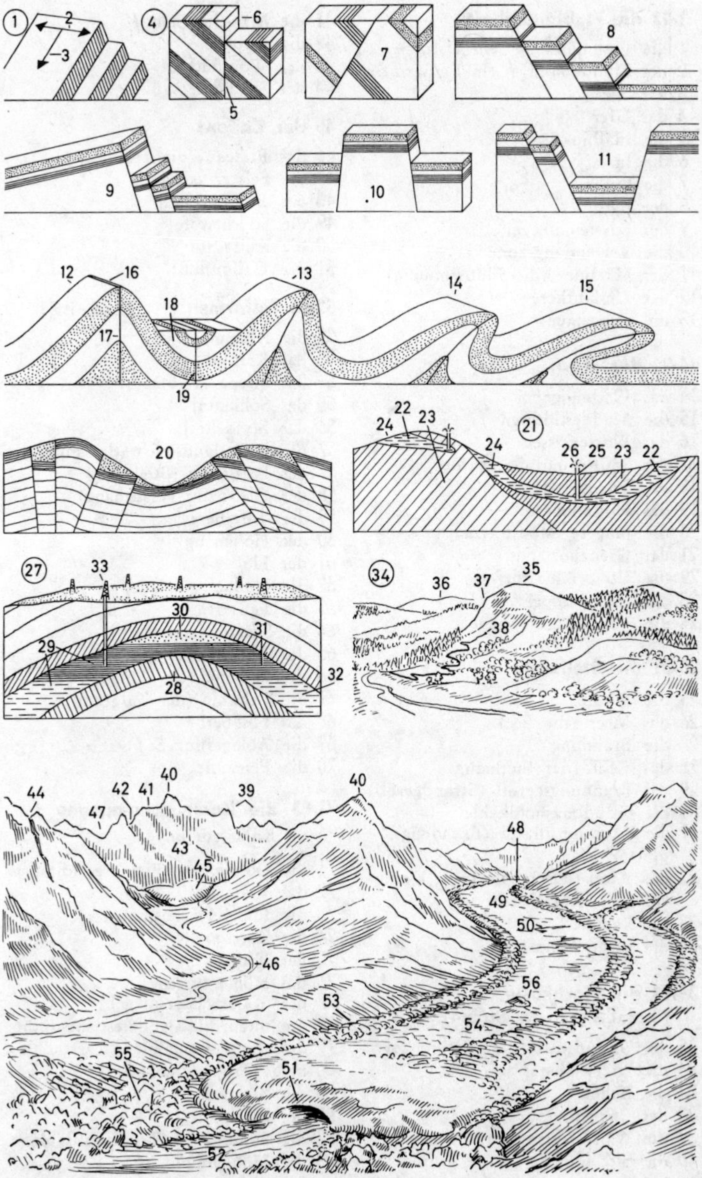
1
2
3
4
5
6
7
8
9
10
11
12
13
14
15
16
17
18
19
20
21
22
23
24
25
26
27
28
29
30
31
32
33
34
35
36
37
38
39
40
41
42
43
44
45
46
47
48
49
50
51
52
53
54
55
56

13 Allgemeine Geographie III

1-13 die Flußlandschaft:

1 die Flußmündung, ein Delta *n*
2 der Mündungsarm, ein Flußarm *m*
3 der See
4 das Ufer
5 die Halbinsel
6 die Insel
7 die Bucht
8 der Bach
9 der Schwemmkegel
10 die Verlandungszone
11 der Mäander (die Flußwindung)
12 der Umlaufberg
13 die Wiesenaue;

14-24 das Moor,

14 das Flachmoor:
15 die Muddeschichten *f*
16 das Wasserkissen
17 der Schilf- und Seggentorf
18 der Erlenbruchtorf;
19 das Hochmoor:
20 die jüngere Moostorfmasse
21 der Grenzhorizont
22 die ältere Moostorfmasse
23 der Moortümpel
24 die Verwässerungszone;

25-31 die Steilküste:

25 die Klippe
26 das Meer (die See)
27 die Brandung
28 das Kliff (der Steilhang)
29 das Brandungsgeröll (Strandgeröll)
30 die Brandungshohlkehle
31 die Abrasionsplatte (Brandungsplatte);
32 das Atoll (das Lagunenriff, Kranzriff), ein Korallenriff *n*:
33 die Lagune
34 der Strandkanal;

35-44 die Flachküste (Strandebene, der Strand):

35 der Strandwall (die Flutgrenze)
36 die Uferwellen *f*
37 die Buhne
38 der Buhnenkopf
39 die Wanderdüne, eine Düne
40 die Sicheldüne
41 die Rippelmarken *f*
42 die Kupste
43 der Windflüchter
44 der Strandsee;

45 der Cañon:

46 das Plateau (die Hochfläche)
47 die Felsterrasse
48 das Schichtgestein
49 die Schichtstufe
50 die Kluft
51 der Cañonfluß;

52-56 Talformen *f* [Querschnitt]:

52 die Klamm
53 das Kerbtal
54 das offene Kerbtal
55 das Sohlental
56 das Muldental;
57-70 die Tallandschaft (das Flußtal):
57 der Prallhang (Steilhang)
58 der Gleithang (Flachhang)
59 der Tafelberg
60 der Höhenzug
61 der Fluß
62 die Flußaue (Talaue)
63 die Felsterrasse
64 die Schotterterrasse
65 die Tallehne
66 die Anhöhe (der Hügel)
67 die Talsohle (der Talgrund)
68 das Flußbett
69 die Ablagerungen *f*
70 die Felssohle;

71-83 die Karsterscheinungen *f* im Kalkstein *m:*

71 die Doline, ein Einsturztrichter *m*
72 das Polje
73 die Flußversickerung
74 die Karstquelle
75 das Trockental
76 das Höhlensystem
77 der Karstwasserspiegel
78 die undurchlässige Gesteinsschicht
79 die Tropfsteinhöhle (Karsthöhle),
80 u. 81 Tropfsteine *m*:
80 der Stalaktit
81 der Stalagmit;
82 die Sintersäule (Tropfsteinsäule)
83 der Höhlenfluß

1
2
3
4
5
6
7
8
9
10
11
12
13

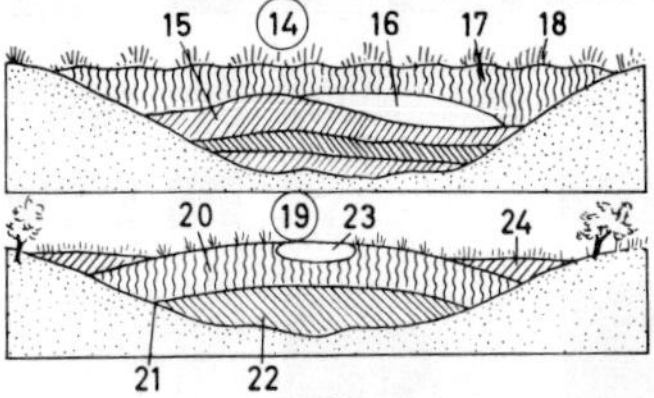
14
15
16
17
18
19
20
21
22
23
24

25
26
27
28
29
30
31

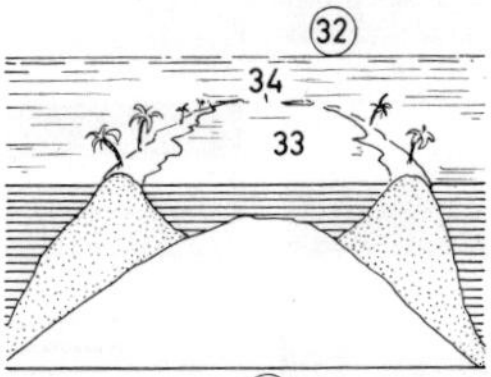
32
33
34

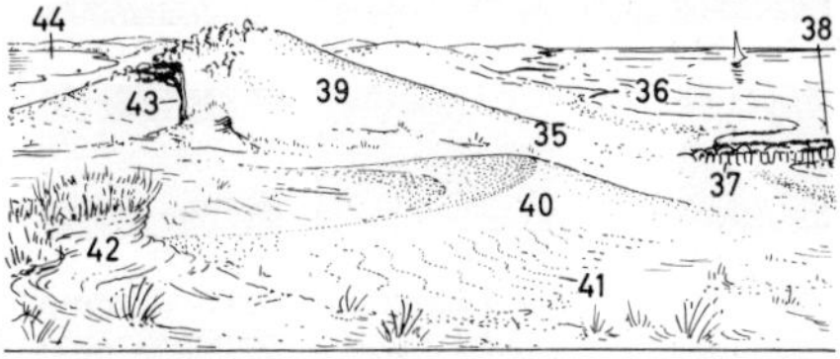
35
36
37
38
39
40
41
42
43
44

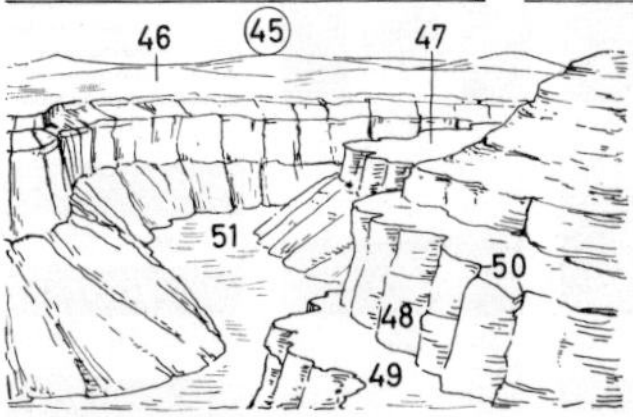
45
46
47
48
49
50
51

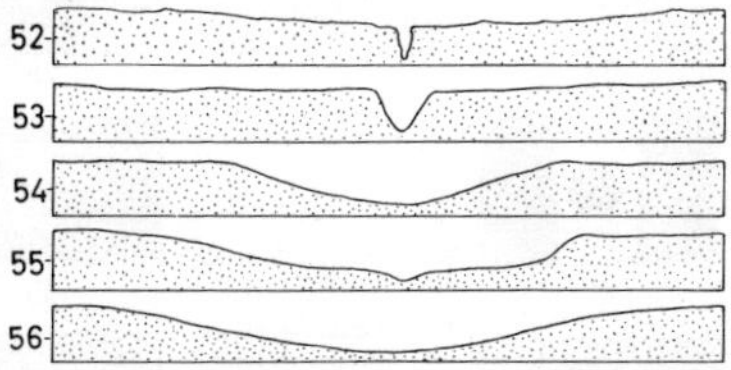
52
53
54
55
56

57
58
59
60
61
62

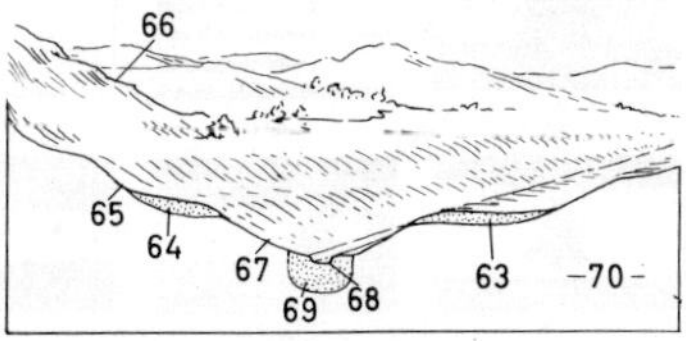
63
64
65
66
67
68
69
70

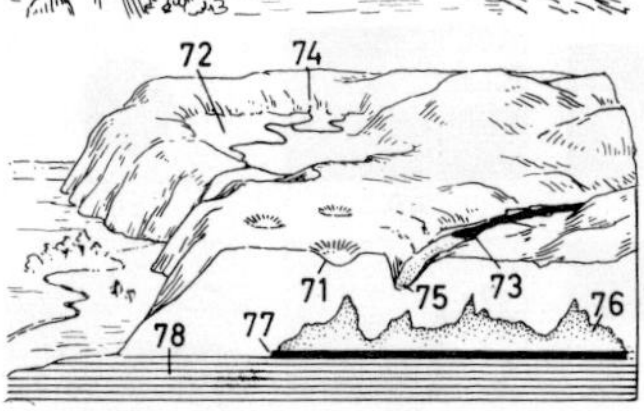
71
72
73
74
75
76
77
78

79
80
81
82
83

14

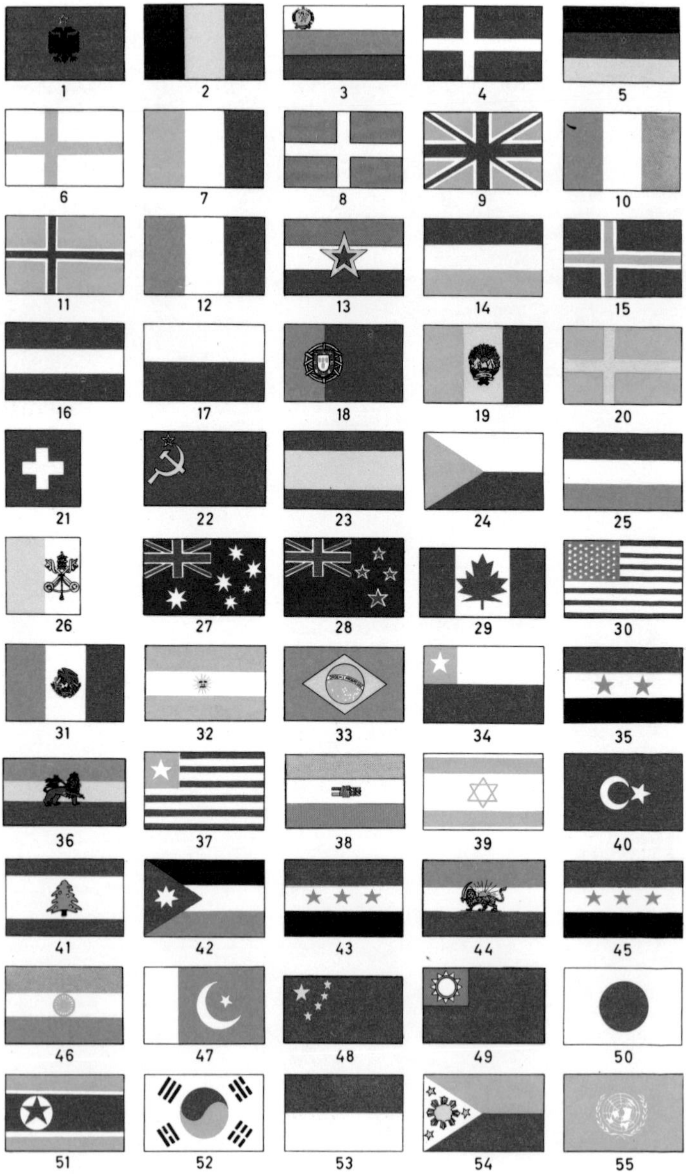
1 2 3 4 5
6 7 8 9 10
11 12 13 14 15
16 17 18 19 20
21 22 23 24 25
26 27 28 29 30
31 32 33 34 35
36 37 38 39 40
41 42 43 44 45
46 47 48 49 50
51 52 53 54 55

1-26 Europa *n*:
1 Albanien *n*
2 Belgien *n*
3 Bulgarien *n*
4 Dänemark *n*
5 Deutschland *n*
6 Finnland *n*
7 Frankreich *n*
8 Griechenland *n*
9 Großbritannien *n*
10 Irland *n*
11 Island *n*
12 Italien *n*
13 Jugoslawien *n*
14 Niederlande *pl*; Luxemburg *n*
15 Norwegen *n*
16 Österreich *n*
17 Polen *n*
18 Portugal *n*
19 Rumänien *n*
20 Schweden *n*
21 Schweiz *f*
22 Union *f* der Sozialistischen Sowjetrepubliken *f* (Sowjetunion *f*, UdSSR)
23 Spanien *n*
24 Tschechoslowakei *f*
25 Ungarn *n*
26 Vatikanstadt *f*;
27 Australien *n*
28 Neuseeland *n*
29-34 Amerika *n*,
29 u. 30 Nordamerika *n*:
29 Kanada *n*
30 Vereinigte Staaten *pl* von Nordamerika *n* (USA *pl*);
31 Mexiko *n* [Mittelamerika *n*]
32-34 Südamerika *n*:
32 Argentinien *n*
33 Brasilien *n*
34 Chile *n*;
35-38 Afrika *n*:
35 Ägypten *n*
36 Äthiopien *n* (*früh.* Abessinien)
37 Liberia *n*
38 Republik *f* Südafrika;
39-54 Asien *n*,
39-45 Vorderasien *n*:
39 Israel *n*
40 Türkei *f*
41 Libanon *m*
42 Jordanien *n*
43 Syrien *n*
44 Iran *m* (Persien *n*)
45 Irak *m*;
46 Indien *n*
47 Pakistan *n*
48 China *n* (Volksrepublik *f*)
49 China *n* (National-China)
50 Japan *n*
51 Korea *n* (Nordkorea)
52 Korea *n* (Südkorea)
53 Indonesien *n*
54 Philippinen *pl*;
55 Vereinte Nationen *pl*

15 Landkarte I

1-7 das Gradnetz der Erde:

1 der Äquator
2 ein Breitenkreis *m*
3 der Pol [Nordpol], ein Erdpol *m*
4 der Meridian (Längenhalbkreis)
5 der Nullmeridian
6 die geographische Breite
7 die geographische Länge;

8 u. 9 Kartennetzentwürfe *m*:

8 die Kegelprojektion
9 die Zylinderprojektion;

10-45 die Erdkarte (Weltkarte):

10 die Wendekreise *m*
11 die Polarkreise *m*
12-18 die Erdteile *m* (Kontinente),
12 u. 13 Amerika *n*:
12 Nordamerika *n*
13 Südamerika *n*;
14 Afrika *n*
15 u. 16 Eurasien *n*:
15 Europa *n*
16 Asien *n*;
17 Australien *n*
18 die Antarktis;
19-26 das Weltmeer:
19 der Große (Stille, Pazif.) Ozean
20 der Atlantische Ozean
21 das Nördl. Eismeer
22 das Südl. Eismeer
23 der Indische Ozean
24 die Straße von Gibraltar, eine Meeresstraße
25 das Mittelmeer [europäische Mittelmeer]
26 die Nordsee, ein Randmeer *n*;
27-29 die Legende (Zeichenerklärung):
27 die kalte Meeresströmung
28 die warme Meeresströmung
29 der Maßstab;
30-45 die Meeresströmungen *f*:
30 der Golfstrom
31 der Kuro Schio
32 der Nordäquatorialstrom
33 der Äquatoriale Gegenstrom
34 der Südäquatorialstrom
35 der Brasilstrom
36 der Somalistrom
37 der Agulhasstrom
38 der Ost-Australstrom
39 der Kalifornische Strom
40 der Labradorstrom
41 der Kanarienstrom
42 der Humboldtstrom (Perustrom)
43 der Benguellastrom
44 die Westwinddrift
45 der West-Australstrom;

46-62 die Vermessung (Landesvermessung, Erdmessung, Geodäsie),

46 die Nivellierung (geometrische Höhenmessung):
47 die Meßlatte
48 das Nivellierinstrument, ein Zielfernrohr *n*;
49 der trigonometrische Punkt:
50 das Standgerüst
51 das Signalgerüst;
52-62 der Theodolit, ein Winkelmeßgerät *n*:
52 der Mikrometerknopf
53 das Mikroskopokular
54 der Höhenferntrieb
55 die Höhenklemme
56 der Seitenferntrieb
57 die Seitenklemme
58 der Einstellknopf für den Beleuchtungsspiegel
59 der Beleuchtungsspiegel
60 das Fernrohr
61 die Querlibelle
62 die Kreisverstellung;
63-66 die Luftbildmessung (Bildmessung, Fotogrammetrie, Fototopographie):
63 die Reihenmeßkammer
64 das Stereotop:
65 der Storchschnabel (Pantograph);
66 der Stereoplanigraph

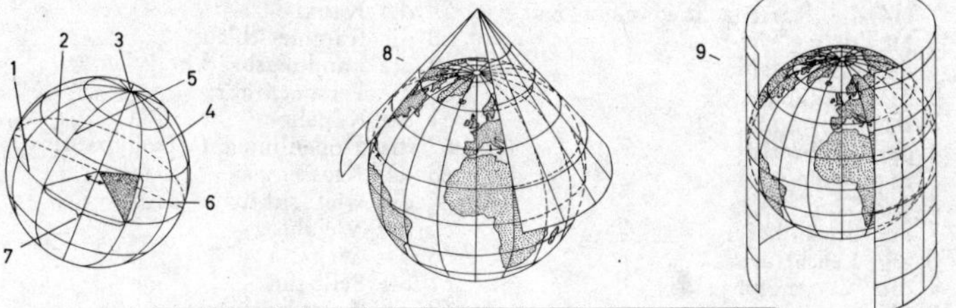
1
2
3
4
5
6
7
8
9

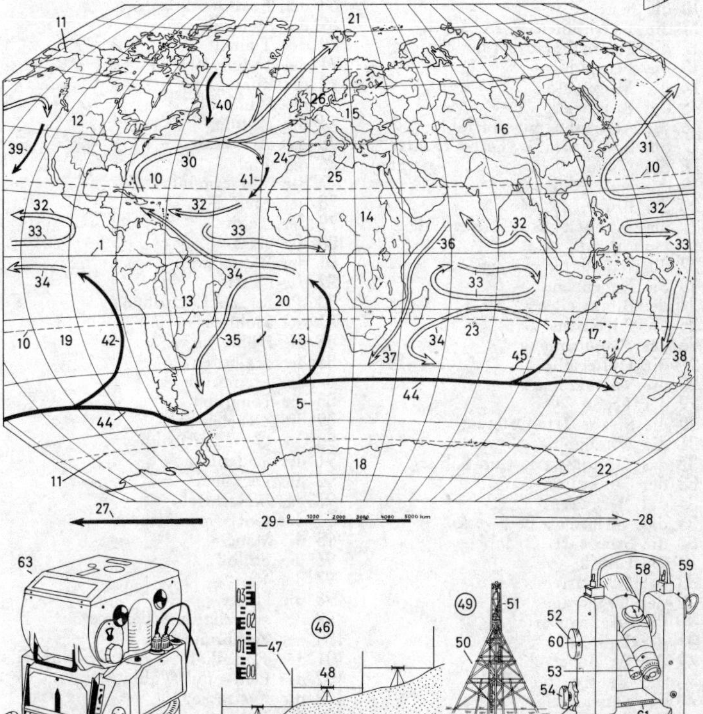
10
11
12
13
14
15
16
17
18
19
20
21
22
23
24
25
26
27
28
29
0 1000 2000 3000 4000 5000 km
30
31
32
33
34
35
36
37
38
39
40
41
42
43
44
45

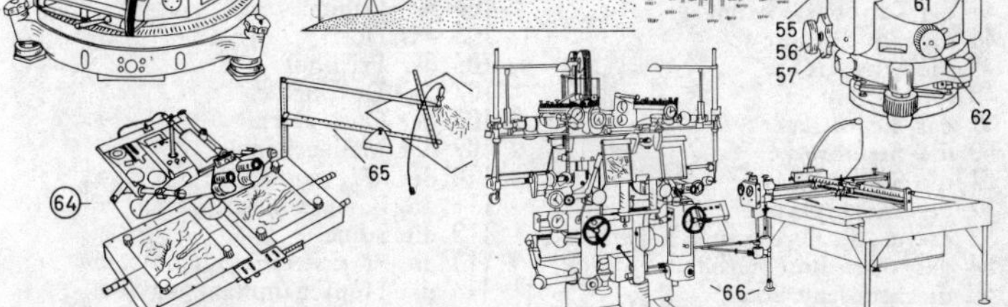
46
47
48
49
50
51
52
53
54
55
56
57
58
59
60
61
62
63
64
65
66

16 Landkarte II

1-114 die Kartenzeichen einer Karte 1:25 000:
1 der Nadelwald
2 die Lichtung
3 das Forstamt
4 der Laubwald
5 die Heide
6 der Sand
7 der Strandhafer
8 der Leuchtturm
9 die Wattengrenze
10 die Bake
11 die Tiefenlinien *f* (Isobathen)
12 die Eisenbahnfähre (das Trajekt)
13 das Feuerschiff
14 der Mischwald
15 das Buschwerk
16 die Autobahn mit Auffahrt *f*
17 die Bundesstraße (Fernverkehrsstraße)
18 die Wiese
19 die nasse Wiese
20 der Bruch (das Moor)
21 die Hauptstrecke (Hauptlinie, Hauptbahn)
22 die Bahnunterführung
23 die Nebenbahn
24 die Blockstelle
25 die Kleinbahn
26 der Planübergang
27 die Haltestelle
28 die Villenkolonie
29 der Pegel
30 die Straße III. Ordnung
31 die Windmühle
32 das Gradierwerk (die Saline)
33 der Funkturm
34 das Bergwerk
35 das verlassene Bergwerk
36 die Straße II. Ordnung
37 die Fabrik
38 der Schornstein
39 der Drahtzaun
40 die Straßenüberfahrt
41 der Bahnhof
42 die Bahnüberführung
43 der Fußweg
44 der Durchlaß
45 der schiffbare Strom
46 die Schiffbrücke
47 die Wagenfähre
48 die Steinmole
49 das Leuchtfeuer
50 die Steinbrücke
51 die Stadt
52 der Marktplatz
53 die große Kirche mit 2 Türmen *m*
54 das öffentliche Gebäude
55 die Straßenbrücke
56 die eiserne Brücke
57 der Kanal
58 die Kammerschleuse
59 die Landungsbrücke
60 die Personenfähre
61 die Kapelle
62 die Höhenlinien *f* (Isohypsen)
63 das Kloster
64 die weit sichtbare Kirche
65 der Weinberg
66 das Wehr
67 die Seilbahn
68 der Aussichtsturm
69 die Stauschleuse
70 der Tunnel
71 der trigonometr. Punkt
72 die Ruine
73 das Windrad
74 die Festung
75 das Altwasser
76 der Fluß
77 die Wassermühle
78 der Steg
79 der Teich
80 der Bach
81 der Wasserturm
82 die Quelle
83 die Straße I. Ordnung
84 der Hohlweg
85 die Höhle
86 der Kalkofen
87 der Steinbruch
88 die Tongrube
89 die Ziegelei
90 die Wirtschaftsbahn
91 der Ladeplatz
92 das Denkmal
93 das Schlachtfeld
94 das Gut, eine Domäne
95 die Mauer
96 das Schloß
97 der Park
98 die Hecke
99 der unterhaltene Fahrweg
100 der Ziehbrunnen
101 der Einzelhof (Weiler, Einödhof)
102 der Feld- und Waldweg
103 die Kreisgrenze
104 der Damm
105 das Dorf
106 der Friedhof
107 die Dorfkirche
108 der Obstgarten
109 der Meilenstein
110 der Wegweiser
111 die Baumschule
112 die Schneise
113 die Starkstromleitung
114 die Hopfenanpflanzung (der Hopfengarten)

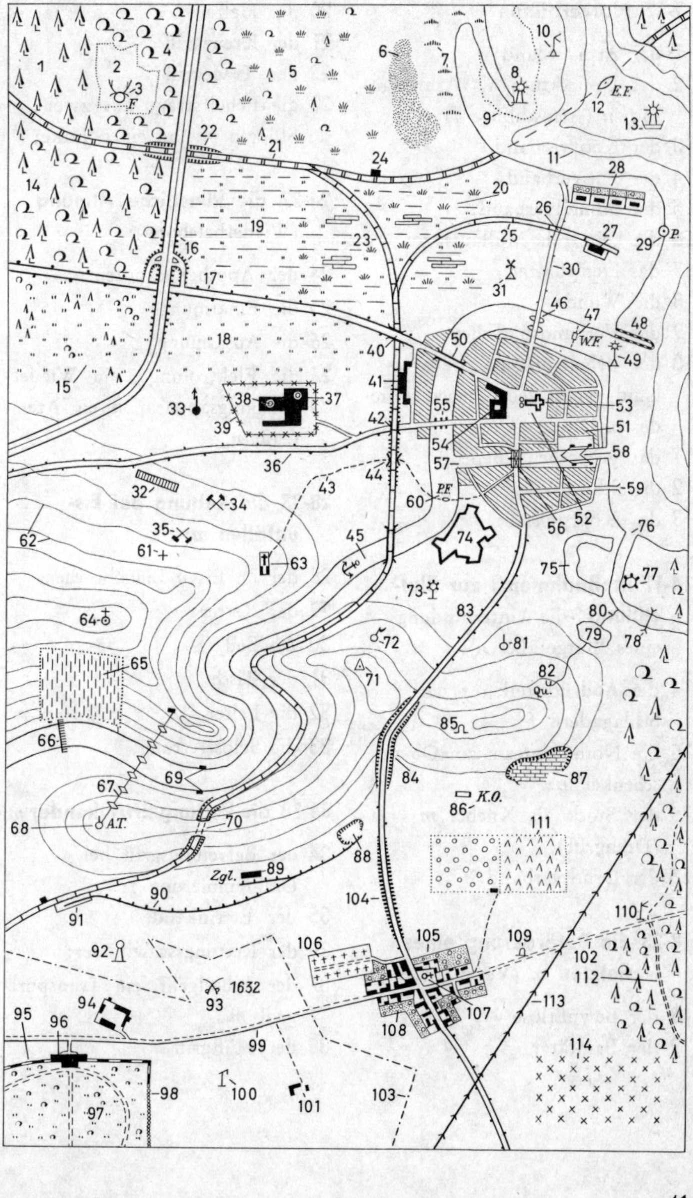
E
E.F.
B
W.F.
P.F.
A.T.
Qu.
K.O.
Zgl.
1632

17 Erste Hilfe (Unfallhilfe)

1-13 Notverbände *m,*

1 der Armverband:
2 das Dreiecktuch als Armtragetuch *n* (Armschlinge *f*);
3 der Kopfverband
4 der Fußverband
5 der Schnellverband:
6 die keimfreie Mullauflage;
7 das Heftpflaster
8 die Wunde
9 das Verbandspäckchen
10 der behelfsmäßige Stützverband eines gebrochenen Gliedes *n*:
11 das gebrochene Bein
12 die Schiene;
13 das Kopfpolster;

14-17 Maßnahmen *f* **zur Blutstillung** (die Unterbindung eines Blutgefäßes *n*):

14 die Abdrückstellen *f* der Schlagadern *f*
15 die Notaderpresse am Oberschenkel *m*:
16 der Stock als Knebel *m* (Drehgriff);
17 der Druckverband;

18-23 die Beförderung eines Verletzten *m* (Verunglückten):

18 der Bewußtlose
19 der Sanitäter
20 der Helfer
21 der Kreuzgriff
22 der Tragegriff
23 die Behelfstrage aus zwei Stöcken *m* und einer Jacke;

24-27 die künstliche Atmung (Wiederbelebung):

24 der Apothekerknoten
25 die Einatmung
26 die Ausatmung
27 die Elektrolunge, ein Wiederbelebungsapparat *m*, ein Atemgerät *n*;

28-33 die Rettung bei Eisunfällen *m*:

28 der im Eis *n* Eingebrochene
29 der Retter
30 das Seil
31 der Tisch
32 die Leiter
33 die Selbstrettung;

34-38 die Rettung Ertrinkender *m,*

34 der Befreiungsgriff bei Umklammerung *f*:
35 der Ertrinkende
36 der Rettungsschwimmer;
37 der Achselgriff, ein Transportgriff *m*
38 der Hüftgriff

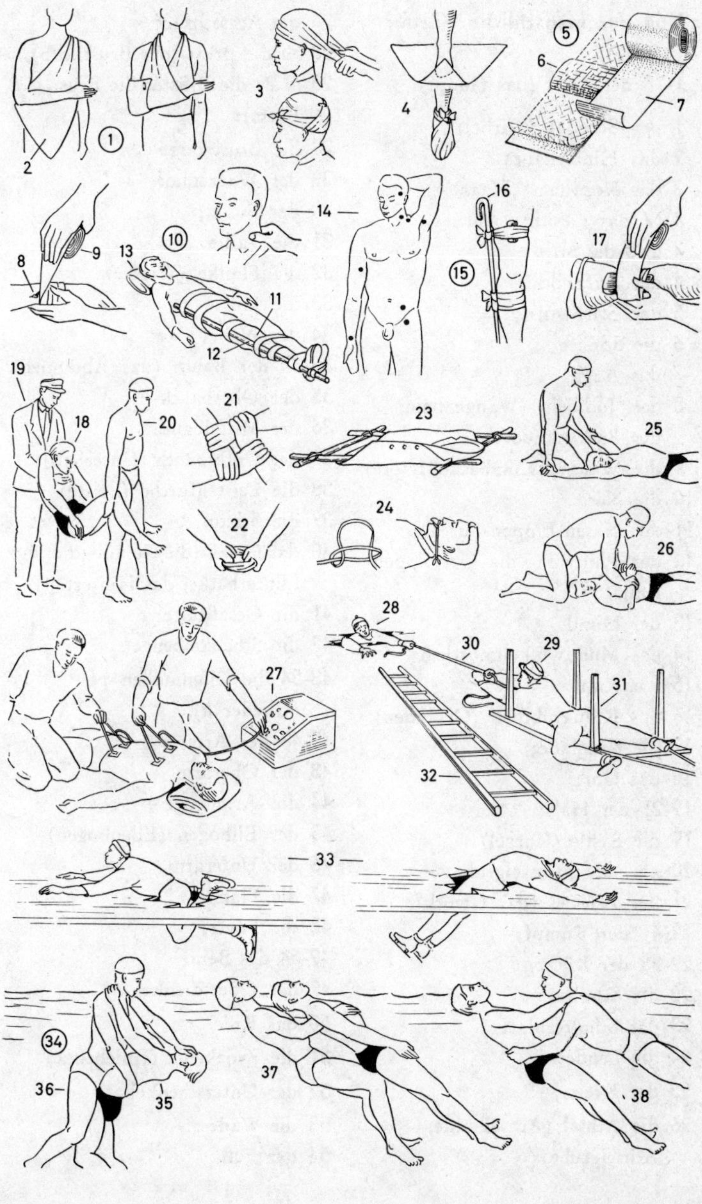
1
2
3
4
5
6
7
8
9
10
11
12
13
14
15
16
17
18
19
20
21
22
23
24
25
26
27
28
29
30
31
32
33
34
35
36
37
38

1-54 der menschliche Körper (Leib),
1-18 der Kopf (das Haupt):

1 der Scheitel (Wirbel)
2 das Hinterhaupt
3 das Kopfhaar (Haar)
4-17 das Gesicht (Antlitz),
4 u. 5 die Stirn:
4 der Stirnhöcker
5 der Stirnwulst;
6 die Schläfe
7 das Auge
8 das Jochbein (Wangenbein, der Backenknochen)
9 die Wange (Kinnbacke, Backe)
10 die Nase
11 die Nasen-Lippen-Furche
12 das Philtrum (die Oberlippenrinne)
13 der Mund
14 das Mundwinkelknötchen
15 das Kinn
16 das Kinngrübchen (Grübchen)
17 die Kinnlade;
18 das Ohr;
19-21 der Hals:
19 die Kehle (Gurgel)
20 *ugs.* die Drosselgrube
21 der Nacken (das Genick);
22-41 der Rumpf,
22-25 der Rücken:
22 die Schulter
23 das Schulterblatt
24 die Lende
25 das Kreuz;
26 die Achsel (Achselhöhle, Achselgrube)
27 die Achselhaare *n*
28-30 die Brust (der Brustkorb),
28 u. 29 die Brüste (die Brust, Büste):
28 die Brustwarze
29 der Warzenhof;
30 der Busen;
31 die Taille
32 die Flanke (Weiche)
33 die Hüfte
34 der Nabel
35-37 der Bauch (das Abdomen):
35 der Oberbauch
36 der Mittelbauch
37 der Unterbauch (Unterleib);
38 die Leistenfurche (Leiste)
39 die Scham
40 das Gesäß (die Gesäßbacke, *ugs.* Hinterbacke, das Hinterteil)
41 die Gesäßfalte;
42 die Schenkelbeuge
43-54 die Gliedmaßen *pl* (Glieder *n*),
43-48 der Arm:
43 der Oberarm
44 die Armbeuge
45 der Ellbogen (Ellenbogen)
46 der Unterarm
47 die Hand
48 die Faust;
49-54 das Bein:
49 der Oberschenkel
50 das Knie
51 die Kniekehle (Kniebeuge)
52 der Unterschenkel
53 die Wade
54 der Fuß

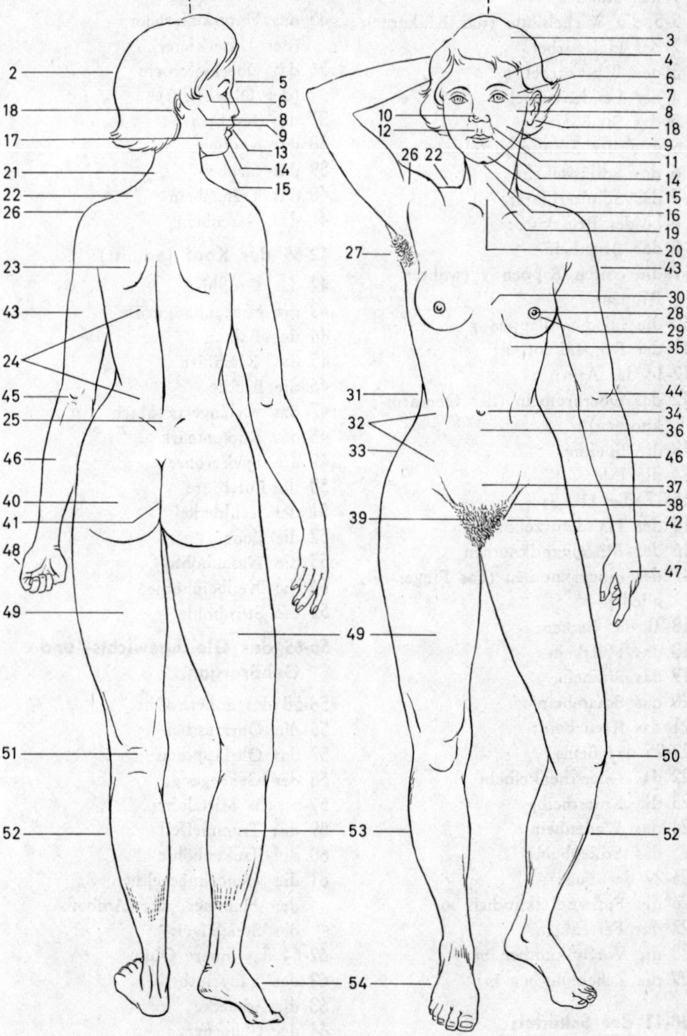
1
2
18
17
21
22
26
23
43
24
45
25
46
40
41
48
49
51
52
5
6
8
9
13
14
15
49
53
54
1
10
12
26 22
27
31
32
33
39
3
4
6
7
8
18
9
11
14
15
16
19
20
43
30
28
29
35
44
34
36
46
37
38
42
47
50
52

1-29 das Skelett
(Knochengerüst, Gerippe, Gebein, die Knochen *m*):
1 der Schädel
2-5 die Wirbelsäule (das Rückgrat):
2 der Halswirbel
3 der Brustwirbel
4 der Lendenwirbel
5 das Steißbein;
6 u. 7 der Schultergürtel:
6 das Schlüsselbein
7 das Schulterblatt;
8-11 der Brustkorb:
8 das Brustbein
9 die echten Rippen *f* (wahren Rippen)
10 die falschen Rippen *f*
11 der Rippenknorpel;
12-14 der Arm:
12 das Oberarmbein (der Oberarmknochen)
13 die Speiche
14 die Elle;
15-17 die Hand:
15 der Handwurzelknochen
16 der Mittelhandknochen
17 der Fingerknochen (das Fingerglied);
18-21 das Becken:
18 das Hüftbein
19 das Sitzbein
20 das Schambein
21 das Kreuzbein;
22-25 das Bein:
22 das Oberschenkelbein
23 die Kniescheibe
24 das Wadenbein
25 das Schienbein;
26-29 der Fuß:
26 die Fußwurzelknochen *m*
27 das Fersenbein
28 die Vorfußknochen *m*
29 die Zehenknochen *m*;

30-41 der Schädel:
30 das Stirnbein
31 das linke Scheitelbein
32 das Hinterhauptbein
33 das Schläfenbein
34 der Gehörgang
35 das Unterkieferbein (der Unterkiefer)
36 das Oberkieferbein (der Oberkiefer)
37 das Jochbein
38 das Keilbein
39 das Siebbein
40 das Tränenbein
41 das Nasenbein;

42-55 der Kopf [Schnitt]:
42 das Großhirn
43 die Hirnanhangdrüse
44 der Balken
45 das Kleinhirn
46 die Brücke
47 das verlängerte Mark
48 das Rückenmark
49 die Speiseröhre
50 die Luftröhre
51 der Kehldeckel
52 die Zunge
53 die Nasenhöhle
54 die Keilbeinhöhle
55 die Stirnhöhle;

56-65 das Gleichgewichts- und Gehörorgan,
56-58 das äußere Ohr:
56 die Ohrmuschel
57 das Ohrläppchen
58 der Gehörgang;
59-61 das Mittelohr:
59 das Trommelfell
60 die Paukenhöhle
61 die Gehörknöchelchen *n:* der Hammer, der Amboß, der Steigbügel;
62-64 das innere Ohr:
62 das Labyrinth
63 die Schnecke
64 der Gehörnerv;
65 die Eustachische Röhre

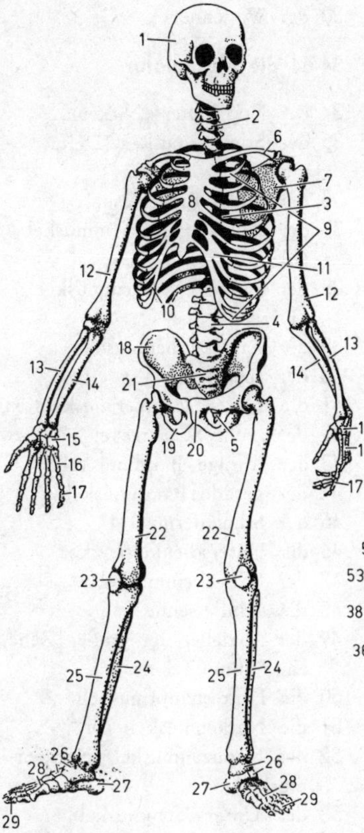
1
2
3
4
5
6
7
8
9
10
11
12
13
14
15
16
17
18
19
20
21
22
23
24
25
26
27
28
29

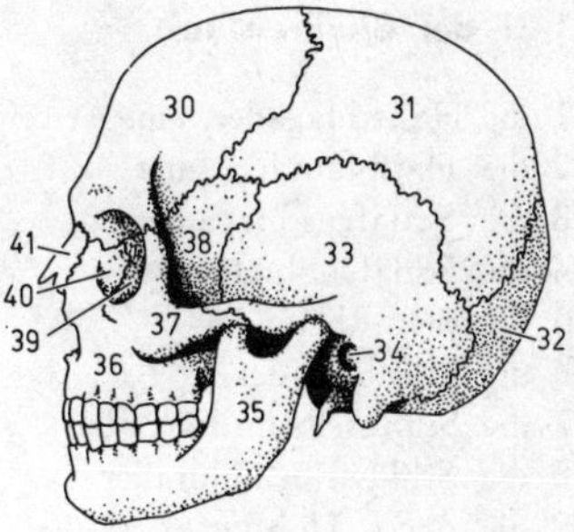
30
31
32
33
34
35
36
37
38
39
40
41

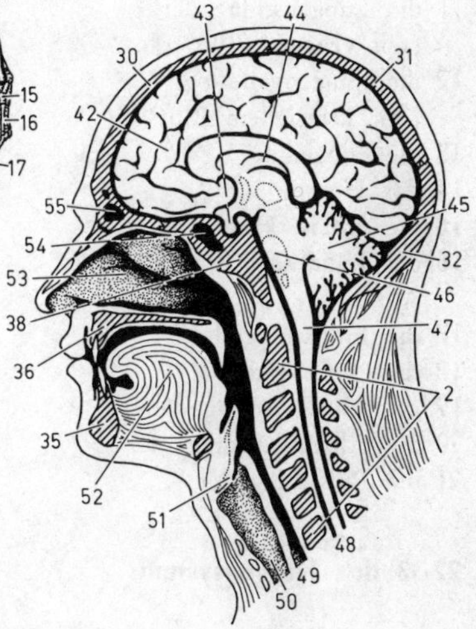
2
30
31
32
35
36
38
42
43
44
45
46
47
48
49
50
51
52
53
54
55

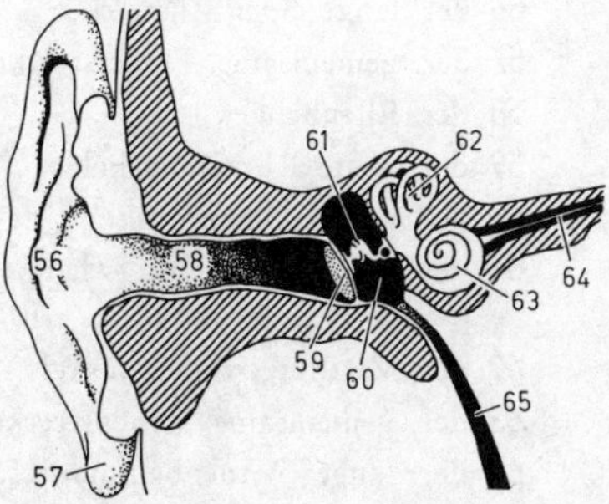
56
57
58
59
60
61
62
63
64
65

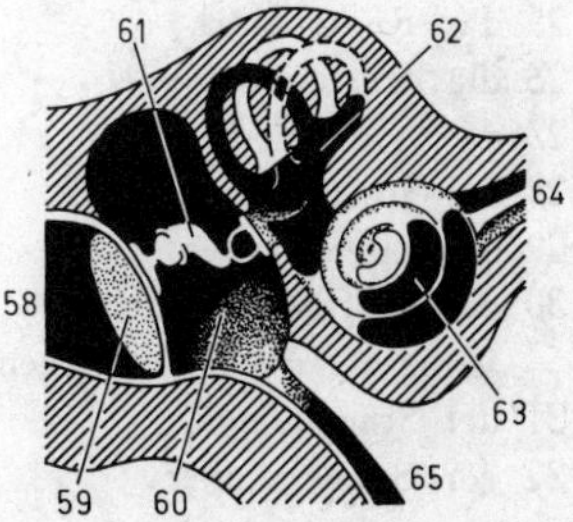
58
59
60
61
62
63
64
65

1-21 der Blutkreislauf:

1 die Halsschlagader, eine Arterie
2 die Halsblutader, eine Vene
3 die Schläfenschlagader
4 die Schläfenblutader
5 die Stirnschlagader
6 die Stirnblutader
7 die Schlüsselbeinschlagader
8 die Schlüsselbeinblutader
9 die obere Hohlvene
10 der Aortenbogen (die Aorta)
11 die Lungenschlagader [mit venösem Blut *n*]
12 die Lungenvene [mit arteriellem Blut *n*]
13 die Lungen *f*
14 das Herz
15 die untere Hohlvene
16 die Bauchaorta (absteigende Aorta)
17 die Hüftschlagader
18 die Hüftblutader
19 die Schenkelschlagader
20 die Schienbeinschlagader
21 die Pulsschlagader;

22-33 das Nervensystem:

22 das Großhirn
23 das Zwischenhirn
24 das verlängerte Mark
25 das Rückenmark
26 die Brustnerven *m*
27 das Armgeflecht
28 der Speichennerv
29 der Ellennerv
30 der Hüftnerv (Beinnerv, Ischiasnerv) [hinten liegend]
31 der Schenkelnerv
32 der Schienbeinnerv
33 der Wadennerv;

34-64 die Muskulatur:

34 der Kopfhalter (Nicker)
35 der Schultermuskel (Deltamuskel
36 der große Brustmuskel
37 der zweiköpfige Armmuskel (Bizeps)
38 der dreiköpfige Armmuskel (Trizeps)
39 der Armspeichenmuskel
40 der Speichenbeuger
41 die kurzen Daumenmuskeln *m*
42 der große Sägemuskel
43 der schräge Bauchmuskel
44 der gerade Bauchmuskel
45 der Schneidermuskel
46 der Unterschenkelstrecker
47 der Schienbeinmuskel
48 die Achillessehne
49 der Abzieher der großen Zehe, ein Fußmuskel *m*
50 die Hinterhauptmuskeln *m*
51 die Nackenmuskeln *m*
52 der Kapuzenmuskel (Kappenmuskel)
53 der Untergrätenmuskel
54 der kleine runde Armmuskel
55 der große runde Armmuskel
56 der lange Speichenstrecker
57 der gemeinsame Fingerstrecker
58 der Ellenbeuger
59 der breite Rückenmuskel
60 der große Gesäßmuskel
61 der zweiköpfige Unterschenkelbeuger
62 der Zwillingswadenmuskel
63 der gemeinsame Zehenstrecker
64 der lange Wadenbeinmuskel

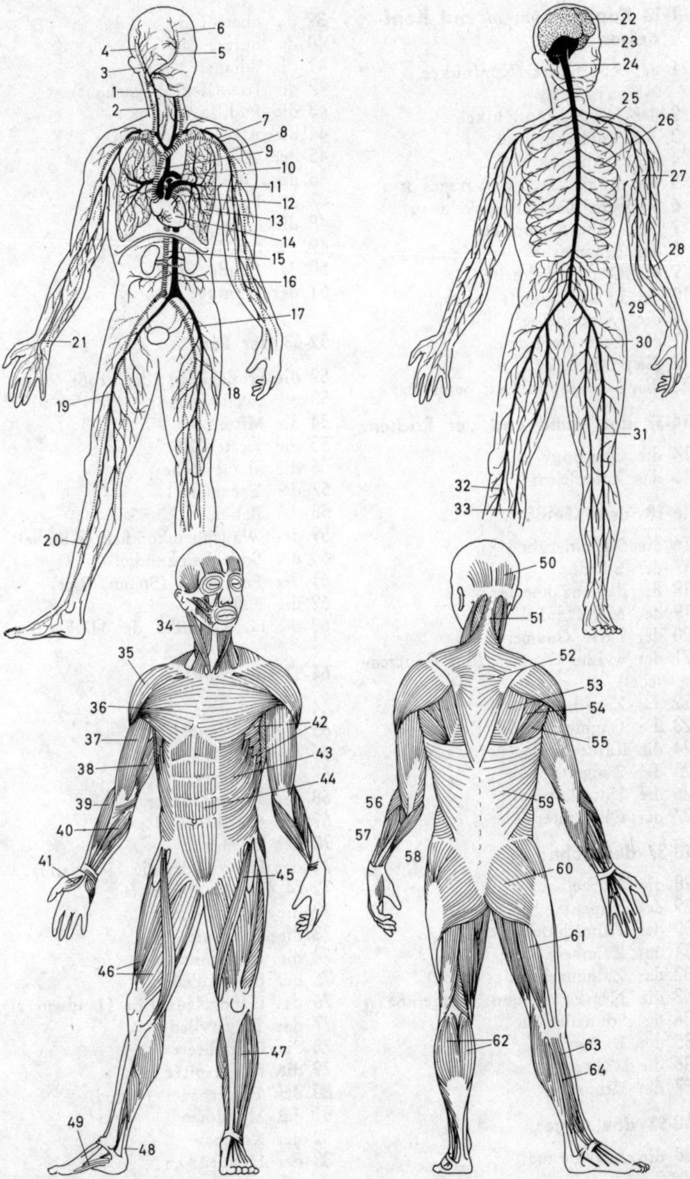
1
2
3
4
5
6
7
8
9
10
11
12
13
14
15
16
17
18
19
20
21
22
23
24
25
26
27
28
29
30
31
32
33
34
35
36
37
38
39
40
41
42
43
44
45
46
47
48
49
50
51
52
53
54
55
56
57
58
59
60
61
62
63
64

21 Mensch IV

1-13 Kopfmuskeln *m* **und Kopfdrüsen** *f*:

1 der Kopfhalter (Kopfnicker, Nicker)
2 der Hinterhauptmuskel
3 der Schläfenmuskel
4 der Stirnmuskel
5 der Ringmuskel des Auges *n*
6 mimische Gesichtsmuskeln *m*
7 der große Kaumuskel
8 der Ringmuskel des Mundes *m*
9 die Ohrspeicheldrüse
10 der Lymphknoten; *falsch:* die Lymphdrüse
11 die Unterkieferdrüse
12 die Halsmuskeln *m*
13 der Adamsapfel [nur beim Mann];

14-37 der Mund und der Rachen:

14 die Oberlippe
15 das Zahnfleisch

16-18 das Gebiß:

16 die Schneidezähne *m*
17 der Eckzahn
18 die Backenzähne *m*;
19 der Mundwinkel
20 der harte Gaumen
21 der weiche Gaumen (das Gaumensegel)
22 das Zäpfchen
23 die Gaumenmandel (Mandel)
24 die Rachenhöhle (der Rachen)
25 die Zunge
26 die Unterlippe
27 der Oberkiefer

28-37 der Zahn:

28 die Wurzelhaut
29 der Zement
30 der Zahnschmelz
31 das Zahnbein
32 das Zahnmark (die Pulpa)
33 die Nerven *m* und Blutgefäße *n*
34 der Schneidezahn
35 der Backenzahn
36 die Wurzel
37 die Krone;

38-51 das Auge:

38 die Augenbraue
39 das obere Lid
40 das untere Lid
41 die Wimper
42 die Iris (Regenbogenhaut)
43 die Pupille
44 die Augenmuskeln *m*
45 der Augapfel
46 der Glaskörper
47 die Hornhaut
48 die Linse
49 die Netzhaut
50 der blinde Fleck
51 der Sehnerv;

52-63 der Fuß:

52 die große Zehe (der große Zeh)
53 die zweite Zehe
54 die Mittelzehe
55 die vierte Zehe
56 die kleine Zehe
57 der Zehennagel
58 der Ballen
59 der Wadenbeinknöchel (Knöchel)
60 der Schienbeinknöchel
61 der Fußrücken (Spann, Rist)
62 die Fußsohle
63 die Ferse (Hacke, der Hacken);

64-83 die Hand:

64 der Daumen
65 der Zeigefinger
66 der Mittelfinger
67 der Ringfinger
68 der kleine Finger
69 der Speichenrand
70 der Ellenrand
71 der Handteller (die Hohlhand)
72-74 die Handlinien *f*:
72 die Lebenslinie
73 die Kopflinie
74 die Herzlinie;
75 der Daumenballen
76 das Handgelenk (die Handwurzel)
77 das Fingerglied
78 die Fingerbeere
79 die Fingerspitze
80 der Fingernagel (Nagel)
81 das Möndchen
82 der Knöchel
83 der Handrücken

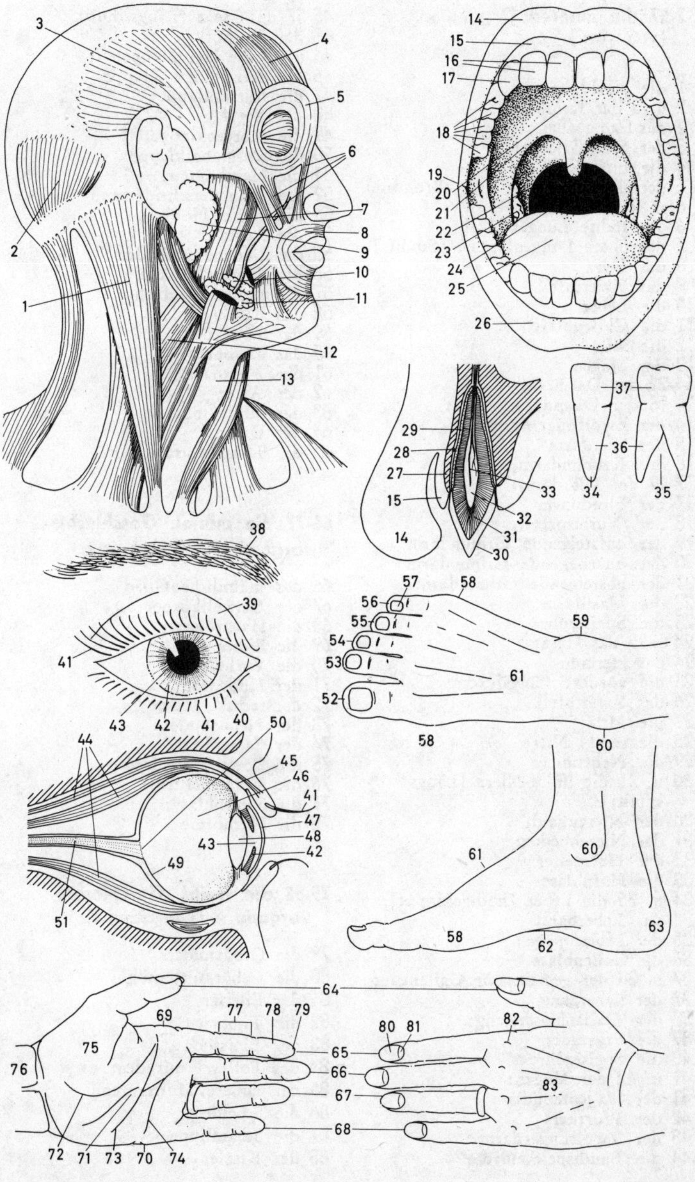
1
2
3
4
5
6
7
8
9
10
11
12
13
14
15
16
17
18
19
20
21
22
23
24
25
26
27
28
29
30
31
32
33
34
35
36
37
38
39
40
41
42
43
44
45
46
47
48
49
50
51
52
53
54
55
56
57
58
59
60
61
62
63
64
65
66
67
68
69
70
71
72
73
74
75
76
77
78
79
80
81
82
83

1-57 die inneren Organe *n* [von vorn]:

1 die Schilddrüse
2 u. 3 der Kehlkopf:
2 das Zungenbein
3 der Schildknorpel;
4 die Luftröhre
5 der Luftröhrenast (die Bronchie)
6 u. 7 die Lunge:
6 der rechte Lungenflügel
7 der obere Lungenlappen [Schnitt];
8 das Herz
9 das Zwerchfell
10 die Leber
11 die Gallenblase
12 die Milz
13 der Magen
14-22 der Darm,
14-16 der Dünndarm:
14 der Zwölffingerdarm
15 der Leerdarm
16 der Krummdarm;
17-22 der Dickdarm:
17 der Blinddarm
18 der Wurmfortsatz
19 der aufsteigende Grimmdarm
20 der querliegende Grimmdarm
21 der absteigende Grimmdarm
22 der Mastdarm;
23 die Speiseröhre
24 u. 25 das Herz:
24 das Herzohr
25 die vordere Längsfurche;
26 das Zwerchfell
27 die Milz
28 die rechte Niere
29 die Nebenniere
30 u. 31 die linke Niere [Längsschnitt]:
30 der Nierenkelch
31 das Nierenbecken;
32 der Harnleiter
33 die Harnblase
34 u. 35 die Leber [hochgeklappt]:
34 das Leberband
35 der Leberlappen;
36 die Gallenblase
37 u. 38 der gemeinsame Gallengang:
37 der Lebergang
38 der Gallenblasengang;
39 die Pfortader
40 die Speiseröhre
41 u. 42 der Magen:
41 der Magenmund
42 der Pförtner;
43 der Zwölffingerdarm
44 die Bauchspeicheldrüse
45-57 das Herz [Längsschnitt]:
45 der Vorhof
46 u. 47 die Herzklappen *f*:
46 die dreizipflige Klappe
47 die Mitralklappe;
48 das Segel
49 die Aortenklappe
50 die Pulmonalklappe
51 die Herzkammer
52 die Kammerscheidewand
53 die obere Hohlvene
54 die Aorta
55 die Lungenschlagader
56 die Lungenblutader
57 die untere Hohlvene;
58 das Bauchfell
59 das Kreuzbein
60 das Steißbein
61 der Mastdarm
62 der After
63 der Schließmuskel
64 der Damm
65 die Schambeinfuge

66-77 die männl. Geschlechtsorgane *n* [Längsschnitt]:

66 das männliche Glied
67 der Schwellkörper
68 die Harnröhre
69 die Eichel
70 die Vorhaut
71 der Hodensack
72 der rechte Hoden
73 der Nebenhoden
74 der Samenleiter
75 die Cowpersche Drüse
76 die Vorsteherdrüse
77 die Samenblase;
78 die Harnblase

79-88 die weibl. Geschlechtsorgane *n* [Längsschnitt]:

79 die Gebärmutter
80 die Gebärmutterhöhle
81 der Eileiter
82 die Fimbrien
83 der Eierstock
84 das Follikel mit dem Ei *n*
85 der äußere Muttermund
86 die Scheide
87 die Schamlippe
88 der Kitzler

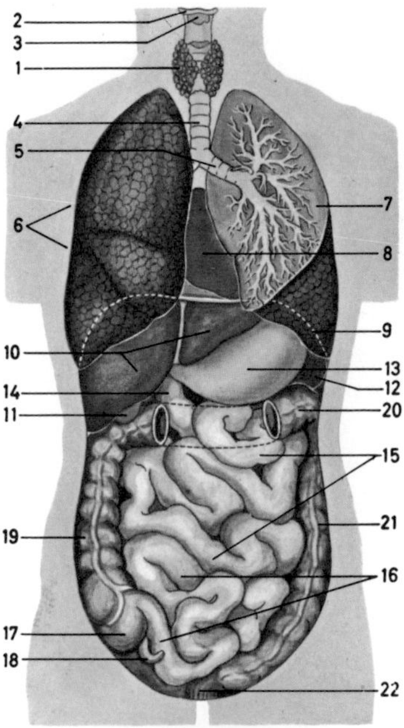
2
3
1
4
5
6
7
8
9
10
13
14
12
11
20
15
19
21
16
17
18
22

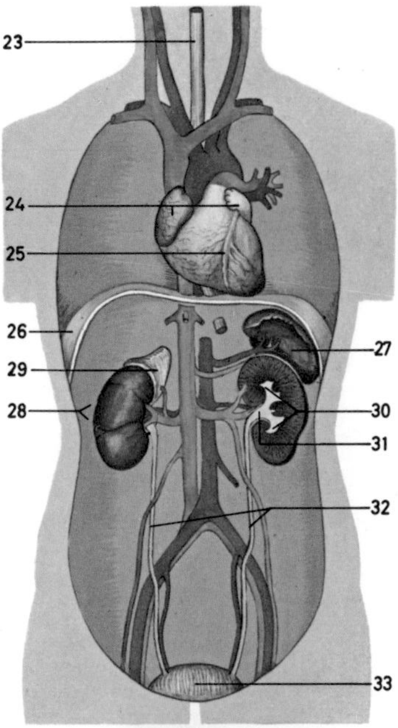
23
24
25
26
27
29
28
30
31
32
33

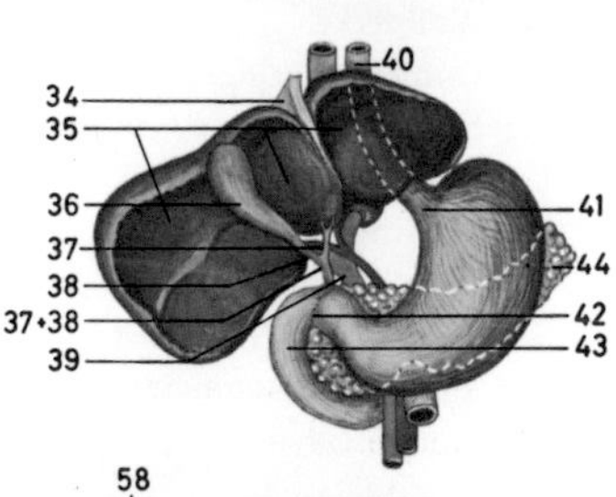
40
34
35
36
41
37
44
38
37+38
42
39
43

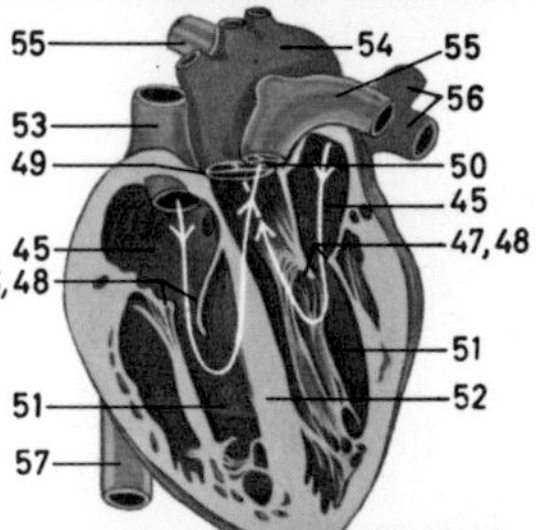
55
54
55
56
53
49
50
45
45
47, 48
46, 48
51
51
52
57

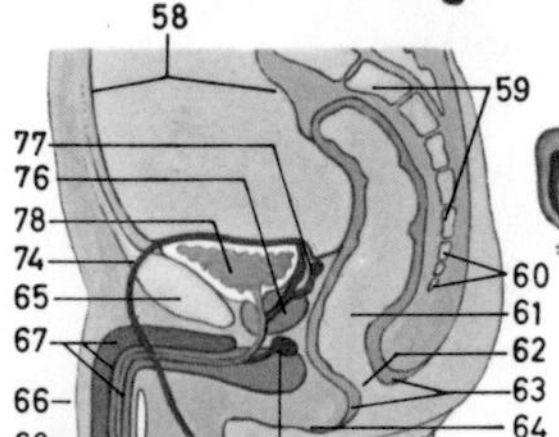
58
59
77
76
78
74
60
65
61
67
62
63
66
68
64
75
69
73
70
72
71

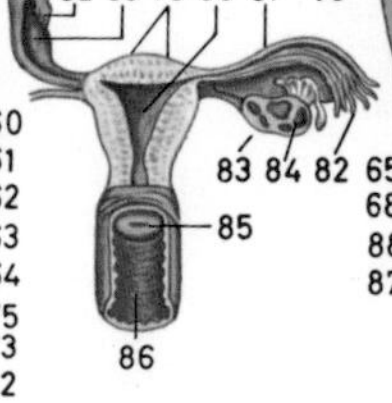
82 83 79 80 81
83 84 82
85
86

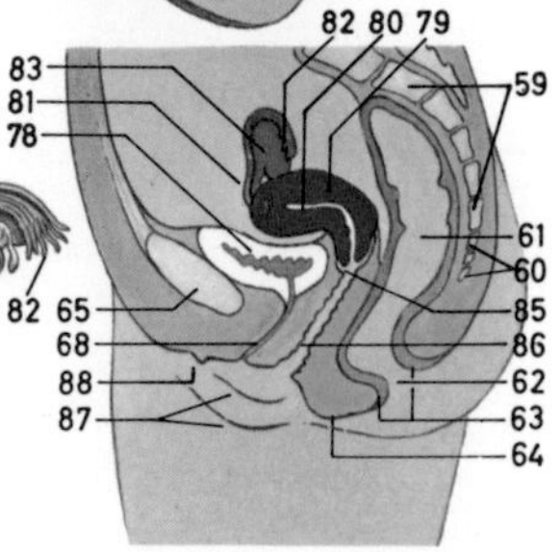
82 80 79
83
59
81
78
61
60
65
85
68
86
88
62
87
63
64

1 der Blutdruckmeßapparat (das Sphygmomanometer):
2 die Luftablaßschraube
3 das Gummigebläse
4 die Gummimanschette (Armmanschette)
5 das Quecksilbermanometer;
6 das Rezept
7 das Zäpfchen (Suppositorium)
8 die Pillenschachtel
9 die Pille
10 das Tablettenröhrchen
11 die Tablette
12 die Dragéepackung
13 das Dragée
14 die Wärmflasche (Metallwärmflasche)
15 der feuchte Umschlag
16 das Speiglas (der Speibecher):
17 der Klappdeckel;
18 die Bettklingel
19 die Ganzpackung:
20 das feuchte Einschlagtuch
21 die Wolldecke
22 die Gummiunterlage;
23 die Krankenpflegerin, eine Laienschwester
24 die Bettschüssel (das Stechbecken)
25 der Nachtstuhl (Klosettstuhl)
26 das Zimmerthermometer
27 die Gummiwärmflasche
28 das Luftkissen
29 der Eisbeutel
30 der Fingerling
31 der Fingerschützer
32 die Spuckflasche
33 das Inhalationsgerät:
34 der Zerstäuber
35 die Inhalierflüssigkeit
36 die elektrische Luftpumpe;

37 die Augenklappe
38 das Bruchband (Bracherium):
39 das Druckkissen (die Pelotte);
40 das Augenspülglas
41 der Streckapparat (Distraktionsapparat):
42 das Streckgewicht
43 die Braunsche Schiene
44 der Draht [durch den durchbohrten Knochen geführt]
45 der Drahtbügel;
46 der Irrigator (Einlaufapparat, Klistierapparat), zur Verabreichung eines Einlaufs *m* (Klistiers *n*)
47 die Gummibinde, eine Bandage

48-50 Prothesen *f*:

48 die Beinprothese (das Kunstbein)
49 die Armprothese (der Kunstarm):
50 das auswechselbare Greifwerkzeug;
51 der Krankenfahrstuhl (Rollstuhl, Krankenstuhl)
52 das elektrische Heizkissen:
53 der Temperaturregler, ein Dreistufenschalter *m*;

54-63 die Hausapotheke:

54 das Heftpflaster (Pflaster)
55 die Mullbinde
56 die Tropfflasche (der Tropfenzähler)
57 die Baldriantropfen *m*
58 die Tinktur
59 die Kinderklistierspritze
60 der Wundpuder in der Streudose
61 die Abführpillen *f*
62 die Kopfschmerzentabletten *f*
63 die Damenbinden *f*

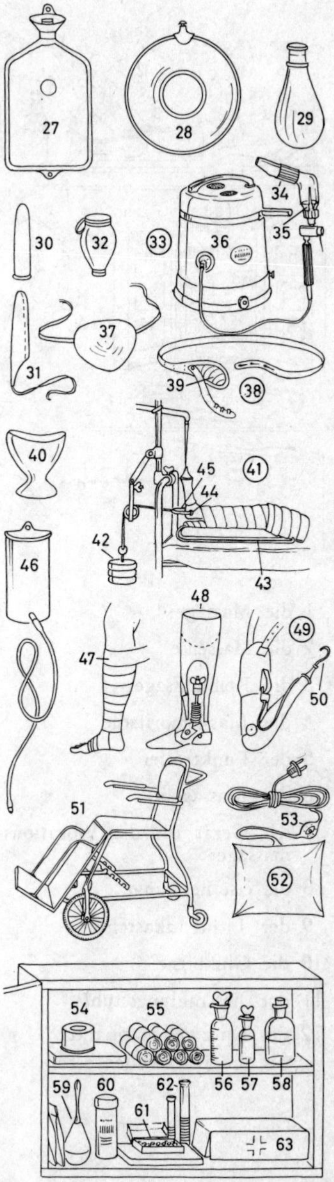

24 Krankenpflege II

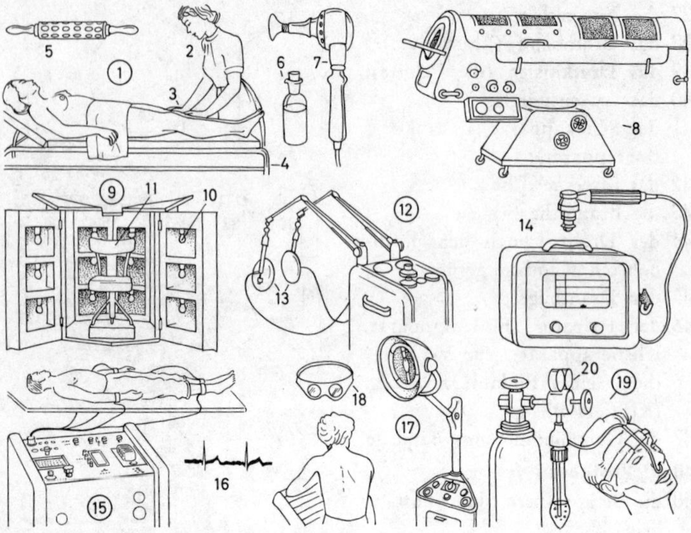

1 die Massage:
2 die Masseuse
3 die Reibmassage
4 die Massagepritsche
5 der Punktroller
6 das Massageöl
7 das Gerät für die Vibrationsmassage;
8 die eiserne Lunge
9 der Lichtbadkasten:
10 die Glühbirne
11 der Bestrahlungsstuhl;
12 der Kurzwellenapparat für die Kurzwellentherapie:
13 die Elektroden *f*;
14 das Ultraschallgerät für die Ultraschallbehandlung
15 der Elektrokardiograph:
16 das Elektrokardiogramm;
17 die künstliche Höhensonne (Bestrahlungslampe) für die Behandlung mit ultraviolettem Licht *n*:
18 die Schutzbrille;
19 das Sauerstoffatemgerät:
20 der Sauerstoffmesser

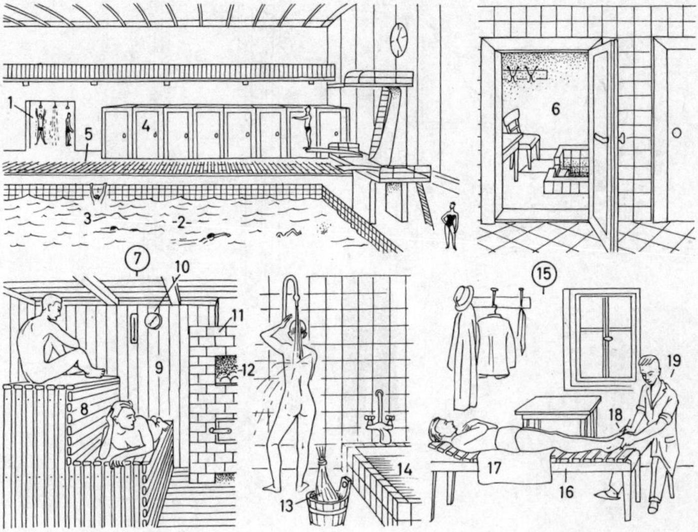

1-6 die Badeanstalt,

1-5 das Hallenbad (Hallenschwimmbad):
1 die Duschanlage
2 das Schwimmbecken (Bassin)
3 die künstlichen Wellen *f*
4 die Ankleidekabine (Kabine)
5 der Lattenrost (Rost);
6 das Wannenbad;

7-16 die Sauna
(das finnische Heißluftbad; *ähnl. mit heißer Feuchtluft*: das Dampfbad, türkische Bad),

7 der Saunaraum (Heißluftraum):
8 die Sitz- und Liegebänke *f* (Sitz- und Liegestufen)
9 der Holzverschlag
10 der Feuchtigkeitsmesser (das Hygrometer)
11 der Saunaofen
12 die Feldsteine *m*;
13 die Birkenruten *f* zum Schlagen *n* der Haut
14 das Kaltwasserbecken
15 der Ruheraum:
16 das Ruhebett;
17 das Frotteebadetuch
18 die Pediküre (Fußpflege)
19 der Fußpfleger

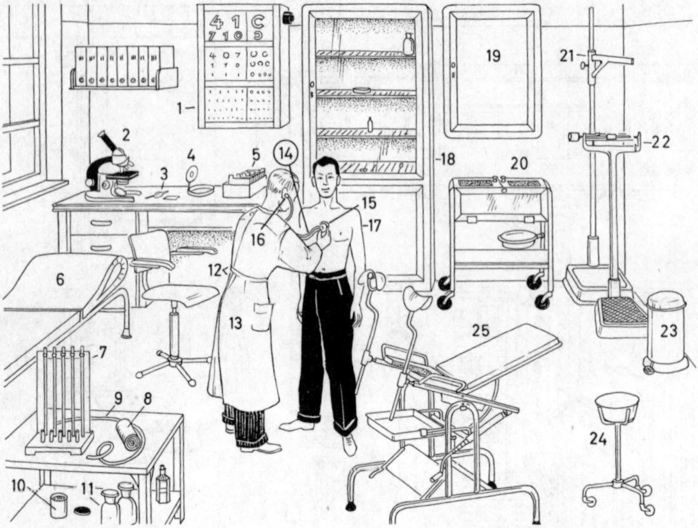

1-25 das Sprechzimmer (Konsultationszimmer):

1 die Sehprobentafel zur Feststellung der Sehkraft

2 das Mikroskop

3 der Abstrich auf dem Glasplättchen *n*

4 der Stirnreflektor (Stirnspiegel)

5 die Krankenkartei

6 das Untersuchungssofa

7 das Blutsenkungsgestell

8 die Gipsbinde

9 der Magenschlauch

10 die Salbenbüchse, mit der Salbe

11 die Arzneiflasche, mit der Arznei (Medizin, dem Mittel *n*)

12 der Arzt (Doktor), ein Mediziner *m* (praktischer Arzt oder Facharzt, Spezialarzt, Spezialist)

13 der Arztmantel

14 das Schlauchstethoskop (Membranstethoskop, Phon-Endoskop), ein Auskultationsapparat *m*:

15 die Membrankapsel

16 die Ohrenstücke *n* (Oliven *f*);

17 der Patient (Kranke), in ärztlicher Behandlung

18 der Instrumentenschrank

19 der Medikamentenschrank

20 der Instrumententisch

21 die Meßplatte zur Messung der Körpergröße

22 die Personenwaage (Waage)

23 der Verbandstoffeimer

24 der Schalenständer

25 der gynäkologische Untersuchungsstuhl;

26-62 ärztliche Instrumente *n*:

26 das Holzstethoskop (Hörrohr)

27 der Reflexhammer
28 die Injektionsspritze (Rekordspritze, Spritze):
29 der Stempel
30 der Glaszylinder
31 die Kanüle (Hohlnadel);
32 die Ampulle mit Serum *n* oder Impfstoff *m*
33 der Augenspiegel (das Ophthalmoskop):
34 die Lupe;
35 die Pinzette
36 chirurgische Nadeln *f*
37 der Nadelhalter
38 die Wundklammer
39 das Skalpell (chirurgische Messer, Seziermesser)
40 die Knochenschere
41 u. 42 Trokare *m* (Trokars, Punktiernadeln *f*):
41 der gerade Trokar
42 der gebogene Trokar;
43 die Sonde
44 das Tropfröhrchen (die Pipette):
45 das Gummihütchen
46 das Glasröhrchen
47 die Kugelspitze;
48 der Thermokauter (Kauter):
49 die Glühschlinge;
50 das Zystoskop:
51 das Lämpchen
52 das Okular;
53 der Katheter:
54 der Schnabel
55 das Auge;
56 der Schröpfkopf:
57 die Saugpumpe;
58 die Ohrenspritze
59 der Ohrenspiegel
60 die Kürette
61 der Kehlkopfspiegel
62 die Nierenschale

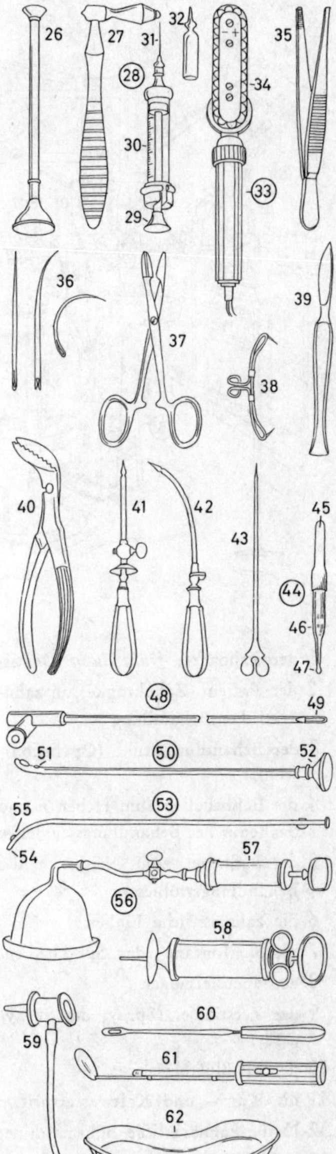

27 Zahnarzt

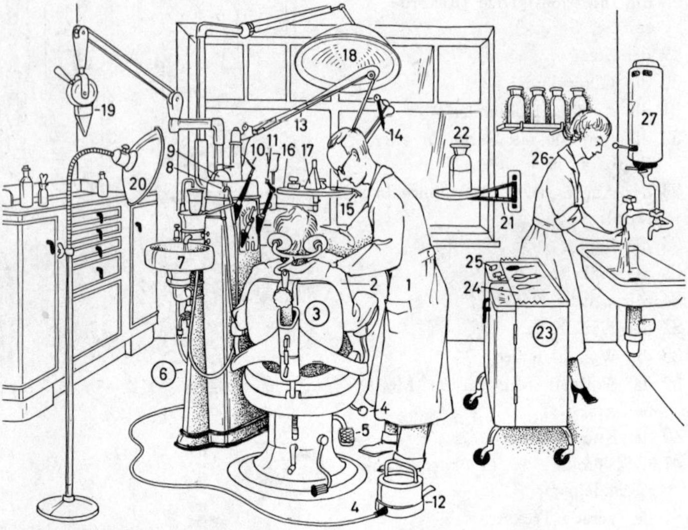

1 der Zahnarzt; *früh. auch:* Dentist

2 der Patient (Zahnkranke), in zahnärztlicher Behandlung

3 der Behandlungsstuhl (Operationsstuhl):

4 die Fußhebel *m* zum Heben *n* und Senken *n* des Behandlungsstuhles *m*

5 der Fußhebel zum Neigen *n* des Behandlungsstuhles *m*

6 die zahnärztliche Einheit:

7 die Speifontäne (das Spuckbecken)

8 der Speichelsauger

9 der Zerstäuber (Spray, das Spraygerät)

10 der Heißluftbläser

11 die Warm- und Kaltwasserspritze

12-15 die zahnärztliche Bohrmaschine:

12 der Fußkontakt

13 das Doriotgestänge

14 das Handstück

15 das Winkelstück;

16 die Instrumentenplatte

17 das Amalgam

18 die Operationsleuchte

19 das Röntgengerät

20 die Bestrahlungslampe

21 der bewegliche Wandarm (Schwenkarm)

22 die Flasche mit desinfizierender Flüssigkeit

23 der Instrumentenschrank:

24 der Instrumententisch

25 die Watterolle;

26 die Zahnarztgehilfin (Assistentin, Sprechstundenhilfe)

27 der Wassererhitzer, ein Durchlauferhitzer *m*
28 die Zahnprothese (der Zahnersatz, das künstliche Gebiß)
29 die Zahnbrücke (Brücke):
30 der zurechtgeschliffene Zahnstumpf
31 die Krone; *Arten:* Goldkrone, Jacketkrone
32 der Porzellanzahn;
33 die Füllung (Zahnfüllung, Plombe)
34 der Ringstiftzahn, ein Stiftzahn *m*:
35 die Facette
36 der Ring
37 der Stift;
38 die Carborundscheibe
39 die Schmirgelscheibe
40 Kavitätenbohrer *m*
41 der flammenförmige Bohrer (Finierer)
42 Spaltbohrer *m* (Fissurenbohrer)
43 der Mundspiegel
44 die Mundleuchte
45 der Thermokauter (Kauter):
46 die Platin-Iridium-Elektrode, eine Operationselektrode (aktive Elektrode);
47 Zahnreinigungsinstrumente *n*
48 die Extraktionszange
49 der Wurzelheber (Stößel)
50 der Knochenmeißel
51 der Spatel
52 der Mörser (die Reibschale)
53 das Pistill (die Mörserkeule)
54 die Injektionsspritze, zur Anästhesierung (Nervbetäubung)
55 der Matrizenspanner
56 der Abdrucklöffel
57 die Spiritusflamme

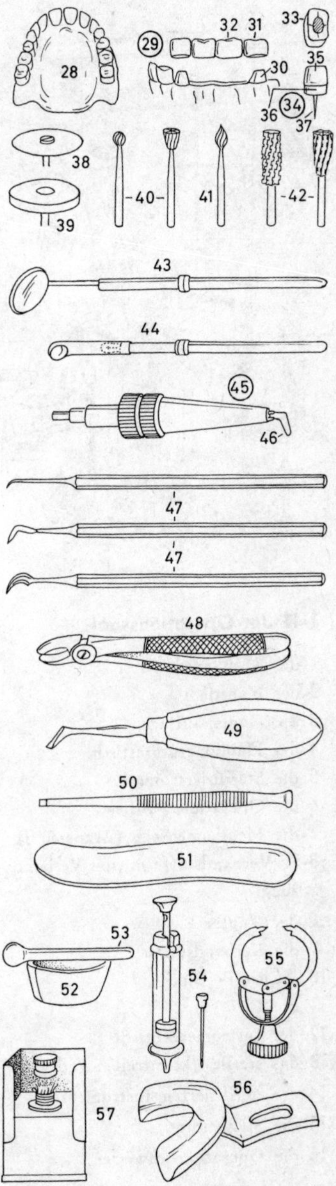

1-45 der Operationssaal:

1 die Krankenschwester
2 der Nahttisch
3 die Gummiauflage
4 der Handoperationstisch
5 die Sterilisiertrommel
6 die Operationswäsche
7 die Medikamente *n* (Arzneien *f*)
8-11 Verbandstoffe *m* (das Verbandszeug):
8 der Tupfer
9 die Verbandswatte
10 die sterile Binde
11 die Gaze;
12 der Instrumententisch
13 das sterile (keimfreie) Tuch
14 die sterilisierten Instrumente *n*
15 die Stehleuchte
16 die Operationsschwester
17 der Operateur (Chirurg):
18 die Operationshaube
19 das Mundtuch
20 der Gummihandschuh
21 der Operationsmantel
22 der Gummischuh;
23 der Operationstisch:
24 der Hebel zum Heben *n* und Senken *n* der Tischplatte;
25 das Operationsfeld
26 die Operationslampe (Operationsleuchte)
27 das Deckenfenster (Oberlicht)
28 die Assistentin (Assistenzärztin)
29 der Assistent (Assistenzarzt)
30 der Narkotiseur (Anästhesist)
31 die Sublimatschale
32 der Ablauf
33 die fahrbare Krankentrage

34-41 der Narkoseapparat:

34 der Lachgasbehälter
35 die Kohlensäureflasche
36 der Sauerstoffbehälter
37 das Flowmeter
38 die Ätherflasche
39 der Atembeutel
40 der Pilotballon
41 der Tubus;

42-45 der Waschraum:

42 das Waschbecken
43 der Wasserhahn, mit Ellenbogenbedienung *f*
44 das Alkoholgefäß
45 der Alkoholausfluß;

46-59 chirurgische Instrumente *n*:

46 die Knopfsonde
47 die Hohlsonde
48 die gebogene Schere
49 die Lanzette
50 der Ligaturführer
51 die Nähseide
52 die Sequesterzange
53 das Drainrohr (Drainagerohr)
54 die Aderpresse (Aderklemme)
55 die Arterienpinzette
56 der Wundhaken
57 die Knochenzange
58 der scharfe Löffel, für die Ausschabung (Auskratzung, Curettage)
59 die Geburtszange;
60 der Sterilisierapparat
61 der Trockensterilisator
62 der Spritzenkocher
63 die Wasserdestillationsanlage

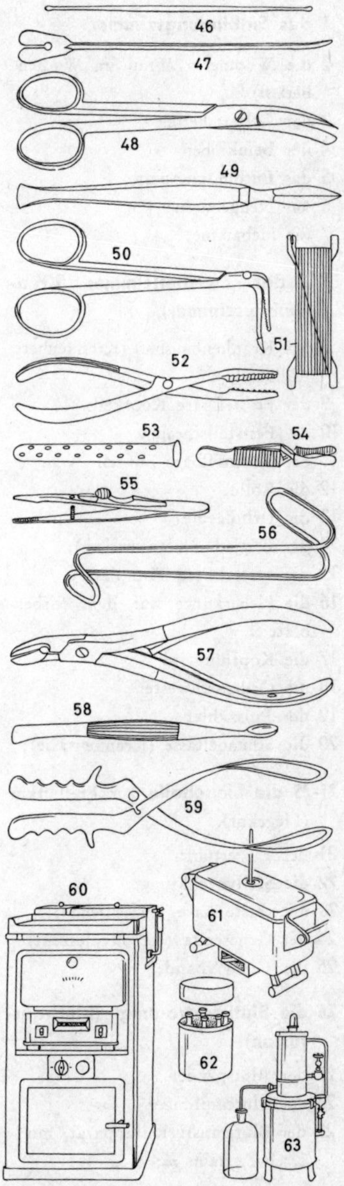

29 Krankenhaus II

1 das Entbindungszimmer:

2 die Wöchnerin (Frau im Wochenbett *n*)
3 der Geburtshelfer
4 der Beinkloben
5 das Entbindungsbett
6 das Neugeborene
7 die Hebamme;

8-20 das Zweibettzimmer (Krankenhauszimmer),

8 das Krankenhausbett (Krankenbett, Rollbett):
9 der verstellbare Kopfkeil
10 die Feststellschraube
11 der hochstellbare Fußteil
12 die Rolle;
13 die Urinflasche
14 der Bettisch (Krankentisch):
15 die verstellbare Tischplatte;
16 die Fieberkurve auf dem Fieberblatt *n*
17 die Kopfhörer *m*
18 die Ordensschwester
19 der Pulszähler
20 die Schnabeltasse (Krankentasse);

21-25 die Liegehalle zur Freiluftkur (Liegekur),

21 der Liegestuhl:
22 die Stellvorrichtung
23 die verstellbare Rückenlehne;
24 der Genesende (Rekonvaleszent)
25 der Gipsverband;

26 die Blutübertragung (Bluttransfusion):

27 der Blutspender
28 der Blutempfänger
29 der Bluttransfusionsapparat, mit Dreiwegehahn *m*;

30-38 die Röntgentherapie,

30 der Röntgenbestrahlungsapparat:
31 die Haube der Röntgenröhre
32 der Tubus
33 das Deckensäulenstativ
34 das Stromkabel;
35 der Bestrahlungstisch
36 das Liegepolster
37 der Schaltraum
38 die Röntgenassistentin;

39-47 die Röntgenuntersuchung,

39 das Röntgengerät (der Röntgenapparat, das Durchleuchtungsgerät):
40 der Schalttisch
41 der Durchleuchtungsschirm
42 der kippbare Durchleuchtungstisch
43 der Strahlenschutz
44 die fahrbare Kanzel;
45 der Röntgenarzt (Röntgenologe)
46 die Adaptionsbrille
47 die Schutzhandschuhe *m*;

48-55 die Radiumtherapie (Gammastrahlenbehandlung von Haut- und Krebskrankheiten *f*):

48 das Geiger-Müller-Strahlungsmeßgerät
49 das Integriergerät (der Integrator)
50 das Geigerzählrohr
51 der Radiumschrank, ein Bleischrank *m*, Bleitresor
52 der Radiumträger, eine Platinröhre
53 die Greifzange (Faßzange)
54 der Radiumpacktisch mit dem Instrumentarium *n*
55 die plastische Masse, mit radioaktivem Kobalt *n*

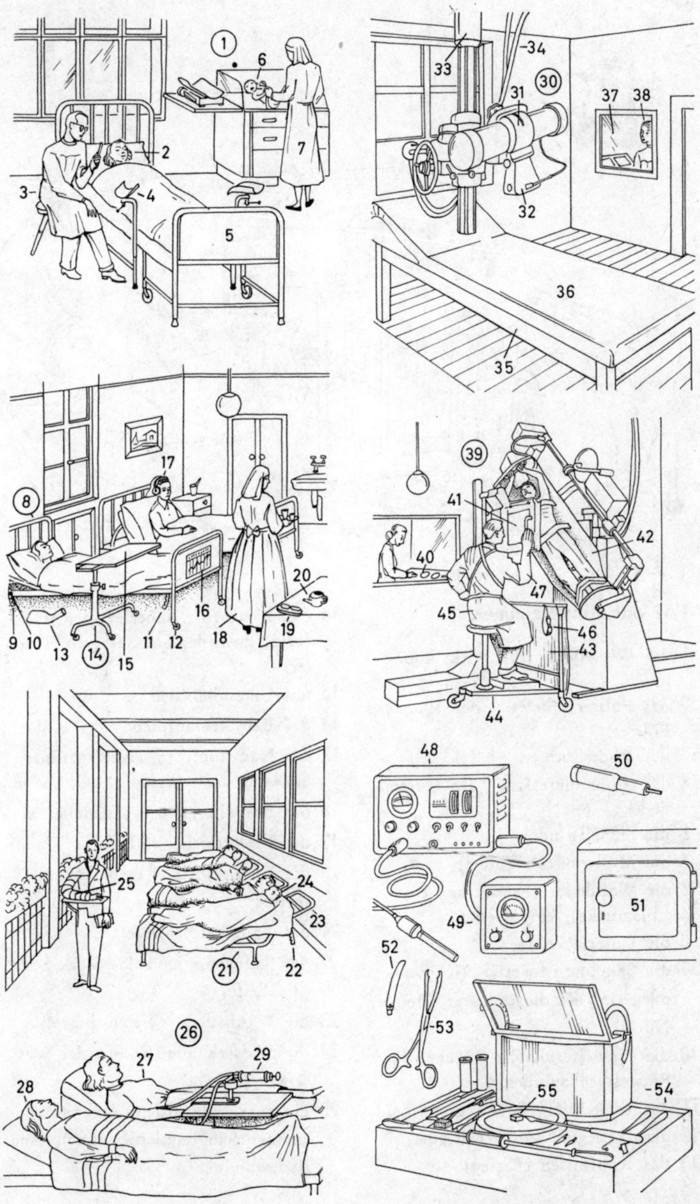
1
2
3
4
5
6
7
8
9
10
11
12
13
14
15
16
17
18
19
20
21
22
23
24
25
26
27
28
29
30
31
32
33
34
35
36
37
38
39
40
41
42
43
44
45
46
47
48
49
50
51
52
53
54
55

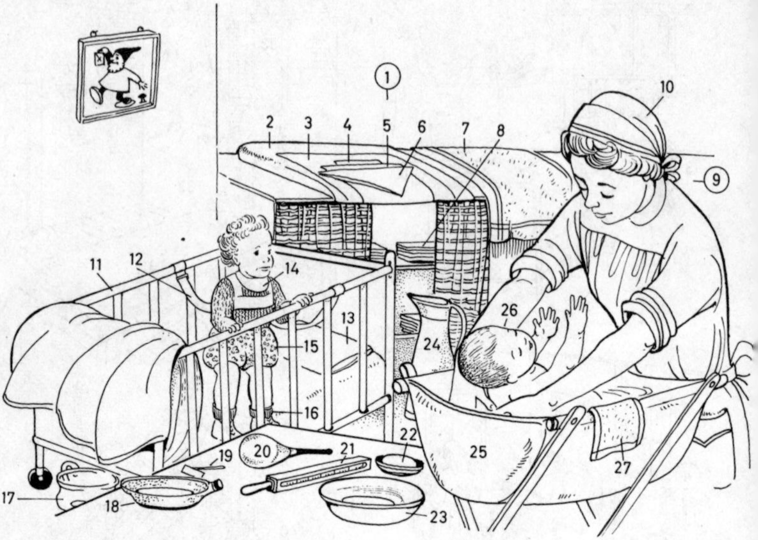

1-52 das Kinderzimmer,

1 der Wickeltisch (die Wickelkommode):
2 das Polster (*österr.* der Polster, Pölster)
3 das Wickeltuch
4 die Gummiunterlage (der Gummifleck)
5 die Flanellwindel
6 die Mullwindel (Windel)
7 die Wolldecke (Friesdecke, Einschlagdecke), eine Decke
8 die Unterlagen *f*;
9 die Säuglingsschwester (Kinderpflegerin, Kinderschwester, Bonne, Nurse):
10 die Schwesternhaube (Haube, das Schwesternhäubchen);
11 das verstellbare Säuglingsbettchen
12 der Haltegurt (Sicherheitsgurt)
13 das Kopfkissen (Kissen)
14 das Lätzchen (Sabberlätzchen, Geiferlätzchen, der Latz, *schwäb.* Trieler)
15 das Gummihöschen
16 das Babystrümpfchen
17 das Nachttöpfchen (Nachtgeschirr), ein Glas- oder Steingutnachttopf *m*
18 der Breiteller, ein Wärmeteller *m*
19 der Essenschieber (Schieber)
20 die Klistierspritze, eine Gummispritze
21 das Badethermometer
22 der Seifennapf und das Stück Seife (die Seife)
23 die Waschschale (Waschschüssel)
24 die Wasserkanne (Kanne, der Wasserkrug, Krug)
25 die zusammenfaltbare Gummibadewanne (Säuglingsbadewanne), eine Badewanne

26 der Säugling (das Baby, Kindchen, Kleine, Neugeborene, Kleinstkind, Wickelkind)
27 der Waschlappen
28 die Säuglingswaage
29 das Stehaufmännchen
30 die Mutter (oder Amme, Nährmutter) beim Stillen *n* (die stillende Mutter)
31 der Strampelsack, ein unten geschlossenes Trägerröckchen *n*
32 der Stubenwagen:
33 das Deckbett
34 der Spitzenbehang
35 die Plane
36 das Gummirad;
37 die Säuglingsschwester beim Trokkenlegen *n*
38 die Puderbüchse (Streubüchse) mit Streupuder *m* (Kinderpuder)
39 der Kinderpopo
40 der Beißring (das Zahnbein)
41 das Gummitier
42 die Kinderklapper (Klapper, Kinderrassel, Rassel)
43 die Salbendose (Vaselinedose), eine Dose
44 die Nabelbinde
45 die Babynagelschere
46 die Milchflasche (Flasche, Säuglingsflasche, das Fläschchen):
47 die Stricheinteilung (Skala);
48 der Sauger, ein Gummihütchen *n* für die Milchflasche
49 die Wattedose (der Wattebehälter)
50 der Wattebausch (die Watte)
51 der Schnuller (Lutscher)
52 der Wassereimer (Eimer)

31 Kinderkleidung

1-60 Babykleidung *f*, Knabenkleidung (*südd.* Bubenkleidung) u. Mädchenkleidung,
1 das Mädchennachthemd:
2 die Passe;
3 die Haarspange (der Zopfhalter)
4 das Mädchentaghemd
5 das Spielhöschen (Sonnenhöschen):
6 das Leibchen;
7 die Haartolle (Tolle)
8 das Taschentuch (Schnupftuch, *fam.* Sacktuch)
9 der Spielanzug:
10 die Tasche;
11 der Turnanzug:
12 das Turnhemd
13 die Turnhose;
14 der Bubenschlafanzug:
15 die verdeckte Knopfleiste;
16 die Babykleidung:
17 das Babyhemdchen
18 der Babyschuh
19 das Strampelhöschen
20 das Babyjäckchen (Babyjüpchen)
21 das Babyhäubchen;
22 das Kinderkleid (Kleidchen):
23 das Ärmelchen
24 das Krägelchen;
25 das Regencape:
26 die Kapuze;
27 die Gamaschenhose
28 der Matrosenanzug:
29 die Matrosenbluse (Bluse)
30 der Matrosenkragen (Kragen)
31 der Matrosenschlips (Knoten);
32 die Matrosenmütze:
33 das Mützenband;
34 der Faltenträgerrock
35 die Haarschleife (das Haarband)
36 das Kinderdirndl (Dirndlkleid)
37 der Mädchenmantel, ein Kindermantel *m*
38 der Mädchenhut, ein Kinderhut *m*
39 der Kniestrumpf
40 die Mädchenjacke, eine Sportjacke
41 die Mädchenhose
42 der Mädchenanorak
43 die Baskenmütze
44 die Mädchenschihose
45 der Kinderschuh
46 der Bubenanorak
47 die Klappmütze
48 die Kinderschürze
49 das Polohemd
50 die Bubenlederhose (Sepplhose):
51 der Hosenlatz
52 die Träger *m*;
53 der Knabenanzug (Bubenanzug)
54 die kniefreie Hose (kurze Hose)
55 das Buschhemd
56 das Söckchen
57 die Burschenjacke
58 die Sportmütze
59 die Schülermütze
60 die Mädchenbluse (Tupfenbluse);
61 das Halskettchen
62 die Pferdeschwanzfrisur

1
2
3
4
5
6
7
8
9
10
11
12
13
14
15
16
17
18
19
20
21
22
23
24
25
26
27
28
29
30
31
32
33
34
35
36
37
38
39
40
41
42
43
44
45
46
47
48
49
50
51
52
53
54
55
56
57
58
59
60
61
62

32 Damenkleidung (Frauenkleidung)

1 das Kostüm (Schneiderkostüm, Tailor, *schweiz.* Tailleur):
2 die Kostümjacke (Jacke)
3 die aufgesetzte Tasche
4 der Kostümrock
5 die Gehfalte;
6 die Hemdbluse (Bluse):
7 der (die) Paspel (*österr.* der Passepoil);
8 das Mantelkleid (Sportkleid, Tailormade)
9 das Jackenkleid (deux-pieces):
10 die Quetschfalte;
11 der Trägerrock
12 der Pullover (*ugs.* Pulli):
13 der Rollkragen
14 der lange Ärmel;
15 das Hauskleid:
16 der dreiviertellange Ärmel;
17 die Schürze (Hausschürze, Trägerschürze):
18 die Schürzentasche;
19 die Kleiderschürze:
20 der Schalkragen;
21 das Dirndlkleid (Dirndl):
22 der Puffärmel;
23 die Dirndlschürze, eine Zierschürze (Tändelschürze):
24 das Schürzenband;
25 das Abendkleid, ein Gesellschaftskleid *n*:
26 das Dekolleté (der tiefe und weite Ausschnitt)
27 die Schärpengarnitur;
28 das Cocktailkleid, ein Nachmittagskleid *n*:
29 der Bolero (das Bolerojäckchen)
30 das Stufenvolant;
31 das Sommerkleid:
32 der kurze Ärmel, ein angeschnittener Ärmel *m*
33 das Plissee;
34 der Sonnenschirm
35 das Komplet:
36 der Kompletmantel, ein Wollmantel *m*
37 das Wollkleid
38 die Kleiderfalte (Falte);
39 der (das) Twinset
40 der Pullover, mit rundem Ausschnitt
41 der Parallelo
42 der Popelinemantel, ein Regen- oder Staubmantel *m*:
43 die Kapuze;
44 die Pelzgarnitur:
45 die Pelzjacke
46 die Pelzmütze
47 der Muff;
48 der Pelzschal (die Pelzstola)
49 der Pelzmantel:
50 der Tonnenärmel
51 der Verschlußknopf;
52 der Wintermantel, ein Taillenmantel *m*:
53 der Pelzbesatz (Pelzkragen, die Pelzmanschetten *f* und der Taschenbesatz);
54 der Sommermantel, ein Hänger *m* (Slipon):
55 die Steppverzierung;
56 der Wochenendanzug:
57 die Caprihose;
58 das Sportkostüm, ein Tweedkostüm *n*:
59 die angeschnittene Tasche

1
2
3
4
5
6
7
8
9
10
11
12
13
14
15
16
17
18
19
20
21
22
23
24
25
26
27
28
29
30
31
32
33
34
35
36
37
38
39
40
41
42
43
44
45
46
47
48
49
50
51
52
53
54
55
56
57
58
59

33 Unterkleidung und Hauskleidung

1-34 die Damenunterwäsche (Damenwäsche, Damenunterkleidung, *schweiz.* die Dessous *n*),

1 das ärmellose Nachthemd:
2 die Hemdspitze (Hemdkrause), eine Passe;
3 der Damenschlafanzug (Pyjama):
4 die Schlafanzugjacke (Pyjamajacke)
5 die Schlafanzughose (Pyjamahose);
6 der Morgenrock (Schlafrock)
7 der Hausanzug:
8 die Damenhose
9 die Bluse
10 die Hausjacke;
11 das Damenhemd:
12 der Träger;
13 die Hemdhose
14 der Büstenhalter
15 die Büstenhebe
16 der Hüftformer:
17 das Stäbchen
18 der Hüfthalter (Hüftgürtel):
19 der Strumpfhalter (*ugs.* Straps);
20 der Damenslip
21 das Höschen (der Schlüpfer):
22 das Gummiband (der Gummizug);
23 das Mieder (Korselett):
24 der Elastikeinsatz (die Elastikeinlage, das Gummiteil)
25 die Schnürung;
26 der Halbunterrock (Unterrock, Halbrock, Petticoat):
27 der Bund;
28 das Unterkleid (der lange Unterrock):
29 das Spitzenoberteil;
30 das Bettjäckchen
31 das Armblatt (Schweißblatt)
32 der Kunstseidenstrumpf oder Seidenstrumpf, Nylonstrumpf, Perlonstrumpf, ein Damenstrumpf *m*
33 der Netzstrumpf
34 der gemusterte Wollstrumpf (Jacquardstrumpf);

35-65 die Herrenunterwäsche (Herrenwäsche, Herrenunterkleidung):

35 der Herrenschlafanzug (Pyjama)
36 das Oberhemd (Herrenhemd):
37 der lose Kragen, ein weicher Kragen *m*
38 die Manschette;
39 das Sporthemd:
40 der feste Kragen;
41 das Frackhemd (steife Hemd):
42 die Hemdbrust
43 der Hemdärmel;
44 der Querbinder (die Fliege, Schleife)
45 die Krawatte (der Selbstbinder, Binder, Schlips):
46 der Krawattenknoten;
47 der Hosenträger
48 das Unterhemd
49 das Netzunterhemd (Netzhemd), eine Netzjacke
50 das Herrennachthemd:
51 der Hemdkragen
52 der Hemdknopf
53 der Ärmelaufschlag;
54 der Gürtel (Leibriemen, Gurt)
55 der steife (gestärkte) Eckenkragen (Smokingkragen, Frackkragen)
56 der Herrenschlüpfer
57 der Herrenslip, eine kurze Unterhose
58 die lange Unterhose:
59 der Beinling;
60 der Manschettenknopf
61 der feststehende und der umklappbare Kragenknopf
62 die Socke (der Socken)
63 der Sockenhalter
64 die Knöchelsocke:
65 der elastische Sockenrand

1
2
3
4
5
6
7
8
9
10
11
12
13
14
15
16
17
18
19
20
21
22
23
24
25
26
27
28
29
30
31
32
33
34
35
36
37
38
39
40
41
42
43
44
45
46
47
48
49
50
51
52
53
54
55
56
57
58
59
60
61
62
63
64
65

34 Herrenkleidung (Männerkleidung)

1 der kombinierte Anzug (die Kombination):
2 der Sportsakko (Sakko, *österr. n)*
3 die Kombinationshose;
4 der Zweireiher:
5 der Rock (die Jacke, das Jackett)
6 der Rockknopf
7 das Knopfloch
8 die Brusttasche
9 die Taschenklappe (Patte);
10 die lange Hose (das Beinkleid):
11 das Hosenbein (der Beinling)
12 die Bügelfalte (der Bruch);
13 der Einreiher (einreihige Anzug):
14 die Seitentasche
15 der Rockkragen (Kragen)
16 der Aufschlag (Revers)
17 der Ärmel
18 das Rockfutter (Futter)
19 die Innentasche;
20 der Sportanzug:
21 die Sportjacke
22 die Golfhose (Knickerbocker *pl*; *ähnl.:* die Bundhose, *früh.* Pumphose);
23 der Lumberjack (die Ärmelweste):
24 der Reißverschluß
25 der Strickbund;
26 der Trachtenjanker (die Trachtenjacke)
27 die Breecheshose (Breeches *pl*, die Reithose):
28 der Hosenbund (Bund)
29 der Hosenknopf
30 der Hosenschlitz (Schlitz)
31 die Hosentasche
32 der Reitbesatz (Besatz);
33 die Gesäßtasche (Hinterhosentasche)
34 der Gesäßteil (das Gesäß, der Hosenboden)
35 die Regenhaut (das Regencape, der Umhang)
36 der Dufflecoat:
37 die aufgesetzte (aufgenähte, gesteppte) Manteltasche
38 der Knebelknopf;
39 der Gummimantel (Regenmantel, Waterproof-Mantel)
40 der Herrentrenchcoat
41 der Raglan, ein Sportmantel *m*, Wettermantel
42 die Phantasieweste (farbige Weste), eine Weste:
43 das Westenfutter
44 die Westentasche
45 der Westenknopf;
46 der Hausmantel
47 die Rauchjacke
48 der Mantel (Überzieher, Paletot):
49 der Mantelkragen
50 der Mantelknopf
51 die Manteltasche;
52 der Übergangsmantel
53 der Gehrock (Bratenrock):
54 der Spiegel (die Blende);
55 der Cutaway (Cut, Schwenker):
56 die gestreifte Hose (Cuthose);
57 der Frack, ein Gesellschaftsanzug *m*:
58 der Frackschoß (Schoß)
59 die weiße Weste
60 die weiße Frackschleife;
61 der Smoking, ein Abendanzug *m*:
62 das Smokingjackett
63 das Ziertaschentuch
64 die schwarze Smokingschleife;
65 der Gehpelz (Pelz, Herrenwintermantel):
66 das Pelzfutter (die Abfütterung);
67 der Anorak (die Windjacke):
68 der Pelzkragen

1
2
3
4
5
6
7
8
9
10
11
12
13
14
15
16
17
18
19
20
21
22
23
24
25
26
27
28
29
30
31
32
33
34
35
36
37
38
39
40
41
42
43
44
45
46
47
48
49
50
51
52
53
54
55
56
57
58
59
60
61
62
63
64
65
66
67
68

1-26 Bart- und Haartrachten *f* (Frisuren) **des Mannes** (Männerfrisuren):

1 das lange offene Haar
2 die Allongeperücke (Staatsperücke, Lockenperücke), eine Perücke; *kürzer und glatter:* die Stutzperücke (Atzel), die Halbperücke (das Toupet):
3 die Locken;
4 die Haarbeutelperücke (der Haarbeutel, Mozartzopf)
5 die Zopfperücke:
6 der Zopf
7 die Zopfschleife (das Zopfband);
8 der Henriquatre, ein Spitz- und Knebelbart *m*
9 der Spitzbart, ein Kinnbart *m*
10 der Igelkopf (*ugs.* Stiftenkopf, die Bürste)
11 der Backenbart
12 der Knebelbart
13 der Seitenscheitel
14 der Vollbart
15 der Stutzbart
16 die Fliege
17 der Lockenkopf (Künstlerkopf)
18 der Schnauzbart (*ugs.* Schnauzer)
19 der Mittelscheitel
20 der Glatzkopf:
21 die Glatze (*ugs.* Platte);
22 der Kahlkopf
23 der Stoppelbart (die Stoppeln *f*, Bartstoppeln)
24 die Koteletten *pl; früh.* Favoris
25 die glatte Rasur (Bartlosigkeit)
26 der englische Schnurrbart;

27-38 Haartrachten *f* (Frisuren) **der Frau** (Frauenfrisuren, Damen- und Mädchenfrisuren):

27 das gelöste Haar
28 das aufgesteckte Haar:
29 der Haarknoten (Knoten, Chignon, *ugs.* Dutt);
30 die Zopffrisur (Hängezöpfe *m*)
31 die Kranzfrisur (Gretchenfrisur):
32 der Haarkranz;
33 das Lockenhaar
34 der Bubikopf
35 der Pagenkopf (die Ponyfrisur):
36 die Ponyfransen *f* (*ugs.* Simpelfransen);
37 die Schneckenfrisur:
38 die Haarschnecke

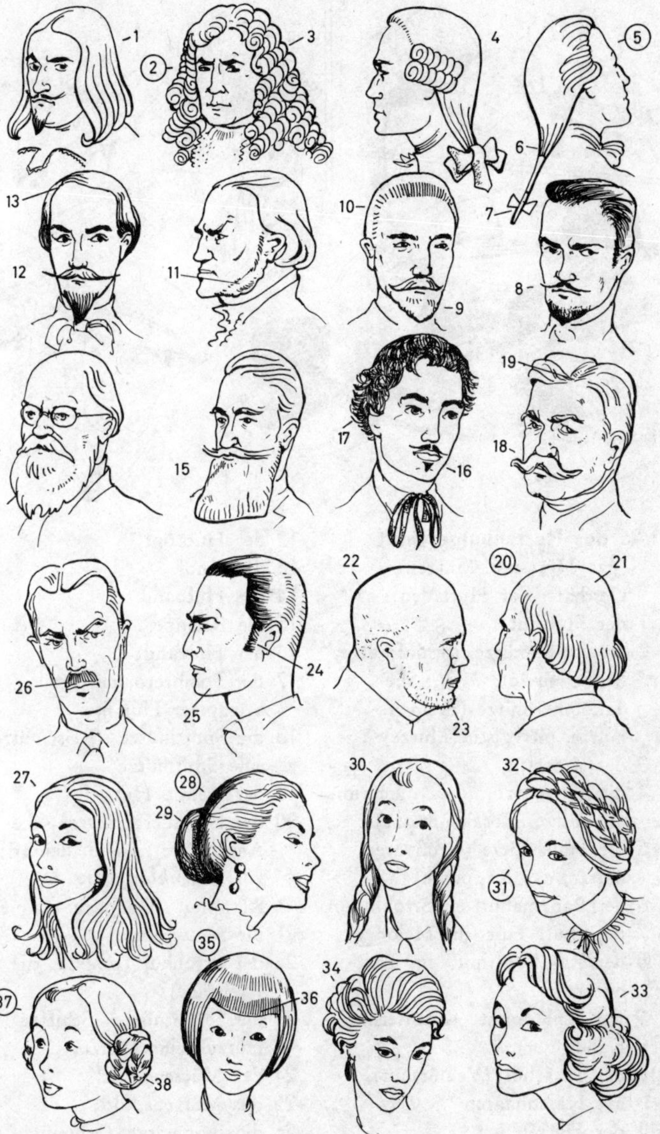
1
2
3
4
5
6
7
8
9
10
11
12
13
14
15
16
17
18
19
20
21
22
23
24
25
26
27
28
29
30
31
32
33
34
35
36
37
38

36 Kopfbedeckungen

1-26 das Herrenhutgeschäft (das Hüte-und-Mützen-Geschäft, der Hutladen):

1 der Stoffhut

2 die Zipfelmütze (Schlafmütze, Michelmütze); *ähnl.:* die Jakobinermütze (Freiheitsmütze, phrygische Mütze):

3 der Zipfel;

4 die Pelzmütze; *ähnl.:* die Krimmermütze (Kosakenmütze)

5 die Hausmütze (Großvatermütze, das Käppchen)

6 der Panamahut, ein Strohhut *m*

7 der steife Hut (die Melone)

8 der Ramiebasthut, ein Basthut *m*

9 der Schlapphut (Künstlerhut, Kalabreser)

10 der Haarhut (Veloursliut), aus Hasenhaaren

11 der Herrenhut:

12 der Hutkopf

13 der Kniff

14 das Hutband

15 die Krempe

16 der Hutrand;

17 der Sombrero, ein breitkrempiger Hut *m*

18 die Sportmütze (Reisemütze), eine Stoffmütze

19 der weiche Hut

20 der Zylinder (*scherzh.* die Angströhre), aus Seidentaft; *zusammenklappbar:* der Klapphut (Chapeau claque)

21 die Hutschachtel

22 der Strohhut (*scherzh.* die Kreissäge)

23 die Seglermütze (Schiffermütze), eine Mütze:

24 der Mützendeckel

25 das Mützenschild;

26 die Bergmütze (Schimütze);

27-57 das Damenhutgeschäft (der Hutsalon):

27 die Toque
28 das Stoffhütchen
29 die Haube
30 die Hutmacherin (Putzmacherin, Modistin)
31 der unverarbeitete Filzstumpen
32 die Hutform
33 die Filzglocke
34 die Abendkappe, eine Brokatkappe:
35 die Reiherfeder;
36 die künstliche Blume
37 die Strohborten *f*
38 das Nackenband
39 der Florentiner, ein breitrandiger Strohhut *m*
40 der Halbschleier (Gesichtsschleier)
41 das Samtband oder Seidenband, Moiréband
42 die Hahnenfeder
43 die Federtoque
44 die Wildledermütze:
45 der Strickbund;
46 der Trauerhut
47 der halblange Schleier
48 der Damenhut, ein bespannter Seiden- oder Tüllhut *m*:
49 der Hutputz (Putz)
50 die Hutnadel;
51 der Hutständer
52 die Vogelschwinge (der Vogelflügel)
53 die Strickmütze, eine Verwandlungsmütze
54 die Baskenmütze
55 das Barett
56 die Fasanenfeder
57 der Strandhut, ein Basthut *m*

37 Kleidungszubehör

1-27 Kleidungszubehör *m u. n*:
1 der Pulswärmer
2 das Taschentuch (Schnupftuch, *fam.* Sacktuch, Schneuztuch):
3 die Zierkante, eine Zierspitze
4 das Wäschezeichen (Wäschemonogramm, die Anfangsbuchstaben *m*), ein Eigentumszeichen *n*;
5 die Wäscheschablone (Schablone zum Zeichnen *n* der Wäsche *f*)
6 der Zierkragen, ein Spitzenkragen *m*
7 die Ziermanschette (Spitzenmanschette), eine Stulpe
8 die Beuteltasche (der Beutel)
9 das Halstuch
10 die Damenhandtasche (Handtasche, Tasche):
11 der Griff
12 das Schloß;
13 der geflochtene Gürtel:
14 das Gürtelschloß (die Gürtelschließe, Gürtelschnalle, Gurtschnalle)
15 die Gürtelschlaufe;
16 der Ledergürtel:
17 der Knopfverschluß;
18 die Rüsche
19 das Kragenstäbchen, ein Kunststoffstäbchen *n*, *früh.* Fischbeinstäbchen
20 der Druckknopf
21 der Reißverschluß:
22 der Schieber;
23 der Haken (das Häkchen)
24 die Öse
25 die Sicherheitsnadel
26 der Wäscheknopf
27 der Hosenknopf, ein Knopf *m*

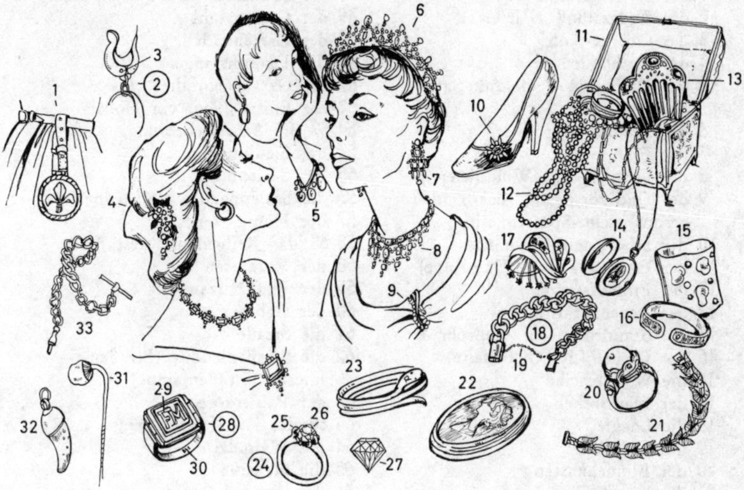

1-33 Schmuckwaren *f* (Juwelierwaren, Schmucksachen, das Geschmeide):
1 die Schmuckpaillette, ein Gürtelschmuck *m*
2 der Ohrenklips (Ohrklips):
3 die Klipsschraube;
4 der Haarklips, ein Haarschmuck *m*
5 das Münzarmband (Bettelarmband)
6 das Juwelendiadem
7 das Ohrgehänge (der Ohrring)
8 das Brillantkollier (Kollier)
9 der Klips
10 der Schuhklips, ein Schuhschmuck *m*
11 das Schmuckkästchen (der Schmuckkasten)
12 die Perlenhalskette (Perlenschnur)
13 der Einsteckkamm (Steckkamm)
14 der Medaillonanhänger (das Medaillon)
15 der Sklavenarmreif, ein Armreif *m*
16 der Armreif, eine Filigranarbeit
17 die Vorstecknadel (Busennadel)
18 das Kettenarmband:
19 die Sicherheitskette;
20 der Schmuckring, ein Fingerring *m* (Ring)
21 das Gliederarmband
22 die Kameenbrosche
23 die Armspange
24 der Brillantring:
25 die Klauenfassung, eine Einfassung
26 der Brillant, ein facettierter Edelstein *m* (Stein);
27 der Facettenschliff (die Facetten *f*)
28 der Siegelring:
29 die Gravur
30 der Goldstempel (Karatstempel, Feingehaltstempel);
31 die Krawattennadel (Schlipsnadel)
32 die Berlocke (das Ziergehänge)
33 die Uhrkette

39 Haus und Haustypen

1-53 das freistehende Einfamilienhaus:
1 das Kellergeschoß
2 das Erdgeschoß (Parterre)
3 das Obergeschoß
4 der Dachboden
5 das Dach, ein ungleiches Satteldach *n*
6 die Traufe
7 der First
8 der Ortgang mit Winddielen *f*
9 der Dachvorsprung (das Dachgesims), ein Sparrengesims *n*
10 der Schornstein (Kamin)
11 der Dachkanal (die Dachrinne)
12 der Einlaufstutzen
13 das Regenabfallrohr
14 das Standrohr, ein Gußrohr *n*
15 der Giebel (die Giebelseite)
16 die Wandscheibe
17 der Haussockel
18 die Loggia
19 das Geländer
20 der Blumenkasten
21 die zweiflüglige Loggiatür
22 das zweiflüglige Fenster
23 das einflüglige Fenster:
24 die Fensterbrüstung mit Fensterbank *f*
25 der Fenstersturz
26 die Fensterleibung;
27 das Kellerfenster
28 der Rolladen:
29 der Rolladenaussteller;
30 der Fensterladen (Klappladen):
31 der Ladenfeststeller;
32 die Garage, mit Geräteraum *m*
33 das Spalier
34 die Brettertür
35 das Oberlicht mit Kreuzsprosse *f*
36 die Terrasse
37 die Gartenmauer mit Abdeckplatten *f*
38 die Gartenleuchte
39 die Gartentreppe
40 der Steingarten
41 der Schlauchhahn
42 der Gartenschlauch
43 der Rasensprenger
44 das Planschbecken
45 der Plattenweg
46 die Liegewiese
47 der Liegestuhl
48 der Sonnenschirm (Gartenschirm)
49 der Gartenstuhl
50 der Gartentisch
51 die Teppichstange
52 die Garageneinfahrt
53 die Einfriedung, ein Holzzaun *m*;
54-57 die Arbeitersiedlung,
54 das Siedlungshaus:
55 das Schleppdach
56 die Schleppgaube (Schleppgaupe);
57 der Hausgarten;
58-63 das Reihenhaus, gestaffelt:
58 der Vorgarten
59 der Pflanzenzaun
60 der Gehweg
61 die Straße
62 die Straßenleuchte (Straßenlaterne, Straßenlampe)
63 der Papierkorb;
64-68 das Zweifamilienhaus:
64 das Walmdach
65 die Haustür
66 die Eingangstreppe
67 das Vordach
68 das Pflanzen- oder Blumenfenster;
69-71 das Vier-Familien-Doppelhaus:
69 der Balkon
70 der Glaserker
71 die Markise;
72-76 das Laubenganghaus:
72 das Treppenhaus
73 der Laubengang
74 die Atelierwohnung
75 die Dachterrasse, eine Liegeterrasse
76 die Grünfläche;
77-81 das mehrstöckige Zeilenhaus:
77 das Flachdach
78 das Pultdach
79 die Garage
80 die Pergola
81 das Treppenhausfenster;
82 das Hochhaus:
83 der Aufbau für Aufzug *m* und Treppenaustritt *m*;
84-86 das Wochenendhaus, ein Holzhaus *n*:
84 die waagerechte Bretterschalung
85 der Natursteinsockel
86 das Fensterband

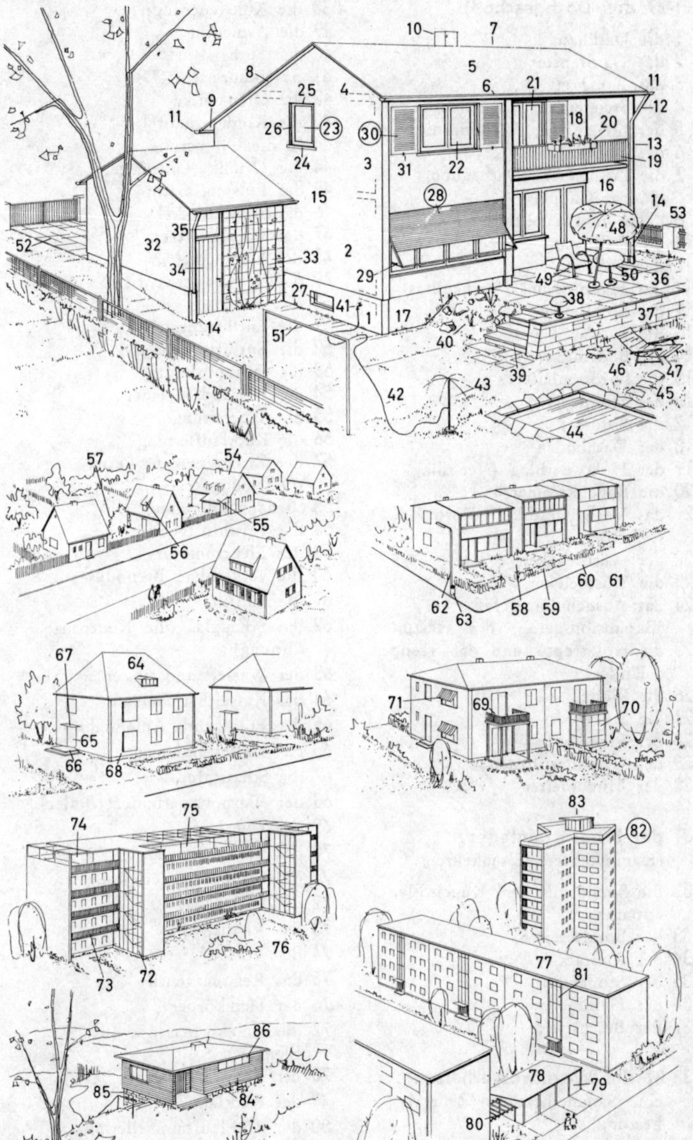
1
2
3
4
5
6
7
8
9
10
11
12
13
14
15
16
17
18
19
20
21
22
23
24
25
26
27
28
29
30
31
32
33
34
35
36
37
38
39
40
41
42
43
44
45
46
47
48
49
50
51
52
53
54
55
56
57
58
59
60
61
62
63
64
65
66
67
68
69
70
71
72
73
74
75
76
77
78
79
80
81
82
83
84
85
86

40 Dach und Heizkeller

1-29 das Dachgeschoß:

1 die Dachhaut
2 das Dachfenster
3 das Laufbrett
4 die Steigleiter (Dachleiter)
5 der Schornstein (Kamin, die Esse)
6 der Dachhaken
7 die Dachgaube (Dachgaupe, Gaube, Gaupe)
8 das Schneefanggitter
9 die Dachrinne
10 das Fallrohr
11 das Hauptgesims (Dachgesims)
12 der Spitzboden
13 die Falltür
14 die Bodenluke
15 die Sprossenleiter:
16 der Holm
17 die Sprosse;
18 der Dachboden:
19 der Holzverschlag (Verschlag)
20 die Bodenkammertür
21 das Vorhängeschloß (Vorlegeschloß)
22 der Wäschehaken
23 die Wäscheleine;
24 das Ausdehnungsgefäß (Expansionsgefäß) der Heizung
25 die Holztreppe und das Treppengeländer:
26 die Wange
27 die Stufe
28 der Handlauf
29 der Geländerpfosten;
30 der Blitzableiter

31 der Schornsteinfeger (Kaminkehrer, Essenkehrer):

32 die Sonne mit dem Kugelschlagapparat *m*
33 das Schultereisen
34 der Rußsack
35 der Stoßbesen
36 der Handbesen
37 der Besenstiel;

38-81 die Warmwasserheizung, eine Sammelheizung (Zentralheizung),

38-43 der Heizraum,
38 die Koksfeuerung:
39 die Aschentür
40 der Fuchs
41 das Schüreisen
42 die Ofenkrücke
43 die Kohlenschaufel;
44-60 die Ölfeuerung,
44 der Öltank (Ölbehälter):
45 der Einsteigschacht
46 der Schachtdeckel
47 der Einfüllstutzen
48 der Domdeckel
49 das Tankbodenventil
50 das Heizöl
51 die Entlüftungsleitung
52 die Entlüftungskappe
53 die Ölstandsleitung
54 der Ölstandsanzeiger
55 die Saugleitung
56 die Rücklaufleitung;
57 der Zentralheizungskessel (Ölheizungskessel),
58-60 der Ölbrenner:
58 das Frischluftgebläse
59 der Elektromotor
60 die verkleidete Brenndüse;
61 die Fülltür
62 das Schauglas (die Kontrollöffnung)
63 der Wasserstandsmesser
64 das Kesselthermometer
65 der Füll- und- Ablaßhahn
66 das Kesselfundament;
67 die Schalttafel
68 der Warmwasserboiler (Boiler):
69 der Überlauf
70 das Sicherheitsventil;
71 die Hauptverteilerleitung:
72 die Isolierung
73 das Ventil;
74 der Vorlauf
75 das Regulierventil
76 der Heizkörper
77 die Heizkörperrippe (das Element)
78 der Raumthermostat
79 der Rücklauf
80 die Rücklaufsammelleitung
81 der Rauchabzug

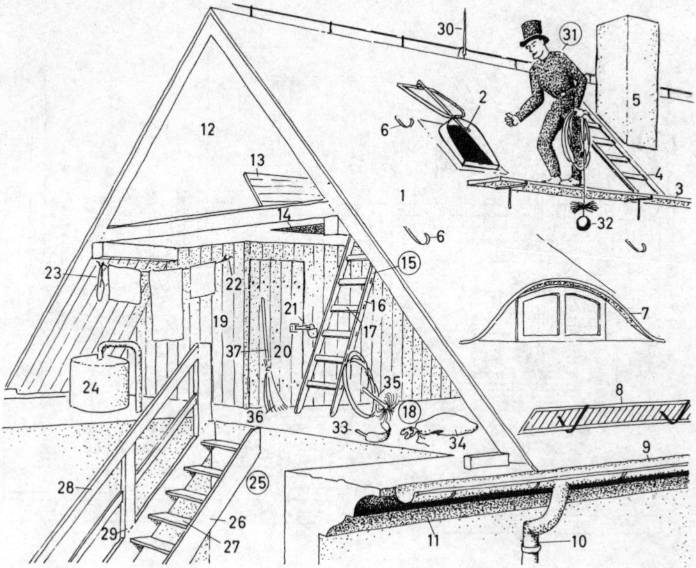
1
2
3
4
5
6
7
8
9
10
11
12
13
14
15
16
17
18
19
20
21
22
23
24
25
26
27
28
29
30
31
32
33
34
35
36
37

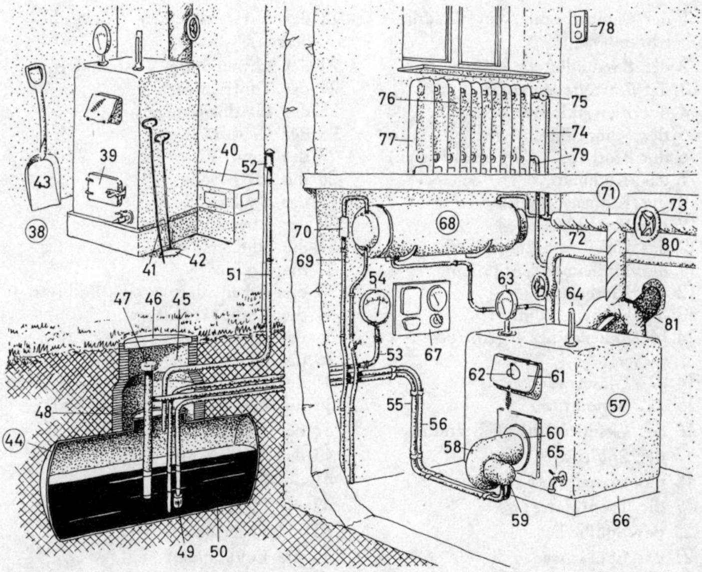
38
39
40
41
42
43
44
45
46
47
48
49
50
51
52
53
54
55
56
57
58
59
60
61
62
63
64
65
66
67
68
69
70
71
72
73
74
75
76
77
78
79
80
81

1 der Wandschrank, ein Geschirrschrank *m*
2 der Schaumlöffel
3 der Kartoffelstampfer
4 der Fleischklopfer
5 der Schöpflöffel
6 die Brotkapsel (der Brotkasten)
7 das Kochbuch
8 der Küchenschrank:
9 der Besteckkasten
10 das Gewürzschränkchen;
11 der Mülleimer (Abfalleimer):
12 der Trethebel;
13 die Küchengardine
14-16 Küchentücher *n* (Abtrockentücher):
14 das Gläsertuch
15 das Bestecktuch
16 das Geschirrtuch (Tellertuch);
17 der Spültisch:
18 das Abstellbrett
19 die Tropfplatte
20 das Spülbecken
21 das Spülwasser
22 das Aufwaschbecken (Abwaschbecken)
23 der schwenkbare Wasserhahn;
24 der Topfreiniger
25 der Flaschenreiniger
26 der Geschirreiniger
27 der Sand
28 die (das) Soda
29 das Spülmittel
30 der Abwaschlappen
31 die Schmierseife
32 die Köchin
33 die Arbeitsplatte, ein Eckbrett *n*
34 die Küchenabfälle *m*
35 der Gasherd:
36 der Gasbrenner
37 der Gashahn
38 die Bratröhre (der Backofen);
39 der Küchenherd:
40 das Wasserschiff
41 die Herdplatte
42 die Herdringe *m*
43 die Feuertür
44 die Luftklappe

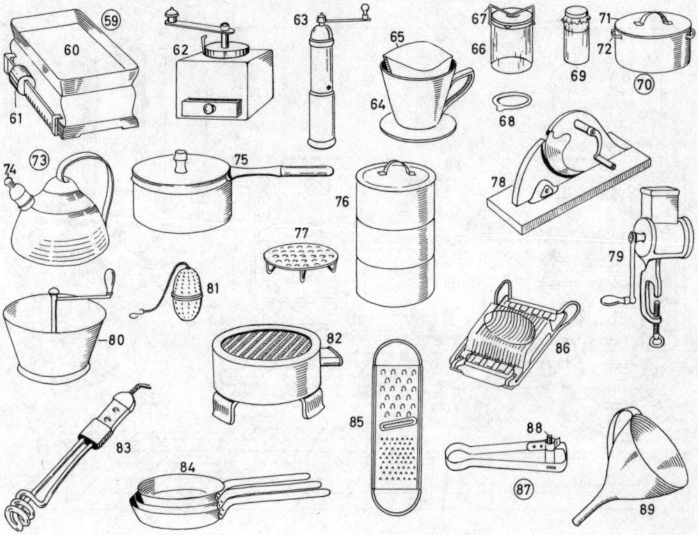

45 der Aschenkasten;
46 der Kohlenkasten
47 die Kohlenschaufel
48 die Feuerzange
49 der Feuerhaken
50 das Ofenrohr
51 die Wandfliese
52 der Küchenstuhl
53 der Küchentisch
54 das Brotmesser
55 der Kartoffelschäler
56 das Küchenmesser
57 das Schneidebrett
58 das Wiegemesser
59 die Küchenwaage, eine Laufgewichtwaage:
60 die Waagschale
61 das Laufgewicht;
62 die Kaffeemühle
63 die Mokkamühle
64 der Kaffeefilter
65 das Filterpapier
66 das Weckglas
67 der Saughaken
68 der Dichtungsring
69 das Einmachglas
70 der Kochtopf:
71 der Topfdeckel
72 der Henkel;
73 der Wasserkessel:
74 der Pfeifaufsatz;
75 die Kasserolle (der Stieltopf, Schmortopf)
76 der Turmkochtopf
77 der Dämpfeinsatz (Locheinsatz)
78 die Brotschneidemaschine
79 die Reibmaschine
80 die Passiermaschine
81 das Tee-Ei
82 die elektr. Kochplatte
83 der Tauchsieder
84 der Satz Tiegel
85 die Reibe (das Reibeisen)
86 der Eierteiler
87 der Gasanzünder:
88 der Feuerstein;
89 der Trichter

42 Küche II

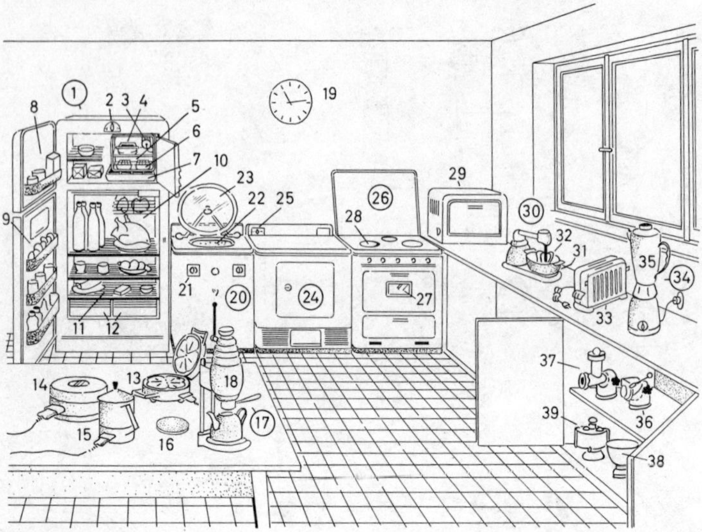

1-66 Küchenmaschinen *f* **und Küchengeräte** *n*,

1 der Kühlschrank (Kompressionskühlschrank):
2 der Temperaturregler
3 der Verdampfer, ein Kühlkessel *m* (Froster)
4 das Tiefkühlfach
5 das Gefrierfach
6 die Eiswürfellade (Eiswürfelschale
7 die Tropfschale
8 das Türfach
9 die Eierleiste
10 das Flaschenfach
11 der Tragrost
12 das Gemüsefach;
13 das elektr. Waffeleisen
14 die Back-und-Brat-Haube
15 der elektr. Kochtopf
16 der Asbestuntersatz
17 die Espressomaschine, eine Mokkamaschine:
18 der Filtereinsatz;
19 die Küchenuhr
20 die Waschmaschine:
21 der Vorwähler
22 die Waschtrommel
23 der Sicherheitsglasdeckel;
24 die Wäschetrockenmaschine:
25 der Sicherheitsschalter;
26 der elektr. Küchenherd:
27 das Sichtglas
28 die Heizplatte;
29 der elektr. Grillapparat
30 der Rühr-und-Knet-Apparat:
31 die Rührschüssel

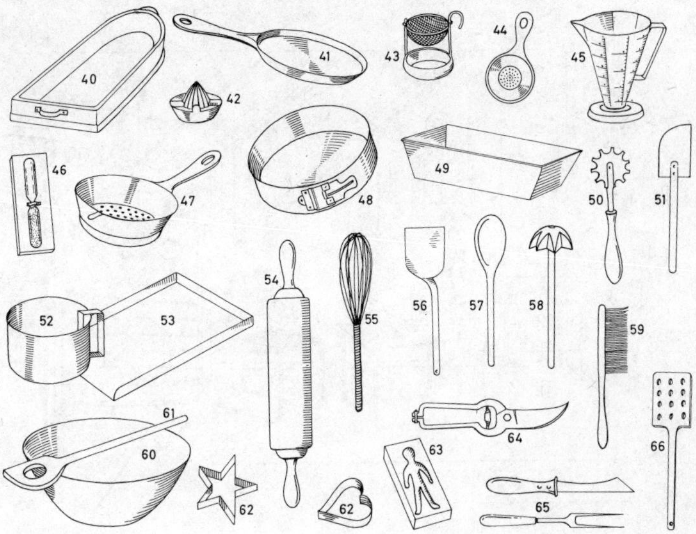

32 der Rührbesen;
33 der Brotröster (Toaster)
34 das Mixgerät (der Mixer):
35 der Aufsatz;
36 der Gemüseschneider
37 der elektr. Fleischwolf
38 der elektr. Sahnebläser
39 die Fruchtsaftzentrifuge
40 die Bratpfanne
41 die Stielpfanne
42 die Zitronenpresse
43 das Teesieb (der Teeseiher)
44 das Kaffeesieb
45 das Meßglas
46 die Eieruhr
47 der Durchschlag
48 u. 49 Kuchenformen *f*:
48 die Springform
49 die Kastenform;
50 das Teigrädchen (Teigrad)
51 der Teigschaber
52 das Mehlsieb
53 das Kuchenblech
54 das Nudelholz (Wellholz)
55 der Schaumschläger (Schneebesen)
56 der Wender
57 der Kochlöffel
58 der Quirl
59 die Kuchenbürste
60 die Rührschüssel
61 der Lochlöffel, ein Rührlöffel *m*
62 die Ausstechform
63 der Holzmodel
64 die Geflügelschere
65 das Tranchierbesteck
66 der Fischheber

43 Diele

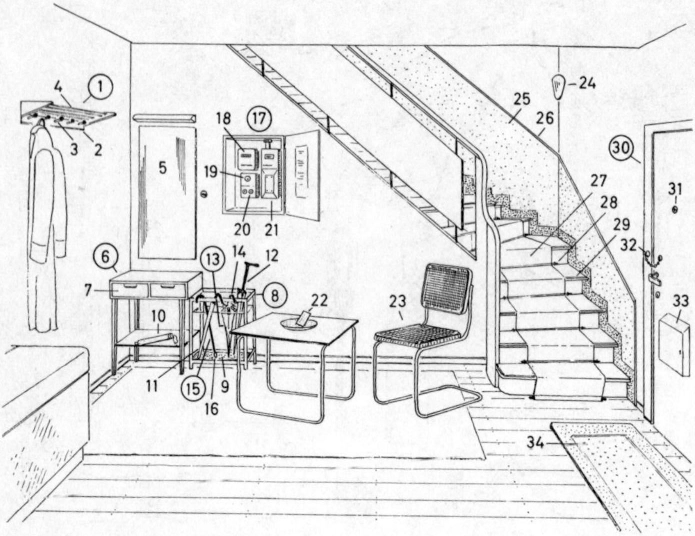

1-34 der Flur (Korridor, Vorplatz, Vorraum),
1 die Kleiderablage (Flurgarderobe, Garderobe):
2 die Hakenleiste
3 der Kleiderhaken
4 das Hutbord (die Hutablage);
5 der Garderobenspiegel
6 der Garderobentisch:
7 der Handschuhkasten;
8 der Schirm-und-Stock-Ständer:
9 der Wasserkasten (das Tropfblech);
10-14 Schirme *m*:
10 der Taschenschirm; *ähnl.:* Autoschirm
11 der Stockschirm
12 der Damenschirm, ein Regenschirm *m* (*österr.* Parapluie *n*)
13 der Herrenschirm:
14 der Schirmgriff (die Krücke);
15 der Spazierstock (Stock):
16 die Zwinge;
17 der Zählerkasten (Zählerschrank):
18 der Elektrozähler
19 der Hauptschalter
20 die Sicherung
21 der Gasmesser (Gaszähler, *ugs.* die Gasuhr);
22 die Visitenkarten *f* (Besuchskarten)
23 der Stahlrohrstuhl mit Rohrsitz *m* u. -lehne *f*, ein Stahlrohrmöbel *n*
24 die Treppenbeleuchtung, eine Eckleuchte
25 die Wandbespannung
26 die Abschlußleiste
27 der Treppenläufer
28 der Teppichstab (die Treppenstange)
29 der Treppenkantenschutz, eine Gummileiste
30 die Korridortür:
31 das Guckloch (der Spion)
32 die Sicherheitskette
33 der Briefkasten;
34 die Fußmatte (der Abtreter)

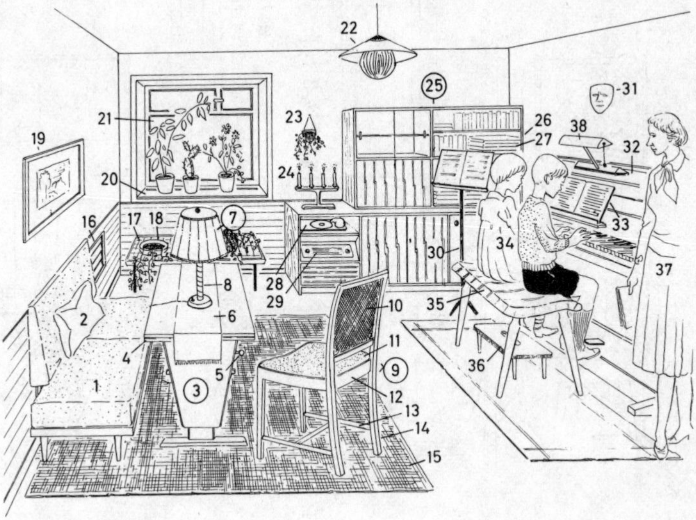

1 die Polsterbank
2 das Sofakissen
3 der Allzwecktisch:
4 die Ausziehplatte
5 der Handgriff zur Höheneinstellung *f*;
6 der Tischläufer
7 die Tischleuchte (Tischlampe):
8 der Lampenfuß;
9 der Stuhl:
10 die Rückenlehne aus Rohrgeflecht *n*
11 der Sitz (das Sitzpolster)
12 die Zarge (Einfassung)
13 der Steg
14 das Stuhlbein;
15 der Sisalteppich
16 die Warmluftklappe der Etagenheizung
17 der Blumentisch
18 die Blumenschale (Pflanzenschale)
19 das Aquarell (Wasserfarbenbild)
20 die Fensterbank
21 das Blumenfenster
22 die Hängelampe
23 die Wandvase (Vase)
24 der Armleuchter, ein Leuchter *m*
25 der Mehrzweckschrank, ein Anbaumöbel *n*:
26 das Notenregal;
27 der Notenband
28 u. 29 die Musiktruhe (der Musikschrank):
28 der Plattenspieler
29 der Radioapparat;
30 der Notenständer
31 die Totenmaske (Maske)
32-37 der Klavierunterricht (die Klavierstunde):
32 das Klavier
33 das Notenheft
34 die Klavierschüler *m* beim vierhändigen Klavierspiel *n*
35 die Klavierbank
36 die Fußbank (der Fußschemel)
37 die Klavierlehrerin;
38 die Klavierlampe

45 Eßzimmer

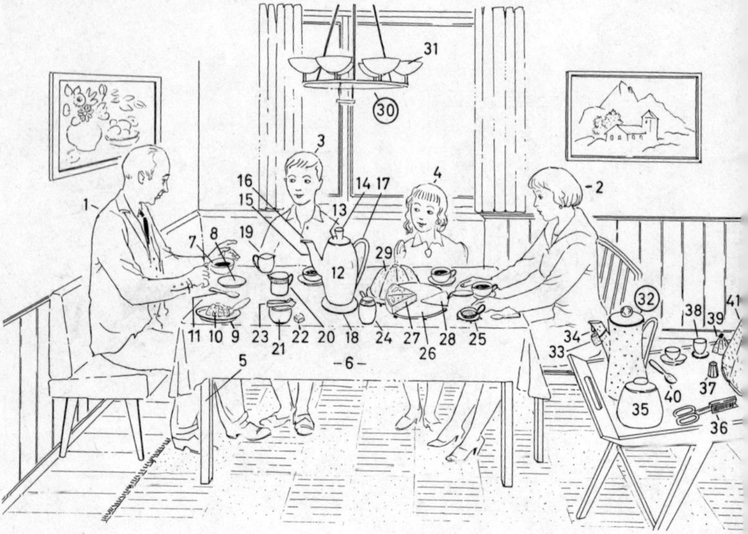

1-29 die Kaffeetafel (der Kaffeetisch),
1-4 die Familie,
1 u. 2 die Eltern:
1 der Vater (Papa)
2 die Mutter (Mama);
3 u. 4 die Kinder:
3 der Junge (Knabe, *südd.* Bub)
4 das Mädchen (*südd.* Mädel);
5 der Eßtisch
6 das Tischtuch (die Tischdecke, Kaffeedecke)
7-21 das Kaffeeservice:
7 die Tasse (Obertasse, Kaffeetasse)
8 die Untertasse
9 der Kuchenteller (Dessertteller)
10 das Törtchen
11 der Kaffeelöffel (Teelöffel)
12-17 die Kaffeekanne:
12 der Bauch
13 der Deckel
14 der Knauf
15 der Ausgießer
16 der Auslauf (der Schnabel)
17 der Henkel
18 der Untersetzer
19 das Milchkännchen
20 der Milchgeber
21 die Zuckerdose;
22 der Würfelzucker
23 die Zuckerzange
24 der Zuckergeber
25 das Kaffeesieb (der Kaffeeseiher)
26 die Kuchenplatte
27 der Obstkuchen
28 der Kuchenheber (Tortenheber, die Kuchenschaufel, Tortenschaufel)
29 der Napfkuchen (*ähnl.: obd.* Gugelhupf);
30 die Hängelampe, ein Kronleuchter, eine Krone:

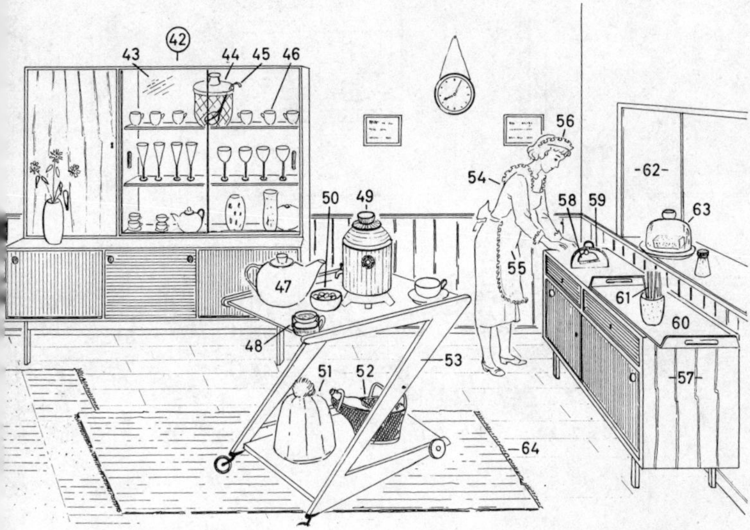

31 die Lampenschale;
32 die Kakaokanne:
33 der Tropfenfänger
34 der Tropfen;
35 die Konfektdose (Keksdose)
36 die Kuchenzange (Gebäckzange)
37 der Salzstreuer
38 der Eierbecher
39 der Eierwärmer
40 der Eierlöffel
41 der Kaffeewärmer (die Kaffeehaube)
42 das Büfett (*österr.* Büffet; der Geschirrschrank):
43 die Schiebetür;
44 die Bowle
45 der Bowlenlöffel
46 das Bowlenglas
47 die Teekanne
48 das Teesieb (der Teeseiher)
49 der Teekessel (die Teemaschine, der Samowar)
50 die Salzmandeln *f*
51 der Teewärmer (die Teehaube)
52 der Flaschenkorb
53 der Teewagen (Servierwagen)
54 die Hausangestellte (Hausgehilfin, Haustochter)
55 die Servierschürze, eine Zierschürze
56 das Häubchen
57 die Anrichte (Kredenz)
58 u. 59 das Krümelservice:
58 die Tischbürste
59 die Krumenschaufel;
60 das Servierbrett (Tragbrett, Tablett)
61 das Käse- und Salzgebäck (die Käsestangen *f*, Salzstangen)
62 die Durchreiche
63 die Käseglocke
64 die Brücke

46 Die Tafel (der gedeckte Tisch)

1 der Eßtisch
2 das Tafeltuch, ein Damasttuch *n*
3-12 das Gedeck:
3 der Grundteller (Unterteller)
4 der flache Teller (Eßteller)
5 der tiefe Teller (Suppenteller)
6 der kleine Teller, für die Nachspeise (das Dessert)
7 das Eßbesteck
8 das Fischbesteck
9 die Serviette (das Mundtuch)
10 der Serviettenring
11 das Messerbänkchen
12 die Weingläser *n*;
13 die Tischkarte
14 der Suppenschöpflöffel (die Suppenkelle)
15 die Suppenschüssel (Terrine)
16 die Tafelleuchter *m* (Tischleuchter)
17 die Sauciere (Soßenschüssel)
18 der Soßenlöffel
19 der Tafelschmuck
20 der Brotkorb
21 das Brötchen
22 die Scheibe Brot *n* (die Brotscheibe)
23 die Salatschüssel
24 das Salatbesteck
25 die Gemüseschüssel
26 die Bratenplatte
27 der Braten
28 die Kompottschüssel
29 die Kompottschale
30 das Kompott
31 die Kartoffelschüssel
32 der fahrbare Anrichtetisch
33 die Gemüseplatte
34 der Toast
35 die Käseplatte
36 die Butterdose
37 das belegte Brot
38 der Brotbelag
39 das Sandwich
40 die Obstschale
41 die Knackmandeln *f*
42 die Essig- und Ölflasche
43 das Ketchup
44 die Anrichte
45 die elektrische Warmhalteplatte
46 der Korkenzieher

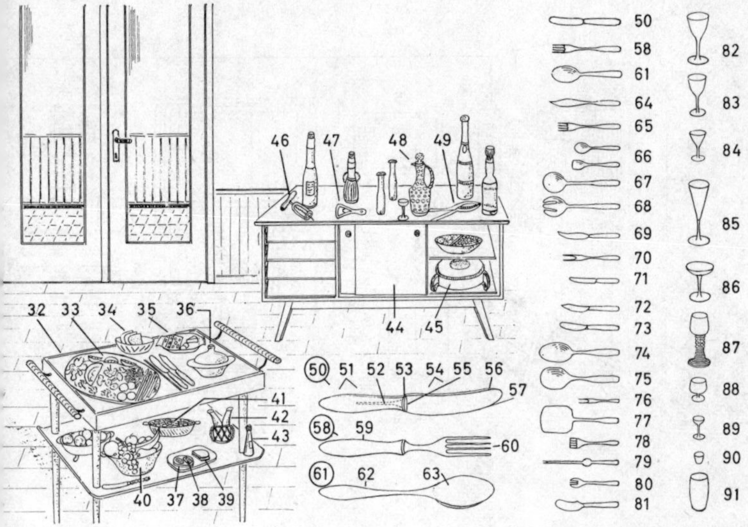

47 der Kronenkorköffner, ein Flaschenöffner *m*
48 die Likörkaraffe
49 der Nußknacker
50 das Messer:
51 das Heft (der Griff)
52 die Angel
53 die Zwinge
54 die Klinge
55 die Krone
56 der Rücken
57 die Schneide;
58 die Gabel:
59 der Stiel
60 die Zinke;
61 der Löffel (Eßlöffel, Suppenlöffel):
62 der Stiel
63 der Schöpfteil;
64 das Fischmesser
65 die Fischgabel
66 der Dessertlöffel (Kompottlöffel)
67 der Salatlöffel
68 die Salatgabel
69 u. 70 das Vorlegebesteck:
69 das Vorlegemesser
70 die Vorlegegabel;
71 das Obstmesser
72 das Käsemesser
73 das Buttermesser
74 der Gemüselöffel, ein Vorlegelöffel *m*
75 der Kartoffellöffel
76 die Sandwichgabel
77 der Spargelheber
78 der Sardinenheber
79 die Hummergabel
80 die Austerngabel
81 das Kaviarmesser
82 das Weißweinglas
83 das Rotweinglas
84 das Südweinglas (Madeiraglas)
85 u. 86 die Sektgläser *n*:
85 das Spitzglas
86 die Sektschale, ein Kristallglas *n*;
87 der Römer
88 die Kognakschale
89 die Likörschale
90 das Schnapsglas
91 das Bierglas

47 Herrenzimmer

1-61 das Arbeitszimmer (Studierzimmer),
1 der Luftheizofen:
2 der Warmluftaustritt
3 der Luftansaugkanal;
4 der Bücherschrank
5 die Bücherreihe
6 das Ölbild, ein Landschaftsbild *n*
7 der Zeitungs-und-Zeitschriften-Ständer
8 die Tageszeitung
9 das Magazin, eine Monatszeitschrift
10 die Illustrierte (illustrierte Zeitschrift, das Journal), eine Wochenzeitschrift
11 der Schreibtisch
12 der Tischfernsprecher (das Tischtelefon)
13 der Füllhalterständer
14 das Fotoalbum
15 die Fotografie
16 der Stehrahmen
17 die Schreibtischlampe, eine verstellbare Tischstehlampe
18 der Schreibtischsessel:
19 das Lederpolster;
20 das Fußkissen
21 der Rauchtisch, ein Kacheltisch *m*:
22 das Tischbein
23 die Tischplatte;
24 die Kerze (das Licht):
25 der Docht (Kerzendocht)
26 die Kerzenflamme;
27 der Kerzenständer
28 die Räucherkerze
29 die Lichtputzschere
30 der Rauchverzehrer
31 der Aschenbecher (Ascher)
32 der Zigarettenbehälter
33 der Zigarrenkasten
34-36 die Naturaliensammlung:
34 die Schmetterlingssammlung

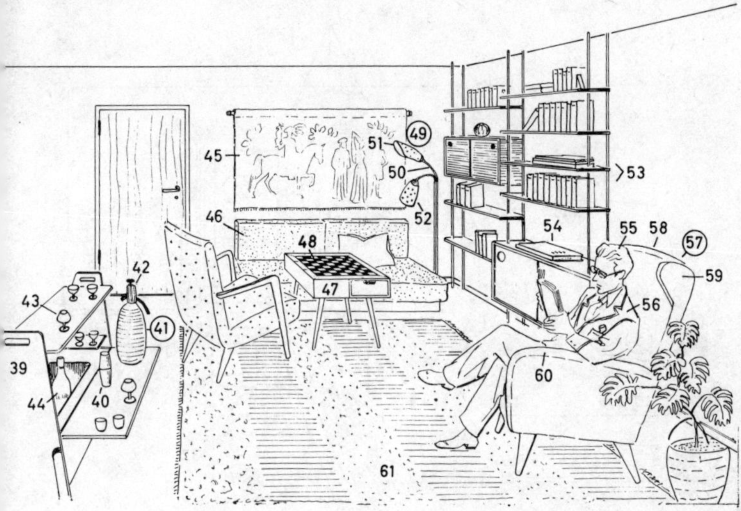

35 die Insekten- und Käfersammlung
36 die Mineraliensammlung (Steinsammlung);
37 die Fotosammlung (Fotothek)
38 die Münzensammlung (Münzsammlung)
39 die Hausbar
40-43 das Mixservice:
40 der Mixbecher (Schüttelbecher, Shaker)
41 der Heimsiphon, mit dem Sodawasser *n*:
42 die Kohlensäurepatrone;
43 das Cocktailglas;
44 die Whiskyflasche
45 der Gobelin (handgewebte Wandteppich)
46 die Kautsch (Couch), eine Bettkautsch (Bettcouch)
47 der Schachtisch
48 die Einlegearbeit (Intarsia, Marketerie), ein Schachbrett *n*
49 die Leseleuchte, eine Ständerlampe (Bodenstehlampe):
50 der biegsame Lampenarm
51 die Schutenleuchte
52 der Lampenschirm;
53 das Bücherregal (Büchergestell), ein Anbauregal *n*, Kombinationsmöbel
54 die Kunstmappe
55 der Herr des Hauses (Hausherr)
56 die Hausjacke (Rauchjacke)
57 der Lehnsessel (Ohrensessel, Backensessel, Polstersessel), ein Sessel *m*:
58 die Rückenlehne (das Rückenpolster)
59 die Kopflehne (Backe)
60 die Armlehne;
61 der Veloursteppich

48 Schlafzimmer

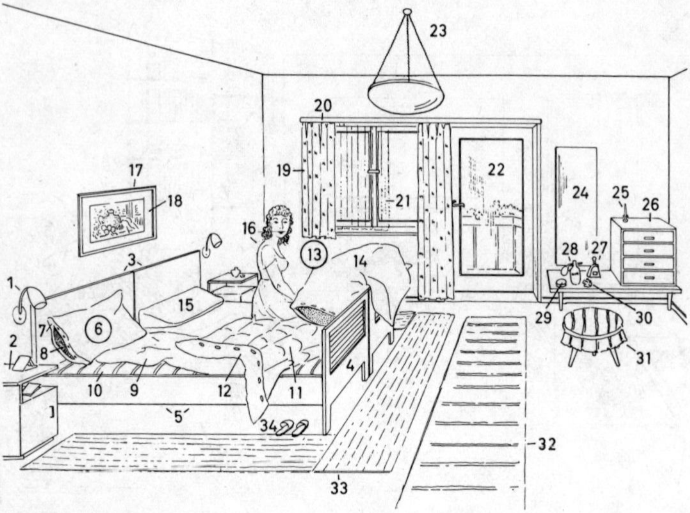

1 die Bettleselampe, eine Wandlampe

2 das Nachtschränkchen (Nachtkästchen, der Nachttisch)

3-15 das Bett (die Bettstatt, die Bettstelle), ein Doppelbett *n* (Ehebett),

3-5 das Bettgestell:

3 das Kopfende (der od. das Kopfteil)

4 das Fußende (der od. das Fußteil)

5 der od. das Seitenteil;

6 das Kopfkissen, ein Federkissen *n* (*früh.* der Pfühl):

7 der Kopfkissenbezug

8 das Inlett;

9 das Bettlaken (Bettuch), ein Leintuch *n*

10 die Matratze (Auflegematratze) mit Drellüberzug *m*

11 die Steppdecke, eine Daunen- oder Schafwolldecke

12 das Überschlaglaken (Oberleintuch)

13 das Deckbett (Federdeckbett, Federbett, Plumeau):

14 der Bettbezug;

15 das Keilkissen;

16 die Dame, im Negligé *n*

17 der Bilderrahmen

18 das Passepartout

19 die Übergardine (der Vorhang)

20 die Vorhangstange (Gardinenstange)

21 der Fenstervorhang (die Gardine, der Store), ein Zugvorhang *m*

22 die Balkontür

23 die Schlafzimmerleuchte

24 der Toilettenspiegel

25 der Ringständer

26 der Toilettentisch (die Frisiertoilette)

27 das (der) Parfümflakon

28 der Parfümzerstäuber (das od. der Spritzflakon)
29 die Puderdose (Puderschachtel)
30 die Puderquaste
31 der Frisierhocker, ein Zierhocker *m*
32 der Läufer
33 die Bettumrandung
34 der Morgenschuh, ein Pantoffel *m*
35 der Bettvorleger (die Bettvorlage)
36 der Schleudervorhang
37 die Deckenschiene
38 der Schleuderstab (die Schleuderstange)
39 die Waschnische
40 der Schlafzimmerschrank, ein Kleider- und Wäscheschrank *m*:
41 das Schrankfach (Wäschefach)
42 der Wäschestapel (das Weißzeug)
43 der Türspiegel (Schrankspiegel);
44 der luft- und staubdichte Mottensack
45 die Garderobenstange
46 der Hosenbügel (Hosenspanner)
47 der Wandschirm (die spanische Wand, der od. das Paravent)
48 die Zofe
49 der Wäschebehälter (Wäschepuff)
50 die Gondel, ein Hocker *m*
51 die Heizbettdecke:
52 der Drehschalter zur Wärmeeinstellung;
53 die Liege (das Liegesofa, der Diwan, die Chaiselongue):
54 die Schlummerrolle (das Nackenkissen);
55 die Reisedecke (der od. das Plaid), eine Schlafdecke
56 der Kimono, ein Morgenrock *m*

49 Kinderzimmer

1-29 das Kinderzimmer (Kinderspielzimmer):

1 das Kindermädchen
2 das Kinderbett
3 der Laufstuhl
4 das Laufgitter (Laufställchen)

5-29 Spielzeug *n* (die Spielsachen *pl*):

5 der Teddybär, ein Stofftier *n*
6 das Puppenhaus:
7 die Puppenküche
8 der Puppenherd
9 die Puppenstube
10 die Puppenmöbel *n*
11 das Puppengeschirr;
12 der Puppenwagen
13 das Schaukelpferd
14 der Hampelmann
15 die Schaukelente, eine Sitzschaukel
16 das Spielhäuschen
17 die Spieltiere *n*
18 die Kindertrompete
19 die Bauklötze *m* (Bausteine)
20 die Spieleisenbahn
21 die Kindertrommel
22 die Schlegel *m*
23 das Spielauto
24 der Musikkreisel (Brummkreisel)
25 der Zinnsoldat (Bleisoldat), eine Zinnfigur (Bleifigur)
26 das Kleinkind (Spielkind)
27 der Kinderstuhl
28 der Kindertisch
29 der Kinderbecher

1 die Kindergärtnerin (Hortnerin)
2 die Kittelschürze
3 das Kind
4 die Babypuppe
5 das Blindekuhspiel
6 die Augenbinde
7 das Steckenpferd
8 das Puppenbett:
9 der Betthimmel;
10 der Kinderkaufladen (Kaufmannsladen)
11 der Kinderhocker (Kinderschemel)
12 der Spielzeugkasten (die Spielzeugschachtel)
13 das Kubusspiel
14 das Puzzle (Zusammensetzspiel), ein Geduld[s]spiel *n*
15 die Puppenwiege
16 das Bilderbuch
17 das Abziehbild
18 das Mosaikspiel
19 das Kaleidoskop

20-31 Bastelarbeiten *f* (Werkarbeiten):

20 die Glasperlen *f* (Perlen)
21 der Modellbogen (Ausschneidebogen)
22 das Plastilin, eine Knetmasse
23 das Knetbrett
24 die Buntstifte *m* (Farbstifte, Malstifte)
25 das Malbuch
26 der Kleistertopf
27 der Kleisterpinsel
28 die Klebarbeit
29 die Flechtarbeit
30 die Stickerei, eine Handarbeit
31 der Malkasten

51 Badezimmer und Toilette

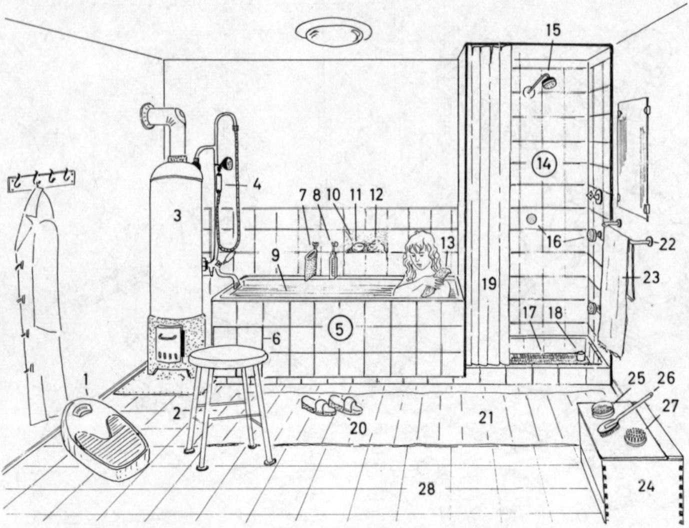

1-28 das Badezimmer (Bad):

1 die Personenwaage
2 der Badehocker
3 der Kohlenbadeofen
4 die Handbrause (Handdusche)
5 die eingebaute Badewanne, eine Vollbadewanne:
6 der Revisionsrahmen;
7 der Waschhandschuh
8 das Badethermometer
9 das Badewasser
10 das Seifenbecken
11 die Badeseife
12 der Badeschwamm
13 der Luffaschwamm
14 die Duschnische (Duschkabine):
15 die Körperbrause
16 die Wandbrause
17 die Brausewanne
18 das Ablaufventil (Überlaufstandrohr);
19 der Plastikvorhang
20 der Badepantoffel
21 der Badevorleger (die Badematte)
22 der Handtuchbügel (Handtuchhalter)
23 das Badetuch
24 die Sitztruhe
25 das Badesalz
26 die Rückenbürste (Körperbürste)
27 die Massagebürste
28 der Plattenfußboden;

29-82 die Toilette:

29 der Luftreiniger (Luftverbesserer)
30 der Klosettpapierhalter
31 die Rolle Klosettpapier *n* (Toilettenpapier), ein Kreppapier *n*
32 der Klosettsitzreiniger
33 die Klosettbürste
34 die Klosettumrahmung
35 das Klosett (der Abort, *ugs.* das Klo, der Lokus), ein Spülklosett *n* (Wasserklosett, WC):
36 das Klosettbecken
37 die Klosettschüssel
38 u. 39 der Klosettsitz:

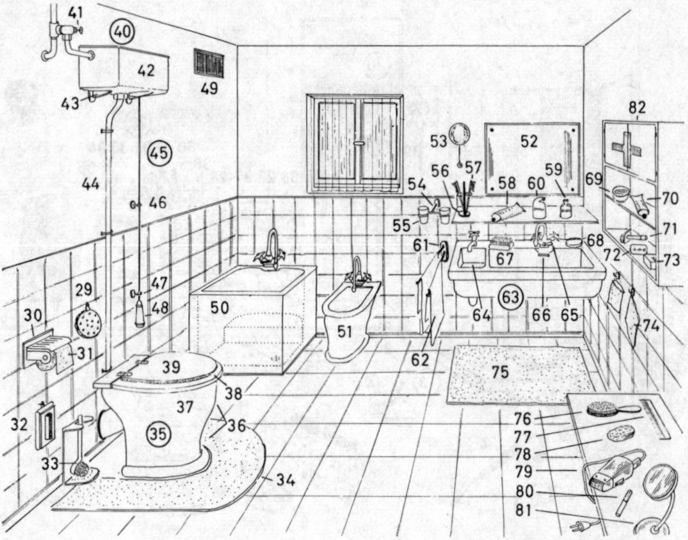

38 das Sitzbrett (*fam.* die Klosettbrille)
39 der Klosettdeckel;
40 die Wasserspülung:
41 der Abstellhahn (Absperrhahn), ein Eckventil *n*
42 der Spülkasten
43 die Konsole
44 das Wasserfallrohr (Spülrohr);
45 der Klosettzug:
46 die Zugkette
47 der Klosettzughalter (die Zugkettenführung)
48 der Zuggriff;
49 die Entlüftung
50 die Sitzbadewanne
51 das Bidet
52-68 die Waschtoilette:
52 der Toilettenspiegel
53 die Wandleuchte
54 der Zahnglashalter
55 das Zahnputzglas
56 der Zahnbürstenständer
57 die Zahnbürste
58 die Zahnpaste (Zahnpasta)
59 das Zahnpulver
60 das Mundwasser
61 der Handtuchhalter
62 das Handtuch;
63 das Waschbecken:
64 das Mundspülbecken
65 der Beckenverschlußhebel
66 der Überlauf;
67 die Handbürste (Nagelbürste)
68 die Toilettenseife;
69 die Rasierseife
70 die Rasierkrem (Rasierpaste)
71 der Rasierapparat
72 die Rasierklinge
73 der Klingenschärfer
74 der Waschlappen
75 die Schaumgummimatte
76 die Haarbürste
77 der Kamm
78 der Bimsstein
79 der elektr. Trockenrasierer
80 der Blutstiller, ein Alaunstift *m*
81 der Rasierspiegel
82 die Hausapotheke

52 Abstellraum (Abstellkammer)

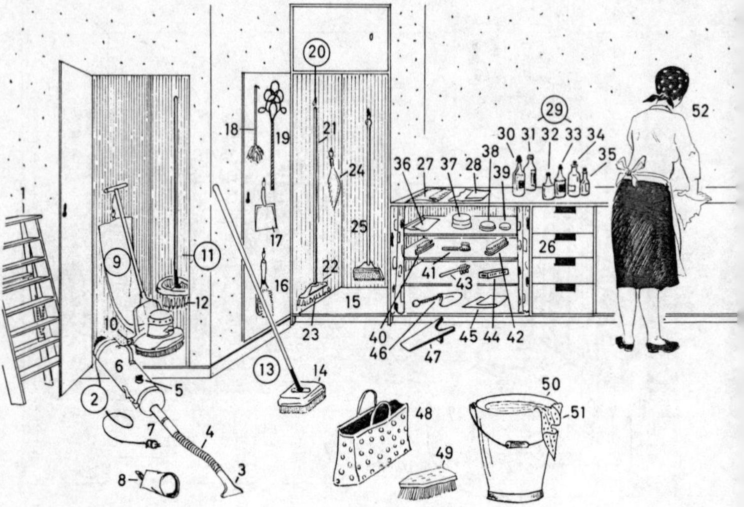

1 die Bockleiter
2 der Staubsauger:
3 die Saugdüse
4 der biegsame Metallschlauch
5 der Schalter
6 der Kessel
7 der Stecker
8 der Staubsack;
9 die Teppichkehr- und Bohnermaschine:
10 der Fußschalter;
11 der Mop (Fransenbesen):
12 die Fransen *f*;
13 der Bohnerbesen (Bohner, *obd.* Blocker, *schweiz.* Blocher):
14 die Bohnerbürste;
15 der Besenschrank
16 der Handbesen (Handfeger)
17 die Müllschaufel (Kehrschaufel)
18 der Staubwedel (Staubbesen)
19 der Teppichklopfer
20 der Besen (Stielbesen):
21 der Besenstiel
22 der Besenkörper
23 die Borsten *f*;
24 der F[l]ederwisch
25 der Schrubber (*nd.* Leuwagen)
26 der Schuhputzschrank
27 das Staubtuch (der Staublappen)
28 das Fensterleder (Sämischleder)
29 Reinigungsmittel *n*:
30 das Waschbenzin
31 der Salmiakgeist
32 der Spiritus
33 das Glyzerin
34 das Terpentin
35 die Salzsäure;
36 der Bohnerlappen
37 das Bohnerwachs
38 die Schuhkrem (Wichse)
39 das Lederfett
40-43 Schuhbürsten *f*:
40 die Schmutzbürste (Reinigungsbürste)

41 die Auftragbürste
42 die Glanzbürste
43 die Gummibürste, eine Wildlederbürste;
44 der Farbpuder
45 das Poliertuch
46 der Schuhspanner
47 der Stiefelknecht
48 die Einkaufstasche (Einholtasche)
49 die Scheuerbürste
50 der Scheuereimer
51 das Scheuertuch (*nd.* Feudel)
52 die Rein[e]machefrau (Putzfrau, Scheuerfrau), eine Aufwartefrau (*südd.* Zugehfrau)
53 die Scheibengardine
54 das Vorhangstäbchen
55 der Kohlenkasten
56 der Kohlenschütter
57 der Brikettkasten
58 der Schließkorb
59 die Blechwanne
60 die Teppichbürste
61 das Anfeuerholz, ein Holzbündel *n* (Bund *n* Holz *n*)
62 das Holzscheit
63 der Holzkorb
64 der Kanonenofen
65 der Ofenschirm
66 die Kleiderbürste
67 die Türritze
68 der Türspalt
69 die Kleiderleiste
70 der Tischbesen
71 das Einkaufsnetz
72 das Bügelbrett (Plättbrett)
73 das Gerümpel
74 die Maus
75 der Bettrost:
76 die Sprungfeder
77 die Zugfeder;
78 der Strohbesen (Sorghobesen)

53 Hof und Waschhaus

1-49 der Hof (Hinterhof):

1 das Nebengebäude (Seitengebäude, der Seitenbau), ein Hinterhaus *n*
2 die Kellertür
3 die Kellertreppe
4 das Vorhängeschloß
5 der Überfall (Vorleger)
6 der Sägebock
7 der Holzklotz
8 das Spaltholz
9 der Hackklotz (Hauklotz)
10 der Holzhacker
11 die Straßenkinder *n* (Gassenkinder, *ugs.* Gören *f*, Rangen)
12 das Mietshaus (Mehrfamilienhaus):
13 das Klosettfenster (Abortfenster)
14 das Treppenhausfenster
15 die Hintertür (Hoftür)
16 die Hofbeleuchtung
17 die Loggia
18 der Blumenkasten
19 die Hauseinfahrt (Toreinfahrt):
20 das Tor (Hoftor)
21 der Steig
22 der Prellstein;
23 das Nachbarhaus (Nebenhaus)
24 der Hofsänger (Straßensänger, Straßenmusikant)
25 die Hofmauer (Trennmauer)
26 die Drehorgel (der Leierkasten)
27 der Drehorgelspieler (Leierkastenmann)
28 der Hausmeister (Hauswart)
29 das Klatschweib
30 der Hausierer
31 der Holzstoß (Holzhaufen)
32 die Mülltonne:
33 der Klappdeckel
34 der Traggriff;

35-42 der Wäschetrockenplatz:

35 die Wäsche
36 die Wäscheleine (Trockenleine)

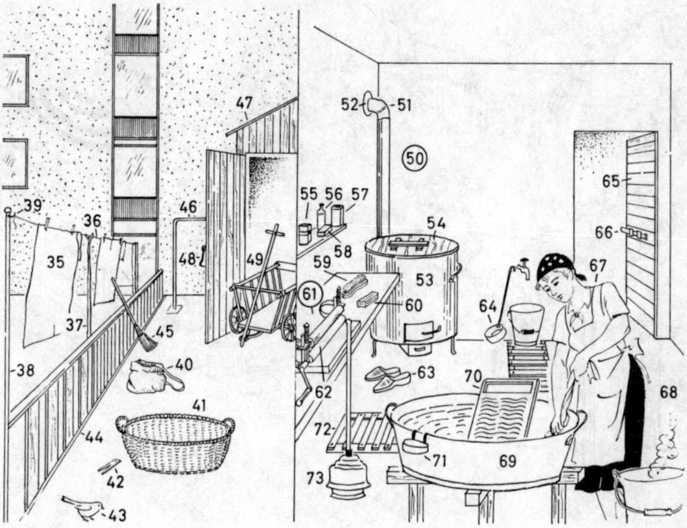

37 die Wäschestütze
38 der Wäschepfahl
39 der Haken (Kloben)
40 der Klammerbeutel (Klammersack)
41 der Wäschekorb
42 die Wäscheklammer;
43 der Sperling (Spatz)
44 der Lattenzaun (das Staket)
45 der Reisigbesen (Reisbesen)
46 die Teppichklopfstange
47 der Schuppen (*mundartl.* Schauer, *alem.* Schopf, *obd.* Schupfen)
48 der Sturmhaken
49 der Handwagen;

50-73 das Waschhaus (die Waschküche),

50 das Ofenrohr, ein Abzugsrohr *n* für die Rauchgase *n*:
51 das Rohrknie
52 die Mauerrosette;
53 der Waschkessel
54 der Kesseldeckel, ein Holzdeckel *m*
55 das Seifenpulver
56 der Fleckentferner
57 die Wäschestärke
58 das Päckchen Waschblau
59 die Waschbürste
60 der Riegel Waschseife *f*
61 die Wringmaschine:
62 die Walze;
63 der Holzpantoffel (die Pantine)
64 der Wasserschöpfer
65 die Waschhaustür
66 der Türriegel, ein Riegel *m*
67 die Waschfrau (Wäscherin)
68 der Estrich
69 die Waschwanne (Waschbütte, Waschbutte)
70 das Waschbrett
71 der Seifenhalter (die Seifenschale)
72 der Laufrost
73 der Wäschestampfer

54 Blumengarten (Ziergarten)

1 der Steingarten
2 das Gartenhäuschen
3 die Gartenmöbel *n*
4 der Zierstrauch
5 der Laubengang (die Pergola)
6 das Rundbeet
7 der Gartensessel
8 das Windlicht
9 der kippbare Gartenschirm
10 der Liegestuhl
11 die Kugelrobinie (Kugelakazie)
12 der Windschirm (die span. Wand), ein Windschutz *m*
13 die Thujahecke
14 das Futterhaus für Vögel *m*
15 das Vogelbad (die Vogeltränke), eine Zementschale
16 der Laubbesen (Fächerbesen, Rasenbesen)
17 die Gießkanne
18 die Gartenbank
19 der Teich, ein Wasserbecken *n*
20 der Springbrunnen
21 der Rasen
22 der Steinplattenweg
23 der Gartenarchitekt (Gartengestalter)
24 die Steintreppe
25 die Gartenschaukel

1-31 der Kleingarten (Schrebergarten, Gemüse- und Obstgarten),

1, 2, 16, 17, 29 Zwergobstbäume *m* (Spalierobstbäume, Formobstbäume):

1 die Verrier-Palmette

2 der senkrechte Schnurbaum (Kordon)

3 die Gartenlaube

4 die Regentonne

5 die Schlingpflanze

6 der Komposthaufen

7 die Sonnenblume

8 die Gartenleiter

9 die Staude (Blumenstaude)

10 der Gartenzaun (Lattenzaun, das Staket)

11 der Beerenhochstamm

12 die Kletterrose, am Spalierbogen *m*

13 der Rosenstrauch (die Buschrose)

14 die Sommerlaube

15 der Lampion (die Papierlaterne)

16 der Pyramidenbaum, ein Freilandspalierbaum *m*

17 der zweiarmige, waagerechte Schnurbaum, ein Wandspalierbaum *m*

18 die Blumenrabatte, ein Randbeet *n*

19 der Beerenstrauch

20 die Zementleisteneinfassung

21 der Rosenhochstamm (Rosenstock, die Hochstammrose)

22 das Staudenbeet

23 der Gartenweg

24 der Kleingärtner (Schrebergärtner)

25 das Spargelbeet

26 das Gemüsebeet

27 die Vogelscheuche

28 die Bohnenstange

29 der einarmige Schnurbaum

30 der Obsthochstamm (hochstämmige Obstbaum)

31 der Baumpfahl

56 Zimmerpflanzen

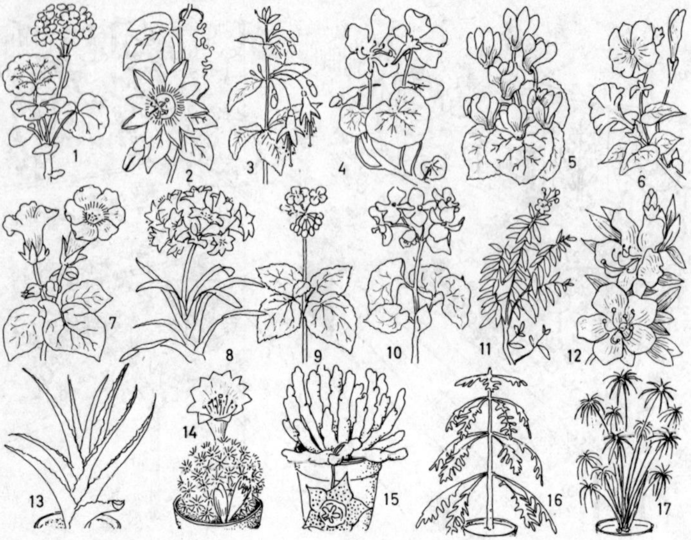

1 die Pelargonie (der Storchschnabel), ein Geraniumgewächs *n*

2 die Passionsblume (Passiflora), ein Wandsamer *m*

3 die Fuchsie (Fuchsia), ein Nachtkerzengewächs *n*

4 die Kapuzinerkresse (Tropaeolum)

5 das Alpenveilchen (Cyclamen), ein Schlüsselblumengewächs *n*

6 die Petunie, ein Nachtschattengewächs *n*

7 die Gloxinie (Sinningia), ein Gesneriengewächs *n*

8 die Klivie (Clivia), ein Amaryllisgewächs *n* (Narzissengewächs)

9 die Zimmerlinde (Sparmannia), ein Lindengewächs *n*

10 die Begonie (Begonia, das Schiefblatt)

11 die Myrte (Myrtus)

12 die Azalee (Azalea), ein Heidekrautgewächs *n*

13 die Aloe, ein Liliengewächs *n*

14 der Seeigelkaktus (Echinopsis, Epsis)

15 die Aasblume (Ekelblume, der Ordenskaktus, Stapelia), ein Schwalbenwurzgewächs *n*

16 die Zimmertanne (Schmucktanne, Araukarie)

17 das Zypergras (Sauergras, Cyperus), ein Riedgras *n*

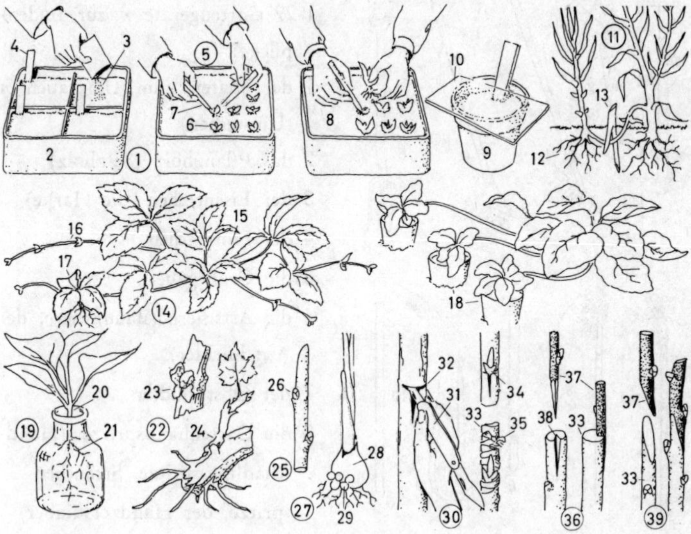

1 die Aussaat:
2 die Aussaatschale (Saatschale)
3 der Samen
4 das Namensschild
5 das Verstopfen (Pikieren):
6 der Sämling
7 das Pflanzholz
8 das Verpflanzen (Umpflanzen, Versetzen, Umsetzen);
9 der Blumentopf (die Scherbe, *md.* der Blumenasch, *obd.* der Blumenscherben), ein Aussaattopf *m*
10 die Glasscheibe;
11 die Vermehrung durch Ableger *m*:
12 der bewurzelte Ableger
13 die Astgabel zur Befestigung;
14 die Vermehrung durch Ausläufer *m*:
15 die Mutterpflanze
16 der Ausläufer (Fechser)
17 der bewurzelte Sproß;
18 das Absenken in Töpfe *m*
19 der Wassersteckling:
20 der Steckling
21 die Wurzel;
22 der Augensteckling an der Weinrebe:
23 das Edelauge
24 der ausgetriebene Steckling;
25 der Holzsteckling:
26 die Knospe;
27 die Vermehrung durch Brutzwiebeln *f*:
28 die alte Zwiebel
29 die Brutzwiebel;

30-39 Veredlung,

30 die Okulation (das Okulieren):
31 das Okuliermesser
32 der T-Schnitt
33 die Unterlage
34 das eingesetzte Auge
35 der Bastverband;
36 das Pfropfen (Spaltpfropfen):
37 das Edelreis (Pfropfreis)
38 der Keilschnitt;
39 die Kopulation (das Kopulieren)

58 Gartengeräte

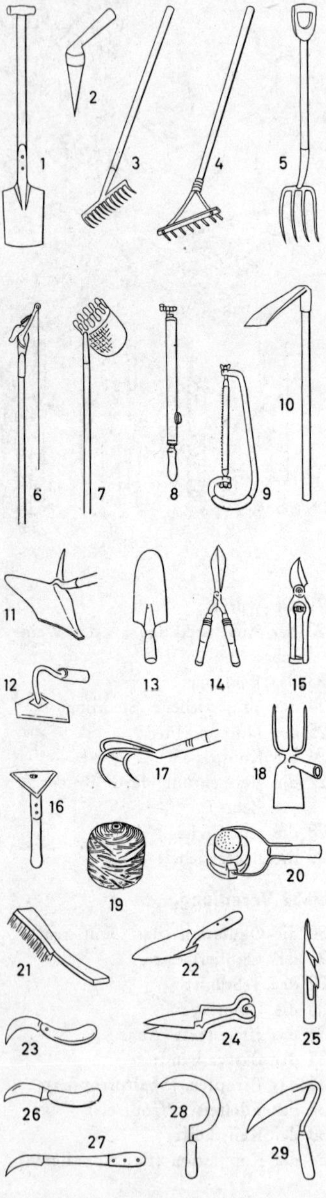

1-29 Gartengeräte *n* zur Bodenpflege:

1 der Spaten zum Umgraben *n* (Umstechen)

2 das Pflanzholz (Setzholz)

3 der Eisenrechen (die Harke)

4 der Holzrechen

5 die Grabegabel

6 die Astschere (Baumschere, der Astschneider)

7 der Obstpflücker

8 die Gartenhandspritze (Handschädlingsspritze, Sträucherspritze, der Handzerstäuber)

9 die Baumsäge (Zweigsäge)

10 die Rodehacke (der Karst)

11 die Häufelhacke (der Häufler)

12 der Bügeljäter (das Wegeisen, Unkrauteisen)

13 das Erdschäufelchen (die Pflanzkelle)

14 die Heckenschere

15 die Rosenschere

16 der Baumkratzer (Rindenkratzer)

17 der Dreizinkgrubber (die Jätekralle, das Wühleisen)

18 die Kombihacke m. Dreispitz *m*

19 die Gartenschnur zum Beeteziehen *n*

20 die Raupenfackel
21 die Baumbürste (Rindenbürste)
22 die Handerdschaufel
23 das Gartenmesser (die Gartenhippe, Hippe, Asthippe)
24 die Rasenrandschere (Rasenschere)
25 der Unkrautstecher (Distelstecher)
26 das Kopuliermesser
27 das Spargelmesser
28 die Rundsichel, eine Sichel
29 die Sensensichel;
30 der Gartenschubkarren
31 der halbautomatische Spaten
32 der Rillenzieher
33 der Kantenstecher (Rasenrandstecher)
34 der Rasenmäher (die Rasenmähmaschine)
35 die Schlauchhaspel
36 der Schlauchwagen
37 der Gartenschlauch
38 die fahrbare Gartenliege
39 die Sonnenuhr
40 der Gartenregner
41 der Rasensprenger (Sprinkler)
42 der Jaucheschöpfer
43 die Maulwurffalle
44 die Wühlmausfalle

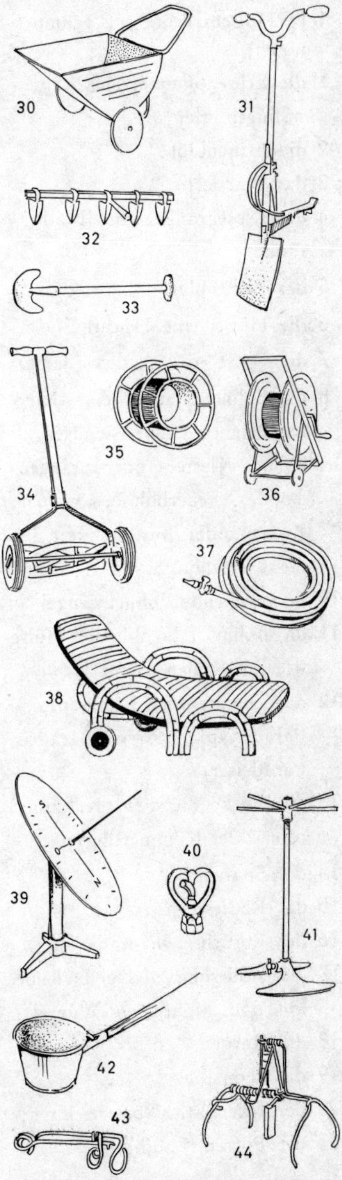

59 Gemüsepflanzen

1-11 Hülsenfrüchte *f* (Leguminosen),
1 die Erbsenpflanze, ein Schmetterlingsblütler *m*:
2 die Erbsenblüte
3 das gefiederte Blatt
4 die Erbsenranke, eine Blattranke
5 das Nebenblatt
6 die Hülse, eine Fruchthülle
7 die Erbse, der Samen (Same);
8 die Bohnenpflanze, eine Kletterpflanze; *Arten:* Gemüsebohne, Kletter- oder Stangenbohne, Feuerbohne; *kleiner:* Zwerg- oder Buschbohne:
9 die Bohnenblüte
10 der rankende Bohnenstengel
11 die Bohne [sowohl die Hülse wie der Samen (Same)];
12 die Tomate (der Liebesapfel, Paradeisapfel, *österr.* Paradeis, Paradeiser)
13 die Gurke (*schwäb.* Kukumer, *österr.* der Kümmerling)
14 der Spargel
15 das Radieschen
16 der Rettich (*obd.* Radi)
17 die Mohrrübe (*obd.* gelbe Rübe, *md. obd.* Möhre, *nd.* Wurzel)
18 die Karotte
19 die Petersilie
20 der Meerrettich (*österr.* Kren)
21 der Porree (Lauch)
22 der Schnittlauch
23 der Kürbis; *ähnl.:* die Melone
24 die Zwiebel (Küchenzwiebel, Gartenzwiebel)
25 die Zwiebelschale
26 der Kohlrabi
27 der (die) Sellerie (Eppich, *österr.* Zeller);
28-34 Krautpflanzen *f*:
28 der Mangold
29 der Spinat
30 der Rosenkohl
31 der Blumenkohl (*österr.* Karfiol)
32 der Kohl (Kopfkohl, Kohlkopf), ein Kraut *n*; *Sorten:* Weißkohl (Weißkraut), Rotkohl (Rotkraut, Blaukraut)
33 der Wirsing (Wirsingkohl, das Welschkraut)
34 der Grünkohl (Krauskohl);
35 die Schwarzwurzel
36-42 Salatpflanzen *f*:
36 der Kopfsalat (Salat, grüne Salat, die Salatstaude)
37 das Salatblatt
38 der Feldsalat (Ackersalat, die Rapunze, Rapunzel, das Rapunzlein, Rapünzchen)
39 die Endivie
40 die Chicorée
41 die Artischocke
42 der Paprika (spanische Pfeffer)

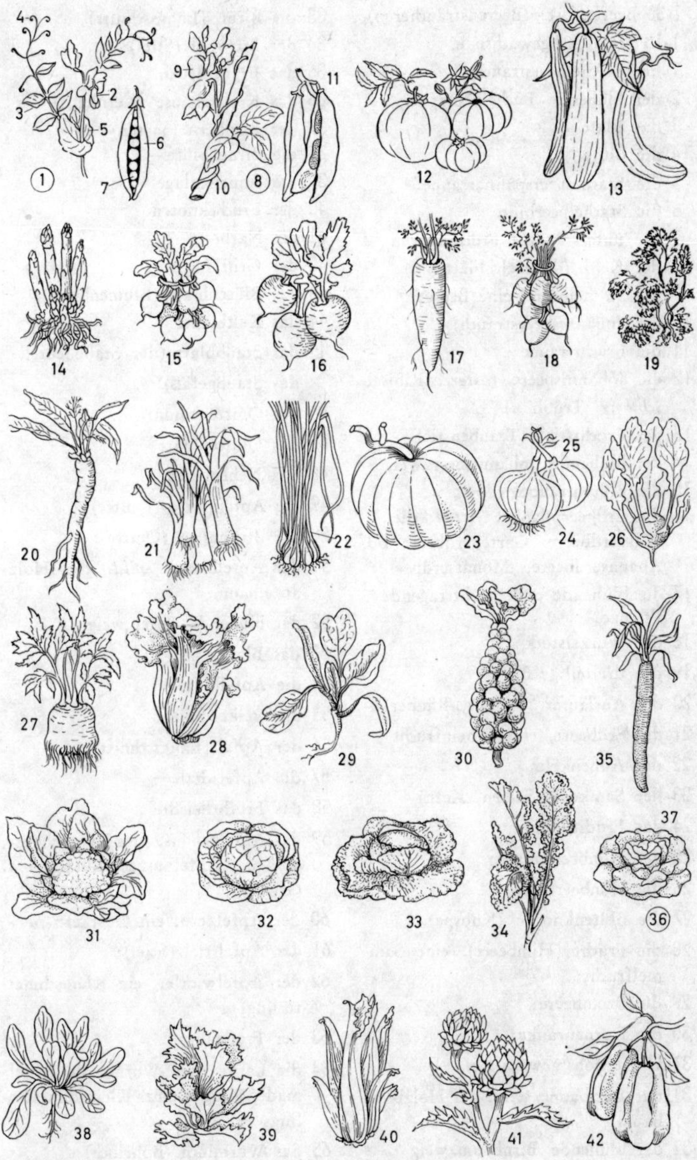
1
2
3
4
5
6
7
8
9
10
11
12
13
14
15
16
17
18
19
20
21
22
23
24
25
26
27
28
29
30
31
32
33
34
35
36
37
38
39
40
41
42

60 Beeren- und Kernobst

1-30 Beerenobst *n* (Beerensträucher *m*),
1-15 Steinbrechgewächse *n*,
1 der Stachelbeerstrauch:
2 der blühende Stachelbeerzweig
3 das Blatt
4 die Blüte
5 die Stachelbeerspannerraupe
6 die Stachelbeerblüte
7 der unterständige Fruchtknoten
8 der Kelch (die Kelchblätter *n*)
9 die Stachelbeere, eine Beere;
10 der Johannisbeerstrauch:
11 die Fruchttraube
12 die Johannisbeere (*österr.* Ribisel, *schweiz.* Trübli *n*)
13 der Fruchtstiel (Traubenstiel)
14 der blühende Johannisbeerzweig
15 die Blütentraube;
16 die Erdbeerpflanze; *Arten:* die Walderdbeere, Gartenerdbeere od. Ananaserdbeere, Monatserdbeere:
17 die blühende und fruchttragende Pflanze
18 der Wurzelstock
19 das dreiteilige Blatt
20 der Ausläufer (Fechser, Räuber)
21 die Erdbeere, eine Scheinfrucht
22 der Außenkelch
23 der Samkern (Samen, Kern)
24 das Fruchtfleisch;
25 der Himbeerstrauch:
26 die Himbeerblüte
27 die Blütenknospe (Knospe)
28 die Frucht (Himbeere), eine Sammelfrucht;
29 die Brombeere:
30 die Dornenranke;
31-61 Kernobstgewächse *n*,
31 der Birnbaum; *wild:* der Holzbirnbaum:
32 der blühende Birnbaumzweig
33 die Birne [Längsschnitt]
34 der Birnstiel (Stiel)
35 das Fruchtfleisch
36 das Kerngehäuse (Kernhaus)
37 der Birnkern (Samen)
38 die Birnenblüte
39 die Samenanlage
40 der Fruchtknoten
41 die Narbe
42 der Griffel
43 das Blütenblatt (Blumenblatt)
44 das Kelchblatt
45 das Staubblatt (der Staubbeutel, das Staubgefäß);
46 der Quittenbaum:
47 das Quittenblatt
48 das Nebenblatt
49 die Apfelquitte (Quitte)
50 die Birnquitte (Quitte);
51 der Apfelbaum; *wild:* der Holzapfelbaum:
52 der blühende Apfelzweig
53 das Blatt
54 die Apfelblüte
55 die welke Blüte;
56 der Apfel [Längsschnitt]:
57 die Apfelschale
58 das Fruchtfleisch
59 das Apfelgehäuse (das Kerngehäuse, *obd.* der Apfelbutzen, Butzen, *md.* Griebs)
60 der Apfelkern, ein Obstkern *m*
61 der Apfelstiel (Stiel);
62 der Apfelwickler, ein Kleinschmetterling *m*
63 der Fraßgang
64 die Larve (der Wurm, die Apfelmade, Raupe) eines Kleinschmetterlings *m*
65 das Wurmloch (Bohrloch)

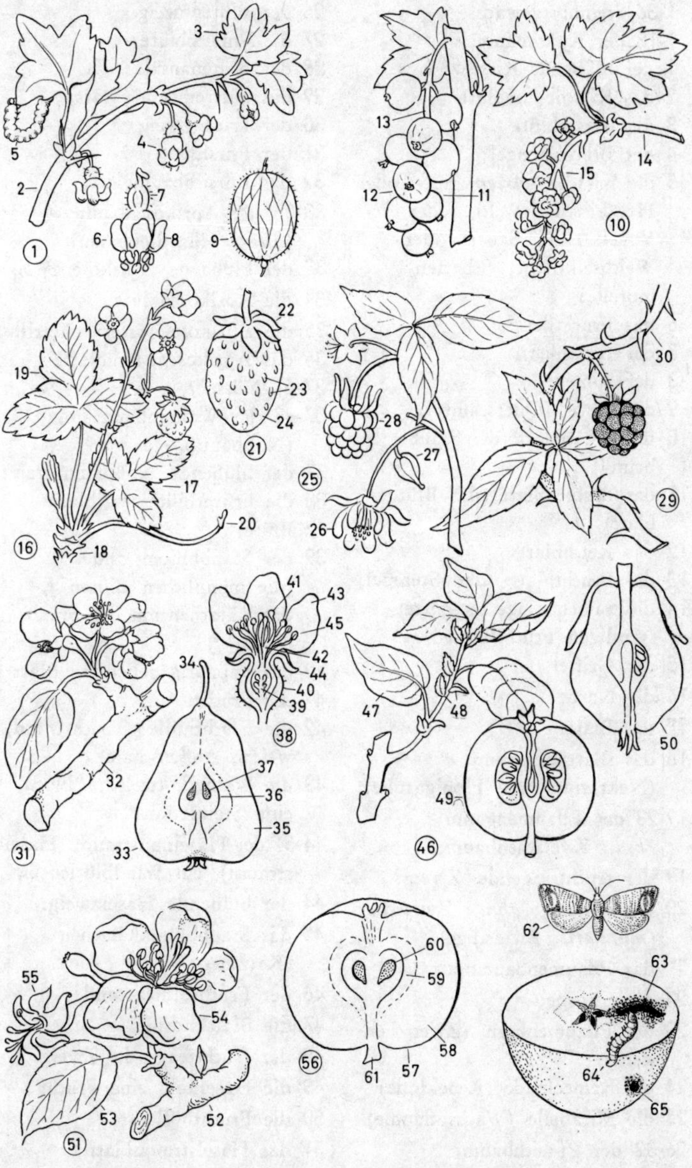
1
2
3
4
5
6
7
8
9
10
11
12
13
14
15
16
17
18
19
20
21
22
23
24
25
26
27
28
29
30
31
32
33
34
35
36
37
38
39
40
41
42
43
44
45
46
47
48
49
50
51
52
53
54
55
56
57
58
59
60
61
62
63
64
65

1-36 Steinobstgewächse *n*,
1-18 der Kirschbaum,
1 der blühende Kirschzweig:
2 das Kirschbaumblatt
3 die Kirschblüte
4 der Blütenstengel;
5 die Kirsche; *Arten:* Süß- oder Herzkirsche, Wild- oder Vogelkirsche, Sauer- oder Weichselkirsche, Schattenmorelle:
6 das Fruchtfleisch
7 der Kirschkern
8 der Samen;
9 die Blüte [Querschnitt]:
10 das Staubblatt (der Staubbeutel)
11 das Blumenblatt (das Blütenblatt)
12 das Kelchblatt
13 das Fruchtblatt (der Stempel)
14 die Samenanlage im mittelständigen Fruchtknoten *m*
15 der Griffel
16 die Narbe;
17 das Blatt:
18 das Blattnektarium (Nektarium, die Honiggrube);
19-23 der Pflaumenbaum; *ähnl.*: Zwetschenbaum,
19 der fruchttragende Zweig:
20 die Pflaume; *ähnl.:* Zwetsche (*mundartl.* Zwetschge)
21 das Pflaumenbaumblatt
22 die Knospe;
23 der Pflaumenkern (Zwetschenkern);
24 die Reineclaude (Reneklode)
25 die Mirabelle (Wachspflaume)
26-32 der Pfirsichbaum,
26 der Blütenzweig:
27 die Pfirsichblüte
28 der Blütenansatz
29 das austreibende Blatt;
30 der Fruchtzweig
31 der Pfirsich
32 das Pfirsichbaumblatt;
33-36 der Aprikosenbaum (*österr.* Marillenbaum),
33 der blühende Aprikosenzweig
34 die Aprikosenblüte;
35 die Aprikose (*österr.* Marille)
36 das Aprikosenbaumblatt;
37-51 Nüsse *f*,
37-43 der Walnußbaum (Nußbaum),
37 der blühende Nußbaumzweig:
38 die Fruchtblüte (weibliche Blüte)
39 der Staubblütenstand (die männlichen Blüten *f*, das Kätzchen mit den Staubblüten *f*)
40 das unpaarig gefiederte Blatt
41 die Frucht:
42 die Fruchthülle (Fruchtwand, weiche Außenschale)
43 die Walnuß (welsche Nuß), eine Steinfrucht;
44-51 der Haselnußstrauch (Haselstrauch), ein Windblütler *m*,
44 der blühende Haselzweig:
45 das Staubblütenkätzchen (Kätzchen)
46 der Fruchtblütenstand
47 die Blattknospe;
48 der fruchttragende Zweig:
49 die Haselnuß, eine Frucht
50 die Fruchthülle
51 das Haselstrauchblatt

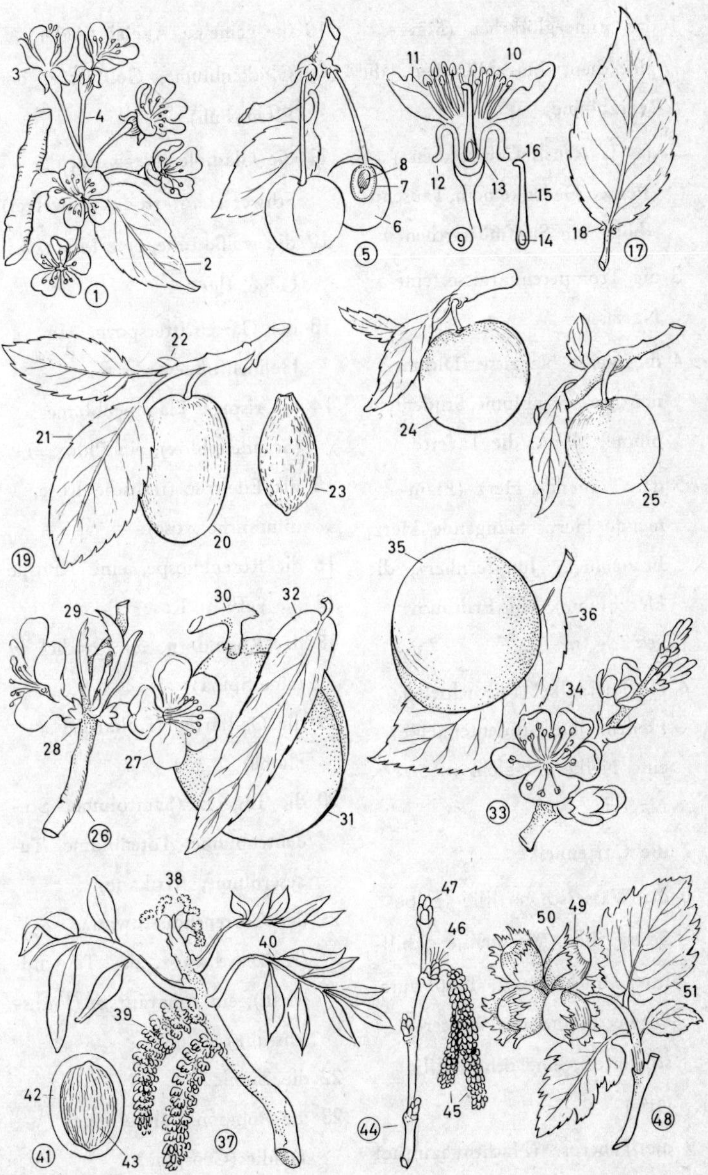

1
2
3
4
5
6
7
8
9
10
11
12
13
14
15
16
17
18
19
20
21
22
23
24
25
26
27
28
29
30
31
32
33
34
35
36
37
38
39
40
41
42
43
44
45
46
47
48
49
50
51

62 Gartenblumen

1 das Schneeglöckchen (Märzglöckchen, Märzblümchen, die Märzblume)

2 das Gartenstiefmütterchen (Pensee, Gedenkemein, Tausendschön), ein Stiefmütterchen *n*

3 die Trompetennarzisse, eine Narzisse

4 die weiße Narzisse (Dichternarzisse, Sternblume, Studentenblume); *ähnl.:* die Tazette

5 das Tränende Herz (Flammende Herz, Hängende Herz, Frauenherz, Jungfernherz, die Herzblume), ein Erdrauchgewächs *n*

6 die Bartnelke (Büschelnelke, Fleischnelke, Studentennelke), eine Nelke (Näglein *n, österr.* Nagerl)

7 die Gartennelke

8 die Wasserschwertlilie (gelbe Schwertlilie, Wasserlilie, Schilflilie, Drachenwurz, Tropfwurz, Schwertblume, der Wasserschwertel), eine Schwertlilie (Iris)

9 die Tuberose (Nachthyazinthe)

10 die gemeine Akelei (Aglei, Glockenblume, Goldwurz, der Elfenschuh)

11 die Gladiole (Siegwurz, der Schwertel, *österr.* das Schwertel)

12 die weiße Lilie, eine Lilie *(obd.* Gilge, Ilge)

13 der Gartenrittersporn, ein Hahnenfußgewächs *n*

14 die rispige Flammenblume (Staudenphlox), ein Phlox *m*

15 die Edelrose (indische Rose, chinesische Rose):

16 die Rosenknospe, eine Knospe

17 die gefüllte Rose

18 der Rosendorn, ein Stachel *m* (eine Spina);

19 die Gaillardie (Kokardenblume)

20 die Tagetes (Samtblume, Studentenblume, Totenblume, Tuneserblume, Afrikane)

21 der Gartenfuchsschwanz (Katzenschwanz, das Tausendschön), ein Amarant *m* (Fuchsschwanz)

22 die Zinnie

23 die Pompon-Dahlie, eine Dahlie (Georgine)

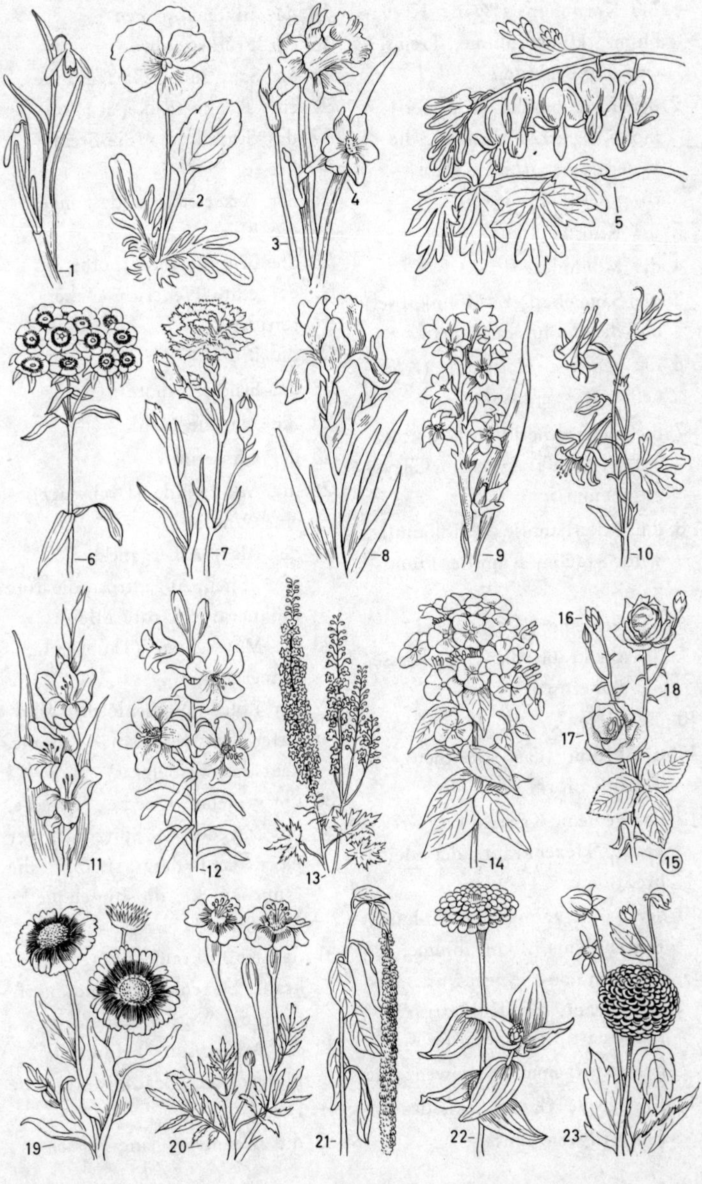
1
2
3
4
5
6
7
8
9
10
11
12
13
14
15
16
17
18
19
20
21
22
23

1 die Kornblume (Zyane, Kreuzblume, Hungerblume, Tremse), eine Flockenblume
2 der Klatschmohn (Klappermohn, *österr.* Feldmohn, die Feuerblume, *schweiz.* Kornrose), ein Mohn *m*:
3 die Knospe
4 die Mohnblüte
5 die Samenkapsel (Mohnkapsel) mit den Mohnsamen *m*;
6 die gemeine Kornrade (Kornnelke, Roggenrose)
7 die Saatwucherblume (Wucherblume, Goldblume), ein Chrysanthemum *n*
8 die Ackerkamille (Feldkamille, wilde [taube] Kamille, Hundskamille)
9 das gemeine Hirtentäschel (Täschelkraut, die Gänsekresse, der Bauernsenf):
10 die Blüte
11 die Frucht (das Schötchen), in Täschchenform *f*;
12 das gemeine Kreuzkraut (Greiskraut, Hexenkraut, der Beinbrech)
13 der Löwenzahn (die Kuhblume, Kettenblume, Sonnenblume, »Pusteblume«, Augenwurz, das Milchkraut, der Kuhlattich, Hundslattich); *ähnl.:* der steifhaarige (gemeine) Löwenzahn (die große Gamswurz), der Herbstlöwenzahn:
14 das Blütenköpfchen
15 der Fruchtstand;
16 die Saatrauke (Gartenrauke), eine Rauke (Ruke, Runke)
17 das Schildkraut (die Steinkresse)
18 der Ackersenf (wilde Senf):
19 die Blüte
20 die Frucht, eine Schote;
21 der echte Hederich (Ackerrettich):
22 die Blüte
23 die Frucht (Schote);
24 die gemeine Melde
25 der Gänsefuß
26 die Ackerwinde (Drehwurz), eine Winde
27 der (das) Ackergauchheil (Gauchheil, Augentrost, die rote Hühnermyrte, rote Miere)
28 die Mäusegerste (Taubgerste, Mauergerste)
29 der Lolch (Wiesenlolch, Wildhafer, das englische Raigras, deutsche Weidelgras)
30 die gemeine Quecke (Zwecke, das Zweckgras, Spitzgras, der Dort, das Pädergras); *ähnl.:* die Hundsquecke, die Binsenquecke (der Strandweizen)
31 das Knopfkraut (Franzosenkraut, Hexenkraut, Goldknöpfchen, die Wucherblume)
32 die Ackerdistel (Felddistel, Haferdistel, Brachdistel), eine Distel
33 die Brennessel, eine Nessel

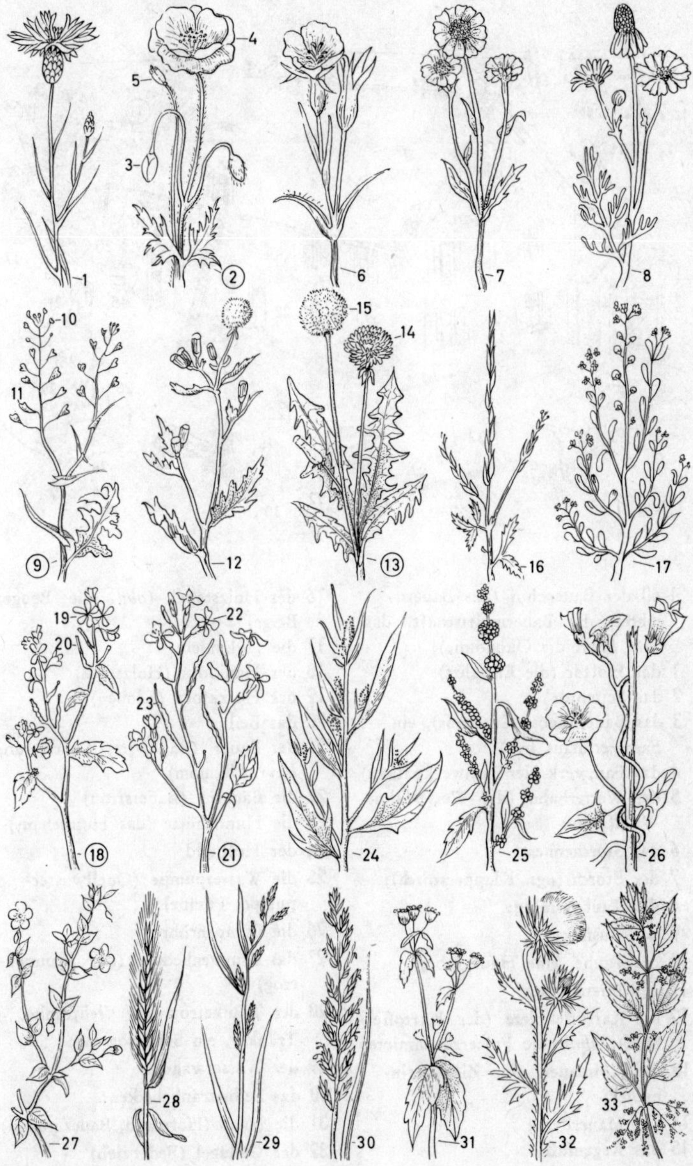
1
2
3
4
5
6
7
8
9
10
11
12
13
14
15
16
17
18
19
20
21
22
23
24
25
26
27
28
29
30
31
32
33

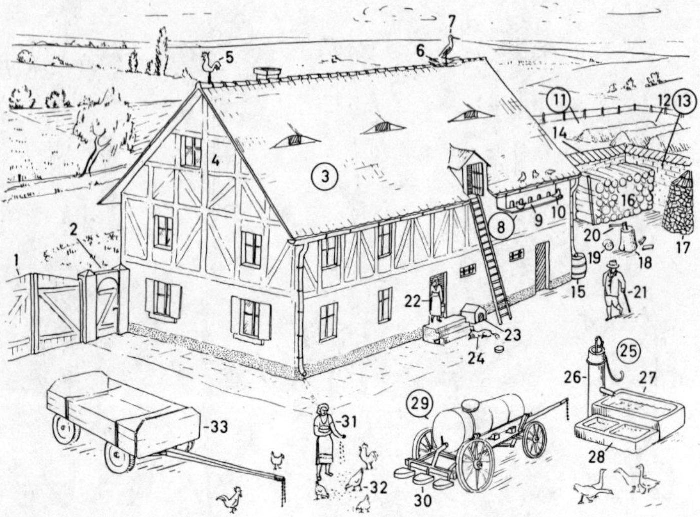

1-60 der Bauernhof (das Bauerngehöft, die Bauernwirtschaft, das Gut, *bayr.* die Ökonomie):
1 das Hoftor (die Einfahrt)
2 das Seitentor
3 das Bauernhaus (Gutshaus), ein Fachwerkhaus *n*:
4 das Fachwerk (der Fachwerkbalken)
5 der Wetterhahn (die Wetterfahne, Windfahne)
6 das Storchennest:
7 der Storch (*ugs.* Klapperstorch);
8 der Taubenschlag:
9 der Ausflug
10 die Taube, eine Haustaube;
11 der Mietenplatz:
12 die Kartoffelmiete (der Kartoffelfeim); *ähnl.* die Futterrübenmiete;
13 die Hofmauer, eine Ziegelsteinmauer:
14 das Mauerdach;
15 das Regenfaß
16 der Holzstapel (*obd.* die Beuge, Beige)
17 die Holzmiete
18 der Hauklotz (Holzstock)
19 der Holzklotz (Kloben)
20 das Beil
21 der Bauer (Landwirt, Landmann, *bayr.* Ökonom)
22 die Bäuerin (Bauersfrau)
23 die Hundehütte (das Hundehaus)
24 der Hofhund
25 die Wasserpumpe (Quellwasserpumpe, Pumpe):
26 die Pumpenröhre
27 das Brunnenbecken (der Brunnentrog)
28 der Tränketrog (die Viehtränke, Tränke), ein Steintrog *m*;
29 der Wasserwagen:
30 das Selbsttränkebecken;
31 die Magd (Hofmagd, Bauernmagd)
32 das Geflügel (Federvieh)

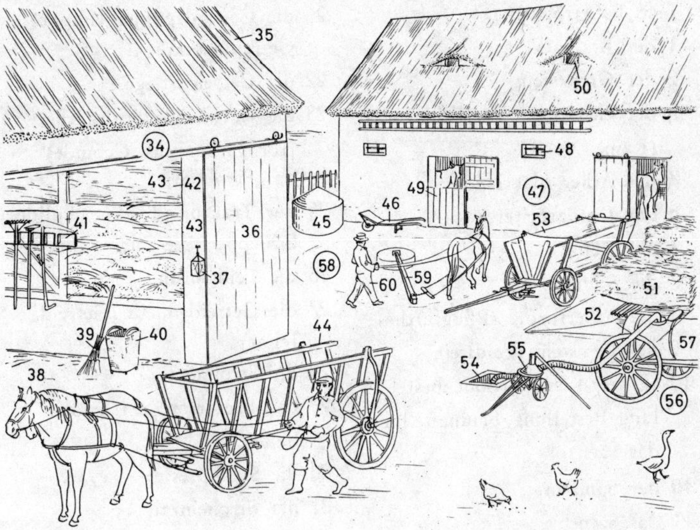

33 der gummibereifte Ackerwagen (*ugs.* Gummiwagen)
34 die Scheune (*obd.* der Stadel, *südwestd.* die Scheuer, der Schopf, *schweiz.* Städel):
35 das Strohdach; *ähnl.* Rohrdach, Schilfdach
36 das Scheunentor (die Scheunentür)
37 die Stallaterne
38 die Tenne
39 der Reisigbesen (Strauchbesen)
40 der Tragkorb (die Kiepe), ein Weidenkorb *m*
41 das Gerätebrett
42 *md. u. nd.* die Banse
43 das Getreide;
44 der Erntewagen, ein Leiterwagen *m*
45 der Futtersilo (Silo, Futterspeicher)
46 der Dungkarren (Mistkarren)
47 der Stall (das Stallgebäude, die Stallung); *Arten:* der Pferdestall, Schweinestall, Kuhstall (Rinderstall), Schafstall, Ziegenstall, Jungviehstall:
48 das Stallfenster
49 die Halbtür (Niedertür), eine Stalltür
50 das Dachfenster (die Dachluke);
51 der Misthaufen (Dunghaufen)
52 die Dungplatte
53 der Mistwagen (Dungwagen, Düngerwagen), ein Kastenwagen *m*
54 die Jauchegrube (*obd.* Güllegrube, Adelgrube)
55 die Jauchepumpe (*obd.* Güllepumpe, Adelpumpe)
56 der Jauchewagen
57 das Jauchefaß
58 der Göpel:
59 die Göpelstange;
60 der Knecht (Bauernknecht)

65 Landwirtschaft

1-46 Feldarbeiten *f*:
1 der Brachacker
2 der Grenzstein
3 der Grenzrain, ein Feldrain *m* (Rain, Ort)
4 der Acker (das Feld)
5 der Landarbeiter
6 der Pflug
7 die Scholle
8 die Ackerfurche (Pflugfurche)
9 der Lesestein (Feldstein)
10-12 die Aussaat (Bodenbestellung, Bestellung, Feldbestellung, das Säen):
10 der Sämann
11 das Sätuch
12 das Saatkorn (Saatgut);
13 der Flurwächter (Flurhüter, Feldwächter, Feldhüter)
14 der Kunstdünger (Handelsdünger); *Arten:* Kalidünger, Phosphorsäuredünger, Kalkdünger, Stickstoffdünger
15 die Fuhre Mist *m* (der Stalldünger, Dung)
16 das Ochsengespann
17 die Flur
18 der Feldweg
19-24 die Ernte (Getreideernte, Kornernte):
19 das Getreidefeld (Kornfeld): *Arten:* Roggenfeld, Weizenfeld, Gerstenfeld, Haferfeld
20 das Stoppelfeld
21 die Getreidepuppe (Puppe, Getreidehocke)
22 die Getreidestiege
23 die Garbe (Getreidegarbe, Korngarbe, das Gebinde)
24 das Strohseil;
25 der Traktor (Trecker, Bulldog, Schlepper, die Zugmaschine)
26 die Feldscheune
27 die Getreidemiete (Getreidefeime)
28 die Strohmiete
29 das Preßstroh, ein Strohballen *m*
30 die Strohpresse:
31 der Stroheinfall
32 der Zubringer
33 die Knüpfapparate *m*
34 der Preßkanal;
35-43 die Heuernte; *zweite Ernte:* das Grummet (Grumt), *südwestd.* das Öhmd, *schweiz.* Emd:
35 die Wiese
36 der Heuschober
37 der Heuhaufen
38 der Schwedenreuter
39 der Heureuter (Reuter, Heureiter)
40 die Heuschwade
41 der Heuwagen
42 die Heuhütte
43 der Heinze (Heinz);
44 das Dränagerohr (Dränrohr)
45 der Entwässerungsgraben
46 das Rübenfeld

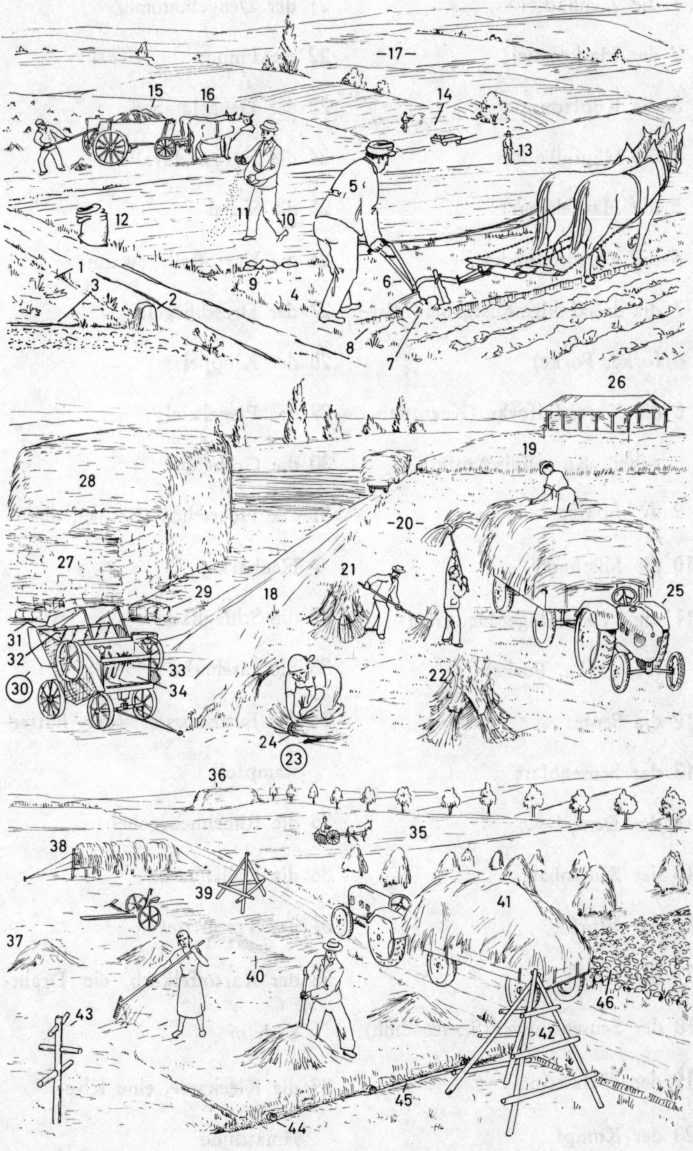
1
2
3
4
5
6
7
8
9
10
11
12
13
14
15
16
17
18
19
20
21
22
23
24
25
26
27
28
29
30
31
32
33
34
35
36
37
38
39
40
41
42
43
44
45
46

66 Landwirtschaftliche Geräte

1 die Ziehhacke:
2 der Hackenstiel;
3 die Köpfschippe
4 die Häufelhacke:
5 die Häufelschar;
6 die Kartoffelhacke
7 die dreizinkige Mistgabel (Mistforke, Forke)
8 die Kartoffelforke (Kartoffelgabel, Kartoffelschaufel)
9 der Spaten
10 die Misthacke
11 die vierzinkige Heugabel (Heuforke, Forke)
12 die Sense:
13 das Sensenblatt
14 der Dengel
15 der Sensenbart
16 der Wurf
17 der Griff;
18 der Sensenschutz (Sensenschuh)
19 der Wetzstein
20 der Kumpf
21 der Dengelhammer:
22 die Finne;
23 der Dengelamboß
24 die Kartoffelkralle
25 die Sichel
26 die Kartoffellegewanne
27 der Dreschflegel:
28 der Klöppel
29 der Flegelstiel;
30 die Grabgabel
31 der Heurechen (Rechen, die Heuharke)
32 die Schlaghacke
33 die Jätehacke (Hacke)
34 das Futtermesser (der Futterstampfer)
35 die Rübenhebegabel
36 die Rollenhacke
37 das Tretmesser
38 der Kartoffelkorb, ein Drahtkorb *m*
39 die Kleekarre, eine Kleesämaschine

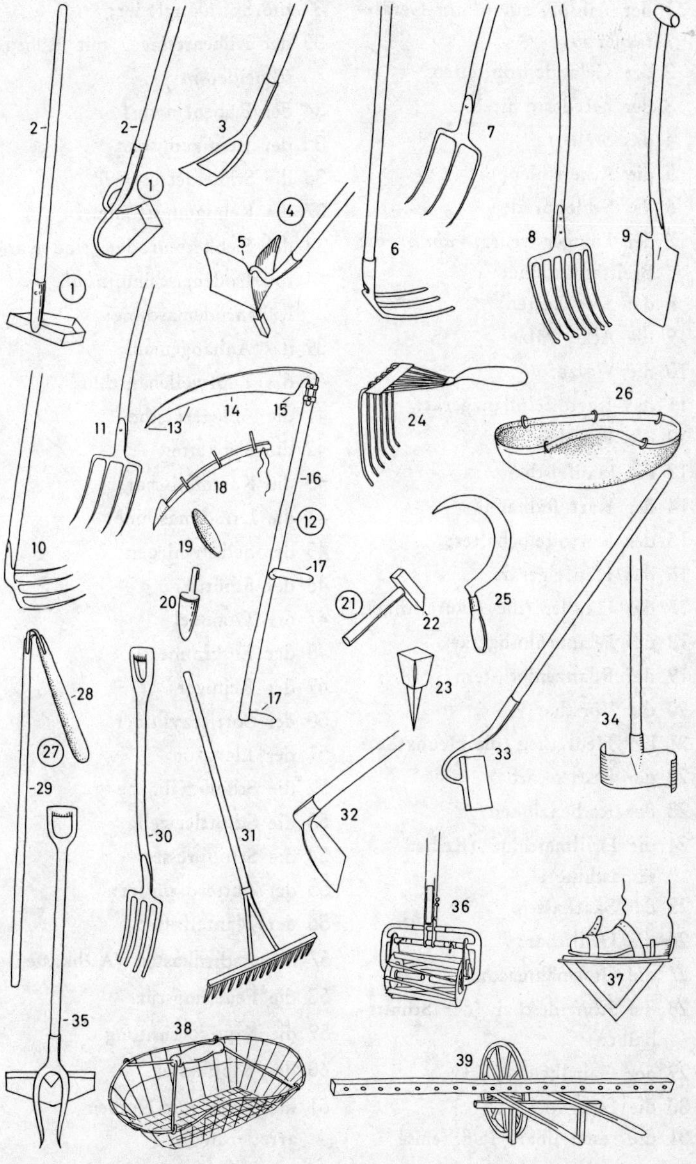

1
2
3
4
5
6
7
8
9
10
11
12
13
14
15
16
17
18
19
20
21
22
23
24
25
26
27
28
29
30
31
32
33
34
35
36
37
38
39

67 Landwirtschaftliche Maschinen I (Landmaschinen)

1 der Alldog, ein Motor-Geräteträger *m*:
2 der Geländeprofilreifen
3 der gefederte Sitz
4 das Steuerrad;
5 die Ackerschleppe:
6 das Schlepprad;
7 der Düngerstreuer; *ähnl.*: die Breitsämaschine:
8 der Streukasten;
9 die Ackerwalze:
10 die Walze;
11 das Kartoffelpflanzgerät:
12 die Vorschar
13 die Häufelschar
14 der Kartoffelkanal
15 der Kartoffelbehälter;
16 das Häufelgerät:
17 der Häufler (die Häufelschar);
18 das Pflanzenlochgerät:
19 der Pflanzenlochstern
20 die Vorschar;
21 der Heurechen (die Heuharke):
22 der Rechenkorb
23 der Rechenzinken;
24 die Drillmaschine (Reihensämaschine):
25 der Saatkasten
26 die Drillschar;
27 die Grasmähmaschine:
28 die Schneideschar (der Schnittbalken);
29 der Gabelheuwender:
30 die Heugabel
31 die feststellbare Fußbremse
32 die Spiralzugfeder;
33 der Rübenreiniger mit Rübenschneider *m*:
34 der Rübeneinwurf
35 der Reinigungsrost
36 die Schneidetrommel
37 die Reinigungstrommel;
38 der Siebkettenroder, eine Kartoffelrodemaschine; *ähnl.* Rübenrodemaschine:
39 das Anhängemaul
40 der Zapfwellenanschluß
41 die Ablegerutsche
42 die Siebkette
43 die Kartoffelschar;
44 die Dreschmaschine:
45 der Selbsteinleger
46 der Schüttler
47 die Trommel
48 der Entgranner
49 der Reiniger
50 der Sortierzylinder
51 der Elevator
52 die Schmutzabgabe
53 die Schüttlerwelle
54 die Strohpresse;
55 der Futterdämpfer:
56 der Mantelfuß
57 der Aschenkasten (Aschkasten)
58 die Feuerungstür
59 die Kippvorrichtung
60 der Kippkessel
61 der Bügel mit Nockenarretierung *f*

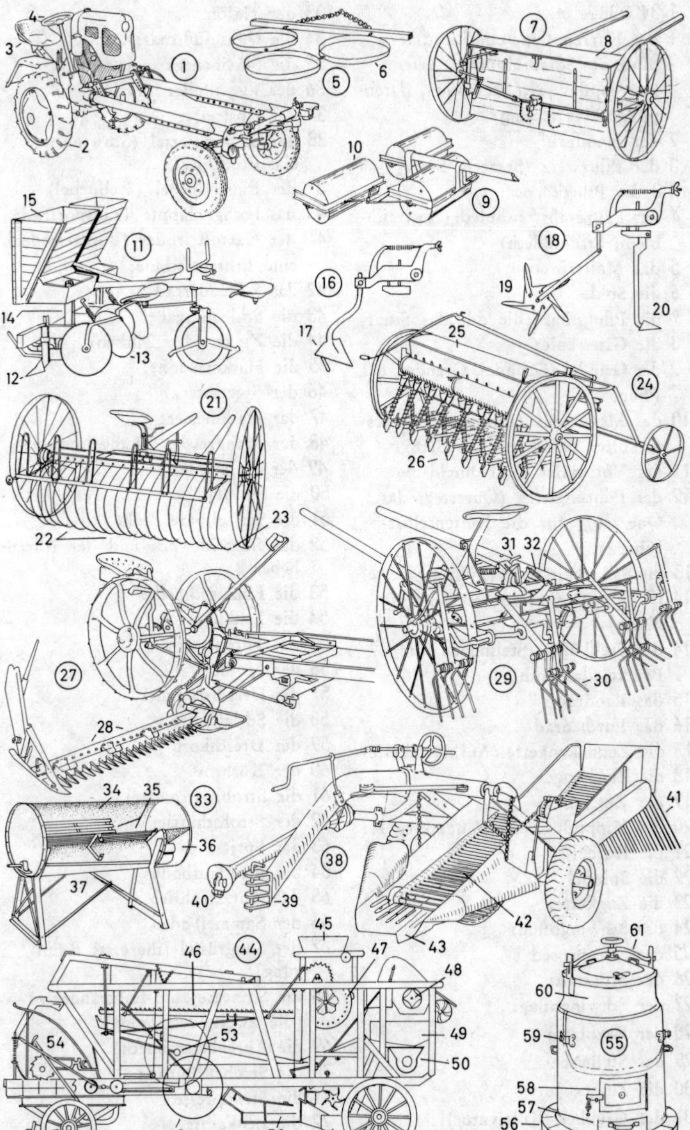
1
2
3
4
5
6
7
8
9
10
11
12
13
14
15
16
17
18
19
20
21
22
23
24
25
26
27
28
29
30
31
32
33
34
35
36
37
38
39
40
41
42
43
44
45
46
47
48
49
50
51
52
53
54
55
56
57
58
59
60
61

1-34 Pflüge *m*,
1 der Karrenpflug, ein Einscharpflug *m* (Schaufelpflug); *Arten:* Karrenpflug *m*, Stelzpflug, Drehpflug, Häufelpflug:
2 der Handgriff
3 der Pflugsterz (Sterzen, Sterz)
4-8 der Pflugkörper:
4 das Panzerabstreichblech (Abstreichblech, Streichblech)
5 das Molterbrett
6 die Sohle
7 die Pflugschar (die od. das Schar)
8 die Griessäule;
9 der Grindel (Gründel, Grendel, der Pflugbaum)
10 das Messersech (Pflugmesser, Messerkolter *m od. n*), ein Sech *n*
11 der Vorschäler (Vorschneider)
12 der Führungssteg (Quersteg, das Querzeug) für die Kettenselbstführung
13 die Selbsthaltekette (Führungskette)
14-19 der Pflugkarren (Karren, die Karre):
14 der Stellbügel (Stellbogen, die Brücke, das Joch)
15 das Landrad
16 das Furchenrad
17 die Zughakenkette (Aufhängekette)
18 die Zugstange
19 der Zughaken;
20 der Kipppflug, ein Wendepflug *m*:
21 die Kurbel
22 die Spindel
23 die Zugkette;
24 der Schwingpflug:
25 das Scheibensech
26 das Stützrad;
27 der Schwingpflug:
28 der Regulator
29 das Stelleisen
30 die Zugstange;
31 der Grubber (Kultivator):
32 der Rahmen
33 der Halter
34 die Gänsefußschar;
35 die Scheibenegge, eine Egge:
36 der Eggenteller (Teller)
37 der Abstreifer
38 der Schwingsattel (Schwingsitz, elastische Sitz)
39 der Einstellhebel (Stellhebel)
40 das hochgeklappte Transportrad;
41 der Kartoffelroder (Vorratsroder), eine Erntemaschine:
42 das Schleuderrad
43 die Schleudergabel
44 die Zinke (der Zinken);
45 die Hackmaschine:
46 der Steuersterz
47 das Hackmesser;
48 der Mähdrescher [Längsschnitt]:
49 der Halmteiler
50 die Haspel
51 die verstellbare Zinke
52 das Schneidewerk und der Ährenheber
53 die Einzugschnecke
54 die Lenkung
55 das Förderwerk
56 der Motor
57 die Dreschtrommel
58 die Schlagleiste
59 der Dreschkorb
60 der Korbrost
61 die Strohleittrommel
62 der Strohschüttler
63 das Spritztuch
64 der Rücklaufboden
65 das Kurzstrohsieb
66 der Sammelboden
67 der Saugrüssel [die erste Reinigung]
68 die Schnecke zum Entgranner *m* [die zweite Reinigung]
69 die Ährenhebeschnecke
70 die Strohzuführung
71 die Strohpresse
72 die Lenkachse
73 das Getriebe

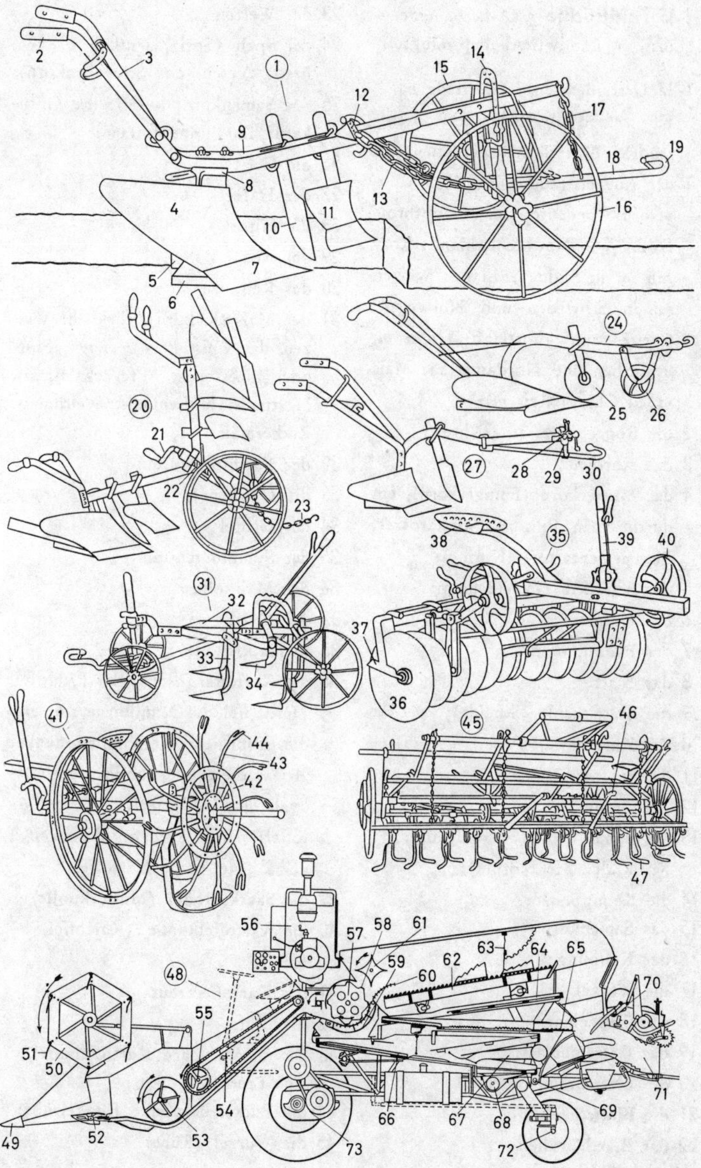
1
2
3
4
5
6
7
8
9
10
11
12
13
14
15
16
17
18
19
20
21
22
23
24
25
26
27
28
29
30
31
32
33
34
35
36
37
38
39
40
41
42
43
44
45
46
47
48
49
50
51
52
53
54
55
56
57
58
59
60
61
62
63
64
65
66
67
68
69
70
71
72
73

1-45 Feldfrüchte *f* (Ackerbauerzeugnisse *n*, Landwirtschaftsprodukte),

1-37 Getreidearten *f* (Getreide *n*, Körnerfrüchte *f*, Kornfrüchte, Mehlfrüchte, Brotfrüchte, Zerealien *pl*),

1 der Roggen (auch: das Korn; »Korn« bedeutet oft Hauptbrotfrucht *f*, in Norddeutschland: Roggen *m*, in Süddeutschland: Weizen *m*, in Schweden und Norwegen: Gerste *f*, in Schottland: Hafer *m*, in Italien und Nordamerika: Mais *m*, in China: Reis *m*):

2 die Roggenähre, eine Ähre

3 das Ährchen

4 das Mutterkorn (Hungerkorn), ein durch einen Pilz *m* (Schmarotzer, Parasit) entartetes Korn *n*;

5 der bestockte Getreidehalm:

6 der Halm

7 der Halmknoten

8 das Blatt

9 die Blattscheide (Scheide);

10 das Ährchen:

11 die Spelze

12 die Granne

13 das Samenkorn (Getreidekorn, Korn, der Mehlkörper);

14 die Keimpflanze:

15 das Samenkorn

16 der Keimling

17 die Wurzel

18 das Wurzelhaar;

19 das Getreideblatt:

20 die Blattspreite (Spreite)

21 die Blattscheide

22 das Blatthäutchen;

23 der Weizen

24 der Spelt (Spelz, Dinkel, Blicken, Fesen, Vesen, das Schwabenkorn):

25 das Samenkorn; *unreif:* der Grünkern, eine Suppeneinlage;

26 die Gerste

27 der Hafer

28 die Hirse

29 der Reis:

30 das Reiskorn;

31 der Mais (Kukuruz, türkische Weizen, das Welschkorn); *Arten:* Puff- oder Röstmais, Pferdezahnmais, Hartmais, Hülsenmais, Weichmais, Zuckermais:

32 der Fruchtblütenstand

33 die Lieschen *pl*

34 der Griffel

35 der Staubblütenstand;

36 der Maiskolben

37 das Maiskorn;

38-45 Hackfrüchte *f*,

38 die Kartoffel (*österr.* der Erdapfel, Herdapfel, die Grundbirne, *schweiz.* die Erdbirne), eine Knollenpflanze; *Arten:* die runde, rundovale, plattovale, lange Kartoffel, Nierenkartoffel; nach Farben: die weiße, gelbe, rote, blaue Kartoffel:

39 die Saatkartoffel (Mutterknolle)

40 die Kartoffelknolle (Kartoffel, Knolle)

41 das Kartoffelkraut

42 die Blüte

43 der ungenießbare Kartoffelapfel, eine Frucht;

44 die Zuckerrübe, eine Runkelrübe:

45 die Wurzel (Rübe)

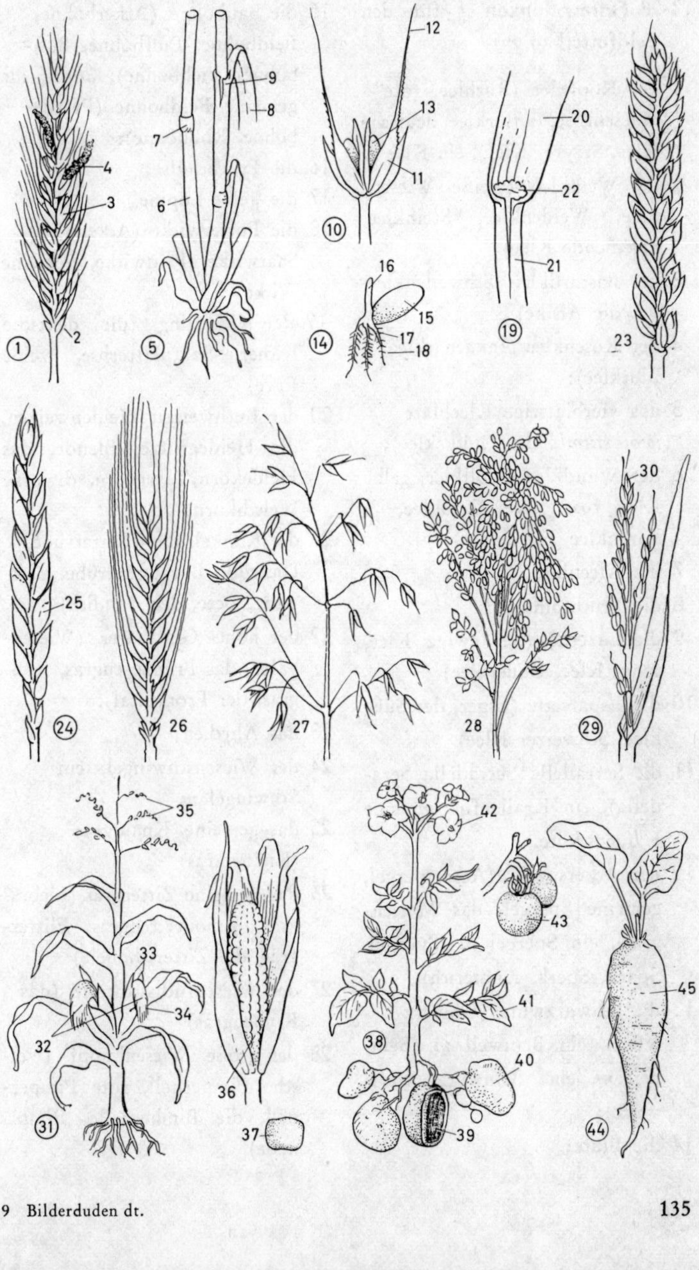
1
2
3
4
5
6
7
8
9
10
11
12
13
14
15
16
17
18
19
20
21
22
23
24
25
26
27
28
29
30
31
32
33
34
35
36
37
38
39
40
41
42
43
44
45

1-28 Futterpflanzen *f* für den Feldfutterbau *m*:

1 der Kopfklee (Rotklee, rote Wiesenklee, Futterklee, deutsche Klee, Steyrer Klee), ein Klee *m*

2 der Weißklee (weiße Wiesenklee, Weidenklee, Steinklee, kriechende Klee)

3 der Bastardklee (Schwedenklee, *nd.* die Alsike)

4 der Rosenklee (Inkarnatklee, Blutklee):

5 das vierblättrige Kleeblatt (*volkstüml.:* der Glücksklee);

6 der Wundklee (Wollklee, gelbe Klee, russ. Klee, Gelbklee, Bärenklee, Hasenklee):

7 die Kleeblüte

8 die Fruchthülse;

9 die Luzerne (der ewige Klee, span. Klee, Dauerklee)

10 die Esparsette (Esper, der Süßklee, Schweizer Klee)

11 die Serradelle (Serradella, Seradella), ein Krallenfuß *m*, eine Klauenschote

12 der Ackerspark (Ackerspergel, gemeine Spergel, das Mariengras), ein Spergel *m* (Spörgel, Spark, Sperk, Knöterich)

13 die Schwarzwurz (Schmerzwurz), ein Beinwell *m* (Beinheil *m*, eine Beinwurz, Wallwurz):

14 die Blüte;

15 die Saubohne (Ackerbohne, Feldbohne, Puffbohne, Buffbohne, Viehbohne); *ähnl.:* die gemeine Feldbohne (Pferdebohne, Roßbohne):

16 die Fruchthülse;

17 die gelbe Lupine

18 die Futterwicke (Ackerwicke, Saatwicke, Feldwicke, gemeine Wicke)

19 der Kicherling (die deutsche Kicher, Saatplatterbse, weiße Erve)

20 der Buchweizen (Heidenweizen, die Heidegrütze, Blende, das Heidekorn, Taterkorn, schwarze Welschkorn)

21 die Runkelrübe (Futterrübe, Dickrübe, Burgunderrübe, Dickwurz, Bete, der Randich)

22 der hohe Glatthafer (Wiesenhafer, das Franzosengras, Roßgras, der Fromental):

23 das Ährchen;

24 der Wiesenschwingel, ein Schwingel *m*

25 das gemeine Knaulgras (Knäuelgras)

26 das gemeine Zittergras (Liebesgras, Amourettengras, Flittergras, die Zitterschmiele)

27 der Wiesenfuchsschwanz (das Kolbengras)

28 der große Wiesenknopf (welsche Pimpernell, rote Pimpernell, die Bimbernelle, Pimpinelle)

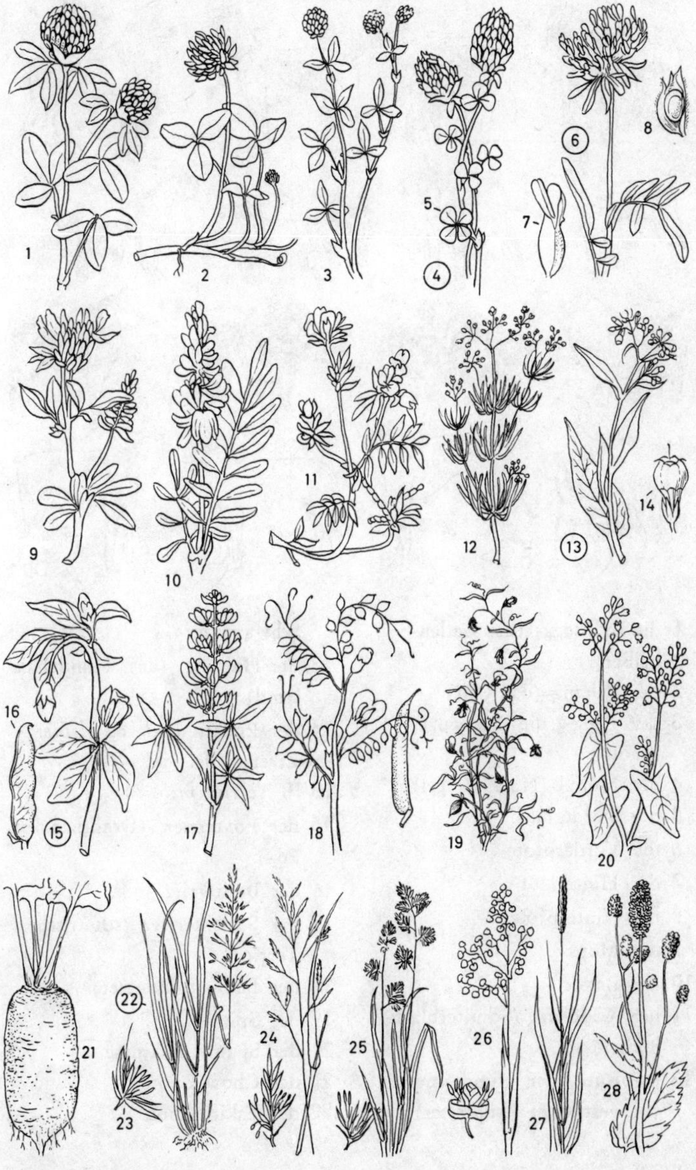
1
2
3
4
5
6
7
8
9
10
11
12
13
14
15
16
17
18
19
20
21
22
23
24
25
26
27
28

71 Hunderassen

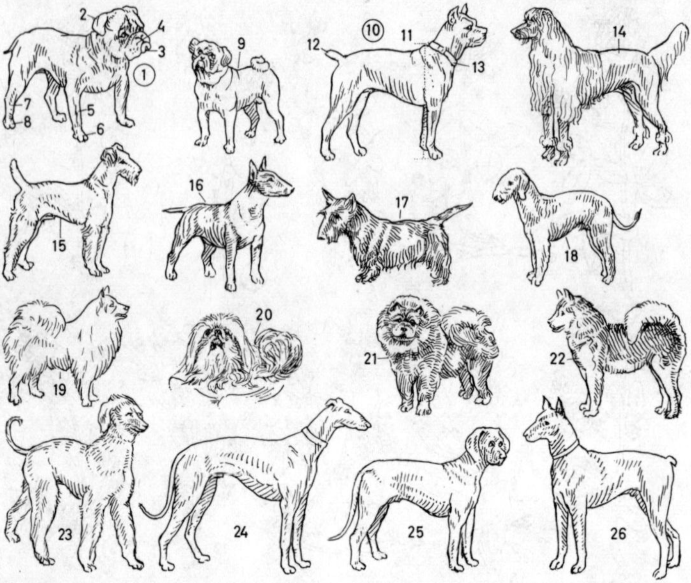

1 die Bulldogge (der Bullenbeißer):
2 der Behang (das Ohr)
3 der Fang (die Schnauze, das Maul)
4 der Muffel (Nasenspiegel)
5 der Vorderlauf
6 die Vorderpfote
7 der Hinterlauf
8 die Hinterpfote;
9 der Mops
10 der Boxer:
11 der Widerrist (Schulterblatthöcker)
12 die Rute (der Hundeschwanz), ein gestutzter (kupierter) Schwanz *m*;
13 die Halsung (das Hundehalsband)
14 der Pudel; *ähnl. u. kleiner:* Zwergpudel
15-18 Terrier *m*:
15 der Foxterrier (Drahthaarfox, Fox)
16 der Bullterrier
17 der Scotchterrier (schottische Terrier)
18 der Bedlingtonterrier;
19 der Spitz
20 der Spaniel-Pekinese
21 der Chow-Chow
22 der Eskimohund

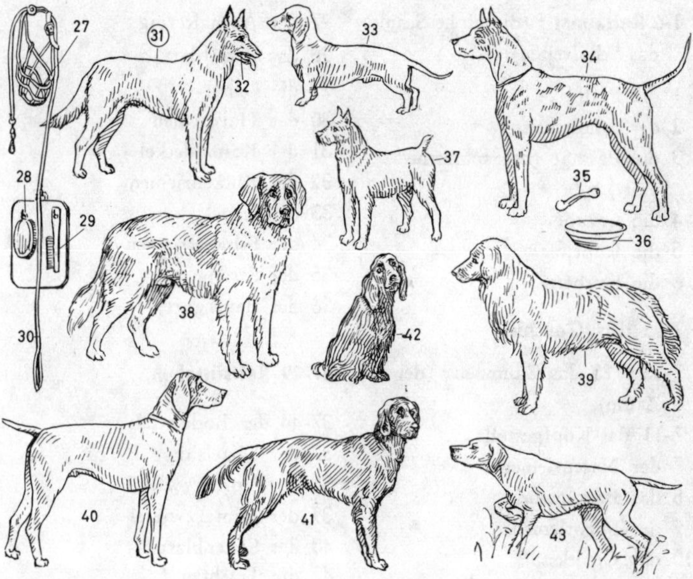

23 der Afghane

24 der Greyhound, ein Windhund *m* (Windspiel *n*)

25 der Schweißhund (Spürhund), ein Hetzhund *m*

26 der Dobermann

27-30 die Hundegarnitur:

27 der Maulkorb (Beißkorb)

28 die Hundebürste

29 der Hundekamm

30 die Leine (Hundeleine, der Riemen); *für Jagdzwecke:* Schweißriemen;

31 der deutsche Schäferhund (Wolfshund), ein Dienst- und Wachhund *m*:

32 die Lefzen *f* (Lippen);

33 der Dackel (Teckel), ein Dachshund *m*

34 die deutsche Dogge

35 der Knochen

36 der Freßnapf (Futternapf)

37 der Schnauzer

38 der Bernhardiner

39 der Neufundländer

40-43 Jagdhunde *m*:

40 der deutsche Vorstehhund

41 der Setter (englische Vorstehhund), ein Hühnerhund *m*

42 der Cocker-Spaniel

43 der Pointer, ein Spürhund *m*

1-6 Reitkunst *f* (die Hohe Schule, das Schulreiten):

1 die Piaffe
2 der Schulschritt
3 die Passage (der spanische Tritt)
4 die Levade
5 die Kapriole
6 die Kurbette;

7-25 das Geschirr,

7-13 u. 25 das Zaumzeug (der Zaum),
7-11 das Kopfgestell:
7 der Nasenriemen
8 das Backenstück
9 der Stirnriemen
10 das Genickstück
11 der Kehlriemen;
12 die Kinnkette (Kandarenkette)
13 die Kandare (Schere);
14 der Zughaken
15 das Spitzkumt, ein Kumt *n* (Kummet)
16 die Schalanken *pl*
17 der Kammdeckel
18 der Bauchgurt
19 der Sprenggurt
20 die Aufhaltekette
21 die Deichsel
22 der Strang
23 der Bauchnotgurt
24 der Zuggurt
25 die Zügel *m*;

26-36 das Sielengeschirr:

26 die Scheuklappe
27 der Aufhaltering
28 das Brustblatt
29 die Gabel
30 der Halsriemen
31 der Kammdeckel
32 der Rückenriemen
33 der Zügel
34 der Schweifriemen
35 der Strang
36 der Bauchgurt;

37-49 Reitsättel *m*,

37-44 der Bocksattel:
37 der Sattelsitz
38 der Vorderzwiesel
39 der Hinterzwiesel
40 das Seitenblatt
41 die Trachten *f*
42 der Bügelriemen
43 der Steigbügel
44 der Woilach;
45-49 die Pritsche (der englische Sattel):
45 der Sitz
46 der Sattelknopf
47 das Seitenblatt
48 die Pausche
49 das Sattelkissen;

50 u. 51 Sporen *pl* [*sgl* der Sporn]:

50 der Anschlagsporn
51 der Anschnallsporn;
52 das Hohlgebiß
53 das Maulgatter
54 der Striegel
55 die Kardätsche

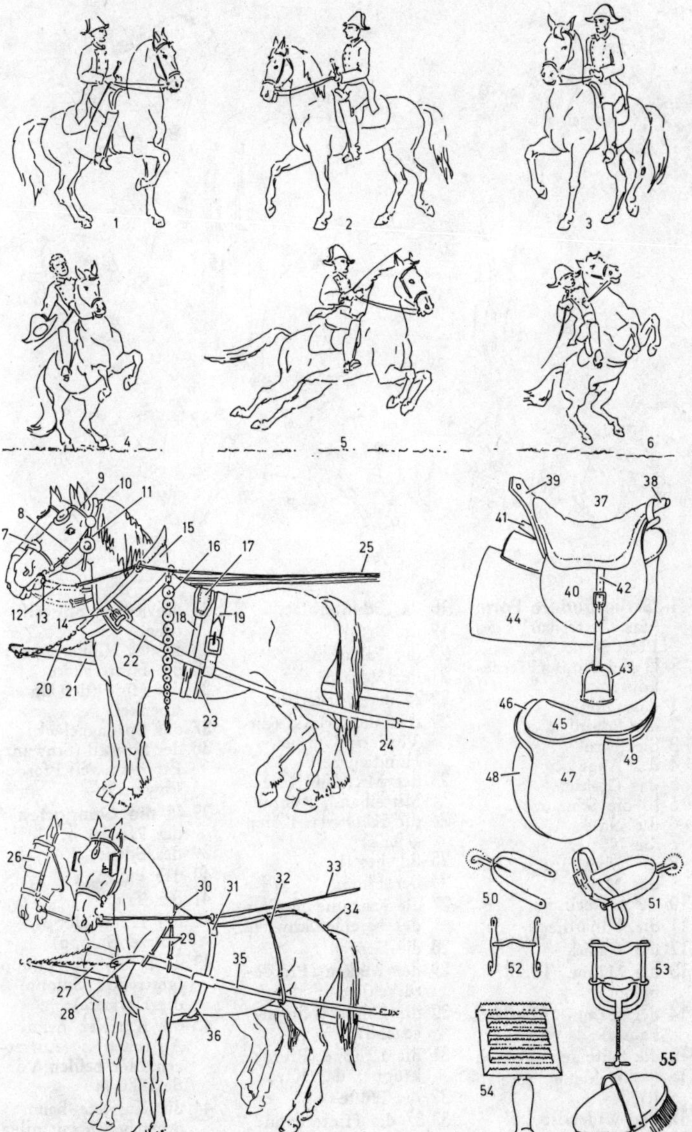
1
2
3
4
5
6
7
8
9
10
11
12
13
14
15
16
17
18
19
20
21
22
23
24
25
26
27
28
29
30
31
32
33
34
35
36
37
38
39
40
41
42
43
44
45
46
47
48
49
50
51
52
53
54
55

73 Pferd II

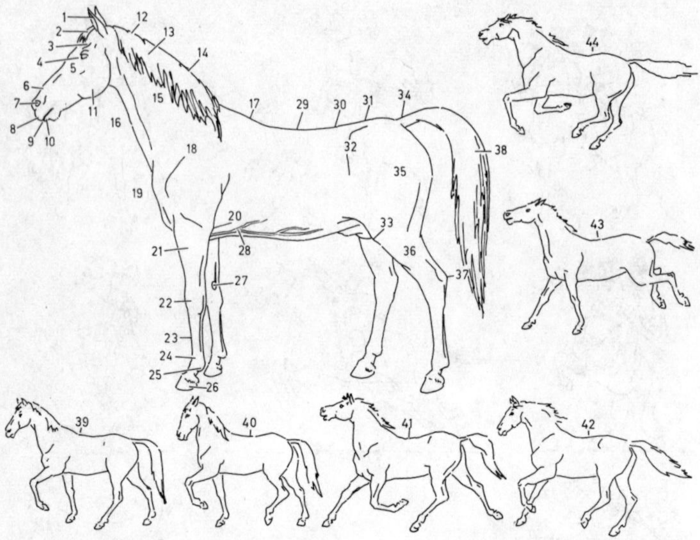

1-38 die äußere Form (das Exterieur) des Pferdes *n*,
1-11 der Kopf (Pferdekopf):
1 das Ohr
2 der Schopf
3 die Stirn
4 das Auge
5 das Gesicht
6-10 die Schnauze:
6 die Nase
7 die Nüster
8 die Oberlippe
9 das Maul
10 die Unterlippe;
11 die Ganasche;
12 das Genick
13 die Mähne (Pferdemähne)
14 der Kamm (Pferdekamm)
15 die Seite des Halses *m*
16 der Kehlgang (die Kehle)
17 der Widerrist
18-27 die Vorhand:
18 das Schulterblatt
19 die Brust
20 der Ellbogen
21 der Vorarm
22-26 der Vorderfuß:
22 das Vorderknie (die Vorderfußwurzel, Handwurzel)
23 der Mittelfuß (die Mittelhand, Röhre)
24 die Köte (das Kötengelenk)
25 die Fessel
26 der Huf;
27 die Kastanie des Pferdes *n*, eine Schwiele;
28 die Sporader
29 der Rücken (Pferderücken)
30 die Lende (Nierengegend)
31 die Kruppe (Pferdekruppe, das Kreuz)
32 die Hüfte
33-37 die Hinterhand:
33 die Kniescheibe
34 die Rübe (Schweifrübe)
35-37 das Hinterviertel:
35 die Hinterbacke
36 die Hose (der Unterschenkel)
37 das Sprunggelenk;
38 der Schweif (Schwanz, Pferdeschweif, Pferdeschwanz);

39-44 die Gangarten *f* des Pferdes *n*:
39 der Schritt
40 der Paßgang
41 der Trab
42 der Handgalopp (kurze Galopp)
43 u. 44 der Vollgalopp (gestreckte Galopp, die Karriere):
43 die Karriere beim Auffußen *n* (Aufsetzen) der beiden Vorderfüße *m*
44 die Karriere beim Schweben *n* mit allen vier Füßen *m*

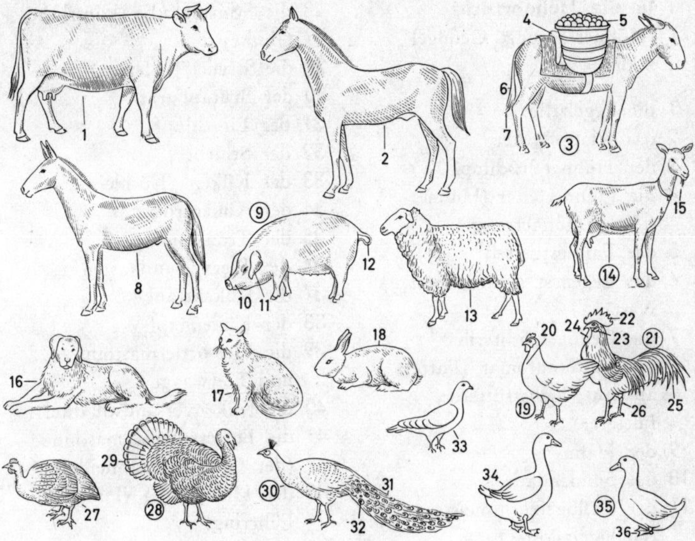

Abkürzungen:
m. = männlich; *k.* = kastriert; *w.* = weiblich; *j.* = das Jungtier

1 u. 2 Großvieh *n* (Vieh):
1 das Rind, ein Horntier *n*, ein Wiederkäuer *m*; *m.* der Stier (Bulle); *k.* der Ochse; *w.* die Kuh; *j.* das Kalb
2 das Pferd; *m.* der Hengst; *k.* der Wallach; *w.* die Stute; *j.* das Füllen (Fohlen);
3 der Esel:
4 der Saumsattel (Tragsattel)
5 der Saum (die Traglast)
6 der Quastenschwanz
7 die Quaste;
8 das Maultier, ein Bastard *m* von Eselhengst *m* und Pferdestute *f*
9 das Schwein, ein Borstentier *n* und Paarhufer *m*; *m.* der Eber; *w.* die Sau; *j.* das Ferkel:
10 der Schweinsrüssel (Rüssel)
11 das Schweinsohr
12 das Ringelschwänzchen;
13 das Schaf; *m.* der Schafbock (Bock, Widder); *k.* der Hammel; *j.* das Lamm
14 die Ziege (Geiß):
15 der Ziegenbart;
16 der Hund, ein Leonberger *m*; *m.* der Rüde; *w.* die Hündin; *j.* der Welpe
17 die Katze, eine Angorakatze; *m.* der Kater
18-36 Kleinvieh *n*:
18 das Kaninchen; *m.* der Rammler (Bock); *w.* die Häsin
19-36 Geflügel *n*,
19-26 das Huhn,
19 die Henne:
20 der Kropf;
21 der Hahn; *k.* der Kapaun:
22 der Hahnenkamm
23 der Wangenfleck
24 der Kinnlappen
25 der Sichelschwanz
26 der Sporn;
27 das Perlhuhn
28 der Truthahn (Puter); *w.* die Truthenne (Pute):
29 das Rad;
30 der Pfau:
31 die Pfauenfeder
32 das Pfauenauge;
33 die Taube; *m.* der Täuberich
34 die Gans; *m.* der Gänserich (Ganser, *nd.* Ganter); *j. nd.* das Gössel
35 die Ente; *m.* der Enterich (Erpel); *j.* das Entenküken:
36 die Schwimmhaut

75 Hühnerfarm (Geflügelfarm)

1-46 die Hühnerzucht (Hühnerhaltung, Geflügelzucht),

1 die Legehalle:
2 das Klappfenster
3 der Hühnereinschlupf
4 die Hühnerleiter (Hühnersteige, Hühnerstiege)
5 das Fallnestgestell
6 das Legenest (Hühnernest, Nest);
7 die Geflügelzüchterin
8 der Futterautomat (Futterapparat, Selbstfütterer, Fütterer)
9 der Hahn
10 das Sonnendach
11 der Geflügelzuchtmeister (Geflügelzüchter)
12 der Lichtmast
13 der Hühnerstall (das Hühnerhaus, Geflügelhaus):
14 die Sitzstange (Aufsitzstange)
15 das Kotbrett (Schmutzbrett)
16 der Scharr-Raum;
17 die Glucke (Bruthenne)
18 der Hühnerauslauf (Auslauf, Hühnerhof)
19 der Grünfuttersilo
20 die Henne
21 das Staubbad
22 der Futtertisch für Trockenfutter *n*
23 der Drahtzaun
24 der Zaunpfahl
25 die Zauntür
26 der automatische Türverschluß
27 der Kükenaufzuchtstall (das Kükenheim):
28 die Schirmglucke (künstliche Glucke)
29 die Streu (Torfstreu)
30 der Brutapparat
31 der Einschlupf
32 der Schieber;
33 das Küken (Küchlein)
34 der Kükentrog
35 der Tränkeimer
36 der Eierversandkasten
37 die Kükentränke
38 der Kükennapf
39 die Eiersortiermaschine und Eierwaage
40 die Kükenversandschachtel
41 die Futterschneidemaschine (der Grünfutterschneider)
42 der Hühnerring (Fußring, Führring)
43 die Geflügelmarke
44 das Zwerghuhn (Bantamhuhn)
45 das Legehuhn
46 der Eierprüfer (Eierspiegel, die Eierlampe);

47 das Hühnerei (Ei):
48 die Kalkschale (*ugs.* Eierschale), eine Eihülle
49 die Schalenhaut
50 die Luftkammer
51 das »Eiweiß« (*österr.* Eiklar)
52 die Hagelschnur (Chalaza, Chalaze)
53 die Dotterhaut
54 die Keimscheibe (der Hahnentritt)
55 das Keimbläschen
56 der (das) weiße Dotter
57 das Eigelb (der od. das gelbe Dotter)

1
2
3
4
5
6
7
8
9
10
11
12
13
14
15
16
17
18
19
20
21
22
23
24
25
26
27
28
29
30
31
32
33
34
35
36
37
38
39
40
41
42
43
44
45
46
47
48
49
50
51
52
53
54
55
56
57

1-16 der Pferdestall:

1 die Stallaterne, eine Handlaterne
2 die Heuraufe (Raufe)
3 die Futterkrippe (Krippe)
4 die Pferdekette
5 das Pferd
6 das Pferdekummet (Pferdekumt)
7 der Pferdestand (Einzelstand, die Pferdebox, Box)
8 der Pferdeapfel (Pferdemist)
9 das Strohbündel
10 der Pferdebursche (Pferdeknecht, Stallbursche)
11 das Tragjoch (Joch, die Wassertrage)
12 die Strohschütte (Streu)
13 die Strohgabel (Streugabel)
14 der Hängequerbalken (Hängequerbaum)
15 der Tierarzt (Veterinär)
16 das Windlicht (die Sturmlaterne), eine Petroleumlaterne;

17-38 der Kuhstall:

17 die Kuhmagd (Stallmagd)
18 die Kuh:
19 das Euter
20 die Zitze;
21 die Jaucherinne
22 der Kuhfladen (Kuhmist), ein Exkrement *n* (Kot *m*)
23-29 die Melkmaschine (automatische Melkanlage):
23 das Gummimelkgefäß (der Melkbecher mit Milch- und Luftschlauch *m*)
24 der Milchverteiler
25 der Membranpulsator (Pulsator)
26 der Melkeimer
27 der Motor
28 die Vakuumpumpe
29 das Vakuummeter;
30 der Mistgang
31 die Bindekette (Kuhkette)
32 die Futterrinne (der Futtertisch)
33 der Futtergang
34 der Milchsammeleimer (die Milchkanne)
35 die Selbsttränke (automatische Tränke):
36 das Tränkbecken
37 die Tränkklappe;
38 das Kuhhorn;

39-47 der Schweinestall (Saustall):

39 die Ferkelbox
40 das Ferkel
41 der Schweinekoben (Saukoben, Koben)
42 die Muttersau
43 der Futtertrog (Schweinetrog, Sautrog)
44 der Jaucheauslauf
45 der Jaucheabfluß
46 der Ferkeldurchlaß
47 der Mistkarren, ein Schubkarren *m*

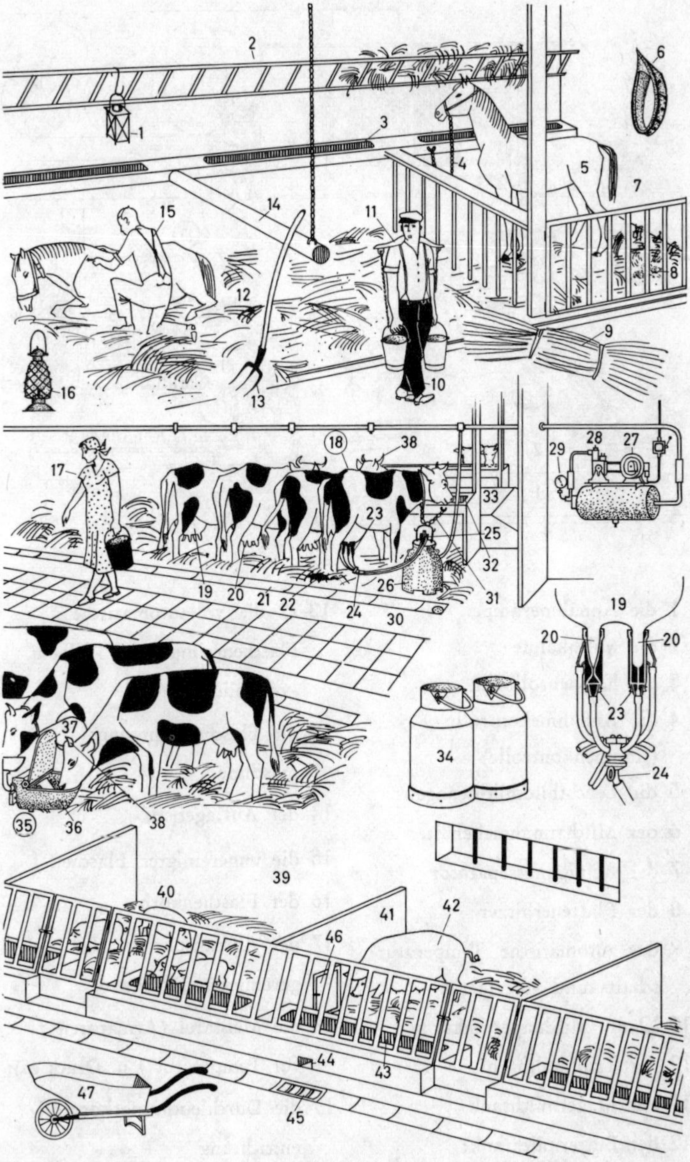
2
6
3
1
4
5
7
15
14
11
8
12
9
16
13
10
18
38
28
27
29
17
33
23
25
32
19
20
21
22
24
26
31
30
19
20
20
23
37
34
24
35
36
38
39
40
41
42
46
44
43
47
45

77 Molkerei

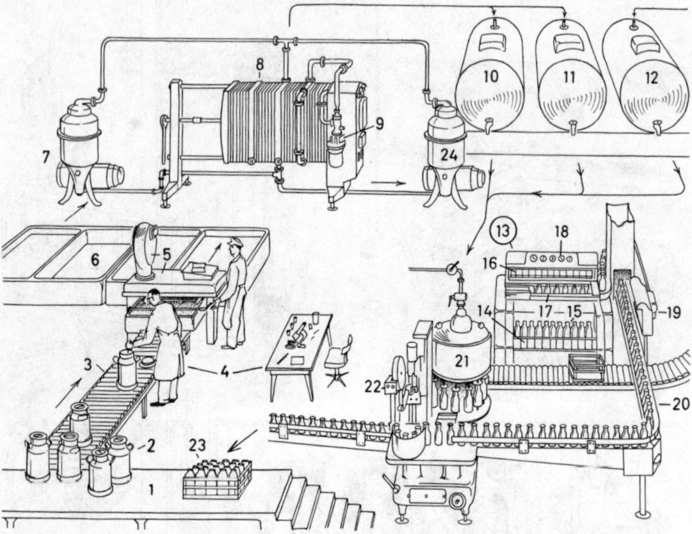

1 die Annahmerampe
2 die Milchkanne
3 die Kannenrollbahn
4 die Annahmekontrolle (Rampenkontrolle)
5 die Leuchtbildmilchwaage
6 der Milchannahmebehälter
7 der Reinigungsseparator
8 der Plattenerhitzer
9 das automatische Temperaturschalt- und -regelgerät
10-12 die Milchlagertanks *m*:
10 der Trinkmilchtank
11 der Magermilchtank
12 der Buttermilchtank;
13-22 die vollautomatische Flaschenreinigungs-, -füll- u. -verschließanlage,
13 die Flaschenreinigungsmaschine:
14 der Auflagetisch
15 die ungereinigten Flaschen *f*
16 der Flaschenkorb
17 der Abtransporteur der gereinigten Flaschen *f*
18 die Meßtafel (Armaturen *f* für Temperatur *f* u. Druck *m*);
19 die Durchleuchtungskontrolleinrichtung

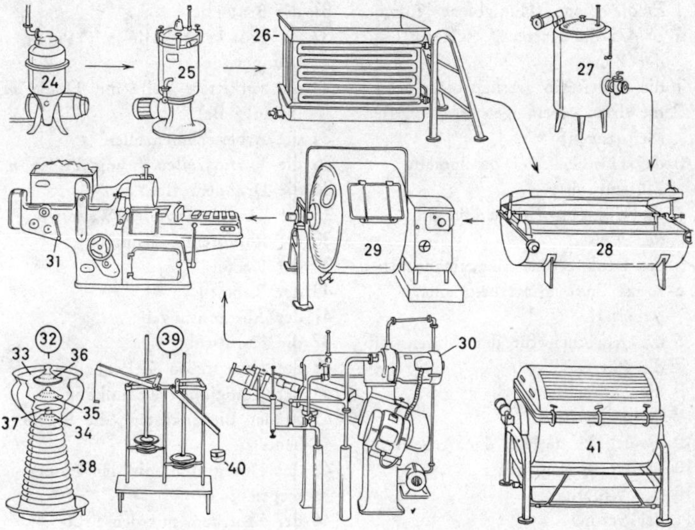

20 das Flaschenförderband

21 die Füllmaschine

22 die Verschließmaschine;

23 der Flaschenmilchkasten

24 der Entrahmungsseparator

25 der Rahmkreiselerhitzer

26 der Rahmkühler, ein Kompaktkühler *m*

27 der Säureweckerapparat

28 der Rahmreifer

29 der Stahlbutterfertiger, ein Butterfertiger *m* für Sauerrahmbutter *f*

30 die Süßrahmbutterungsanlage

31 die Butterausform- u. -packmaschine

32 der Frischmilchkühler:

33 der Einschüttbehälter [Schnitt]

34 das Feinsieb

35 das Kleinsieb

36 das Grobsieb

37 die Wattescheibe

38 der Kühlkörper;

39 die Spindelkäsepresse:

40 die Gewichtsteine *m*;

41 der Speisequarkfertiger

1-25 die Biene (Honigbiene, Imme),
1 u. 4-5 die Kasten *f* (Klassen) der Biene,
1 die Arbeiterin (Arbeitsbiene):
2 die drei Nebenaugen *n* (Stirnaugen)
3 das Höschen (der gesammelte Blütenstaub);
4 die Königin (Bienenkönigin, der Weisel)
5 die Drohne (das Bienenmännchen);
6-9 das linke Hinterbein einer Arbeiterin:
6 das Körbchen für den Blütenstaub
7 die Bürste
8 die Doppelklaue
9 der Haftballen;
10-19 der Hinterleib der Arbeiterin,
10-14 der Stechapparat:
10 der Widerhaken
11 der Stachel
12 die Stachelscheide
13 die Giftblase
14 die Giftdrüse;
15-19 der Magen-Darm-Kanal:
15 der Darm
16 der Magen
17 der Schließmuskel
18 der Honigmagen
19 die Speiseröhre;
20-24 das Facettenauge (Netzauge, Insektenauge):
20 die Facette
21 der Kristallkegel
22 der lichtempfindl. Abschnitt
23 die Faser des Sehnervs *m*
24 der Sehnerv;
25 das Wachsplättchen;
26-30 die Zelle (Bienenzelle):
26 das Ei
27 die bestiftete Zelle
28 die Made
29 die Larve
30 die Puppe;
31-43 die Wabe (Bienenwabe):
31 die Brutzelle
32 die gedeckelte Zelle mit Puppe *f* (Puppenwiege)
33 die verkittete Zelle mit Honig *m* (Honigzelle)
34 die Arbeiterinnenzellen *f*
35 die Vorratszellen *f*, mit Pollen *m*
36 die Drohnenzellen *f*
37 die Königinnenzelle (Weiselwiege)
38 die schlüpfende Königin
39 der Deckel
40 der Rahmen
41 der Abstandsbügel
42 die Kunstwabe
43 der eingepreßte Zellenboden;
44 der Königinnenversandkäfig
45-50 der Bienenkasten (die Ständerbeute):
45 der Honigraum mit den Honigwaben *f*
46 der Brutraum mit den Brutwaben *f*
47 das Absperrgitter (der Schied)
48 das Flugloch
49 das Flugbrettchen
50 das Fenster;
51 veralteter Bienenstand *m*:
52 der Stülpkorb (der Stülper);
53 der Bienenschwarm
54 das Schwarmnetz
55 der Brandhaken
56 modernes Bienenhaus *n*
57 der Imker (Bienenzüchter):
58 der Bienenschleier
59 die Bienenpfeife;
60 die Naturwabe
61 die Honigschleuder
62 u. 63 der Schleuderhonig (Honig):
62 der Honigbehälter
63 das Honigglas;
64 der Scheibenhonig
65 der Wachsstock
66 die Wachskerze
67 das Bienenwachs
68 die Bienengiftsalbe

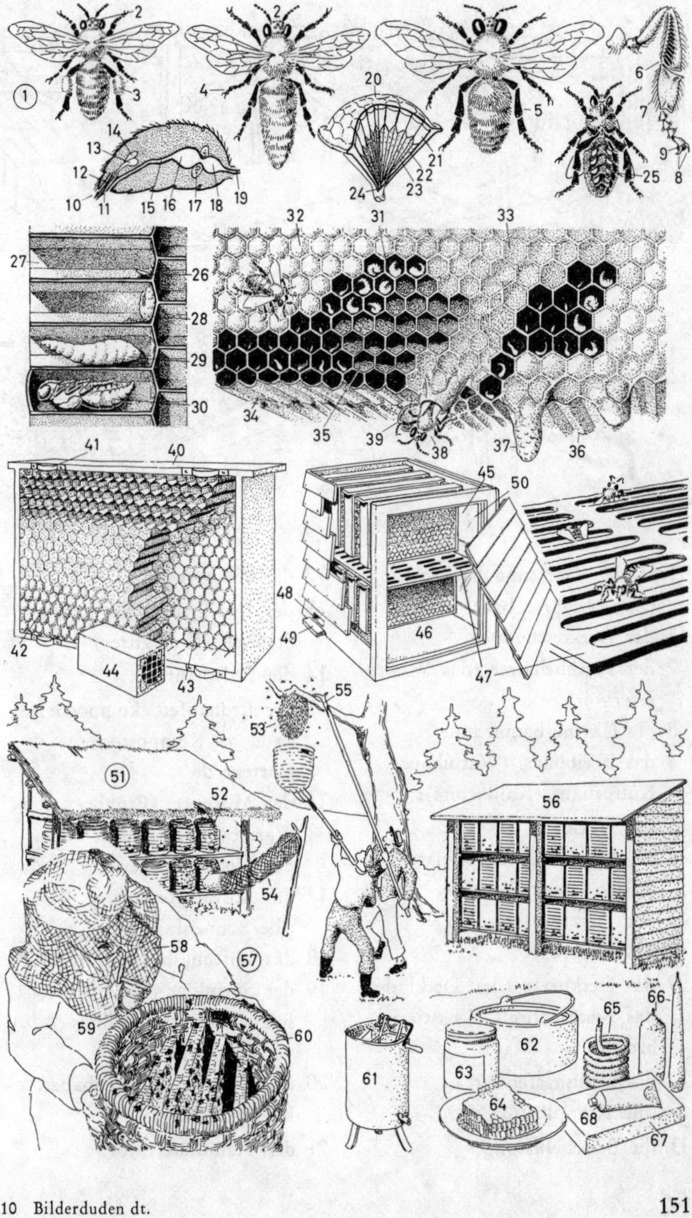
1
2
2
3
4
5
6
7
8
9
10
11
12
13
14
15
16
17
18
19
20
21
22
23
24
25
26
27
28
29
30
31
32
33
34
35
36
37
38
39
40
41
42
43
44
45
46
47
48
49
50
51
52
53
54
55
56
57
58
59
60
61
62
63
64
65
66
67
68

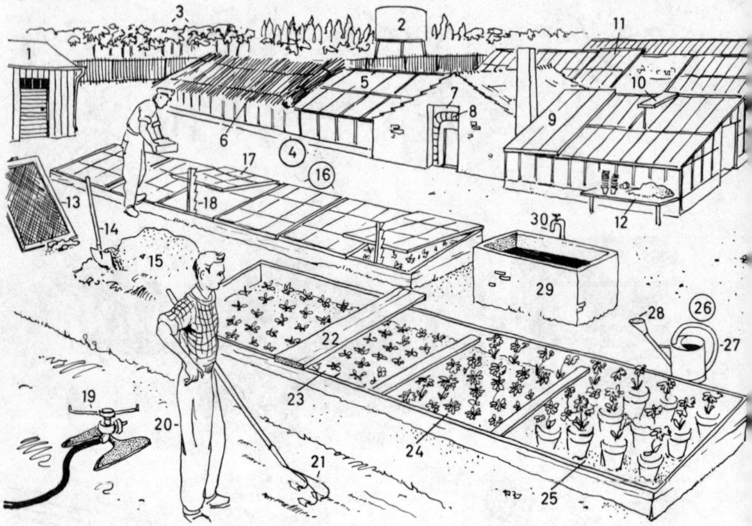

1-51 der Gartenbaubetrieb (Erwerbsgartenbau):
1 der Geräteschuppen
2 der Hochbehälter (das Wasserreservoir)
3 die Gärtnerbaumschule
4 das Treibhaus (Warmhaus, Kulturhaus, Kaldarium):
5 das Glasdach
6 die Rollmatte (Strohmatte, Schattenmatte)
7 der Heizraum
8 das Heizrohr
9 das Deckbrett (der Deckladen, das Schattenbrett, Schattierbrett)
10 das Lüftungsfenster (die Klapplüftung)
11 die Schiebelüftung;
12 der Pflanzentisch
13 der Durchwurf (das Erdsieb, Stehsieb, Wurfgitter)
14 die Erdschaufel
15 der Erdhaufen, kompostierte Erde *f*, Komposterde, Gartenerde
16 das Mistbeet (Frühbeet, Warmbeet, Treibbeet, der Mistbeetkasten):
17 das Mistbeetfenster (die Sonnenfalle)
18 das Lüftungsholz (Luftholz);
19 der Sprinkler (Sprenger, Regner, die Beregnungsvorrichtung)
20 der Gärtner (Gartenbauer, Handelsgärtner)
21 der Handkultivator

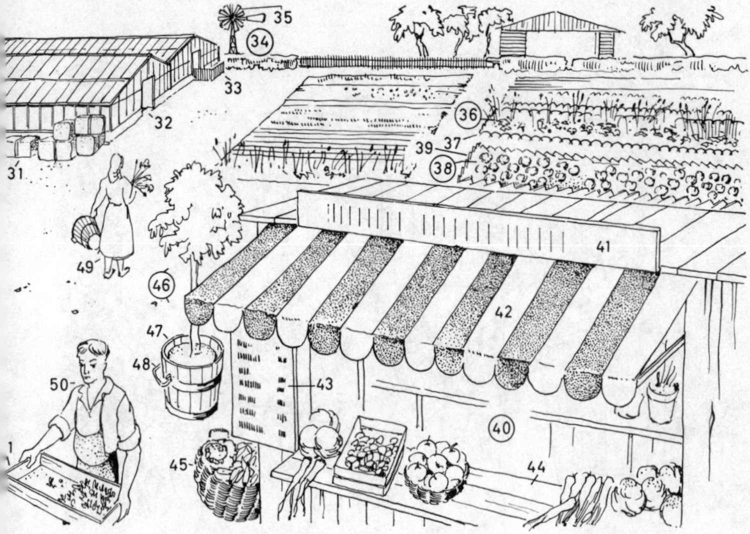

22 das Laufbrett
23 verstopfte (pikierte) Pflänzchen *n*
24 getriebene Blumen *f* [Frühtreiberei]
25 vertopfte (eingetopfte) Pflanzen *f* (Topfpflanzen)
26 die Bügelgießkanne:
27 der Bügel (Schweizerbügel)
28 die Gießkannenbrause;
29 das Wasserbassin (der Wasserbehälter)
30 das Wasserrohr
31 der Torfmullballen
32 das temperierte Haus
33 das Kalthaus, ein Erdhaus *n*
34 der Windmotor:
35 das Windrad;
36 das Blumenbeet:
37 die Ringeinfassung;
38 das Gemüsebeet:
39 die Backsteineinfassung;
40 der Gemüseverkaufsstand:
41 das Firmenschild
42 das Schutzdach (die Markise)
43 die Preistafel der Gartenerzeugnisse *n*
44 der Verkaufstisch;
45 der Gemüseversandkorb
46 die Kübelpflanze:
47 der Pflanzenkübel
48 der Traggriff;
49 die Gärtnerin
50 der Gärtnerbursche
51 der Setzkasten

1-20 das Weingelände:

1 der Weinberg (Weingarten, Wingert, Rebberg), während der Weinernte

2 das Winzerhäuschen (Weinberghäuschen)

3-6 der Weinstock (die Weinrebe, Rebe, der Wein):

3 der Langtrieb (Schoß)

4 die Weinranke

5 das Weinblatt (Rebenblatt)

6 die Traube (Weintraube, die Weinbeeren *f*, der Wein);

7 der Pfahl (Rebstecken, Stöckel, Weinpfahl)

8 die Sammelbütte

9 die Weinleserin (Leserin) bei der Weinlese (Traubenlese, Traubenernte, dem Herbst *m*)

10 das Lesemesser (Rebmesser, die Hippe)

11 der Winzer (Weinbauer)

12 die Tragbütte (Weinbütte, die oder das Logel)

13 das Transportfaß (die Lotte)

14 der Winzerbursche beim Eingießen *n* der Maische *f* (des Maisches *m*)

15 die Maischbütte

16 die Traubenmühle (Traubenquetsche)

17 die Kruke

18 der Weinleser (Leser)

19 das Wegkreuz
20 die Ruine (Burgruine);
21 der Weinkeller (Lagerkeller, Faßkeller, das Weinlager):
22 das Gewölbe
23 das Lagerfaß (Faß)
24 der Weintank (Weinbehälter)
25 das Abfüllen des Weins *m*
26 der Flaschenabfüllapparat
27 die Verkorkmaschine:
28 die Korkpresse;
29 der Weinkork, ein Flaschenkork *m*
30 der Weinstutzen
31 der Flaschenkeller:
32 das Flaschengestell
33 die Weinflasche
34 der Flaschenkorb
35 der Kellereigehilfe;
36 die Weinprobe:
37 das Weinfaß
38 der Weinheber (Stechheber, Heber)
39 der Kellermeister, ein Weinküfer *m*
40 der Weinprüfer, ein Weinkenner *m*;
41 die Weinkelterei (Kelterei):
42 die hydraulische Korbpresse (Weinpresse, Traubenpresse)
43 der Preßkorb
44 der fahrbare Preßbieten
45 der Traubensaft

81 Garten- und Ackerschädlinge

1-19 Obstschädlinge *m*,
1 der Schwammspinner (Großkopf):
2 die Eiablage (der Schwamm)
3 die Raupe
4 die Puppe;
5 die Apfelgespinstmotte, eine Gespinstmotte:
6 die Larve
7 das Gespinstnetz
8 die Raupe beim Skelettierfraß *m*;
9 der Fruchtschalenwickler (Apfelschalenwickler)
10 der Apfelblütenstecher (Apfelstecher, Blütenstecher, Brenner):
11 die verbrannte Blüte
12 das Stichloch;
13 der Ringelspinner:
14 die Raupe
15 die Eier *n*;
16 der kleine Frostspanner (Frostnachtspanner, Waldfrostspanner, Frostschmetterling):
17 die Raupe;
18 die Kirschfliege (Kirschfruchtfliege), eine Bohrfliege:
19 die Larve (Made);
20-27 Rebenschädlinge *m*,
20 der falsche Mehltau, ein Mehltaupilz *m*, eine Blattfallkrankheit:
21 die Lederbeere;
22 der Traubenwickler:
23 der Heuwurm, die Raupe der ersten Generation
24 der Sauerwurm, die Raupe der zweiten Generation
25 die Larve (Puppe);
26 die Wurzellaus, eine Reblaus:
27 die gallenartige Wurzelanschwellung (Wurzelgalle);
28 der Goldafter:
29 die Raupe
30 das Gelege
31 das Überwinterungsnest;
32 die Blutlaus, eine Blattlaus:
33 der Blutlauskrebs, eine Wucherung
34 die Blutlauskolonie;
35 die San-José-Schildlaus, eine Schildlaus:
36 die Larven *f* [männliche länglich, weibliche rund]
37-55 Ackerschädlinge *m* (Feldschädlinge),
37 der Saatschnellkäfer, ein Schnellkäfer *m*:
38 der Drahtwurm, eine Larve;
39 der Erdfloh
40 die Hessenfliege (Hessenmücke), eine Gallmücke:
41 die Larve;
42 die Wintersaateule, eine Erdeule:
43 die Puppe
44 die Erdraupe, eine Raupe;
45 der Rübenaaskäfer:
46 die Larve;
47 der große Kohlweißling:
48 die Raupe des kleinen Kohlweißlings *m*;
49 der Derbrüßler, ein Rüsselkäfer *m*:
50 die Fraßstelle;
51 das Rübenälchen, eine Nematode (ein Fadenwurm *m*)
52 der Kartoffelkäfer (Koloradokäfer):
53 die ausgewachsene Larve
54 die Junglarve
55 die Eier *n*

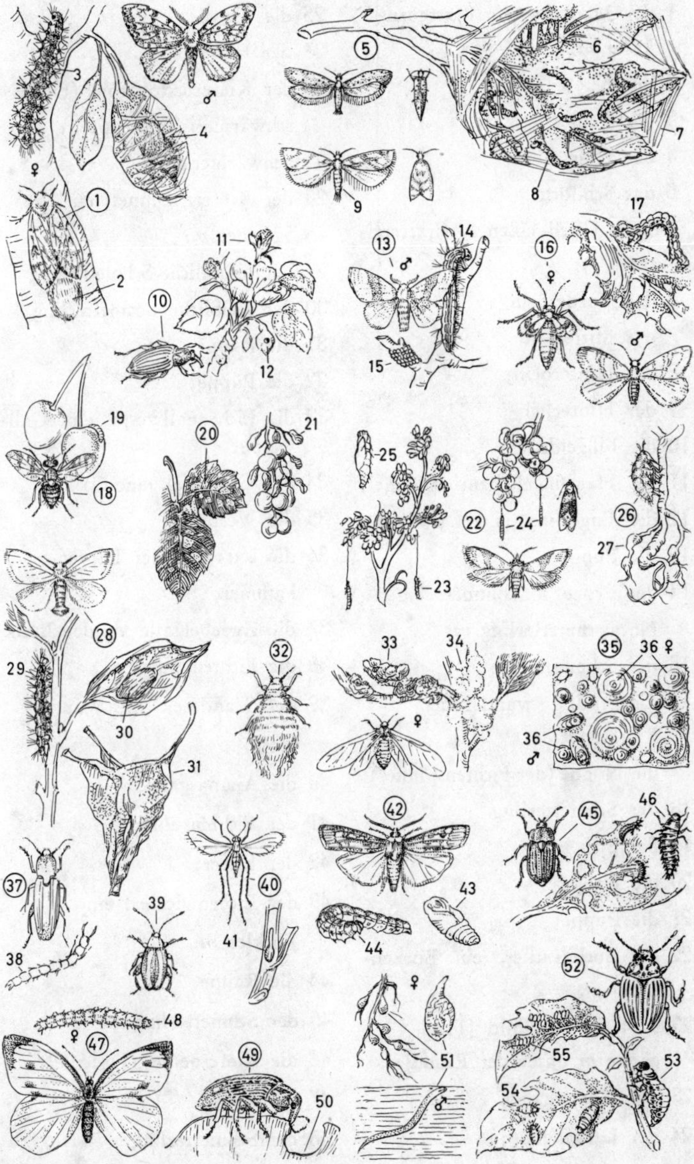
1
2
3
4
5
6
7
8
9
10
11
12
13
14
15
16
17
18
19
20
21
22
23
24
25
26
27
28
29
30
31
32
33
34
35
36
37
38
39
40
41
42
43
44
45
46
47
48
49
50
51
52
53
54
55

1 der Maikäfer, ein Blatthornkäfer *m*:
2 der Kopf
3 der Fühler
4 der Halsschild
5 das Schildchen
6-8 die Gliedmaßen *pl* (Extremitäten *f*):
6 das Vorderbein
7 das Mittelbein
8 das Hinterbein;
9 der Hinterleib
10 die Flügeldecke
11 der Hautflügel (häutige Flügel)
12 der Engerling, eine Larve
13 die Puppe
14 der Prozessionsspinner, ein Nachtschmetterling *m*:
15 der Schmetterling
16 die gesellig wandernden Raupen *f*;
17 die Nonne (der Fichtenspinner):
18 der Schmetterling
19 die Eier *n*
20 die Raupe
21 die Puppe;
22 der Buchdrucker, ein Borkenkäfer *m*,
23 u. 24 das Fraßbild [Fraßgänge *m* unter der Rinde]:
23 der Muttergang
24 der Larvengang;
25 die Larve
26 der Käfer;
27 der Kiefernschwärmer (Fichtenschwärmer, Tannenpfeil), ein Schwärmer *m*
28 der Kiefernspanner, ein Spanner *m*:
29 der männliche Schmetterling
30 der weibliche Schmetterling
31 die Raupe
32 die Puppe;
33 die Eichengallwespe, eine Gallwespe:
34 der Gallapfel, eine Galle
35 die Wespe
36 die Larve in der Larvenkammer;
37 die Zwiebelgalle an der Buche
38 die Fichtengallenlaus:
39 der Wanderer (die Wanderform)
40 die Ananasgalle;
41 der Fichtenrüßler:
42 der Käfer;
43 der Eichenwickler, ein Wickler *m*:
44 die Raupe
45 der Schmetterling;
46 die Kieferneule (Forleule):
47 die Raupe
48 der Schmetterling

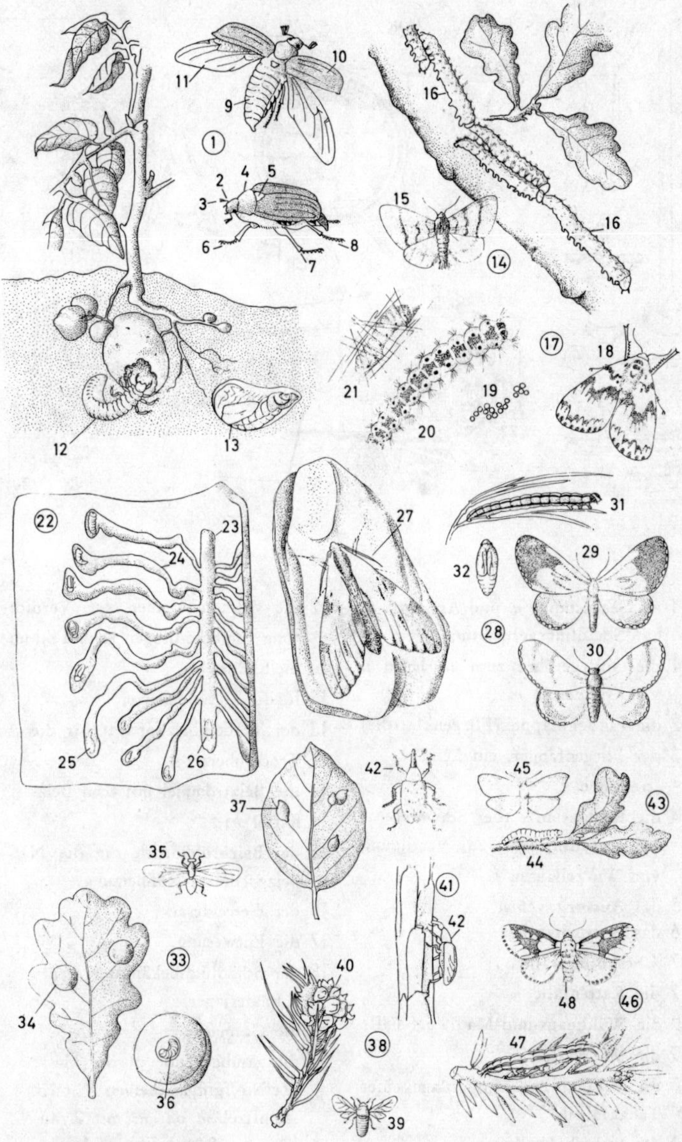
1
2
3
4
5
6
7
8
9
10
11
12
13
14
15
16
16
17
18
19
20
21
22
23
24
25
26
27
28
29
30
31
32
33
34
35
36
37
38
39
40
41
42
42
43
44
45
46
47
48

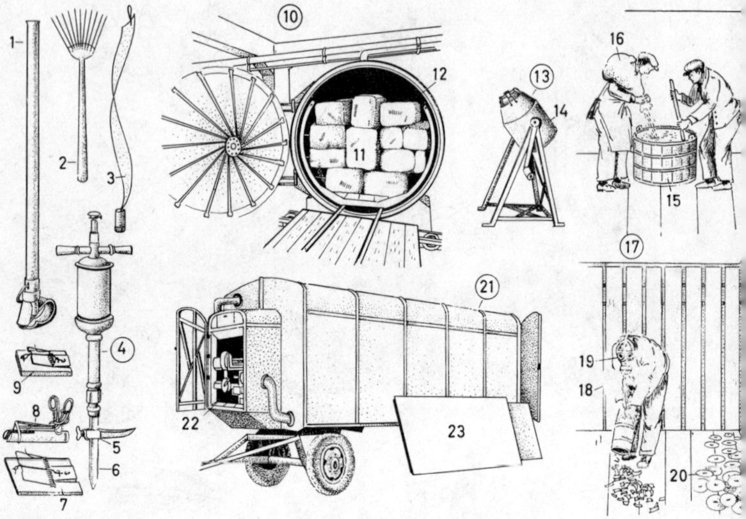

1-48 Gegenstände *m* und Apparate *m* zur Schädlingsvernichtung:
1 die Giftlegeröhre zum Auslegen *n* von Giftweizen *m*
2 die Fliegenklappe (Fliegenklatsche)
3 der Fliegenfänger, ein Leimstreifen *m*
4 die Reblauslanze (der Schwefelkohlenstoffinjektor) zur Vertilgung von Wurzelläusen *f*:
5 das Ausspritzventil
6 das Ausspritzrohr;
7-9 Schädlingsfallen *f*:
7 die Rattenfalle
8 die Wühlmaus-und-Maulwurf-Falle
9 die Mausefalle;
10 die Vakuum-Begasungsanlage einer Tabakfabrik:
11 die Rohtabakballen *m*
12 die Vakuumkammer zur Vernichtung von Schädlingen *m* und Schimmelbildung *f*;
13-16 die Getreidebeize,
13 der Trockenbeizapparat für die Trockenbeize:
14 die Beiztrommel mit dem Beizmittel *n*;
15 der Beizbrühbottich für die Naßbeize (Beize, Naßbeizung)
16 der Getreidesack;
17 die Entwesung:
18 der Schädlingsbekämpfer (*früh.* Kammerjäger)
19 die Gasmaske
20 die gasabgebende poröse Masse (Zellstoffgiftgasscheiben *f* oder -schnitzel *m od. n*, mit Zyanwasserstoffsäure *f* getränkt);

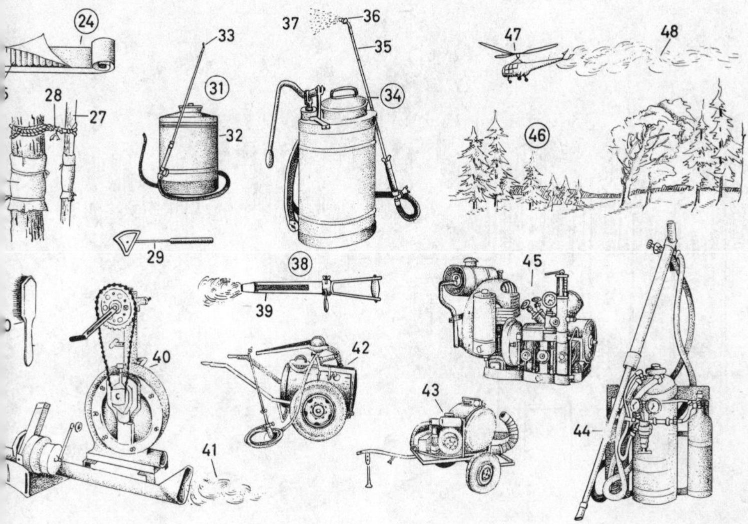

21 die fahrbare Begasungskammer zur Blausäurebegasung von Baumschulsetzlingen *m*, Setzreben *f*, Saatgut *n*, leeren Säcken *m*:
22 die Kreislaufanlage
23 das Hordenblech;
24-45 Obstbaumschutz *m*,
24 der Fanggürtel:
25 die Wellpappe
26 der Leimring (Leimgürtel)
27 der Baumpfahl
28 der Baumstrick;
29 der Baumkratzer (Rindenkratzer)
30 die Rindenbürste
31 die Gärtnermembranspritze:
32 der Giftstoffbehälter
33 der Zerstäuber, eine Düse;
34-37 die Obstbaumrückenspritze, eine Kolbenspritze; *auch:* Anstreichspritze (Farb- oder Imprägnierungsmittelzerstäuber *m*),
34 das Spritzrohr:
35 das Verlängerungsrohr
36 der Eichelzerstäuber;
37 die zerstäubte Spritzflüssigkeit;
38 der Räucherapparat:
39 die Gaspatrone;
40 der Giftgassprüher
41 das insektentötende Gas
42 die Obstbaum-Zweiradkarrenspritze
43 das Sprüh-, Nebel- und Stäubegerät (der Motorsprüher, Motorvernebler, Motorstäuber)
44 das Giftschaumgerät
45 die Motorbaumspritze, ein Motorzerstäuber *m*;
46 Wald- und Plantagenschutz *m* (die Giftverstäubung):
47 der Hubschrauber (Helikopter)
48 die Giftstaubwolke (das Schädlingsgift)

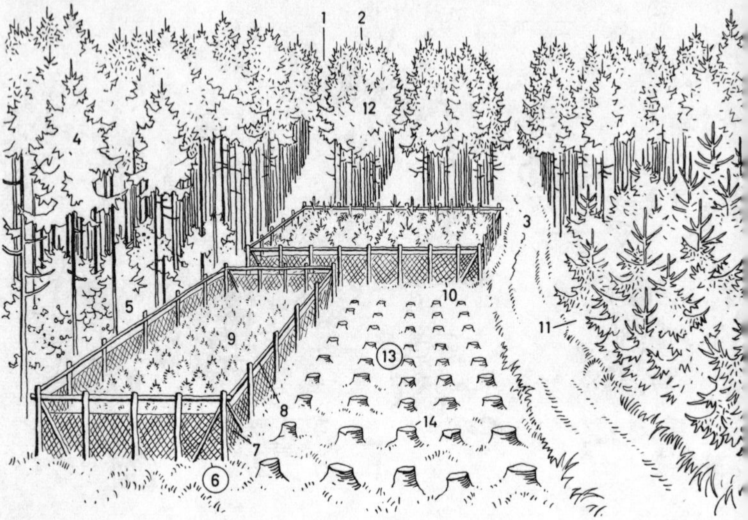

1-34 der Forst (das Holz), ein Wald *m*:

1 die Schneise (das Gestell)

2 das Jagen

3 der Holzabfuhrweg (der »Holzweg«), ein Waldweg *m*

4-14 die Kahlschlagwirtschaft:

4 der Altbestand (das Altholz, Baumholz), ein Hochwald *m*

5 das Unterholz (der Unterstand)

6 der Saatkamp, ein Kamp *m* (Pflanzgarten, Forstgarten, Baumschule *f*); *andere Art:* der Pflanzkamp:

7 das Wildgatter (Gatter), ein Maschendrahtzaun *m*

8 die Sprunglatte

9 die Kultur (Saat);

10 u. 11 der Jungbestand:

10 die Schonung (die Kultur nach beendeter Nachbesserung *f*, Nachpflanzung)

11 die Dickung;

12 das Stangenholz (die Dickung nach der Astreinigung)

13 der Kahlschlag (die Schlagfläche, Blöße):

14 der Wurzelstock (Stock, Stubben, *ugs.* Baumstumpf);

15-34 der Holzeinschlag (Hauungsbetrieb):

15 der Langholzwagen (das Holzfuhrwerk, die Holzfuhre)

16 der Stangenreisighaufen (Astreisighaufen, Reisighaufen, Buschhaufen)

17 das Reisigbündel (Bund, die Reisigwelle)

18 der Waldarbeiter beim Wenden *n*

19 der Wendehaken (Stammwender)

20 die Zweimannrotte (Rotte) beim Sägen *n* (Einschneiden)

21 der Stamm (Baumstamm, das Langholz)

22 der Abschnitt (*obd.* das od. der Bloch)

23 der Jahresring

24 die Schichtholzbank (der Holzstoß, *obd.* die Beuge, Beige), ein Raummeter *n* Holz *n*:

25 der Pfahl

26 die Wiede; *ähnl.:* der Astanker;

27 der Holzhauer (Holzfäller), ein Waldarbeiter *m* beim Fällen *n*

28 das Trockengestell (die Stauche):

29 die Lohrinde;

30 der Haumeister beim Numerieren *n*

31 der numerierte Stamm

32 der Riesweg (die Wegriese, Erdriese, Riese), eine Rutsche (Gleitbahn):

33 der Wehrbaum

34 der zu Tal gleitende Stamm;

35 der Revierförster (Förster)

1-6 der Straßentransport von Langholz *n*:
1 der Radschlepper
2 der Langholzanhänger:
3 die Runge
4 die Rolle und das Seil der Ladewinde
5 der Ladebaum
6 das Langholz;
7 die Holzriese (Stangenriese):
8 der Schemel (das Joch)
9 der Sohlbaum (Bodenbaum)
10 der Wehrbaum
11 der Überbaum (das Sattelholz)
12 der Übersattel;
13 die Fällaxt (Axt); *ähnl.:* die Ästeaxt:
14 der Stiel (Helm)
15 die Schneide
16 das Blatt
17 das Haupt (Haus)
18 das Öhr;
19 das Fällen mit Axt *f* und Säge *f*:
20 die ausgehauene Fallkerbe (der ausgehauene Fallkerb)
21 der Sägeschnitt
22 der abgebeilte Wurzelanlauf
23 der eingetriebene Keil;
24 der Fällkeil, ein Keil *m*
25 der Rindenschäler (das Loheisen, der Lohlöffel) zur Rindengewinnung
26 der Spalthammer; *ähnl.:* die Spaltaxt
27 der Rückewagen zum Rücken *n* von Stammholz *n*:
28 die gekröpfte Achse
29 die Zange;
30 die Heppe (das od. der Gertel), ein Haumesser *m* zum Hacken *n*
31 die Sapine (Krempe, der Sappel), ein Hebelgerät *n*
32 das Rindenschälmesser (Schäleisen) zum Entrinden *n*
33 die Kluppe (Meßkluppe), ein Meßgerät *n*
34-41 Waldsägen *f*,
34 die Zugsäge, eine Säge:
35 das Sägeblatt
36 der Sägezahn
37 die Angel (der Griff);
38 die Einhandstoßsäge (der Fuchsschwanz)
39 die Bügelsäge:
40 der Bügel
41 das Heft;
42 das Zugmesser (Zugeisen, Ziehmesser, Schälmesser Schnitzmesser) zum Weißschnitzen *n* (bastfreien Entrinden)
43 der Revolvernumerierschlägel, ein Numerierschlägel *m* (Markierschlägel)
44 die Einmann-Motorkettensäge:
45 der Handgriff
46 die Sägekette
47 die Sägeschiene

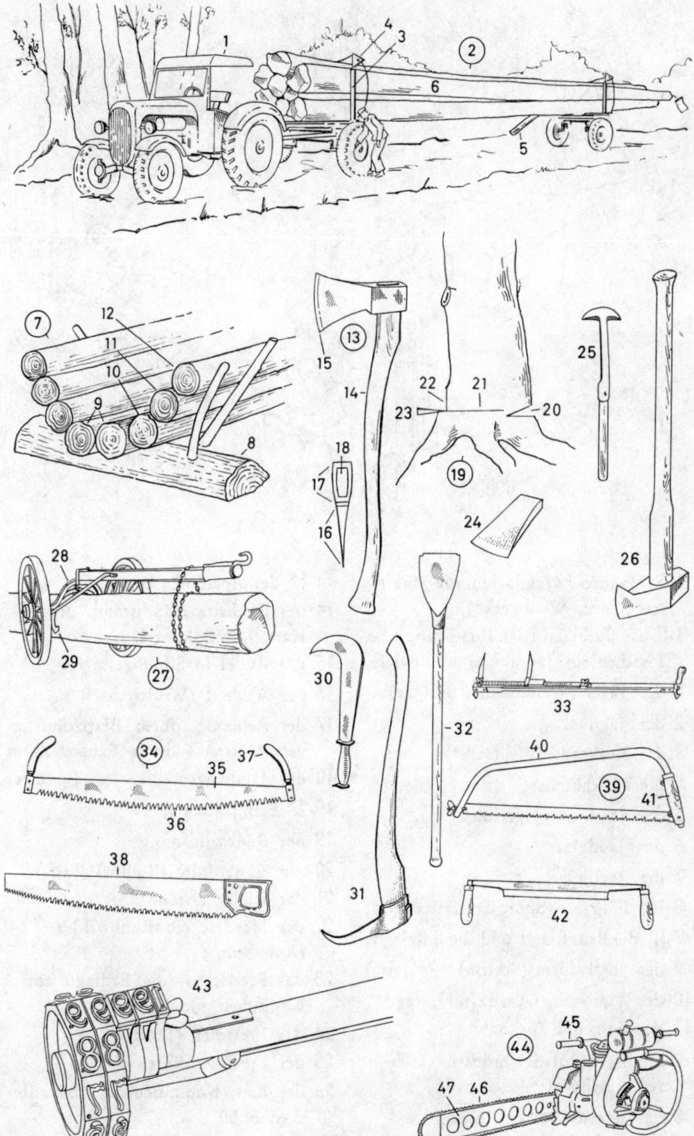
1
2
3
4
5
6
7
8
9
10
11
12
13
14
15
16
17
18
19
20
21
22
23
24
25
26
27
28
29
30
31
32
33
34
35
36
37
38
39
40
41
42
43
44
45
46
47

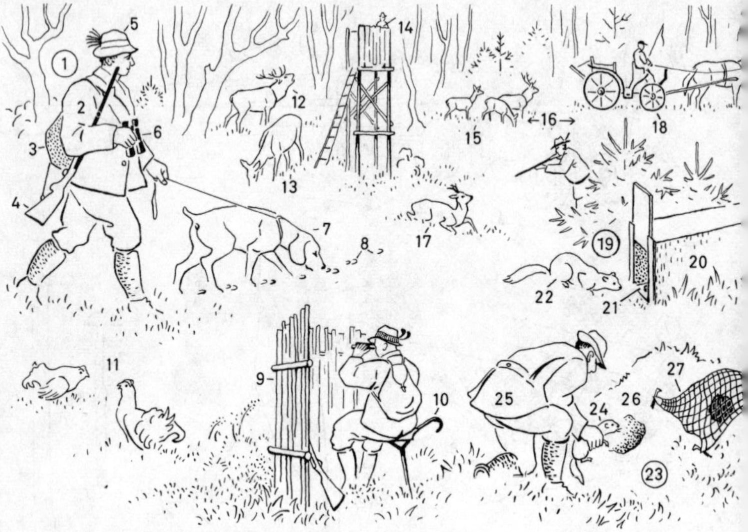

1-52 Jagden *f* (Jagdarten, die Jägerei, das Jagen, Weidwerk*),

1-8 die Suchjagd (der Pirschgang, das Pirschen im Jagdrevier *n*, Revier),

1 der Jäger (Weidmann*, Schütze):

2 der Jagdanzug

3 der Rucksack (Weidsack*)

4 die Pirschbüchse

5 der Jagdhut (Jägerhut)

6 das Jagdglas;

7 der Jagdhund

8 die Fährte (Spur, das Trittsiegel);

9-12 die Brunftjagd und die Balzjagd:

9 der Jagdschirm (Schirm)

10 der Jagdstuhl (Ansitzstuhl, Jagdsitz)

11 der balzende Birkhahn

12 der Brunfthirsch (brünstige, röhrende Hirsch);

13 das Rottier bei der Äsung

14-17 der Anstand (Ansitz):

14 der Hochsitz (Hochstand, die Kanzel, Wildkanzel)

15 das Rudel in Schußweite *f*

16 der Wechsel (Wildwechsel)

17 der Rehbock, durch Blattschuß *m* getroffen und durch Fangschuß *m* getötet;

18 der Jagdwagen

19-27 Fangjagden *f*,

19 der Raubwildfang:

20 die Kastenfalle (Raubwildfalle)

21 der Köder (Anbiß)

22 der Marder, ein Raubwild *n* (Raubzeug);

23 das Frettieren (die Erdjagd auf Kaninchen *n*):

24 das Frettchen (Frett)

25 der Frettchenführer

26 der Bau (Kaninchenbau, die Kaninchenhöhle)

* In der Jägersprache auch Waidwerk, Waidmann, Waidsack

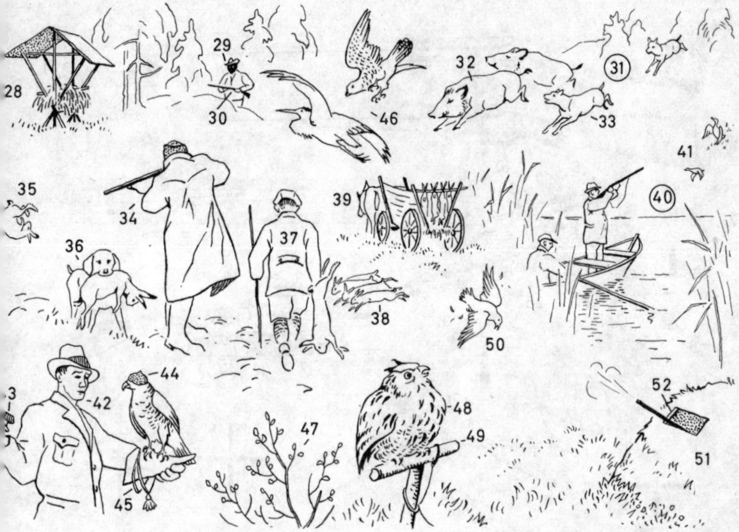

27 die Haube (das Netz) über dem Röhrenausgang *m*;

28 die Wildfutterstelle (Winterfutterstelle)

29 der Wilderer (Raubschütz, Wildfrevler, Jagdfrevler)

30 der Stutzen, ein kurzes Gewehr *n*

31 die Sauhatz (Wildschweinjagd):

32 die Wildsau

33 der Saupacker (Saurüde, Rüde, Hatzrüde, Hetzhund; *mehrere:* die Meute, Hundemeute);

34-39 die Treibjagd (Kesseljagd, Hasenjagd, das Kesseltreiben):

34 der Anschlag

35 der Hase (Krumme, Lampe), ein Haarwild *n*

36 der Apport (das Apportieren)

37 der Treiber

38 die Strecke (Jagdbeute)

39 der Wildwagen;

40 die Wasserjagd (Entenjagd):

41 der Wildentenzug, das Federwild;

42-46 die Falkenbeize (Beizjagd, Beize, Falkenjagd, Falknerei):

42 der Falkner (Falkenier, Falkenjäger)

43 das Zieget, ein Fleischstück *n*

44 die Falkenhaube (Falkenkappe)

45 die Fessel

46 ein Falkenmännchen *n* (Terzel *m*) beim Schlagen *n* eines Reihers *m*;

47-52 die Hüttenjagd:

47 der Einfallbaum

48 der Uhu (Auf), ein Reizvogel *m* (Lockvogel)

49 die Krücke (Jule)

50 der angelockte Vogel, eine Krähe

51 die Hütte (Schießhütte, Ansitzhütte)

52 die Schießluke

87 Jagdwaffen, Jagdgeräte

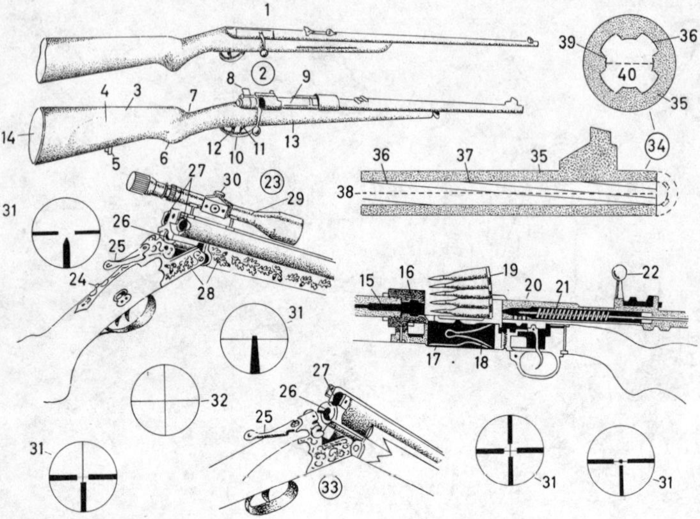

1-40 Sportwaffen *f* (Jagdgewehre *n*):
1 der Karabiner
2 die Repetierbüchse, eine Handfeuerwaffe (Schußwaffe), ein Mehrlader *m* (Magazingewehr *n*):
3, 4, 6, 13 die Schäftung
3 der Kolben (Gewehrkolben)
4 die Backe [an der linken Seite]
5 der Riemenbügel
6 der Pistolengriff
7 der Kolbenhals
8 der Sicherungsflügel
9 das Schloß (Gewehrschloß)
10 der Abzugbügel
11 der Druckpunktabzug
12 der Stecher
13 der Vorderschaft
14 der Rückschlaghinderer (die Gummikolbenkappe)
15 das Patronenlager
16 der Hülsenkopf
17 das Patronenmagazin
18 die Zubringerfeder
19 der Ladestreifen
20 die Kammer
21 der Schlagbolzen
22 der Kammerstengel;
23 der Drilling (die dreiläufige Büchse), ein Selbstspanner *m*:
24 der Umschaltschieber
25 die Schiebesicherung
26 der Kugellauf
27 der Schrotlauf
28 die Jagdgravur
29 das Zielfernrohr
30 die Absehenverstellung
31 u. 32 das Absehen (Zielfernrohrabsehen):
31 versch. Absehensysteme *n*
32 das Fadenkreuz:
33 die Bockbüchsflinte, eine Doppelbüchse (Doppelflinte)
34 der gezogene Gewehrlauf:
35 die Laufwandung
36 der Zug
37 das Feld
38 die Seelenachse
39 die Seelenwand
40 das Kaliber;

41-48 Jagdgeräte *n*:
41 der Hirschfänger
42 der Genickfänger (das Weidmesser, Jagdmesser)
43-47 Lockgeräte *n* zur Lockjagd:
43 der Fiepblatter (Rehblatter, die Rehfiepe)
44 die Hasenklage (Hasenquäke)
45 die Wachtellocke
46 der Hirschruf
47 die Rebhuhnlocke;
48 der Schwanenhals, eine Bügelfalle;
49 die Schrotpatrone:
50 die Papphülse
51 die Schrotladung
52 der Filzpfropf
53 das rauchlose Pulver (Schwarzpulver);
54 die Patrone:
55 das Vollmantelgeschoß
56 der Weichbleikern
57 die Pulverladung
58 der Amboß
59 das Zündhütchen;
60 das Jagdhorn
61-64 das Waffenreinigungsgerät:
61 der Putzstock
62 die Laufreinigungsbürste
63 das Reinigungswerg
64 die Reinigungsschnur;
65 die Visiereinrichtung:
66 die Kimme
67 die Visierklappe
68 die Visiermarke
69 der Visierschieber
70 die Raste
71 das Korn
72 die Kornspitze;
73 Ballistik *f*:
74 die Mündungswaagerechte
75 der Abgangswinkel
76 der Erhöhungswinkel (Elevationswinkel)
77 die Scheitelhöhe
78 der Fallwinkel
79 die ballist. Kurve

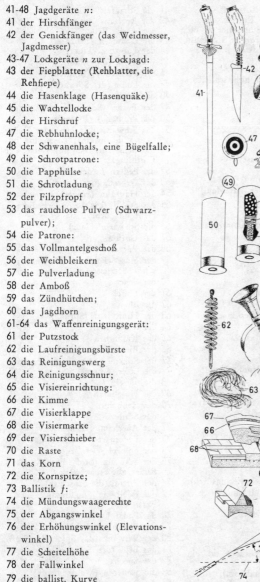

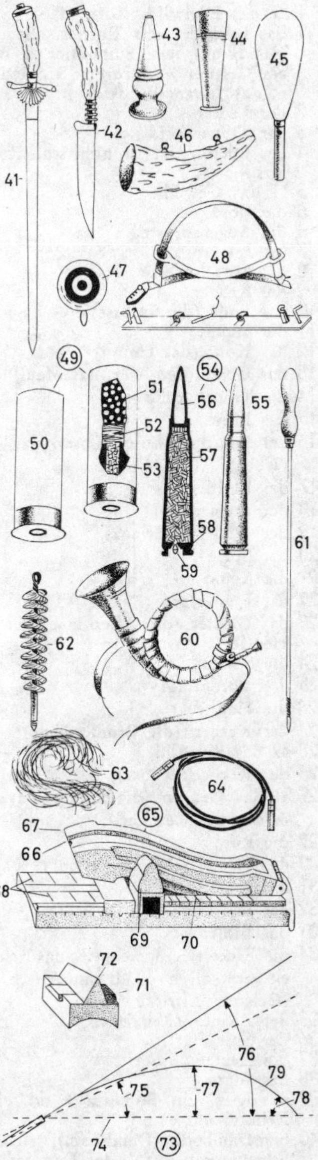

1-27 das Edelwild (Rotwild),
1 das Edeltier (das Rottier, die Hirschkuh), ein Schmaltier *n* od. ein Gelttier *n*; *mehrere:* Kahlwild *n*, *das Junge:* Wildkalb *n*:
2 der Lecker
3 der Träger (Hals);
4 der Edelhirsch (Brunfthirsch, Rothirsch),
5-11 das Geweih:
5 die Rose
6 die Augensprosse
7 die Eissprosse
8 die Mittelsprosse
9 die Krone
10 das Ende (die Sprosse)
11 die Stange;
12 der Kopf (das Haupt)
13 das Geäse (der Äser, das Maul)
14 die Tränengrube
15 das Licht
16 der Lauscher (Loser, Luser, das Gehör)
17 das Blatt
18 der Ziemer
19 der Wedel (Schwanz)
20 der Spiegel
21 die Keule
22 der Hinterlauf
23 das Geäfter (die Afterklaue, der Heufler)
24 die Schale
25 der Vorderlauf
26 die Flanke
27 der Kragen (die Brunftmähne);
28-39 das Rehwild,
28 der Rehbock (Bock),
29-31 das Gehörn (die Krone, *bayr.-österr.* das Gewichtl):
29 die Rose
30 die Stange mit den Perlen *f*
31 das Ende;
32 der Lauscher
33 das Licht;
34 die Ricke (Geiß, Rehgeiß, das Reh), ein Schmalreh *n* od. ein Altreh *n* (Geltreh, Altricke *f*):
35 der Ziemer (Rehziemer)
36 der Spiegel
37 die Keule
38 das Blatt;
39 das Kitz, ein Bockkitz *n* od. ein Rehkitz *n*
40 der Dambock (Damhirsch), ein Schaufler *m*; *weibl.* das Damtier:
41 die Schaufel;
42 der Rotfuchs; *männl.* der Rüde; *weibl.* die Fähe:
43 die Lichter *n* (Seher *m*)
44 der Lauscher (Luser)
45 der Fang (das Maul)
46 die Pranten *f* (Branten)
47 die Lunte (der Schwanz);
48 der Dachs:
49 der Pürzel (Schwanz)
50 die Pranten *f* (Pfoten);
51 das Schwarzwild; *hier:* der Keiler (das Wildschwein); *weibl.* die Bache, *beide:* die Sau, *das Junge:* der Frischling:
52 die Federn *f* (der Kamm)
53 das Gebrech (der Rüssel)
54 der Hauzahn (Hauer)
55 das Schild (die besonders dicke Haut auf dem Blatt *n*)
56 die Schwarte (Haut)
57 das Geäfter
58 der Pürzel;
59 der Hase (Feldhase, Rammler); *weibl.* Setzhase (die Häsin):
60 der Seher
61 der Löffel
62 die Blume
63 der Hinterlauf (Sprung)
64 der Vorderlauf;
65 das Kaninchen
66 der Birkhahn (Spielhahn):
67 der Schwanz (das Spiel, der Stoß, die Leier, Schere)
68 die Sicheln *f*;
69 das Haselhuhn
70 das Rebhuhn:
71 das Schild;
72 der Auerhahn (Urhahn):
73 der Federbart (Kehlbart, Bart)
74 der Spiegel
75 der Schwanz (Stoß, Fächer, das Ruder, die Schaufel)
76 der Fittich (die Schwinge);
77 der Edelfasan (Jagdfasan), ein Fasan *m*:
78 das Federohr (Horn)
79 der Fittich (das Schild)
80 der Schwanz (das Spiel, der Stoß)
81 das Bein (der Ständer)
82 der Sporn;
83 die Schnepfe (Waldschnepfe):
84 der Schnabel (Stecher)

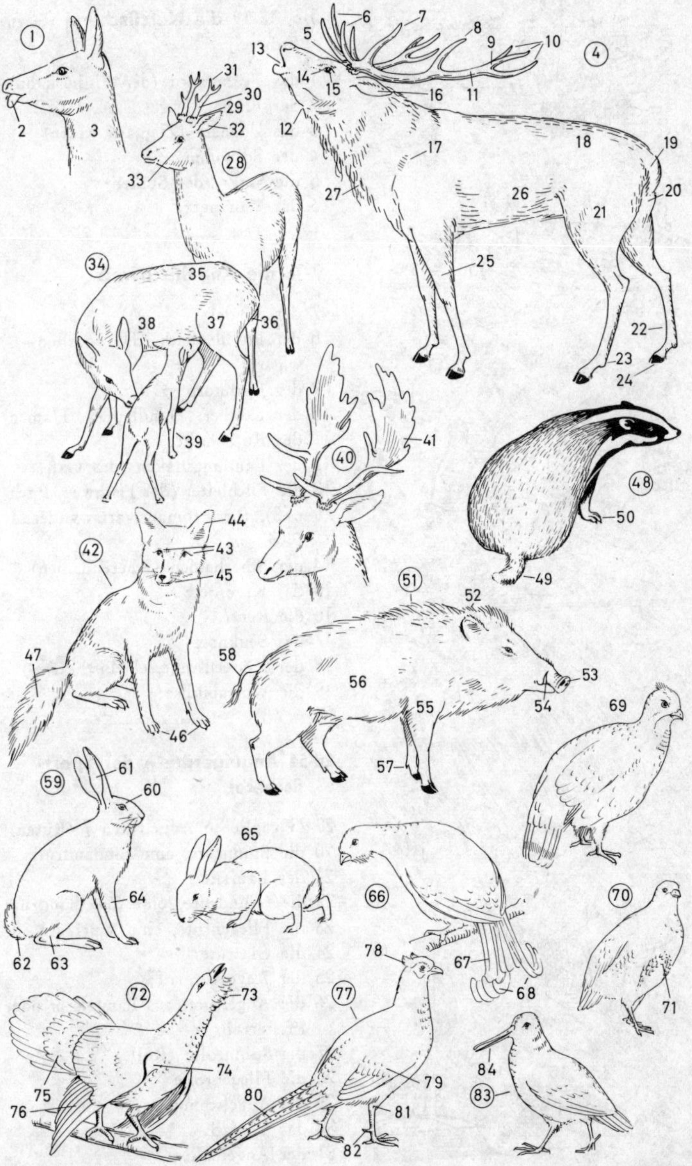
1
2
3
4
5
6
7
8
9
10
11
12
13
14
15
16
17
18
19
20
21
22
23
24
25
26
27
28
29
30
31
32
33
34
35
36
37
38
39
40
41
42
43
44
45
46
47
48
49
50
51
52
53
54
55
56
57
58
59
60
61
62
63
64
65
66
67
68
69
70
71
72
73
74
75
76
77
78
79
80
81
82
83
84

1-6, 13-19 die Netzfischerei (Garnfischerei):

1 das Fischerboot (der Fischerkahn)
2 der Fischer
3 das Zugnetz (Zuggarn, Garn)
4 der Schwimmer
5 die Stake (der Staken)
6 das Wurfnetz;

7-12 die Angelfischerei:

7 der Angler
8 der Forellenbach (das Forellenwasser)
9 der Fischkorb
10 der Kescher (Handhamen, Hamen)
11 der Rutenhalter
12 der Landungshaken (das Gaff);
13 die Fischleiter (der Fischweg, Fischpaß), für stromaufwärtswandernde Fische *m*
14 der Scherhamen (Scherenhamen)
15 das Krebsnetz
16 die Reuse
17 das Senknetz
18 der Köderfischkessel (Fischkessel)
19 die Wurmbüchse;

20-54 Angelgeräte *n* der Sportfischerei,

20-23 gepließte Angelruten *f* (Ruten),
20 die Spinnrute, eine Einhandrute:
21 der Laufring;
22 die Grundrute, eine Zweihandrute
23 die Fliegenrute, eine Wurfrute;
24 die Glasrute:
25 der Revolvergriff;
26 die Angelrute, aus Bambus *m* oder Pfefferrohr *n*
27 die Spinnrolle (Rolle)
28 die Fliegenrolle
29 die Angelschnur
30 das Vorfach
31 der Angelhaken

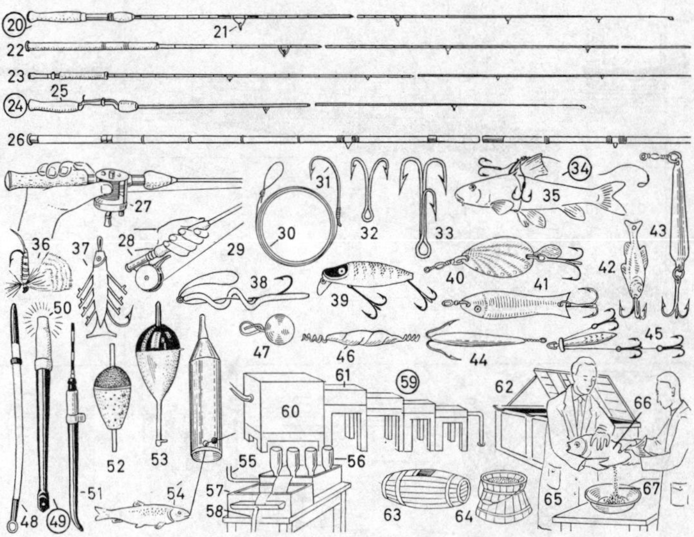

32 der Doppelhaken
33 der Drillinghaken
34 das Hakensystem, eine Raubfischangel:
35 der lebende Köderfisch;
36-43 künstl. Köder *m*:
36 die künstl. Fliege
37 die künstl. Krabbe
38 die künstl. Made
39 der Wobbler
40 der Spinner
41 der Blinker
42 der Tunkfisch
43 der Zocker;
44 die Troll- und Schluckangel
45 das Spinnsystem
46 u. 47 das Blei (die Senker *m*):
46 das Spiralblei
47 die Bleikugel;
48 die Federkielpose (Pose)
49 die Leuchtpose:
50 die Leuchtfarbe;
51 die Gleitpose mit Antenne *f*
52 der Korkschwimmer (Schwimmer)
53 der Gleitschwimmer
54 das Gleitfloß für lebende Köder *m*;

55-67 die Fischzuchtanstalt:

55 der Wasserzufluß
56 das Brutglas (Zugerglas)
57 der Brutsammeltrog
58 der Wasserabfluß
59 der Brutapparat:
60 das (der) Filter
61 der Bruttrog;
62 der Fischbehälter
63 der Lägel, ein Fischfaß *n*
64 der Fischtransportbehälter
65 der Fischzüchter
66 der weibl. Fisch (Rogner); *der männl. Fisch:* Milchner *m*; die Hoden *m* des männl. Fisches: Milch *f*
67 der Fischlaich (Laich, Rogen, die Fischeier *n*)

90 Seefischerei, Walfang

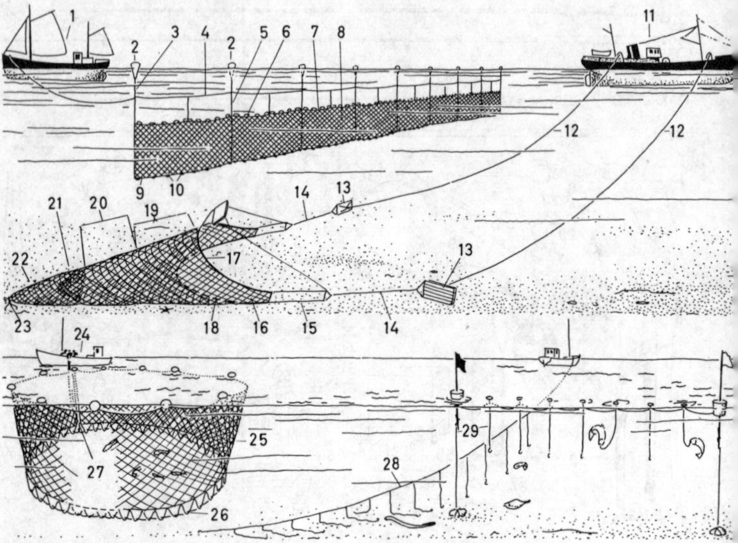

1-23 die Hochseefischerei,

1-10 die Treibnetzfischerei:

1 der Heringslogger (Fischlogger, Logger)

2-10 das Heringstreibnetz:

2 die Boje (Brail)

3 das Brailtau

4 das Fleetreep

5 die Zeising

6 das Flottholz

7 das Sperr-Reep

8 das Netz (die Netzwand)

9 das Untersimm

10 die Grundgewichte *n*;

11-23 die Schleppnetzfischerei:

11 der Fischtrawler, ein großes Fischereifahrzeug *n* mit Motorantrieb *m*

12 die Kurrleine

13 die Scherbretter *n*

14 der Netzvorläufer

15 der Drahtstander

16 der Flügel

17 das Kopftau

18 das Grundtau

19 der Vierkant

20 der Bauch

21 der Flapper

22 der Steert

23 die Cod-Leine zum Schließen *n* des Steerts *m*;

24-29 die Küstenfischerei:

24 das Fischerboot

25 die Ringwade, ein ringförmig ausgefahrenes Treibnetz *n*

26 das Drahtseil zum Schließen *n* der Ringwade

27 die Schließvorrichtung

28 u. 29 die Langleinenfischerei:

28 die Langleine

29 die Stellangel, eine Baumwoll-Leine;

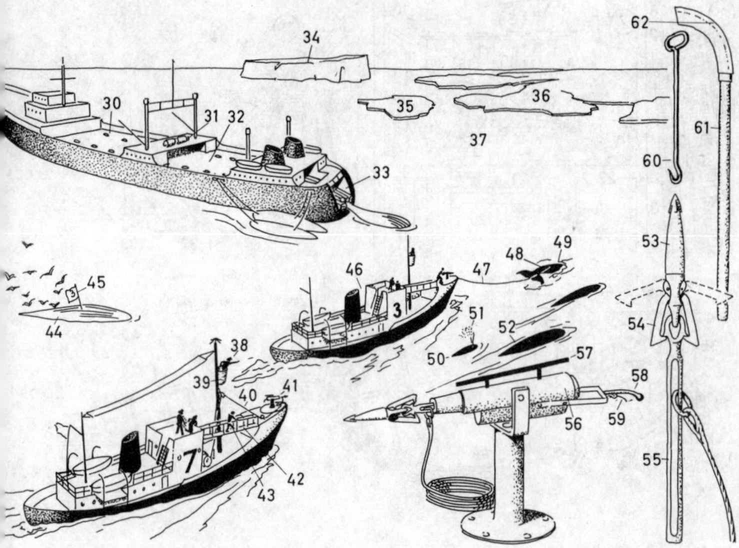

30-43 der Walfang,

30-33 die Walkocherei auf dem Walfangmutterschiff *n*:
30 das Fleischdeck
31 die Walwinde
32 das Speckdeck
33 die Walslip (Aufschleppe);
34 der Eisberg
35 die Eisscholle
36 das Eisflarr (Flarr, Eisfeld)
37 das Meer
38-43 das Fangboot (Walfangboot):
38 der Ausguck (Auslug)
39 die Ausgucktonne
40 die Walleine
41 die Kanone
42 die Laufbrücke
43 der Harpunier (Walschütze);
44-62 die Waljagd:
44 der Flaggwal, ein getöteter Wal *m*, ein Furchenwal
45 die Walflagge mit der Nummer des Bootes *n*
46 das Fangboot
47 der Vorläufer
48 die Finne
49 der feste Wal
50 der blasende Wal
51 der Blast
52 die Walschule (Walherde)
53-59 die Walkanone,
53-55 die Harpune:
53 die Granate
54 der Widerhaken
55 der Schaft;
56 das Kanonenrohr
57 die Zielvorrichtung
58 der Richtbügel
59 der Abzugsbügel;
60 der Speckhaken
61 das Flensmesser
62 die Schneide

91 Mühlen

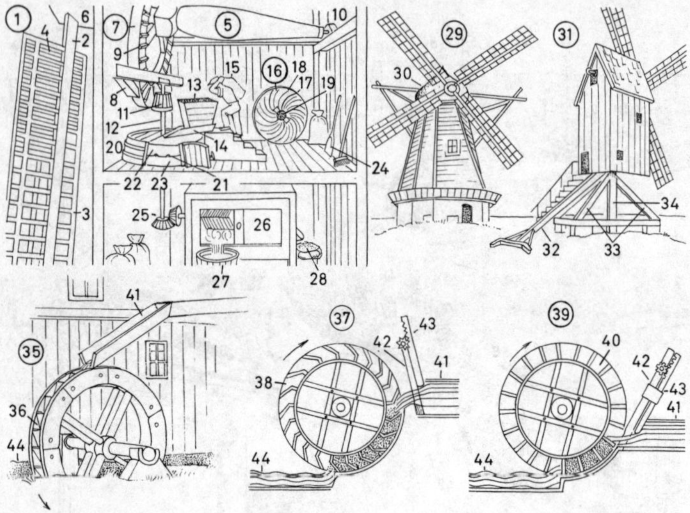

1-34 die Windmühle,

1 der Windmühlenflügel:
2 die Windrute
3 die Saumlatte
4 die Windtür;
5 die Flügelwelle (Radwelle):
6 der Flügelkopf;
7 das Kammrad:
8 die Radbremse
9 der Holzzahn;
10 das Stützlager
11 das Windmühlengetriebe (der Trilling)
12 das Mühleisen
13 die Gosse
14 der Rüttelschuh
15 der Müller
16 der Mühlstein:
17 der Hauschlag (die Luftfurche)
18 die Sprengschärfe (Mahlfurche)
19 das Mühlsteinauge;
20 die Bütte (das Mahlsteingehäuse)
21 der Mahlgang
22 der Läuferstein (Oberstein)
23 der Bodenstein
24 die Holzschaufel
25 der Kegeltrieb (Winkeltrieb)
26 der Rundsichter
27 der Holzbottich
28 das Mehl
29 die holländ. Windmühle:
30 die drehbare Windmühlenhaube;
31 die Bockmühle:
32 der Stert
33 das Bockgerüst
34 der Königsbaum;

35-44 die Wassermühle,

35 das oberschlächtige Zellenrad, ein Mühlrad *n* (Wasserrad):
36 die Schaufelkammer (Zelle);
37 das mittelschlächtige Mühlrad:

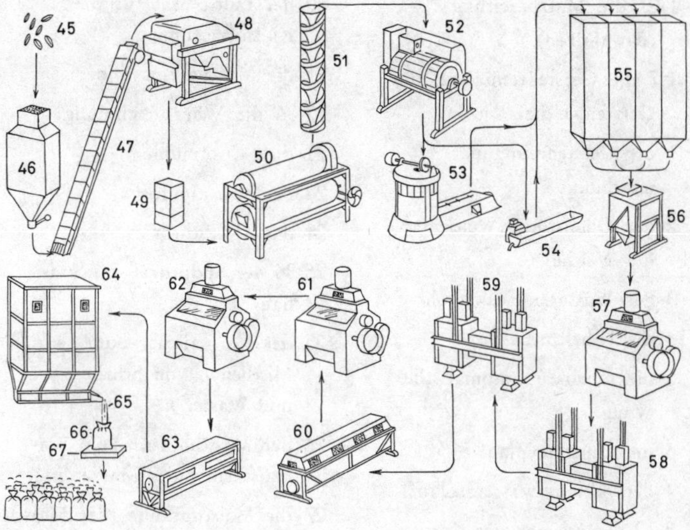

38 die gekrümmte Schaufel;
39 das unterschlächtige Mühlrad:
40 die gerade Schaufel;
41 das Gerinne
42 das Mühlwehr
43 der Wasserüberfall
44 der Mühlbach (Mühlgraben);

45-67 die Walzenmühle (Getreidegroßmühle),

45-56 Getreidereinigungsmaschinen *f*:
45 das Mahlgut
46 die automat. Getreidewaage
47 der Elevator
48 der Aspirateur (Vorreiniger)
49 der Magnet, zum Entfernen *n* von Eisenteilchen *n*
50 der Trieur, zum Entfernen *n* von Unkrautsamen *m*
51 der Spiraltrieur (Schneckentrieur)
52 die Getreideschälmaschine
53 die Getreidewaschmaschine
54 die Getreideannetzmaschine
55 der Abstehbehälter (Konditioneur)
56 die Getreidebürstmaschine (Getreidepoliermaschine);
57-67 Getreideverarbeitungsmaschinen *f*:
57 der Schrotstuhl, ein Doppelwalzenstuhl *m* zur Schrotung (Grießung, Vermahlung)
58 der Plansichter
59 der Sortierplansichter
60 die Grieß- und Dunstputzmaschine
61 der Grieß- und Dunstauflösestuhl
62 der Ausmahlstuhl
63 die Getreideputzmaschine zum Entfernen *n* der Kleie
64 die Mehlmischmaschine
65 das Fertigprodukt
66 der Mehlsack
67 die Absack- und Wiegeanlage

1-21 die Malzbereitung (das Mälzen),

1-7 die Gerstenreinigung und Gerstenweiche:

1 die Gerstenreinigungsmaschine

2 der Quellstock (Weichstock, die Weiche)

3 das Wasserzuleitungsrohr

4 die Fahrschiene

5 die fahrbare automatische Waage

6 der Gersteneinlauf

7 der Schmutzwasserauslauf;

8-12 das Keimen der Gerste:

8 der Keimkasten, eine Kastenmälzerei

9 der Grünmalzwender:

10 die Laufschiene;

11 das Grünmalz (die keimende Gerste)

12 der Mälzer;

13-20 die Malzdarre (der Schwelchboden):

13 das Darrmalz

14 die Trockenhorde

15 die Rösthorde

16 der Malzwender

17 die Laufkette

18 der Darrofen:

19 die Darrsau, eine Heizkammer

20 der Luftschacht für die Kaltluftzufuhr;

21 die Malzputzmaschine;

22-36 die Würzegewinnung:

22 die Schrotmühle

23 der Schrotmüller

24 das Malzschrot

25-36 der Sudprozeß im Sudhaus *n*:

25 der Vormaischer zum Mischen *n* von Schrot *n* und Wasser *n*

26 der Maischbottich zum Einmaischen *n* des Malzes *n*

27 die Maischpfanne (der Maischkessel) zum Kochen *n* der Maische:

28 die Pfannenhaube

29 das Rührwerk

30 die Schiebetür

31 die Wasserzuflußleitung;

32 der Brauer (Braumeister, Biersieder)

33 der Läuterbottich zum Absetzen *n* der Rückstände *m* (Treber) und Abfiltrieren *n* der Würze

34 die Läuterbatterie zur Prüfung der Würze auf Feinheit *f*

35 der Hopfenkessel (die Würzpfanne) zum Kochen *n* der Würze

36 das Schöpfthermometer

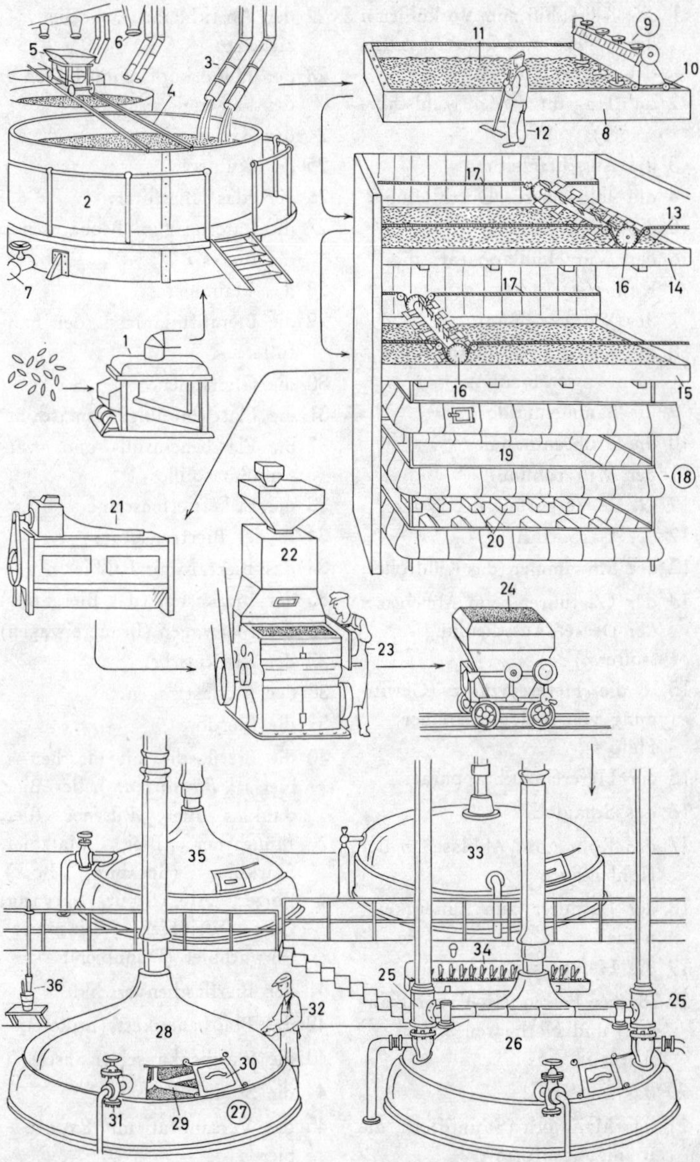
1
2
3
4
5
6
7
8
9
10
11
12
13
14
15
16
17
18
19
20
21
22
23
24
25
26
27
28
29
30
31
32
33
34
35
36

1 das Kühlschiff zum Vorkühlen *n* der Würze und zum Ausscheiden *n* des Trubs *m*:
2 die Tragstütze (der Kühlschiffträger)
3 die Ausschlagleitung
4 die Jalousie zur Durchlüftung
5 die Würze;
6 der Würzekühlapparat (die Kühlen *f*):
7 der Würzezufluß
8 die Kühlwasserzuleitung und Kühlwasserableitung *f*
9 die Sammelmulde
10 die Probeentnahme
11 der Würzeabfluß;
12-19 die Vergärung der Würze,
12 der Gärbottich:
13 der Schwimmer (das Kühlrohr);
14 der Gärführer beim Abheben *n* der Decke (Ausscheidungsstoffe *m*)
15-18 die Hefereinzucht (Gewinnung von biologisch reiner Hefe *f*),
15 der Hefereinzuchtapparat:
16 das Schauloch
17 das Rohr zum Abblasen *n* der Kohlensäure
18 der Luftfilter zur Luftentkeimung;
19 die Hefepresse;
20-28 das Fassen (In-Fässer-Bringen) und Nachgären *n* des Bieres *n*,
20 das Lagerfaß:
21 das Mannloch (Schlupfloch, die Reinigungspforte);
22 der Anstichhahn zum Bierziehen *n*
23 der Hundskopf zum Füllen *n* der Fässer *n*
24 der Kellermeister
25 das Kühlrohr
26 der (das) Bierfilter:
27 die Laterne zum Beobachten *n* des Bieres *n*
28 das Manometer;
29 die Bierabfüllanlage (der Faßfüller)
30 die Gleitschiene
31 die Flaschenreinigungsmaschine
32 die Flascheneinfüll- und -verschlußmaschine
33 die Etikettiermaschine
34-38 der Biertransport:
34 das Bierfaß mit Faßbier *n*
35 der Bierkasten (das Biergatter)
36 der Bierwagen (Brauereiwagen)
37 der Bierkutscher
38 der Bierlastwagen;
39 die Bierdose
40 die Bierflasche mit Flaschenbier *n*; *Biersorten:* helles Bier, dunkles Bier, Pilsener Bier, Münchener Bier, Malzbier, Starkbier (Bockbier, Bock), Porter, Ale, Stout, Salvator, Gose, Weißbier (Weizenbier), Schwachbier (Dünnbier):
41 der Bierflaschenverschluß
42 das Flaschenetikett (Etikett);
43 die Flaschenkapsel (Kapsel)
44 die Stanniolkapsel
45 das Versandfaß mit Exportbier *n*

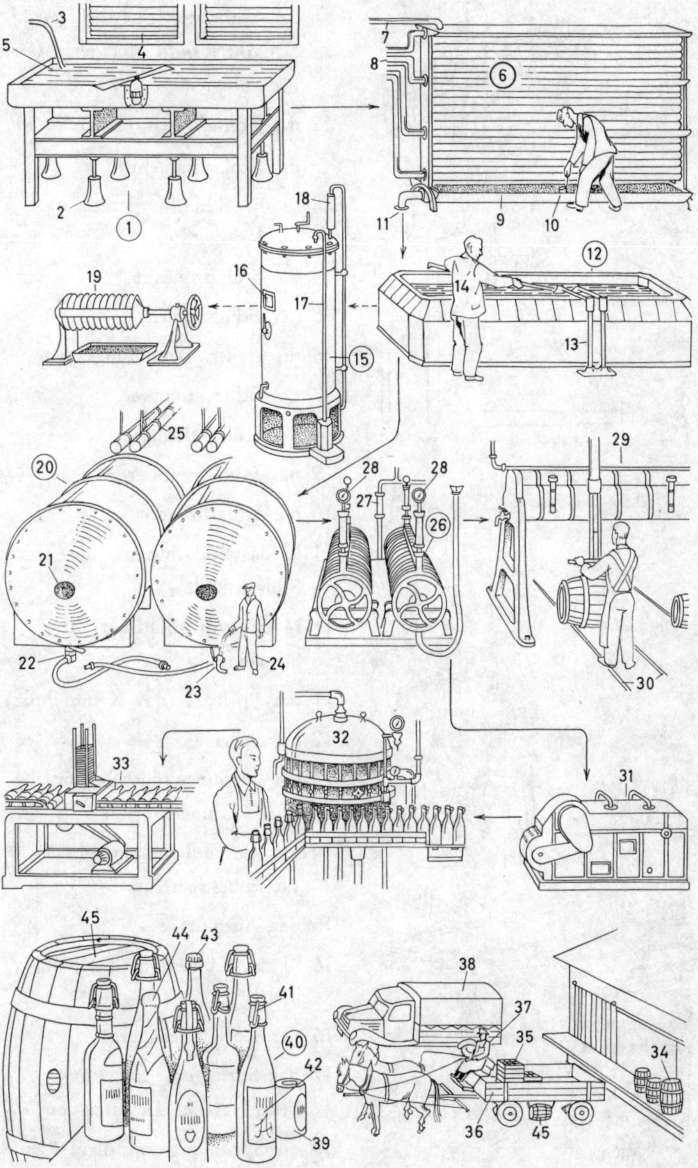
1
2
3
4
5
6
7
8
9
10
11
12
13
14
15
16
17
18
19
20
21
22
23
24
25
26
27
28
29
30
31
32
33
34
35
36
37
38
39
40
41
42
43
44
45

94 Schlachthof

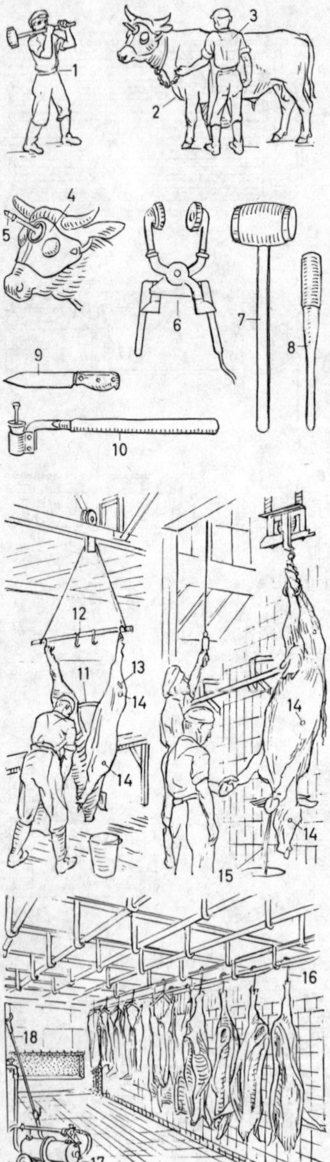

1 der Schlächter (Fleischer, *nordd.* Schlachter, *südd.* Metzger, *österr.* Fleischhauer)

2 das Schlachtvieh, ein Ochse *m*

3 der Schlächtergehilfe

4-10 die Schlächtergeräte *n* (Schlachtgeräte),

4 die Schlachtmaske:

5 der Schußbolzen;

6 die elektr. Betäubungszange

7 der Schlachthammer

8 die Schlachtkeule

9 das Schlachtmesser

10 die Schlachthacke;

11-15 das Schlachthaus (die Schlachthalle),

11-14 das Ausschlachten des Schweines *n*:

11 der Spriegel (das Krummholz)

12 die Spreize

13 der Trichinenkontrollstempel (die Trichinenmarke)

14 der Gesundheitsstempel des Fleischbeschauers *m*;

15 das Ausbluten;

16-18 der Kühlraum (das Kühlhaus):

16 der Aufhängebügel

17 das Sprühgerät zur Entkeimung (zur Desinfektion)

18 die Sprühlanze mit den Düsen *f*

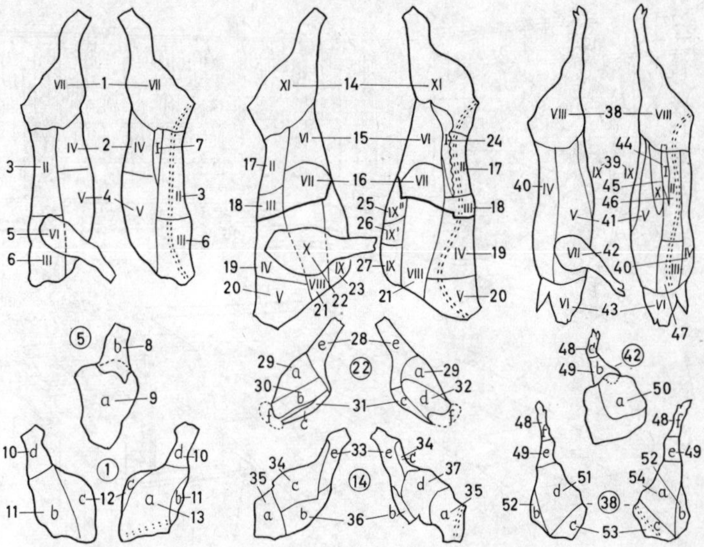

[linke Seite: Fleischseite; rechte Seite:
1-13 das Kalb: [Knochenseite]
1 die Keule mit Hinterhachse *f (südd.*
2 der Bauch [Hinterhaxe *f)*
3 das Kotelett (Kalbskotelett)
4 die Brust (Kalbsbrust)
5 der Bug mit Vorderhachse *f* (*südd.*
6 der Hals [Vorderhaxe *f*)
7 das Filet (Kalbsfilet)
8 die Vorderhachse
9 der Bug
10 die Hinterhachse (*südd.* Hinter-
11 das Nußstück [haxe)
12 das Frikandeau
13 die Oberschale;
14-37 das Rind:
14 die Keule mit Hinterhesse *f*
15 u. 16 die Lappen *m*:
15 die Fleischdünnung
16 die Knochendünnung;
17 das Roastbeef
18 die Hochrippe
19 die Fehlrippe
20 der Kamm
21 die Spannrippe
22 der Bug mit Vorderhesse *f*
23 die Brust (Rinderbrust)
24 das Filet (Rinderfilet)
25 die Nachbrust
26 die Mittelbrust
27 das Brustbein
28 die Vorderhesse
29 das dicke Bugstück
30 das Schaufelstück
31 das falsche Filet
32 der Schaufeldeckel
33 die Hinterhesse
34 das Schwanzstück
35 die Blume
36 die Kugel
37 die Oberschale;
38-54 das Schwein:
38 der Schinken mit dem Eisbein *n* und dem Spitzbein *n*
39 die Wamme
40 der Rückenspeck
41 der Bauch [bein *n*
42 der Bug mit Eisbein *n* und Spitz-
43 der Kopf (Schweinskopf)
44 das Filet (Schweinefilet)
45 der Flomen
46 das Kotelett (Schweinekotelett)
47 der Kamm (Schweinekamm)
48 das Spitzbein
49 das Eisbein
50 das dicke Stück
51 das Schinkenstück
52 die Nuß
53 der Schinkenspeck
54 die Oberschale

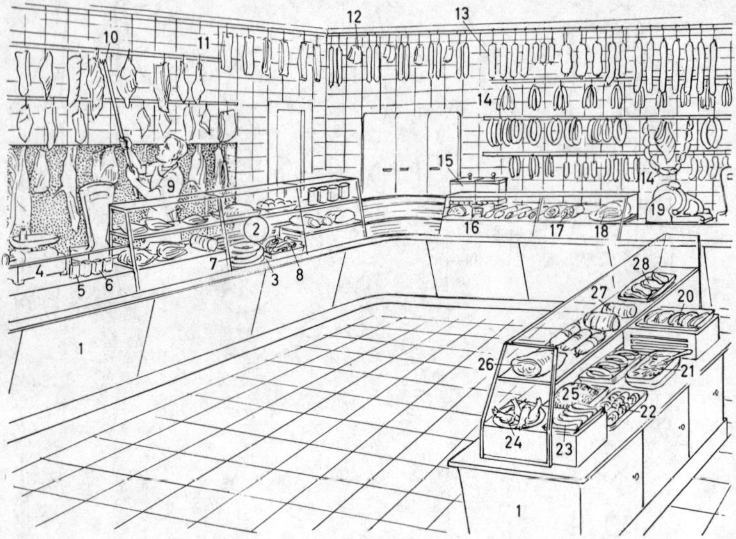

1-28 der Fleischerladen (die Fleischerei, *obd./westd.* Metzgerei, Schlächterei, *nd.* Schlachterei):

1 der Ladentisch (*md.* die Theke)

2 die offene Kühlanlage:

3 die Kühlplatte;

4 der Ladenwolf, ein Fleischwolf *m* (Wolf)

5 das abgepackte Schweinefett (Schweineschmalz, Schmalz)

6 der Rindertalg (Rindstalg), ein Talg *m*

7 der Wurstring

8 der Suppenknochen (Markknochen, Knochen)

9 der Fleischermeister (Fleischer, *obd./westd.* Metzger, Schlächter, *nd.* Schlachter)

10 der Wurstspieß

11 die Speckseite (der Speck)

12 das Dürrfleisch (Rauchfleisch, *obd./westd.* Dörrfleisch)

13 die Dauerwurst (Hartwurst, Salami)

14 das Brühwürstchen (Würstchen); *Arten:* »Wiener«, »Frankfurter«, »Halberstädter«

15 der Wurstbrühkessel

16 die Leberpastete, eine Fleischpastete

17 die Fleischwurst

18 der gekochte Schinken

19 die Aufschnittmaschine

20 das Rumpsteak; *ähnl.:* das Beefsteak, ein Rindslendenstück *n*

21 der Fleischsalat

22 die Rindsroulade

23 die Bratwurst

24 das Eisbein

25 das Hackfleisch (Gehackte, Schabefleisch, Geschabte, *md.* Gewiegte)

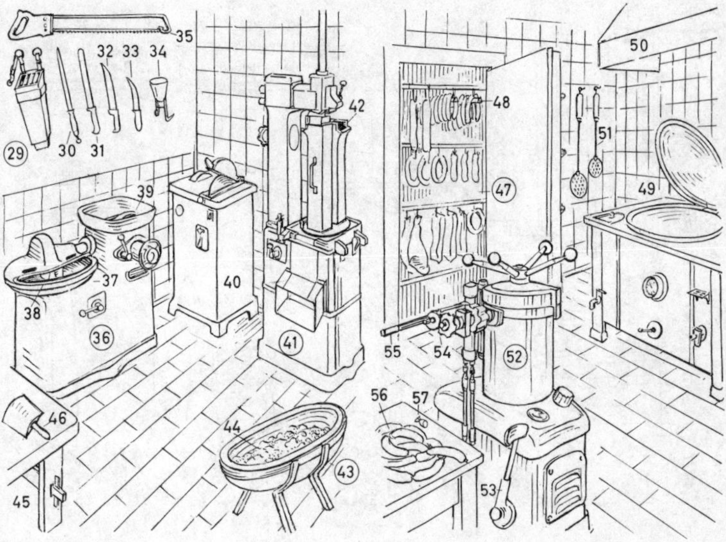

26 der rohe Schinken
27 der Rollschinken
28 die Schweinsleber;
29-57 der Zubereitungsraum (Schlachtraum),
29-35 die Handgeräte *n*,
29 das Geschirr (Gehänge, Schlachtzeug):
30 der Wetzstahl (Abziehstahl, Stahl)
31 das Wurstmesser
32 das Fleischmesser
33 das Hautmesser;
34 die Brühglocke (der Schweineborsten- und Rindermagenschaber)
35 die Knochensäge;
36 die Zwillings-Fleischbearbeitungsmaschine:
37 der Kutter (Cutter)
38 die Kutterschüssel
39 der Fleischwolf (die Faschiermaschine);
40 die elektrische Knochensäge
41 die Speckschneidemaschine:
42 die Einfüllöffnung;
43 die Mengmulde (*nd.* Schlächtermolle, Molle):
44 der (das) Brät (Brat, die Wurstmasse);
45 die Hackbank
46 das Hackmesser
47 der Heißrauchräucherschrank:
48 der Spieß zum Aufreihen *n*;
49 der Wurstkessel
50 die Abzughaube
51 der Schaumlöffel
52 die Füllmaschine (der Wurstfüller):
53 der Kniehebel
54 die Abteil- und Abdrehvorrichtung
55 der Portionierer;
56 die abgefüllte Wurst
57 das Wurstende (der Wurstzipfel)

97 Bäckerei

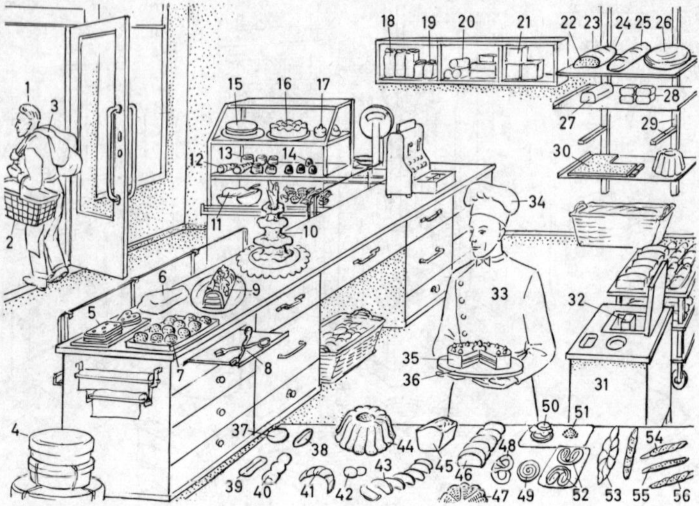

1-56 die Brot-, Weiß- und Feinbäkkerei, Konditorei:
1 der Bäckerjunge (*obd.* Bäckerbub)
2 der Brötchenkorb
3 der Brötchensack
4 die Tortenschachtel (Kuchenschachtel)
5 der Lebkuchen (Pfefferkuchen, Honigkuchen)
6 der Stollen (die Stolle), ein Weihnachtsgebäck *n*
7 der Pfannkuchen (Krapfen), ein Fettgebäck *n* aus Hefeteig *m*
8 die Kuchenzange
9 die Schichttorte
10 der Baumkuchen
11 die Schlagsahne (der Schlagrahm, *österr.* das Schlagobers, Obers)
12 die Sahnenrolle
13 die Blätterteigpastete
14 der Mohrenkopf
15 der Tortenboden aus Mürbeteig *m*
16 die Obsttorte
17 das Baiser (die Meringe, *schweiz.* Meringue)
18 u. 19 Mehl *n*:
18 das Weizenmehl
19 das Roggenmehl;
20 der (das) Keks
21 das Knäckebrot, ein Schrotbrot *n*
22-24 das Brot (der Brotlaib, Laib):
22 die Krume
23 die Brotrinde (Kruste)
24 das Endstück (*nordd.* der Kanten);
25-28 Brotsorten *f*:
25 das Langbrot, ein Mischbrot *n* (Roggen-Weizen-Brot)
26 das Rundbrot, ein Schwarzbrot *n*
27 das Kastenbrot, ein Weißbrot *n*
28 der Pumpernickel in der Frischhaltepackung;
29 das Brotgestell (der Schragen)
30 der Blechkuchen
31 die Eismaschine
32 der Portionierer
33 der Konditor (Zuckerbäcker, Feinbäcker):
34 die Konditormütze;
35 die Kremtorte
36 die Tortenplatte

37-40 Brötchen *n*:
37 das Weißbrötchen (Rundbrötchen)
38 die Schrippe
39 der Knüppel
40 die Semmel;
41 das Hörnchen
42 das Biskuit
43 der Zwieback
44 der Napfkuchen (Topfkuchen, *md.* Aschkuchen, *obd.* Gugelhupf)
45 der Kastenkuchen
46 der Einback
47 die Waffel
48 die Brezel
49 die Schnecke
50 der Windbeutel
51 die Makrone
52 das Schweinsohr
53 der Zopf
54 die Salzstange
55 die Mohnstange
56 die Kümmelstange;
57-80 die Backstube,
57-63 der Backofen:
57 der Gär- und Trockenraum
58 die Feuerung
59 die Abzugshaube (der Abzug)
60 der Abzugsgriff
61 der Einschießherd
62 der Auszugsherd
63 das Pyrometer;
64 die elektr. Teigteilmaschine
65 die elektr. Siebmaschine
66 der Brotschieber
67 das Nudelholz (Wellholz)
68 das Mehlsieb
69 das elektr. Fettback- und Überziehgerät
70 der Butterpinsel
71 der Backtisch (Wirktisch):
72 der Backtrog
73 der Mehlwagen;
74 die elektr. Knetmaschine:
75 der Knetarm;
76 die Backmulde (Knetmulde)
77 die Teigwaage, eine Balkenwaage
78 die Nudelmaschine
79 die Schlagmaschine (Rührmaschine)
80 die Brotform aus Peddigrohr *n*

98 Feinkostgeschäft

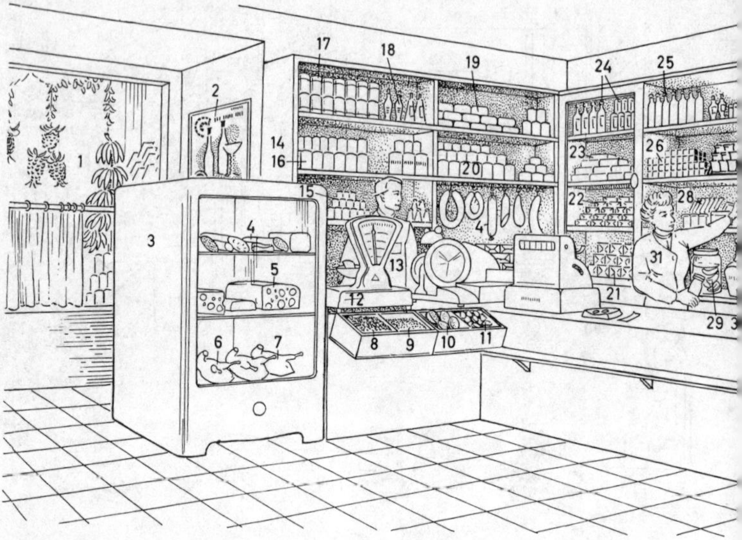

1-87 das Lebensmittelgeschäft (die Lebensmittelhandlung, das Delikatessengeschäft):
1 die Schaufensterauslage
2 das Plakat (Werbeplakat)
3 die Kühlvitrine
4 die Wurstwaren *f*
5 der Käse
6 der Kapaun, ein gemästeter Hahn *m*
7 die Poularde, eine gemästete Henne
8 die Rosinen *f*; *ähnl.:* Sultaninen
9 die Korinthen *f*
10 das Zitronat
11 das Orangeat
12 die Neigungswaage, eine Schnellwaage
13 der Verkäufer
14 das Warengestell (Warenregal)
15-20 Konserven *f*:
15 die Büchsenmilch (Dosenmilch)
16 die Obstkonserve
17 die Gemüsekonserve
18 der Fruchtsaft
19 die Ölsardinen *f*, eine Fischkonserve
20 die Fleischkonserve;
21 die Margarine
22 die Butter
23 das Kokosfett, ein Pflanzenfett *n*
24 das Öl; *Arten:* Olivenöl, Tafelöl, Salatöl
25 der Essig
26 der Suppenwürfel
27 der Brühwürfel
28 der Senf
29 die Essiggurke
30 die Suppenwürze
31 die Verkäuferin
32-34 Teigwaren *f*:
32 die Spaghetti *pl*
33 die Makkaroni *pl*
34 die Nudeln *f*;
35-39 Nährmittel *pl*:
35 die Graupen *f*
36 der Grieß
37 die Haferflocken *f*
38 der Reis
39 der Sago;
40 das Salz
41 der Kaufmann
42 die Kapern *f*
43 die Vanille

44 der Zimt
45 die Kundin
46-49 Packmaterial *n*:
46 das Einwickelpapier
47 der Bindfaden
48 der Papierbeutel
49 die spitze Tüte;
50 das Puddingpulver
51 die Konfitüre
52 die Marmelade
53-55 Zucker *m*:
53 der Würfelzucker
54 der Puderzucker
55 der Kristallzucker, eine Raffinade;
56-59 Spirituosen *f*:
56 der Schnaps
57 der Rum
58 der Likör
59 der Weinbrand (Kognak);
60-64 Wein *m* in Flaschen *f*:
60 der Weißwein
61 der Chianti
62 der Wermut
63 der Sekt (Schaumwein)
64 der Rotwein;
65 der Malzkaffee
66-68 Genußmittel *n*:
66 der Kakao
67 der Kaffee
68 der Tee;
69 die elektr. Kaffeemühle
70 die Kaffeeröstmaschine:
71 die Rösttrommel
72 die Probierschaufel;
73 die Preisliste
74 die Kühltruhe
75-86 Süßwaren *f*:
75 das (der) Bonbon
76 die Drops *pl*
77 die Karamelle
78 die Schokoladentafel
79 die Bonbonniere:
80 die Praline (das Praliné), ein Konfekt *n*;
81 der Nougat (Nugat)
82 das Marzipan
83 die Weinbrandbohne
84 die Katzenzunge
85 der Krokant
86 die Trüffel;
87 das Tafelwasser (Selterswasser, der Sprudel)

99 Schuhmacher

1-37 die Schuhmacherwerkstatt:
1 der Schustergeselle
2 die Steppmaschine
3 der Heftzwirn
4 Einlegesohlen *f*:
5 die Stroheinlage
6 die Filzeinlage
7 die Schaumgummieinlage
8 die Korkeinlage
9 die Lindenholzgeflechteinlage;
10 der Leisten
11 der Leistenhaken
12 das Fußmaß
13 der Schusterlehrling (Schusterjunge)
14 der Schusterschemel
15 der Knieriemen (Spannriemen)
16 das Pech
17 der Stiftekasten, ein Sortierkasten *m* für Holznägel *m*, Stifte *m*, Täckse *m* und Zwecken *f*
18 das Rißmesser
19 der Pechdraht (Schusterzwirn)
20 die Schuhausweitmaschine
21 die SpirituspKutzflasche
22 die Flachraspel
23 der Schuhmachermeister (Schuster), bei der Schuhreparatur
24 die Schuhdoppelmaschine (Aufdoppelmaschine)
25 die Schusterkugel, eine wassergefüllte Glaskugel
26 die Petroleumlampe
27 der Arbeitsständer, ein Doppelständer *m* mit eisernen Leisten *m*
28 der (das) Podest
29 die orthopäd. Schuheinlage
30 die Glättschiene
31 das Glättholz
32 der Schusterdreifuß
33 die Benagelung
34 der orthopäd. Schuh
35 die Beißzange

36 die Löffelraspel
37 die Profilgummisohle;
38-55 der Stiefel,
38-49 der (das) Oberteil (Schaft *m*):
38 die Vorderkappe (Schuhkappe, Stoßkappe)
39 die Hinterkappe
40 das Vorderblatt (Blatt)
41 der (das) Seitenteil (der Besatz)
42 die Strippe (Schlaufe)
43 das Schaftfutter
44 der Ösenstreifen
45 der Haken
46 die Öse (das Schnürloch)
47 das Schnürband (der Schnürsenkel)
48 die Zunge; *ähnl.:* Lasche
49 der Lederflicken (Riester);
50-54 der Boden,
50 u. 51 die Sohle (Schuhsohle), eine Ledersohle:
50 die Laufsohle aus Kernleder *n*
51 die Brandsohle, eine Innensohle;
52 der Rahmen (Keder)
53 das Gelenk
54 der Absatz (Hacken);
55 das Oberleder;
56 der Gummiabsatz (Absatzfleck)
57 der Absatzbeschlag (das Absatzeisen)
58 die Stoßplatte
59 die Schuhzwecke
60 der Kneif (das Schustermesser)
61 das Krummesser
62 der Nähort (Vorstecher, Pfriemen, Pfriem, die Ahle)
63 der Nagelort
64 das Absatzglätteisen
65 das Randmesser
66 das Rißauge
67 die Falzzange (Lederzange)

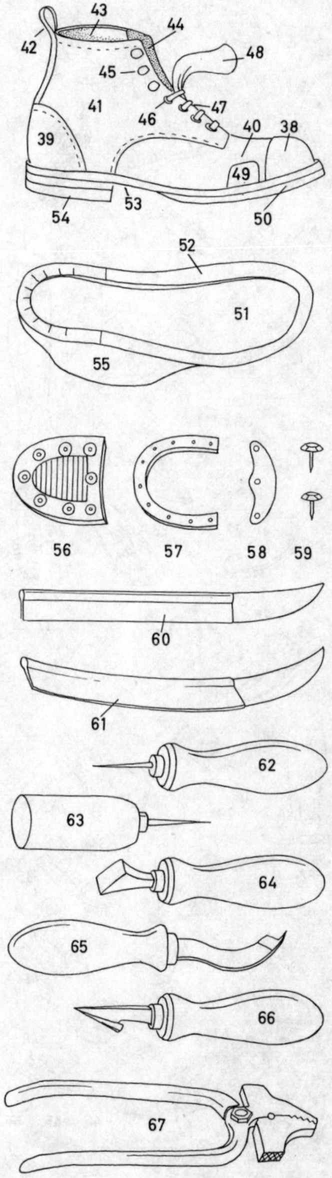

100 Schuhe

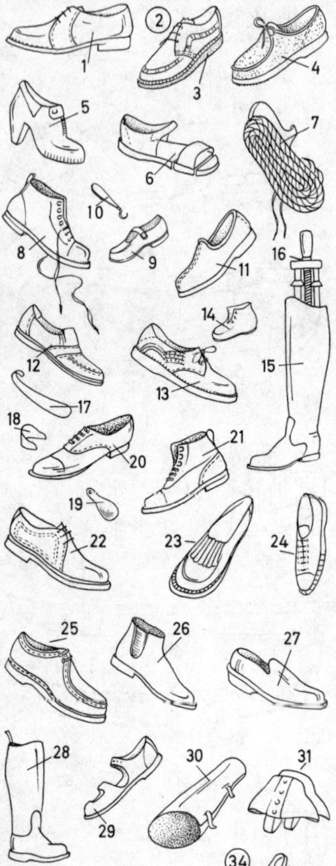

1 der Lederschuh, ein Halbschuh *m*
2 der Herrenschuh, ein Wildlederschuh *m*:
3 die Kreppsohle;
4 der Stoffschuh
5 der Gummischuh
6 der Holzschuh, eine Holzsandale
7 der Bastschuh; *ähnl.:* Strohschuh
8 der Stiefel
9 der Knöpfschuh, ein Kinderschuh *m*
10 der Schuhknöpfer
11 der Filzschuh
12 der Schlupfschuh (Slipper)
13 der Schnürschuh
14 der Babyschuh
15 der Langschäfter (Schaftstiefel)
16 der Stiefelspanner
17 der Schuhanzieher
18 der Fersenschoner
19 der Schuhlöffel
20 der Straßenschuh
21 der Arbeitsschuh
22 der Sportschuh
23 der Haferlschuh, ein Mädchenschuh *m*
24 der Tennisschuh
25 der Golfschuh
26 die Stiefelette (der Zugstiefel)
27 der Überschuh (die Galosche)
28 der Marschstiefel (Stiefel)
29 die Sandale
30 die Ledergamasche
31 die Stoffgamasche
32 der Tanzschuh (Ballschuh)
33 der Schlangenlederschuh, ein Luxusschuh *m*
34 der Strandschuh:
35 der Keilabsatz
36 die Korksohle;
37 der Schnallenschuh:
38 die Schuhschnalle;
39 der Spangenschuh
40 die Pumps *pl*:
41 der hohe Absatz (Stöckelabsatz);
42 der Mokassin
43 die Opanke
44 die Sandalette, ein Damenschuh *m*
45 der Hausschuh:
46 die Stulpe (der Umschlag)
47 der Pompon (die Quaste, Bommel);
48 der Badepantoffel

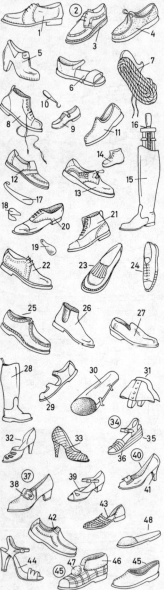

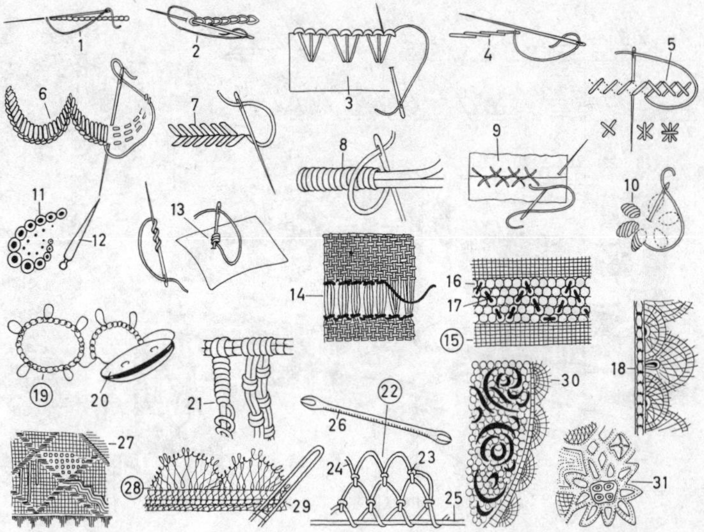

1 die Steppnaht
2 der Kettenstich
3 der Zierstich
4 der Stielstich
5 der Kreuzstich
6 der Langettenstich
7 der Zopfstich
8 der Schnurstich
9 der Hexenstich
10 die Plattsticharbeit (Flachsticharbeit, Flachstickarbeit)
11 die Lochstickerei
12 der Lochstecher
13 der Knötchenstich (Knotenstich)
14 die Durchbrucharbeit (der Hohlsaum)
15 die Tüllarbeit (Tüllspitze):
16 der Tüllgrund (Spitzengrund)
17 der Durchzug;
18 die Klöppelspitze; *Arten:* Valenciennesspitzen, Brüsseler Spitzen
19 die Schiffchenarbeit (Frivolitätenarbeit, Okkiarbeit, Occhiarbeit):
20 das Schiffchen;
21 die Knüpfarbeit (das Makramee)
22 die Filetarbeit (Netzarbeit, das Filament):
23 die Filetschlinge (der Filetknoten)
24 der Filetfaden
25 der Filetstab
26 die Filetnadel (Netznadel, Schütze, Filiernadel);
27 die Ajourarbeit (Durchbrucharbeit)
28 die Gabelhäkelei (Gimpenhäkelei):
29 die Häkelgabel;
30 die Nadelspitzen *f* (Nähspitzen, die Spitzenarbeit); *Arten:* Reticellaspitzen, Venezianerspitzen, Alençonspitzen; *ähnl.* mit Metallfaden *m*: die Filigranarbeit
31 die Bändchenstickerei (Bändchenarbeit)

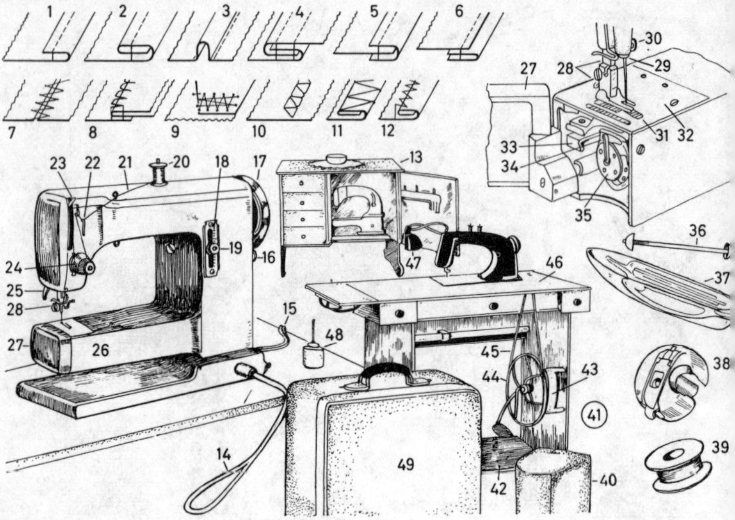

1-12 Maschinennähte *f*:
1 die Falte
2 der Saum
3 die Biese
4 die Kappnaht
5 die Einfassung
6 die Paspel
7 der Zickzackstich [Kante *f* an Kante]
8 der Winkelstich
9 der Verriegelungsstich
10 der Hohlsaum
11 das Säumen
12 das Beketteln;
13 der Nähmaschinenschrank
14-47 die Nähmaschine,
14-40 die elektr. Nähmaschine:
14 der Kniehebel
15 das Anschlußkabel
16 die Spulvorrichtung
17 das Handrad
18 die Stichskala
19 die Stellschraube für die Stichweite
20 die Garnrolle (Zwirnrolle)
21 der Oberfaden, ein Nähfaden *m*
22 der Fadenhaken
23 der Fadenführungshebel
24 der Fadenspanner
25 der Nähfußheber
26 der Stopfarm
27 die Schwenkkappe
28 die Nähfußstange, mit dem Nähfuß *m*
29 die Nadelstange
30 die Nadelbefestigungsschraube
31 der Transporteur
32 die Stichplatte
33 der Schieber
34 der Greifer
35 die Spule
36 die leere Spule, für den Unterfaden
37 das Langschiffchen
38 das Rundschiffchen (der Schlingenfänger)
39 die Unterfadenspule
40 der Nähmaschinenkasten;
41 das Tretgestell:

42 der Tritt
43 der Kleiderschutz
44 das Schwungrad
45 der Antriebsriemen;
46 die Nähplatte (der Nähmaschinentisch)
47 die Nähmaschinenbeleuchtung;
48 das Ölkännchen, ein Spritzkännchen *n* mit Nähmaschinenöl *n*
49 der Nähmaschinenkoffer
50 das Nähseidenröllchen
51 die Karte Stopfgarn *n*
52 das Heftgarn (Reihgarn)
53 der Fingerhut
54 die Rolle Nahtband *n* (Kantenband)
55 die Nähmaschinennadel
56 die Nähnadel
57 die Stopfnadel
58 das Nadelöhr
59 die Durchziehnadel, für Gummizug *m*
60 die Sicherheitsnadel
61 die Aufmaschnadel
62 das Kopierrad
63 das Stopfei
64 der Stopfpilz
65 die Handschere
66 die Knopflochschere
67 das Steifleinen
68 der Schnitt (das Schnittmuster)
69 der Futterstoff
70 die Zuschneideschere
71 das Modeheft (Modejournal, die Modezeitung)
72 der Schnittmusterbogen
73 das Bandmaß (Maßband), ein Metermaß *n*
74 der aufklappbare Nähkasten (die Nähschatulle)
75 die Näherin (Schneiderin); *ähnl.:* Zuschneiderin
76 die Schneiderpuppe (Schneiderbüste)
77 das Nadelkissen
78 die Stecknadel
79 der Stecknadelkopf
80 das Schulterpolster
81 der Stoffabfall
82 die Schneiderkreide

103 Damenfriseur

1-34 der Damenfrisiersalon und Kosmetiksalon *m* (Salon für Schönheitspflege *f*),
1-8 die Maniküre (Handpflege):
1 die Maniküre (Handpflegerin)
2 die Fingerschale
3 der Nagelhautentferner
4 der fahrbare Kosmetiktisch:
5 die Nagelschere
6 die Hautschere
7 die Nagelfeile
8 der Nagelreiniger;
9 die Wimperntusche, mit der Wimpernbürste
10 die Tücher *n*, für Gesichtskompressen *f*
11 die Schönheitskrem; *ähnl.:* Tageskrem, Nachtkrem
12 der Nagellack
13 der Nagellackentferner
14 das Gesichtswasser
15 die Schminke
16 der Augenbrauenstift
17 der Gesichtspuder (Puder)
18 der Schwefelpuder
19 der Lippenstift
20 das Kölnisch Wasser (Eau de Cologne)
21 das Lavendelwasser
22 das Glyzerin;
23 die Trockenhaube
24 das Haarnetz
25 der Apparat für die Dauerwelle
26 der Frisierumhang
27 die Schuppen *f*
28 die Friseuse
29 das Haarfixativ
30 der Fön
31 die Tinktur für die Kaltwelle
32 das Haarfärbemittel
33 die Kosmetikerin (Schönheitspflegerin), bei der Gesichtsmassage
34 der Massagestuhl;
35 der Lockenwickel
36 der Einsteckkamm
37 die Lockwellbürste
38 die Brennschere
39 die Effilierschere

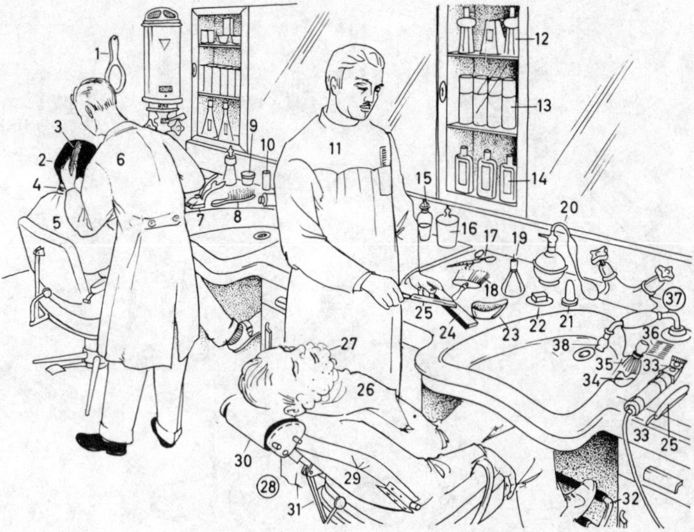

1-38 der Herrensalon:
1 der Handspiegel
2 der Haarschnitt (die Frisur)
3 der Haarschneidekamm
4 die Halskrause, aus Kreppapier *n*
5 der Haarschneidemantel
6 der Friseurgehilfe, beim Haarschneiden *n*
7 die Haarschneidemaschine
8 die Kopfbürste (Haarbürste)
9 die Pomade (Haarsalbe)
10 die Brillantine (das Haarfett)
11 der Friseurmeister (Friseur, *schweiz.* Coiffeur), beim Rasieren *n*
12 das Haaröl
13 das Kopfwasser (Haarwasser)
14 das Rasierwasser
15 die Haarwaschseife
16 das Antiseptikum
17 die Haarschneideschere
18 der Nackenpinsel
19 der Puderzerstäuber
20 der Parfümzerstäuber
21 die Rasierseife
22 der Blutstiller, ein Alaunstein *m*
23 das Einseifbecken
24 der Streichriemen
25 das Rasiermesser
26 die Serviette, als Schutztuch *n*
27 der Seifenschaum (Schaum)
28 der Bedienungsstuhl (Friseursessel):
29 die Rückenlehne
30 die Kopfstütze
31 die Verstellstange;
32 die Fußstütze
33 die elektrische Haarschneidemaschine
34 der Seifennapf
35 der Rasierpinsel
36 der Staubkamm
37 die Dusche (Beckendusche):
38 der Düsenkopf

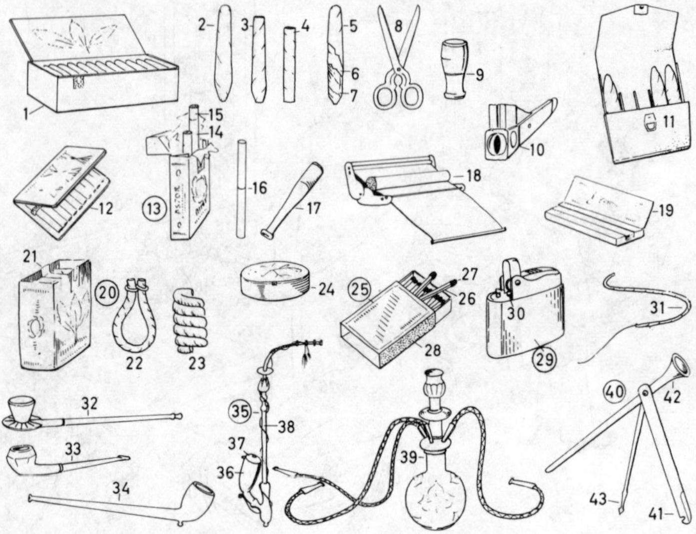

1 die Zigarrenkiste
2 die Zigarre; *Arten:* Havanna, Brasil, Sumatra
3 der (das, *ugs.* die) Zigarillo
4 der Stumpen
5 das Deckblatt
6 das Umblatt
7 die Einlage
8 die Zigarrenschere
9 die Zigarrenspitze
10 der Zigarrenabschneider
11 das Zigarrenetui
12 das Zigarettenetui
13 die Zigarettenschachtel:
14 die Zigarette
15 das Mundstück; *Arten:* Goldmundstück, Korkmundstück, Filtermundstück;
16 die Papiros
17 die Zigarettenspitze
18 der Zigarettenwickler
19 das Zigarettenpapierheftchen
20 das Paket (Päckchen) Tabak *m*; *Arten:* Feinschnitt, Krüllschnitt:
21 die Banderole (Steuermarke);
22 der Rollentabak
23 der Kautabak; *ein Stück:* der Priem
24 die Schnupftabaksdose, mit Schnupftabak *m*
25 die Streichholzschachtel (Zündholzschachtel):
26 das Streichholz
27 der Schwefelkopf
28 die Reibfläche;
29 das Feuerzeug:
30 der Feuerstein;
31 der Docht
32-39 Pfeifen *f*:
32 der Tschibuk
33 die kurze Pfeife
34 die Tonpfeife
35 die lange Pfeife:
36 der Pfeifenkopf
37 der Pfeifendeckel
38 das Pfeifenrohr;
39 die (das) Nargileh, eine Wasserpfeife;
40 das Raucherbesteck:
41 der Auskratzer
42 der Stopfer
43 der Pfeifenreiniger

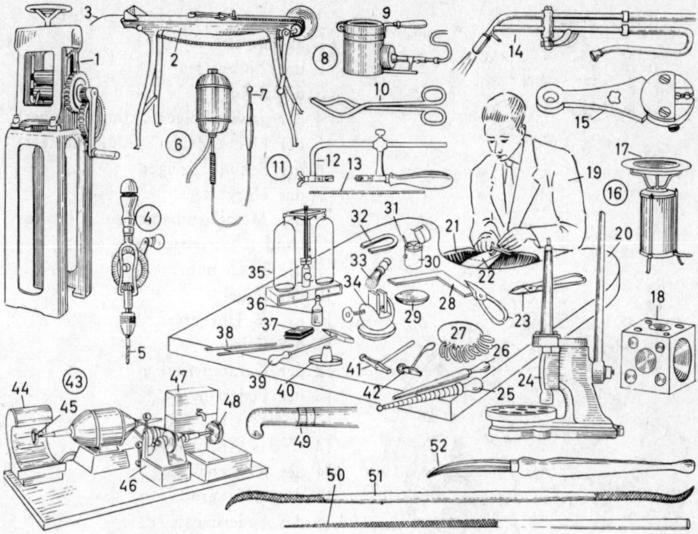

1 die Draht- und Blechwalze
2 die Ziehbank
3 der Draht [Gold- oder Silberdraht]
4 die Handbohrmaschine:
5 der Bohrer;
6 die elektrische Hängebohrmaschine:
7 der Kugelfräser;
8 der Schmelzofen:
9 der Schmelztiegel;
10 die Tiegelzange
11 die Bogensäge:
12 der Laubsägebogen
13 das Laubsägeblatt;
14 die Lötpistole
15 das Gewindeschneideisen
16 das Tretgebläse:
17 die Lötscheibe;
18 die Anke (der Vertiefstempel)
19 der Goldschmied
20 das Werkbrett
21 das Werkbrettfell
22 der Feilnagel
23 die Blechschere
24 die Trauringmaschine
25 der Ringstock
26 der Ringriegel
27 das Ringmaß
28 der Stahlwinkel
29 das Lederkissen
30 die Punzenbüchse
31 die Punze
32 der Magnet
33 die Brettbürste
34 die Gravierkugel
35 die Gold- und Silberwaage
36 das Lötmittel
37 die Glühplatte, aus Holzkohle *f*
38 die Lötstange
39 der Lötkolben
40 der Lötborax
41 der Fassonhammer
42 der Ziselierhammer
43 die Polier- und Kratzmaschine:
44 der Staubfänger
45 die Polierbürste
46 der Drehzahlregler
47 der Kratzkasten
48 die Kratzbürste;
49 der Blutstein (Roteisenstein)
50 die Nadelfeile
51 die Riffelfeile
52 der Polierstahl

107 Uhrmacher und Uhren

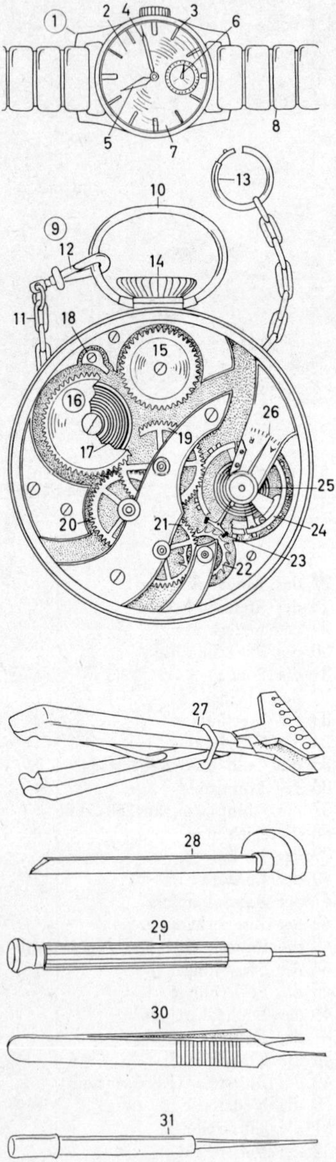

1 die Armbanduhr, mit Selbstaufzug *m*:
2 das Zifferblatt
3 die Ziffer
4 der große Zeiger (Minutenzeiger)
5 der kleine Zeiger (Stundenzeiger)
6 der Sekundenzeiger
7 das Uhrglas
8 das Metallarmband, ein Uhrarmband *n* (Armband);
9 die Taschenuhr:
10 der Bügel
11-13 die Uhrkette:
11 das Glied
12 der Karabinerhaken
13 der Federring;
14-26 das Uhrwerk,
14-17 das Antriebswerk:
14 der Kronenaufzug
15 das Aufzugrad
16 das Federhaus:
17 die Uhrfeder (Zugfeder);
18 die Sperrklinke
19-21 das Räderwerk:
19 das Minutenrad
20 das Bodenrad
21 das Sekundenrad;
22 u. 23 die Hemmung:
22 das Ankerrad (Steigrad, Hemmungsrad)
23 der Anker;
24-26 der Gangregler:
24 die Unruh (*ugs.* Unruhe)
25 die Unruhfeder, eine Spiralfeder
26 der Rückerzeiger;
27-31 Uhrmacherwerkzeuge *n*:
27 die Zeigerzange
28 der Stichel
29 der Schraubenmeißel
30 die Kornzange
31 die Ölspritze;
32 die Standuhr:
33 das Uhrgehäuse
34 das Schlaggewicht
35 das Ganggewicht

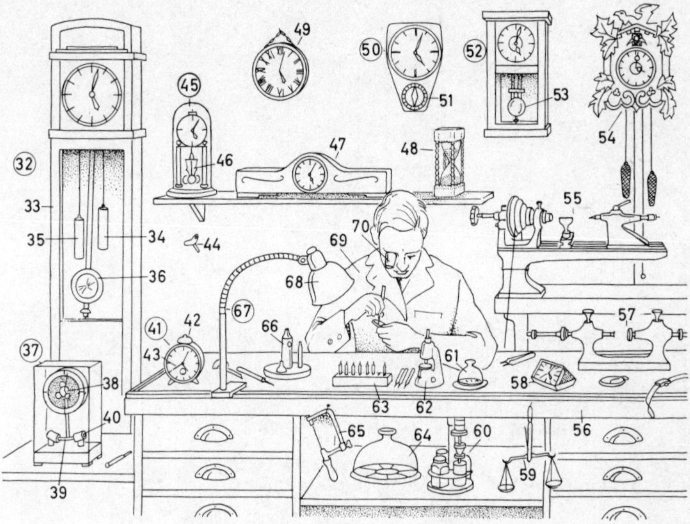

36 das Pendel (der od. das Perpendikel);
37 die elektr. Uhr, eine Präzisionsuhr mit einer Kompensationsunruh:
38 das Stundenrad
39 das Nickelstahlpendel
40 der Dauermagnet;
41 die Weckeruhr (der Wecker):
42 das Läutwerk (Läutewerk, die Glocke)
43 der Weckerzeiger;
44 der Uhrschlüssel
45 die Jahresuhr:
46 das Drehpendel (Torsionspendel);
47 die Tischuhr, mit Schlagwerk *n*
48 die Sanduhr
49 die Telleruhr
50 die Küchenuhr:
51 der Kurzzeitmesser;
52 die Wanduhr (der Regulator):
53 das Kompensationspendel (Rostpendel);
54 die Kuckucksuhr (Schwarzwälderuhr)
55 der Uhrmacherdrehstuhl (die Feinmechanikdrehbank)
56 der Werktisch
57 der Zapfenrollierstuhl (die Drehbank zum Polieren *n*)
58 der Reisewecker
59 die Goldwaage
60 der Reinigungsapparat, für Uhren *f*
61 die Glasglocke, für Präzisionsinstrumente *n*
62 die Triebnietmaschine
63 die Punze, zum Nieten *n*
64 der Arbeitsteller
65 die Uhrmachersäge
66 der Zeigeramboß
67 die Arbeitslampe:
68 der Reflektor;
69 der Uhrmacher
70 die Klemmlupe

108 Optiker

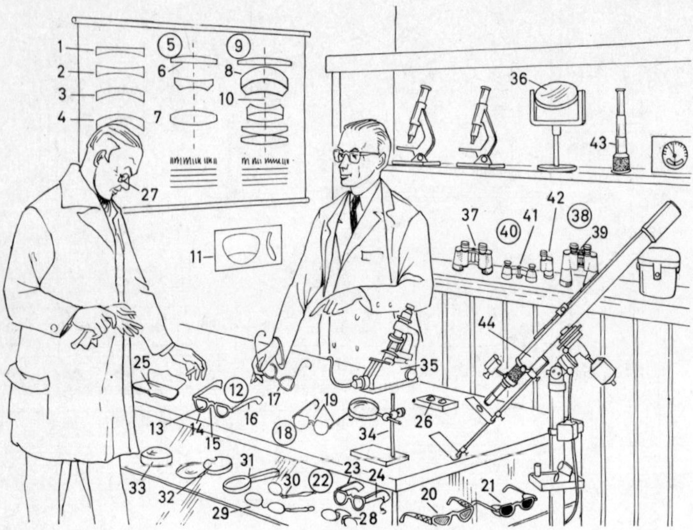

1-8 sphär. Linsen *f*,
1-4 Konkavlinsen *f* (Zerstreuungslinsen):
1 die Plankonkavlinse
2 die Bikonkavlinse
3 die periskop. Konkavlinse (Konvex-Konkavlinse)
4 der konkave Meniskus;
5-8 Konvexlinsen *f* (Sammellinsen),
5 die Plankonvexlinse:
6 die Planfläche;
7 die Bikonvexlinse
8 die periskop. Konvexlinse (Konkav-Konvexlinse);
9 das opt. System (Linsensystem):
10 die Achse;
11 das Bifokalglas (Zweistärkenglas)
12-24 Brillen *f* (Augengläser *n*),
12 die Hornbrille:
13 das Brillenglas
14-16 das Brillengestell:
14 die Gläserfassung
15 der Steg
16 der Bügel;
17 die Metallfassung
18 die randlose Brille:
19 der Beschlag;
20 die Sonnenbrille
21 die Blindenbrille
22 das Hör-Seh-Gerät:
23 der Mikrophonbügel
24 der Batteriebügel;
25 das Brillenfutteral
26 das Haftglas (die Kontaktschale)
27 das Einglas (Monokel)
28 der Klemmer (Kneifer, Zwicker)
29 die Stielbrille
30 das Lorgnon
31-34 Lupen *f* (Vergrößerungsgläser *n*):
31 die Stiellupe
32 die Einschlaglupe
33 die Kontaktlupe
34 die Standlupe;
35 der Scheitelbrechwertmesser
36 der Hohlspiegel
37-44 Fernrohre *n* (Teleskope):
37 der Feldstecher (das Fernglas), ein Doppelfernrohr *n*
38 das Jagdglas, ein Nachtglas *n*:
39 der Mitteltrieb;
40 das Opernglas:
41 die Knickbrücke;
42 das monokulare Fernrohr
43 das Zugfernrohr
44 das Beobachtungsfernrohr

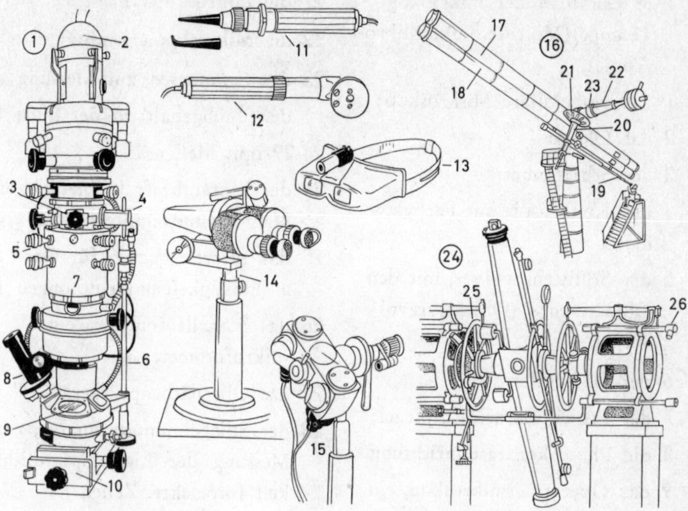

1 das Elektronenmikroskop,
2-10 die Mikroskopröhre:
2 der Strahlkopf
3 die Tür der Objektschleuse
4 der Schleusengriff
5 der Aperturblendentrieb
6 die Objekttischverstellung
7 das Zwischenbildfenster
8 das Endbildfenster
9 die Fernrohrlupe
10 die Aufnahmekammer;
11-15 ophthalmolog. Geräte *n*:
11 die Skleraleuchte (Lederhautdurchleuchtungslampe)
12 das Skiaskop (der Augenspiegel)
13 die binokulare Kopflupe
14 das Hornhautmikroskop
15 das Ophthalmometer;
16-26 astronom. Geräte *n*,
16 der Refraktor:
17 das fotografische Rohr
18 das visuelle Rohr
19 das Sucherfernrohr
20 die Stundenachse
21 der Stundenkreis
22 die Deklinationsachse
23 der Deklinationskreis;
24 der Meridiankreis:
25 der Teilkreis
26 das Ablesemikroskop

1-23 Geräte *n* der mikroskop. Technik (Mikrotechnik, Mikroskopie),
1 das monokulare Miskroskop:
2 das Okular
3 der Schrägtubus
4 der Kondensor, mit Farbglashalter *m*
5 der Schlittenrevolver, mit den Objektiven *n* (Objektivrevolver *m*)
6 der Objektgleittisch
7 der Projektionszeichenspiegel;
8 dic Phasenkontrasteinrichtung
9 das Operationsmikroskop, ein binokulares Mikroskop *n*:
10 der Geradeinblick;
11 das Kolposkop, für gynäkolog. Untersuchungen *f*:
12 der Schrägeinblick;
13 das Auflichtmikroskop:
14 der Auflichtkondensor
15 der Tubusträger
16 der Schlittenobjektivwechsler;
17 das Stereoprüfmiskroskop, für mikrostereoskop. Untersuchungen *f*:
18 der binokulare Schrägdoppeltubus;
19 das Kameramikroskop, zur Mikrofotografie:
20 der Vertikalilluminator, für Hellfeld-, Dunkelfeld- und Polarisationsaufnahmen *f*
21 die Mikroskopkamera
22 die Mikroskopierleuchte;
23 das Konimeter, zur Messung des Staubgehalts *m* der Luft;
24-29 opt. Meßgeräte *n*:
24 das Eintauchrefraktometer, zur Nahrungsmitteluntersuchung
25 das Interferometer, für Gas- u. Flüssigkeitsuntersuchungen *f*
26 das Schnellfotometer, ein Mikrofotometer *n*
27 das Oberflächenprüfgerät
28 der Spiegelmonochromator, zur Messung der Lichtempfindlichkeit fotoelektr. Zellen *f*
29 der Interferenzkomparator, zur Feinmessung mittels Lichtwellenlängen *f*;
30-38 geodät. (topograph.) Instrumente *n*,
30 das Reduktionstachymeter (der Doppel-Bildentfernungsmesser), zur opt. Entfernungsmessung:
31 das Skalenmikroskop
32 das Ableseokular
33 die Höhenindexlibelle, mit Koinzidenzeinstellung *f*
34 das opt. Lot
35 der Zentrierstock
36 das Bestimmungsdreieck
37 die Distanzlatte (Basis);
38 das Planplattenmikrometer, für Feinhöhenmessungen *f* im Hoch- und Tiefbau *m*

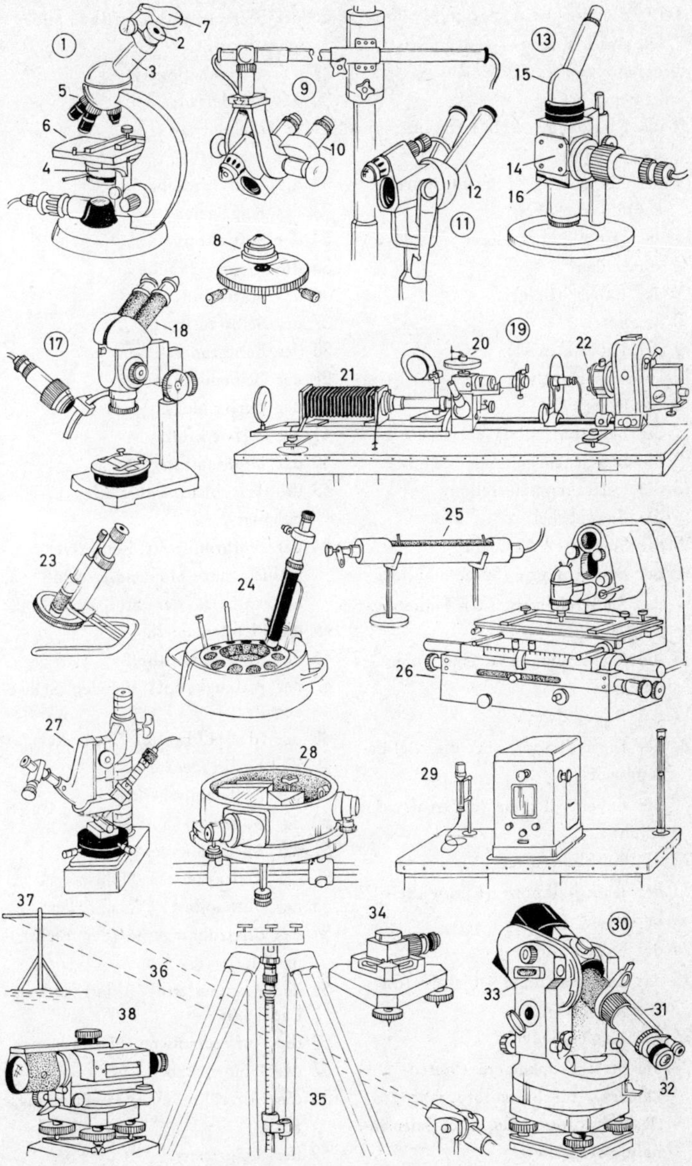
1
2
3
4
5
6
7
8
9
10
11
12
13
14
15
16
17
18
19
20
21
22
23
24
25
26
27
28
29
30
31
32
33
34
35
36
37
38

1-27 fotografische Apparate *m* (Fotoapparate, Kameras *f*, Cameras):
1 die Boxkamera (Box, Kastenkamera)
2 die Klappkamera (Balgenkamera):
3 das Gehäuse
4 der Filmaufzug (Filmtransport, Rollfilmtransport)
5 der Druckknopfauslöser (Auslöser)
6 der Sucher
7 der Balgen (Balg)
8 die Spreize
9 der Laufboden;
10-14 das Objektiv:
10 die Linse
11 die Belichtungsskala
12 die Blendeneinstellung
13 die Entfernungseinstellung
14 der Spannhebel;
15 die Spiegelreflexkamera:
16 der Sucherschacht (Suchereinblick)
17 das Sucherobjektiv (der Sucherausblick);
18 die Kleinbildkamera, eine Tubuskamera:
19 das Bildzählwerk
20 der Einstellknopf für die Belichtungszeit
21 die Zubehörklemme (der Aufsteckschuh)
22 das Ausblickfenster
23 der Rückspulknopf (Rückwickelknopf)
24 der Selbstauslöser
25 das auswechselbare Objektiv (die Wechseloptik)
26 der Kameraboden;
27 die Stereoskopkamera (Stereokamera), für Stereofotografie *f* (Raumbildfotografie, dreidimensionale Fotografie);
28 der Stereobetrachter (Raumbildbetrachter):
29 das Stereodiapositiv
30 das Rändelrad;
31-59 Fotozubehör *n*,
31 das Stativ:
32 die Stativschraube
33 das Kugelgelenk
34 der Stativkopf
35 die Klemmschraube
36 das Stativbein;
37 der Selbstauslöser
38 der Belichtungsmesser:
39 der Bedienungsknopf;
40 der Entfernungsmesser:
41 der Aufsteckfuß;
42 der Drahtauslöser
43 das Teleobjektiv, für Fernaufnahmen *f*
44 der synchronisierte Zentralverschluß, ein Momentverschluß *m*, *andere Art:* der Schlitzverschluß:
45 die Blendenlamelle
46 der Blitzlichtanschluß
47 der Aufzugknopf, für den Selbstauslöser;
48 der (das) Lichtfilter (Farbfilter),
49-59 Blitzlichtgeräte *n*,
49 das Kolbenblitzgerät:
50 das Batteriegehäuse
51 das Anschlußkabel
52 der Reflektor, ein Hohlspiegel *m*
53 der Blitzkolben (Vacublitz);
54 das Blitzröhrengerät (der Elektronenblitz):
55 der Akkumulator (Akku) und das Ladegerät
56 die Aufsteckschiene (Halteschiene)
57 der Lampenstab
58 die Blitzröhre, eine Gasentladungsröhre
59 der Tragriemen

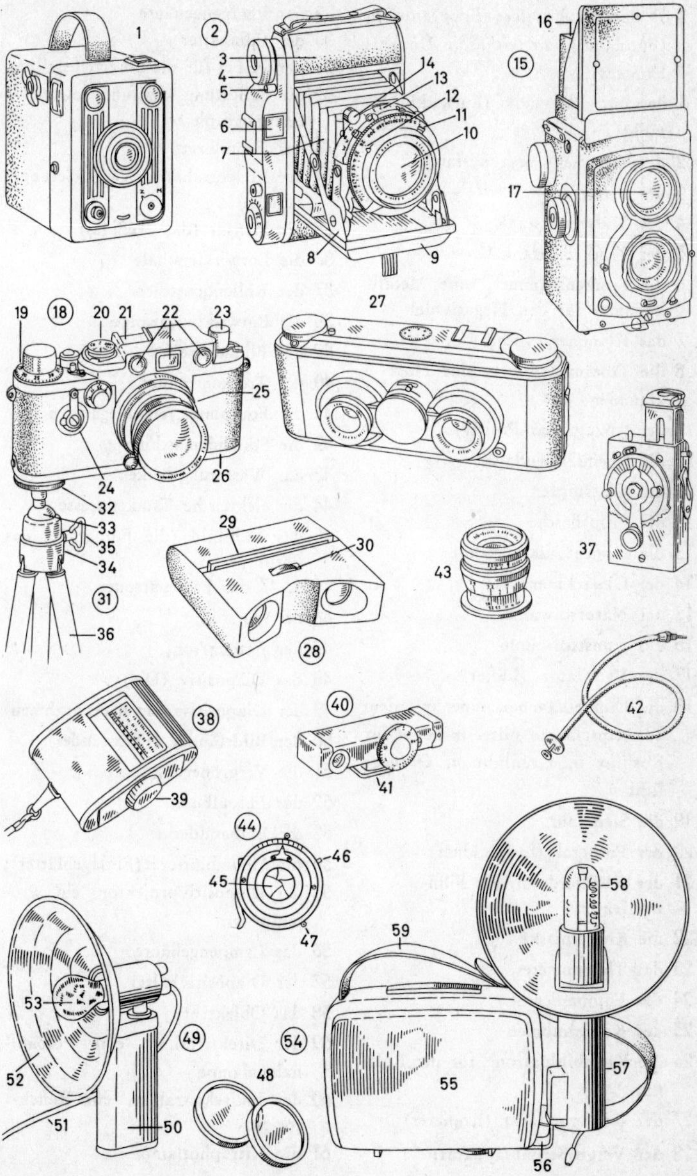
1
2
3
4
5
6
7
8
9
10
11
12
13
14
15
16
17
18
19
20
21
22
23
24
25
26
27
28
29
30
31
32
33
34
35
36
37
38
39
40
41
42
43
44
45
46
47
48
49
50
51
52
53
54
55
56
57
58
59

1-61 das fotografische Laboratorium (Fotolabor); *zugleich:* die Dunkelkammer:
1 der Entwicklertank (Entwicklungstank)
2 der Zwischenwässerungstank
3 der Fixiertank
4 der Wässerungstank
5 der Trockenschrank
6 die Trockenklammer, eine Metallklammer für den Negativfilm
7 das Klammergewicht
8 die Trockenklammer, eine Holzklammer
9 der Abzug (das Positiv)
10 die Chemikalienflasche
11 der Glasstopfen
12 die Tropfflasche
13 die Filmentwicklungsdose
14 der Glastrichter
15 der Naturschwamm
16 der Kunstschwamm
17 der Ventilator (Lüfter)
18 die Dunkelkammerlampe, mit dem auswechselbaren Filter *m* od. *n* für Rotlicht *n*, Grünlicht *n*, Orangelicht *n*
19 die Signaluhr
20 der Fotograf (Lichtbildner)
21 der Kleinbildfilm, ein Filmstreifen *m*
22 die Kopiermaske
23 das Thermometer
24 das Fotopapier
25 der Kopierrahmen
26 die Kleinbildpatrone, für den Rollfilm
27 der Kopierapparat (Kopierer)
28 der Vergrößerungsapparat:
29 das Lampengehäuse
30 der Filmhalter
31 der Hebel für die Scharfeinstellung
32 die Belichtungsschaltuhr, ein Chronograph *m*
33 das Grundbrett
34 der Abdeckrahmen (Vergrößerungsrahmen);
35 die Mensur (das Meßglas)
36 die Entwicklerschale
37 der Rollenquetscher
38 die Entwicklungszange
39 der Filmabstreifer
40 der Trockenständer
41 die Fotoplatte, ein Negativ *n*
42 die Schneidemaschine
43 das Wässerungsbecken
44 die elektrische Trockenpresse
45 das Lichtbild (die Fotografie, das Foto)
46 u. 47 das Passepartout:
46 der Vorstoß
47 der Fotokarton;
48 das Diapositiv (Dia)
49 der Diapositivrahmen (Diarahmen)
50 der Bildständer (Fotoständer)
51 die Vergrößerung
52 das Fotoalbum:
53 die Einbanddecke
54 die Albumblätter *n* (Einlageblätter);
55 der Diapositivprojektor, ein Projektor *m*:
56 das Lampengehäuse
57 der Diapositivhalter
58 das Objektiv;
59 der Direktstrahler, eine Fotoaufnahmelampe
60 der Indirektstrahler, ein Reflektor *m*:
61 die Nitraphotlampe

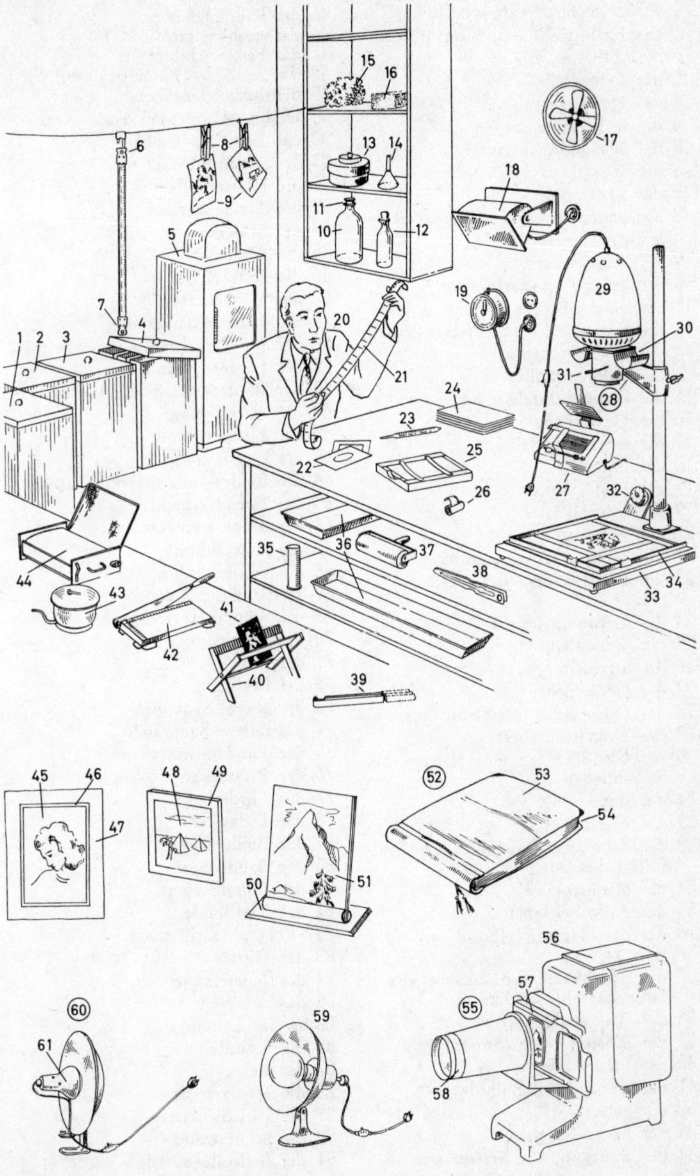
1
2
3
4
5
6
7
8
9
10
11
12
13
14
15
16
17
18
19
20
21
22
23
24
25
26
27
28
29
30
31
32
33
34
35
36
37
38
39
40
41
42
43
44
45
46
47
48
49
50
51
52
53
54
55
56
57
58
59
60
61

1-49 der Rohbau [Hausbau]:
1 das Kellergeschoß (Souterrain), aus Stampfbeton *m*
2 der Betonsockel
3 das Kellerfenster
4 die Kelleraußentreppe
5 das Waschküchenfenster
6 die Waschküchentür
7 das Erdgeschoß
8 die Backsteinwand (Ziegelsteinwand)
9 der Fenstersturz
10 die äußere Fensterleibung
11 die innere Fensterleibung
12 die Fensterbank (Fenstersohlbank)
13 der Stahlbetonsturz
14 das Obergeschoß
15 die Hohlblocksteinwand
16 die Massivdecke
17 die Arbeitsbühne
18 der Maurer
19 der Hilfsarbeiter
20 der Mörtelkasten
21 der Schornstein
22 die Treppenhausabdeckung
23 die Gerüststange (der Gerüstständer)
24 die Brüstungsstreiche
25 der Gerüstbug
26 die Streichstange
27 der Gerüsthebel
28 der Dielenbelag (Bohlenbelag)
29 das Sockelschutzbrett
30 der Gerüstknoten, mit Ketten- od. Seilschließen *f*
31 der Bauaufzug
32 der Maschinist
33 die Betonmischmaschine, ein Freifallmischer *m*:
34 die Mischtrommel
35 der Aufgabekasten;
36 die Zuschlagstoffe [Sand *m*, Kies *m*]
37 die Schiebkarre (Schubkarre, der Schiebkarren, Schubkarren)
38 der Wasserschlauch
39 die Mörtelpfanne (Speispfanne)
40 der Steinstapel
41 das gestapelte Schalholz
42 die Leiter
43 der Sack Zement *m*
44 der Bauzaun, ein Bretterzaun *m*
45 die Reklamefläche
46 das aushängbare Tor
47 die Firmenschilder *n*
48 die Baubude (Bauhütte)
49 der Baustellenabort;
50-57 das Maurerwerkzeug:
50 das Lot (der Senkel)
51 der Maurerbleistift
52 die Maurerkelle
53 der Maurerhammer
54 der Schlegel
55 die Wasserwaage
56 die Traufel
57 das Reibebrett;
58-68 Mauerverbände *m*:
58 der NF-Ziegelstein
59 der Läuferverband
60 der Binder- od. Streckerverband:
61 die Abtreppung;
62 der Blockverband:
63 die Läuferschicht
64 die Binder- od. Streckerschicht;
65 der Kreuzverband
66 der Schornsteinverband:
67 die erste Schicht
68 die zweite Schicht;
69-82 die Baugrube:
69 die Schnurgerüstecke
70 das Schnurkreuz
71 das Lot
72 die Böschung
73 die obere Saumdiele
74 die untere Saumdiele
75 der Fundamentgraben
76 der Erdarbeiter
77 das Förderband
78 der Erdaushub
79 der Bohlenweg
80 der Baumschutz
81 der Löffelbagger:
82 der Tieflöffel;
83-91 Verputzarbeiten *f*:
83 der Gipser
84 der Mörtelkübel
85 das Wurfsieb
86-89 das Leitergerüst:
86 die Standleiter
87 der Belag
88 die Kreuzstrebe
89 die Zwischenlatte;
90 die Schutzwand
91 der Seilrollenaufzug

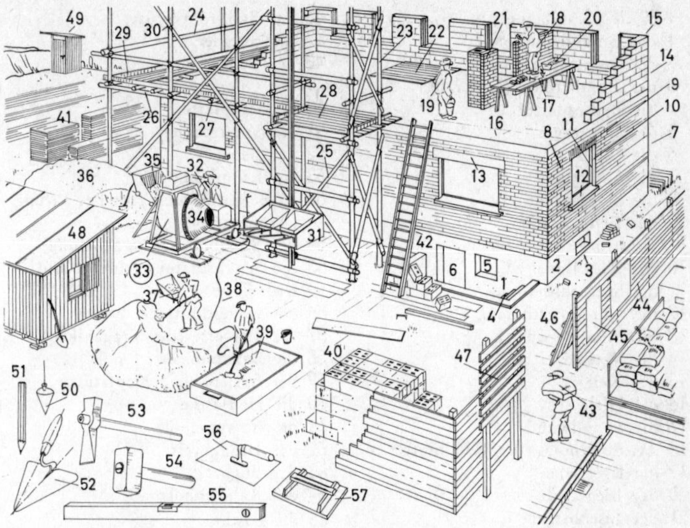

1 2 3 4 5 6 7 8 9 10 11 12 13 14 15 16 17 18 19 20 21 22 23 24 25 26 27 28 29 30 31 32 33 34 35 36 37 38 39 40 41 42 43 44 45 46 47 48 49 50 51 52 53 54 55 56 57

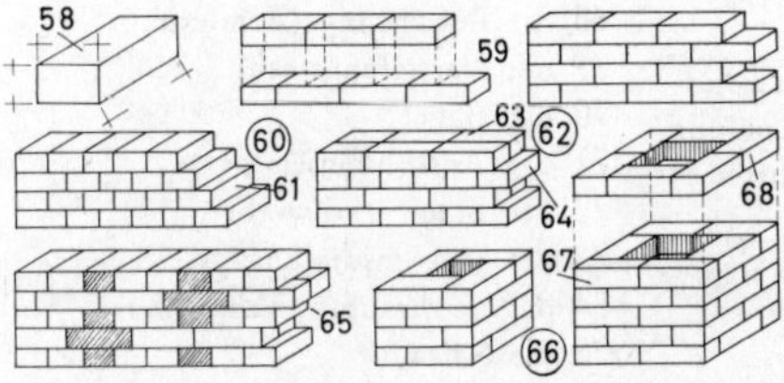

58 59 60 61 62 63 64 65 66 67 68

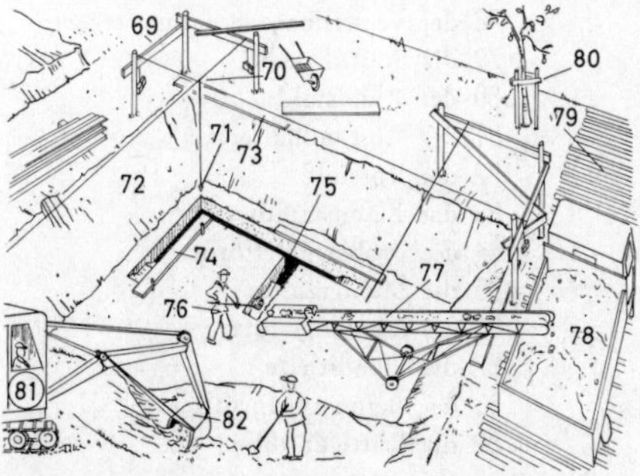

69 70 71 72 73 74 75 76 77 78 79 80 81 82

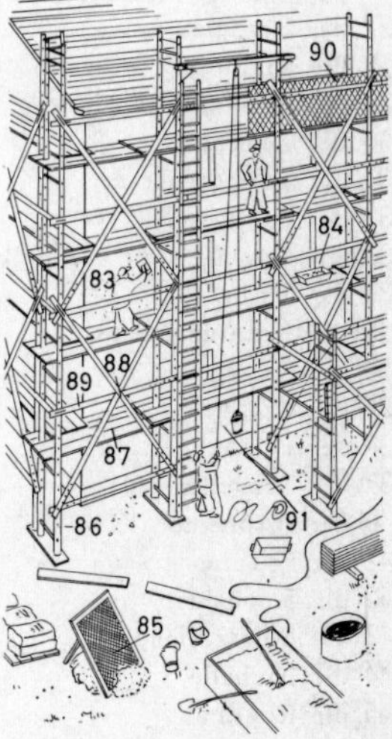

83 84 85 86 87 88 89 90 91

1-89 der Stahlbetonbau,
1 das Stahlbetonskelett:
2 der Stahlbetonrahmen
3 der Randbalken (Unterzug)
4 die Betonpfette
5 der Unterzug
6 die Voute;
7 die Schüttbetonwand
8 die Stahlbetondecke
9 der Betonarbeiter, beim Glattstrich *m*
10 das Anschlußeisen
11 die Stützenschalung
12 die Unterzugschalung
13 die Schalungssprieße
14 die Verschwertung
15 der Keil
16 die Diele
17 die Spundwand
18 das Schalholz (die Schalbretter *n*)
19 die Kreissäge
20 der Biegetisch
21 der Eisenbieger
22 die Handeisenschere
23 das Bewehrungseisen (Armierungseisen)
24 der Bimshohlblockstein
25 die Trennwand, eine Bretterwand
26 die Zuschlagstoffe *m* [Kies *m* und Sand *m* verschiedener Korngröße *f*]
27 das Krangleis
28 die Kipplore
29 die Betonmischmaschine
30 der Zementsilo
31 der Turmdrehkran:
32 das Fahrgestell
33 das Gegengewicht (der Ballast)
34 der Turm
35 das Kranführerhaus
36 der Ausleger
37 das Tragseil
38 der Betonkübel;
39 der Schwellenrost
40 der Bremsschuh
41 die Pritsche
42 die Schubkarre
43 das Schutzgeländer
44 die Baubude
45 die Kantine
46 das Stahlrohrgerüst:
47 der Ständer
48 der Längsriegel
49 der Querriegel
50 die Fußplatte
51 die Verstrebung
52 der Belag
53 die Kupplung;
54-76 Betonschalung *f* u. Bewehrung *f* (Armierung):
54 der Schalboden (die Schalung)
55 die Seitenschalung eines Randbalkens *m*
56 der eingeschnittene Boden
57 die Traverse (der Tragbalken)
58 die Bauklammer
59 der Sprieß, eine Kopfstütze
60 die Heftlasche
61 das Schappelholz
62 das Drängbrett
63 das Bugbrett
64 das Rahmenholz
65 die Lasche
66 die Rödelung
67 die Stelze (Spange, »Mauerstärke«)
68 die Bewehrung (Armierung)
69 der Verteilungsstahl
70 der Bügel
71 das Anschlußeisen
72 der Beton (Schwerbeton)
73 die Stützenschalung
74 das geschraubte Rahmenholz
75 die Schraube
76 das Schalbrett;
77-89 Werkzeug *n*:
77 das Biegeeisen
78 der verstellbare Schalungsträger:
79 die Stellschraube;
80 der Rundstahl:
81 der Abstandhalter;
82 der Torstahl
83 der Betonstampfer
84 die Probewürfelform
85 die Monierzange
86 die Schalungsstütze
87 die Handschere
88 der Beton-Innenrüttler:
89 die Rüttelflasche

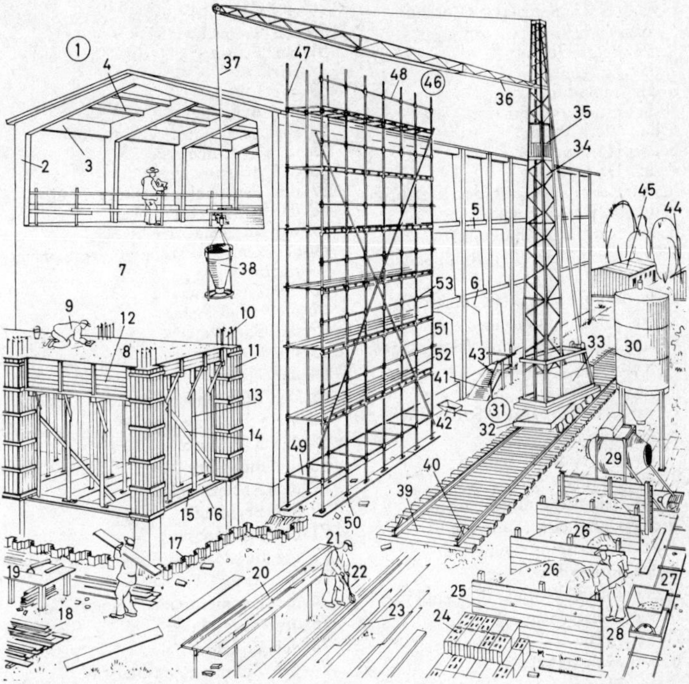
1
2
3
4
5
6
7
8
9
10
11
12
13
14
15
16
17
18
19
20
21
22
23
24
25
26
27
28
29
30
31
32
33
34
35
36
37
38
39
40
41
42
43
44
45
46
47
48
49
50
51
52
53

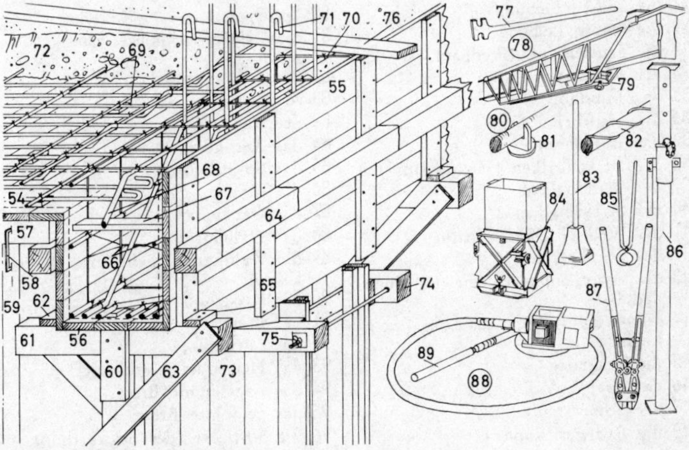
54
55
56
57
58
59
60
61
62
63
64
65
66
67
68
69
70
71
72
73
74
75
76
77
78
79
80
81
82
83
84
85
86
87
88
89

1-59 der Zimmerplatz (Abbindeplatz):
1 der Bretterstapel
2 das Langholz
3 der Sägeschuppen
4 die Zimmererwerkstatt
5 das Werkstattor
6 der Handwagen
7 der Dachstuhl
8 der Richtbaum, mit der Richtkrone
9 die Bretterschalung
10 das Kantholz (Bauholz)
11 die Reißbühne (der Reißboden, Schnürboden)
12 der Zimmermann (Zimmerer)
13 der Zimmermannshut
14 die Ablängsäge, eine Kettensäge:
15 der Steg
16 die Sägekette;
17 der Stemmapparat (die Kettenfräse)
18 der Auflagerbock
19 der aufgebockte Balken
20 das Bundgeschirr
21 die elektrische Bohrmaschine
22 das Dübelloch (Dollenloch)
23 das angerissene Dübelloch
24 der Abbund
25 der Pfosten (Stiel, die Säule)
26 der Zwischenriegel
27 die Strebe
28 der Haussockel
29 die Hauswand
30 die Fensteröffnung
31 die äußere Leibung
32 die innere Leibung
33 die Fensterbank (Sohlbank)
34 der Ringanker
35 das Rundholz
36 die Laufdielen *f*
37 das Aufzugseil
38 der Deckenbalken (Hauptbalken)
39 der Wandbalken
40 der Streichbalken
41 der Wechsel (Wechselbalken)
42 der Stichbalken
43 der Zwischenboden (die Einschubdecke)
44 die Deckenfüllung, aus Koksasche *f*, Lehm *m* u. a.
45 die Traglatte
46 das Treppenloch
47 der Schornstein
48 die Fachwerkwand:
49 die Schwelle
50 die Saumschwelle
51 der Fensterstiel, ein Zwischenstiel *m*
52 der Eckstiel
53 der Bundstiel
54 die Strebe, mit Versatz *m*
55 der Zwischenriegel
56 der Brüstungsriegel
57 der Fensterriegel (Sturzriegel)
58 das Rähm (Rähmholz)
59 das ausgemauerte Fach;
60-82 Handwerkszeug *n* des Zimmermanns *m*:
60 der Fuchsschwanz
61 die Handsäge:
62 das Sägeblatt;
63 die Lochsäge
64 der Hobel
65 der Stangenbohrer
66 die Schraubzwinge
67 das Klopfholz
68 die Bundsäge
69 der Anreißwinkel
70 das Breitbeil
71 das Stemmeisen
72 die Bundaxt (Stoßaxt)
73 die Axt
74 der Zimmermannshammer:
75 die Nagelklaue;
76 der Zollstock
77 der Zimmermannsbleistift
78 der Eisenwinkel
79 das Zugmesser
80 der Span
81 die Gehrungsschmiege (Stellschmiege)
82 der Gehrungswinkel;
83-96 Bauhölzer *n*,
83 der Rundstamm:
84 das Kernholz
85 das Splintholz
86 die Rinde;
87 das Ganzholz
88 das Halbholz:
89 die Waldkante (Fehlkante, Baumkante);
90 das Kreuzholz
91 das Brett:
92 das Hirnholz;
93 das Herzbrett (Kernbrett)
94 das ungesäumte Brett
95 das gesäumte Brett
96 die Schwarte (der Schwartling)

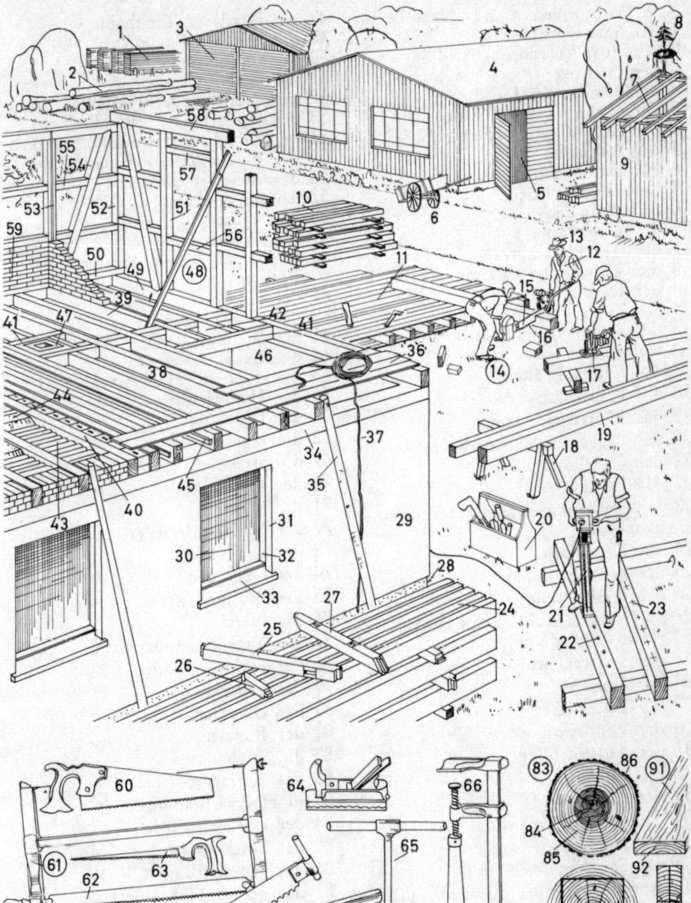

1
2
3
4
5
6
7
8
9
10
11
12
13
14
15
16
17
18
19
20
21
22
23
24
25
26
27
28
29
30
31
32
33
34
35
36
37
38
39
40
41
42
43
44
45
46
47
48
49
50
51
52
53
54
55
56
57
58
59

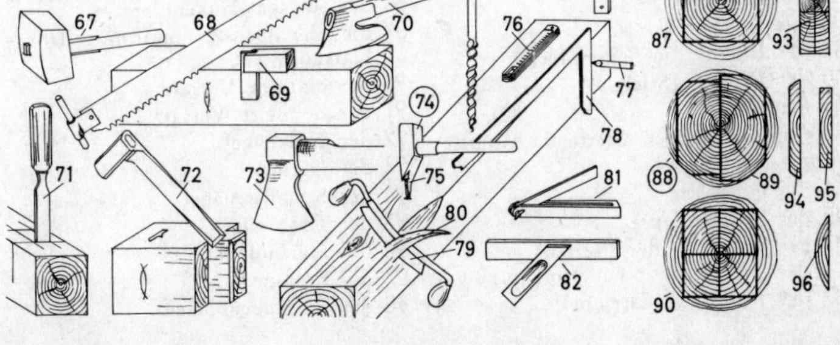

60
61
62
63
64
65
66
67
68
69
70
71
72
73
74
75
76
77
78
79
80
81
82
83
84
85
86
87
88
89
90
91
92
93
94
95
96

1-26 Dachformen *f* und Dachteile *n*,
1 das Satteldach:
2 der First (Dachfirst)
3 der Ortgang
4 die Traufe (der Dachfuß)
5 der Giebel
6 die Dachgaube (Dachgaupe);
7 das Pultdach:
8 das Dachliegefenster
9 der Brandgiebel;
10 das Walmdach:
11 die Walmfläche
12 der Grat (Dachgrat)
13 die Walmgaube (Walmgaupe)
14 der Dachreiter
15 die Kehle (Dachkehle);
16 das Krüppelwalmdach (der Schopfwalm):
17 der Krüppelwalm;
18 das Mansarddach:
19 das Mansardfenster;
20 das Sägedach (Sheddach):
21 das Oberlichtband;
22 das Zeltdach:
23 die Fledermausgaube (Fledermausgaupe);
24 das Kegeldach
25 die Zwiebelkuppel:
26 die Wetterfahne;
27-83 Dachkonstruktionen *f* aus Holz *n* (Dachverbände *m*),
27 das Sparrendach:
28 der Sparren
29 der Dachbalken
30 die Windrispe
31 der Aufschiebling
32 die Außenwand
33 der Balkenkopf;
34 das Kehlbalkendach:
35 der Kehlbalken
36 der Sparren;
37 zweifachstehender Kehlbalkendachstuhl:
38 das Kehlgebälk
39 das Rähm (die Seitenpfette)
40 der Pfosten (Stiel)
41 der Bug;
42 einfachstehender Pfettendachstuhl:
43 die Firstpfette
44 die Fußpfette
45 der Sparrenkopf;
46 zweifachstehender Pfettendachstuhl *m*, mit Kniestock *m*:
47 der Kniestock (Drempel)
48 die Firstlatte (Firstbohle)
49 die einfache Zange
50 die Doppelzange
51 die Mittelpfette;
52 zweifachliegender Pfettendachstuhl:
53 der Binderbalken (Bundbalken)
54 der Zwischenbalken (Deckenbalken)
55 der Bindersparren (Bundsparren)
56 der Zwischensparren
57 der Schwenkbug
58 die Strebe
59 die Zangen *f*;
60 Walmdach *n* mit Pfettendachstuhl *m*:
61 der Schifter
62 der Gratsparren
63 der Walmschifter
64 der Kehlsparren;
65 das doppelte Hängewerk:
66 der Hängebalken
67 der Unterzug
68 die Hängesäule
69 die Strebe
70 der Spannriegel
71 der Wechsel;
72 der Vollwandträger:
73 der Untergurt
74 der Obergurt
75 der Brettersteg
76 die Pfette
77 die tragende Außenwand;
78 der Fachwerkbinder:
79 der Untergurt
80 der Obergurt
81 der Pfosten
82 die Strebe
83 das Auflager;
84-98 Holzverbindungen *f*:
84 der einfache Zapfen
85 der Scherzapfen
86 das gerade Blatt
87 das gerade Hakenblatt
88 das schräge Hakenblatt
89 die schwalbenschwanzförmige Überblattung
90 der einfache Versatz
91 der doppelte Versatz
92 der Holznagel
93 der Dollen
94 der Schmiedenagel
95 der Drahtnagel
96 die Hartholzkeile *m*
97 die Klammer
98 der Schraubenbolzen

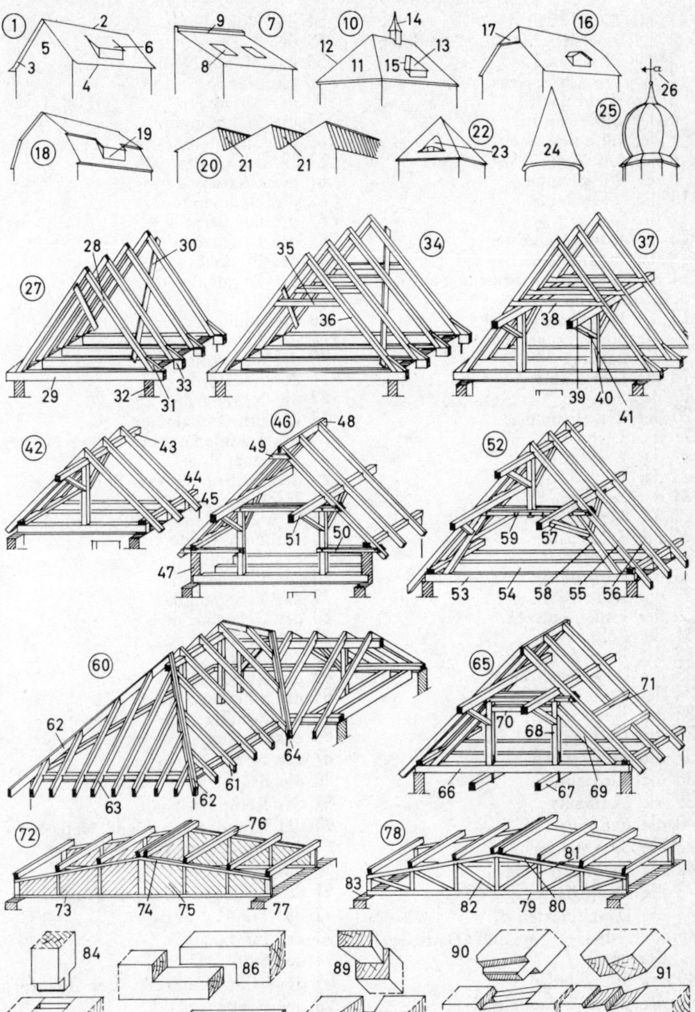
1
2
3
4
5
6
7
8
9
10
11
12
13
14
15
16
17
18
19
20
21
21
22
23
24
25
26
27
28
29
30
31
32
33
34
35
36
37
38
39
40
41
42
43
44
45
46
47
48
49
50
51
52
53
54
55
56
57
58
59
60
61
62
62
63
64
65
66
67
68
69
70
71
72
73
74
75
76
77
78
79
80
81
82
83
84
85
86
86
87
88
89
90
91
92
93
94
95
96
97
98

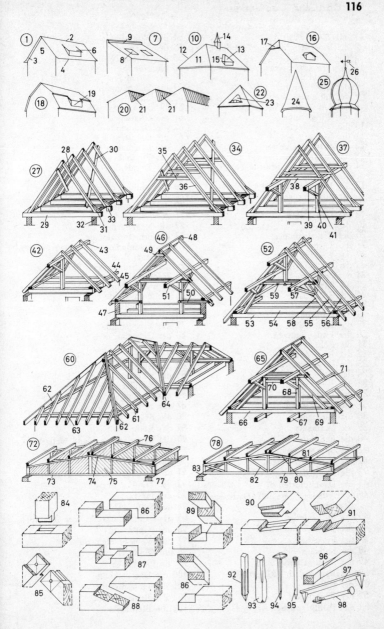

1 das Ziegeldach:
2 die Biberschwanz-Doppeldeckung
3 der Firstziegel
4 der Firstschlußziegel
5 die Traufplatte
6 der Biberschwanz
7 der Lüftungsziegel
8 der Gratziegel (Walmziegel)
9 die Walmkappe
10 die Walmfläche
11 die Kehle;
12 das Dachliegefenster
13 der Schornstein
14 die Schornsteineinfassung, aus Zinkblech *n*
15 der Leiterhaken
16 die Schneefangstütze
17 die Lattung
18 die Lattenlehre
19 der Sparren
20 der Ziegelhammer
21 das Lattbeil
22 das Deckfaß:
23 der Faßhaken;
24 der Ausstieg
25 die Giebelscheibe
26 die Zahnleiste
27 das Windbrett
28 die Dachrinne
29 das Regenrohr
30 der Einlaufstutzen
31 die Rohrschelle
32 der Rinnenbügel
33 die Dachziegelschere
34 das Arbeitsgerüst:
35 die Schutzwand;
36 das Dachgesims:
37 die Außenwand
38 der Außenputz
39 die Vormauerung
40 die Fußpfette
41 der Sparrenkopf
42 die Gesimsschalung
43 die Doppellatte
44 die Dämmplatten *f*;
45-60 Dachziegel *m* und Dachziegeldeckungen *f*,
45 das Spließdach:
46 der Biberschwanzziegel
47 die Firstschar
48 der Spließ
49 das Traufgebinde;
50 das Kronendach (Ritterdach):
51 die Nase
52 der Firstziegel;
53 das Hohlpfannendach:
54 die Hohlpfanne (S-Pfanne)
55 der Verstrich;
56 das Mönch-Nonnen-Dach:
57 die Nonne
58 der Mönch;
59 die Falzpfanne
60 die Flachdachpfanne;
61-89 das Schieferdach:
61 die Schalung
62 die Dachpappe
63 die Dachleiter:
64 der Länghaken
65 der Firsthaken;
66 der Dachbock (Dachstuhl):
67 der Bockstrang
68 die Schlinge (der Knoten)
69 der Leiterhaken;
70 die Gerüstdiele
71 der Schieferdecker
72 die Nageltasche
73 der Schieferhammer
74 der Dachdeckerstift, ein verzinkter Drahtnagel *m*
75 der Dachschuh, ein Bast- oder Hanfschuh *m*
76-82 die altdeutsche Schieferdeckung:
76 das Fußgebinde
77 der Eckfußstein
78 das Deckgebinde
79 das Firstgebinde
80 die Ortsteine *m*
81 die Fußlinie
82 die Kehle;
83 die Kastenrinne
84 die Schieferschere
85 der Schieferstein:
86 der Rücken
87 der Kopf
88 die Brust
89 das Reiß;
90-103 Pappdeckung *f* und Wellasbestzementdeckung *f*,
90 das Pappdach:
91 die Bahn [parallel zur Traufe]
92 die Traufe
93 der First
94 der Stoß
95 die Bahn [senkrecht zur Traufe];
96 der Pappnagel
97 das Wellasbestzementdach:
98 die Welltafel
99 die Firsthaube
100 die Überdeckung
101 die Holzschraube
102 der Regenzinkhut
103 die Bleischeibe

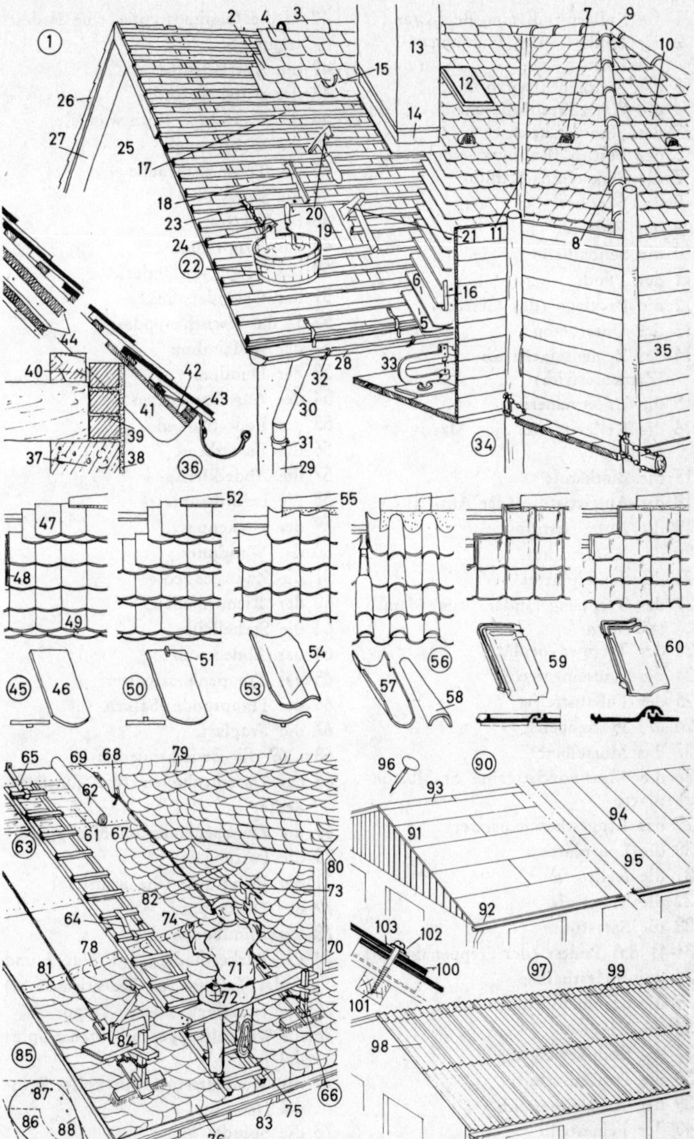
1
2
3
4
5
6
7
8
9
10
11
12
13
14
15
16
17
18
19
20
21
22
23
24
25
26
27
28
29
30
31
32
33
34
35
36
37
38
39
40
41
42
43
44
45
46
47
48
49
50
51
52
53
54
55
56
57
58
59
60
61
62
63
64
65
66
67
68
69
70
71
72
73
74
75
76
77
78
79
80
81
82
83
84
85
86
87
88
89
90
91
92
93
94
95
96
97
98
99
100
101
102
103

1 die Kellerwand, eine Betonwand
2 das Bankett (der Fundamentstreifen):
3 der Fundamentvorsprung;
4 die Horizontalisolierung
5 der Schutzanstrich
6 der Bestich (Rapputz, Rauhputz)
7 die Backsteinflachschicht
8 das Sandbett
9 das Erdreich
10 die Seitendiele
11 der Pflock
12 die Packlage (das Gestück)
13 der Unterbeton
14 der Zementglattstrich (Zementestrich)
15 die Untermauerung
16 die Kellertreppe, eine Massivtreppe:
17 die Blockstufe
18 die Antrittsstufe (der Antritt)
19 die Austrittsstufe
20 der Kantenschutz
21 die Sockelplatte;
22 das Treppengeländer, aus Metallstäben *m*
23 der Treppenvorplatz
24 die Hauseingangstür
25 der Fußabstreifer
26 der Plattenbelag
27 das Mörtelbett
28 die Massivdecke, eine Stahlbetonplatte
29 das Erdgeschoßmauerwerk
30 die Laufplatte
31 die Keilstufe
32 die Trittstufe
33 die Setzstufe
34-41 das Podest (der Treppenabsatz):
34 der Podestbalken
35 die Stahlbetonrippendecke:
36 die Rippe
37 die Stahlbewehrung
38 die Druckplatte;
39 der Ausgleichestrich
40 der Feinestrich
41 der Gehbelag;
42-44 die Geschoßtreppe, eine Podesttreppe:
42 die Antrittsstufe
43 der Antrittspfosten
44 die Freiwange (Lichtwange);
45 die Wandwange
46 die Treppenschraube
47 die Trittstufe
48 die Setzstufe
49 das Kropfstück
50 das Treppengeländer:
51 der Geländerstab
52-62 das Zwischenpodest:
52 der Krümmling
53 der Handlauf;
54 der Austrittspfosten
55 der Podestbalken
56 das Futterbrett
57 die Abdeckleiste
58 die Leichtbauplatte
59 der Deckenputz
60 der Wandputz
61 die Zwischendecke
62 der Riemenboden;
63 die Sockelleiste
64 der Abdeckstab
65 das Treppenhausfenster
66 der Hauptpodestbalken
67 die Traglatte
68 u. 69 die Zwischendecke:
68 der Zwischenboden (die Einschubdecke)
69 die Zwischenbodenauffüllung;
70 die Lattung
71 der Putzträger (die Rohrung)
72 der Deckenputz
73 der Blindboden
74 der Parkettboden, mit Nut *f* und Feder *f* (Nut- u. Federriemen *m*)
75 die viertelgewendelte Treppe
76 die Wendeltreppe, mit offener Spindel *f*
77 die Wendeltreppe, mit voller Spindel *f*:
78 die Spindel
79 der Handlauf

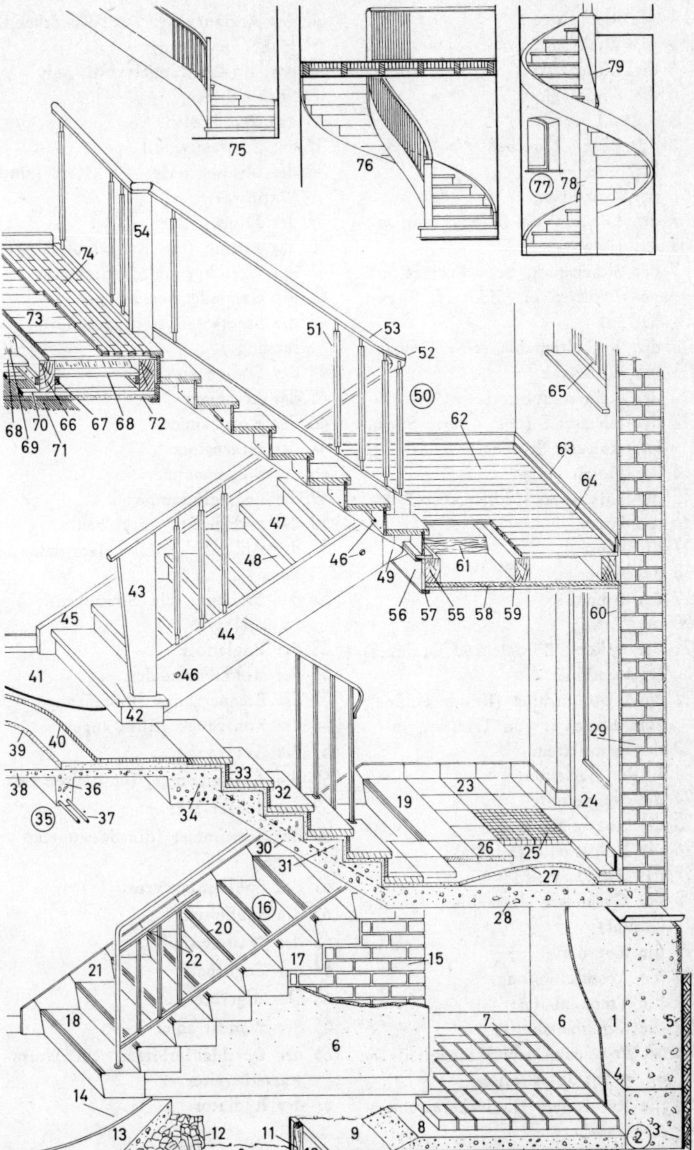
1
2
3
4
5
6
7
8
9
10
11
12
13
14
15
16
17
18
19
20
21
22
23
24
25
26
27
28
29
30
31
32
33
34
35
36
37
38
39
40
41
42
43
44
45
46
47
48
49
50
51
52
53
54
55
56
57
58
59
60
61
62
63
64
65
66
67
68
69
70
71
72
73
74
75
76
77
78
79

1 die Blechschere
2 die Winkelschere
3 die Richtplatte
4 die Schlichtplatte
5-8 das Lötgerät:
5 der Benzinlötkolben, ein Hammerlötkolben *m*
6 der Lötkolben
7 der Lötstein, ein Salmiakstein *m*
8 das Lötwasser;
9 der Sickenstock, zum Formen *n* von Wülsten *m* (Sicken *f*, Sieken, Secken)
10 die Winkelreibahle, eine Reibahle
11 die Werkbank
12 der Rohrschraubstock
13 der Klempner (*obd./österr.* Spengler, *schweiz.* Stürzner)
14 der Holzhammer
15 die Tafelschere (Schlagschere)
16 das Horn
17 die Faust
18 der Klotz
19 der Amboß:
20 der Tasso;
21 die Sicken-, Bördel- und Drahteinlegemaschine
22 die Biegemaschine (Rundmaschine), zum Biegen *n* von Trichtern *m*
23 der Installateur
24-30 die Gasleitung:
24 die Steigleitung
25 die Abzweigleitung
26 die Rohrschelle (Schelle)
27 das Absperrventil
28 der Gasmesser (Gaszähler, *ugs.* die Gasuhr)
29 die Konsole
30 die Anschlußleitung;
31 die Treppenleiter:
32 die Sicherheitskette;
33-67 Werkzeuge *n* und Einzelteile *m* od. *n* zur Installation:
33 die Rundschere (Lochschere, eine Krummschere
34 das Auslaufventil (der Wasserhahn, Hahn, *nd.* Kran)
35 das Auslaufdoppelventil, mit Spezialdichtung *f*
36 das Standventil
37 das Schwenkventil
38 die Mischbatterie, für Kalt- und Warmwasser *n*
39 der Druckspüler
40 das Fitting (die Rohrverbindung)
41 der Geruchverschluß (Siphon)
42 die Gewindeschneidkluppe
43 die Stockschere, mit Hebelübersetzung *f*
44 der Stangenzirkel
45 das Locheisen
46 der Kornhammer
47 der Sickenstock
48 der Sickenhammer
49 die Benzinlötlampe
50 der gasbeheizte Lötkolben
51 der Rollgabelschlüssel [schwed. Form]
52 der Franzose, ein Schraubenschlüssel *m*
53 der Engländer
54 der Rohrabschneider
55 die Brennerzange (Reifenzange)
56 die Rohrzange (Blitzzange)
57 die Autozange
58 die Aufweitzange, für Bleirohr *n*
59 der Spülkasten:
60 der Schwimmer (die Schwimmerkugel)
61 das Spülleitungsventil
62 die Spülleitung
63 der Wasserzufluß
64 der Zughebel;
65-67 Gasgeräte *n*:
65 der Wandstrahler
66 der Durchlauferhitzer, ein Warmwasserbereiter *m*
67 der Radiator

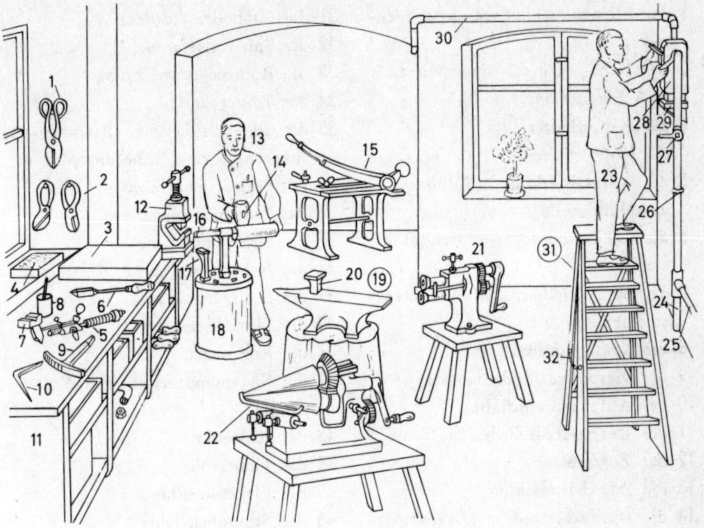

1
2
3
4
5
6
7
8
9
10
11
12
13
14
15
16
17
18
19
20
21
22
23
24
25
26
27
28
29
30
31
32

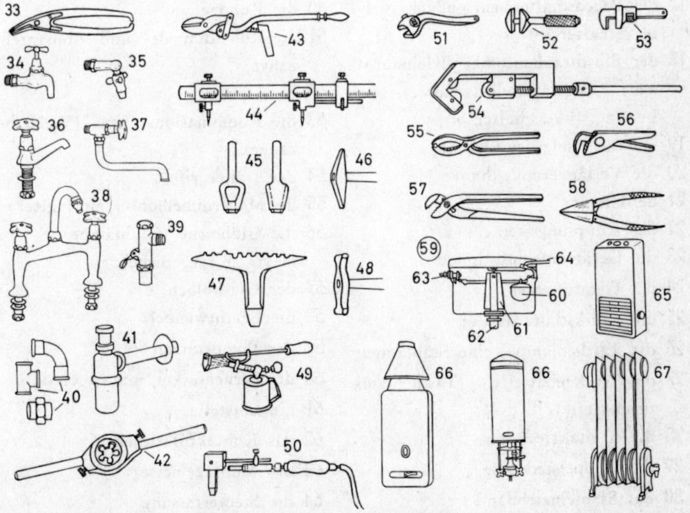

33
34
35
36
37
38
39
40
41
42
43
44
45
46
47
48
49
50
51
52
53
54
55
56
57
58
59
60
61
62
63
64
65
66
66
67

1 der Elektroinstallateur (*ugs.* Elektriker)
2 der Licht-, Klingel- oder Türtaster
3 u. 4 Schalter *m*:
3 der Kippschalter
4 der Wippschalter;
5 die Normalsteckdose (Wandanschlußdose)
6 die Schukosteckdose (Schutzkontaktsteckdose)
7 der Schukostecker (Schutzkontaktstecker)
8 die Kraftsteckdose
9 der vierpolige Steckereinsatz
10 der Aufputzdrehschalter
11 der Unterputzdrehschalter
12 der Zugschalter:
13 die Zugschalterschnur;
14 die Dreifachsteckdose (Dreiwegsteckdose)
15 die Feuchtraumdurchgangsdose (Anthygrondose), mit Klappdeckel *m*
16 der Dreifachstecker (Dreiwegstecker)
17 der Paccoschalter, ein gußgekapselter Schalter *m*
18 der Einschraubautomat (Kleinautomat, Überstromselbstschalter), ein Leitungsschutzschalter *m*:
19 der Sicherungsdruckknopf;
20 die Verlängerungsschnur:
21 der Stecker
22 der Kupplungsstecker;
23 die Geräteanschlußschnur:
24 der Gerätestecker
25 die Knickschutzspirale;
26 die Taschenlampe, eine Stablampe:
27 die Trockenbatterie (Taschenlampenbatterie)
28 die Kontaktfeder;
29 die Doppelsteckdose
30 das Stahleinziehband
31 die Fußbodensteckdose
32 die Spirituslötlampe
33 die Rohrbiegevorrichtung
34 das Isolierband
35 die Schmelzsicherung (Patronensicherung), eine Sicherungspatrone, mit Schmelzeinsatz *m*:
36 das Sicherungsblättchen
37 die Sicherungskappe
38 das Sicherungsgehäuse
39 der Sicherungssockel;
40 die Lüsterklemme
41 die Rohrmuffe
42 der Spannungsmesser (das Voltmeter)
43 das Kulorohr
44 das Isolierrohr
45 die Elektrikerschere
46 der Schraubenzieher
47 die Rohrbiegezange
48 die Gewindeschneidkluppe, für Panzerrohr *n*
49 die Kabelschere (Hebelschere)
50 die Rundzange
51 die Rohrschmiede- und Abmantelzange
52 die Ösenzange
53 die Kombinationszange (Vielfachzange):
54 der Isoliergriff;
55 der Mauerdübelbohrer, mit Halter *m*
56 die Glühbirne (Glühlampe, elektr. Birne, Birne):
57 der Glaskolben
58 die Leuchtwendel
59 der Pumpstutzen
60 der Birnensockel, mit Gewinde *n*
61 die Lötstelle
62 das Kontaktplättchen;
63 das Montagemesser
64 die Steckerfassung

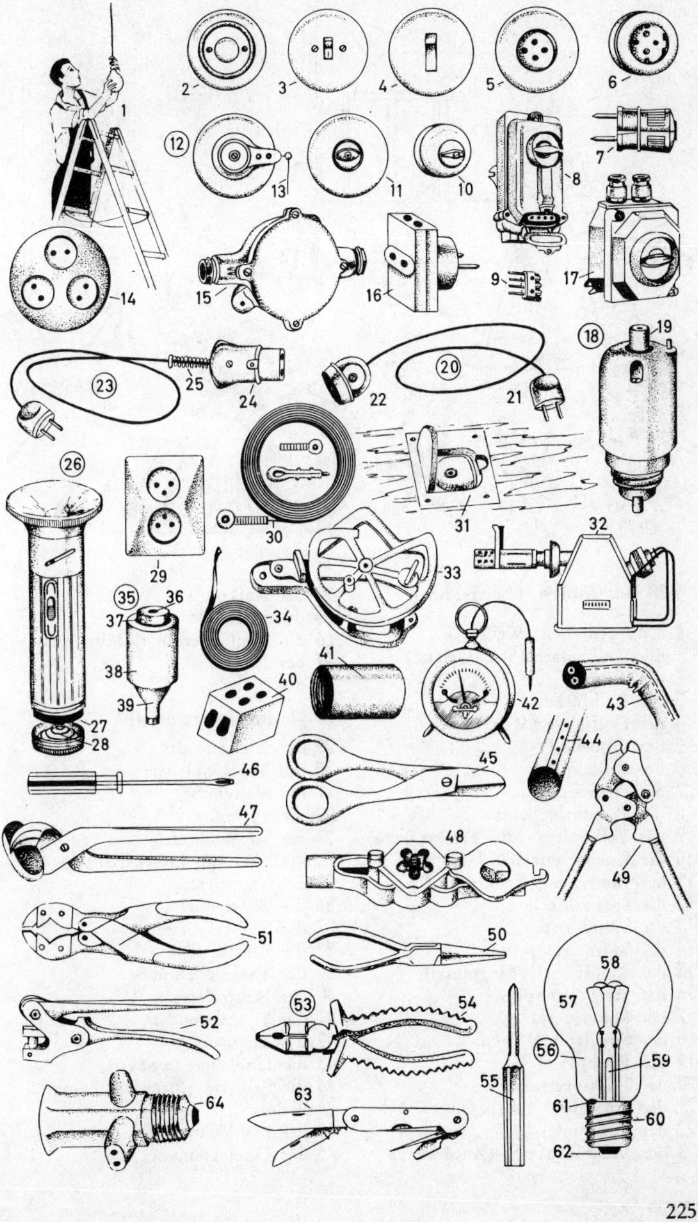
1
2
3
4
5
6
7
8
9
10
11
12
13
14
15
16
17
18
19
20
21
22
23
24
25
26
27
28
29
30
31
32
33
34
35
36
37
38
39
40
41
42
43
44
45
46
47
48
49
50
51
52
53
54
55
56
57
58
59
60
61
62
63
64

121 Maler und Tapezierer

1-28 das Malen (Anstreichen),

1-3 das Tünchen (Weißen):
1 die Weißbürste (Streichbürste)
2 der Tüncher
3 die Kalkfarbe;
4 die Laufleiter (Malerleiter)
5 der Ölsockel
6 der Rollapparat
7 die Firniskanne
8 die Terpentinölkanne
9 das Farbpulver (die Trockenfarbe)
10 die Kanne, mit Lackfarbe *f*
11 der Eimer, mit Leimfarbe *f*
12 die Spritzpistole
13 die Stupsbürste
14 der Marmorierpinsel
15 der Rundpinsel (Ringpinsel)
16 der Heizkörperpinsel
17 der Maserpinsel
18 der Schriftpinsel
19 der Flachpinsel
20 der Dachsvertreiber
21 der Schlepper
22 der Tupfpinsel
23 der Vergoldepinsel (Anschießer)
24 der Kalkpinsel
25 die Schablone
26 die Schablonenrolle (Musterrolle)
27 der Farbkübel
28 der Maler;

29-41 das Tapezieren:

29 der Kleistertopf
30 der Tapetenkleister
31 die Makulatur
32 die Tapete
33 die Tapetenleiste
34 die Fußleiste (Scheuerleiste)
35 der Tapezierer
36 die Tapetenbahn
37 die Kleisterbürste
38 die Glättscheibe
39 der Tapezierhammer
40 der Nahtroller
41 der Tapezierbock;
42 das Linoleum
43 die Linoleumunterlage
44 die Feltbase [Stragula, Balatum, Bedola]
45 der Linoleumkitt
46 das Linoleummesser

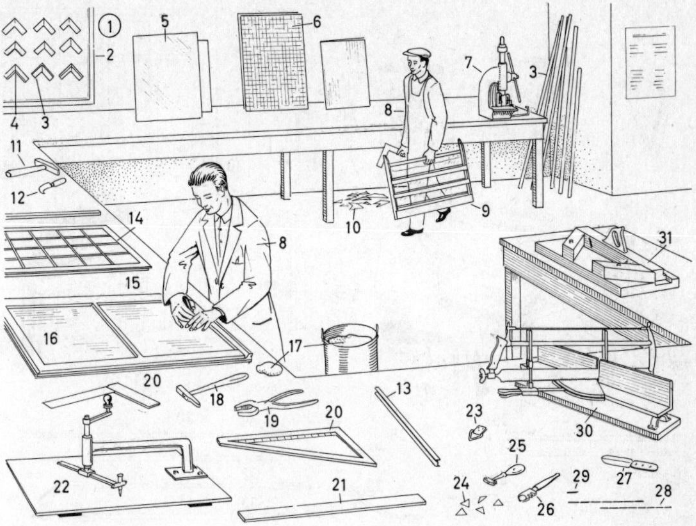

1 die Glaserwerkstatt:
2 die Leistenproben *f* (Rahmenproben)
3 die Leiste
4 die Gehrung
5 das Flachglas; *Arten:* Fensterglas, Mattglas, Musselinglas, Kristallspiegelglas, Dickglas, Milchglas, Verbundglas, Panzerglas (Sicherheitsglas)
6 das Gußglas; *Arten:* Kathedralglas, Ornamentglas, Rohglas, Butzenglas, Drahtglas, Linienglas
7 die Gehrungssprossenstanze
8 der Glaser; *Arten:* Bauglaser, Rahmenglaser, Kunstglaser
9 die Glastrage (der Glaserkasten)
10 die Glasscherbe
11 der Bleihammer
12 das Bleimesser
13 die Bleirute (Bleisprosse, der Bleisteg)
14 das Bleiglasfenster
15 der Arbeitstisch
16 die Glasscheibe (Glasplatte)
17 der Glaserkitt (Kitt)
18 der Stifthammer (Glaserhammer)
19 die Glaserzange (Glasbrechzange, Kröselzange)
20 der Schneidewinkel
21 das Schneidelineal (die Schneideleiste)
22 der Rundglasschneider (Zirkelschneider)
23 die Öse
24 die Glaserecke
25 u. 26 Glasschneider *m*:
25 der Glaserdiamant (Krösel), ein Diamantschneider *m*
26 der Stahlrad-Glasschneider;
27 das Kittmesser
28 der Stiftdraht
29 der Stift
30 die Gehrungssäge
31 die Gehrungsstoßlade (Stoßlade)

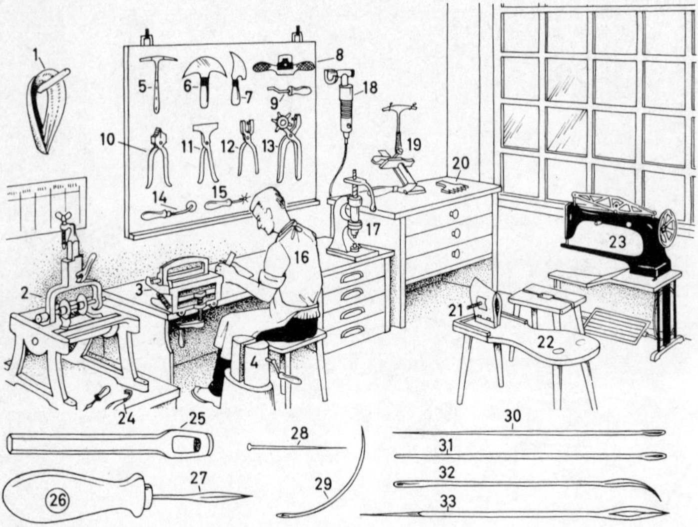

1-33 die Sattlerwerkstatt (Sattlerei):
1 das Kummetkissen (Kumtkissen)
2 die Reifelmaschine, zum Eindrükken *n* der Gürtelrinnen *f* (Reifeln *f*)
3 die Lederspalt- u. -schärfmaschine
4 der Kummetstock (Kumtstock)
5 der Sattlerhammer
6 das Halbmondmesser
7 das Viertelmondmesser
8 der Lederhobel
9 der Kantenzieher
10 die Lederzange
11 die Gurtspannerzange (der Gurtspanner)
12 die Ösenzange
13 die Revolverlochzange (Lochzange)
14 das Sattlerroulett
15 die Priquemaschine, zum Vorzeichnen *n* der Stiche *m*
16 der Sattler (Sattlermeister)
17 die Ösenmaschine
18 die elektr. Lederschneidemaschine
19 die Riemenschneidemaschine (der Riemenschneider)
20 das Handnäheisen
21 der Nähkloben
22 das Nähroß
23 die Sattler-Tretnähmaschine
24 das Falzeisen
25 das Locheisen
26 die Riemenahle (Rundahle, der Riemenpfriem):
27 das Ahleisen;
28-33 Sattlernadeln *f*:
28 die Anstecknadel (Feststecknadel, Augennadel)
29 die gebogene Nähnadel
30 die Garniernadel
31 die Riemernadel
32 die Aufnähnadel
33 die Einbindahle

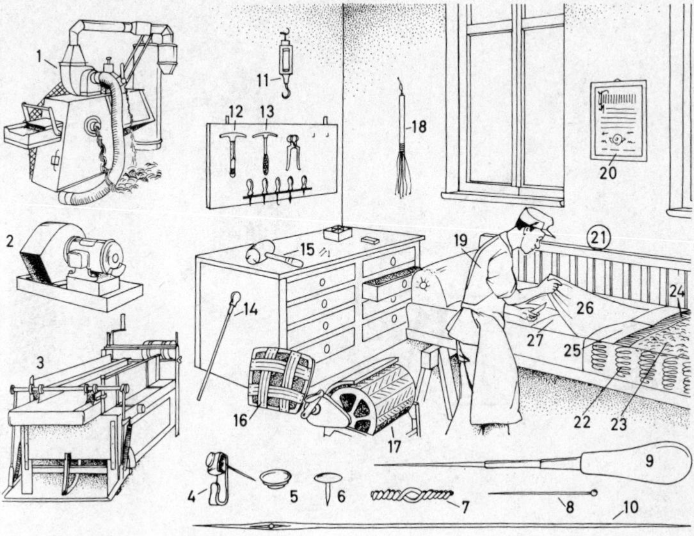

1-27 die Polsterwerkstatt:

1 die kombinierte Zupf-, Füll- und Strangaufdrehmaschine, mit Entstaubungsanlage *f*

2 der Tischzupfer (die Afrik- und Seegraszupfmaschine)

3 die Matratzenfüll- und -beziehmaschine

4 der X-Haken (Bilderhaken, Wandhaken)

5 der Polsterknopf

6 der Polsternagel (Ziernagel)

7 die Nähklammer

8 die Anstecknadel

9 die Spitzahle (der Spitzpfriem)

10 die Doppelspitznadel

11 der Roßhaarwirbel, zum Aufdrehen *n* der gesponnenen Roßhaarzöpfe *m*

12 der Gurthammer

13 der Polsterhammer

14 der Füllstock

15 der Abschlaghammer (Holzhammer)

16 der Gurt

17 die Handrupfmaschine

18 die Klopfpeitsche (der Ochsenziemer, die neunschwänzige Katze)

19 der Polstermeister (Möbelpolsterer, Polsterer)

20 der Meisterbrief

21 die Couch (Kautsch):

22 die Sprungfeder

23 das Polstermaterial (der Füllstoff; *Arten:* Roßhaar *n*, Seegras *n*, Kapok *m* oder Gummihaar *n*)

24 das Sackleinen

25 das Fassonleinen

26 der Couchbezugstoff

27 das quadratische Heftfeld

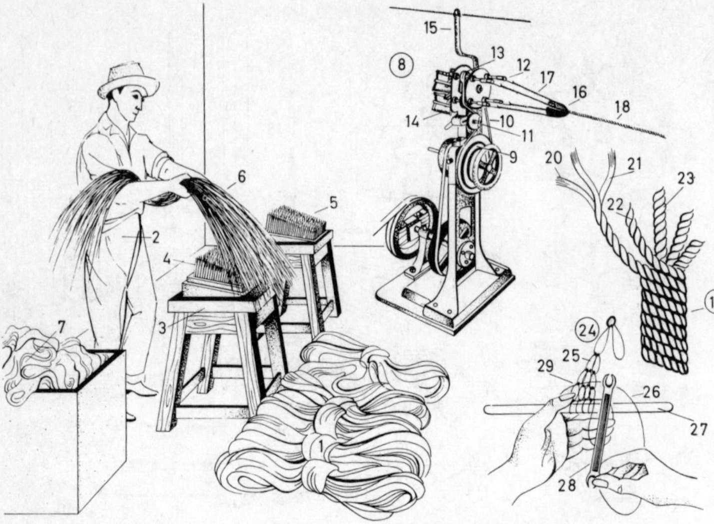

1-18 die Seilerei (Seilerbahn, Reeperbahn),
1-7 das Hecheln:
1 der Rohhanf
2 der Hechler
3 der Hechelbock
4 die Abzughechel (Grobhechel)
5 die Ausmachhechel (Feinhechel)
6 der Hechelhanf
7 das Werg (die Kolbe), von der Abzughechel; das Kernwerg (die Hede), von der Feinhechel;
8 die Seilereimaschine (Spinnmaschine), mit Viersatzhaken *m*:
9 die Schnurscheibe
10 die Antriebslitze
11 die Spannvorrichtung
12 der Spinnhaken
13 die Antriebsrollen *f*
14 die Spinnhakenrückzugfedern *f*
15 die Ausfahrvorrichtung
16 die Seillehre
17 die gesponnene Litze
18 das Seil (der Strick);
19 das Tau (Seil):
20 die Hanffaser
21 der Einzelfaden (Seilfaden)
22 die Litze
23 die Seele (der Mittelstrang);
24 das Netzstricken (Netzknüpfen):
25 die Schlinge (Schnur)
26 der Arbeitsfaden
27 das Strickholz (die Walze, der Stab)
28 die Netznadel (Schütznadel, Filetnadel)
29 der Netzknoten (Kreuzknoten, die Knüpfstelle)

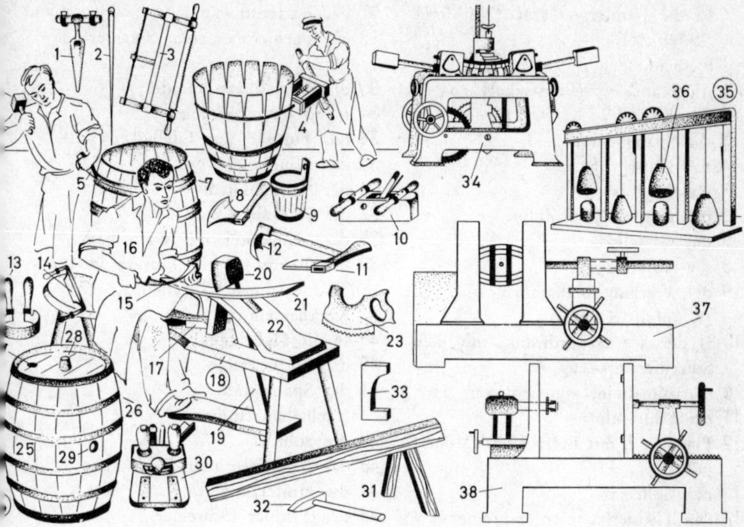

1-33 die Böttcherei:
1 der Spundbohrer (Stuhlbohrer, Ballbohrer)
2 der Kreuzvisierstab
3 die Schweifsäge
4 der Faßzieher (Faßzug)
5 das Treibholz (der Fausttreiber, Triebel)
6 der Reifsetzer
7 der Holzreifen (Binder)
8 das (die) Segerz (das Rundbeil)
9 die Gelte (der Wasserschöpfer)
10 der Zweimannhobel
11 das Klöbeisen (die Spaltklinge)
12 die Hohldechsel (die Mollenhaue)
13 der Rundschaber (Faßschaber)
14 u. 15 Schneidmesser *n* (Zugmesser *n*):
14 das Geradeisen
15 das Krummeisen;
16 der Böttcher (Weißbinder, Faßbinder, Binder, Schäffler, Büttner, Fäßler, Kübler; *in Weingegenden:* Großbinder, Schwarzbinder, Küfer)
17 das Bindermesser
18 die Schneidbank (Schnitzelbank):
19 die Sattelstange
20 der Sattelknopf
21 die Faßdaube (der Faßstab)
22 der Sattel;
23 die Gargelsäge
24 das Faß:
25 der Faßrumpf
26 das Faßband (der Faßreif)
27 das Zapfenloch
28 der Spund
29 das Spundloch;
30 der Gargelkamm (Gargelhobel, Gargelreißer, das Kröseeisen), zum Ziehen *n* der Nut (Kimme, Gargel, Kröse, Zarge) für den Faßboden
31 die Fügebank (Stoßbank)
32 der Küfersetzhammer
33 der Böttchermodel;
34-38 Faßfabrikationsmaschinen *f*:
34 die Daubenbiegemaschine
35 die Feuerglocke (Hitzehaube):
36 die Glocke (der Hut);
37 die Faßaushobelmaschine
38 die Faßkrösemaschine

1-65 die Tischlerwerkstatt (Tischlerei, Schreinerei),
1-8 Spannsägen *f*,
1 die Handsäge (Faustsäge):
2 der Knebel
3 die Spannschnur
4 der Handgriff
5 das Sägeblatt
6 die geschränkten Zähne *m*
7 das Gestell;
8 die Absetzsäge;
9 der Vierkantholzhammer (Klüpfel, Klöpfel)
10-31 der Werkzeugschrank, mit dem Schreinerwerkzeug *n*:
10 der Bimsstein, zum Polieren *n*
11 der Schleifklotz
12 Flaschen *f*, mit Beize *f* und Möbelpolitur *f*
13 das Gehrmaß
14 der Tischlerhammer (Schreinerhammer, Bankhammer)
15 der Tischlerwinkel, ein Anschlagwinkel *m*;
16-18 Bohrereinsätze *m*:
16 der Krauskopf (Versenker, Ausreiber, Aufreiber)
17 der Schneckenbohrer (Spiralbohrer)
18 der Zentrumsbohrer;
19 der Nagelbohrer (Spitzbohrer)
20 das Streichmaß, zum Anzeichnen *n* paralleler Linien *f*
21 die Kneifzange (Beißzange, Nagelzange, Kneipzange)
22 die Bohrwinde (Brustleier, Faustleier):
23 die Knarre, ein Gesperre *n*
24 das Spannfutter;
25 das Stechzeug
26 die Sägefeile, eine Dreikantfeile
27 die Stichsäge (Lochsäge):
28 der Fuchsschwanzgriff;
29 die Holzfeile
30 die Holzraspel
31 der Rattenschwanz;
32 der Furnierbock, eine Furnierpresse:
33 die verstellbare Spindel;
34 u. 35 das Sperrholz:
34 das Furnier, aus Edelholz *n*
35 das Blindholz;
36 der Schraubknecht
37 die Schraubzwinge
38 der Leimkessel, mit Wasserbad *n*
39 der Leimtopf, ein Einsatz *m* für Tischlerleim *m* (Tafelleim, Knochenleim)
40-44 die Hobelbank:
40 die Vorderzange
41 der Spannstock (Hobelbankschlüssel)
42 die Spindel
43 das Bankeisen (der Bankhaken)
44 die Hinterzange;
45 der Tischler (Schreiner)
46 die Rauhbank (der Langhobel)
47 die Hobelspäne *m*
48 die Holzschraube
49 das Schränkeisen (der Sägensetzer)
50 die Schneidelade (Gehrungslade)
51 der Fuchsschwanz, eine Rückensäge;
52-61 Handhobel *m*:
52 der Schlichthobel
53 der Schropphobel (Schrupphobel, Doppelhobel)
54 der Zahnhobel:
55 die Nase
56 der Keil
57 das Hobeleisen (Hobelmesser)
58 der Kasten;
59 der Simshobel
60 der Grundhobel
61 der Schabhobel;
62 der Stechbeitel (das Stemmeisen)
63 der Lochbeitel (das Locheisen)
64 der Hohlbeitel (das Hohleisen)
65 der Kantbeitel

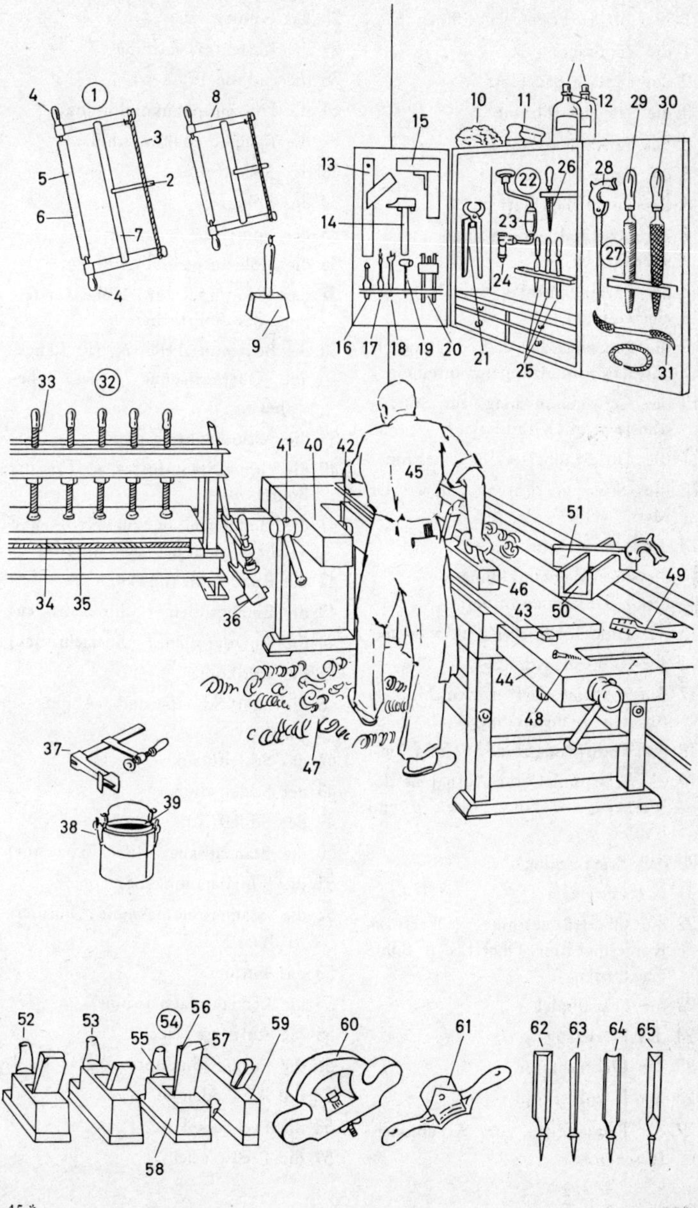
1
2
3
4
5
6
7
8
9
10
11
12
13
14
15
16
17
18
19
20
21
22
23
24
25
26
27
28
29
30
31
32
33
34
35
36
37
38
39
40
41
42
43
44
45
46
47
48
49
50
51
52
53
54
55
56
57
58
59
60
61
62
63
64
65

1-59 Holzbearbeitungsmaschinen *f*,
1 die Bandsäge:
2 das endlose Sägeblatt
3 die Sägeblattführung
4 der Anschlag;
5 die Kreissäge:
6 das runde Sägeblatt
7 der Spaltkeil, eine Schutzvorrichtung
8 der Parallelanschlag, mit Feineinstellung *f*
9 die Führungsschiene, f. d. Parallelanschlag mit Millimetereinteilung *f*
10 der Gehrungsanschlag, für Schrägschnitt *m* mit Gradskala *f*;
11 die Abrichthobel- u. Fügemaschine:
12 die Schutzvorrichtung, über der Messerwelle
13 die Abrichttische *m*;
14 die Dickenhobelmaschine (*früh.* Dicktenmaschine):
15 der Dickentisch, mit Tischwalzen *f*
16 der Rückschlagschutz
17 der Späneauswurf u. Anschluß *m* für den Späneabsauger;
18 die Tischfräsmaschine (Tischfräse):
19 die Frässpindel, zur Aufnahme der Werkzeuge *n* zum Fräsen *n* und Kehlen *n*
20 der Fräsanschlag
21 das Oberlager;
22 die Oberfräsmaschine (Oberfräse, Kopiermaschine, Oberfräs- u. Bohrmaschine):
23 die Frässpindel
24 das Werkzeug
25 der Elektromotor
26 der Revolverkopf
27 der Kopierstift, zum Schablonenfräsen *n*
28 das Schutzgitter;
29 die Kettenfräsmaschine:
30 die endlose Fräskette
31 die Holzeinspannvorrichtung;
32 die Langloch-Bohrmaschine:
33 das Spannfutter
34 der Bohrer
35 der Bohrtisch
36 die Holzeinspannvorrichtung
37 das Handrad, zur Höhenverstellung des Bohrtisches *m*
38 die Bedienungshebel *m*, für Längs- und Querbewegung *f* des Bohrtisches *m*;
39 die Astlochbohrmaschine:
40 die Schnellspannfutter *n*, für die Bohrer *m*
41 die Handhebel *m*, zur Hoch- und Tiefbewegung der Bohrspindel;
42 die Rundstabfräsmaschine:
43 die Einzugrollen *f* (Einziehrollen)
44 die Auszugrollen *f* (Ausziehrollen)
45 der Fräskopf;
46 die Band-Schleif- und -Abputzmaschine:
47 das Schleifband
48 der Schleifschuh
49 der Schleiftisch
50 der Staubabsauger (der Exhaustor)
51 die Schleifstaubhaube;
52 die Stammschälmaschine (Furnierschälmaschine):
53 das Furnier;
54 die Leimauftragmaschine:
55 die Auftragwalze;
56 die Furnierschnellpresse:
57 die Preßböden *m*
58 die Preßdeckel *m*
59 die Preßspindeln *f*

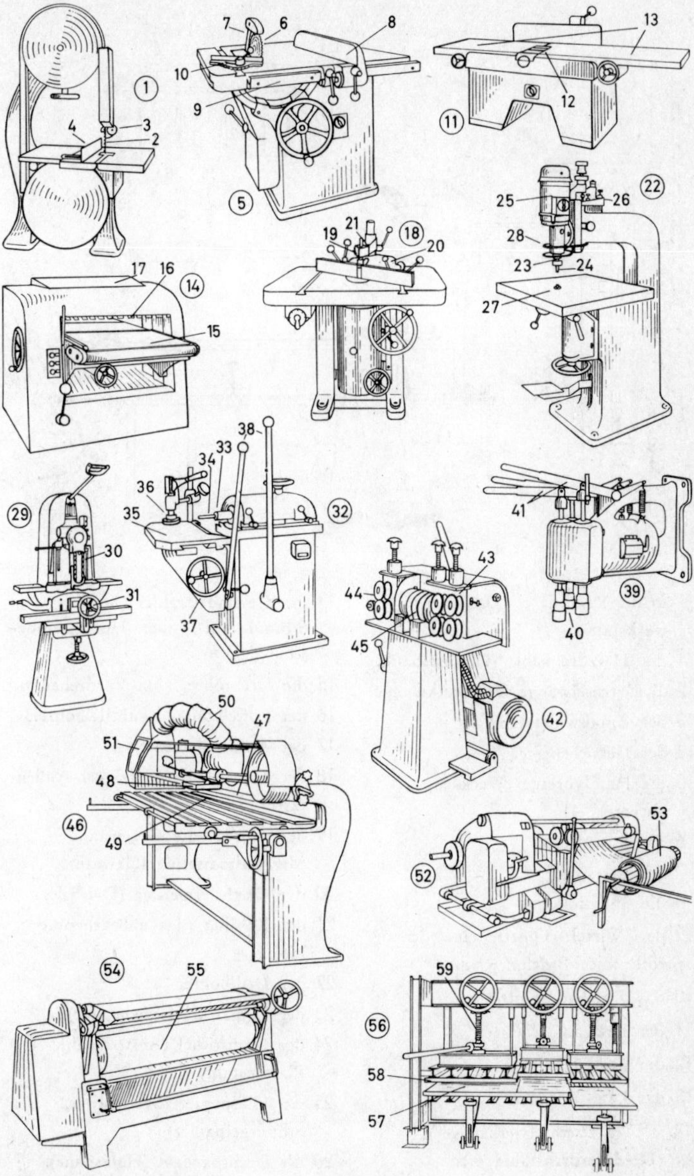
1
2
3
4
5
6
7
8
9
10
11
12
13
14
15
16
17
18
19
20
21
22
23
24
25
26
27
28
29
30
31
32
33
34
35
36
37
38
39
40
41
42
43
44
45
46
47
48
49
50
51
52
53
54
55
56
57
58
59

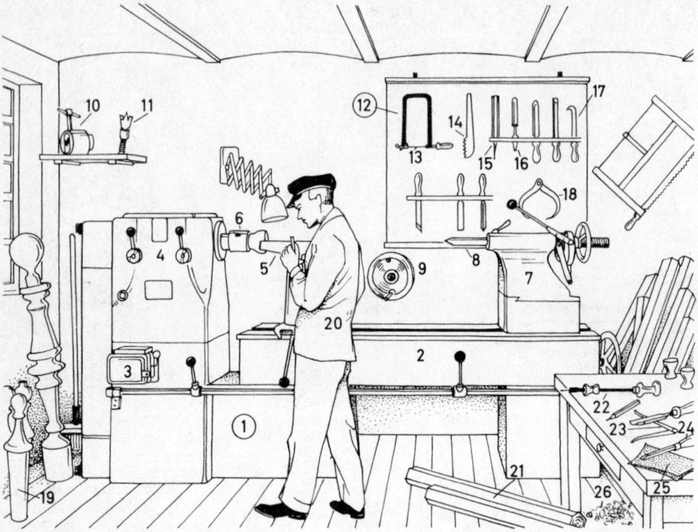

1-26 die Drechslerei (Drechslerwerkstatt),

1 die Holzdrehbank (Drechselbank):

2 die Drechselwange (Drehbankwange)

3 der Anlaßwiderstand

4 der Getriebekasten

5 die Handvorlage (Werkzeugauflage)

6 das Spundfutter

7 der Reitstock

8 die Spitzdocke

9 der Wirtel (Quirl), eine Schnurrolle mit Mitnehmer *m*

10 das Zweibackenfutter

11 der Dreizack (Zwirl);

12 die Laubsäge:

13 das Laubsägeblatt;

14, 15, 24 Drechselwerkzeuge *n* (Drechslerdrehstähle *m*):

14 der Gewindesträhler (Strähler, Schraubstahl), zum Holzgewindeschneiden *n*

15 die Drehröhre, zum Vordrehen *n*

16 der Löffelbohrer (Parallelbohrer)

17 der Ausdrehhaken

18 der Tastzirkel (Greifzirkel, Außentaster)

19 der gedrechselte Gegenstand (die gedrechselte Holzware)

20 der Drechslermeister (Drechsler)

21 der Rohling (das unbearbeitete Holz)

22 der Drillbohrer

23 der Lochzirkel (Innentaster)

24 der Grabstichel (Abstechstahl, Plattenstahl)

25 das Glaspapier (Sandpapier, Schmirgelpapier)

26 die Drehspäne *m* (Holzspäne)

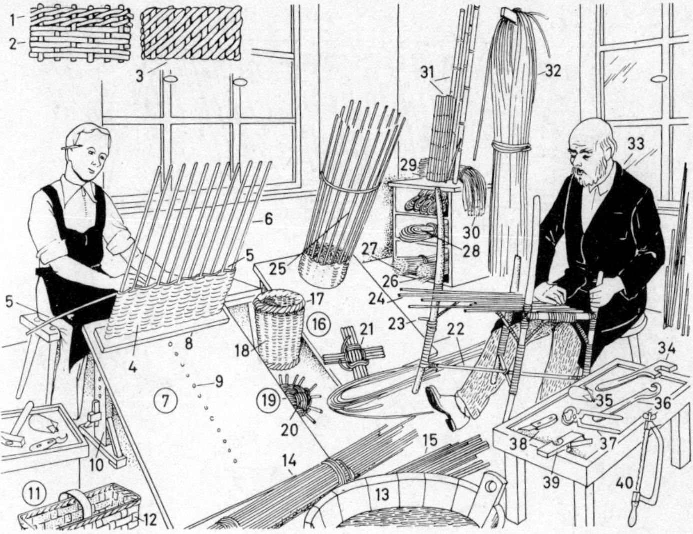

1-40 die Korbmacherei (Korbflechterei),
1-4 Flechtarten *f*:
1 das Drehergeflecht
2 das Köpergeflecht
3 das Schichtgeflecht
4 das einfache Geflecht, ein Flechtwerk *n*;
5 der Einschlag
6 die Stake
7 das Werkbrett:
8 die Querleiste
9 das Einsteckloch;
10 der Bock
11 der Spankorb:
12 der Span;
13 der Einweichbottich
14 die Weidenruten *f* (Ruten)
15 die Weidenstöcke *m* (Stöcke)
16 der Korb, eine Flechtarbeit:
17 der Zuschlag (Abschluß)
18 das Seitengeflecht;
19 der Bodenstern:
20 das Bodengeflecht;
21 das Bodenkreuz
22-24 die Gestellarbeit:
22 das Gestell
23 der Splitt
24 die Schiene;
25 das Gerüst
26 das Gras; *Arten:* Espartogras, Alfagras (Halfagras)
27 das Schilf (Rohrkolbenschilf)
28 die Binse (Chinabinsenschnur)
29 der Raffiabast (Bast)
30 das Stroh
31 das Bambusrohr
32 das Peddigrohr (span. Rohr, der Rotang)
33 der Korbmacher (Korbflechter)
34 das Biegeeisen
35 der Reißer
36 das Klopfeisen
37 die Beißzange
38 das Putzmesser (der Ausstecher)
39 der Schienenhobel
40 die Bogensäge

131 Stellmacher

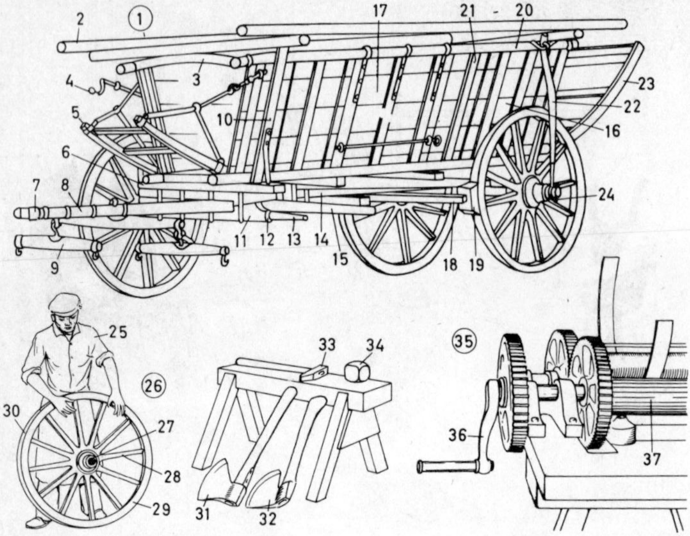

1 der Ackerwagen mit Ernteaufbau *m*:
2 das Ladegerüst
3 das Querscheit (die Spange, der Sparren)
4 die Bremskurbel zum Anziehen *n* der Bremse
5 die Schoßkelle
6 der Reibschemel
7 die Achsschere (der Deichselarm)
8 u. 9 das Geschirr:
8 die Waage (das Waagscheit)
9 das Ortscheit (Zugscheit);
10 die Runge
11 die Achse
12 die Stoßscheibe
13 der Achsschenkel
14 der Langbaum
15 das Reibscheit (Drehscheit)
16 die Kastenwand
17 die Kastenwandklappe
18 der Bremsbaum (Bremsstock)
19 der Bremsklotz
20 u. 21 die Rüstleiter:
20 der Leiterbaum
21 die Sprosse;
22 die Rungenstütze (Lisse)
23 die Lattenstütze (hintere Schoßkelle)
24 der Vorstecker (Achsnagel, die Lünse);
25 der Stellmacher (Wagenbauer, *südd.* Wagner)
26 das Wagenrad (Rad):
27 die Nabe
28 die Speiche (Radspeiche, der Arm)
29 der Radkranz (Felgenkranz)
30 der Radreifen;
31 das Stockbeil (die Stockhacke)
32 das Richtbeil (die Rundhacke)
33 der Sensenhammer, zum Dengeln *n* (Sensendengeln)
34 der Sensenamboß
35 die Biegemaschine, zum Formen *n* der Reifen *m*:
36 die Handkurbel
37 die Vorschubwalze (Transportwalze)

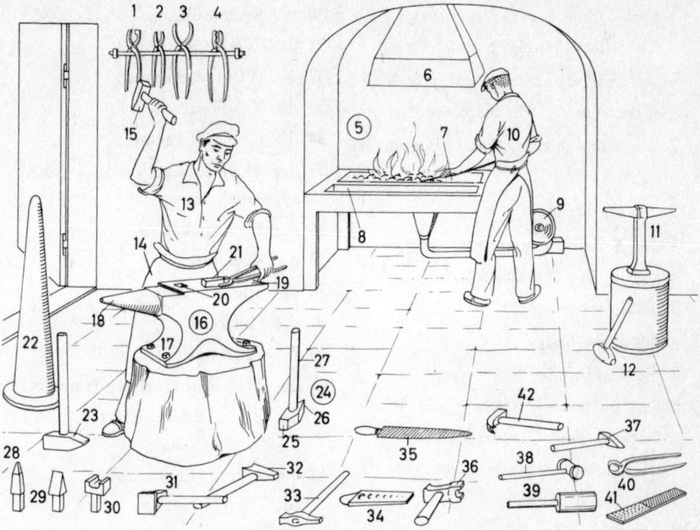

1-42 die handwerkliche Schmiede,
1-4 die Schmiedezangen *f*:
1 die Hakenzange
2 die Stockzange (Feuerzange)
3 die Zufaßzange
4 die Wolfsmaulzange;
5 die Schmiedeesse (Esse, der Schmiedeherd, die Feuerstelle):
6 der Rauchabzug (Rauchfang, die Rauchhaube)
7 die Feuerschüssel
8 das Wasserbecken (der Wasserkasten)
9 das Gebläse, mit elektrischem Motor *m*;
10 der Schmiedemeister, ein Grobschmied *m* (Schmied)
11 das Sperrhorn
12 der Döpper (Nietkopfsetzer, Nietensetzer)
13 der Zuschläger, ein Schmiedegeselle *m*
14 das Schurzfell (der Lederschurz)
15 der Schmiedehammer (Fausthammer)
16 der Amboß:
17 der Amboßfuß
18 das Horn
19 die gehärtete Bahn
20 das Loch, für die Amboßeinsätze *m*;
21 das Schmiedestück
22 das Ringhorn
23 der Vorschlaghammer (Zuschlaghammer, Vorhammer)
24 der Hammer, ein Kreuzschlaghammer *m*:
25 die gehärtete Bahn
26 die Pinne (Finne)
27 der Hammerstiel (Stiel, Helm);
28-30 die Amboßeinsätze *m*:
28 das Hörnchen (Spitzstöckel)
29 der Abschröter
30 das Untergesenk (Senkeisen);
31 der Schlichthammer (Setzhammer, das Setzeisen)
32 der Ballhammer (das Kerbeisen)
33 der Lochhammer (Stieldurchschlag)
34 das Locheisen (Nageleisen)
35 die Strohfeile (Packfeile, Schruppfeile, Armfeile), mit grobem Hieb *m*
36 das Obergesenk, zum Formgeben *n*
37 der Setzmeißel (Schrotmeißel, das Schrotbeil), ein Kaltmeißel *m* oder Warmmeißel *m*; *ähnl.*: der Nietenquetscher
38 der Hufschmiedehammer
39 der Schlegel
40 die Beschlagzange
41 die Hufraspel
42 der Beschlaghammer (Hufhammer)

133 Fabrikschmiede

1-61 Maschinen *f* für spanlose Metallbearbeitung *f*,
1 der Schlitzschmiedeofen, ein Vorwärmofen *n*, ein Flammenofen *n*:
2 der Lufterhitzer, mit Abgasen *n* beheizt
3 der Gasbrenner
4 die Arbeitsöffnung, zum Erwärmen *n* des Werkstückes *n*
5 die Luftleitung
6 der Luftschleier
7 die Gaszufuhr;
8 der Luftgesenkhammer, zur Bearbeitung von Gesenkschmiedestücken *n*:
9 der Elektromotor
10 der Schlagbär
11 der Fußsteuerhebel
12 der obere Schmiedesattel
13 der Bärführungskopf
14 der Bärzylinder
15 der untere Schmiedesattel;
16 der Riemenfallhammer:
17 die Scheibenkühlung
18 der Antriebskopf
19 der Ständer
20 der Bär
21 die Schabotte
22 der Schabotteneinsatz;
23 die hydraulische Schmiedepresse [bis 6000 t Preßdruck]:
24 die Hydraulik
25 der Kolben
26 das Querhaupt
27 der obere Schmiedesattel
28 der untere Schmiedesattel
29 die Schabotte (der Unteramboß)
30 die Säulenführung
31 das Werkstück
32 die Wendevorrichtung
33 die Krankette
34 die Kranaufhängung;
35 der elektrische Schnell-Gesenkschmiedehammer:
36 der Getriebekasten
37 die Kupplung
38 die Ständerplatte
39 die Hubkette
40 die Führungsleisten *f*
41 der Hammerbär (Bär, Hammer)
42 der obere Schmiedesattel (das Obergesenk)
43 der untere Schmiedesattel (das Untergesenk)
44 der Hammerständer
45 die Schabotte
46 der Fußkontakt, zur elektr.-pneumat. Steuerung
47 die Bärraste;
48 die dampfbetriebene Schmiedepresse
49 der Schmiedemanipulator (Manipulator), zur Bewegung des Werkstückes *n* beim Freiformschmieden *n*:
50 die Zange
51 das Gegengewicht;
52 der gasbeheizte Schmiedeofen:
53 der Gasbrenner
54 die Arbeitsöffnung
55 der Kettenschleier
56 die Aufzugstür
57 die Heißluftleitung
58 der Luftvorwärmer
59 die Gaszufuhr
60 die elektromotorische Türaufzugsvorrichtung
61 der Luftschleier

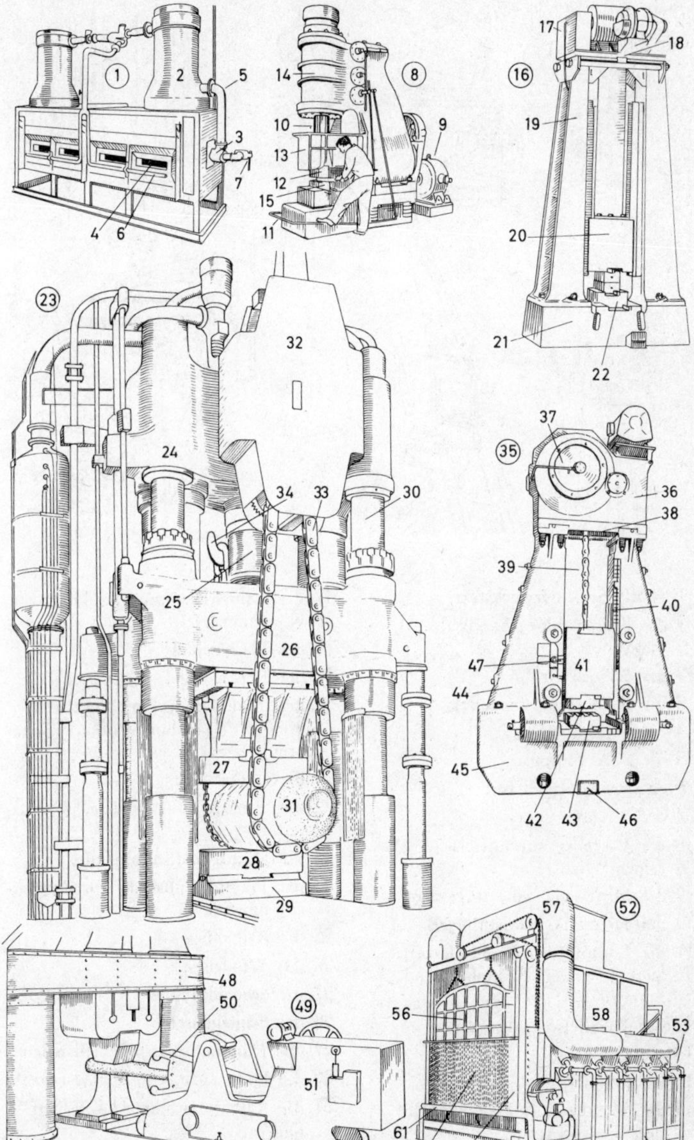
1
2
3
4
5
6
7
8
9
10
11
12
13
14
15
16
17
18
19
20
21
22
23
24
25
26
27
28
29
30
31
32
33
34
35
36
37
38
39
40
41
42
43
44
45
46
47
48
49
50
51
52
53
54
55
56
57
58
59
60
61

1-34 die Schlosserwerkstatt,
1 die Feilmaschine (Bandfeilmaschine):
2 das Späneblasrohr
3 die Feile (Hubbandfeile);
4 die Feldschmiede:
5 die Feuerschüssel
6 das Frischluftgebläse;
7 der Schlosser
8 die Vorfeile, mit mittelfeinem Hieb *m*
9 die Mittelsäge, eine Bügelsäge
10 der Dietrich (Nachschlüssel)
11 die Lochplatte (Gesenkplatte), zum Biegen *n*, Richten *n* und Stanzen *n*
12 der Parallelschraubstock:
13 die Backe
14 die Spindel;
15 die Werkbank (Feilbank, der Werktisch)
16 der Feilkloben
17 der Schlosserhammer (Bankhammer, Niethammer)
18 der Flachmeißel
19 der Kreuzmeißel (Spitzmeißel)
20 der Muffelofen, ein Werkbankofen *m* (Gasschmiedeofen, Härteofen):
21 die Gaszuführung;
22 die Rundfeile (Lochfeile, Radiusfeile)
23 die Flachfeile (Schlichtfeile)
24 der Flachschraubstock, ein Zangenschraubstock *m*
25 die Reibahle
26 das Windeisen
27 die Schneidkluppe
28 das Schneideisen
29 die Handbohrmaschine (Brustleier)
30 die Lochstanze, eine Hebelstanze
31 die Schleifmaschine (der Schleifbock):
32 die Polierscheibe (Läppscheibe)

33 die Schutzhaube
34 die Schleifscheibe (Schmirgelscheibe);
35 das Türschloß, ein Einsteckschloß *n*:
36 die Grundplatte (das Schloßblech)
37 die Falle
38 die Zuhaltung
39 der Riegel
40 das Schlüsselloch
41 der Führungszapfen, für den Riegel
42 die Zuhaltungsfeder, eine Bandfeder
43 die Nuß, mit Vierkantloch *n*;
44 der Schlüssel:
45 der Griff (die Räute)
46 der Schaft (Halm)
47 der Schlüsselbart (Bart);
48 das Zylinderschloß (Sicherheitsschloß):
49 der Zylinder
50 die Feder
51 der Arretierstift;
52 der Sicherheitsschlüssel, ein Flachschlüssel *m*
53 die Schublehre (Schieblehre, Meßkluppe)
54 das Tiefenmaß (die Tiefenlehre):
55 der Nonius;
56 das Langband
57 das Scharnierband
58 das Winkelband
59 das Werkstück
60 die Blechfolie
61 das Schnittwerkzeug
62 die Fühlerlehre (Dicktenschablone, der Spion)
63 die Lochlehre
64 der Gewindebohrer
65 die Gewindebacken *f*
66 der Schraubenzieher
67 der Schaber
68 der Körner
69 der Durchschlag (Durchschläger)
70 die Flachzange, eine Drahtzange
71 der Hebelvorschneider
72 die Brennerzange
73 der Vorschneider

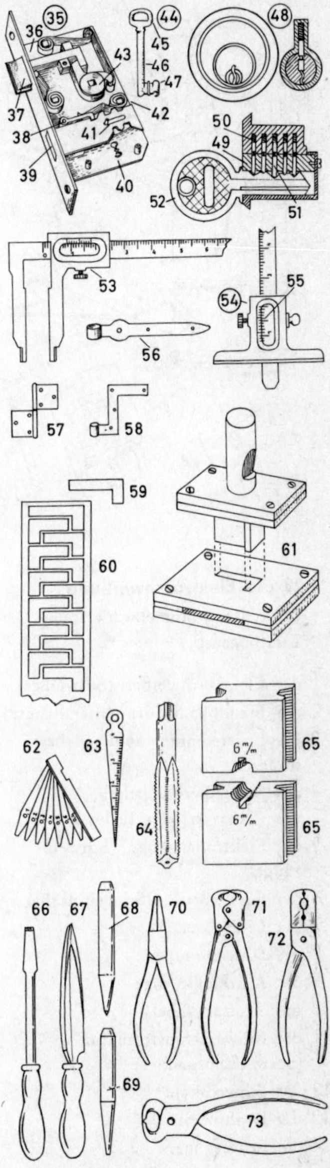

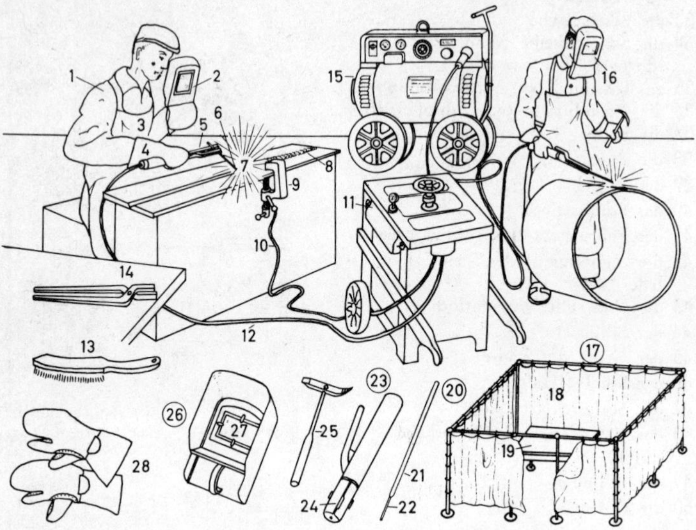

1-28 die Elektroschweißung (elektrische Schmelzschweißung, Lichtbogenschweißung):

1 der Elektroschweißer (Schweißer)
2 der Handblendschirm (Blendschutz)
3 die Lederschürze; *ähnl.:* Asbestschürze
4 der Schweißerhandschuh, aus Asbest *m* oder Leder *n*
5 die Elektrodenzange (Schweißzange)
6 der Schweißstab (Schweißdraht)
7 der Lichtbogen
8 die Schweißraupe
9 die Anschlußzwinge
10 das Kontaktkabel
11 der Schweißtransformator (Schweißumspanner)
12 das Schweißkabel
13 die Drahtbürste
14 die Feuerzange
15 der Schweißumformer (das Schweißaggregat)
16 der Kopfblendschirm (die Kopfblende)
17 das Schweißzelt:
18 der Schweißvorhang
19 der Schweißtisch;
20 die Elektrode:
21 die Ummantelung
22 der Schweißdraht;
23 der Elektrodenhalter, mit Kunststoffgriff *m*:
24 die Elektrodenaufnahme;
25 der Pickhammer (Meißelhammer)
26 der Handblendschirm:
27 das Blendglas;
28 die Schweißerschutzhandschuhe *m*;

29-64 die Autogenschweißung (Gasschmelzschweißung),

29 der Azetylenentwickler (die Azetylen-Schweiß- und -Schneidanlage):

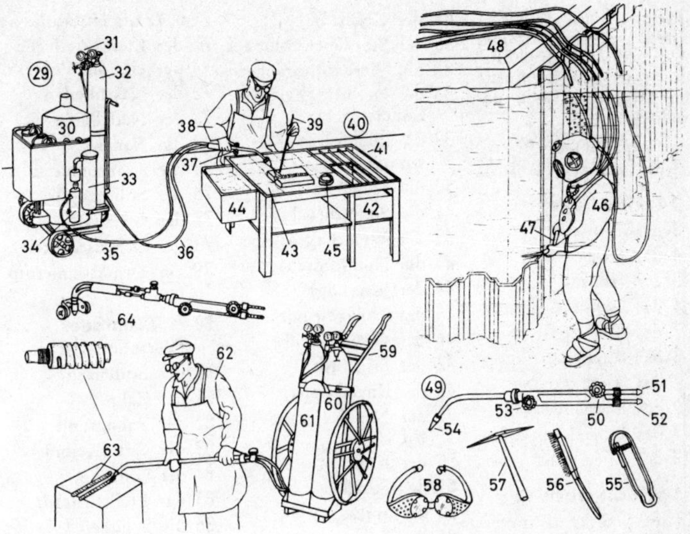

30 der Gasentwickler
31 das Druckminderventil (der Druckreduzierer)
32 die Sauerstoffflasche
33 der Gasreiniger
34 die Wasservorlage, ein Explosionsschutz *m* bei Flammenrückschlag *m*
35 der Gasschlauch
36 der Sauerstoffschlauch;
37 der Schweißbrenner
38 der Autogenschweißer (Gasschweißer)
39 der Schweißstab
40 der Schweißtisch:
41 der Schneidrost
42 der Schrottkasten
43 der Tischbelag, aus Schamottesteinen *m*
44 der Wasserkasten;
45 die Schweißpaste
46-48 das Unterwasserschweißen:
46 der Taucher
47 der Spezialschneidbrenner
48 die Schläuche *m* für Atemluft *f*, Brenngas *n* und Schutzgase *n*;
49 der Schweißbrenner:
50 das Sauerstoffventil
51 der Sauerstoffanschluß
52 der Brenngasanschluß
53 das Brenngasventil
54 das Schweißmundstück;
55 der Brenneranzünder
56 die Drahtbürste
57 der Schlackenhammer
58 die Schweißerbrille
59 der Flaschenwagen
60 die Azetylenflasche
61 die Sauerstoffflasche
62 der Sauerstoffhobler (Flämmer)
63 das Werkstück
64 der Schweißbrenner, mit Schneidsatz *m* und Brennerführungswagen *m*

[Herstellungsmaterial: Eisen, Stahl, Messing, Aluminium, Kunststoff usw.; als Beispiel wurde im folgenden Eisen gewählt]
1 das Winkeleisen:
2 der Schenkel (Flansch);

3-7 Eisenträger *m*,
3 das T-Eisen:
4 der Steg
5 der Flansch;
6 das Doppel-T-Eisen
7 das U-Eisen;
8 das Rundeisen
9 das Vierkanteisen
10 das Flacheisen
11 das Bandeisen
12 der Eisendraht

13-48 Schrauben *f*,
13 die Sechskantschraube:
14 der Kopf
15 der Schaft
16 das Gewinde
17 die Unterlegscheibe
18 die Sechskantmutter
19 der Splint
20 die Rundkuppe
21 die Schlüsselweite;
22 die Stiftschraube:
23 die Spitze
24 die Kronenmutter
25 das Splintloch;
26 die Senkschraube:
27 die Nase
28 die Gegenmutter (Kontermutter)
29 der Zapfen;
30 die Bundschraube:
31 der Schraubenbund
32 der Sprengring (Federring)
33 die Lochrundmutter, eine Stellmutter;
34 die Zylinderkopfschraube, eine Schlitzschraube:
35 der Kegelstift
36 der Schraubenschlitz;
37 die Vierkantschraube:
38 der Kerbstift, ein Zylinderstift *m*;
39 die Hammerkopfschraube:
40 die Flügelmutter;
41 die Steinschraube:
42 der Widerhaken;
43 die Holzschraube:
44 der Senkkopf
45 das Holzgewinde;
46 der Gewindestift:
47 der Stiftschlitz
48 die Kugelkuppe;
49 der Nagel (Drahtstift):
50 der Kopf
51 der Schaft
52 die Spitze;
53 der Dachpappenstift
54 die Nietung (Nietverbindung, Überlappung),
55-57 die Niete (der Niet):
55 der Setzkopf, ein Nietkopf *m*
56 der Nietenschaft
57 der Schließkopf;
58 die Nietteilung;

59 die Welle:
60 die Fase
61 der Zapfen
62 der Hals
63 der Sitz
64 die Keilnut
65 der Kegelsitz (Konus)
66 das Gewinde;

67 das Kugellager (Quertraglager, Traglager, Wälzlager):
68 die Stahlkugel
69 der Außenring
70 der Innenring;

71 u. 72 die Nutkeile *m*:
71 der Einlegekeil (Federkeil, die Feder)
72 der Nasenkeil;
73 der Nadelkäfig
74 die Nadel
75 die Kronenmutter
76 der Splint
77 das Gehäuse
78 der Gehäusedeckel
79 der Druckschmiernippel;

80-94 Zahnräder *n* (Verzahnungen *f*),
80 das Stufenrad:
81 der Zahn
82 der Zahngrund
83 die Nut (Keilnut)
84 die Bohrung;
85 das Pfeilstirnrad:
86 die Speichen *f*;
87 die Schrägverzahnung:
88 der Zahnkranz;
89 das Kegelrad
90 u. 91 die Spiralverzahnung:
90 das Ritzel
91 das Tellerrad;
92 das Planetengetriebe:
93 die Innenverzahnung
94 die Außenverzahnung;

95-105 Bremsen *f*,
95 die Backenbremse:
96 die Bremsscheibe
97 die Bremswelle
98 der Bremsklotz (die Bremsbacke)
99 die Zugstange
100 der Bremslüftmagnet
101 das Bremsgewicht;
102 die Bandbremse:
103 das Bremsband
104 der Bremsbelag
105 die Stellschraube, zur gleichmäßigen Lüftung

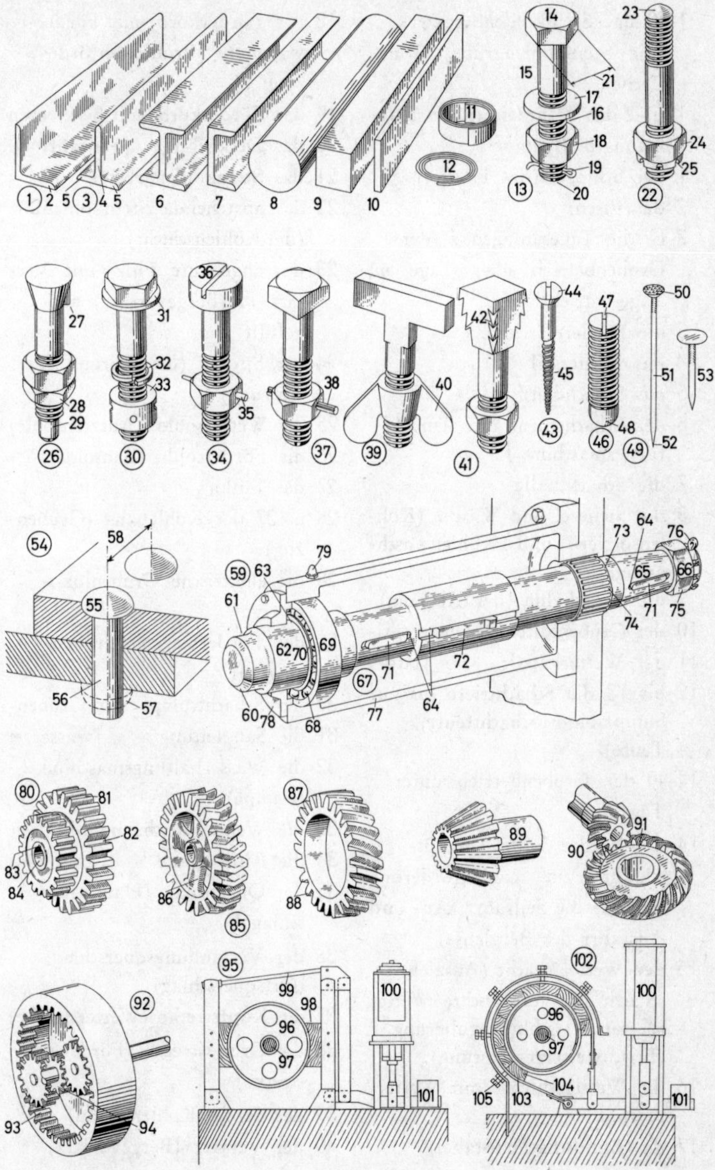
1 2 5 3 4 5 6 7 8 9 10 11 12 13 14 15 16 17 18 19 20 21 22 23 24 25
26 27 28 29 30 31 32 33 34 35 36 37 38 39 40 41 42 43 44 45 46 47 48 49 50 51 52 53
54 55 56 57 58 59 60 61 62 63 64 65 66 67 68 69 70 71 72 73 74 75 76 77 78 79
80 81 82 83 84 85 86 87 88 89 90 91
92 93 94 95 96 97 98 99 100 101 102 103 104 105

1-40 das Steinkohlenbergwerk (die Steinkohlengrube, Grube, Zeche),
1 u. 2 das Wahrzeichen des Bergmanns *m* (Kumpels):
1 der Schlägel (das Fäustel)
2 das Eisen;
3-11 die Tagesanlagen *f* (der Grubenbetrieb über Tage *m*, Tagesbetrieb):
3 die Fördermaschine
4 das Förderseil
5 das Schachtgerüst
6 der Schachtturm mit Turmfördermaschine *f*
7 die Schachthalle
8 die Sieberei und Wäsche (Kohlensortier- und Kohlenwaschanlage)
9 die Bergehalde (der Abraum)
10 der Grubenlüfter (Grubenventi-
11 der Wetterkanal; [lator)
12 bis 13 die Schachttiefe bis zur Sumpfsohle (Schachtteufe, Teufe)
14-40 der Grubenbetrieb unter Tage *m*:
14 der Förderschacht (Hauptschacht), zur Kohlenförderung und für die Seilfahrt (An- und Ausfahrt der Bergleute)
15 der Wetterschacht (Ausziehschacht für verbrauchte Wetter *n*), zur Frischluftregulierung (Frischwetterregulierung)
16 die Wetterschleuse mit Wettertüren *f*
17 der Blindschacht (Stapel)
18 der Förderkorb, mit Förderwagen *m* [Produktenförderung *f*]
19 der Förderkorb, mit Bergleuten
20 das Deckgebirge [Seilfahrt *f*]
21 das Steinkohlengebirge
22 das anstehende Steinkohlenflöz (die Kohlenschicht)
23 das abgebaute Flöz, mit Versatz *m* (Bergeversatz) aufgefüllt
24 der Sprung (die Störung, Verwerfung)
25 die Wettersohle (Ausziehsohle)
26 die Fördersohle (Bausohle)
27 das Füllort
28 u. 29 der Kohlenzug (Grubenzug):
28 die elektrische Grubenlokomotive
29 der Förderwagen (Grubenwagen);
30 der Schachtsumpf mit Gruben-
31 die Saugleitung [wasser *n*
32 die Wasserhaltungsmaschine (Pumpe)
33 die Wendelrutsche im Blind-
34 die Richtstrecke [schacht *m*
35 der Querschlag (Hauptquerschlag)
36 der Verbindungsquerschlag (Ortsquerschlag)
37 die Kopfstrecke (Wetterstrecke)
38 die Grundstrecke (Förderstrecke)
39 der Streb (Kohlenabbau)
40 der Versatz (Bergeversatz)

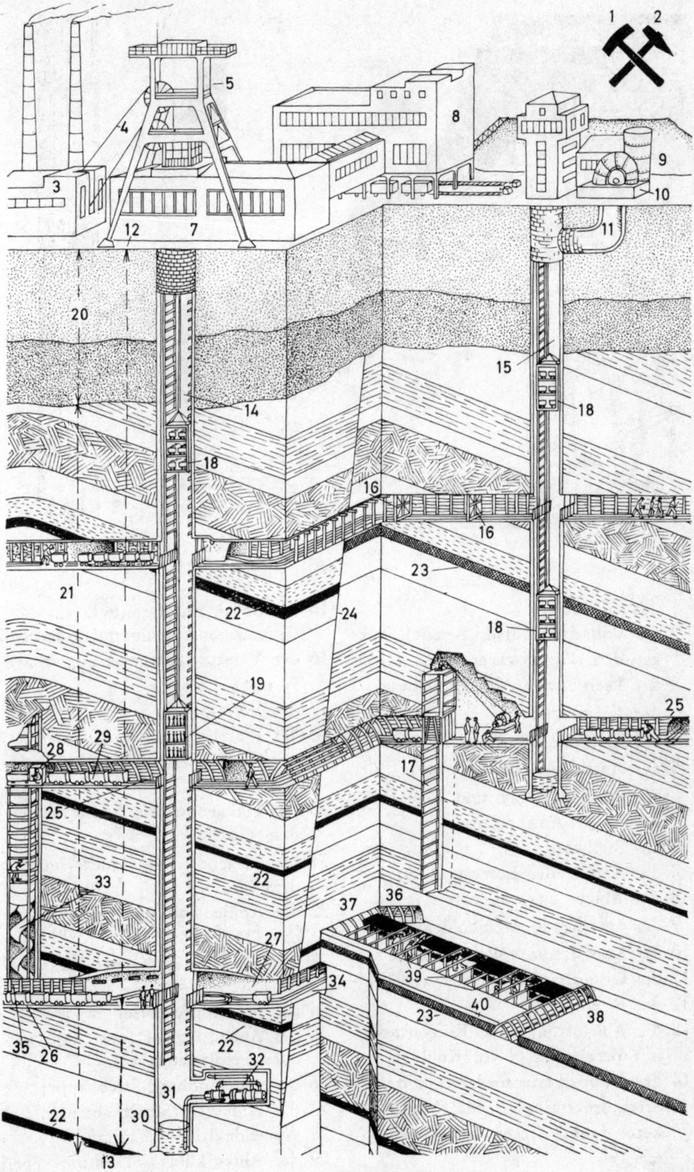
1
2
3
4
5
7
8
9
10
11
12
13
14
15
16
17
18
19
20
21
22
23
24
25
26
27
28
29
30
31
32
33
34
35
36
37
38
39
40

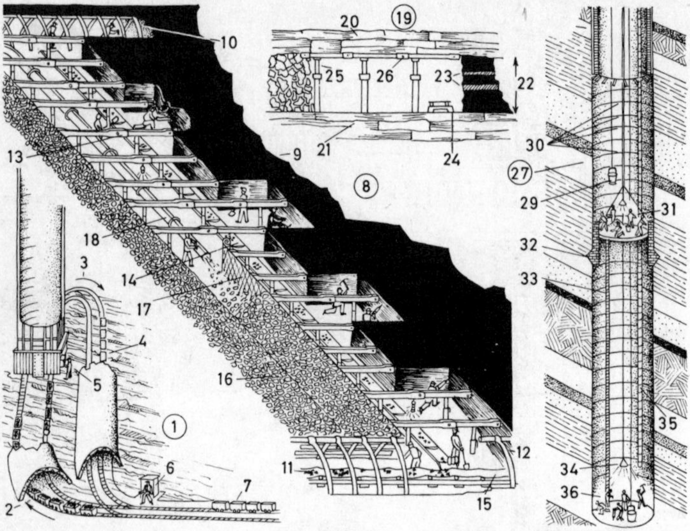

1 das Füllort:
2 die Vollseite (Aufschiebeseite), mit gefüllten Förderwagen *m*
3 der Leerumtrieb (die Umleitung der Leerwagen *m*)
4 die Leerseite, mit Leerwagen *m*
5 der Anschläger (Bergmann *m* für Wagenaufschiebung und Signalgebung = Anschlagen)
6 das Stellwerk
7 die Abfuhr der Leerwagen *m*;
8 der Abbau eines Flözes *n*:
9 das anstehende Steinkohlenflöz
10 die Kopfstrecke (Wetterstrecke)
11 die Grundstrecke (Förderstrecke)
12 der Streb
13 die Abbaufront (der Kohlenstoß), mit Bergleuten *pl* vor Kohle *f*
14 der Doppelkettenförderer, ein Strebfördermittel *n* mit Doppelkette *f* und Stegen *m* (Mitnehmern)
15 das Streckenfördermittel, ein Gummi- oder Kunststofförderband
16 der Versatz (Bergeversatz, Blasversatz)
17 der Versatzdraht
18 das Blasversatzrohr;
19 der Stempel mit stempelfreier Abbaufront *f*:
20 das Hangende (die Schicht über dem Flöz *n*)
21 das Liegende (die Schicht unter dem Flöz *n*)
22 der Kohlenstoß (die Abbaufront, das Flöz)
23 das Bergemittel (Gesteinsbänke *f* im Flöz *n*)
24 das Strebfördermittel
25 der Abbaustempel [aus Stahl *m* oder Leichtmetall *n*]
26 die vorpfändbare Strebkappe;
27 das Abteufen (Schachtabteufen):
28 der endgültige Schachtausbau
29 der Abteufkübel (Transportkübel)

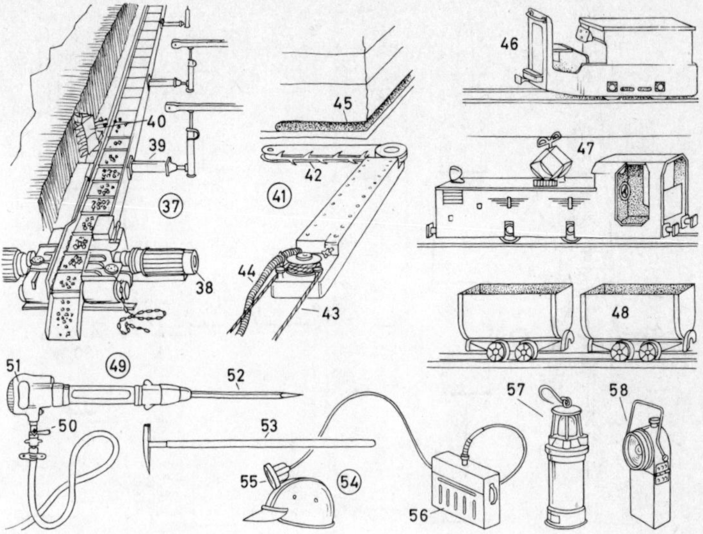

30 der Schachtring
31 die Schwebebühne
32 der Mauerfuß
33 die Notfahrte (Notleiter)
34 die Starkstromleuchte
35 die Wetterlutte, zur Bewetterung (Frischluftzuführung)
36 die Arbeiter *m* bei der Abteufarbeit;
37-53 Grubenmaschinen *f* und -geräte *n* (Gezähe *n*):
37 der Doppelstegkettenförderer
38 der Antrieb für Förderer *m* und Hobel *m* (Kohlenhobel)
39 der Rückzylinder, zum Rücken *n* des Förderers *m*
40 der Kohlenhobel;
41 die Schrämmaschine:
42 der Schrämarm mit Kette *f* und Schrämpicken *f*
43 die Schrämtrosse (das Zugseil)
44 der Druckluftschlauch (die Druckluftzufuhr)
45 der Schram (das Ausgeschrämte);
46 u. 47 elektr. Grubenlokomotiven *f*:
46 die Akkumulatorengrubenlokomotive (Akkulok)
47 die Fahrdrahtgrubenlokomotive (Fahrdrahtlok);
48 der Förderwagen
49 der Abbauhammer:
50 der Preßlufthahn (das Ventil)
51 der Griff
52 das Spitzeisen;
53 die Meterlatte des Steigers *m* (Steigerpicke, der Fahrstock);
54-58 Bergmannsausrüstung *f*,
54 der Grubenhelm [aus Kunststoff *m*]:
55 die Kopflampe
56 der Akku;
57 u. 58 Grubenlampen *f* (das Geleucht):
57 die Mannschaftslampe (Bergmannslampe)
58 die Beamtenlampe

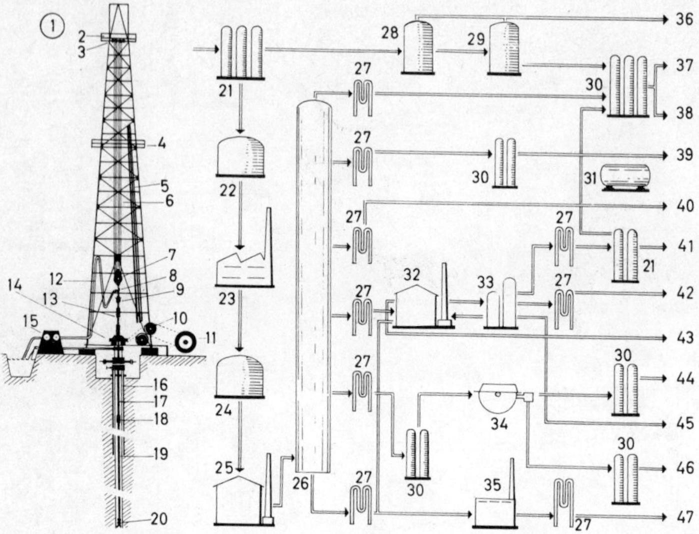

1-20 die Erdölbohrung,
1 der Bohrturm:
2 die Arbeitsbühne
3 die Turmrollen *f*
4 die Gestängebühne, eine Zwischenbühne
5 die Bohrrohre *f*
6 das Bohrseil
7 der Flaschenzug
8 der Zughaken
9 der Spülkopf
10 die Winde
11 die Antriebsmaschine
12 die Spülleitung
13 die Mitnehmerstange
14 der Drehtisch
15 die Spülpumpe
16 das Standrohr
17 das Bohrgestänge
18 das Bohrloch
19 die Verrohrung
20 der Bohrmeißel (Bohrer); *Arten:* Fischschwanzbohrer, Rollenbohrer, Kernbohrgerät *n*;
21-35 die Rohölverarbeitung (Erdölverarbeitung) [schematisch]:
21 der Gasabscheider
22 der Lagertank
23 die Pumpstation
24 der Raffinerielagertank
25 der Röhrenofen
26 der Fraktionierturm
27 der Kühler
28 Verarbeitung *f* von Erdgas *n* zu Benzin *n*
29 die Stabilisierungsanlage
30 die Reinigungsanlage
31 die Alkylierung (Verarbeitung der Krackgase *n* zu Benzin *n*)
32 der Röhrenofen
33 die Krackanlage
34 die Entparaffinierung

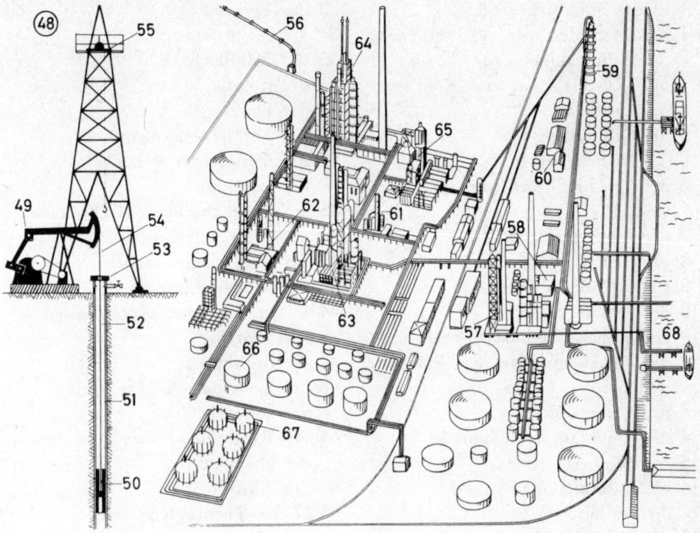

35 die Bitumenanlage;
36-47 Erdölerzeugnisse *n* (Erdölprodukte):
36 Heizgas *n*
37 Flugbenzin *n*
38 Vergaserkraftstoff *m*
39 Petroleum *n* (Leuchtöl)
40 leichtes Gasöl *n*
41 Kohlenwasserstoff-Gase *n*
42 Heizöl *n*
43 Dieselkraftstoff *m*
44 Schmieröl *n*
45 Koks *m*
46 Paraffin *n*
47 Bitumen *n*;
48-55 die Erdölgewinnung (Erdölförderung),
48 der Förderturm:
49 der Pumpenantriebsbock
50 die Tiefenpumpe
51 die Pumpensteigrohre *n*
52 das Pumpgestänge
53 die Stopfbüchse
54 die Polierstange
55 der Rollenblock;
56-67 die Erdölraffinerie (Ölraffinerie):
56 die Pipeline (Erdölleitung)
57 die Destillationsanlagen *f*
58 die Bitumenoxydation
59 die Benzinredestillation
60 die Schmierölraffinerie
61 die Girbotol- und Clausanlage
62 die Gastrennanlage
63 die katalytische Krackanlage
64 die katalytische Reformieranlage (der Hydroformer)
65 die Gasölentschwefelung (der Hydrofiner)
66 der Lagertank
67 der Kugeltank;
68 der Industriehafen; *hier:* Ölhafen *m*

1-19 die Hochofenanlage:
1 der Hochofen, ein Schachtofen *m*
2 der Schrägaufzug, für Erz *n* und Zuschläge *m* oder Koks *m*
3 die Laufkatze
4 die Gichtbühne
5 der Trichterkübel
6 der Verschlußkegel (die Gichtglocke)
7 der Hochofenschacht
8 die Reduktionszone
9 der Schlackenabfluß
10 der Schlackenkübel
11 der Roheisenabfluß (Eisenabstich)
12 die Roheisenpfanne, ein Pfannenwagen *m*
13 der Gichtgasabzug
14 der Staubfänger (Staubsack)
15 der Winderhitzer
16 die Luftzuleitung
17 die Gasleitung
18 die Heizwindleitung
19 die Windform;
20-62 das Stahlwerk,
20-29 der Siemens-Martin-Ofen:
20 die Roheisenpfanne
21 die Eingußrinne
22 der feststehende Ofen
23 der Ofenraum
24 die Beschickungsmaschine
25 die Schrottmulde
26 die Gasleitung
27 die Gasheizkammer
28 das Luftzufuhrrohr
29 die Luftheizkammer;
30 die Stahlgießpfanne, mit Stopfenverschluß *m* [Bodenentleerung *f*]
31 die Kokille, in Blockform *f*
32 der Stahlblock
33-43 die Masselgießmaschine:
33 das Eingießende
34 die Eisenrinne
35 das Kokillenband
36 die Kokille
37 der Laufsteg
38 die Abfallvorrichtung
39 die Massel (das Roheisen)
40 der Laufkran
41 die Roheisenpfanne (Gußpfanne), mit Obenentleerung *f*
42 der Gießpfannenschnabel
43 die Kippvorrichtung;
44-47 der Siemens-Elektro-Niederschachtofen:
44 die Begichtung
45 die Elektroden *f* [kreisförmig angeordnet]
46 die Ringleitung, zum Abziehen *n* der Ofengase *n*
47 der Abstich;
48-62 der Thomas-Konverter (die Thomas-Birne):
48 die Füllstellung, für flüssiges Roheisen *n*
49 die Füllstellung, für Kalk *m*
50 die Blasstellung (Arbeitsstellung)
51 die Ausgußstellung
52 die Kippvorrichtung
53 die Kranpfanne
54 der Hilfskranzug
55 der Kalkbunker
56 das Fallrohr
57 der Muldenwagen, mit Leichtschrott *m*
58 die Schrottzufuhr
59 der Steuerstand, mit Schalt- und Kontrollgeräten *n*
60 der Konverterkamin
61 das Blasluftzufuhrrohr
62 der Düsenboden

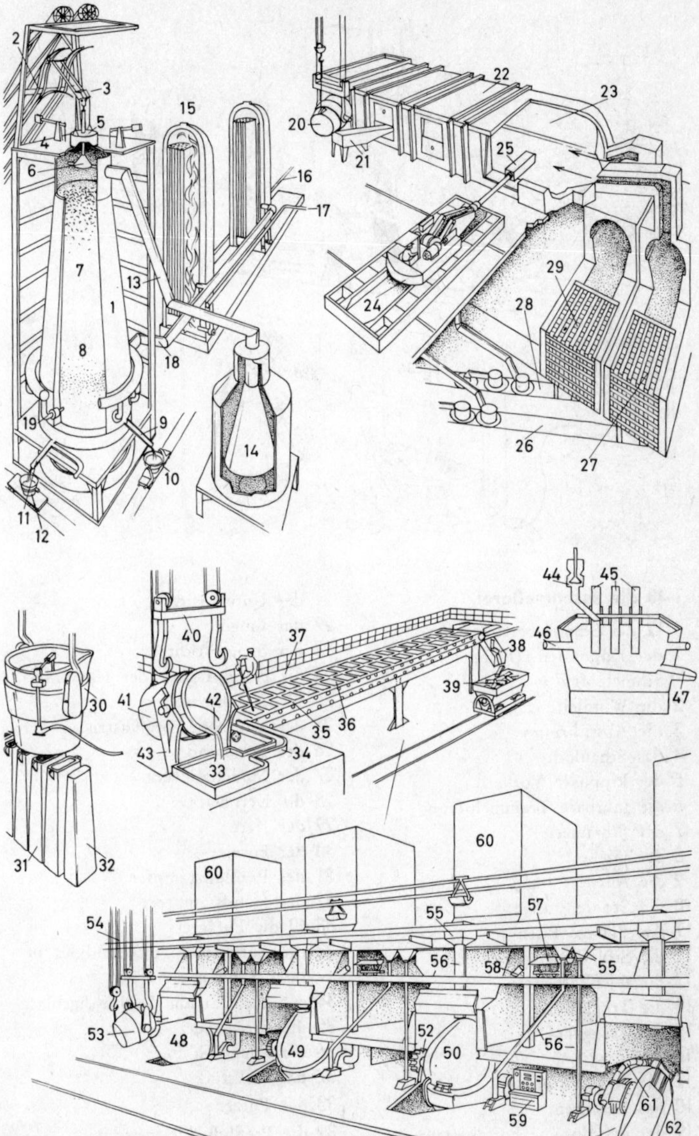
1
2
3
4
5
6
7
8
9
10
11
12
13
14
15
16
17
18
19
20
21
22
23
24
25
26
27
28
29
30
31
32
33
34
35
36
37
38
39
40
41
42
43
44
45
46
47
48
49
50
51
52
53
54
55
56
57
58
59
60
61
62

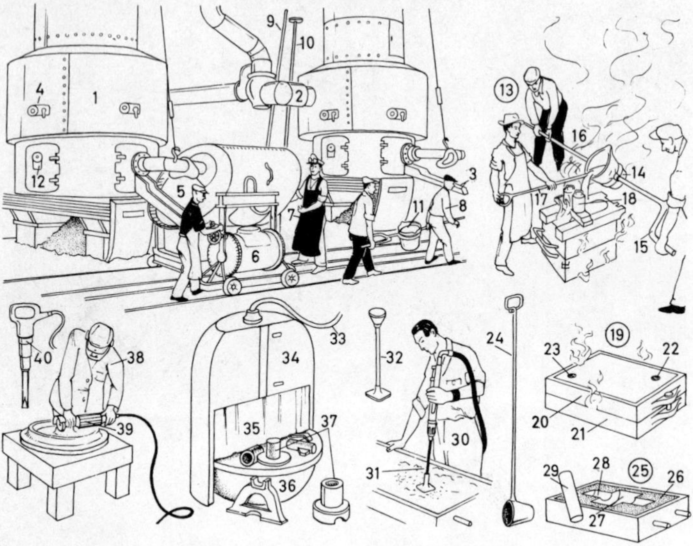

1-40 die Eisengießerei,

1-12 der Schmelzbetrieb:

1 der Kupolofen (Kuppelofen), ein Schmelzofen *m*

2 die Windleitung

3 die Abstichrinne

4 das Schauloch

5 der kippbare Vorherd

6 die fahrbare Trommelpfanne

7 der Schmelzer

8 der Gießer

9 die Abstichstange

10 die Stopfenstange

11 das flüssige Eisen

12 die Schlackenrinne;

13 die Gießkolonne:

14 die Tragpfanne

15 die Traggabel

16 der Tragstiel

17 der Krammstock

18 das Lasteisen;

19 der geschlossene Formkasten:

20 der Oberkasten

21 der Unterkasten

22 der Einguß

23 der Steigertrichter;

24 die Handpfanne (der Gießlöffel)

25-32 die Formerei,

25 der geöffnete Formkasten:

26 der Formsand

27 der Modellabdruck

28 die Kernmarke

29 der Kern;

30 der Former

31 der Preßluftstampfer

32 der Handstampfer;

33-40 die Putzerei:

33 die Zuführung von Stahlkies *m* oder Sand *m*

34 das automatische Drehtischgebläse

35 der Streuschutz

36 der Drehtisch

37 das Gußstück

38 der Putzer

39 die Preßluftschleifmaschine

40 der Preßluftmeißel;

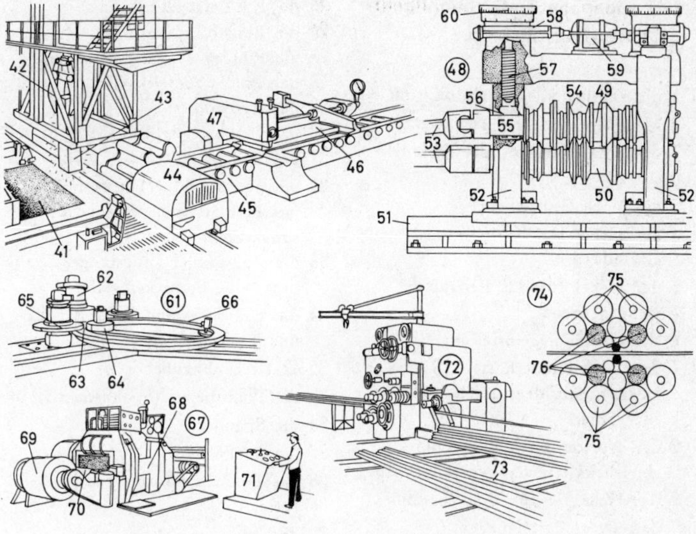

41-76 das Walzwerk:

41 der Tiefofen
42 der Tiefofenkran, ein Zangenkran *m* (Stripperkran)
43 die Rohbramme (der gegossene Rohstahlblock)
44 der Blockkippwagen
45 der Rollgang (die Blockstraße)
46 das Walzstück (Walzgut)
47 die Blockschere
48 das Zweiwalzen-(Duo-)Walzwerk,
49 u. 50 der Walzensatz:
49 die Oberwalze
50 die Unterwalze;
51-55 das Walzgerüst:
51 die Grundplatte
52 der Walzenständer
53 die Kuppelspindel
54 das Kaliber
55 das Walzenlager;
56-59 die Anstellvorrichtung:
56 das Einbaustück
57 die Druckschraube
58 das Getriebe
59 der Motor;
60 die Anzeigevorrichtung, für Grob- und Feineinstellung *f*
61 das Radreifen- und Radscheiben-Walzwerk:
62 die Arbeitsrolle
63 das Kaliber
64 die Druckrolle
65 die Führungsrolle
66 der Winkelring;
67 das Sendzimir-Walzwerk, ein Kaltwalzwerk *n*:
68 das Walzwerkgehäuse
69 die Wickeltrommel
70 das Karosserieband (Karosserieblech)
71 der Steuerstand;
72 die Rollenrichtmaschine:
73 der Profilstahl;
74 das Vielwalzengerät:
75 die Walzenanordnung
76 die angetriebenen Walzen *f*

1-47 spanabhebende Metallbearbeitungsmaschinen *f*,

1 die Drehbank (Schnelldrehbank, Metalldrehbank):
2 das Schaltgetriebe (der Spindelstock)
3 der Vorlegeschalthebel
4 der Hebel für Normal- und Steilgewinde *n*
5 der Hebel für das Leitspindelwendegetriebe
6 die Drehzahleneinstellung
7 der Wechselräderkasten (Räderkasten), mit dem Stelleisen *n* (der Schere)
8 der Nortonkasten (Vorschubgetriebekasten, das Nortongetriebe)
9 die Hebel *m* für die Vorschub- und Gewindesteigungen *f*
10 die Nortonschwinge, ein Stellhebel *m*
11 der Einschalthebel, für Rechts- oder Linkslauf *m* der Hauptspindel
12 der Drehbankfuß
13 das Handrad, zur Längsschlittenbewegung
14 der Hebel für das Wendegetriebe der Vorschubrichtung
15 die Verstellspindel, mit Kurbel *f*
16 der Werkzeugträger, mit Räderplatte *f* (Schloßkasten *m*)
17 der Längs- und Planganghebel
18 die Fallschnecke, zum Einschalten *n* der Vorschübe *m*
19 der Hebel für das Mutterschloß der Leitspindel
20 die Drehspindel (Arbeitsspindel)
21 der Stahlhalter
22 der Längssupport
23 der Quersupport
24 der Längsschlitten
25 die Kühlmittelzuführung
26 die Reitstockspitze
27 die Pinole
28 der Pinolefeststellknebel
29 der Reitstock
30 das Pinoleverstellrad
31 das Drehbankbett
32 die Leitspindel (Hauptspindel), mit Flachgewinde *n* zum Gewindeschneiden *n*
33 die Zugspindel (Zugstange, Transportwelle, Schneckenwelle)
34 die Umschaltspindel, für Rechts- und Linkslauf *m*;

35-42 Drehbankzubehör *n*,
35 die Planscheibe (Spannscheibe):
36 die Spannut;
37 die Spannbacke
38 das Dreibackenfutter (Zentrierfutter)
39 der Spannschlüssel
40 der Mitnehmerklemmring
41 die Mitnehmerscheibe
42 das Drehherz;

43-47 Drehstähle *m*:
43 der Schruppstahl
44 der Schlichtstahl
45 der Abstechstahl (Einstechstahl)
46 der Gewindestahl
47 das Endmaß, zum Einstellen *n* der Drehlänge;

48-56 Meßwerkzeuge *n*:
48 die Tiefenlehre
49 die doppelte Rachenlehre, eine Grenzlehre (Toleranzlehre):
50 die Gutseite
51 die Ausschußseite;
52 der Grenzlehrdorn (Kaliberdorn)
53 die Feinmeßschraube (Mikrometerschraube):
54 die Meßwertskala
55 die Meßtrommel
56 der Fühlhebel

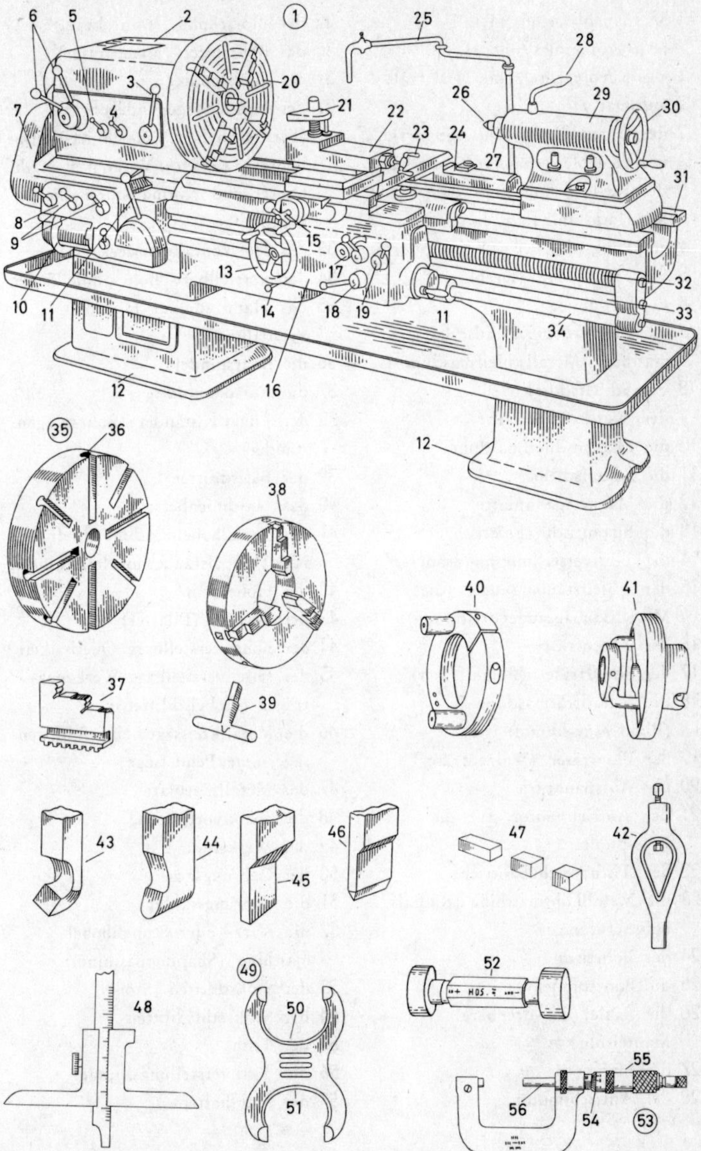
1
2
3
4
5
6
7
8
9
10
11
12
13
14
15
16
17
18
19
20
21
22
23
24
25
26
27
28
29
30
31
32
33
34
35
36
37
38
39
40
41
42
43
44
45
46
47
48
49
50
51
52
HDS.7
53
54
55
56

1-57 spanabhebende Metallbearbeitungsmaschinen *f*,
1 die Revolverdrehbank, ein Halbautomat *m*:
2 der Querschlitten (Quersupport), mit dem Messerhaus *n* (Stichelhaus)
3 der Revolverkopf, mit dem Mehrfachstahlhalter *m*
4 der Längsschlitten (Längssupport)
5 das Handkreuz (Drehkreuz)
6 die Ölwanne;
7 die automatische Rundschleifmaschine (Metallschleifmaschine):
8 der Schleifschlitten
9 der Werkstückantrieb;
10 die Flächenschleifmaschine:
11 die Schleifscheibe
12 die Magnetspannplatte
13 der Spanntisch (Frästisch)
14 die Tischverstellungshandräder *n*
15 der Schleifstaubabsauger (die Metallstaubabsaugevorrichtung);
16 der Nutenfräser
17 der Schaftfräser (Fingerfräser)
18 die Metallfräsmaschine (Planfräsmaschine):
19 der Planfräser (Walzenfräser)
20 der Aufspanntisch
21 der Antriebsmotor, für die Frässpindel
22 der Tischvorschubantrieb;
23 die Metallbohrmaschine (Radialbohrmaschine):
24 der Bohrtisch
25 die Bohrspindel
26 die Säule (das drehbare Mantelrohr)
27 der Hubmotor
28 der Antriebsmotor;
29 der Morsekonus (Morsekegel):
30 das Bohrfutter (Spannfutter)
31 der Spiralbohrer;
32 der Maschinengewindebohrer (Fertigschneider, Ein-Schnitt-Fertigbohrer); *zugleich:* Vorbohrer, Nachbohrer und Normalbohrer (Fertigbohrer)
33 das Horizontalbohrwerk:
34 der verstellbare Bohrspindelkasten
35 das Handrad, zur Höhenverstellung
36 die Bohrspindel
37 die Aufspannplatte
38 der Lünettenständer (Bohrstangenständer)
39 der Bettschlitten
40 das Maschinenbett;
41 die Metallhobelmaschine (hydraulische Doppelständerhobelmaschine):
42 der Hobeltisch
43 der Ständer (Pilaster)
44 der höhenverstellbare Querbalken
45 der seitenverstellbare Werkzeugträger (Hobelschlitten);
46 die Metallkreissäge, eine Schlittensäge, eine Pendelsäge:
47 das Metallsägeblatt
48 die Spannvorrichtung
49 das Werkstück
50 der Gehrungsarm
51 die Gehrungsskala;
52 die Kurz- oder Schnellhobelmaschine (Shapingmaschine):
53 der Stoßschlitten (Stößel)
54 der Senkrechtschlitten
55 der Tisch
56 die Tischverstellungsspindel
57 der Stahlhalter

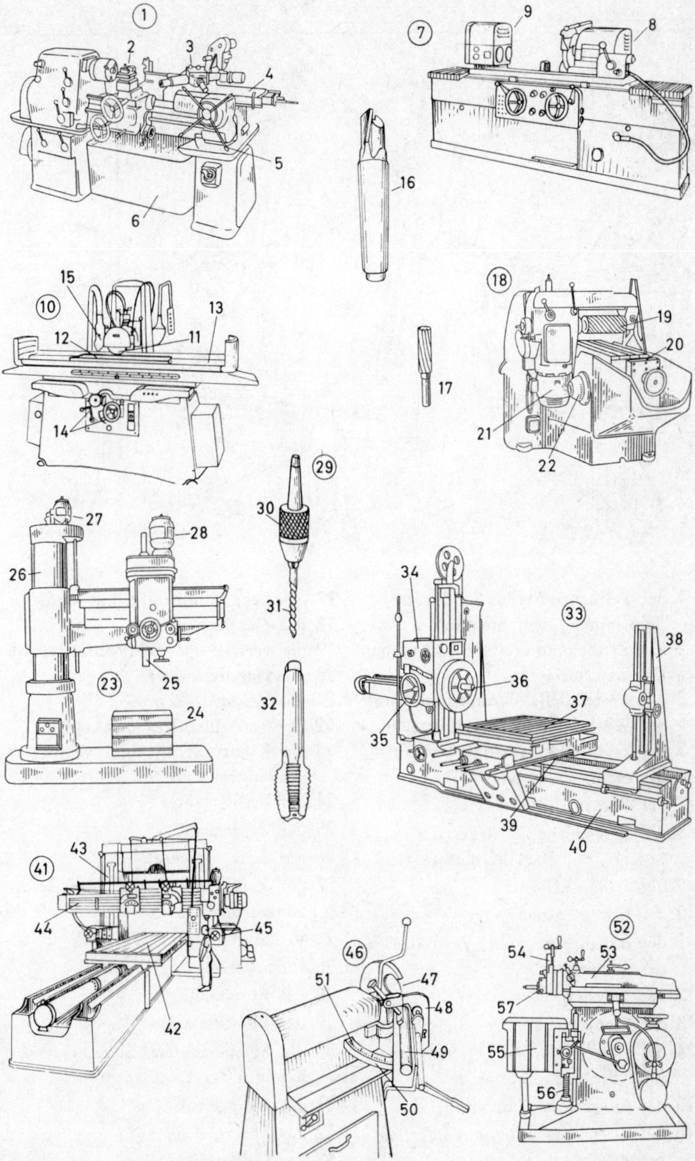
1
2
3
4
5
6
7
8
9
10
11
12
13
14
15
16
17
18
19
20
21
22
23
24
25
26
27
28
29
30
31
32
33
34
35
36
37
38
39
40
41
42
43
44
45
46
47
48
49
50
51
52
53
54
55
56
57

1 der Zeichentisch (das Reißbrett, Zeichenbrett), ein Stehbrett *n*

2 das Zeichenpapier oder pausfähige Transparentpapier

3 die Wertetabelle (Werteaufstellung)

4 der Winkelmesser (Transporteur)

5 der Zeichenwinkel (das Dreieck)

6 die techn. Zeichnung

7 der Rechenschieber

8 die Reißschiene (Schiene, das Lineal), mit Parallelführung *f*

9 der techn. Zeichner

10 der Gerätekasten

11 der Handgriff, zum Verstellen *n* des Reißbretts *n*

12 der Ständer

13 der Stangenzirkel

14 der Fußhebel, zur Höhenverstellung des Reißbretts *n*

15 das Diagramm (Schaubild)

16 die Zeichenmaschine, mit Parallelogrammführung *f*

17 das techn. Schnittbild, mit Maßen *n*

18 das Gegengewicht

19 die verstellbare Zeichenbrettleuchte

20 die Handreißschiene

21 das Zeichenlineal:

22 der verstellbare Zeichenkopf;

23 der Konstrukteur, ein Ingenieur *m* (Techniker)

24 der Berufsmantel

25 der Zeichentisch

26 die Zeichnungen *f*

27 der Zeichnungsschrank (das Zeichnungsarchiv)

28-48 das Reißzeug,

28-47 Zirkel *m*,

28 der Einsatzzirkel:

29 der Bleistifteinsatz

30 die Spannschraube, zum Festhalten *n* der Einsätze *m*

31 das Kippgelenk

32 das Spreizgelenk

33 der Griff;

34 der große Teilzirkel
35 die Schenkelverlängerung:
36 die Spannschraube
37 das Kippgelenk;
38 der Nullenzirkel:
39 die Nadel
40 die Abstandschraube
41 die Tuschfeder
42 der Bleieinsatz
43 der Tuscheinsatz;
44 der Teilzirkel (Haarzirkel, Federzirkel, Stechzirkel):
45 die Feder
46 die Stellschraube
47 die Zirkelspitze;
48 die Ziehfeder (Reißfeder);
49 das Kurvenlineal
50 der Minenstift (Füllstift), mit der Füllmine
51 der Dreikantmaßstab, ein Verkleinerungsmaßstab *m*
52 die Reißzwecke (Heftzwecke, der Reißnagel, Reißbrettstift)
53 der Bleistiftgummi
54 der Tuschgummi
55 die Flasche mit Tusche *f*
56 das Radiermesser
57 die Bauzeichnung (der Bauplan):
58 das Maß (die Maßeintragung, Bemaßung)
59-63 Risse *m* (Projektionen *f*):
59 der Schnitt
60 die Vorderansicht (der Aufriß)
61 die Seitenansicht (der Seitenriß)
62 die Draufsicht
63 der Grundriß;
64 der Zeichnungskopf (Zeichnungstitel), mit Stückliste *f*;
65 die Zeichenfeder (Handfeder)
66 die Schriftfeder, für verschiedene Schriftstärken *f*
67 die Überfeder

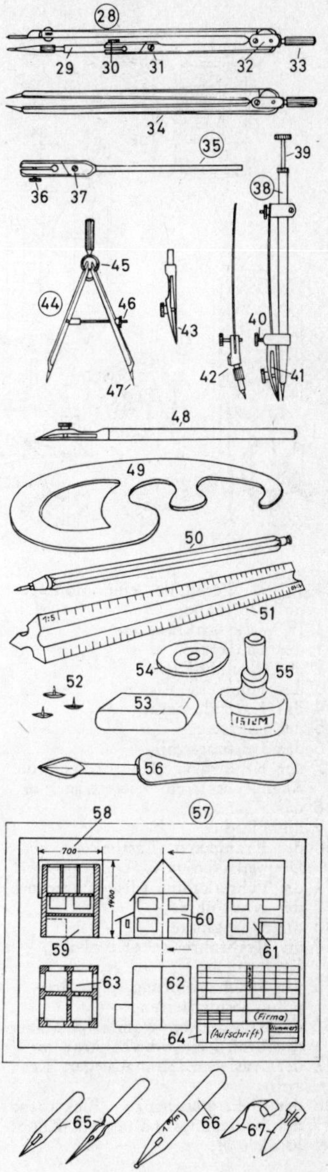

1-45 die Werkhalle, eine Montage- und Prüfhalle,
1-19 Werkstattkrane *m*,
1 der Laufkran:
2 die Kranlaufkatze
3 das Hubwerk
4 das Katzfahrwerk
5 der Laufsteg
6 das Leistungsschild
7 der Kranträger (Hauptträger, die Kranbrücke), ein Gitterträger *m*
8 das Kranseil
9 die Flasche
10 der Kranhaken (Lasthaken), ein Doppelhaken *m*
11 die Führerkabine (der Führerkorb)
12 der Kranführer
13 die Warnglocke
14 die Kranfahrbahn (Kranbahn, Kranschiene)
15 die Stromzuführung, eine dreipolige Schleifleitung;
16 der Konsolkran (Wandkran, Mauerdrehkran), ein Schwenkkran *m*:
17 der Ausleger (Kranausleger, Kranarm)
18 der Elektroflaschenzug (Elektrozug)
19 der Bedienungsschalter, ein Knopfschalter *m*;
20 der Seilkloben
21 die Fußwinde, eine Zahnstangenwinde:
22 die Zahnstange
23 die Handkurbel
24 u. 25 das Gesperre:
24 das Sperrad
25 die Sperrklinke;
26 das Röntgengerät, für Metalluntersuchungen *f*
27 der Hubkarren
28 die Anreißplatte (Richtplatte)
29-35 Anreißwerkzeuge *n*:
29 der Reißmann
30 der Parallelreißer (Höhenreißer)
31 das Prisma
32 der Körner
33 der Reißstock
34 die Reißnadel
35 der Anschlagwinkel;
36 der Anreißer
37 der Werkstückprüftisch
38-43 Feinmeßgeräte *n* (Präzisionsmeßwerkzeuge):
38 der Dickenmesser
39 die Präzisionswasserwaage
40 der Meßuhrständer
41 die Gewindelehre
42 der elektr. Feintaster (die Fühluhr)

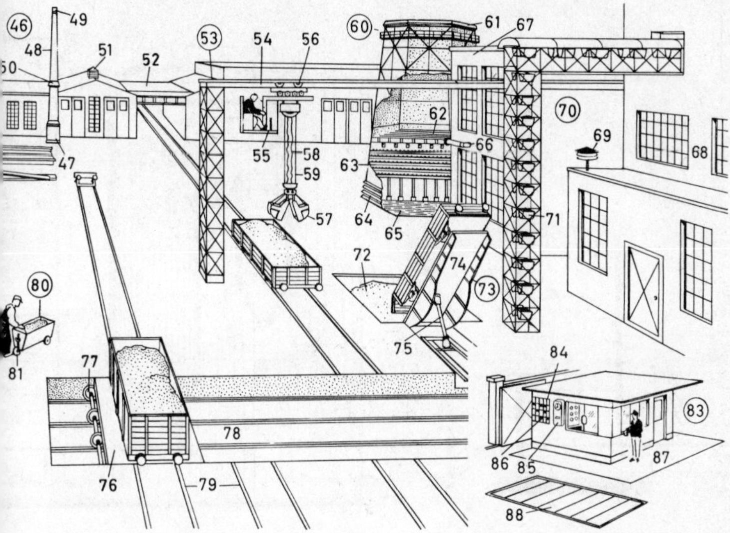

43 das Werkzeugmeßmikroskop (das Okularmikrometer);
44 der Prüfmeister
45 die Anschlagtafel (das Schwarze Brett);
46 der Fabrikschornstein (Schornstein, Schlot, Kamin, die Esse):
47 der Schornsteinsockel
48 der Schornsteinschaft
49 der Schornsteinkopf
50 der Flugascheabscheider;
51 die Entlüftungshaube (Ventilation)
52 die Überführung
53 die Elektrohängebahn (Hängebahn):
54 die Laufschiene
55 der Hängewagen
56 die Laufkatze
57 der Zweiseitgreifer (Greifer)
58 das Zugseil
59 das Tragseil;
60 der Kühlturm, ein Kaminkühler *m*, ein Rückkühlwerk *n*:
61 der Kühlkamin
62 die Verteilungsrinnen *f*
63 der Rieseleinbau
64 die Jalousieöffnung, für den Luftzutritt
65 der Sammelbehälter, für das gekühlte Wasser
66 der Warmwassereinlauf;
67 das Maschinenhaus (die Kraftzentrale)
68 das Kesselhaus
69 die Fabriksirene
70 das Pendelbecherwerk (der Conveyer), ein Becherwerk *n* (Elevator *m*):
71 die Bechermulde;
72 die Füllgrube
73 der Waggonkipper, ein Plattformkipper *m*:
74 die Kippbühne
75 die Druckspindel;
76 die Schiebebühne
77 das Laufrad
78 die Fahrgrube
79 das Anschlußgleis
80 der Holländerkarren, ein Handkarren *m*:
81 die Lenkrolle;
82 der Transportarbeiter
83 das Pförtnerhaus:
84 die Kontrollmarken *f*
85 die Stechuhr (Kontrolluhr, Stempeluhr)
86 die Stechkarte;
87 der Pförtner
88 die Lkw-Waage (Fuhrwerkswaage), eine Zentesimalwaage

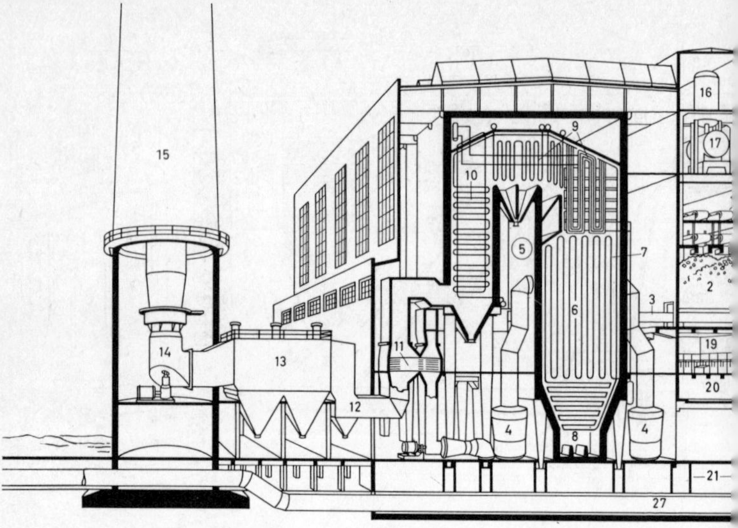

1-28 das Dampfkraftwerk, ein Elektrizitätswerk *n*,

1-21 das Kesselhaus:

1 das Kohlenförderband

2 der Kohlenbunker

3 das Kohlenabzugsband

4 die Kohlenmühle

5 der Dampfkessel, ein Röhrenkessel *m* (Strahlungskessel):

6 die Brennkammer

7 die Wasserrohre *n*

8 der Aschenabzug (Schlackenabzug)

9 der Überhitzer

10 der Wasservorwärmer

11 der Luftvorwärmer

12 der Gaskanal;

13 der Rauchgasfilter, ein Elektrofilter *m*

14 das Saugzuggebläse

15 der Schornstein

16 der Entgaser

17 der Wasserbehälter

18 die Kesselspeisepumpe

19 die Schaltanlage

20 der Kabelboden

21 der Kabelkeller;

22 das Maschinenhaus (Turbinenhaus):

23 die Dampfturbine, mit Generator *m*

24 der Oberflächenkondensator

25 der Niederdruckvorwärmer

26 der Hochdruckvorwärmer

27 die Kühlwasserleitung

28 die Schaltwarte;

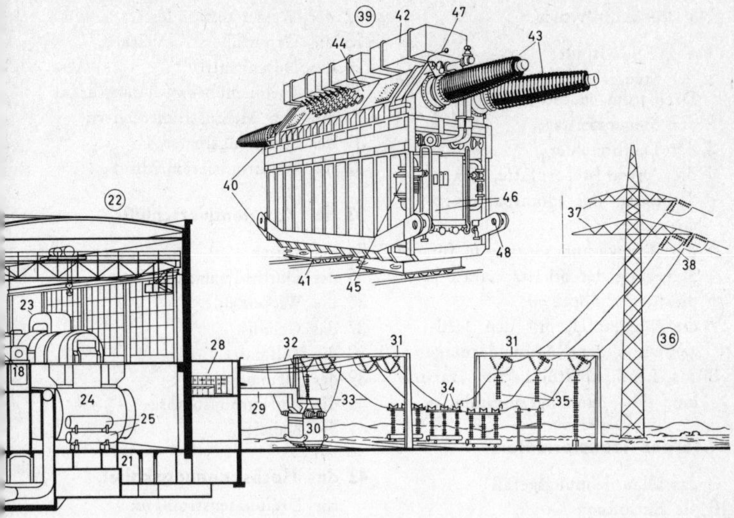

29-35 die Freiluftschaltanlage, eine Hochspannungsverteilungsanlage:

29 die Stromschienen *f*

30 der Leistungstransformator, ein Wandertransformator *m*

31 das Abspannungsgerüst

32 das Hochspannungsleitungsseil

33 das Hochspannungsseil

34 der Druckluftschnellschalter

35 der Überspannungsableiter;

36 der Freileitungsmast (Abspannungsmast), ein Gittermast *m*:

37 der Querträger (die Traverse)

38 der Hängeisolator;

39 der Wandertransformator (Leistungstransformator, Krafttransformator, Transformator, Trafo, Umspanner):

40 der Transformator[en]kasten (Trafokasten, Trafokessel)

41 das Fahrgestell

42 das Ölausdehnungsgefäß

43 die Oberspannungsdurchführung

44 die Unterspannungsdurchführungen *f*

45 die Ölumlaufpumpe

46 der Öl-Wasser-Kühler

47 das Funkenhorn

48 die Einhängeöse, für den Transport

1-8 die Schaltwarte,

1-6 das Schaltpult:
1 der Steuer- und Regelteil, für die Drehstromgeneratoren *m*
2 der Steuerschalter
3 der Leuchtmelder
4 die Anwahlsteuerplatte, zur Steuerung der Hochspannungsabzweige *f*:
5 die Überwachungsorgane *n*, für die Steuerung der Schaltapparate *m*;
6 die Steuerknöpfe *m*;
7 die Wartetafel, mit den Meßgeräten *n* der Rückmeldeanlage
8 das Leuchtschaltbild, zur Darstellung des Spannungszustandes *m*;

9-18 der Transformator:

9 das Ölausdehnungsgefäß
10 die Entlüftung
11 der Ölstandmesser
12 der Durchführungsisolator
13 der Umschalter, für Oberspannungsanzapfungen *f*
14 das Joch
15 die Primärwicklung (Oberspannungswicklung)
16 die Sekundärwicklung (Unterspannungswicklung)
17 der Kern (Schenkel)
18 die Anzapfungsverbindung;

19 die Transformatorenschaltung:

20 die Sternschaltung
21 die Dreieckschaltung (Deltaschaltung)
22 der Nullpunkt;

23-30 die Dampfturbine,
eine Dampfturbogruppe:

23 der Hochdruckzylinder
24 der Mitteldruckzylinder
25 der Niederdruckzylinder
26 der Drehstromgenerator (Generator)
27 der Wasserstoffkühler
28 die Dampfüberströmleitung
29 das Düsenventil
30 der Turbinenüberwachungsschrank mit den Meßinstrumenten *n*;
31 der Spannungsregler
32 die Synchronisiereinrichtung

33 der Kabelendverschluß:

34 der Leiter
35 der Durchführungsisolator
36 die Wickelkeule
37 das Gehäuse
38 die Füllmasse
39 der Bleimantel
40 die Einführungsbuchse
41 das Kabel;

42 das Hochspannungskabel,
für Dreiphasenstrom *m*:

43 der Stromleiter
44 das Metallpapier
45 der Beilauf
46 das Nesselband
47 der Bleimantel
48 das Asphaltpapier
49 die Juteumhüllung
50 die Stahlband- oder Stahldrahtarmierung;

51-62 der Druckluftschnellschalter,
ein Leistungsschalter *m*:

51 der Druckluftbehälter
52 der Steuerapparat
53 der Druckluftanschluß
54 der Hohlstützisolator, ein Kettenisolator *m*, ein Kappenisolator *m*
55 die Schaltkammer (Löschkammer)
56 der Widerstand
57 die Hilfskontakte *m*
58 der Stromwandler
59 der Spannungswandler
60 der Kabelanschluß
61 das Funkenhorn
62 die Funkenstrecke

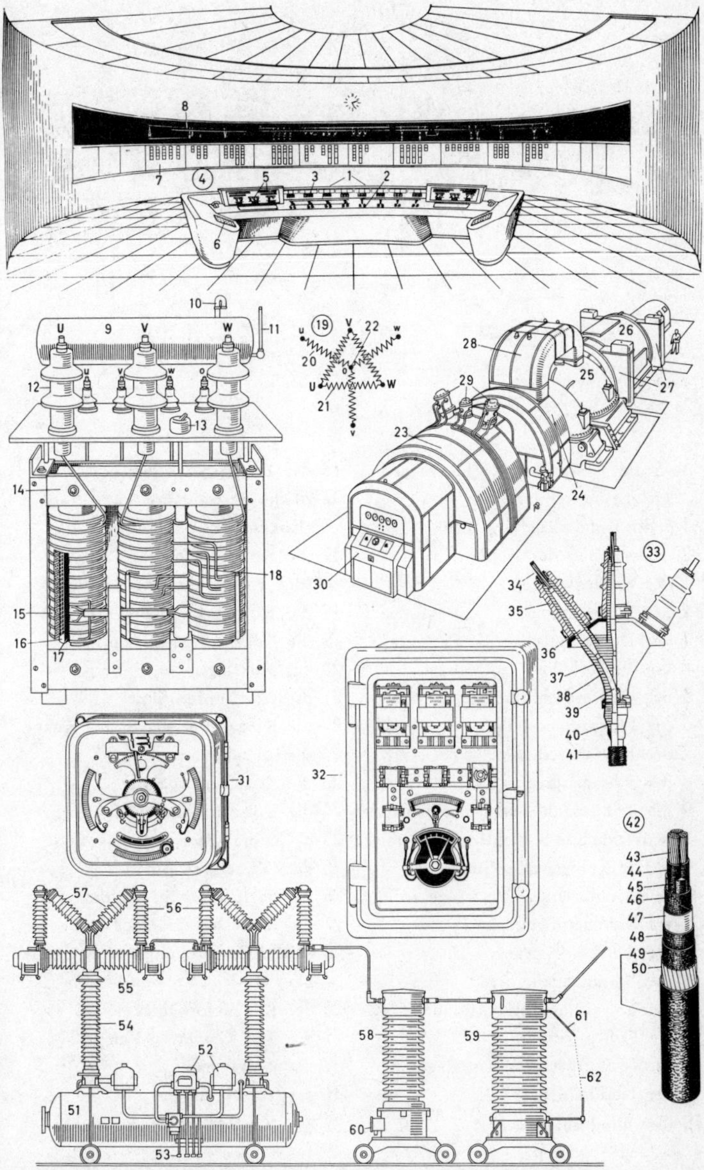
1
2
3
4
5
6
7
8
9
10
11
12
13
14
15
16
17
18
19
20
21
22
23
24
25
26
27
28
29
30
31
32
33
34
35
36
37
38
39
40
41
42
43
44
45
46
47
48
49
50
51
52
53
54
55
56
57
58
59
60
61
62
U
V
W
u
v
w
o

148 Gaswerk (Gasanstalt)

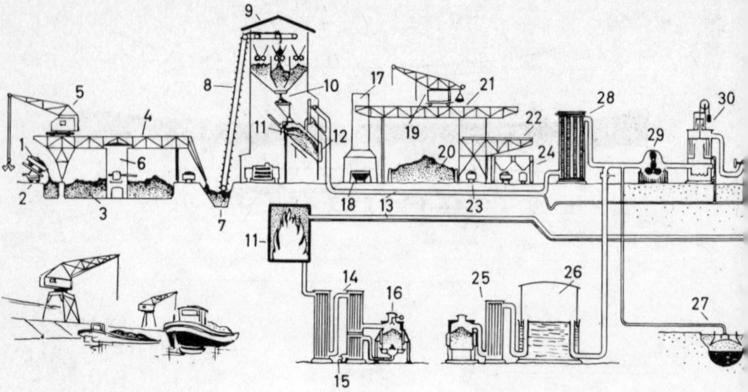

1-46 die Gaserzeugung (Leuchtgas-, Heizgasherstellung),
1-9 die Kohleförderung (der Materialfluß der Kohle):
1 der Kohlenwaggon
2 der Wagenkipper
3 das Kohlenlager
4 die Schiebebühne
5 der Greiferdrehkran
6 die Elektrohängebahn
7 der Kohlenbrecher
8 der Schrägaufzug
9 die Kohlenmahl- und -mischanlage (Kohlenmühle u. Kohlenmischer *m*);
10-12 die Kohlenaufbereitung (die Kohlenentgasungsanlage *f*, die Kammerofenanlage):
10 die Kohlebeschickung
11 der Schrägkammerofen
12 die Teervorlage und Entladetür *f*;
13 die Rohgasleitung
14-16 die Luftgeneratorgasanlage:
14 der Nachkühler
15 das Windgebläse
16 der Zentralgenerator;
17-24 die Koksaufbereitung (Kokerei, Kokereianlage):
17 die Kokslöschanlage (der Kokslöschturm)
18 der Kokslöschwagen
19 die Kokstransportanlage
20 das Kokslager
21 die Koksgreiferbrücke
22 die Kokssortieranlage, mit Kokssortenbunkern *m*
23 die Koksbunkerbahn
24 die Koksverladeanlage;
25 u. 26 die Wassergasanlage:
25 der Wassergaswäscher
26 der nasse Wassergasspeicher;
27 die Abwasserkläranlage
28-46 die Gasbereitung, im Apparatehaus *n*:
28 der Rohgasvorkühler
29 die Teer-Gaswasser-Pumpe
30 der Gassauger
31 der Teerabscheider
32 der Naphtalinwäscher

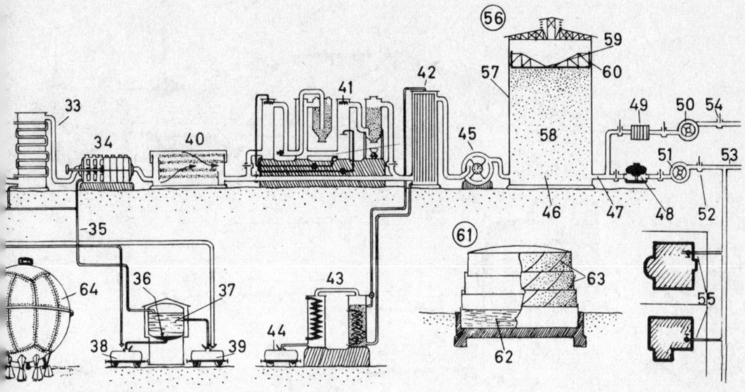

33 der Rohgasnachkühler
34 der Ammoniakwäscher
35 die Ammoniakabwasserleitung
36 u. 37 der Scheidebehälter:
36 der Teervorbehälter
37 der Gaswasservorbehälter;
38 der Teerwagen
39 der Gaswasserwagen
40 die Schwefelreinigung
41 die Gasentgiftungsanlage
42 die Benzolwäsche
43 die Benzolanlage (Benzolerzeugung, Benzolfabrik)
44 der Benzolwagen
45 der Drehkolbengasmesser
46 die Gasaufspeicherung;
47-55 die Gasverteilungsanlagen *f*:
47 die Hauptgasleitung
48 der Stadtdruckregler
49 der Gaskompressor
50 der Hochdruckgaszähler
51 der Niederdruckgaszähler
52 die Gasleitungsschieber
53 u. 54 das Stadtrohrnetz (Gasrohrnetz, die Gasdruckrohrleitungen *f*, Gasverbraucherleitungen):
53 die Niederdruckgasleitung
54 die Hochdruckgasleitung;
55 die Gashauszuleitungen *f* (die Gasanschlüsse *m*);
56-64 Gasspeicher *m* (Gasbehälter, Gaskessel; *früh.:* Gasometer),
56 der fünfhübige, trockene Scheibengasspeicher:
57 der Mantel
58 der Gasraum
59 die Scheibe
60 die Scheibenranddichtung, mit Sperrflüssigkeit *f*;
61 der dreihübige, nasse Teleskopgasspeicher (Glockengasspeicher):
62 die Wasserabdichtung
63 die Schrägführung;
64 der Hochdruckgas-Kugelspeicher (Kugelgasspeicher)

149 Sägewerk

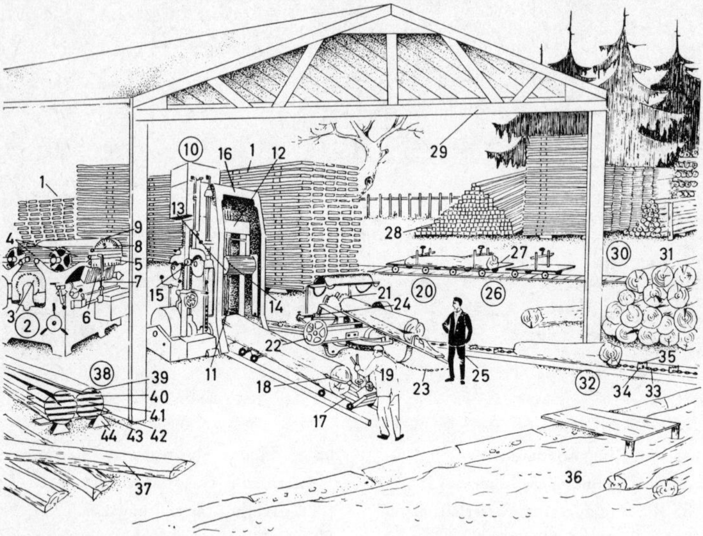

1-59 das Säge- und Hobelwerk (*früh.* die Sägemühle, Schneidmühle):
1 das besäumte Schnittholz (Bretterlager)
2 die Besäum- und Lattenkreissäge:
3 die Sägeblattgruppe
4 die Transportwalzen *f*
5 die Saumbreiteskala
6 die Rückschlagsicherung
7 die Gliederzeiger *m*
8 die Vorschubskala
9 die Höhenskala;
10 das Vollgatter (die Gattersäge):
11 die Sägeblätter *n*
12 der Sägerahmen
13 die Einzugwalzen *f* (Führungswalzen)
14 die Riffelung
15 das Öldruckmanometer (der Öldruckmesser)
16 der Gatterrahmen
17 der Spannwagen
18 die Spannklauen *f* (die Spannzange);
19 der Sägewerkarbeiter
20 die Doppel-Bauholzkreissäge:
21 die Kreissägeblätter *n*
22 die Schnittbreiteeinstellung
23 die Vorschubkette
24 die Sägenwelle;
25 der Platzmeister
26 das Rollbahngleis:
27 der Rundholztransportkarren;
28 der Kantholzstapel
29 die Säge- und Hobelwerkhalle
30 der Rundholzlagerplatz (Holzplatz):
31 das Rundholz;

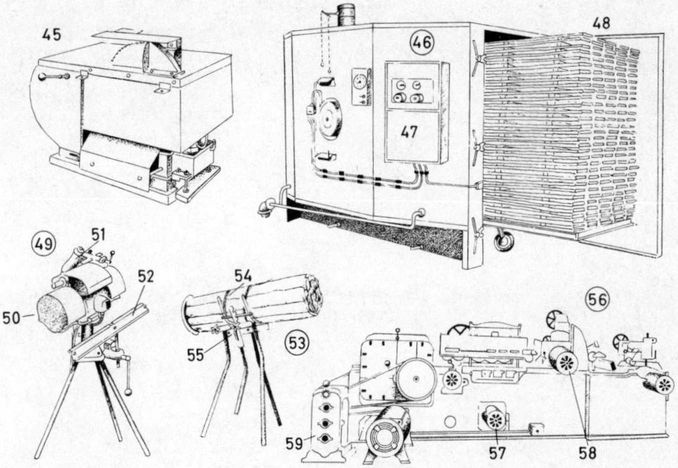

32 der Rundholzförderer:
33 die endlose Kette
34 der Mitnehmer
35 der Greifer (die Zacken *m*);
36 der Wasserkanal zur Rundholzreinigung
37 das Schwartenholz
38 die Blockware:
39 die Schwarte
40 die Kernseite
41 der Kern
42 die Herzdiele
43 die Splintseite;
44 der Zementstapelständer
45 die Abkürzkreissäge (Ablängkreissäge)
46 der Feuchtluft-Holztrockner, mit Heizelementen *n* und reversiblen Axiallüftern *m*, eine Holztrockenanlage:
47 der Schaltschrank
48 der Bretterstapel;
49 die Schwartenschälmaschine:
50 der Schälkopf, mit Flachmessern *n*
51 der Elektromesserschärfer
52 die Holzauflage;
53 die Bündelpresse, zum Pressen *n* von Schwarten *f* und Säumlingen *m*:
54 das Spannseil
55 die Spannvorrichtung;
56 die Putzhobelmaschine, zur Herstellung von Fußbodenriemen *m*:
57 der Spänezerreißermotor
58 die Messerwellen *f*
59 das Vorschubregelgetriebe

150 Steinbruch

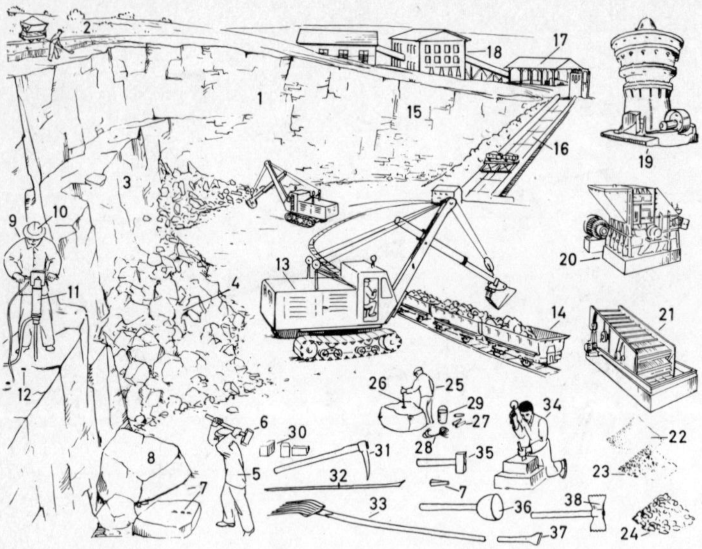

1 der Steinbruch, ein Tagebau *m* (Abraumbau)
2 der Abraum
3 das anstehende Gestein
4 das Haufwerk (gelöste Gestein)
5 der Brecher, ein Steinbrucharbeiter *m*
6 der Keilhammer
7 der Keil
8 der Felsblock
9 der Bohrer
10 der Schutzhelm
11 der Bohrhammer (Gesteinsbohrer)
12 das Bohrloch
13 der Universalbagger
14 die Großraumlore
15 die Felswand
16 der Schrägaufzug
17 der Vorbrecher
18 das Schotterwerk
19 der Grobkreiselbrecher; *ähnl.:* Feinkreiselbrecher (Kreiselbrecher)
20 der Backenbrecher
21 das Vibrationssieb
22 das Steinmehl
23 der Splitt
24 der Schotter
25 der Sprengmeister (Schießmeister)
26 der Meßstab
27 die Sprengpatrone
28 die Zündschnur
29 der Füllsandeimer
30 der Quaderstein
31 die Spitzhacke
32 die Brechstange
33 die Steingabel
34 der Steinmetz

35-38 Steinmetzwerkzeug *n*:

35 der Fäustel
36 der Klöpfel
37 das Scharriereisen (Breiteisen)
38 das schwere Flächeneisen

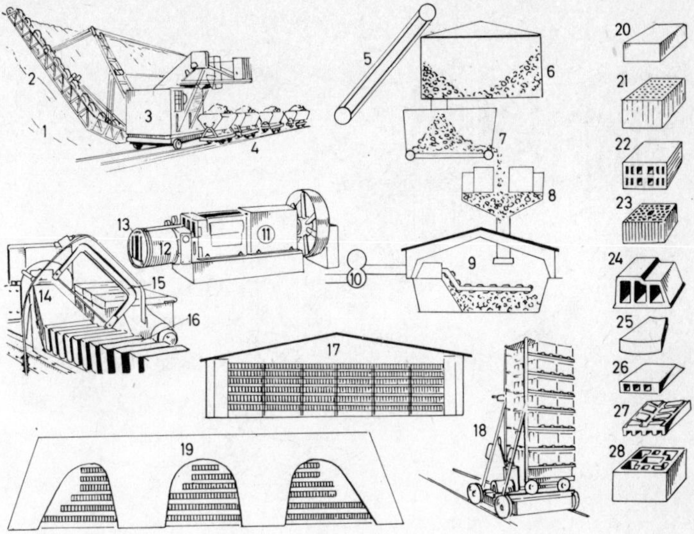

1 die Lehmgrube
2 der Lehm, ein unreiner Ton *m* (Rohton)
3 der Abraumbagger, ein Großbagger *m*
4 die Feldbahn, eine Schmalspurbahn
5 der Schrägaufzug
6 das Maukhaus
7 der Kastenbeschicker (Beschicker)
8 der Kollergang (Mahlgang)
9 das Walzwerk
10 der Doppelwellenmischer (Mischer)
11 die Strangpresse (Ziegelpresse):
12 die Vakuumkammer
13 das Mundstück;
14 der Tonstrang
15 der Abschneider (Ziegelschneider)
16 der ungebrannte Ziegel (Rohling)
17 die Trockenkammer
18 der Hubstapler (Absetzwagen)
19 der Ringofen (Ziegelofen)
20 der Vollziegel (Ziegelstein, Backstein, Mauerstein)
21 u. 22 die Lochziegel *m*:
21 der Hochlochziegel
22 der Langlochziegel;
23 der Gitterziegel
24 der Deckenziegel
25 der Schornsteinziegel (Radialziegel)
26 die Tonhohlplatte (der Hourdi, Hourdis, Hourdisstein)
27 die Stallvollplatte
28 der Kaminformstein

152 Zementwerk (Zementfabrik)

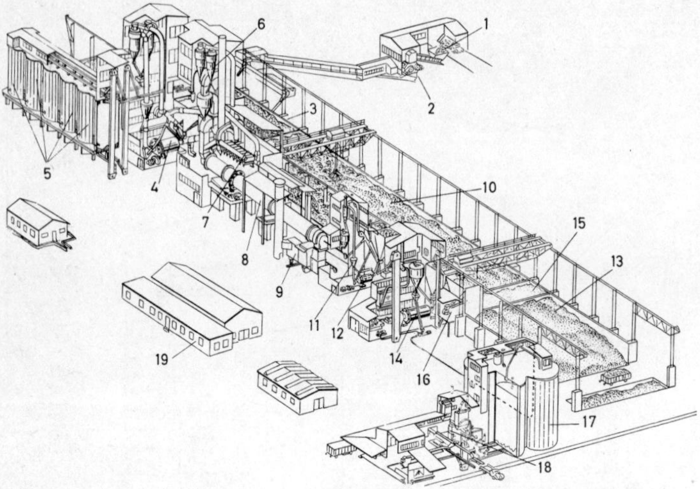

1 die Rohstoffe *m* [Kalkstein *m*, Ton *m* u. Tonmergel *m*]
2 der Hammerbrecher
3 das Rohmateriallager
4 die Mühle, zur Mahlung und gleichzeitigen Trocknung der Rohstoffe *m* unter Verwendung *f* der Wärmetauscherabgase *n*
5 die Rohmehlsilos *m*
6 die Wärmetauscheranlage
7 die Entstaubungsanlage
8 der Drehofen
9 der Klinkerkühler
10 das Klinkerlager
11 das Primärluftgebläse
12 die Kohlenmahlanlage
13 das Kohlenlager
14 die Zementmahlanlage
15 das Gipslager
16 die Gipszerkleinerungsmaschine
17 der Zementsilo
18 die Zementpackmaschinen *f*, für Papierventilsäcke *m*
19 die Krafterzeugungsanlage (Energieerzeugungsanlage)

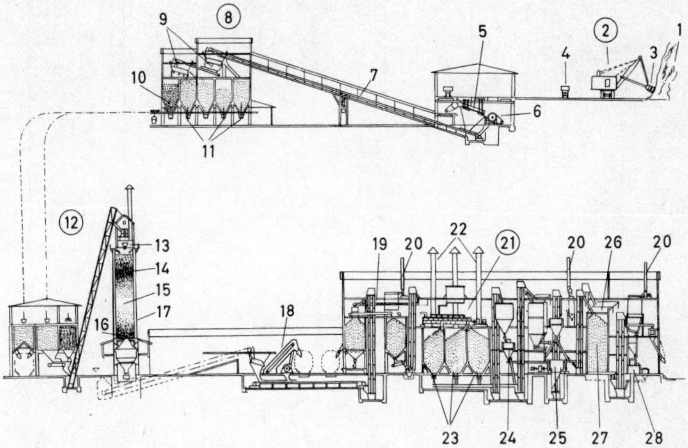

1 der Kalksteinbruch
2 der Löffelbagger:
3 der Löffel;
4 der Muldenkipper
5 der Stangenrost
6 der Grobbrecher, ein Backenbrecher *m*; *ähnl.:* Grobkreiselbrecher
7 das Förderband
8 die Klassieranlage:
9 das Schwingsieb;
10 der Kalkmergel (Düngemergel)
11 der Kalkstein (Kalk)
12 der Kalkofen, ein Schachtofen *m*:
13 die Ofenaufgabe
14 die Ofenfüllung, ein Kalkstein-Koks-Gemisch *n*
15 die Brennzone
16 der gebrannte Kalk (Branntkalk)
17 der Ofenmantel;
18 die Vorzerkleinerung, eine Hammermühle
19 die Zerkleinerungs- und Siebanlage
20 die Entstaubung
21 die Löschanlage:
22 der Dampfabzug (Brüdenabzug)
23 der Löschsilo
24 der Windsichter;
25 die Kugelmühle
26 der Hydratsilo
27 der gelöschte Kalk (das Kalkhydrat)
28 die Sackpackanlage

154 Porzellanherstellung

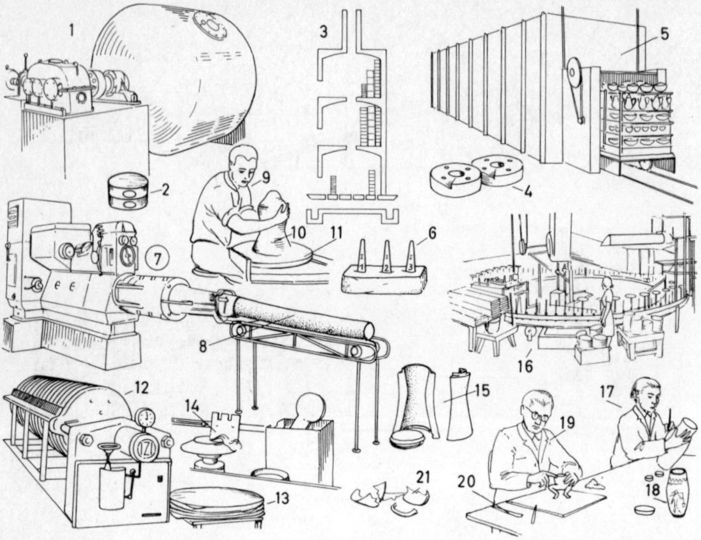

1 die Trommelmühle (Massemühle, Kugelmühle), zur Naßaufbereitung des Rohstoffgemenges *n*
2 die Probekapsel, mit Öffnung *f* zur Beobachtung des Brennvorgangs *m*
3 der Rundofen [Schema]
4 die Brennform
5 der Tunnelofen
6 der Segerkegel, zum Messen *n* hoher Hitzegrade *m*
7 die Vakuumpresse, eine Strangpresse:
8 der Massestrang;
9 der Dreher, beim Drehen *n* eines Formlings *m*
10 der Hubel
11 die Drehscheibe; *ähnl.:* die Töpferscheibe
12 die Filterpresse
13 der Massekuchen
14 das Drehen, mit der Drehschablone
15 die Gießform, zum Schlickerguß *m*
16 die Rundtischglasiermaschine
17 der Porzellanmaler
18 die handgemalte Vase
19 der Bossierer (Retuscheur)
20 das Bossierholz (Modellierholz, der Bossiergriffel)
21 die Porzellanscherben *f* (Scherben)

1-11 die Tafelglaserzeugung (Flachglasherstellung),
1 die Glasschmelzwanne [Schema]:
2 die Einlegevorbauten *m*, für die Gemengeeingabe
3 die Schmelzwanne
4 die Läuterwanne
5 die Arbeitswanne
6 der Arbeitskanal;
7 die Glasziehmaschine:
8 die Glasschmelze
9 der Ziehherd
10 die luftgekühlte Biegewalze
11 das Glasband;
12 die Owens-Flaschenblasmaschine, eine vollautomatische Maschine zur Flaschenherstellung
13-15 das Glasblasen (Mundblasen, die Formarbeit):
13 der Glasbläser
14 die Glasbläserpfeife
15 das Külbel (Kölbchen);
16-21 die Stückarbeit an Glasgegenständen *m*:
16 der Glasmacher
17 das mundgeblasene Kelchglas
18 die Pitsche, zum Formen *n* des Kelchglasfußes *m*
19 die Fassonlehre
20 das Zwackeisen
21 der Glasmacherstuhl;
22 der verdeckte Glasflußhafen
23 die Form, zum Ausblasen *n* des vorgeformten Külbels *n*

1
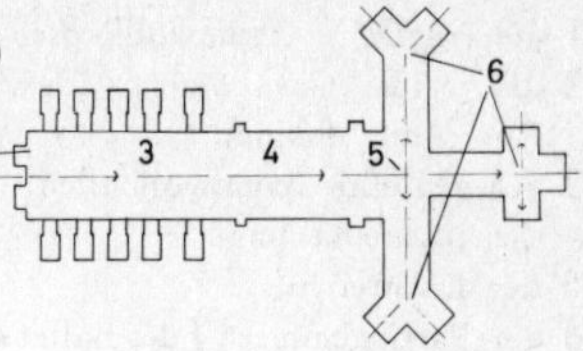

7
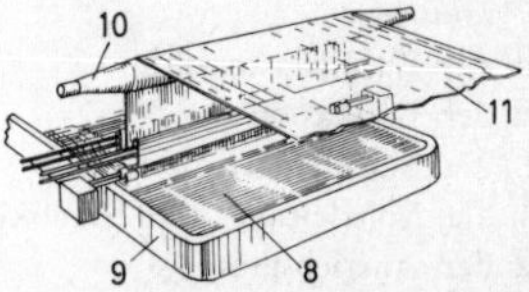

12

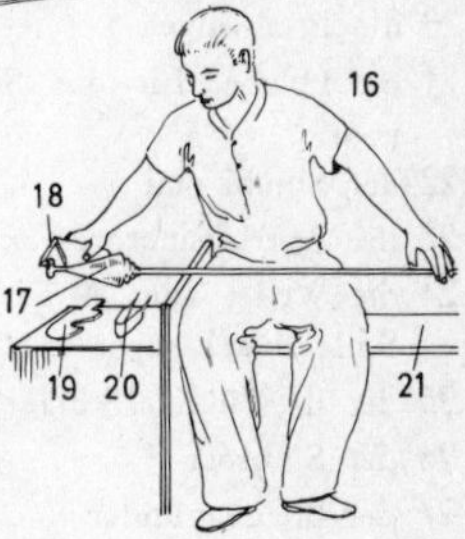

13
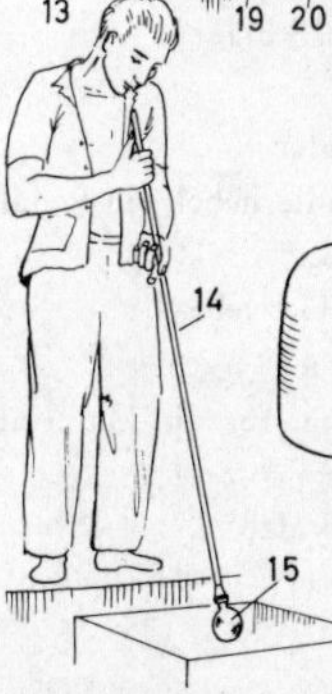

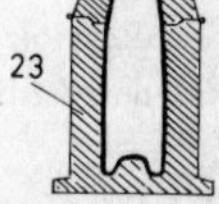

1 die erntereife Baumwollkapsel
2 der fertige Garnkötzer (Cops, Kops, die Bobine)
3 der gepreßte Baumwollballen:
4 die Juteumhüllung
5 der Eisenreifen
6 die Partienummern *f* des Ballens *m*;
7 der Mischballenöffner (Baumwollereiniger):
8 das Zuführlattentuch
9 der Füllkasten
10 der Staubsaugtrichter
11 die Rohrleitung, zum Staubkeller *m*
12 der Antriebsmotor
13 das Sammellattentuch;

14 die Doppelschlagmaschine:

15 die Wickelmulde
16 der Kompressionshaken (Pressionshaken)
17 der Maschineneinschalthebel
18 das Handrad, zum Heben *n* und Senken *n* der Pressionshaken *m*
19 das bewegliche Wickelumschlagbrett
20 die Preßwalzen *f*
21 die Haube, für das Siebtrommelpaar
22 der Staubkanal
23 die Antriebsmotoren *m*
24 die Welle, zum Antrieb *m* der Schlagflügel *m*
25 der dreiflüglige Schläger:
26 der Stabrost
27 der Speisezylinder
28 der Mengenregulierhebel, ein Pedalhebel *m*;
29 das stufenlose Getriebe
30 der Konuskasten
31 das Hebelsystem, für die Materialregulierung
32 die Holzdruckwalze
33 der Kastenspeiser;

34 die Deckelkrempel (Karde, Kratze):
35 die Kardenkanne, zur Ablage des Kardenbandes *n*
36 der Kannenstock
37 die Kalanderwalzen *f*
38 das Kardenband
39 der Hackerkamm
40 der Abstellhebel
41 die Schleiflager *n*
42 der Abnehmer
43 die Trommel (der Tambour)
44 die Deckelputzvorrichtung
45 die Deckelkette
46 die Spannrollen *f*, für die Deckelkette
47 der Batteurwickel
48 das Wickelgestell
49 der Antriebsmotor, mit Flachriemen *m*
50 die Hauptantriebsscheibe;
51 das Arbeitsprinzip der Karde:
52 der Speisezylinder
53 der Vorreißer (Briseur)
54 der Vorreißerrost
55 der Tambourrost;

56 die Kämmaschine:

57 der Getriebekasten
58 der Kehrstreckenwickel
59 die Bandverdichtung
60 das Streckwerk
61 die Zähluhr
62 die Kammzugablage;
63 das Arbeitsprinzip der Kämmmaschine:
64 das Krempelband
65 die Unterzange
66 die Oberzange
67 der Fixkamm
68 der Kreiskamm
69 das Ledersegment
70 das Nadelsegment
71 die Abreißzylinder *m*
72 der Kammzug

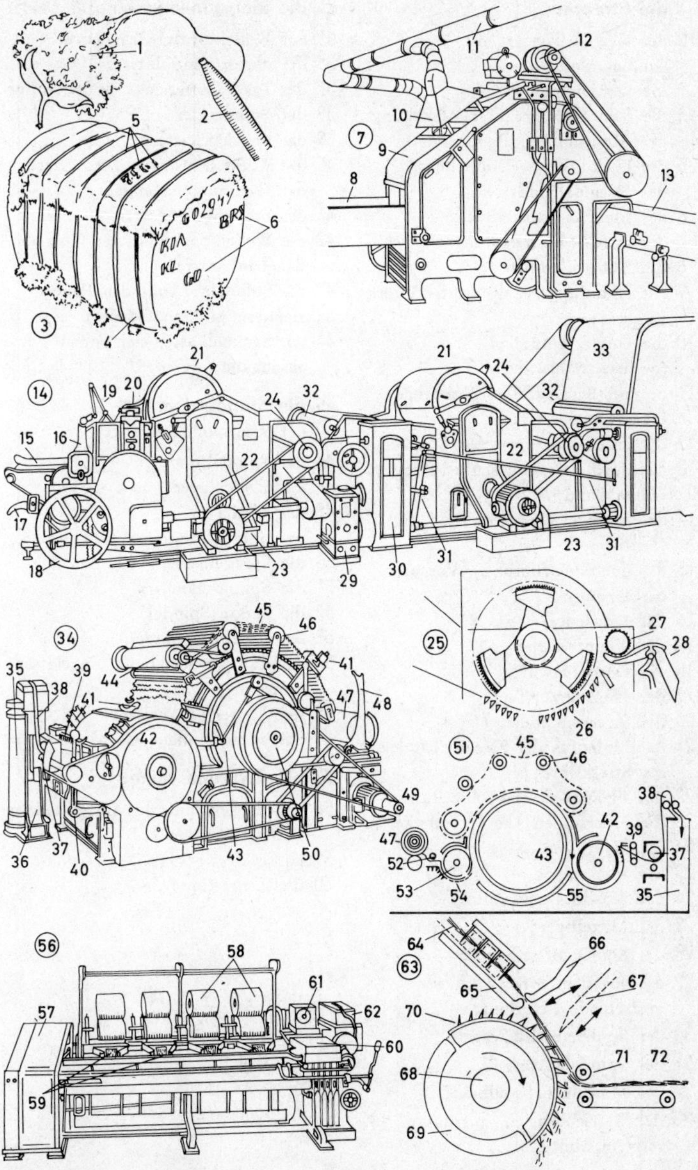
1
2
3
4
5
6
G0294
KIA
BRX
KL
GO
7
8
9
10
11
12
13
14
15
16
17
18
19
20
21
22
23
24
25
26
27
28
29
30
31
32
33
34
35
36
37
38
39
40
41
42
43
44
45
46
47
48
49
50
51
52
53
54
55
56
57
58
59
60
61
62
63
64
65
66
67
68
69
70
71
72

157 Baumwollspinnerei II

1 die Strecke:
2 der Getriebekasten, mit eingebautem Motor *m*
3 die Kardenkannen *f*
4 die Kontaktwalze, zur Abstellung der Maschine bei Bandbruch *m*
5 die Doublierung (Doppelung) der Krempelbänder *n*
6 der Maschinenabstellhebel
7 die Streckwerkabdeckung
8 die Kontrollampen *f*;
9 das einfache Vierzylinderstreckwerk [Schema]:
10 die Unterzylinder *m* (gerillte Stahlwalzen *f*)
11 die mit Kunststoff *m* bezogenen Oberzylinder *m*
12 das grobe Band, vor dem Strecken *n*
13 das durch Streckwalzen *f* verzogene dünne Band;
14 das Hochverzugstreckwerk [Schema]:
15 die Lunteneinführung (Vorgarneinführung)
16 das Laufleder
17 die Wendeschiene
18 die Durchzugwalze;
19 der Hochverzugflyer:
20 die Streckenkannen *f*
21 das Einlaufen der Streckenbänder *n* ins Streckwerk *n*
22 das Flyerstreckwerk, mit Putzdeckel *m*
23 die Flyerspulen *f*
24 die Flyerin
25 der Flyerflügel
26 das Maschinenendschild;
27 der Mittelflyer:
28 das Spulenaufsteckgatter
29 die aus dem Streckwerk *n* austretende Flyerlunte
30 der Spulenantriebswagen
31 der Spindelantrieb
32 der Maschinenabstellhebel
33 der Getriebekasten, mit aufgesetztem Motor *m*;

34 die Ringspinnmaschine (Trossel):
35 der Kollektordrehstrommotor
36 die Motorgrundplatte
37 der Transportierring, für den Motor
38 der Spinnregler
39 der Getriebekasten
40 die Wechselradschere, zur Änderung der Garnnummerfeinheit
41 das volle Spulengatter
42 die Wellen *f* und Stützen *f* für den Ringbankantrieb
43 die Spindeln *f*, mit den Fadentrennern *m* (Separatoren)
44 der Sammelkasten der Fadenabsaugung;

45 die Standardspindel der Ringspinnmaschine:
46 der Spindelschaft
47 das Rollenlager
48 der Wirtel
49 der Spindelhaken
50 die Spindelbank;
51 die Spinnorgane *n*:
52 die nackte Spindel
53 das Garn (der Faden)
54 der auf der Ringbank eingelassene Spinnring
55 der Läufer (Traveller)
56 das aufgewundene Garn;

57 die Zwirnmaschine:
58 das Gatter, mit den aufgesteckten Fachkreuzspulen *f*
59 das Lieferwerk
60 die Zwirnkopse *m*

157

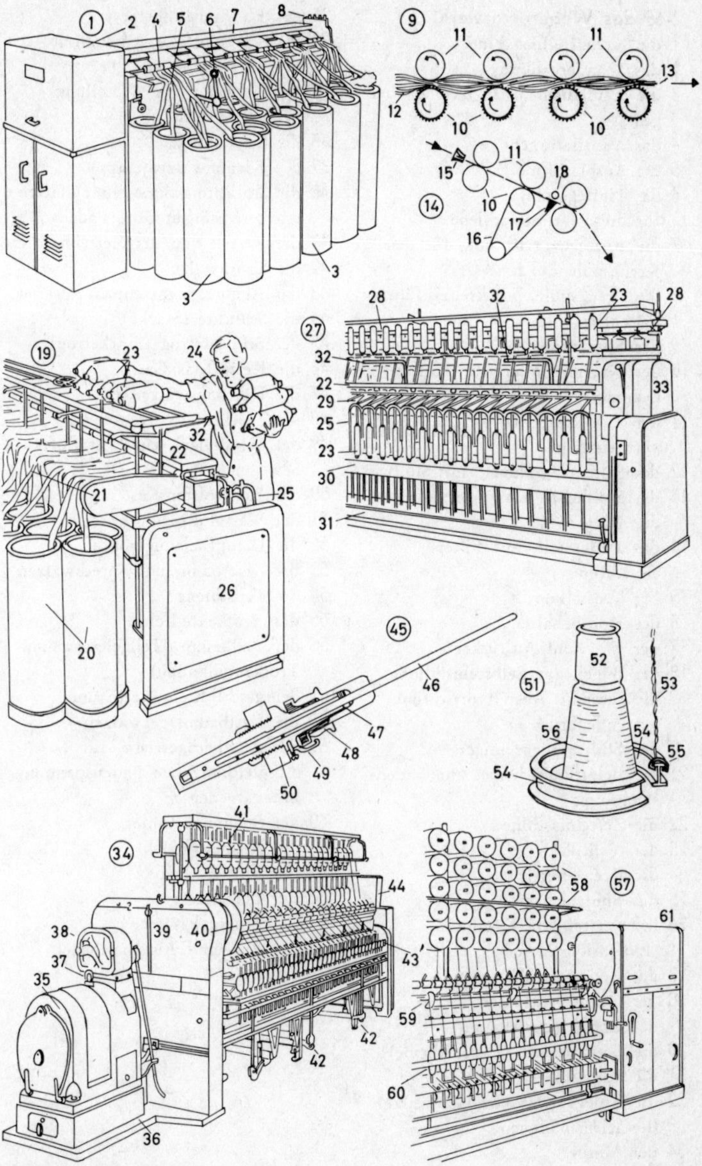

1
2
3
4
5
6
7
8
9
10
11
12
13
14
15
16
17
18
19
20
21
22
23
24
25
26
27
28
29
30
31
32
33
34
35
36
37
38
39
40
41
42
43
44
45
46
47
48
49
50
51
52
53
54
55
56
57
58
59
60
61

1-65 das Webereivorwerk,

1 die Kreuzspulmaschine:
2 das Wandergebläse
3 die Laufschiene, für das Wandergebläse
4 das Ventilatorgebläse
5 die Ausblasöffnung
6 das Haltegestänge, für die Ventilatorschiene
7 die Anzeigevorrichtung, für den Kreuzspulendurchmesser
8 die Kreuzspule, mit kreuzgeführten Fäden *m*
9 der Spulenrahmen
10 der Nutenzylinder (die Schlitztrommel)
11 der Zickzackschlitz, zur Fadenverkreuzung
12 der Seitentragrahmen, mit Motor *m*
13 der Stellhebel, zum Abrücken *n* der Kreuzspule
14 das Endgestell, mit Filtereinrichtung *f*
15 der Trosselkops
16 der Kopsbehälter
17 der Ein- und Ausrücker
18 der Bügel, zur Selbsteinfädlung
19 die automat. Abstellvorrichtung, bei Fadenbruch *m*
20 der Schlitzfadenreiniger
21 die Belastungsscheibe, zur Fadenspannung;
22 die Zettelmaschine:
23 der Ventilator
24 die Kreuzspule
25 das Spulengatter
26 der verstellbare Kamm (Expansionskamm)
27 das Zettelmaschinengestell
28 der Garnmeterzähler
29 der Zettel (Zettelbaum)
30 die Baumscheibe (Fadenscheibe)
31 die Schutzleiste
32 die Anlegewalze (Antriebswalze)
33 der Riemenantrieb
34 der Motor
35 das Einschaltfußbrett
36 die Schraube, zur Kammbreiteveränderung
37 die Nadeln *f*, für Abstellung *f* bei Fadenbruch *m*
38 die Streifstange
39 das Klemmwalzenpaar;
40 die Schlichtmaschine, zum Glätten *n* und zur Stärkung des Fadens *m*:
41 der Zettel, von der Zettelmaschine
42 die Tauchwalze
43 das Abquetschwalzenpaar
44 die Schlichte (Stärke)
45 der Schlichtetrog (Stärketrog)
46 die Kette (das Garn)
47 die Führungswalzen *f*
48 die Trockenlattentrommel
49 der Windflügel, zur Warmluftbewegung
50 das Kontrollfenster
51 der Warmluftregulator
52 die Dampfheizungsröhre
53 die Kettspann- und -brechwalzen *f*
54 die Teilschiene
55 das Trockenteilfeld
56 der Teilkamm (Teilgelesekamm, Trockenteilkamm)
57 der geschlichtete Kettbaum
58 die Kettbaumlagerwalzen *f*
59 das Ausgleichgetriebe, zur Ausgleichung von Fadenspannungsunterschieden *m*
60 der Spannungsfühler
61 der Riemenantrieb
62 die Riemenscheibe
63 der Luftschacht
64 die Trockenkammer
65 der Ein- und Ausschalthebel

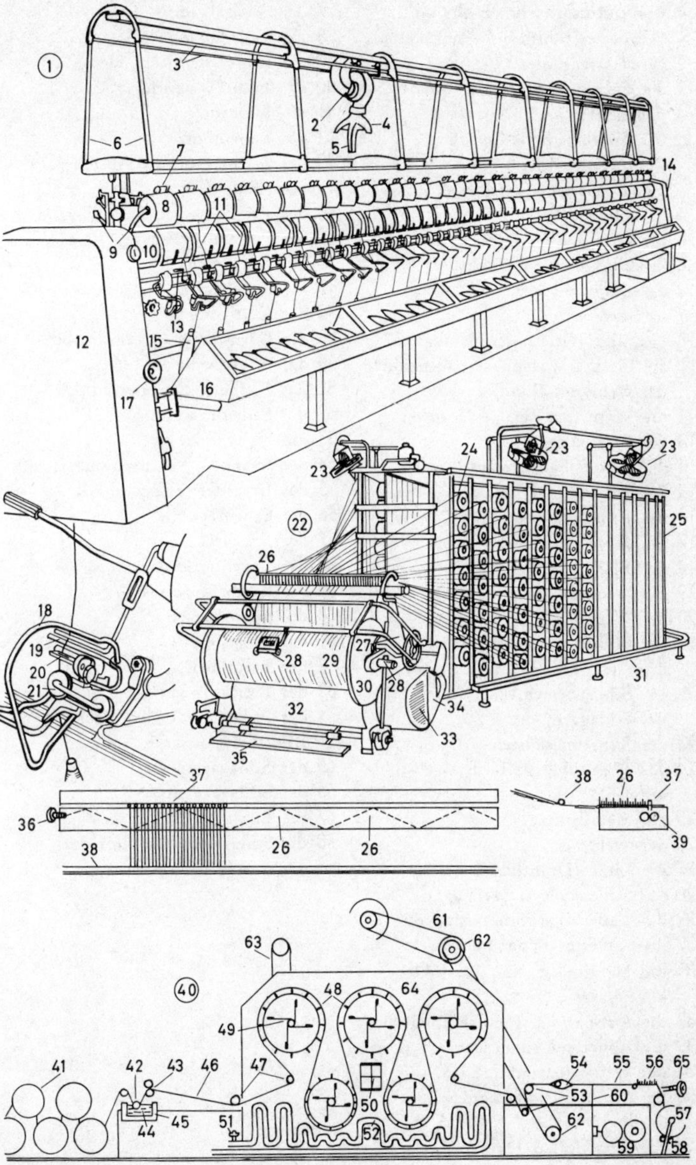
1
3
2
4
5
6
7
8
9
10
11
12
13
14
15
16
17
18
19
20
21
22
23
24
25
26
27
28
29
30
31
32
33
34
35
36
37
38
39
40
41
42
43
44
45
46
47
48
49
50
51
52
53
54
55
56
57
58
59
60
61
62
63
64
65

159 Weberei II

1 **der automatische Webstuhl** (Schaftwebstuhl, die Webmaschine):
2 der Tourenzähler
3 die Führungsschiene der Schäfte *m*
4 die Schäfte *m*
5 der Schußwechselautomat (Revolverwechsel), zum Kanettenwechsel *m*
6 der Ladendeckel
7 die Schußspule
8 der Ein- und Ausrückhebel
9 der Schützenkasten, mit Webschützen *m*
10 das Blatt (Riet, der Rietkamm)
11 die Leiste (Warenkante, Webkante, der Webrand, Rand)
12 die Ware (das fertige Gewebe)
13 der Breithalter
14 der elektr. Fadenfühler
15 das Schwungrad
16 das Brustbaumbrett
17 der Schlagstock (Schlagarm)
18 der Elektromotor
19 die Wechselräder *n*
20 der Warenbaum
21 der Hülsenkasten, für leere Kanetten *f*
22 der Schlagriemen, zur Betätigung des Schlagarms *m*
23 der Sicherungskasten
24 das Webstuhlgestell (der Webstuhlrahmen);
25 die Metallspitze
26 der Webschütz
27 die Litze (Drahtlitze):
28 das Fadenauge (Litzenauge)
29 das Fadenauge (Schützenauge)
30 die Kanette (Spulenhülse)
31 die Metallhülse, für Tastfühlerkontakt *m*
32 die Aussparung, für den Tastfühler
33 die Kanettenklemmfeder
34 der Kettfadenwächter;
35 der Webstuhl [schemat. Seitenansicht]:
36 die Schaftrollen *f*
37 der Streichbaum
38 die Teilschiene
39 die Kette (der Kettfaden)
40 das Fach (Webfach)
41 die Weblade
42 der Ladenklotz
43 der Stecher für die Abstellvorrichtung
44 der Prellklotz
45 die Pufferabstellstange
46 der Brustbaum
47 die Riffelwalze
48 der Kettbaum
49 die Garnscheibe (Baumscheibe)
50 die Hauptwelle
51 das Kurbelwellenzahnrad
52 die Ladenschubstange
53 die Ladenstelze
54 der Spanner (Schaftspanner)
55 das Exzenterwellenzahnrad
56 die Exzenterwelle
57 der Exzenter
58 der Exzentertritthebel
59 die Kettbaumbremse
60 die Bremsscheibe
61 das Bremsseil
62 der Bremshebel
63 das Bremsgewicht
64 der Picker mit Leder- oder Kunstharzpolster *n*
65 der Schlagarmpuffer
66 der Schlagexzenter
67 die Exzenterrolle
68 die Schlagstock-Rückholfeder

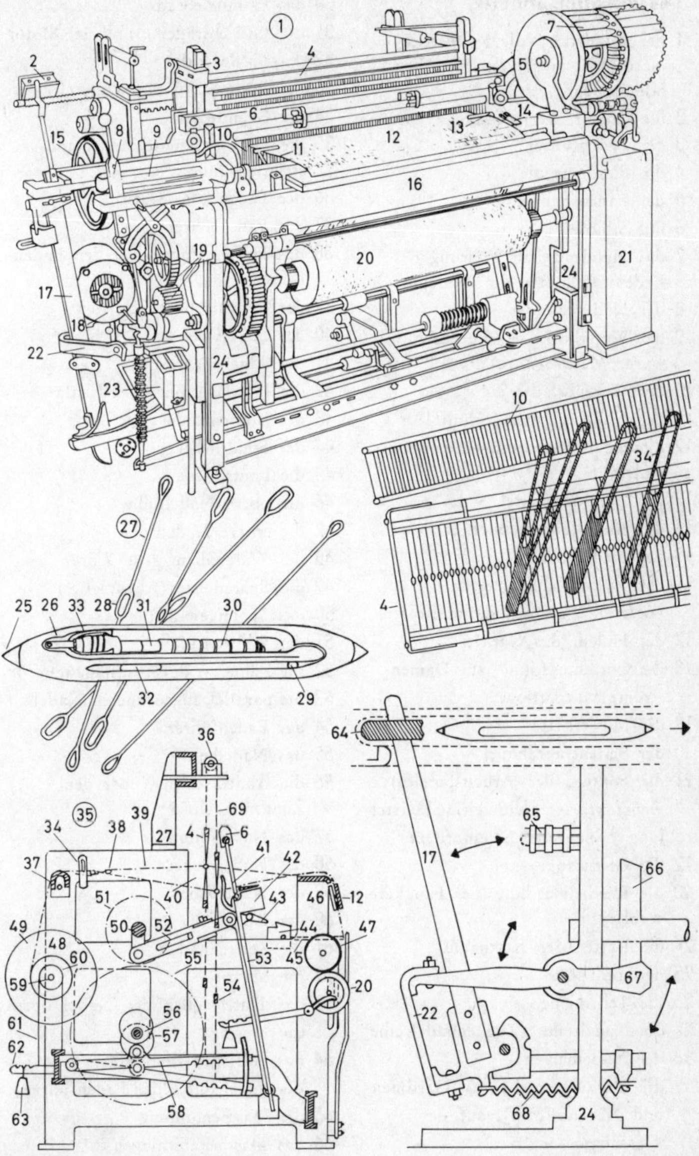

1
2
3
4
5
6
7
8
9
10
11
12
13
14
15
16
17
18
19
20
21
22
23
24
27
25
26
33
28
31
30
32
29
34
4
35
36
69
37
38
39
40
41
42
43
44
45
46
47
48
49
50
51
52
53
54
55
56
57
58
59
60
61
62
63
64
65
66
67
68

1-66 die Strumpffabrik,

1 der Rundstuhl (die Rundstrickmaschine), zur Herstellung von Schlauchware *f*:
2 die Fadenführerhaltestange
3 der Fadenführer
4 die Flaschenspule
5 der Fadenspanner
6 das Schloß
7 das Handrad, zur Führung des Fadens *m* hinter die Nadeln *f*
8 der Nadelzylinder
9 der Warenschlauch (die Schlauchware, Maschenware)
10 der Warenbehälter;
11 der Nadelzylinder [Schnitt]:
12 die radial angeordneten Zungennadeln *f*
13 der Zylindermantel
14 die Schloßteile *n* oder *m*
15 der Nadelkanal
16 der Zylinderdurchmesser; *zugleich:* Warenschlauchbreite *f*
17 der Faden (das Garn);
18 die Cottonmaschine, zur Damenstrumpffabrikation:
19 die Musterkette
20 der Seitentragrahmen
21 die Fontur (der Arbeitsbereich); *mehrfonturig:* gleichzeitige Herstellung *f* mehrerer Strümpfe *m*
22 die Griffstange;
23 die Raschelmaschine (der Fangkettstuhl):
24 die Kette (der Kettbaum)
25 der Teilbaum
26 die Teilscheibe
27 die Nadelreihe (Zungennadelreihe)
28 der Nadelbarren
29 die Ware (Raschelware) [Gardinen- und Netzstoffe *m*], auf dem Warenbaum *m*
30 das Handtriebrad
31 die Antriebsräder *n* und der Motor
32 das Preßgewicht
33 der Rahmen (das Traggestell)
34 die Grundplatte;
35 die Flachstrickmaschine (Handstrickmaschine):
36 der Faden (das Garn)
37 der Fadenführer
38 das Haltegestänge, für den Fadenführer
39 der verschiebbare Schlitten
40 das Schloß
41 die Schiebegriffe *m*
42 die Maschengrößeeinstellskala
43 der Tourenzähler
44 der Schalthebel
45 die Laufschiene
46 die obere Nadelreihe
47 die untere Nadelreihe
48 der Warenabzug (die Ware)
49 die Spannleiste (Abzugleiste)
50 das Spanngewicht;
51 der Schlitten:
52 die Zähne *m* des Abschlagkamms *m*
53 die parallel angeordneten Nadeln *f*
54 der Fadenführer
55 das Nadelbett
56 die Abdeckschiene, über den Zungennadeln *f*
57 das Nadelschloß
58 der Nadelsenker
59 der Nadelheber
60 der Nadelfuß;
61 die Zungennadel:
62 die Masche
63 das Durchstoßen der Nadel durch die Masche
64 das Auflegen des Fadens *m* auf die Nadel durch den Fadenführer
65 die Maschenbildung
66 das Maschenabschlagen

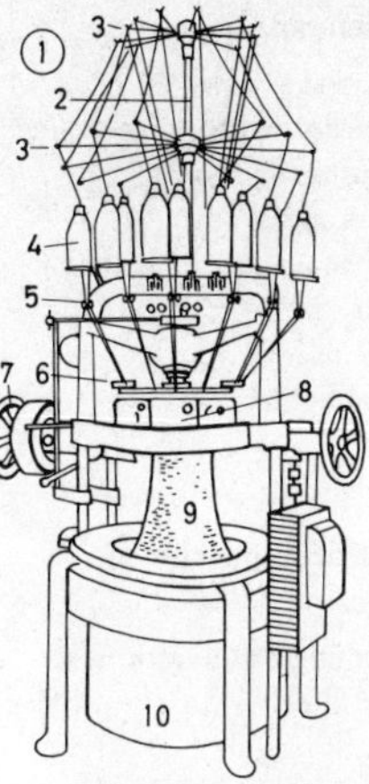
1
3
2
3
4
5
6
7
8
9
10

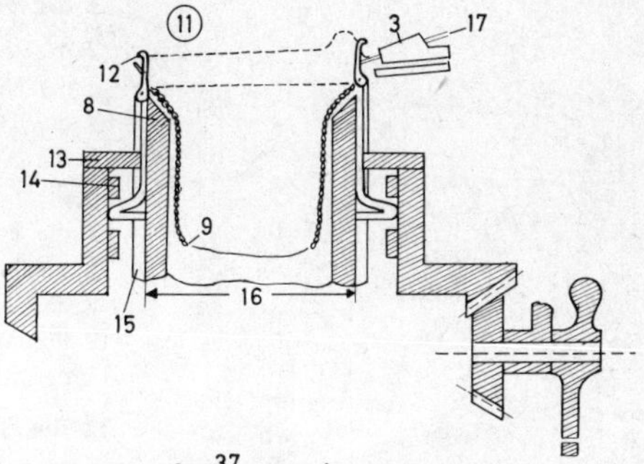
11
3
17
12
8
13
14
9
16
15

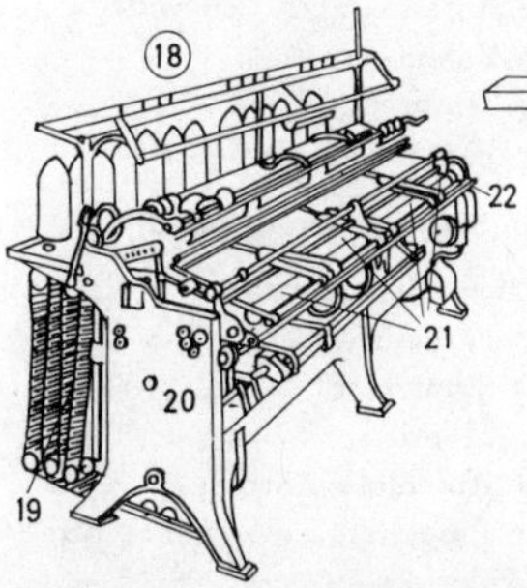
18
22
21
20
19

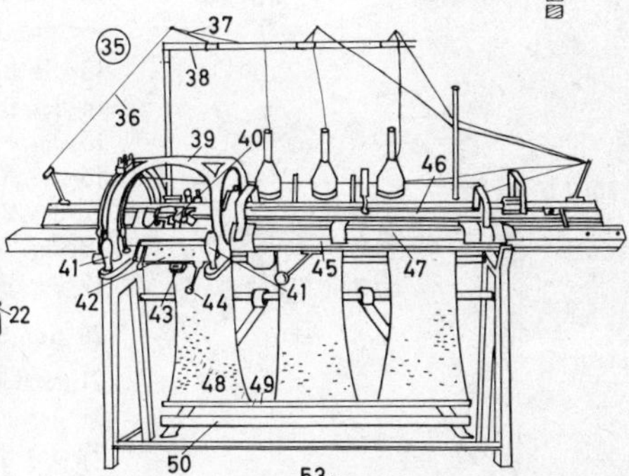
35
37
38
36
39
40
46
41
45
47
42
43
44
41
48
49
50

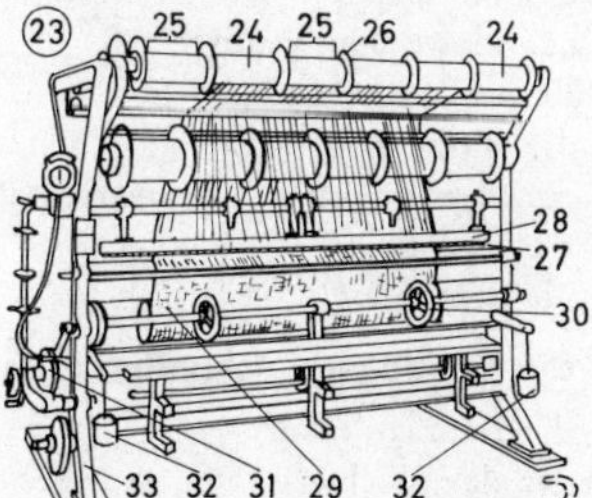
23
25
24
25
26
24
28
27
30
33
32
31
29
32
34

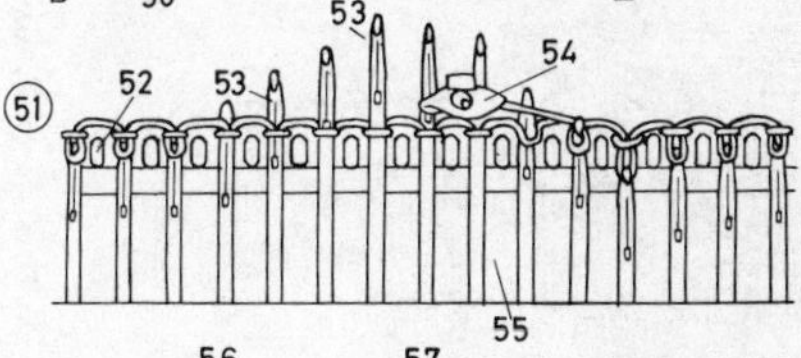
51
53
54
52
53
55

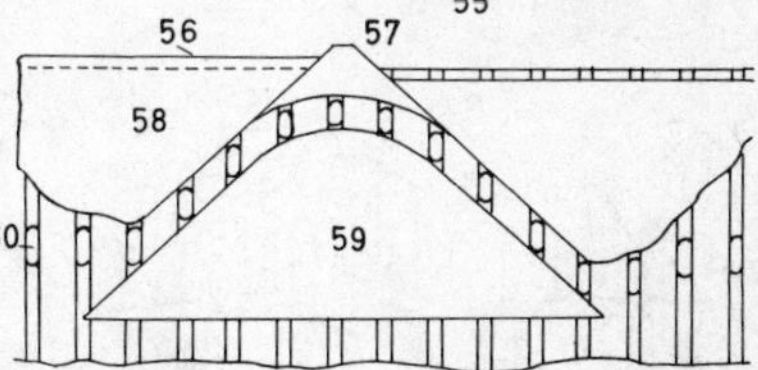
56
57
58
60
59

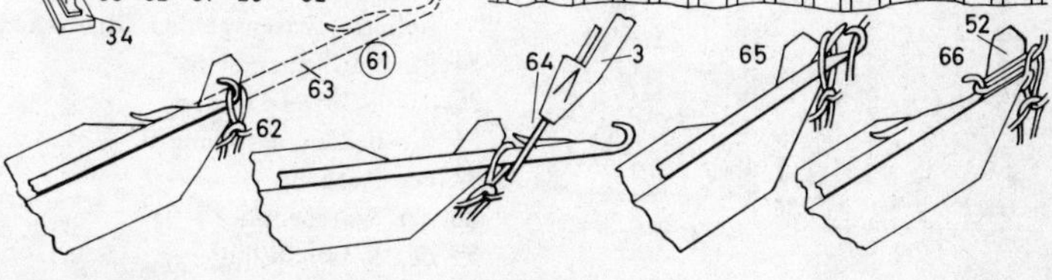
61
63
62
64
3
65
52
66

161 Färben und Bleichen von Textilmaterial

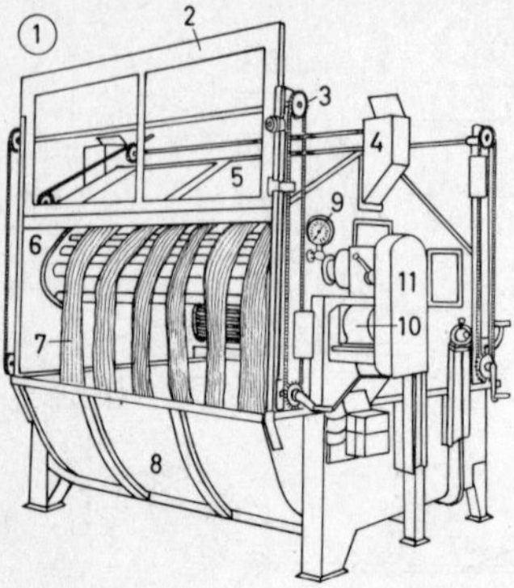

1 die Färbehaspel:

2 das verglaste Fenster
3 die Fensterhochwindevorrichtung
4 der Dampfabzugschacht
5 die Abdeckung
6 die Ovalhaspel (*auch:* Rundhaspel)
7 die Farbstücke *n*
8 die Farbwanne
9 das Thermometer
10 der Motor
11 der Riemenschutz;

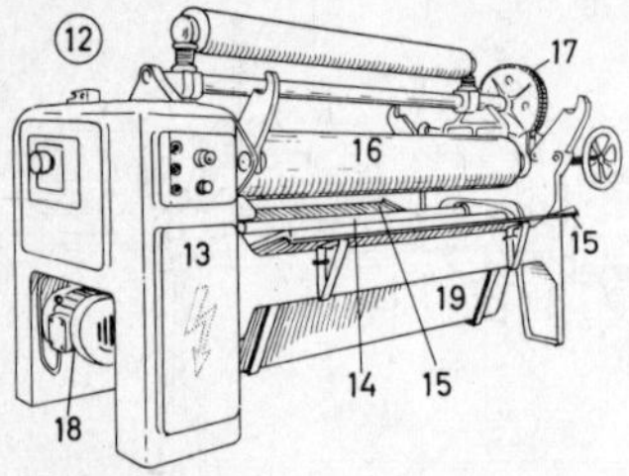

12 die Breitfärbemaschine (der Jigger):

13 die Bedienungsautomatik
14 der Breithalter
15 das Farbauffangblech
16 die Auflaufwalze (Zugwalze)
17 das Zahnrad
18 der Motorantrieb
19 der Färbetrog;

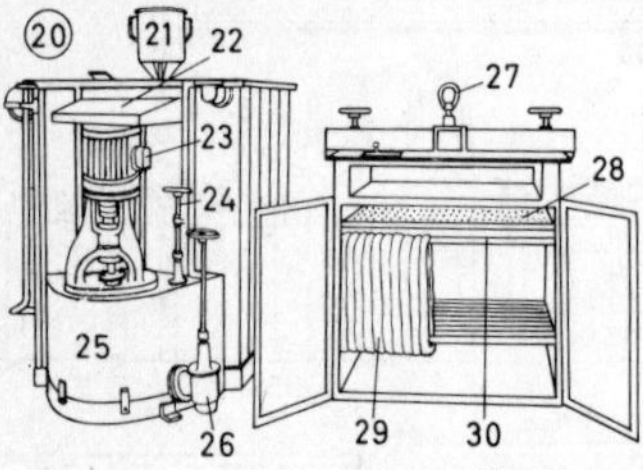

20 der Strangfärbeapparat,

21-26 der Färbeapparat:
21 der Farbmusterbehälter
22 das Schutzblech
23 der Motor
24 der stufenlose Antrieb
25 der Propellerkasten, zur Flottezirkulation
26 das Flotteabflußventil;
27-30 der Materialträger:
27 die Aufhängevorrichtung
28 die Siebdecke, zur Flotteverteilung
29 die Stränge *m*
30 die Stöcke *m*;

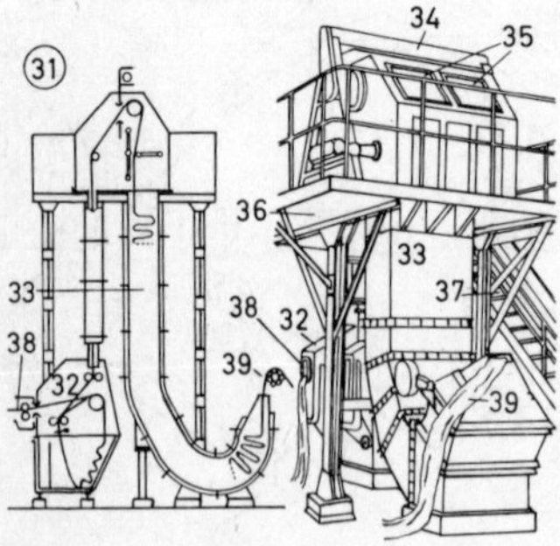

31 die Continue-Bleichanlage:

32 die Imprägnierkufe
33 der dampfbeheizte und wärmeisolierte Warenspeicher (die J-Box)
34 das Entlüftungsrohr
35 das J-Boxen-Fenster
36 die Bedienungsbühne
37 der Aufgang
38 der Wareneinlauf
39 der Warenauslauf;

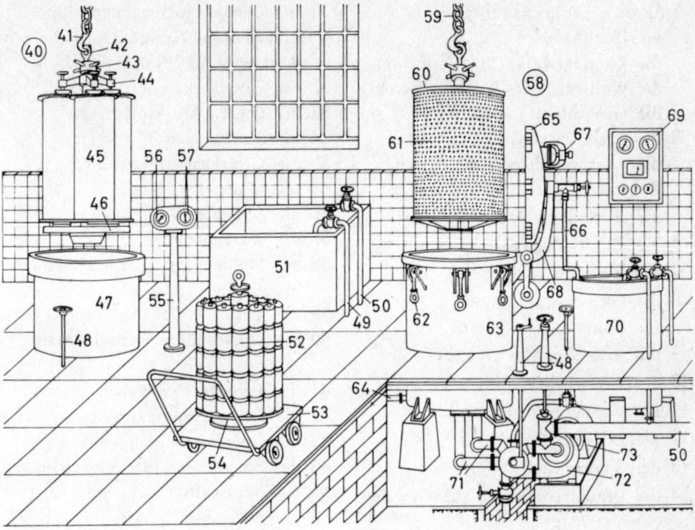

40 die Kettbaumbleichapparatur, für Kardenband *n* od. Kettgarn *n*:

41 der Kranhaken

42 die Einsatzaufhängung

43 die Einsatzverschraubung

44 die Kettbaumdeckelverschraubung

45 die Kettbäume *m*

46 der Kettbaumträger

47 der Bleichbadbehälter

48 die Bedienungsschieber *m*

49 die Hartwasserleitung

50 die Weichwasserleitung

51 der Bleichbadansatzbehälter

52 die konische oder zylindrische Kreuzspule

53 der Transportwagen

54 der Kreuzspulenträger

55 der Anzeigerständer

56 der Druckanzeiger

57 das Thermometer;

58 der Färbeapparat, zum Färben *n* von losem Material *n* oder von Kreuzspulen *f*:

59 die Krankette

60 der Einsatz

61 der gelochte Mantel

62 die Verschlußschraube

63 der Farbbadbehälter

64 die Dampfleitung

65 der Apparatdeckel

66 die Farbstoffzusatzleitung

67 die Farbmusterentnahmeöffnung

68 die Deckelstrebe

69 die Bedienungsautomatik

70 der Farbansatzbehälter

71 die Pumpen-Druck-und-Saug-Leitung

72 die Zentrifugalpumpe

73 der Pumpenmotor

1-65 die Fertigbehandlung von Stoffen *m*,
1 die Zylinderwalke, zur Verdichtung der Wollware (des Wollgewebes *n*):
2 die Gewichtbelastung
3 die obere Zugwalze
4 die Antriebsscheibe der unteren Zugwalze
5 die Warenleitwalze
6 die untere Zugwalze
7 das Zugbrett (die Brille);
8 die Breitwaschmaschine, für empfindl. Gewebe *n*:
9 das Einziehen des Gewebes *n*
10 der Getriebekasten
11 die Wasserleitung
12 die Leitwalze
13 der Spannriegel;
14 die Pendelzentrifuge, zur Gewebeentwässerung:
15 der Grundrahmen
16 die Säule
17 das Gehäuse, mit rotierender Innentrommel *f*
18 der Zentrifugendeckel
19 die Abstellsicherung
20 der Anlauf und der Bremsautomat;
21 die Gewebetrockenmaschine:
22 das feuchte Gewebe
23 der Bedienungsstand
24 die Gewebebefestigung, durch Nadel- oder Kluppenketten *f*
25 der Elektroschaltkasten
26 der Wareneinlauf in Falten *f*, zwecks Eingehens *n* (Schrumpfens, Krumpfens) beim Trocknen *n*
27 das Thermometer
28 die Trockenkammer
29 das Abluftrohr
30 der Trocknerauslauf;
31 die Kratzenrauhmaschine, zum Aufrauhen *n* der Gewebeoberfläche mit Kratzen *f* zur Florbildung:
32 der Antriebskasten
33 der ungerauhte Stoff
34 die Rauhwalzen *f*
35 die Gewebeablegevorrichtung (der Facher)
36 die gerauhte Ware
37 die Warenbank;
38 die Muldenpresse, zum Gewebebügeln *n*:
39 das Tuch
40 die Schaltknöpfe *m* und Schalträder *n*
41 die geheizte Preßwalze;
42 die Gewebeschermaschine:
43 die Scherfasernabsaugung
44 das Schermesser (der Scherzylinder)
45 das Schutzgitter
46 die rotierende Bürste
47 die Stoffrutsche
48 das Schalttrittbrett;
49 die Dekatiermaschine, zur Erzielung nichtschrumpfender Stoffe *m*:
50 die Dekatierwalze
51 das Stück
52 die Kurbel;
53 die Zehnfarben-Walzendruckmaschine (Gewebedruckmaschine):
54 der Maschinengrundrahmen
55 der Motor
56 das Mitläufertuch
57 die Druckware
58 die Elektroschaltanlage;
59 der Gewebefilmdruck:
60 der fahrbare Schablonenkasten
61 der Abstreicher (die Rakel)
62 die Druckschablone
63 der Drucktisch
64 das aufgeklebte, unbedruckte Gewebe
65 der Textildrucker

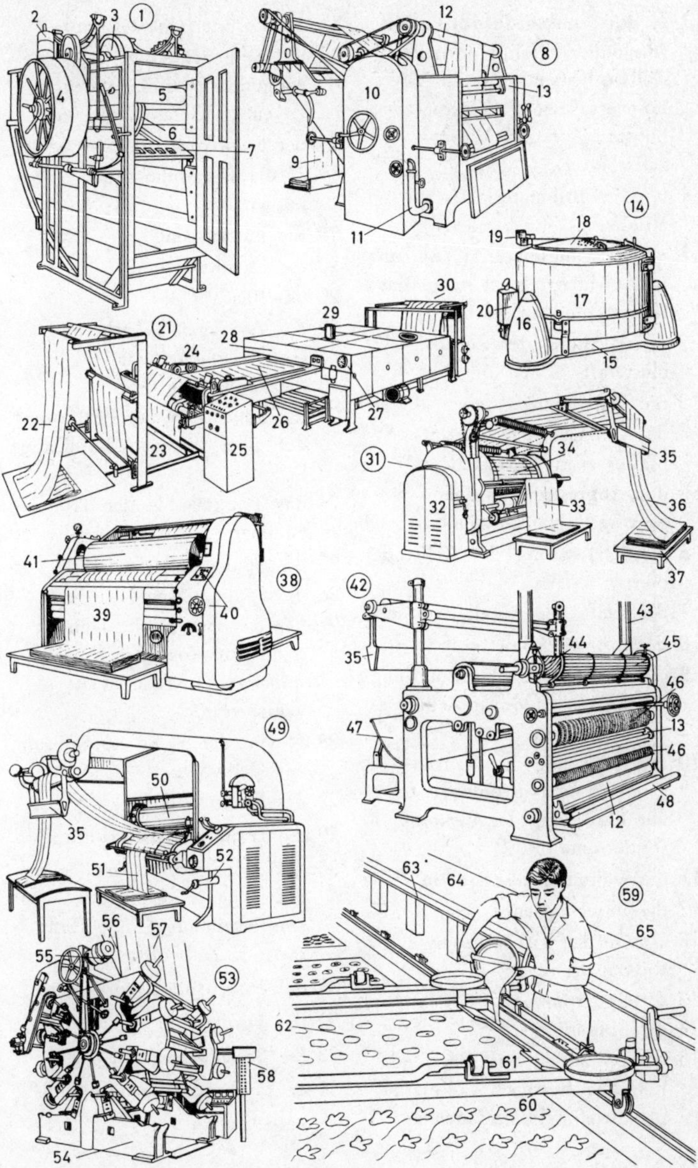
1
2
3
4
5
6
7
8
9
10
11
12
13
14
15
16
17
18
19
20
21
22
23
24
25
26
27
28
29
30
31
32
33
34
35
36
37
38
39
40
41
42
43
44
45
46
47
48
49
50
51
52
53
54
55
56
57
58
59
60
61
62
63
64
65

1-34 **die Kunstseidefabrikation** (Reyonherstellung) und die **Zellwollfabrikation** im Viskoseverfahren *n* (Viskosekunstseide *f* und Viskosezellwolle *f*),

1-12 vom Rohmaterial *n* zur Viskose:

1 das Ausgangsmaterial [Buchen- und Fichtenzellstoff *m* in Blättern *n*, Zellstoffplatten *f*]

2 die Mischung der Zellstoffblätter *n*

3 die Natronlauge

4 das Einlegen der Zellstoffblätter *n* in Natronlauge *f*

5 das Abpressen der überschüssigen Natronlauge

6 die Zerfaserung der Zellstoffblätter *n*

7 die Reife der Alkalizellulose

8 der Schwefelkohlenstoff

9 die Sulfidierung (Umwandlung der Alkalizellulose in Zellulosexanthogenat *n*)

10 die Auflösung des Xanthogenats *n* in Natronlauge *f*, zur Erzeugung der Viskosespinnlösung

11 die Vakuumlagerkessel *m*

12 die Filterpressen *f*;

13-27 von der Viskose zum Reyongarn *n*:

13 die Spinnpumpe

14 die Spinndüse

15 das Spinnbad, zur Verwandlung der flüssigen Viskose in plastische Zellulosefäden *m*

16 die Galette, eine Glasrolle

17 die Spinnzentrifuge, zur Vereinigung der Einzelfäden *m* zu einem Gesamtfaden *m*

18 der Spinnkuchen

19-27 die Behandlung des Spinnkuchens *m*:

19 die Entsäuerung

20 die Entschwefelung

21 das Bleichen

22 das Avivieren (Weich- und Geschmeidigmachen, die Avivierung)

23 das Schleudern, zur Entfernung der überschüssigen Badflüssigkeit

24 das Trocknen, in der Trockenkammer

25 das Spulen (die Spulerei)

26 die Spulmaschine

27 das Reyongarn (die Kunstseide), auf konischer Kreuzspule zur textilen Weiterverarbeitung;

28-34 von der Viskosespinnlösung zur Zellwolle:

28 das Fadenband

29 die Traufenwascheinrichtung

30 das Schneidwerk, zum Schneiden *n* der Fadenbänder *n* auf eine bestimmte Länge [Stapelfaser *f*, Zellwollfaser *f*]

31 der Faserbandetagentrockner

32 das Förderband

33 die Ballenpresse

34 der versandfertige Zellwollballen

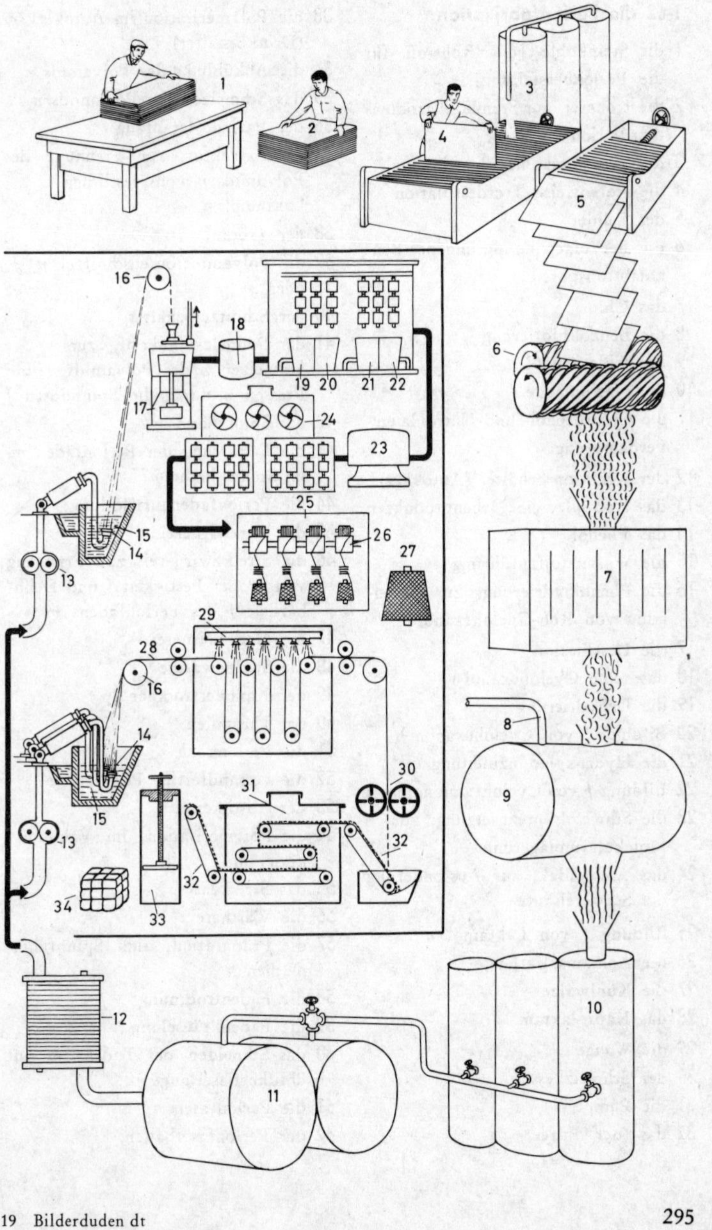
1
2
3
4
5
6
7
8
9
10
11
12
13
14
15
16
17
18
19
20
21
22
23
24
25
26
27
28
29
30
31
32
33
34

1-62 die Perlonfabrikation:

1 die Steinkohle [der Rohstoff für die Perlonherstellung]
2 die Kokerei, zur Steinkohletrockendestillation
3 die Teer- und Phenolgewinnung
4 die stufenweise Teerdestillation
5 der Kühler
6 die Benzolgewinnung und der Benzolabtransport
7 das Chlor
8 die Benzolchlorierung
9 das Chlorbenzol
10 die Natronlauge
11 die Chlorbenzol- und Natronlaugeverdampfung
12 der Reaktionsbehälter (Autoklav)
13 das Kochsalz, ein Nebenprodukt *n*
14 das Phenol
15 die Wasserstoffzuführung
16 die Phenolhydrierung, zur Erzeugung von Roh-Cyclohexanol *n*
17 die Destillation
18 das reine Cyclohexanol
19 die Dehydrierung
20 Bildung *f* von Cyclohexanon *n*
21 die Hydroxylaminzuleitung
22 Bildung *f* von Cyclohexanonoxim *n*
23 die Schwefelsäurezusetzung, zur Molekularumlagerung
24 das Ammoniak, zur Aussonderung der Schwefelsäure
25 Bildung *f* von Laktamöl *n*
26 die Ammonsulfatlauge
27 die Kühlwalze
28 das Kaprolaktam
29 die Waage
30 der Schmelzkessel
31 die Pumpe
32 das (der) Filter
33 die Polymerisation im Autoklav *m* (Druckbehälter)
34 die Abkühlung des Polyamids *n*
35 das Schmelzen des Polyamids *n*
36 der Paternosteraufzug
37 der Extraktor, zur Trennung des Polyamids *n* vom restlichen Laktamöl *n*
38 der Trockner
39 die Polyamidtrockenschnitzel *n* oder *m*
40 der Schnitzelbehälter
41 der Schmelzspinnkopf, zum Schmelzen *n* des Polyamids *n* und Pressen *n* durch die Spinndüsen *f*
42 die Spinndüsen *f*
43 die Erstarrung der Perlonfäden *m*, im Spinnschacht *m*
44 die Perlonfadenaufwicklung
45 die Vorzwirnerei
46 die Streckzwirnerei, zur Erzielung von großer Festigkeit *f* und Dehnbarkeit *f* des Perlonfadens *m*
47 die Nachzwirnerei
48 die Spulenwäsche
49 der Kammertrockner
50 das Umspulen
51 die Perlonkone
52 die versandfertige Perlonkone
53 der Mischkessel
54 die Polymerisation, im Vakuumkessel *m*
55 das Strecken
56 die Wäscherei
57 die Präparation, zum Spinnfähigmachen *n*
58 die Fadentrocknung
59 die Fadenkräuselung
60 das Schneiden des Fadens *m* auf übliche Faserlänge *f*
61 die Perlonfaser
62 der Perlonfaserballen

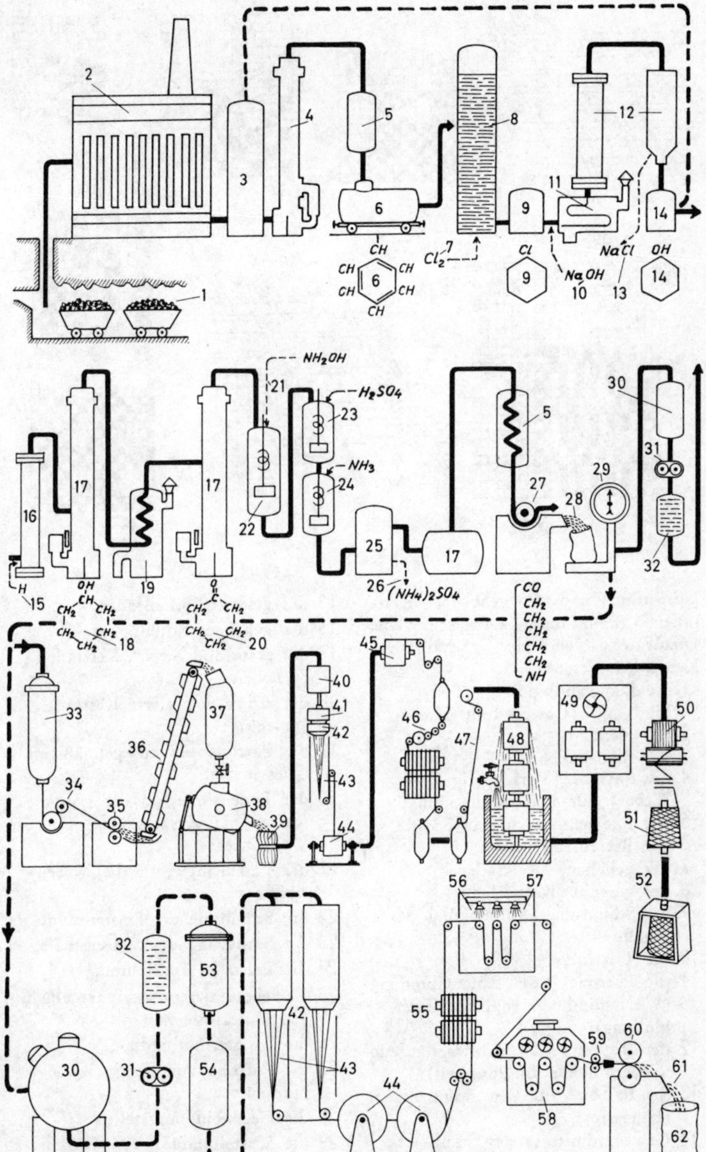
1
2
3
4
5
6
7
8
9
10
11
12
13
14
CH
Cl_2
Cl
NaOH
NaCl
OH
NH_2OH
H_2SO_4
NH_3
15
16
17
18
19
20
21
22
23
24
25
26
$(NH_4)_2SO_4$
27
28
29
30
31
32
H
OH
CH
CH_2
O
C
CO
NH
33
34
35
36
37
38
39
40
41
42
43
44
45
46
47
48
49
50
51
52
53
54
55
56
57
58
59
60
61
62

165 Stoffbindungen

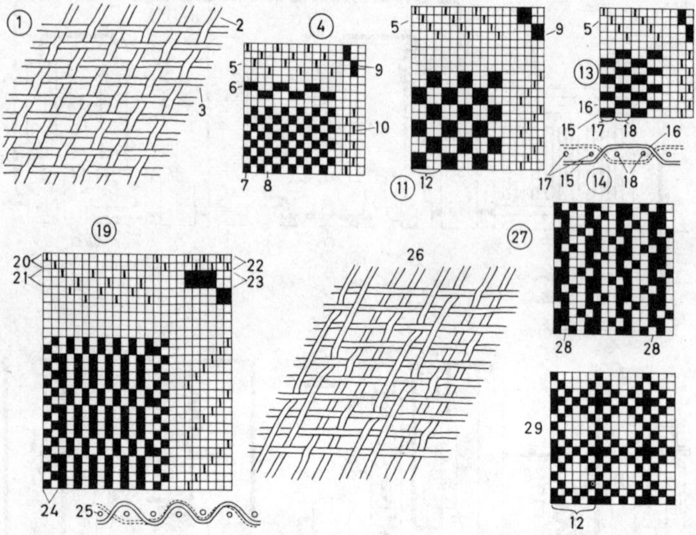

[schwarze Quadrate: gehobener Kettfaden, Schußfaden gesenkt; weiße Quadrate: gehobener Schußfaden, Kettfaden gesenkt]

1 die Leinwandbindung (Tuchbindung) [Gewebedraufsicht]:
2 der Kettfaden
3 der Schußfaden;
4 die Patrone [Vorlage für den Weber] zur Leinwandbindung:
5 der Fadeneinzug in die Schäfte *m*
6 der Rieteinzug
7 der gehobene Kettfaden
8 der gesenkte Kettfaden
9 die Schnürung (Aufhängung der Schäfte *m*)
10 die Trittfolge;
11 die Patrone zur Panamabindung (Würfelbindung, englische Tuchbindung):
12 der Rapport (der sich fortlaufend wiederholende Bindungsteil);
13 die Patrone für den Schußrips *m* (Längsrips),
14 Gewebeschnitt *m* des Schußripses *m*, ein Kettschnitt *m*:
15 der gesenkte Schußfaden
16 der gehobene Schußfaden
17 der erste und zweite Kettfaden [gehoben]
18 der dritte und vierte Kettfaden [gesenkt];
19 die Patrone für unregelmäßigen Querrips *m*:
20 der Fadeneinzug in die Leistenschäfte *m* (Zusatzschäfte für die Webkante)
21 der Fadeneinzug in die Warenschäfte *m*
22 die Schnürung der Leistenschäfte *m*
23 die Schnürung der Warenschäfte *m*
24 die Leiste in Tuchbindung *f*
25 Gewebeschnitt *m* des unregelmäßigen Querripses *m*;
26 die Längstrikotbindung
27 die Patrone zur Längstrikotbindung:
28 die Gegenbindungsstellen *f*;
29 die Waffelbindung für Waffelmuster *n* in der Ware

1-40 die Wäscherei (Waschanstalt),
1 die Dampfwaschmaschine:
2 die rotierende Waschtrommel
3 die Segmentfächer *n* der Innentrommel
4 das Waschlaugen- und Spülwassergehäuse (die Außentrommel)
5 der Schmutzwasserablauf;
6 der Tumbler, eine Wäschetrockenmaschine:
7 das Gehäuse, mit der Trockentrommel
8 die Bedienungstür
9 das Fernthermometer
10 das Hygrometer;
11 der Waschsalon,
12 die Schrankwaschmaschine:
13 der Schalthebel
14 die Waschmittelzusatzöffnung
15 der Wäschezettelhalter
16 der Waschlaugeentnahmehahn;
17 der Wäschetransportwagen
18 die Wäscheschleuder (Schleudermaschine, Schleuder)
19 der Einkammer-Wäschetrockenapparat:
20 der Ventilator zur Luftumwälzung
21 die Heißdampfzuleitung
22 die Kondensleitung
23 der Frisch- und Abluftregler
24 die Frischluftklappe;
25 die Heißmangel:
26 die geheizte Mangelwalze
27 das Schutzgitter
28 die Manglerin
29 der Wäscheauflegetisch
30 der Abluftkanal;
31 das Bügeln (Plätten):
32 die Büglerin (Plätterin)
33 das elektr. Bügeleisen (Plätteisen)
34 das Bügelbrett (Plättbrett);
35 die Bügelpresse (Wäschereipresse):
36 das blanke Obereisen
37 das filzbezogene Untereisen
38 die Spannfeder
39 der Bedienungstritt
40 die Bügeldampfabsaugung

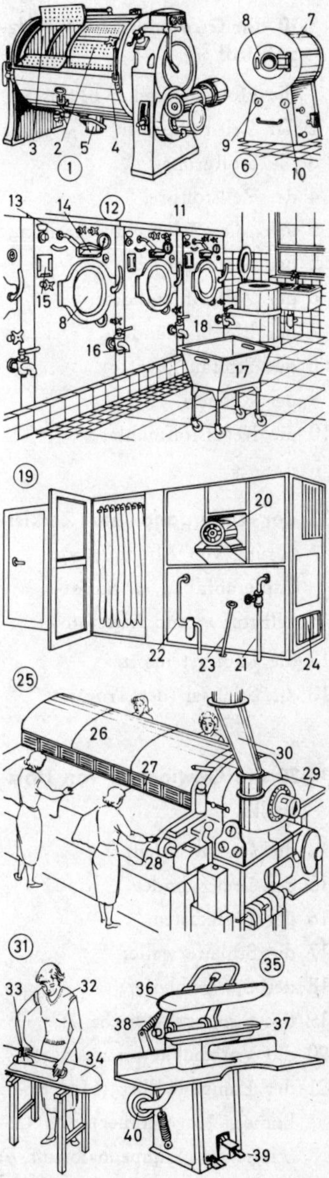

1-10 die Gewinnung von Holzzellstoff *m*:

1 die Holzschnitzel *n* od. *m*
2 der Zellstoffkocher
3 die Stoffgrube
4 der Zellstoffbrei
5 u. 6 die Zellstoffaufbereitung:
5 der Separator
6 der Zellstoffeindicker;
7 der Bleichholländer
8 der Stoffauflöser
9 der Refiner
10 die Kegelstoffmühle;

11 **der Kollergang,** zur Zerkleinerung von Altpapier *n*, Papierabfällen *m*, Sulfatzellstoff *m* und Ästestoff *m*:
12 die Läufersteine *m*
13 die Schüssel (der Trog);

14-20 die Gewinnung von Holzschliff *m*,

14 der Pressenschleifer:
15 der Preßzylinder
16 der Preßkasten
17 die Schleiferwelle;
18 der Stetigschleifer:
19 das Schneckengetriebe
20 die Vorschubkette;
21 der Lumpenkocher (Hadernkocher, Kugelkocher) zur Gewinnung v. Lumpenhalbstoff *m*:
22 das Triebrad
23 der Dampfeinlaß;

24-27 die Papierstoffaufbereitung,

24 der Papierstoffholländer (Mahlholländer):
25 die Rohstoffe *m*, Halbstoffe *m* und Zusatzstoffe *m*;
26 die Mahlwalze
27 der Holländer [Schnitt]
28 das Grundwerk

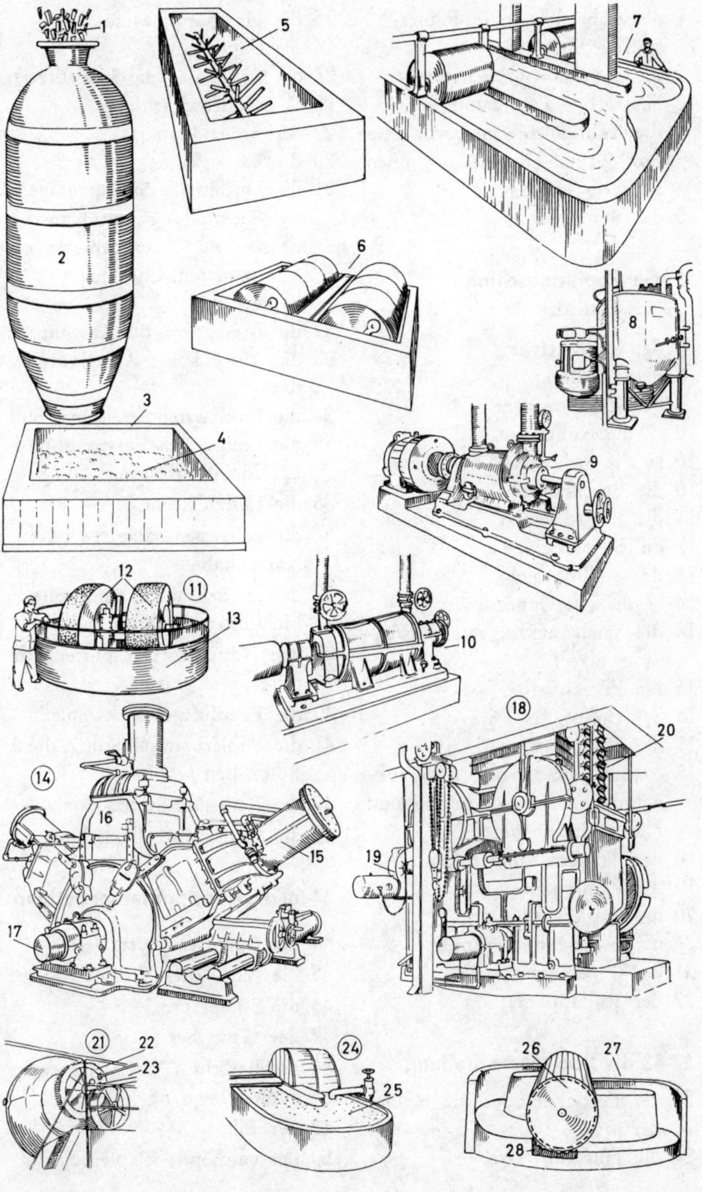
1
2
3
4
5
6
7
8
9
10
11
12
13
14
15
16
17
18
19
20
21
22
23
24
25
26
27
28

1 die Rührbütte, eine Papierstoffmischbütte
2 die Laboratoriumsschale:
3 der fertige Papierstoff;
4 die Rohrschleudern *f*, vor dem Stoffauflauf *m* einer großen Papiermaschine:
5 das Standrohr;

6 die Papiermaschine [schematisch]:

7 der Stoffauflauf
8 der Sandfang
9 der Knotenfänger
10-17 die Naßpartie,
10-13 die Siebpartie:
10 die Brustwalze
11 die Registerwalze
12 die Siebleitwalze
13 das endlose Sieb;
14-17 die Pressenpartie:
14 die Sauggautsche, mit Kastensaugwalze *f*
15 die Filzleitwalze
16 der endlose Naßfilz
17 die Naßpresse;
18-20 die Trockenpartie mit Trokkenfilz *m*, Filztrockner *m* und Kühlzylinder *m*:
18 der Trockenzylinder
19 die Papierbahn
20 die Papierleitwalze;
21 u. 22 die Schlußgruppe:
21 das Trockenglättwerk
22 der Rollapparat;

23-43 die Papierverarbeitung,

23 der Fertigkalander, ein Kalander *m*:
24 die Hartgußwalze
25 die Hartpapierwalze
26 die Papierbahn
27 die Schalttafel (das Schaltbrett);
28 der Rollenschneider:
29 der Schneidapparat
30 die Papierbahn;
31 die Luftbürsten-Streichanlage, zur Herstellung von Kunstdruck- und Chrompapieren *n*, Buntpapieren, Chromokartons *m*:
32 die Rohpapier- od. Kartonrolle
33 die schwenkbare Abrollvorrichtung
34 die Luftbürsten-Streichmaschine
35 die Luftbürsten-Verstreich-und-Egalisier-Einrichtung
36 die Luftzuleitung
37 die gestrichene Papier- oder Kartonbahn
38 der in Sektionen eingeteilte Heißlufttrockenkanal
39 die Kettenrosttransporteinrichtung
40 die Heißluftgebläsekammer
41 die Papierbahnsteuerung, durch Fotozellen *f*
42 die Reck-und-Streck-Partie
43 die Doppelaufrollmaschine;

44-50 die Handpapierherstellung:

44 der Schöpfer (Büttgeselle)
45 die Bütte (der Trog)
46 die Schöpfform
47 der Gautscher
48 die Bauscht (Pauscht), fertig zum Pressen *n*:
49 der Filz
50 der geschöpfte Papierbogen

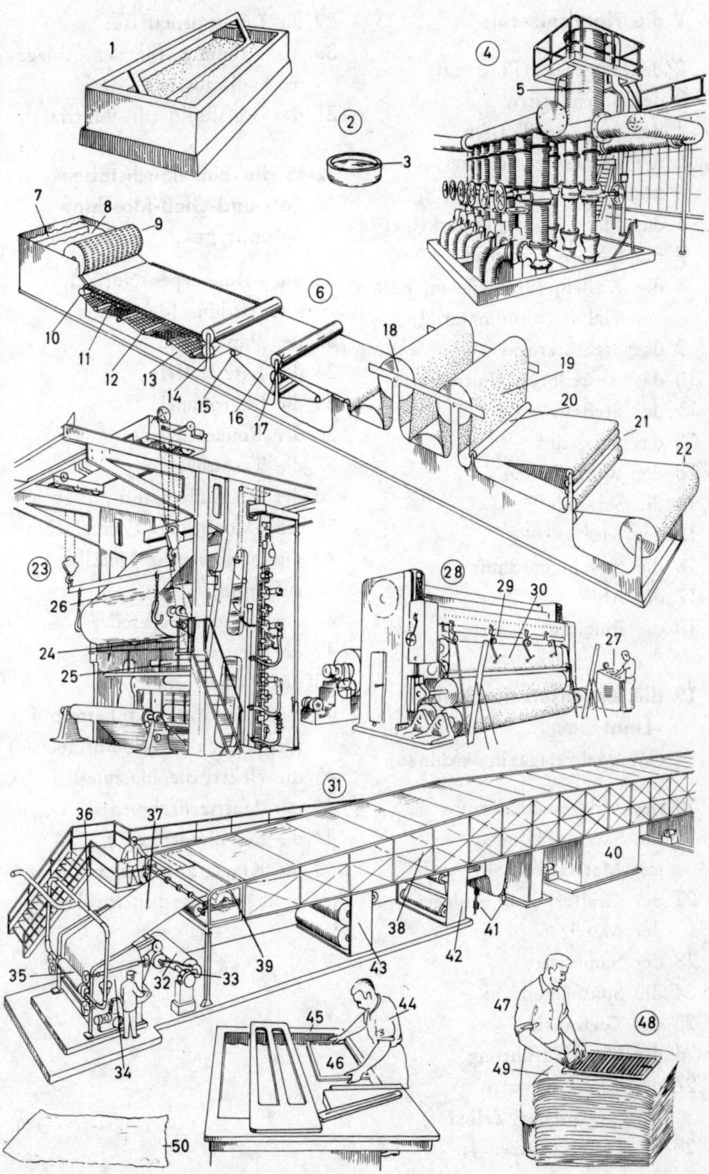
1
2
3
4
5
6
7
8
9
10
11
12
13
14
15
16
17
18
19
20
21
22
23
24
25
26
27
28
29
30
31
32
33
34
35
36
37
38
39
40
41
42
43
44
45
46
47
48
49
50

1 die Handsetzerei:

2 das Setzregal (Pultregal)
3 der Schriftkasten
4 der Steckschriftkasten
5 der Handsetzer (Setzer, Metteur)
6 das Manuskript (Typoskript)
7 die Lettern *f* (Schrift)
8 der Kasten, für Stege *m*, Füllmaterial *n* (Blindmaterial)
9 das Stehsatzregal
10 das Abstellbrett (Formbrett)
11 der Stehsatz
12 das Satzschiff
13 der Winkelhaken
14 die Setzlinie
15 der Satz
16 die Kolumnenschnur
17 die Ahle
18 die Pinzette;

19 die Zeilensetzmaschine »Linotype«,
eine Mehrmagazinmaschine:

20 der Ablegemechanismus
21 die Satzmagazine *n* mit Matrizen *f*
22 der Greifer, zum Ablegen *n* der Matrizen *f*
23 der Sammler
24 die Spatienkeile *m*
25 das Gießwerk
26 die Metallzuführung
27 der Maschinensatz (die gegossenen Zeilen *f*)
28 die Handmatrizen *f*;
29 die Linotypematrize:
30 die Zahnung, für den Ablegemechanismus *m*
31 das Schriftbild (die Matrize);

32-45 die Einzelbuchstaben-Setz-und-Gieß-Maschine »Monotype«,

32 die »Monotype«-Normalsetzmaschine (der Taster):
33 der Papierturm
34 der Satzstreifen
35 die Settrommel
36 der Einheitenzeiger
37 die Tastatur
38 der Preßluftschlauch;
39 die »Monotype«-Gießmaschine:
40 die automatische Metallzuführung
41 die Pumpendruckfeder
42 der Matrizenrahmen
43 der Papierturm
44 das Satzschiff, mit Lettern *f* (gegossenen Einzelbuchstaben *m*)
45 die elektrische Heizung;
46 der Matrizenrahmen:
47 die Schriftmatrizen *f*
48 die Klaue, zum Eingreifen *n* in die Kreuzschlittenführung

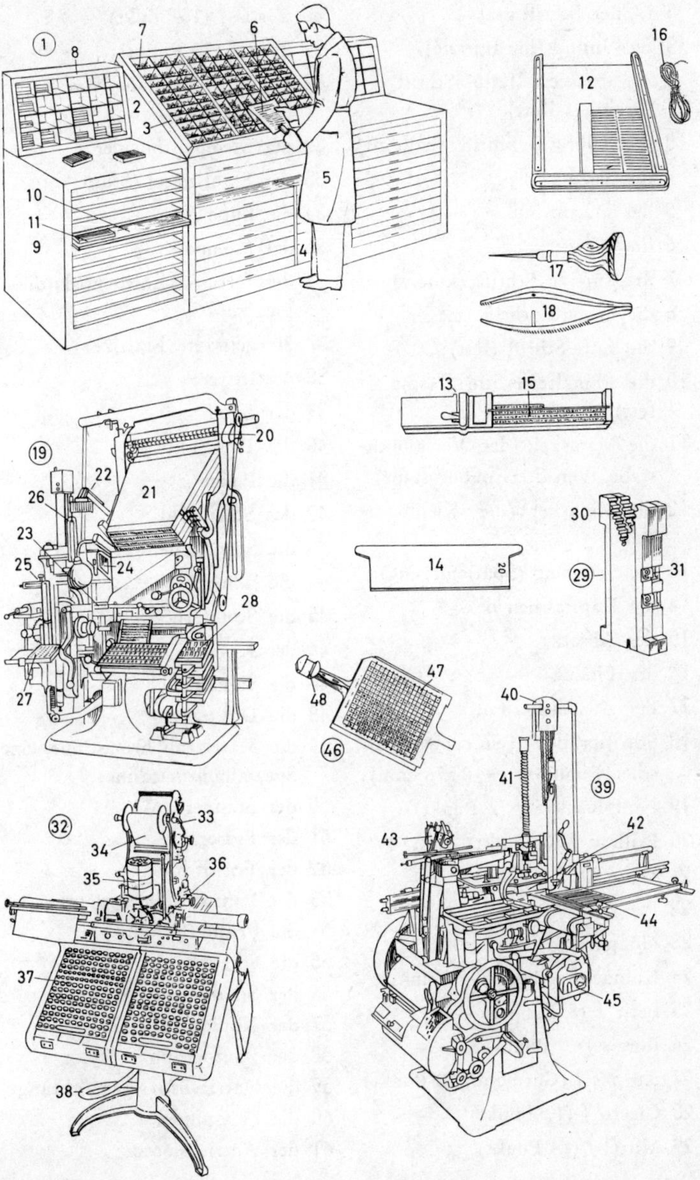
1
2
3
4
5
6
7
8
9
10
11
12
13
14
15
16
17
18
19
20
21
22
23
24
25
26
27
28
29
30
31
32
33
34
35
36
37
38
39
40
41
42
43
44
45
46
47
48

1-17 der Schriftsatz:
1 das Initial (die Initiale)
2 die dreiviertelfette Schrift (dreiviertelfett)
3 die halbfette Schrift (halbfett)
4 die Zeile
5 der Durchschuß
6 die Ligatur
7 die kursive Schrift (kursiv)
8 die magere Schrift (mager)
9 die fette Schrift (fett)
10 die schmalfette Schrift (schmalfett)
11 die Majuskel (der Versalbuchstabe, Versal, Großbuchstabe)
12 die Minuskel (der Kleinbuchstabe)
13 die Sperrung (Spationierung)
14 die Kapitälchen *n*
15 der Absatz
16 der Einzug
17 der Zwischenraum;
18 Schriftgrade *m* [ein typographischer Punkt *m* = 0,376 mm]:
19 Nonplusultra *f* (2 Punkt)
20 Brillant *f* (3 Punkt)
21 Diamant *f* (4 Punkt)
22 Perl *f* (5 Punkt)
23 Nonpareille *f* (6 Punkt)
24 Kolonel *f* (Mignon, 7 Punkt)
25 Petit *f* (8 Punkt)
26 Borgis *f* (9 Punkt)
27 Korpus *f* (Garmond, 10 Punkt)
28 Cicero *f* (12 Punkt)
29 Mittel *f* (14 Punkt)
30 Tertia *f* (16 Punkt)
31 Text *f* (20 Punkt);
32-37 die Herstellung von Lettern *f*:
32 der Stempelschneider
33 der Stahlstichel (Stichel)
34 die Lupe
35 der Stempel;
36 der fertige Stahlstempel (die Patrize)
37 die geprägte Matrize;
38 die Letter:
39 der Kopf
40 das Fleisch
41 die Punze
42 das Schriftbild
43 die Schriftlinie
44 die Schrifthöhe
45 die Schulterhöhe
46 der Kegel
47 die Signatur
48 die Dickte;
49 die Matrizenbohrmaschine, eine Spezialbohrmaschine:
50 der Ständer
51 der Fräser
52 der Frästisch
53 der Pantographensupport
54 die Prismaführung
55 die Schablone
56 der Schablonentisch
57 der Kopierstift
58 der Pantograph
59 die Matrizenspannvorrichtung
60 die Frässpindel
61 der Antriebsmotor

1 2 3

Meyer, **Joseph,** Verlagsbuchhändler, Schriftstel- 4
ler und Industrieller, *9. 5. 1796 Gotha, †27. 6. 1856 5
Hildburghausen, erwies sich nach mißglückten Börsen- 6
(1816-20 in London) und industriellen Unterneh-
mungen (1820-23 in Thüringen) als origineller Shake-
speare- und Scott-Übersetzer und fand mit seinem
„Korrespondenzblatt für Kaufleute" 1825 Anklang.
1826 gründete er den Verlag *„Bibliographisches In-* 7
stitut" in Gotha (1828 nach Hildburghausen verlegt), 8
den er durch die Vielseitigkeit seiner eigenen Werke
(„Universum", „Das Große Konversations- 9
lexikon für die gebildeten Stände", „Meyers 10
Universal-Atlas" 1830-37) sowie durch die Wohlfeil- 11
heit und die gediegene Ausstattung seiner volkstüm-
lichen Verlagswerke („Klassikerausgaben", „Meyers 12
Familien- und Groschenbibliothek", „Volksbibliothek
für Naturkunde", „Geschichtsbibliothek", „Meyers
Pfennig-Atlas" u. a.) sowie durch die Entwicklung
neuer Absatzwege (lieferungsweises Erscheinen auf
S u b s k r i p t i o n und Vertrieb durch R e i s e b u c h - 13
h a n d e l) zum Welthaus machte. Besonders durch
das **„Universum",** ein historisch-geographisches
Bilderwerk, das in 80000 AUFLAGE und in 12 SPRACHEN 14
erschien, wirkte er auf breiteste Kreise. —15 17
16— Seit Ende der 1830er Jahre trat er unter
großen Opfern für ein einheitliches deutsches Eisen-
bahnnetz ein, doch scheiterten seine Pläne und seine

18

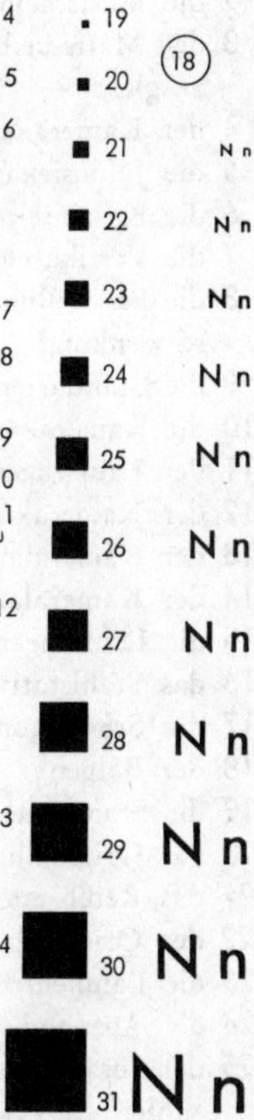

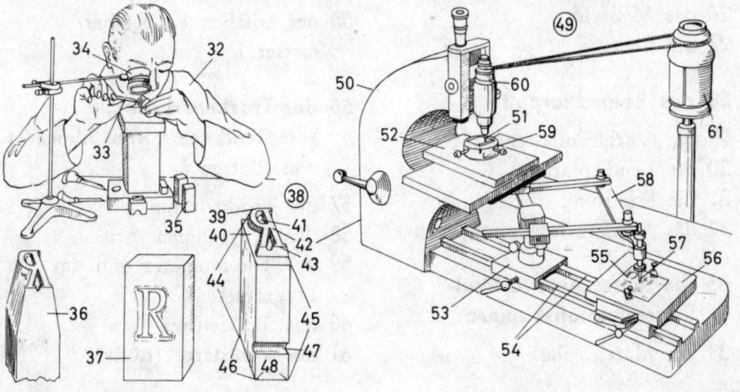

1 **die Reproduktionskamera:**
2 die Mattscheibe
3 der Mattscheibengewichtsausgleich
4 der Kamerakasten
5 die Jalousiekassette
6 die Kastenseitenverschiebung
7 die Vertikalverschiebung
8 die Feststellung der Laufbodenschwenkung
9 die Standartenverstellung
10 die Kamerakastenverstellung
11 der Laufwagentrieb
12 der Kamerakastenfeintrieb
13 der Kameralaufboden
14 der Kameralaufwagen
15 die Laufwagenfeststellung
16 das Stahlstativ
17 der Schwingungsdämpfer
18 der Balgen
19 die Standarte
20 das Originalhaltergestell
21 das Reißbrett
22 der Originalhalter
23 die Lampenschwenkarme *m*
24 die Aufnahmebogenlampen *f*;
25 der zusammenlegbare Fadenzähler, ein Vergrößerungsglas *n*:
26 das Meßfeld
27 die Linse;

28 **das Retuschierpult:**
29 der Vorlagenhalter
30 die Leuchtplatte
31 die Schaltung
32 das Schrägverstellungsgestänge;

33 **die Super-Autovertikal-Reproduktionskamera:**
34 die Mattscheibe
35 der Kreisraster, ein Kreuzraster *m* zur Bildzerlegung
36 der Balgen
37 die Zwillingsbogenlampen *f*
38 das Bedienungspult
39 der Originalhalter;

40 **das Schnell-Kontakt-Kopiergerät:**
41 die Gummidecke
42 die Schalttafel
43 die Schaltuhr
44 das Vakuummeter
45 der Verschlußhebel
46 der Regelwiderstand, für diffuses Licht *n*
47 die Lampe, für diffuses Licht *n*
48 die roten Einlegelampen *f*
49 das Punktlicht
50 die Kopierscheibe;

51 **der Farbspritzapparat** (der Luftpinsel), ein Retuschiergerät *n*:
52 der Düsenhebel
53 die Düse
54 der Schlauch, für Druckluft *f* oder Kohlensäure *f*;
55 der Schaber, ein Radiermesser *n*

56 **der Trockenschrank,** zum Trocknen *n* von Filmen *m* und Platten *f*:
57 der Trockenraum
58 der Tragrahmen
59 das Thermometer und das Hygrometer
60 das Sichtfenster
61 der Ventilator (Lüfter)

171

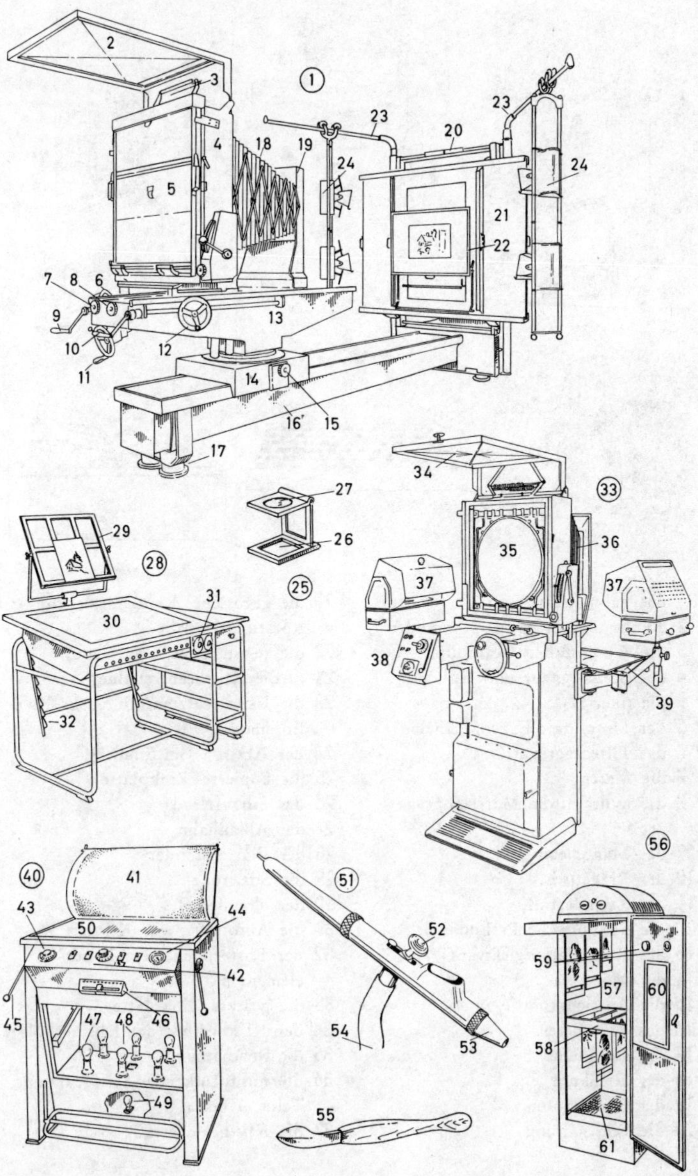
1
2
3
4
5
6
7
8
9
10
11
12
13
14
15
16
17
18
19
20
21
22
23
24
25
26
27
28
29
30
31
32
33
34
35
36
37
38
39
40
41
42
43
44
45
46
47
48
49
50
51
52
53
54
55
56
57
58
59
60
61

172 Galvanoplastik und Klischeeherstellung

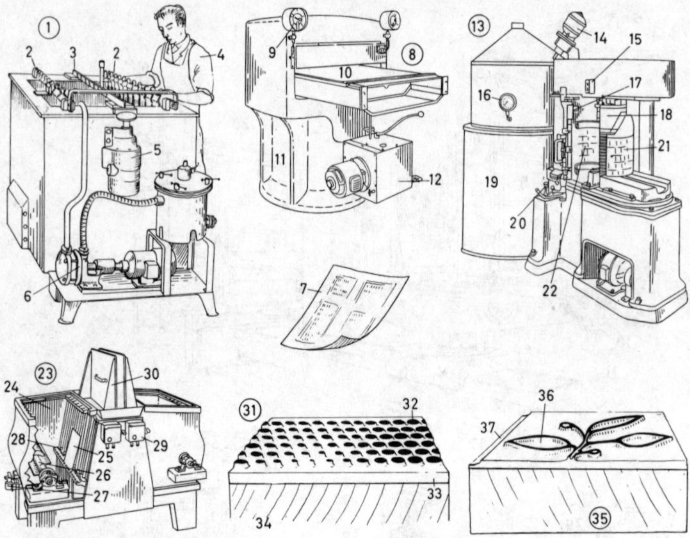

1 das galvanische Bad:
2 die Anodenstange (Kupferanoden *f*)
3 die Warenstange (Kathode)
4 der Stereotypeur und Galvanoplastiker
5 der Motor mit Exzenterscheibe *f*
6 das Filteraggregat;
7 die Mater
8 die hydraulische Matrizenprägepresse:
9 das Manometer
10 der Prägetisch
11 der Zylinderfuß
12 die hydraulische Preßpumpe;
13 das Rundplattengießwerk:
14 der Motor
15 die Antriebsknöpfe *m*
16 das Pyrometer
17 der Gießmund
18 der Gießkern
19 der Schmelzofen
20 die Einschaltung
21 die gegossene Rundplatte, für Rotationsdruck *m*
22 die feststehende Gießschale;
23-30 die Klischeeherstellung,
23 die Klischeeätzmaschine, ein Zwillingsmodell *n*:
24 der Ätztrog [im Schnitt]
25 die kopierte Zinkplatte
26 das Schaufelrad
27 der Ablaßhahn
28 der Plattenständer
29 die Schaltung
30 der Trogdeckel;
31 die Autotypie, ein Klischee *n*:
32 der Rasterpunkt, ein Druckelement *n*
33 die geätzte Zinkplatte
34 der Klischeefuß (das Klischeeholz);
35 die Strichätzung:
36 die nichtdruckenden, tiefgeätzten Teile *m* od. *n*
37 die Klischeefacette

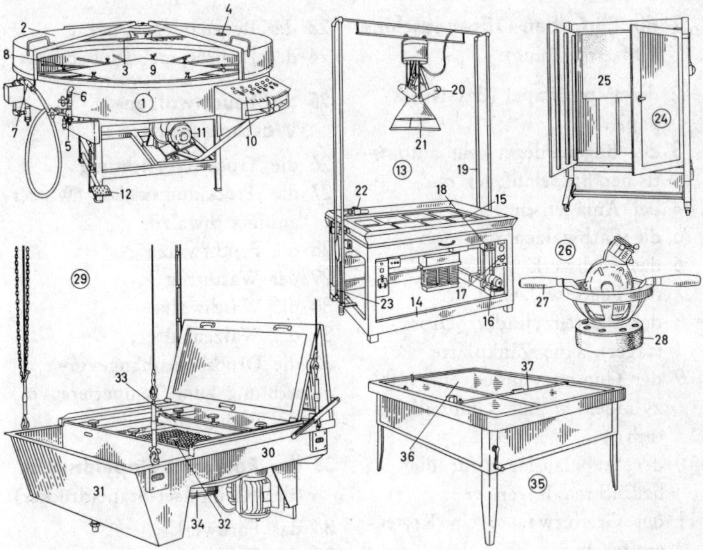

1 der Schleuderapparat, zum Beschichten *n* der Offsetplatten *f*:
2 der Schiebedeckel
3 die Elektroheizung
4 das Rundthermometer
5 der Wasseranschluß
6 die Umlaufspülung
7 die Handbrause
8 die Plattenhaltestangen *f*
9 die Zinkplatte, eine Druckplatte
10 das Zentralschaltpult
11 der Elektromotor
12 die Fußbremse;
13 der pneumatische Kopierrahmen:
14 das Kopierrahmenuntergestell
15 die Spiegelglasscheibe
16 die Vakuumpumpe
17 die Schalttafel
18 der Schalter, für den Glasscheibenhub
19 das Gestänge
20 die Punktlicht-Kopierbogenlampe, eine Kohlenstiftlampe
21 die Aschefangscheibe
22 der Belichtungsregler
23 die Spindel, für den Glasscheibenhub;
24 der Trockenschrank, für Offsetplatten *f*:
25 die kopierte Zinkplatte;
26 der Elektroschleifapparat, für Zinkplatten *f*:
27 die Führungsgriffe *m*
28 die Schleifscheibe;
29 die Druckplattenkörnmaschine:
30 der Schleifkasten
31 der Kugelfangkasten
32 die Schleifkugeln *f*
33 die Platteneinspannleisten *f*
34 die Schwungscheibe;
35 der Montagetisch, zur Filmmontage:
36 die Kristallglasscheibe
37 die Linealeinrichtung

1 die Einfarben-Offsetmaschine (Offsetmaschine):

2 der Papierstapel (das Druckpapier)
3 der Bogenanleger, ein automatischer Stapelanleger *m*
4 der Anlagetisch
5 die Farbwalzen *f*
6 das Farbwerk
7 die Feuchtwalzen *f*
8 der Plattenzylinder (Druckträger), eine Zinkplatte
9 der Gummizylinder, ein Stahlzylinder *m* mit Gummidrucktuch *n*
10 der Stapelausleger für die bedruckten Bogen *m*
11 der Greiferwagen, ein Kettengreifer *m*
12 der Papierstapel [bedruckt]
13 das Schutzblech für den Keilriemenantrieb *m*;
14 die Einfarben-Offsetmaschine [Schema]:
15 das Farbwerk mit den Farbwalzen *f*
16 das Feuchtwerk mit den Feuchtwalzen *f*
17 der Plattenzylinder
18 der Gummizylinder
19 der Druckzylinder
20 die Auslagetrommel mit dem Greifersystem *n*
21 die Antriebsscheibe
22 der Bogenzuführungstisch
23 der Bogenanlegeapparat
24 der Papierstapel [unbedruckt];

25 die Feuchtwalzen-Waschmaschine:

26 die Trockenvorrichtung
27 die Trocknungswalze (Wasserausquetschwalze)
28 die Feuchtwalze
29 der Waschtrog
30 die Waschwalze
31 der Walzenhalter;
32 die Druckbogenhängevorrichtung zum Temperieren *n* des Papiers *n*

33 der Rotaprint-Stapeldrucker (der Kleinoffset-Stapeldrucker):

34 das Farbwerk
35 der Sauganleger
36 die Stapelanlage
37 das Armaturenbrett (Schaltbrett) mit Zähler *m*, Manometer *n*, Luftregler *m* und Schalter *m* für die Papierzuführung;

38 die Flachoffsetmaschine (Mailänder Andruckpresse):

39 das Farbwerk
40 die Farbwalzen *f*
41 das Druckfundament
42 der Zylinder mit Gummidrucktuch *n*
43 der Hebel, für das An- und Abstellen des Druckwerkes *n*
44 die Druckeinstellung

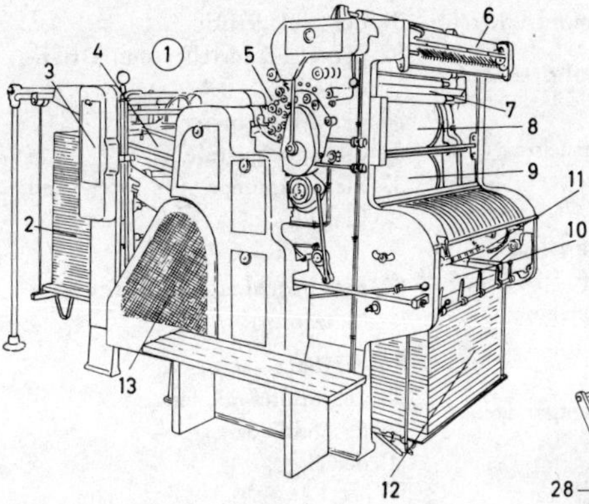
1
2
3
4
5
6
7
8
9
10
11
12
13

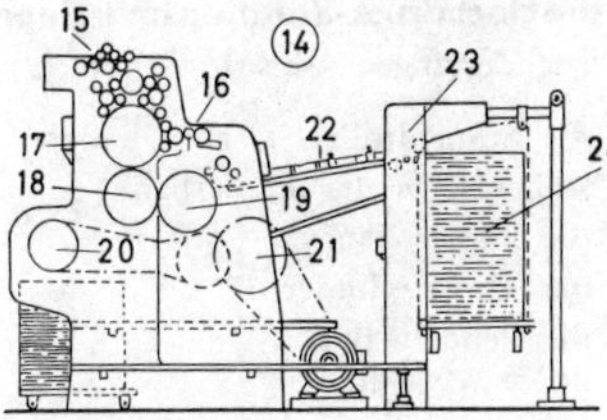
14
15
16
17
18
19
20
21
22
23
24

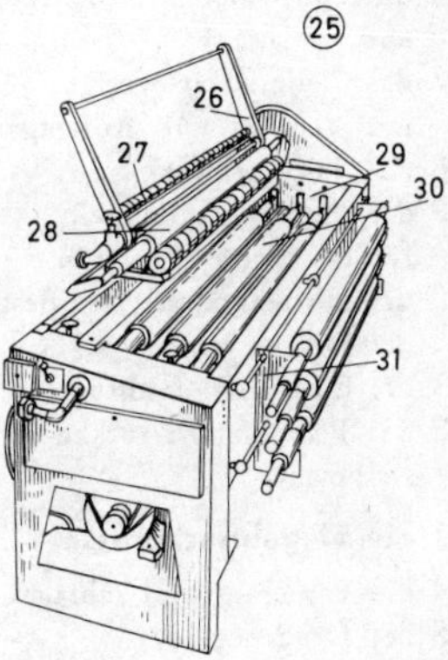
25
26
27
28
29
30
31

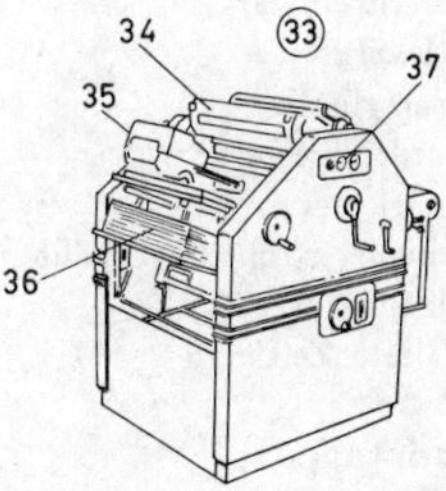
33
34
35
36
37

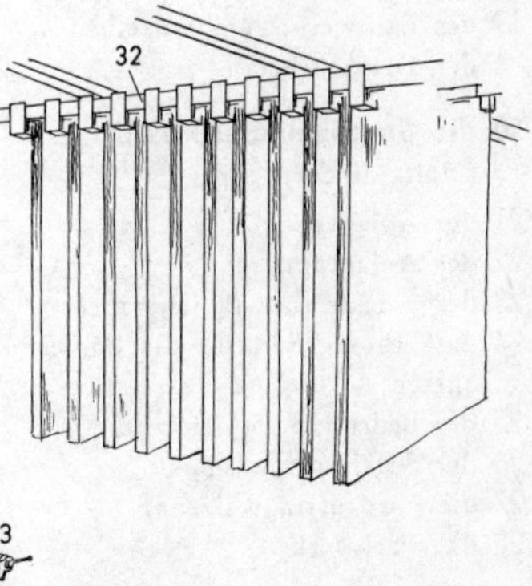
32

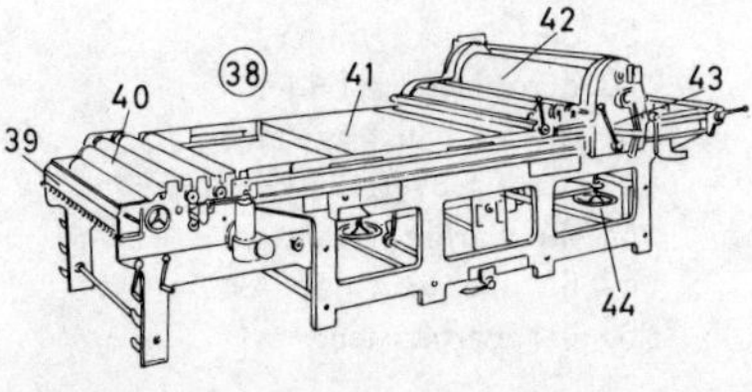
38
39
40
41
42
43
44

1-65 Maschinen *f* der Buchdruckerei,

1 die Zweitouren-Schnellpresse:
2 der Druckzylinder
3 der Hebel zur Zylinderhebung und -senkung
4 der Anlagetisch
5 der automatische Bogenanleger [mit Saug- u. Druckluft *f* betätigt]
6 die Luftpumpe, für Bogenan- und -ablage *f*
7 das Zylinderfarbwerk, mit Verreib- und Auftragwalzen *f*
8 das Tischfarbwerk
9 der Papierablagestapel, für bedrucktes Papier *n*
10 der Spritzapparat, zum Bestäuben *n* der Drucke *m*
11 die Einschießvorrichtung
12 das Pedal, zur Druckan- und -abstellung;

13 die Tiegeldruckpresse [Schnitt]:
14 die Papieran- und -ablage
15 der Drucktiegel
16 der Kniehebelantrieb
17 das Schriftfundament
18 die Farbauftragwalzen *f*
19 das Farbwerk, zum Verreiben *n* der Druckfarbe;

20 die Stoppzylinderpresse (Haltzylinderpresse):
21 der Anlagetisch
22 der Anlageapparat
23 der unbedruckte Papierstapel
24 das Schutzgitter, für die Papieranlage
25 der bedruckte Papierstapel
26 der Schaltmechanismus
27 die Farbauftragwalzen *f*
28 das Farbwerk;

29 die Tiegeldruckpresse [Heidelberger]:
30 der Anlagetisch, mit dem unbedruckten Papierstapel *m*
31 der Ablagetisch
32 der Druckansteller und Druckabsteller
33 der Ablagebläser
34 die Spritzpistole
35 die Luftpumpe, für Saug- und Blasluft *f*;

36 die geschlossene Form (Satzform):
37 der Satz
38 der Schließrahmen
39 das Schließzeug
40 der Steg;

41 die Hochdruck-Rotationsmaschine für Zeitungen *f* bis 16 Seiten *f*:
42 die Schneidrollen *f*, zum Längsschneiden *n* der Papierbahn
43 die Papierbahn
44 der Druckzylinder
45 die Pendelwalze
46 die Papierrolle
47 die automatische Papierrollenbremse
48 das Schöndruckwerk
49 das Widerdruckwerk
50 das Farbwerk
51 der Formzylinder
52 das Buntdruckwerk
53 der Falztrichter
54 das Tachometer, mit Bogenzähler *m*
55 der Falzapparat
56 die gefaltete Zeitung;

57 das Farbwerk, für die Rotationsmaschine [Schnitt]:
58 die Papierbahn
59 der Druckzylinder
60 der Plattenzylinder
61 die Farbauftragwalzen *f*
62 der Farbverreibzylinder
63 die Farbhebewalze
64 die Duktorwalze
65 der Farbkasten

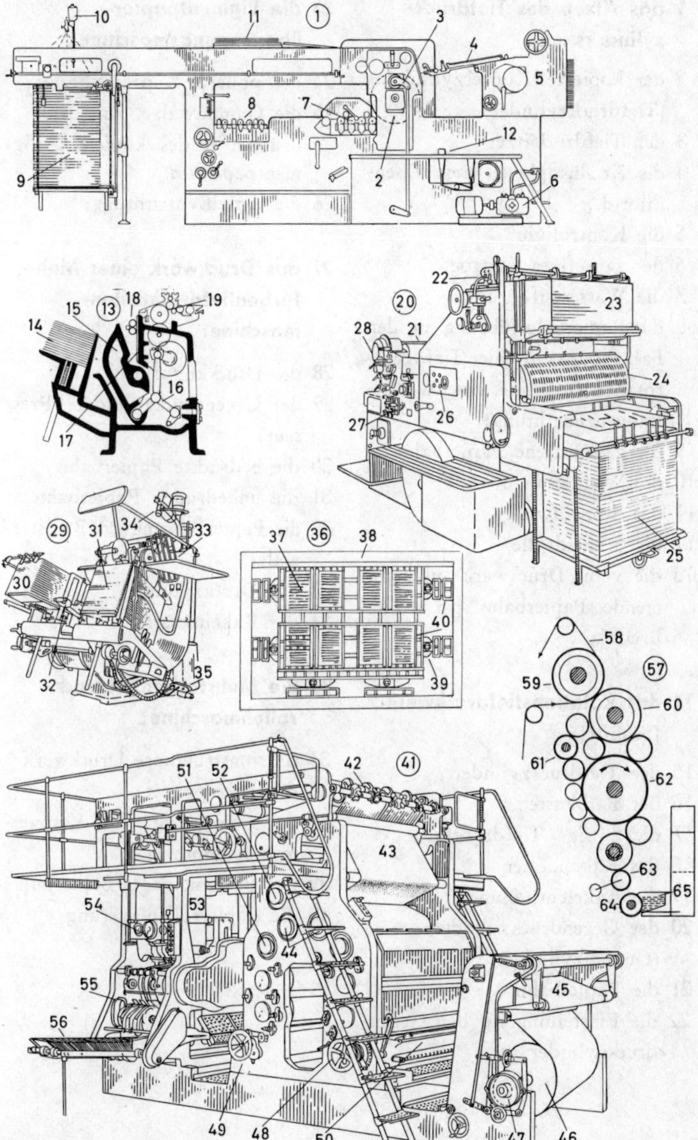
1
2
3
4
5
6
7
8
9
10
11
12
13
14
15
16
17
18
19
20
21
22
23
24
25
26
27
28
29
30
31
32
33
34
35
36
37
38
39
40
41
42
43
44
45
46
47
48
49
50
51
52
53
54
55
56
57
58
59
60
61
62
63
64
65

1 das Ätzen des Tiefdruckzylinders *m*:

2 der kopierte Kupferzylinder (Tiefdruckzylinder)
3 der Tiefdruckätzer
4 die Ätzflüssigkeit; *hier:* Eisenchlorid *n*
5 die Kontrolluhr
6 der säurefeste Ätztrog
7 die Wasserzuführung;
8 die Papierbahnführung in den Falzapparat *m* einer Tiefdruckrotationsmaschine, eine Wendestangeneinrichtung:
9 die geschnittene Papierbahn
10 die Wendestange
11 das Schneidwerk
12 die Schneidrolle
13 die vom Druckwerk *n* kommende Papierbahn [in voller Breite];

14 das Rotationstiefdruckwerk [Schnitt]:

15 der Tiefdruckzylinder
16 der Farbkasten
17 die flüssige Tiefdruckfarbe
18 das Rakelmesser
19 die Rakeleinstellung
20 der Gegendruckzylinder (Gummizylinder)
21 die Papierbahn
22 die Einstellung für den Gegendruckzylinder *m*;

23 die Pigmentpapierübertragungsmaschine:

24 der polierte Kupferzylinder
25 die Gummiwalze, zum Andrücken *n* des kopierten Pigmentpapiers *n*
26 die Anreißvorrichtung;

27 das Druckwerk einer Mehrfarbentiefdruckrollenmaschine:

28 die Druckknopftafel
29 der Gegendruckzylinder (Presseur)
30 die bedruckte Papierbahn
31 die unbedruckte Papierbahn
32 die Papierführungs- u. Registerwalze
33 der Druckzylinder
34 das Rakelmesser;

35 die Mehrfarbentiefdruckrollenmaschine:

36 das umsteuerbare Druckwerk
37 der Falzapparat
38 das Abzugsrohr, für Lösungsmitteldämpfe *m*
39 das Bedienungs- u. Steuerpult
40 die Papierrollenlagerung

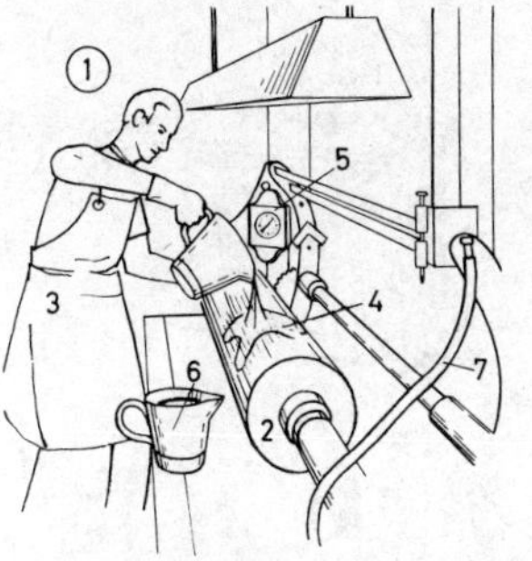
1
2
3
4
5
6
7

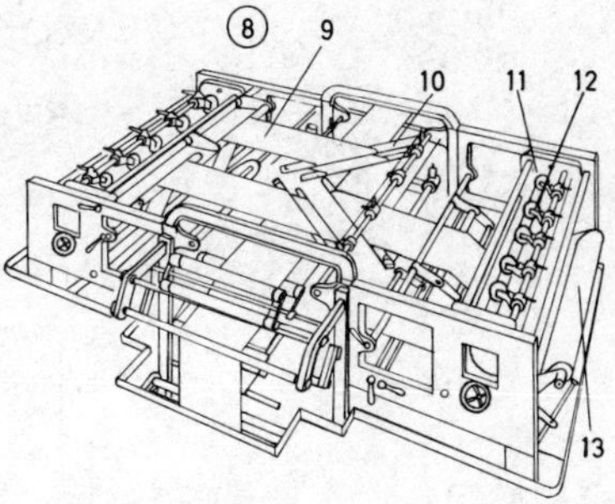
8
9
10
11
12
13

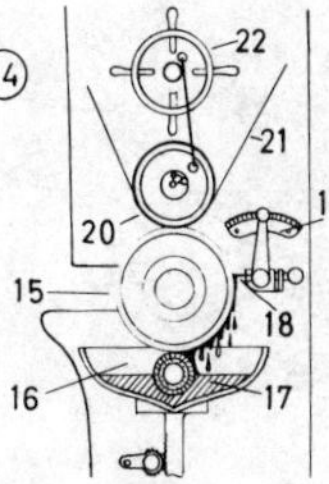
14
15
16
17
18
19
20
21
22

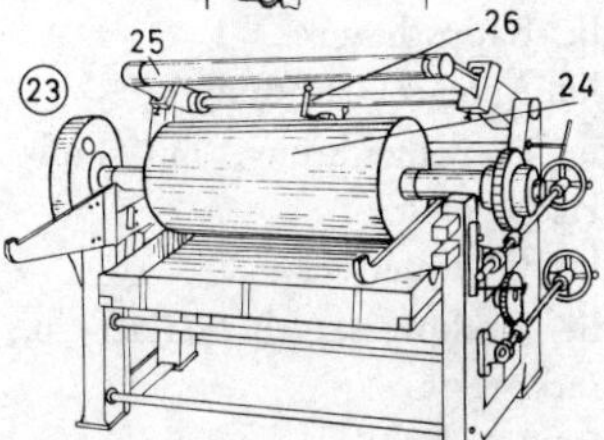
23
24
25
26

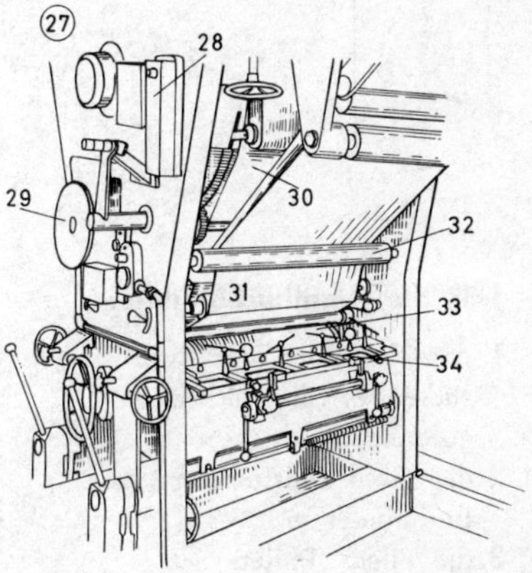
27
28
29
30
31
32
33
34

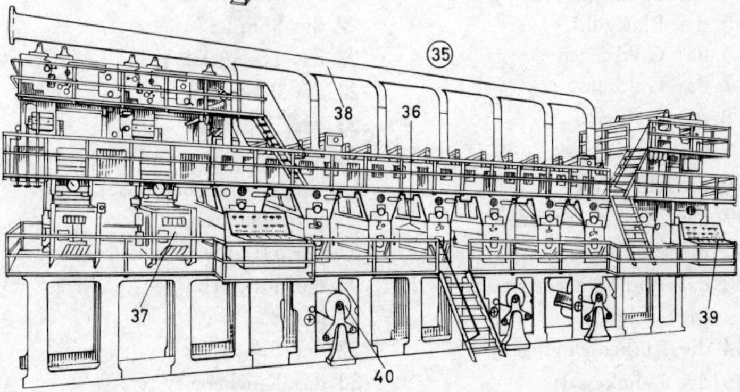
35
36
37
38
39
40

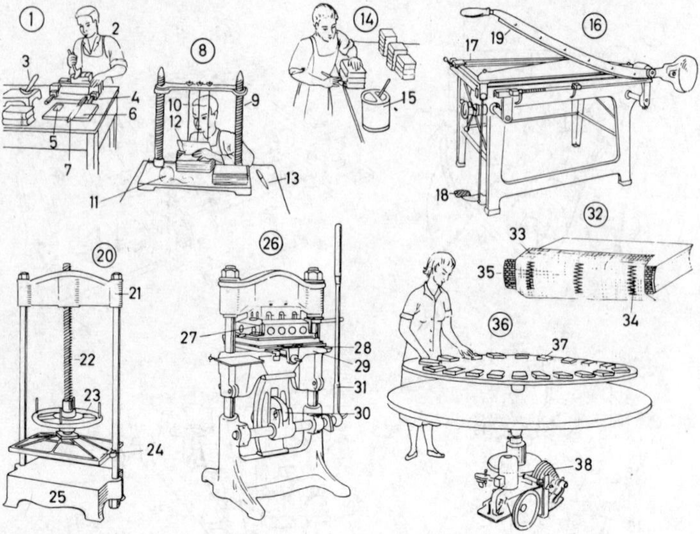

1-38 die Handbuchbinderei,

1 das Vergolden des Buchrückens *m* (die Rückenvergoldung):

2 der Goldschnittmacher, ein Buchbinder *m*

3 die Filete (Philete)

4 der Spannrahmen

5 das Blattgold

6 das Goldkissen

7 das Goldmesser;

8 das Heften:

9 die Heftlade

10 die Heftschnur

11 der (das) Garnknäuel

12 die Heftlage

13 das Buchbindermesser (der Kneif);

14 die Rückenleimung:

15 der Leimkessel;

16 die Pappschere:

17 die Anlegeeinrichtung

18 die Preßeinrichtung, mit Fußtritthebel *m*

19 das Obermesser;

20 die Stockpresse, eine Glätt- u. Packpresse:

21 das Kopfstück

22 die Spindel

23 das Schlagrad

24 die Preßplatte

25 das Fußstück;

26 die Vergolde- und Prägepresse, eine Handhebelpresse; *ähnl.:* Kniehebelpresse:

27 der Heizkasten

28 die ausschiebbare Anhängeplatte

29 der Prägetiegel

30 das Kniehebelsystem

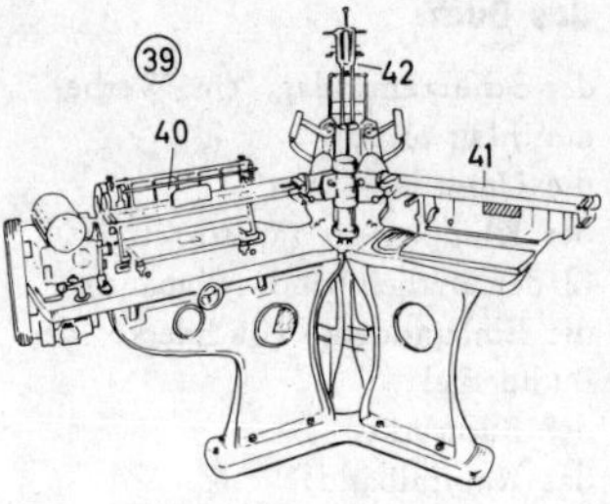

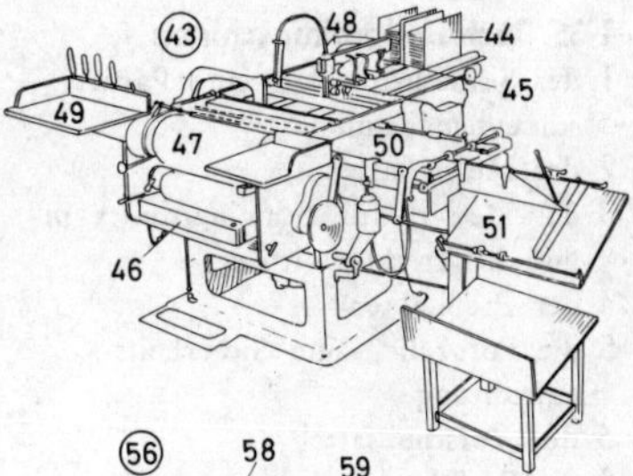

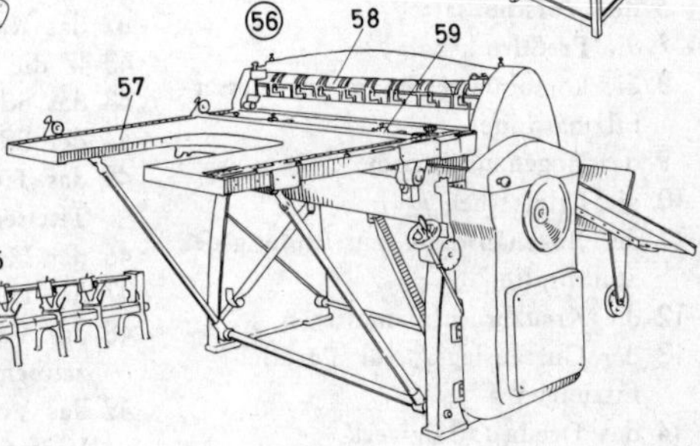

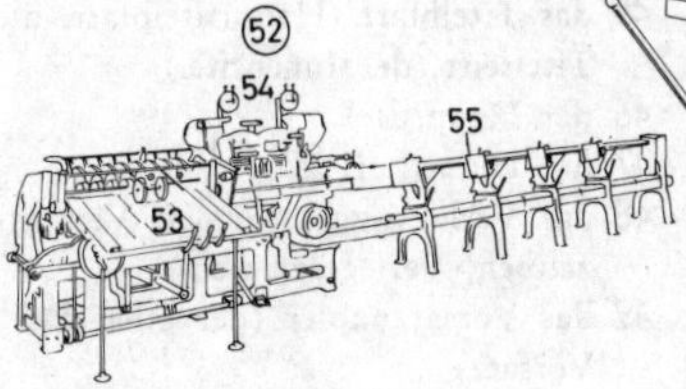

31 der Handhebel;
32 das auf Gaze *f* geheftete Buch (die Broschur):
33 die Heftgaze
34 die Heftung
35 das Kapitalband (Kaptalband);
36 der Zusammentragetisch, ein Drehtisch *m*:
37 die Stöße *m* der Bogen *m* (Signaturen *f*)
38 der Motor, zum Drehen *n* des Tisches *m*;

39-59 Buchbindereimaschinen *f*,

39 der Karussellbinder, für fadenlose Klebebindung *f*:
40 die Fächer- und Einstreichmaschine
41 das Runde- und Aufstoßgerät
42 das Falzabpreßgerät und der Streifenaufleger;
43 die Buchdeckenmaschine:
44 die Magazine *n*, für Pappdeckel *m*
45 die Pappenzieher *m*
46 der Leimkasten
47 der Nutzenzylinder
48 der Saugarm
49 der Stapelplatz, für Überzugnutzen *n* [Leinen *n*, Papier *n*, Leder *n*]
50 die Preßeinrichtung
51 der Ablegetisch;
52 die Sammel-Drahtheftmaschine:
53 der Auslegemechanismus
54 die Heftköpfe *m*
55 die Anlegestation;
56 die Kreispappschere:
57 der Anlegetisch, mit Aussparung *f*
58 das Kreismesser
59 das Einführlineal

1-35 Buchbindereimaschinen *f*,
1 der Schnellschneider, eine Papierschneidemaschine:
2 der Messerhalter
3 das Messer, für Schwingschnitt *m* und Senkrechtschnitt *m*
4 der Preßbalken
5 die Fotozelle, eine Sicherheitseinrichtung
6 der Vorschubsattel
7 die Preßdruckskala;
8 die kombinierte Stauch- u. Messerfalzmaschine:
9 der Bogenzuführtisch
10 die Falztaschen *f*
11 der Bogenanschlag, zur Bildung der Stauchfalte
12 die Kreuzbruchfalzmesser *n*
13 der Gurtausleger, für Parallelfalzungen *f*
14 das Dreibruchfalzwerk
15 die Dreibruchauslage;
16 die Fadenbuchheftmaschine:
17 der Spulenhalter
18 der Fadenkops, eine Fadenspule
19 der Gazerollenhalter
20 die Heftgaze
21 die Körper *m*, mit den Heftnadeln *f*
22 der geheftete Buchblock
23 die Auslage
24 der schwingende Heftsattel;
25 die Bucheinhängemaschine:
26 die Buchdecke
27 die Leimwalzen *f*
28 der Buchblock
29 das Schwert
30 die eingehängten Bücher *n*;
31 die Anleimmaschine, für Voll-, Fasson-, Rand- und Streifenbeleimung *f*:
32 der Leimkessel
33 die Leimwalze
34 der Einfuhrtisch
35 die Abtransportvorrichtung;

36 das Buch:
37 der Schutzumschlag, ein Werbeumschlag *m*
38 die Umschlagklappe
39 der Klappentext (Waschzettel)
40-42 der Bucheinband (Einband):
40 die Einbanddecke (Buchdecke, der Buchdeckel)
41 der Buchrücken
42 das Kapitalband;
43-47 die Titelei:
43 das Schmutztitelblatt
44 der Schmutztitel (Vortitel)
45 das Titelblatt (Haupttitelblatt, die Titelseite, der Innentitel)
46 der Haupttitel
47 der Untertitel;
48 das Verlagssignet (Signet, Verlagszeichen, Verlegerzeichen)
49 das Vorsatzpapier (der oder das Vorsatz)
50 die handschriftliche Widmung
51 das Exlibris (Bucheignerzeichen);
52 das aufgeschlagene Buch:
53 die Buchseite (Seite)
54 der Falz
55-58 der Papierrand:
55 der Bundsteg
56 der Kopfsteg
57 der Außensteg
58 der Fußsteg;
59 der Satzspiegel
60 die Kapitelüberschrift
61 das Sternchen
62 die Fußnote, eine Anmerkung
63 die Seitenziffer
64 der zweispaltige Satz
65 die Spalte (Kolumne)
66 der Kolumnentitel
67 der Zwischentitel
68 die Marginalie (Randbemerkung)
69 die Bogennorm (Norm)
70 das feste Lesezeichen
71 das lose Lesezeichen

1

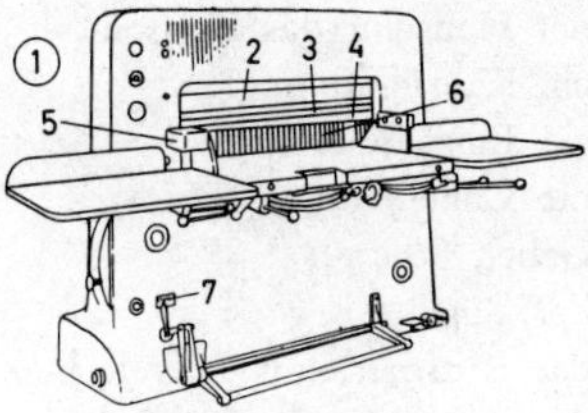

8

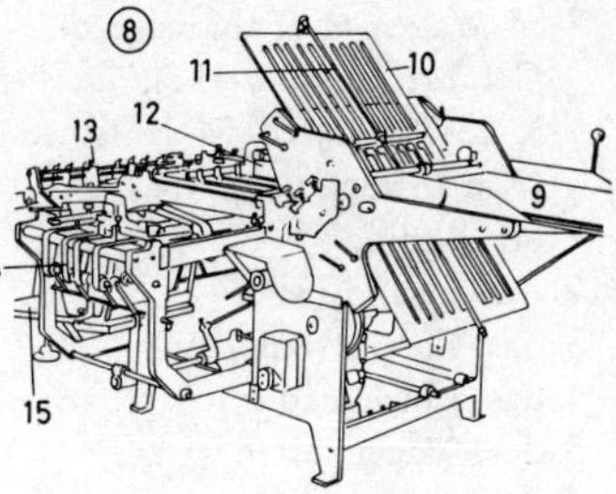

16

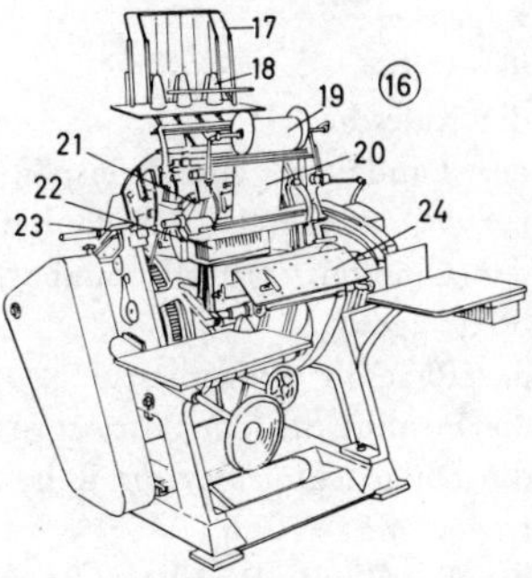

25

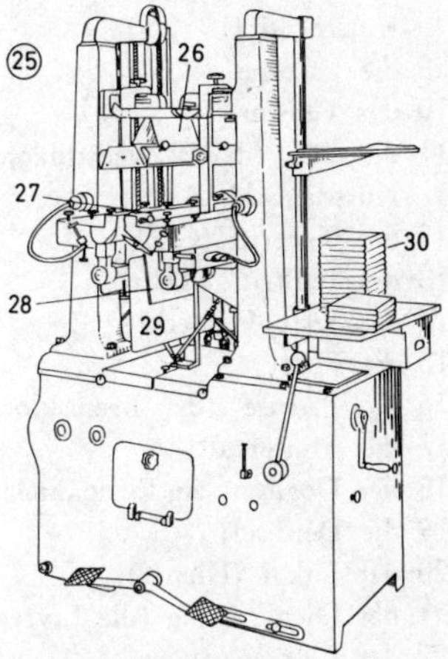

31

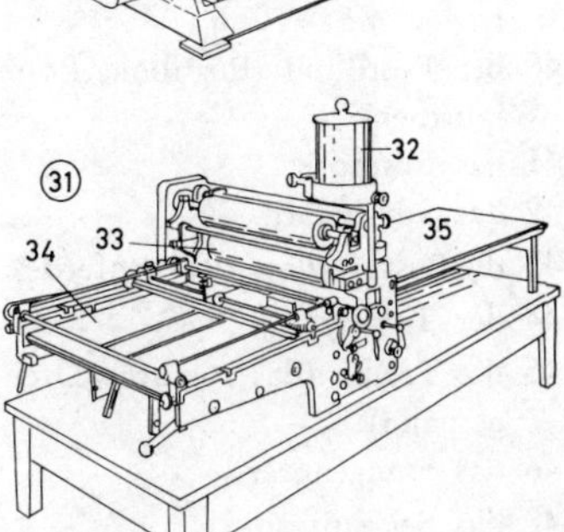

36

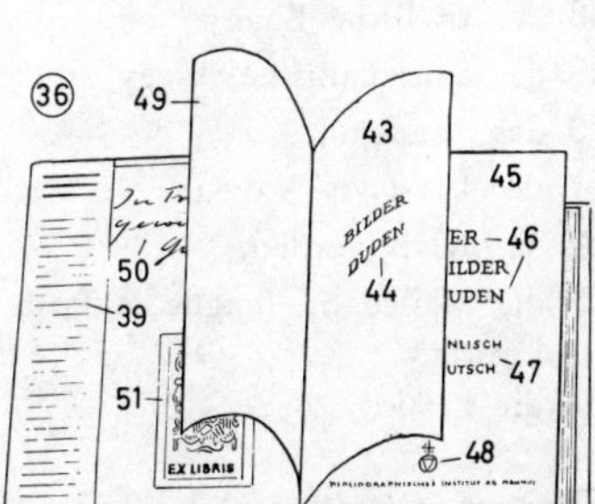

52

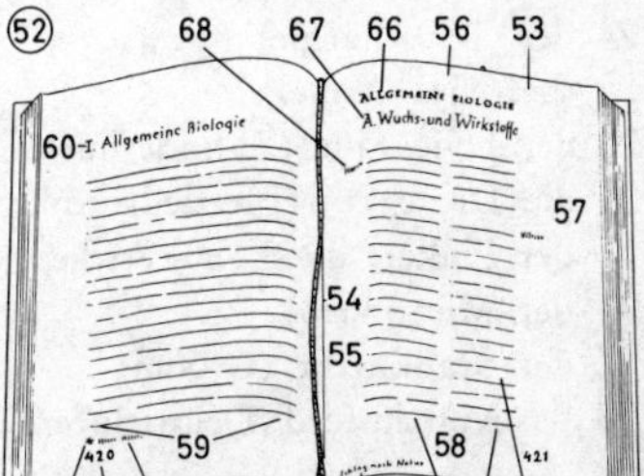

179 Pferdewagen

1-54 Wagen *m* (Fahrzeuge *n*, Gefährte, Fuhrwerke),
1-3, 26-39, 45, 51-54 Kutschen *f* (Kutschwagen *m*):
1 die Berline
2 der (das) Break
3 das Coupé (Kupee):
4 das Vorderrad
5 der Wagenkasten
6 das Spritzbrett
7 die Fußstütze
8 der Kutschbock (Bock, Bocksitz, Kutschersitz)
9 die Laterne
10 das Fenster
11 die Tür (der Wagenschlag, Kutschenschlag)
12 der Türgriff (Griff)
13 der Fußtritt (Tritt)
14 das feste Verdeck
15 die Feder
16 die Bremse (der Bremsklotz)
17 das Hinterrad;
18 der Dogcart, ein Einspänner *m*:
19 die Deichsel;
20 der Lakai (Diener):
21 der Dieneranzug (die Livree)
22 der Tressenkragen (betreßte Kragen)
23 der Tressenrock (betreßte Rock)
24 der Tressenärmel (betreßte Ärmel)
25 der hohe Hut (Zylinderhut);
26 die Droschke (Pferdedroschke, der Fiaker, die Lohnkutsche, der Mietwagen)
27 der Stallknecht (Groom)
28 das Kutschpferd (Deichselpferd)
29 der Hansom (das Hansomcab), ein Kabriolett *n*, ein Einspänner *m*:
30 die Gabeldeichsel (Deichsel, Gabel, Schere);
31 der Zügel
32 der Kutscher, mit Havelock *m*
33 der Kremser, ein Gesellschaftswagen *m*
34 das Cab
35 die Kalesche
36 der Landauer, ein Zweispänner *m*; *ähnl.:* das Landaulett
37 der Omnibus (Pferdeomnibus, Stellwagen)
38 der Phaeton (Phaethon)
39 die Postkutsche (der Postwagen, die Diligence); *zugleich:* Reisewagen *m*:
40 der Postillion (Postillon, Postkutscher)
41 das Posthorn
42 das Schutzdach
43 die Postpferde *n* (Relaispferde);
44 der Tilbury
45 die Troika (das russische Dreigespann):
46 das Stangenpferd
47 das Seitenpferd;
48 der englische Buggy
49 der amerikanische Buggy
50 das Tandem
51 der Vis-à-vis-Wagen:
52 das Klappverdeck;
53 die Mailcoach (englische Postkutsche)
54 die Chaise

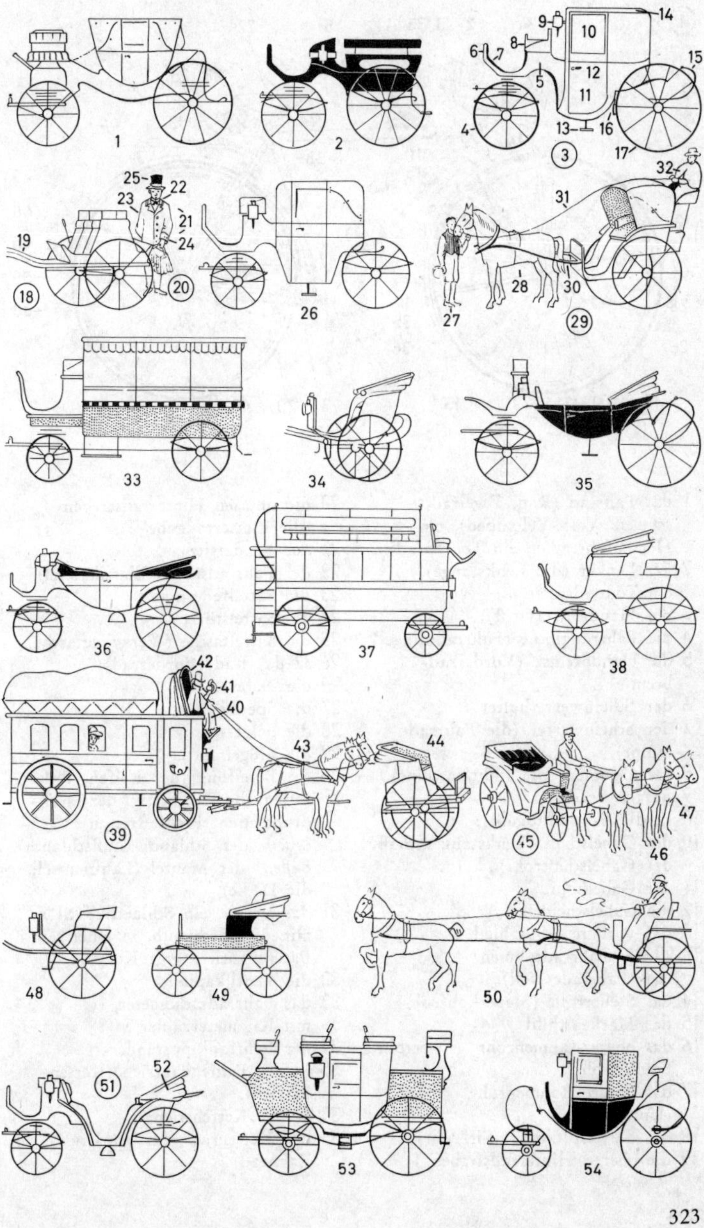
1
2
3
4
5
6
7
8
9
10
11
12
13
14
15
16
17
18
19
20
21
22
23
24
25
26
27
28
29
30
31
32
33
34
35
36
37
38
39
40
41
42
43
44
45
46
47
48
49
50
51
52
53
54

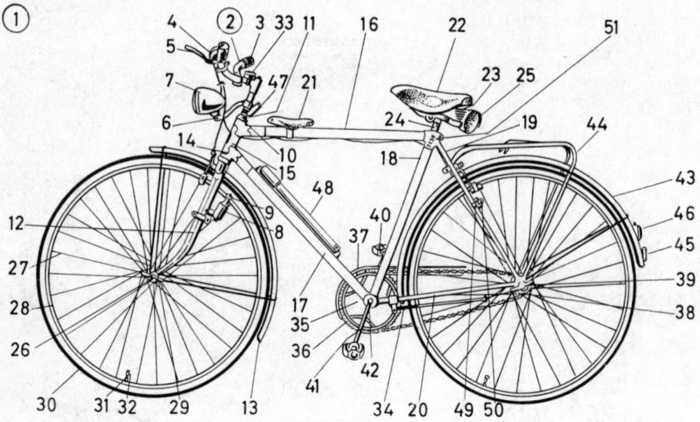

1 das Fahrrad (Rad, Zweirad, *schweiz.* Velo, Veloziped), ein Herrenfahrrad *n*, ein Tourenrad *n*,
2 der Lenker (die Lenkstange), ein Tourenlenker *m*:
3 der Handgriff (Griff);
4 die Fahrradglocke (Fahrradklingel)
5 die Handbremse (Vorderradbremse)
6 der Scheinwerferhalter
7 der Scheinwerfer (die Fahrradlampe)
8 der Dynamo (die Lichtmaschine)
9 das Laufrädchen
10-12 die Vorderradgabel:
10 der Gabelschaft (Lenkstangenschaft, das Gabelschaftrohr)
11 der Gabelkopf
12 die Gabelscheiden *f*;
13 das vordere Schutzblech
14-20 der Fahrradrahmen (das Fahrradgestell):
14 das Steuerrohr (Steuerkopfrohr)
15 das Markenschild
16 das obere Rahmenrohr (Oberrohr, Scheitelrohr)
17 das untere Rahmenrohr (Unterrohr)
18 das Sattelstützrohr (Sitzrohr)
19 die oberen Hinterradstreben *f*
20 die unteren Hinterradstreben *f* (die Hinterradgabel);
21 der Kindersitz
22 der Fahrradsattel (Elastiksattel)
23 die Sattelfedern *f*
24 die Sattelstütze
25 die Satteltasche (Werkzeugtasche)
26-32 das Rad (Vorderrad):
26 die Nabe
27 die Speiche
28 die Felge
29 die Flügelmutter
30 die Bereifung (der Reifen, Luftreifen, die Pneumatik, der Hochdruckreifen, Preßluftreifen); *innen:* der Schlauch (Luftschlauch), *außen:* der Mantel (Laufmantel, die Decke)
31 das Ventil, ein Schlauchventil *n*, mit Ventilschlauch *m* oder ein Patentventil *n* mit Kugel *f*
32 die Ventilkappe;
33 das Fahrradtachometer, mit Kilometerzähler *m*
34 der Fahrradkippständer
35-42 der Fahrradantrieb (Kettenantrieb),
35-39 der Kettentrieb:
35 das Kettenrad (das vordere Zahnrad)

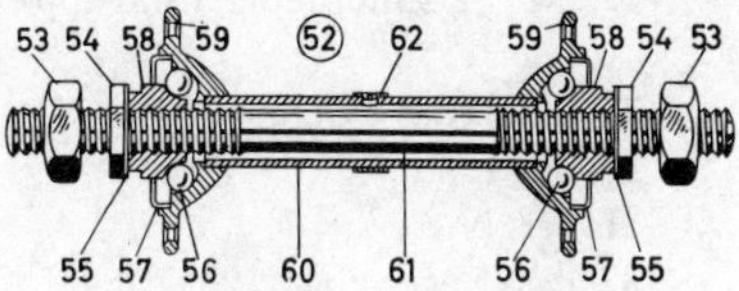

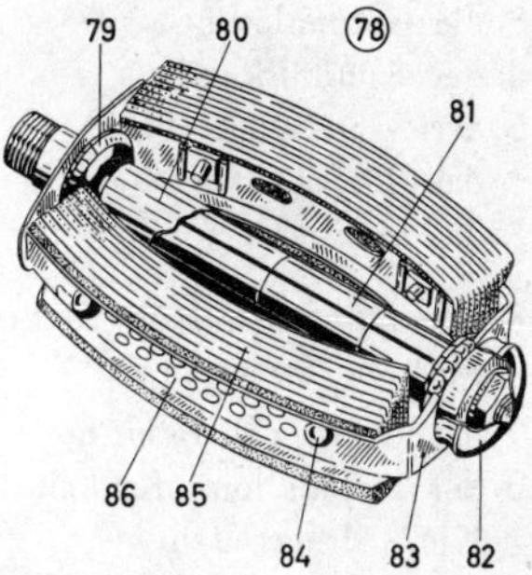

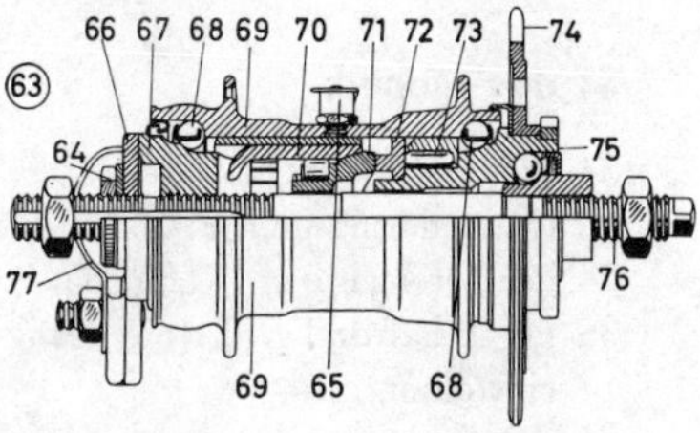

36 die Kette (Rollenkette)
37 der Kettenschutz (das Kettenschutzblech)
38 das hintere Kettenzahnrad (der Kettenzahnkranz, Zahnkranz)
39 der Kettenspanner;
40 das Pedal
41 die Tretkurbel
42 das Tretkurbellager (Tretlager);
43 das hintere Schutzblech (der Kotschützer)
44 der Gepäckträger
45 der Rückstrahler (*ugs.* das Katzenauge)
46 das elektr. Rücklicht
47 das Rücklichtkontrollgerät
48 die Fahrradpumpe (Luftpumpe)
49 das Fahrradschloß, ein Speichen-
50 der Patentschlüssel [schloß *n*
51 die Fahrradnummer (Fabriknummer)
52 die Vorderradnabe:
53 die Mutter
54 die Kontermutter, mit Stern-
55 die Nasenscheibe [prägung *f*
56 die Kugel
57 die Staubkappe
58 der Konus
59 die Tülle
60 das Rohr
61 die Achse
62 der Ölerklipp;
63 die Freilaufnabe, mit Rücktrittbremse *f*:
64 die Sicherungsmutter
65 der Helmöler (Öler)
66 der Bremshebel
67 der Hebelkonus
68 der Kugelring, mit Kugeln *f* im Kugellager *n*
69 die Nabenhülse
70 der Bremsmantel
71 der Bremskonus
72 der Walzenführungsring
73 die Antriebswalze
74 der Zahnkranz
75 der Gewindekopf
76 die Achse
77 die Bandage;
78 das Fahrradpedal (Pedal, Rückstrahlpedal, Leuchtpedal, Reflektorpedal), ein Blockpedal *n*:
79 die Tülle
80 das Pedalrohr
81 die Pedalachse
82 die Staubkappe
83 der Pedalrahmen
84 der Gummistift
85 der Gummiblock
86 das Rückstrahlglas

1 das Flickzeug:
2 die Flickzeugschachtel
3 die Gummilösung
4 der Rundflick
5 der Viereckflick (Flick)
6 das Schutzleinen
7 das Glaspapier;

8 das Damenfahrrad (Damenrad), ein Sportrad *n*:
9 der Doppelrohrrahmen
10 der Halbballonreifen, ein Niederdruckreifen *m*
11 der Kleiderschutz (das Kleidernetz)
12 der Sportlenker;

13 das Kinderfahrrad (Kinderrad):
14 der Vollballonreifen;

15 das Gepäckrad (Transportrad), ein Geschäftsrad *n*, ein Spezialrad *n*:
16 der Vorderradgepäckträger
17 das niedere Vorderrad
18 das Firmenschild
19 die Fahrradgepäcktasche
20 der Fahrradanhänger:
21 die Kugelkupplung;

22 das Krankendreirad, ein Selbstfahrer *m*:
23 der Fußkasten
24 der Schwinghebel
25 die Handbremse
26 die Steuerung
27 das Lenkrad;
28 die Kettenersatzteile *n* für Moped *n*,
29-31 das Federverschlußglied, ein Kettenglied *n* (Glied):
29 die Verschlußfeder (Schnappfeder)
30 u. 31 das Nietböckchen:
30 die Lasche
31 der Niet;
32 das Kettenglied (Glied);

33 das Moped,

34-39 die Lenkerarmaturen *f* (Mopedarmaturen):
34 der Drehgasgriff (Gasgriff)
35 der Schaltdrehgriff (die Gangeinstellung)
36 der Kupplungshebel
37 der Handbremshebel
38 der Lichtschalter
39 das Einbautachometer (Tachometer);
40 die Mopedleuchte
41 die Bowdenzüge *m*
42 die Schutzblechfigur
43 die Vorderradbremse, eine Kabeltrommelbremse
44 das Rücklichtkontrollgerät
45 der Kraftstoffbehälter
46 der Tankrahmen, ein Ovalrohrrahmen *m*
47 die Stahlblechverkleidung
48 der Schwingsattel
49 der Mopedmotor, ein Einzylindermotor *m*, ein Zweitaktmotor *m* mit Kurbelgehäusespülung *f*
50 der eingebaute Tretantrieb (die Antretkurbel, das Startpedal)
51 der Kettenkasten (das Kettenschutzblech)
52 die Antriebskette
53 der Kettenspanner, ein Drehkeil *m*

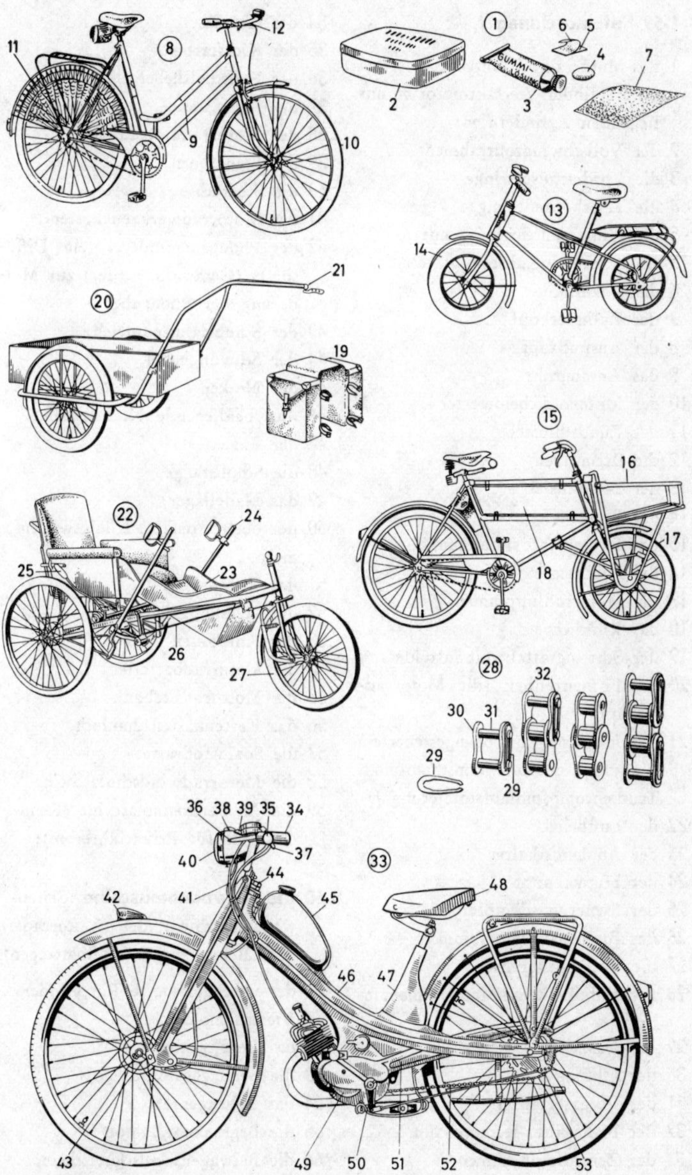
GUMMI-LÖSUNG

182 Motorrad (Kraftrad, Krad)

1-59 Solomaschinen *f*,

1 das Motorrad mit untengesteuertem Zweizylinder-Viertaktmotor *m*, mit liegenden Zylindern *m*:
2 der Vollschwingrohrrahmen
3 die Vorderradschwinge
4 die Teleskopfederung
5 die Hinterradschwinge, mit Kardanschwingachse *f*
6 der Boxermotor
7 der Zylinderkopf
8 der Auspufftopf
9 das Ansaugrohr
10 der Motorradscheinwerfer
11 der Zündschlüssel
12 die Bremsnabe
13 der Bremshebel
14 das Bremsseil
15 das Hinterradbremsgestänge
16 die Fußbremse
17 die Motorradluftpumpe
18 das Rücklicht
19 der Schwingsattel, mit Satteldecke *f*
20 das Firmenzeichen (die Motorradmarke);
21 das Motorrad mit obengesteuertem Einzylindermotor *m*, mit automat. Trockensumpfumlaufschmierung *f*:
22 der Lufthebel
23 der Abblendschalter
24 der Hupenknopf
25 der Steuerungsdämpfer
26 das Bremsparallelogramm
27 die Vollnabenbremse
28 der Büffeltank, ein Motorradbenzintank *m*
29 der Gaszug
30 der Luftzug
31 der Vergasertupfer
32 der Becherfilter-Reservehahn
33 der Zentralpreßrahmen
34 der Öltank
35 der Kickstarter
36 der Fußschalthebel
37 der Fußraster
38 der Motorradkippständer
39 das Signalhorn
40 die Steckachse
41 der Motorradwerkzeugkasten
42 der Phongabeminderer, ein Diffusor *m* (Geräuschdämpfer) zur Minderung der Phongabe;
43 der Schubstangenantrieb:
44 der Schwunghebel
45 der Nocken
46 die obenliegende Nockenwelle
47 der Exzenter
48 die Schubstange
49 das Nadellager;
50 der obengesteuerte Königswellenmotor
51 das Typenschild
52 die Teleskopgabel
53 das Kniekissen
54 die Motorradbatterie
55 die Motorradsitzbank
56 das Kettenkastenschauloch
57 die Soziusfußraste
58 die Motorradwindschutzscheibe
59 die Amateurrennmaschine (Rennmaschine für Privatfahrer *m*);

60 die Beiwagenmaschine (Seitenwagenmaschine), ein Motorrad *n* mit Beiwagen *m* (Seitenwagen):

61 der untengesteuerte Einzylinder-Viertaktmotor
62 das Beiwagenschiff
63 die Beiwagenstoßstange
64 das Beiwagenrad
65 die Begrenzungslampe
66 die Beiwagenwindschutzscheibe

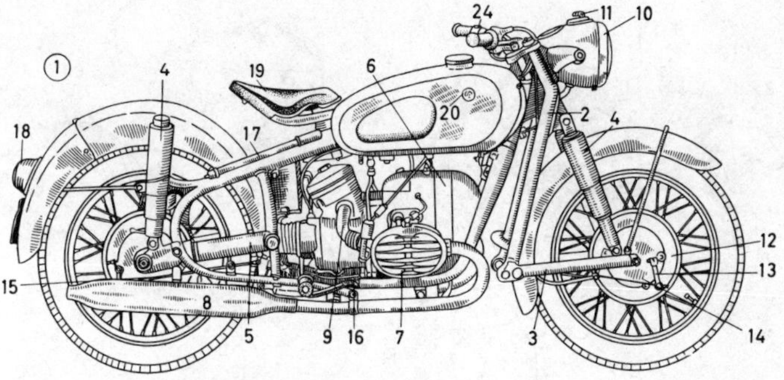
1
24
11
10
4
19
6
20
18
17
2
4
12
13
15
8
5
9
16
7
3
14

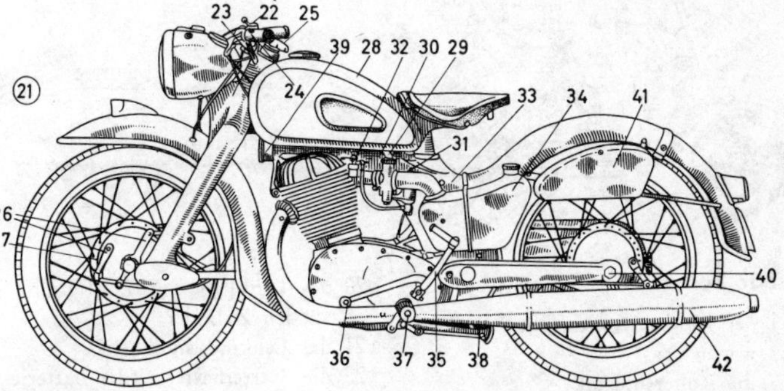
23
22
25
39
28
32
30
29
21
24
33
34
41
31
26
27
40
36
37
35
38
42

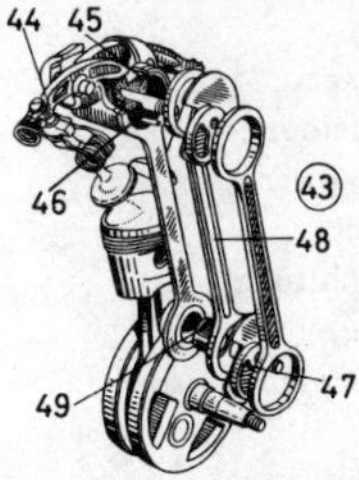
44
45
46
43
48
49
47

59

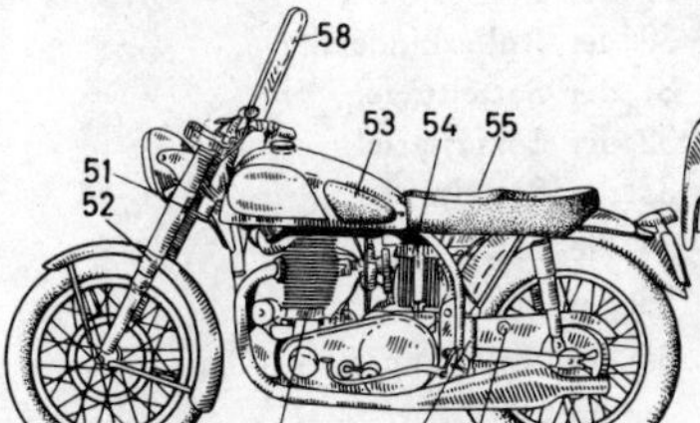
58
53
54
55
51
52
50
57
56

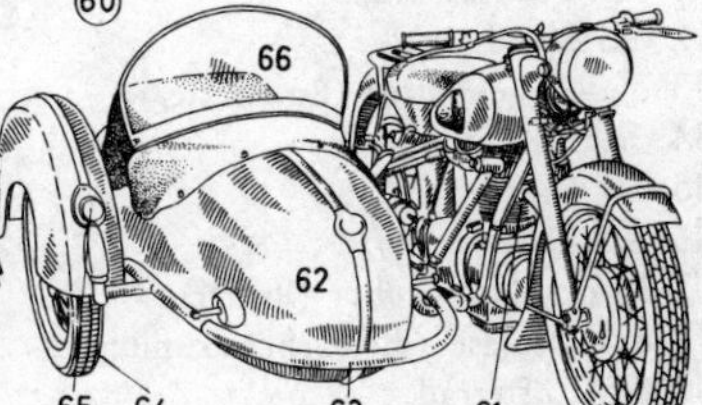
60
66
62
65
64
63
61

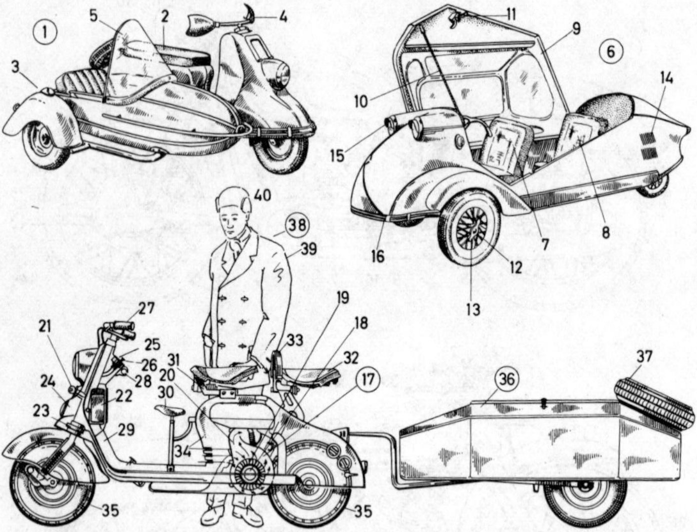

1-37 Roller *m*,

1 der schwere Roller, mit Beiwagen *m*:
2 die Rollersitzbank
3 der Rollerbeiwagen (Rollerseitenwagen)
4 der Handschutz
5 der Windschutz;
6 der Dreiradkabinenroller:
7 der Vordersitz
8 der Hintersitz
9 das Klappdach
10 das Dachhalteseil
11 der Dachverschluß
12 das Speichenrad
13 die Flügelmutter (Radmutter)
14 die Kühlschlitze *m*
15 der Blendschutz
16 die Zierleisten *f*;
17-35 der Motorroller (Roller),
17 das Gebläse (die Gebläsekühlung):
18 das Lüfterrad
19 die Luftleitschaufeln *f*
20 das Leitblech, zur Luftführung an den Zylinder;
21 das Lenkradschloß
22 die Starterbatterie (der Batteriekasten)
23 das Lenkungslager
24 die Gabelverkleidung
25 das Rollerarmaturenbrett
26 der Dynastarter
27 die Rundzugschaltung (Handschaltung)
28 der Haken, für Handtasche *f* oder Mappe *f*
29 der Rohrrahmen
30 der Rollerkindersitz
31 der Sattelträger
32 der Soziussattel
33 der Sattelgriff
34 die Blechverkleidung
35 das Rollerrad;
36 der Rolleranhänger (Campinganhänger):
37 das Reserverad;

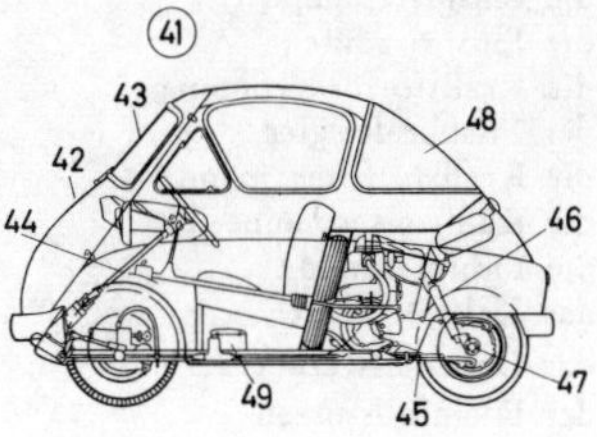

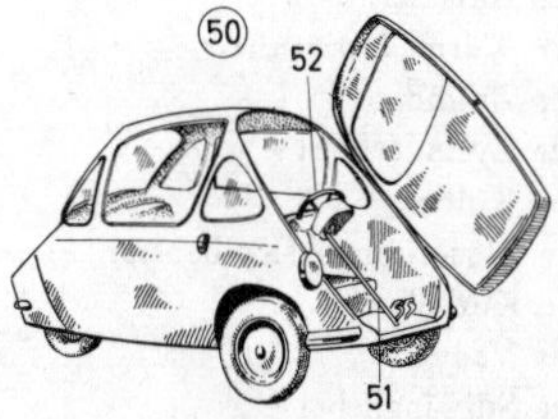

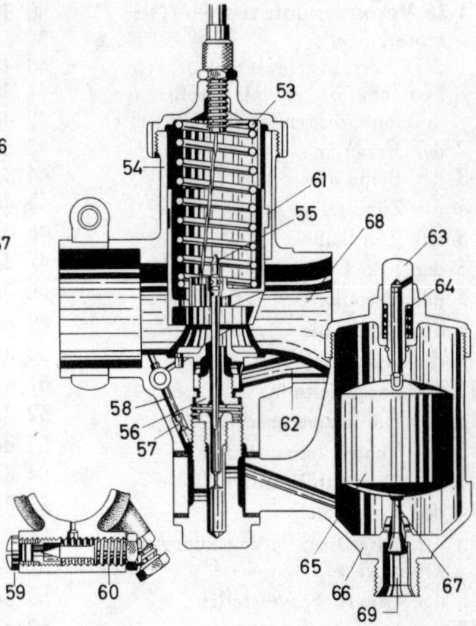

38 der Rollerfahrer:
39 der Stauboverall
40 die Staubkappe;

41-52 Kabinenfahrzeuge *n*,
41 die Zweisitzerautokabine (das Motocoupé, Motokupee, Rollermobil), ein Kleinwagen *m* (Kleinauto *n*):
42 die Fronttür
43 die Panoramascheibe, aus Plexiglas *n*
44 die vorschwenkbare Lenkung (kippbare Steuersäule)
45 die Viertelelliptikblattfeder (Blattfeder)
46 der Teleskopstoßdämpfer
47 die Starrachse
48 die Heckscheibe
49 die Öldruckbremse;
50 die Viersitzerautokabine:
51 die feste Steuersäule
52 das Halbradsteuer (der Halbradlenker);

53-69 der Vergaser (Roller- und Motorradvergaser), ein Einschiebervergaser *m*:
53 die Schieberfeder
54 das Vergasergehäuse
55 die Düsennadel
56 die Nadeldüse
57 die Leerlaufdüse
58 die Leerlaufbohrung
59 die Leerlaufluftdüse
60 die Luftregulierschraube
61 der Gasschieber; *beim Automotor:* Drosselklappe *f*
62 die Zerstäuberluftbohrung
63 der Tupfer
64 die Tupferfeder
65 der Schwimmer (Vergaserschwimmer)
66 das Schwimmergehäuse
67 die Schwimmernadel
68 der Lufttrichter (Saugtrichter)
69 das Brennstoffventil

1-36 Vergasermotoren *m* (Ottomotoren *m*),
1 der Viertaktvergasermotor, ein Benzinmotor *m* mit Stoßstange *f* und untenliegender Nockenwelle:
2 der Vergaser
3 der Belüfter
4 die Zündkerze
5 das Zündkabel
6 der Kabelschuh
7 der Verteiler
8 die Zündspule
9 die Benzinpumpe
10 die Benzinleitung
11 der Kühlwasseranschlußstutzen
12 der Ventilkammerdeckel
13 der Querstabilisator
14 der Keilriemen
15 die Unterdruckleitung zum Ansaugkrümmer *m*
16 der Unterdruckversteller
17 der (das) Luftfilter
18 der Ölmeßstab
19 der Ventilator
20 die Kurbelgehäuseentlüftung
21 die Verteiler- und Ölpumpenwelle
22 die Ölpumpe
23 der Ölsumpf
24 die Ölablaßschraube
25 der Motorblock (Zylinderblock)
26 der Verbrennungsraum
27 der Ventilstößel
28 die Stoßstange
29 das Einlaß- od. Auslaßventil
30 der Ventilschaft
31 der Ventilteller;
32 der Zweitaktvergasermotor:
33 das Anlasserritzel
34 die Schwungscheibe
35 der Freilauf
36 das Differential;

37-80 Dieselmotoren *m* (Schwerölmotoren *m*),
37 der Viertakt-Dieselmotor, mit Kammer *f* im Kolben *m* (Kolbenkammer *f*):
38 die Einspritzpumpe
39 die Einspritzdüse
40 die Kraftstofförderpumpe
41 der Fliehkraftregler
42 die Kraftstoffilter *m* od. *n*
43 die Kühlwasserpumpe
44 die Lichtmaschine
45 das Kaltstartgerät
46 das Drehzahlwarngerät
47 der Öleinfüllstutzen
48 der Ölfilter
49 die Ölwanne
50 der Anlassermotor
51 der Wärmeaustauscher
52 der Zylinder
53 der Zylinderkopf
54 der Kolben
55 die Pleuelstange (Kolbenstange)
56 die Kurbelwelle
57 das Ventil
58 der Schwinghebel
59 die untenliegende Nockenwelle (Steuerwelle)
60 der Nocken
61 die Ventilfeder
62 die Auspuffleitung;
63 der Dieselmotor, mit Vorkammer *f*:
64 die Glühkerze zum Vorglühen *n*
65 die Einspritzdüse
66 die Vorkammer
67 der Kompressionsraum
68 der Stößel mit Stoßstange *f*
69 die Kühlflüssigkeit
70 die Zylinderlaufbahn
71 der hohle Kolbenbolzen;
72 der Zweitakt-Dieselmotor, ohne Ventile *n*:
73 die Einlaßschlitze *m*
74 die Auslaßschlitze *m*
75 die Frischluft
76 die Abgase;
77 der Dieselmotor, mit Wirbelkammer *f*:
78 die Wirbelkammer
79 die Kolbenringe *m* (Kompressionsringe)
80 der Ölabstreifring

(1)

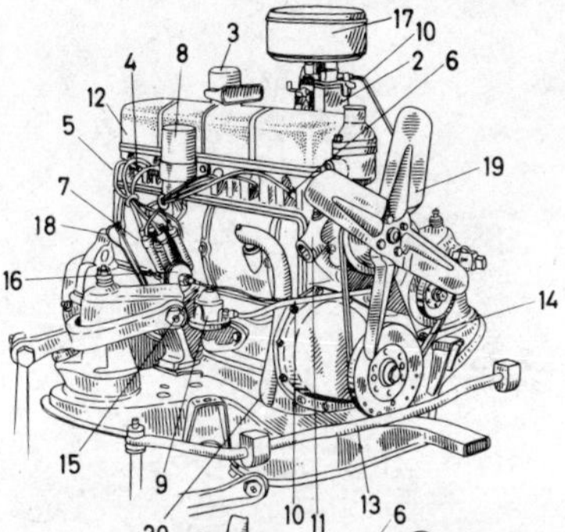

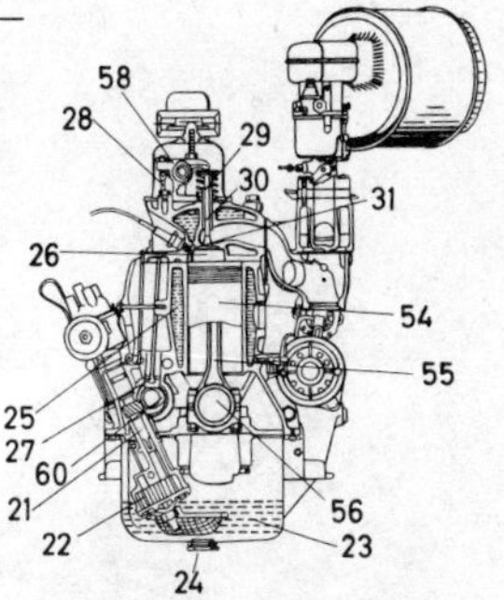

(32)

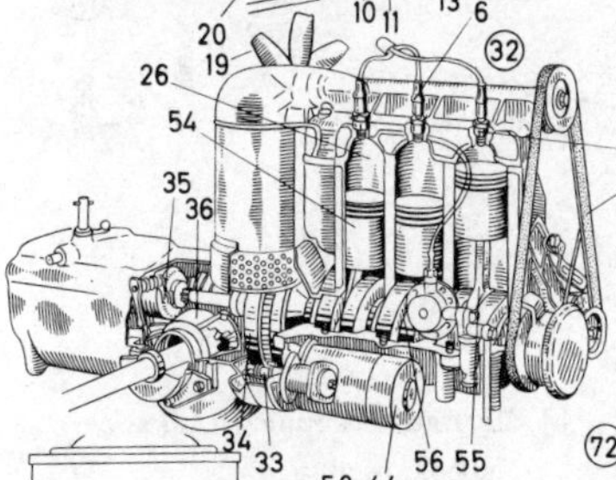

(63)

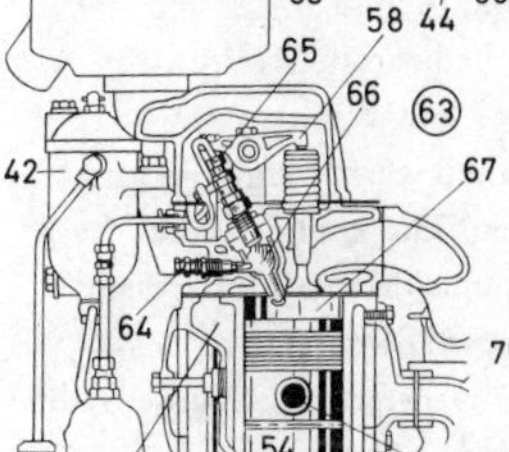

(72)

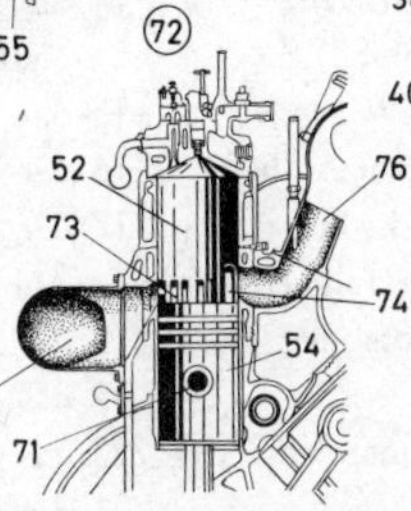

(37)

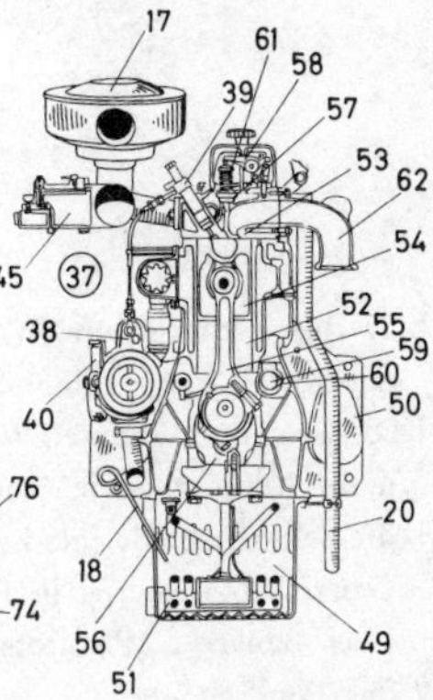

(37)

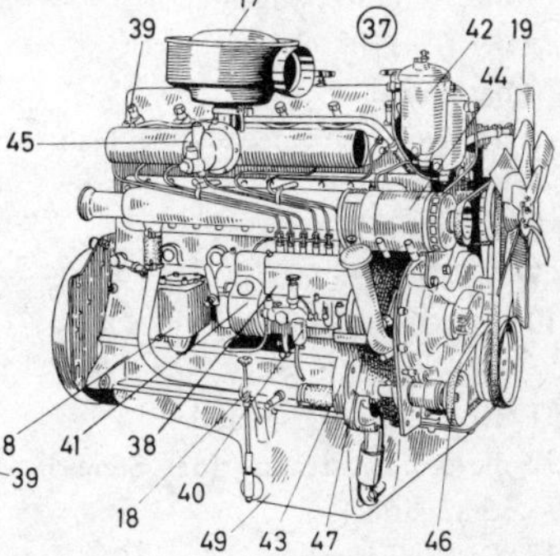

(77)

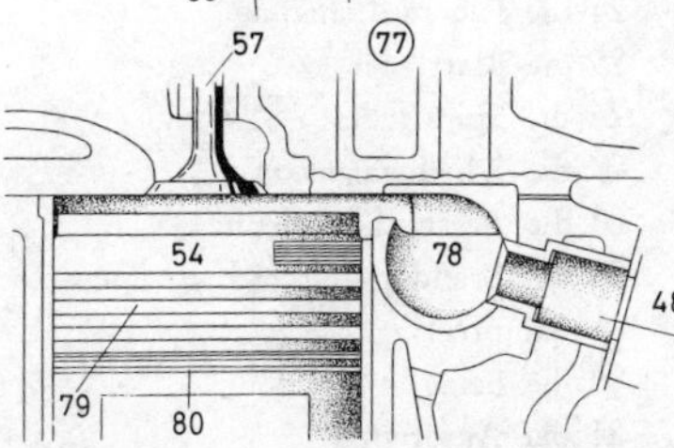

185 Kraftwagen I

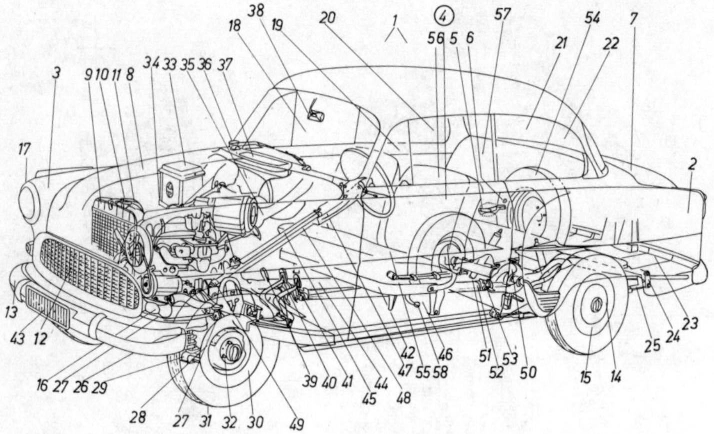

1-65 der Kraftwagen (Wagen, das Auto; *früh.* Automobil),

1-58 das Autofahrgestell (Chassis) u. die Autokarosserie (der Aufbau):

1 die selbsttragende, geschweißte Ganzstahlkarosserie, in rahmenloser Bauart *f* [Phantombild]

2 das Fondseitenteil

3 der Kotflügel (das Schutzblech)

4 die Autotür (Wagentür):

5 der Türgriff

6 das Türschloß;

7 der Kofferraumdeckel (die Heckklappe)

8 die Motorhaube

9 der Kühler

10 der Kühlerverschluß, mit Überdruckventil *n*

11 der Kühlwasserschlauch

12 die Kühlerattrappe (das Steinschutzgitter)

13 die Stoßstange

14 die Radzierkappe (Radkappe, Nabenkapsel)

15 das Scheibenrad (Vollrad)

16 der vordere Blinker

17 der Scheinwerfer mit Fernlicht *n*, Abblendlicht *n* und Standlicht *n*

18 die Rundsichtwindschutzscheibe

19 das Ausstellfenster

20 das Türfenster, mit Kurbeltrieb *m*

21 die Rückblickscheibe

22 das ausstellbare Fondfenster

23 der Kofferraum

24-29 die Wagenfederung:

24 die Federaufhängung

25 die Blattfeder

26 die Spiralfeder

27 die Schwingarme *m*

28 die Achselschenkelstütze

29 der Stoßdämpfer (Schwingungsdämpfer);

30 die Felge

31 der Autoreifen

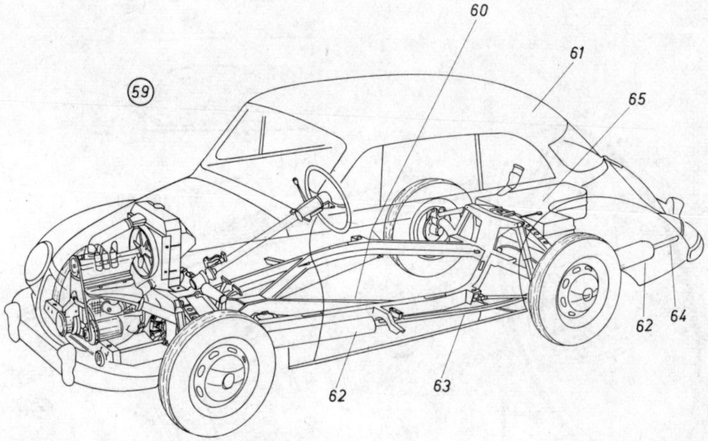

32 der Radbolzen
33 die Batterie
34 der Batteriehalter
35 der Defrosterschlauch (Entfroster-
36 der Luftschlauch [schlauch)
37 die Luftklappe
38 der Rückspiegel (Rückblickspiegel)
39-41 die Fußhebel *m* (Pedale *n*):
39 das Gaspedal
(»das Gas«, der Akzelerator)
40 das Bremspedal (»die Fußbremse«)
41 das Kupplungspedal (»die Kupp-
42 der Sitzrahmen [lung«);
43 die vordere Nummerntafel
44 der Wellentunnel
45 die Schaltstange
46 das Bodenblech
47 das Verkleidungsblech
48 die Steuersäule
49 der Lenkstock
50 das Differentialgetriebe
(Ausgleichsgetriebe, Differential)
51 die Hinterachse
52 die Kardanwelle (Gelenkwelle)
53 das Kardangelenk
54 das Reserverad (Ersatzrad)
55 der Vordersitz (Fahrersitz), ein
Klappsitz *m*
56 die umklappbare Rückenlehne
57 der Rücksitz (Hintersitz, Fond)
58 der Hebel zur Vordersitzverstellung;
59 der Rahmenbau (Chassis *n* und
Karosserie *f* in getrennter Bauweise):
60 der U-Profilrahmen (Chassisrahmen, Fahrgestellrahmen, Tragrahmen)
61 die aufgesetzte Karosserie
62 die Schalldämpfer
63 die Auspuffleitung
64 der Auspuff
65 der Tank (Benzintank)

186 Kraftwagen II

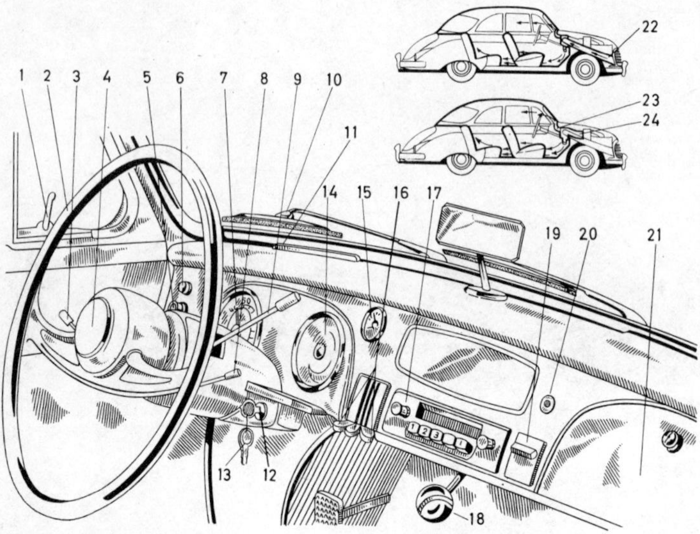

1-21 das Autoarmaturenbrett (Autoinstrumentenbrett):

1 der Ausstellfenstergriff
2 das Steuer (Steuerrad, Lenkrad; *früh.* der Volant)
3 der Abblendschalter
4 der Hupenknopf (Signalknopf)
5 der Scheibenwischerknopf
6 der Starterknopf (Anlasser, Starter)
7 das Tachometer, mit Kilometerzähler *m*
8 der Blinkerhebel
9 der Schalthebel
10 der Scheibenwischer
11 der Defrosterschlitz
12 das Zündschloß
13 der Zündschlüssel
14 die Benzinuhr (Treibstoffuhr), mit Temperaturmesser *m*
15 die Autouhr
16 die Warm- und Frischlufthebel *m*
17 das Autoradio
18 der Handbremshebel
19 der Autoascher
20 die Steckdose, für Handlampe *f* oder Zigarettenanzünder *m*
21 der Handschuhkasten;

22-24 Autoheizung *f* und Klimaanlage *f*:

22 die Autoklimaanlage für Frischluft *f*
23 der Luftaustritt
24 die Warmluftanlage;

25-38 die Autorückseite:

25 das Kofferdeckelschloß
26 der Kofferdeckelgriff
27 der Blinker (Fahrtrichtungsanzeiger)
28 das Bremslicht (Stopplicht, Haltelicht)
29 das Schlußlicht (Rücklicht)
30 der Tankeinfüllstutzen, mit Deckel *m*

31 das hintere Nummernschild
32 das polizeiliche Kennzeichen (die Autonummer, Erkennungsnummer):
33 das Nationalitätszeichen
34 die Zulassungsnummer
35 das Heimatzeichen;
36 die hintere Stoßstange
37 das Stoßstangenhorn, mit Nummernschildbeleuchtung *f*
38 der Rückfahrscheinwerfer;

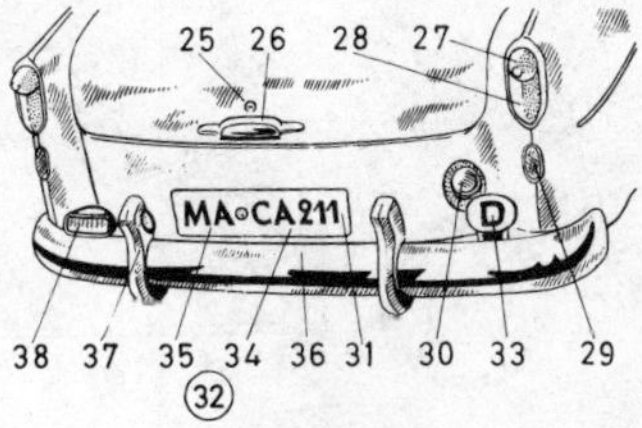

39-49 das Autolenkwerk,

39 die Kugelumlauflenkung:
40 der Lenkstockhebel
41 der Lenkstock
42 das Zahnsegment, auf der Lenkstockachse
43 die Steuerschnecke, mit Kugeln *f*;
44 die Spurstange
45 die Spureinstellmutter
46 der Umlenkhebel
47 der Mittelbolzen
48 die Spannschraube
49 die Vorderachse;

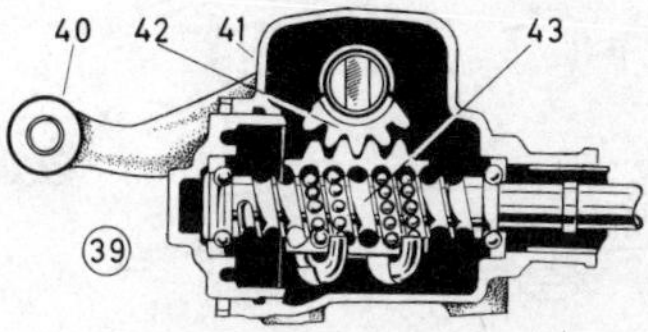

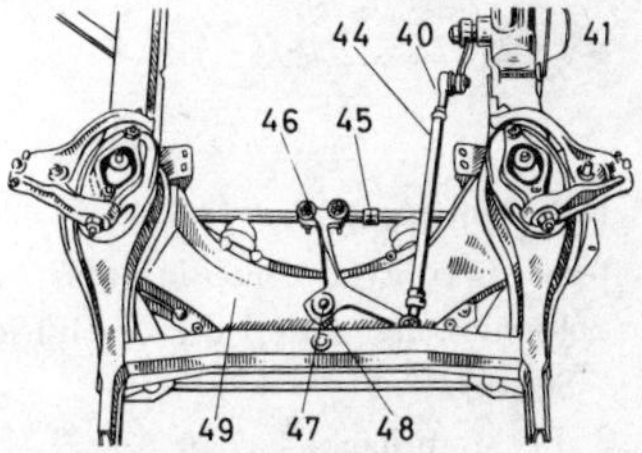

50-54 die Autobremse:

50 die Bremsankerplatte
51 die Bremsbacken *f*, mit Bremsbelag *m*
52 der Radbremszylinder
53 die Rückzugfeder
54 der Achsstummel;

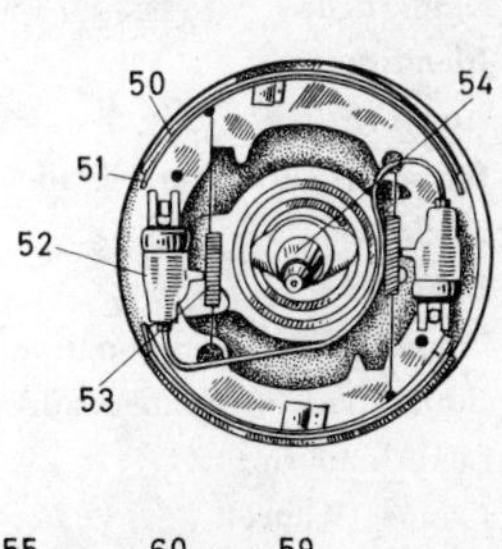

55-62 das Getriebe:

55 die Antriebswelle
56 die abtreibende Welle, zur Kardanwelle
57 der Getriebeflansch
58 der Öleinfüllstutzen
59 die schrägverzahnten Getrieberäder *n*
60 die Synchronkupplungsnabe
61 die Vorgelegezahnräder *n*
62 die Getriebeaufhängung

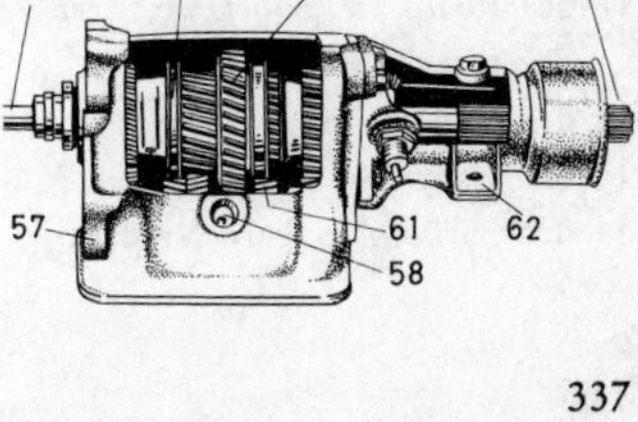

187 Personenkraftfahrzeuge

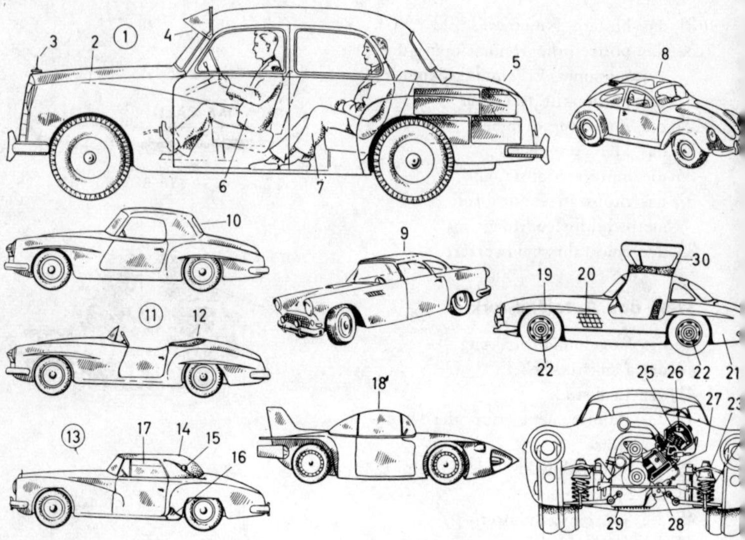

1-30 Autotypen *m*,
1 die zweitürige Limousine (das geschlossene Auto, der zweitürige Sedan):
2 die Motorhaube
3 die Kühlerfigur
4 der Blendschirm
5 der Autokoffer
6 der Fahrer (Autofahrer, Kraftwagenfahrer)
7 der Fahrgast;
8 die Limousine (Kabriolimousine), mit Schiebedach *n* (Sonnendach)
9 die Luxuslimousine
10 das Coupé (Kupee)
11 der Roadster (Sportzweisitzer, Zweisitzer, Sportroadster):
12 die Notsitze *m*;
13 das Cabriolet (Kabriolett):
14 das zurückklappbare Verdeck
15 die Scharnierstange
16 das Steinschlageck
17 das Kurbelfenster;
18 der Raketenwagen
19-30 der Rennwagen:
19 die Schmutzflossen *f*
20 die Luftaustrittkiemen *f*
21 die Kotflügelseiten *f*
22 die Turbobremsen *f*, zur Abführung der Bremswärme
23 der Parallelquerlenker
24 die Schraubenfedern *f*
25 der obengesteuerte, schrägliegende Ottomotor
26 die obenliegende Nockenwelle
27 die Benzineinspritzung
28 die Einspritzpumpe
29 die Gehäusekühlrippen *f*
30 die Verdecktüren *f*, mit Teleskopfederung *f*

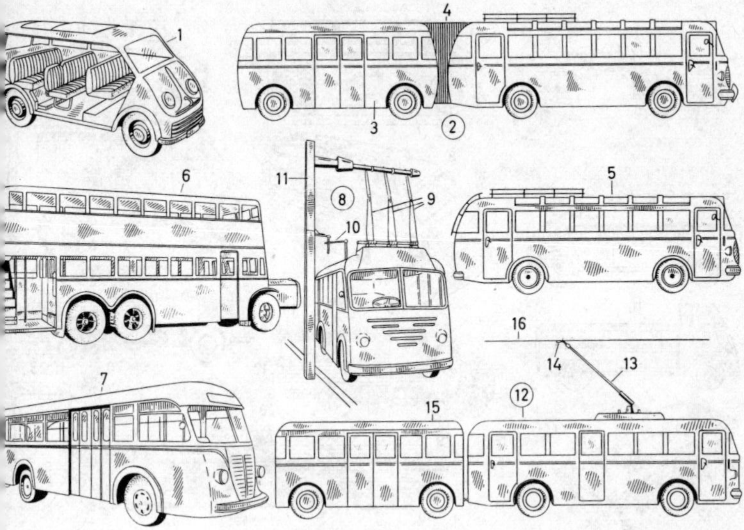

1-16 Omnibustypen *m*,

1-7 Omnibusse *m* mit Verbrennungsmotoren *m*:

1 der Kleinomnibus (Kleinbus), ein Reiseomnibus *m*

2 der Omnibuszug, ein Überlandomnibus *m*:

3 der Omnibusanhänger

4 der Faltenbalgübergang;

5 der Kraftomnibus (Omnibus, Autobus, Autoomnibus, Bus, *schweiz.* Autocar), ein Dieselheckomnibus *m* mit Heckmotor *m*

6 der Doppeldeckomnibus (Oberdeckomnibus)

7 der Trambus, ein Linienomnibus *m*;

8-16 Elektroomnibusse *m*,

8 der Gyrobus, mit Schwungrad-Energieantrieb *m*, ein Elektrogyro *m*:

9 die Kontaktruten *f*, zum Aggregatladen *n*

10 der Kontaktarm, zur Schutzerdung

11 der Lademast, an der Gyrobushaltestelle;

12-16 der Trolleybuszug,

12 der Oberleitungsomnibus (Obus, Trolleybus):

13 der schwenkbare Kontaktarm (die Stromabnehmerstange)

14 die Kontaktrolle (der Trolley, Rollenstromabnehmer);

15 der Trolleybusanhänger

16 die Doppeloberleitung (Zweidrahtoberleitung)

189 Motorlastfahrzeuge

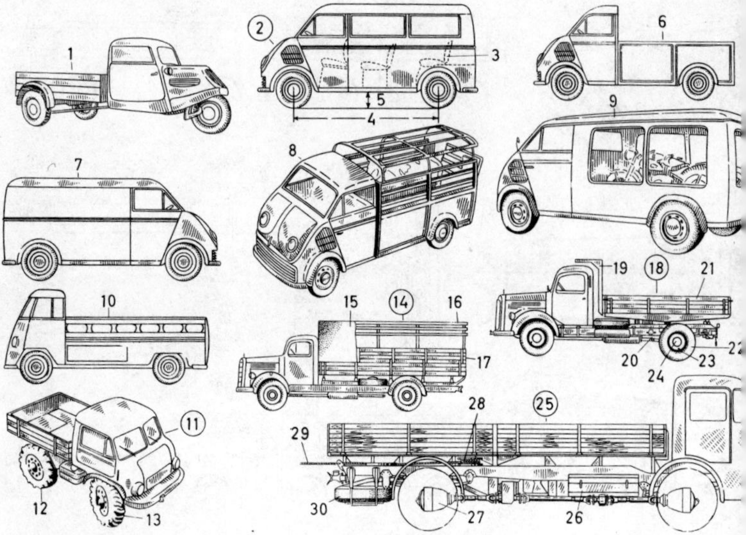

1-13 Kleintransporter *m* (Kleinlastwagen):

1 der Dreiradlieferwagen

2 der Kombiwagen (Kombinationswagen):

3 die herausnehmbaren Sitze *m*

4 der Radstand

5 die Bodenfreiheit;

6 der Tieflader

7 der Kastenwagen

8 der Viehtransporter (Viehtransportwagen)

9 der Ausstellungswagen (Werbewagen)

10 der Kleinpritschenwagen

11 der Unimog, mit Allradantrieb *m* (Vierradantrieb):

12 der Geländereifen

13 das Laufdeckenmuster (Radprofil, die Reifenprofilierung, der Gleitschutz);

14-50 Lastkraftwagen *m* (Lastautos *n*, Lastwagen *m*, LKWs),

14 der Pritschenwagen:

15 die Plane

16 der Spriegel

17 die erhöhte Bordwand;

18 der motorhydraulische Dreiseitenkipper:

19 der Fahrerhausschutz

20 die Kippvorrichtung

21 die Kipppritsche

22 die Bereifung (*außen:* der Mantel od. die Decke, *innen:* der Schlauch)

23 das Reifenventil

24 die Staubkappe;

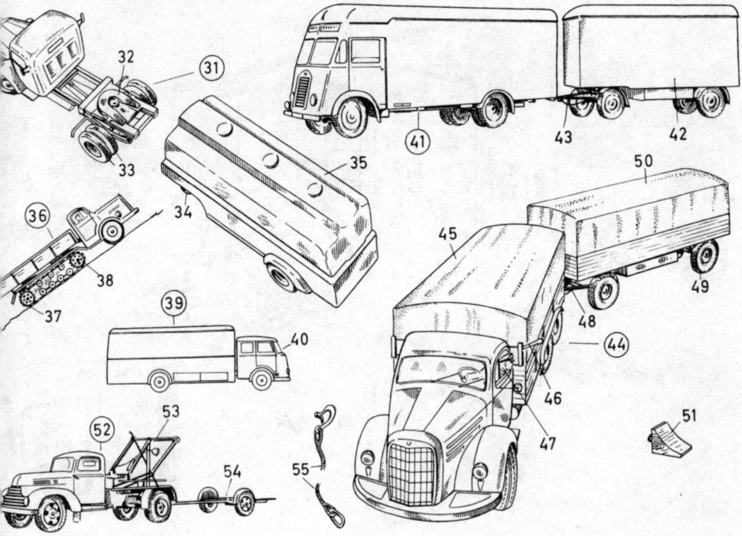

25 der Pritschenwagen-Frontlenker, mit vergrößerter Ladefläche *f*:
26 der Unterflurmotor
27 die Differentiale *n*
28 die Seilwinde
29 das Drahtseil
30 das Reserverad;
31 der Lastwagen-Sattelschlepper:
32 der Drehschemel
33 die Zwillingsreifen *m*
34 die Stützräder *n* [nach Abhängen *n* des Schleppers *m*]
35 der Schleppanhänger (Schlepper), ein Einachsenanhänger *m*;
36 das Halbkettenfahrzeug (der Rau-
37 die Raupenkette [penkraftwagen):
38 das Lenkrad;
39 der Großraumlastwagen:
40 das Fahrerhaus (die Fahrerkabine);
41 der Möbeltransportwagen (Möbelwagen):
42 der Möbelwagenanhänger
43 die Auflauf- und Abreißbremse;
44 der Fernlastzug (Fernlaster), ein Dreiachser *m*:
45 der Zugwagen
46 der Winker (Fahrtrichtungsanzeiger), ein Pendelwinker *m*
47 der Lastwagenfahrer
48 die Anhängevorrichtung (Kupp-
49 die Hochelastikreifen [lung)
50 der Anhänger;
51 der Bremsklotz
52 der Abschleppwagen (Kranwagen):
53 der Abschleppkran
54 der Schlepphänger (Abschlepphänger)
55 das Stahldrahtseil

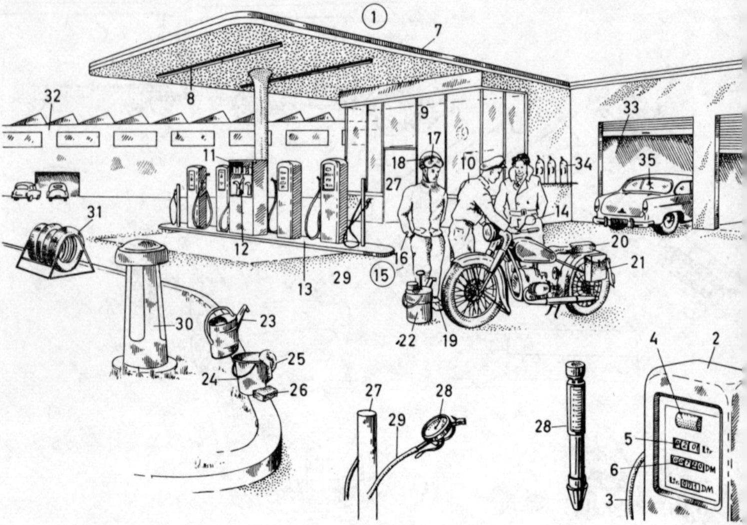

1 die Tankstelle (Zapfstelle):
2 die Zapfsäule (Tanksäule, Tankpumpe, Benzinpumpe, Rechenkopfsäule)
3 der Zapfschlauch (Füllschlauch, Benzinschlauch)
4 das Schauglas
5 die Benzinmeßuhr
6 die Preisangabe
7 das Tankstellendach
8 die Tankstellenbeleuchtung
9 der Tankwartraum
10 der Tankwart
11 das Ölkabinett (der Ölschrank)
12 die Ölpumpe
13 die Tankinsel;
14 der Motorradrückspiegel
15 der Motorradfahrer (Kraftradfahrer):
16 die Lederjacke
17 die Motorradbrille
18 die Lederhaube (Lederkappe)
19 der Motorradstiefel;
20 der Soziussitz
21 die Motorradpacktasche
22 die Mischkanne, für das Benzin-Öl-Gemisch (Brennstoffgemisch)
23 die Wasserkanne
24 der Fensterputzeimer
25 das Fensterleder
26 der Fensterschwamm
27 die Luftsäule, mit Motorluftpumpe *f*
28 der Reifendruckprüfer (Reifenfüllmesser, Atümesser, Kompressionsdruckprüfer)
29 der Luftschlauch
30 die Insellampe
31 der Autoreifenständer
32 die Garage (Autogarage, Wagenhalle)
33 die Autobox, eine Einzelbox
34 der Handfeuerlöscher
35 die Autopuppe (das Maskottchen, die Glückspuppe)

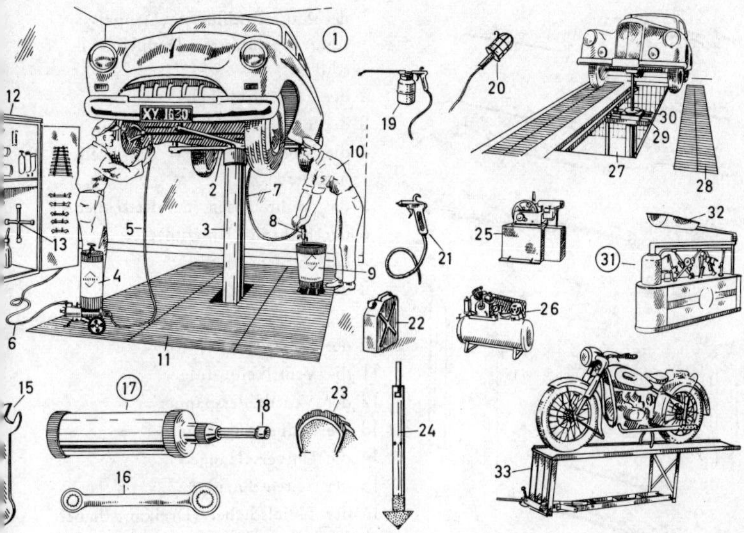

1 der Wagenpflegeraum:
2 der Kreuzheber
3 der Hebestempel
4 der Schmierkompressor
5 der Hochdruckfettschlauch
6 der Preßluftschlauch
7 der Ölschlauch
8 die Getriebeölpumpe
9 der Getriebeöleimer
10 der Wagenpfleger
11 der Gitterrost
12 der Abschmiergeräteschrank
13 der Kreuzschlüssel
14 die Ölflasche, mit Getriebeöl *n*;
15 der Gabelschlüssel
16 der Ringschlüssel
17 die Fettpresse (Schmierpresse):
18 der Schmiernippel;
19 die Sprühpistole
20 die Handlampe (Ableuchtlampe)
21 die Luftpistole
22 der Benzinkanister
23 der schlauchlose Autoreifen
24 die Vulkanisierpastenpresse, zur Kaltvulkanisation
25 die Autowaschmaschine (Wagenwaschmaschine, der Waschkompressor)
26 der Luftkompressor
27 die Schmiergrube
28 die aufklappbaren Roste *m*
29 die Führungsschienen *f*
30 der pneumat. Einachsgrubenheber (die Autohebebühne)
31 die Ölbar:
32 die Altölauffangschale;
33 die Motorradhebebühne

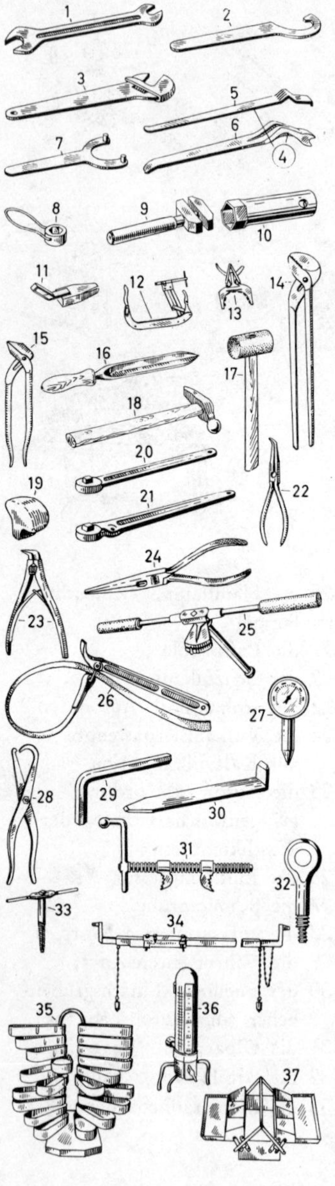

1 der Mutternschlüssel (Doppelschraubenschlüssel, Doppelmaulschlüssel)
2 der Hakenschlüssel
3 der Rollgabelschlüssel
4 die Montagehebel *m*, zum Reifenmontieren *n*:
5 das Montiereisen (der Reifenheber)
6 der Kuhfuß (Kniefuß);
7 der Zapfenschlüssel
8 der Zündkerzenschlüssel
9 der Stahlschraubenschlüssel
10 der Steckschlüssel
11 die Ventilkeilpistole
12 der Ventilfederspanner
13 die Kolbenringzange
14 die Universalzange
15 der Seitenschneider
16 der Löffelschaber (Dreikantschaber, Flachschaber)
17 der Gummihammer
18 der Ausbeulhammer, für Karosserieteile *n* od. *m* und Kotflügel *m*
19 der Rundamboß
20 die Zahnradknarre
21 die Freilaufknarre
22 u. 23 Sicherungszangen *f*:
22 für Innensicherungen *f*
23 für Außensicherungen *f*;
24 die Long-Grip-Zange
25 der Drehmomentschlüssel
26 der Radkappenschlüssel (Tankdeckelöffner)
27 der Tourenzähler
28 die Bremsfederzange
29 der Sechskantstiftschlüssel
30 der Winkelschraubenzieher
31 die Reifenspreize
32 die Motortragöse, zum Motorausheben *n*
33 der Schraubenausdreher

34 der Spurmesser
35 der Kleinteile-Sortimentkasten
36 der Benzinverbrauchprüfer
37 der Monteurkasten
38 die Batterie (der Akkumulator, Stromsammler, Akku):
39 die Polklemme [Pluspol *m* oder Minuspol *m*]
40 die Einfüllöffnung
41 der Blockkasten (Akkukasten);
42-45 die Akkuladestelle:
42 das Ladeaggregat
43 der Saugheber:
44 der Säuremesser (das Aräometer);
45 die Flasche, mit destilliertem Wasser *n*;
46 der Akkuzellenprüfer
47 der Wagenheber
48 die Handluftpumpe
49 die Fußluftpumpe
50 die Fettspritze
51 der Einspritzdüsenprüfer
52 das Bohrwerk
53 die Honmaschine
54 die hydraul. Presse
55 die Ventilschleifmaschine
56 der Zündkerzenprüfer u. -reiniger
57 die Reifenauswuchtmaschine
58 der Autoscheinwerfereinsteller
59 der Reglerprüfer
60 der Handkran:
61 die Kransäule
62 der Kranausleger;
63 die Reparaturgrube
64 die Bohlenabdeckung
65 der Autoschlosser (Automechaniker)
66 der Rangierheber (fahrbare Autoheber)
67 der Montageroller
68 der Werkzeugwagen
69 die Putzbaumwolle

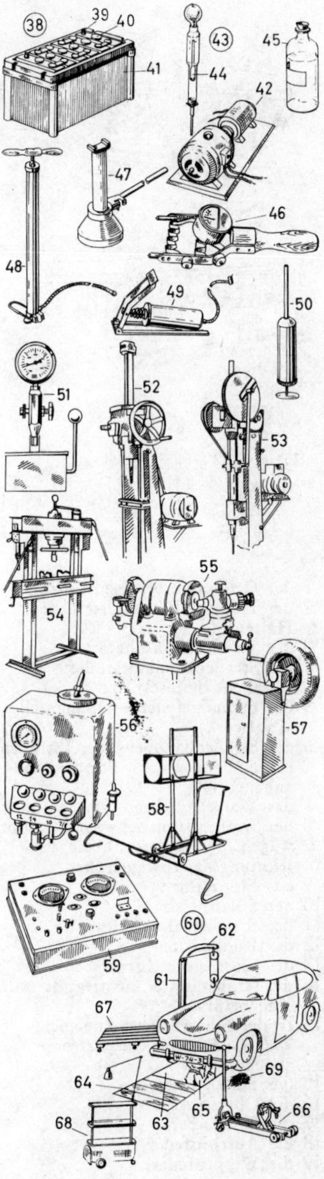

193 Straßenbahn

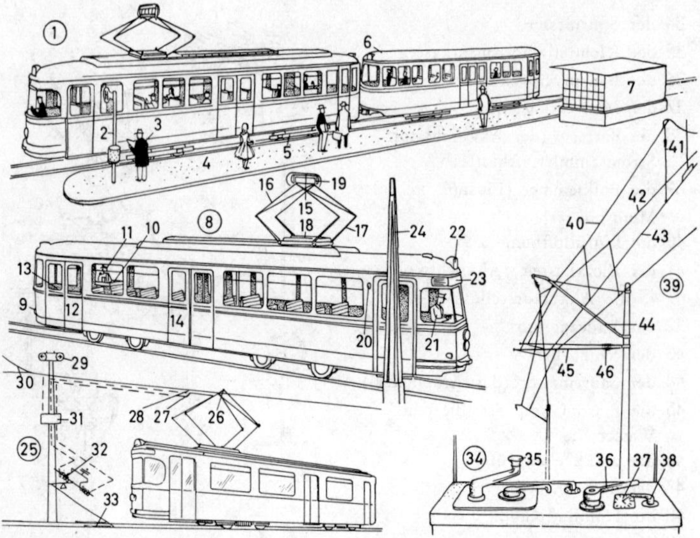

1 der Großraum-Straßenbahnzug:
2 der Haltestellenmast, mit dem Halteschild *n*
3 der Straßenbahnfahrgast
4 die Straßenbahnhaltestelle (Straßenbahninsel)
5 das gummigefederte Drehgestell (Laufwerk)
6 der Straßenbahnbeiwagen (Straßenbahnanhängewagen, Straßenbahnanhänger);
7 das Wartehäuschen
8 der Straßenbahntriebwagen (Motorwagen, Vorderwagen), ein Ein-Richtungs-Triebwagen *m*:
9 das Stopplicht
10 der Schaffnersitz
11 der Straßenbahnschaffner
12 der Rückeinstieg
13 die Einstiegplattform
14 die fernbetätigte Ausstiegfalt- oder -schiebetür
15-19 der Scherenstromabnehmer; *anderes System:* Bügelstromabnehmer:
15 der Schleifbügel
16 die Oberschere
17 die Unterschere
18 die Aufrichtfeder
19 die Wippenfeder;
20 der Blinker
21 der Fahrer (Wagenführer)
22 die Straßenbahnliniennummer
23 das Linienschild (Richtungsschild);
24 der Betonmast
25 die elektromagnet. Straßenbahnweiche:
26 das Schleifstück
27 der Schleifkontakt
28 der Isolierkontakt
29 die Weichensignallampe
30 die Luftweiche
31 der Steuermagnet
32 der Zugmagnet
33 die Weichenzunge (Federzunge);
34 der Fahrstand:
35 der Fahrschalter, ein Nockenschalter *m*; *auch:* elektr. Bremse *f*
36 der Sandstreuerhebel
37 die Fahrzeituhr
38 der Bremshebel der Druckluftbremse;
39 die Fahrdrahtaufhängung:
40 das Tragseil
41 der Hängedraht
42 der Hilfsdraht
43 der Fahrdraht
44 der Ausleger
45 die Stützstrebe (der Seitenhalter)
46 der Stützisolator

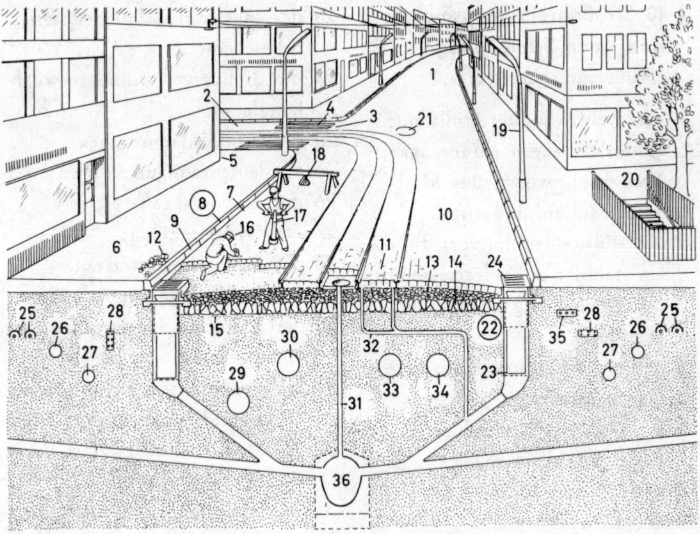

1 die Straße
2 die Nebenstraße
3 der Fußgängerüberweg:
4 der Zebrastreifen;
5 die Straßenecke
6 der Bürgersteig (Gehsteig)
7 der Rinnstein (die Gosse)
8 die Bordsteinkante:
9 der Bordstein;
10 die Fahrbahn (der Fahrdamm)
11 das Straßenpflaster (Pflaster, die Pflasterung):
12 der Pflasterstein, ein Naturstein *m*
13 der Schotterausgleich, aus Schotter *m*
14 die Packlage
15 das Planum;
16 der Steinsetzer
17 die Handramme (Ramme, Steinsetzerramme)
18 das Warnzeichen; *hier:* Achtung Bauarbeiten!
19 die Straßenleuchte (Straßenlaterne, Straßenlampe), eine Leuchtstofflampe
20 der Eingang zur unterirdischen Bedürfnisanstalt
21 der Schleusendeckel, über dem Kanalschacht *m* (Einsteigschacht, Schleusenschacht)
22 der (das) Gully (der Straßensenkkasten, Senkkasten, Straßeneinlauf), mit Schlammfang *m*:
23 der Schmutzfänger (Schlammfang, Schlammeimer)
24 der Schleusenrost;
25 die Stromleitungen *f* für die Hausversorgung und die Hauptspeisekabel *n*
26 die Gasleitungen *f*
27 die Wasserleitung
28 die Postkabel *n* und die Postkabelanlagen *f*
29 die Hauptspeiseleitungen *f* für Wasser *n*
30 die Fernheizleitungen *f*
31 der Entlüftungsschacht
32 die Schienenentwässerung
33 die Ferngasleitungen *f*
34 die Hauptspeiseleitungen *f* für Gas *n*
35 die Kabel *n* für Feuerwehr *f* od. Polizei *f*
36 die Mischwasserleitungen *f*

1-40 Straßenreinigungsmaschinen *f* und Schneepflüge *m* (Schneeräumgeräte *n*),

1 der Kehricht- u. Mülltonneneinsammelwagen (Müllwagen, Müllabfuhrwagen, das Müllauto, Müllabfuhrauto):
2 die Mülltonnenkippvorrichtung, ein staubfreies Umleersystem *n*;
3 der Kleinsprengwagen, ein Jeep *m*
4 der Gehsteigschneepflug:
5 der Sandstreuer;
6 die Dreiradkehrmaschine
7 der Straßenkehrwagen
8 der Straßenkehrer
9 der Kehrbesen
10 die Verkehrsschutzmarkierung
11 die Kehrschaufel
12 die selbstaufnehmende Straßenkehrmaschine, ein Hinterkipper *m* [in Entladestellung *f*]
13 der Schneeverladewagen:
14 der Verladekamin
15 die Seitenschneefräse (das Seitenaggregat);
16 der Sandstreuwagen:
17 das Sandstreugerät, ein Anbaustreuer *m*
18 der Rotorstreuer (Sandwerferteller)
19 die Sandleitschaufel;
20 der Keilschneepflug, ein doppelseitiger Schneepflug *m*
21 die Großschneefräse für Landstraßen *f*, eine Hohlschleuder *f*:
22 die rotierende Frästrommel
23 der Hartschneeschneider, ein Schneidemesser *n*
24 die drehbaren Schneeauswurfkanäle *m*;
25 der Kranschlammwagen (Schleusenreinigungswagen):
26 der Schwenkkran
27 der Schlammkübel;
28 der Schlammsaugwagen:
29 der Schlauchträger;
30 der Motorhandschneepflug, ein einseitiger Schneepflug *m*
31 der kombinierte Straßenspreng-, -kehr- und -waschwagen:
32 die Stahldrahtkehrwalze (Besenwalze, Waschwalze, Zylinderbürste)
33 die Sprengdüse (Waschdüse, Flachstrahlspüldüse);
34 der Fäkalienwagen:
35 die Kompressorvakuumpumpe;
36 der Sprengwagen (das Sprengauto):
37 der Dom, mit aufklappbarem Deckel *m*
38 der Wassertank
39 der Sprengkörper (Sprengkopf)
40 der Sprengmeister (Sprengwärter)

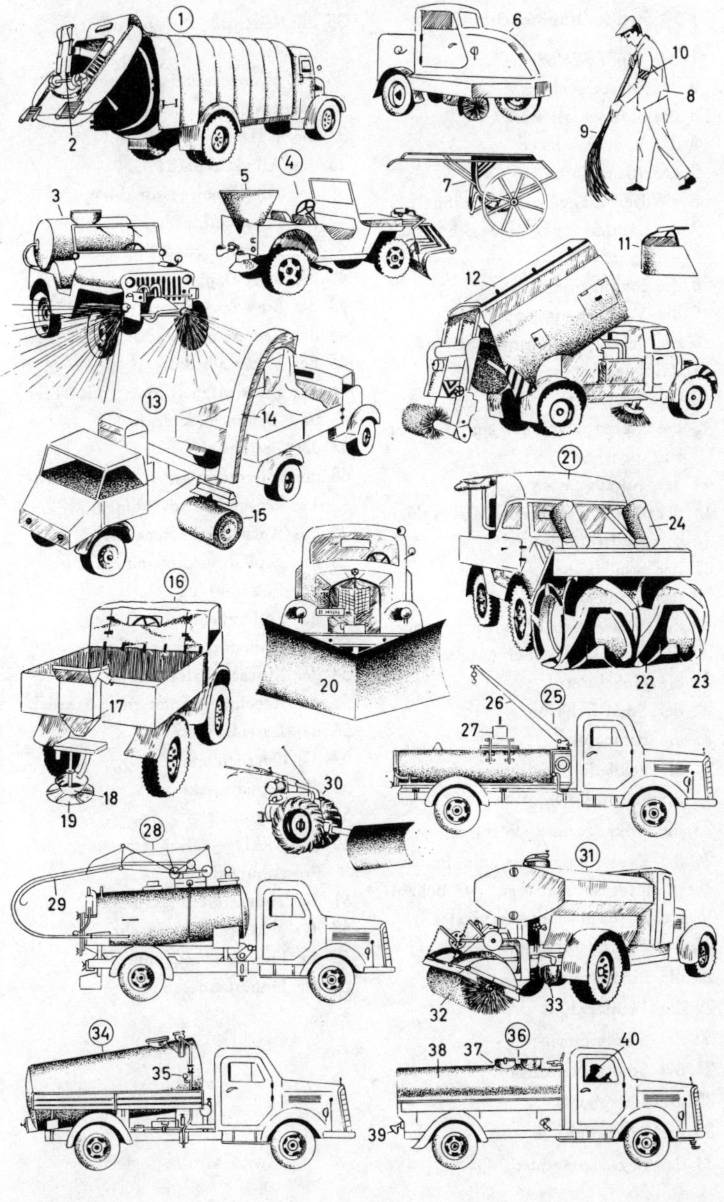
1
2
3
4
5
6
7
8
9
10
11
12
13
14
15
16
17
18
19
20
21
22
23
24
25
26
27
28
29
30
31
32
33
34
35
36
37
38
39
40

1-54 Straßenbaumaschinen *f*,

1 der Hochlöffelbagger:
2 das Maschinenhaus
3 das Raupenfahrwerk
4 der Baggerausleger
5 der Baggerlöffel
6 die Reißzähne *m* (Grabzähne);
7 der Hinterkipper, ein Schwerlastwagen *m*:
8 die Stahlblechmulde
9 die Verstärkungsrippe
10 die verlängerte Stirnwand
11 das Fahrerhaus;
12 das Schüttgut
13 die Schrapperanlage, ein Mischgutschrapper *m*:
14 der Aufzugkasten
15 der Betonmischer, eine Mischanlage;
16 die Schürfkübelraupe:
17 der Schürfkübel
18 das Planierschild;
19 der Straßenhobel; *auch:* Erdhobel:
20 der Straßenaufreißer (Aufreißer)
21 die Hobelschar
22 der Schardrehkranz;
23 die Feldbahn:
24 die Feldbahndiesellokomotive, eine Schmalspurlokomotive
25 die Anhängerlore (Lore);
26 die Explosionsramme, ein Bodenstampfer *m*; *schwerer:* der Benzinfrosch (Explosionsstampfer):
27 das Führungsgestänge;
28 die Planierraupe:
29 das Planierschild
30 der Schubrahmen;
31 der Schotterverteiler:
32 die Schlagbohle
33 die Gleitschuhe *m*
34 das Begrenzungsblech
35 die Seitenwand des Vorratskübels *m*;
36 die Motordreiradwalze, eine Straßenwalze:
37 die Walze
38 das Allwetterdach;
39 der Dieselkompressorschlepper:
40 die Sauerstoffflasche;
41 der selbstfahrende Splittstreuer:
42 die Streuklappe;
43 der Schwarzdeckenfertiger:
44 das Begrenzungsblech
45 der Materialbehälter;
46 die Teerspritzmaschine, mit Teer- und Bitumenkocher *m*:
47 der Teerkessel;
48 die vollautomatische Walzasphalt-Trocken-und-Misch-Anlage:
49 das Aufnahmebecherwerk
50 die Asphaltmischtrommel
51 der Fülleraufzug
52 die Füllerzugabe
53 die Bindemitteleinspritzung
54 der Mischasphaltauslauf;
55 der Regelquerschnitt einer Straße:
56 das Rasenbankett
57 die Querneigung
58 die Asphaltdecke
59 der Unterbau
60 die Packlage od. Kiesbettung, eine Frostschutzschicht
61 die Tiefensickerungsanlage
62 das gelochte Zementrohr
63 die Entwässerungsrinne
64 die Humusandeckung

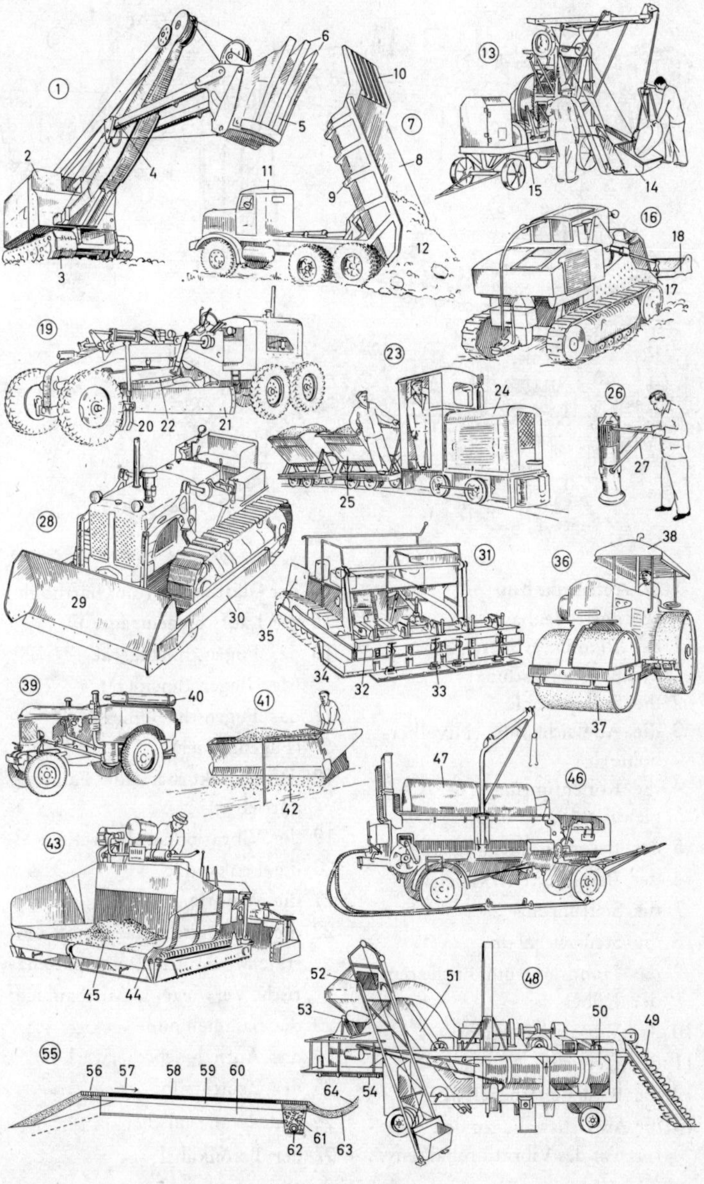
1 2 3 4 5 6
7 8 9 10 11 12
13 14 15
16 17 18
19 20 21 22
23 24 25
26 27
28 29 30
31 32 33 34 35
36 37 38
39 40
41 42
43 44 45
46 47
48 49 50 51 52 53 54
55 56 57 58 59 60 61 62 63 64

197 Straßenbau II

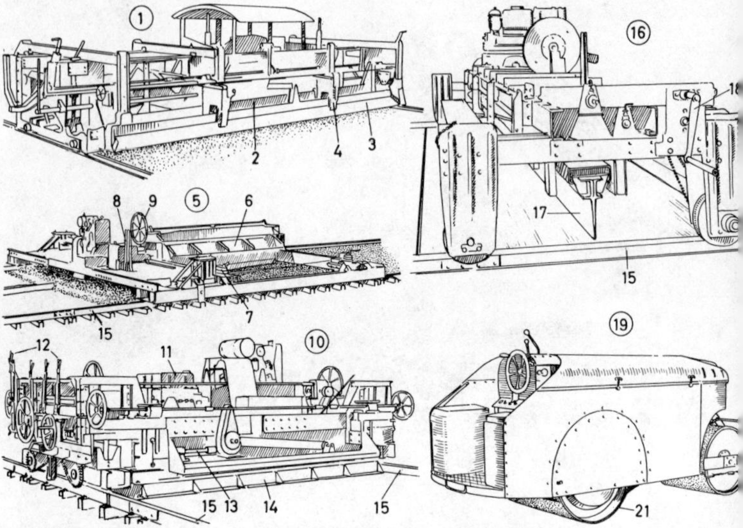

1-27 Autobahnbau *m* (Betonstraßenbau),

1 der Planumfertiger, eine Straßenbaumaschine:

2 die Stampfbohle

3 die Abgleichbohle (Nivellierbohle)

4 die Rollenführung zur Abgleichbohle;

5 der Betonverteilerwagen:

6 der Betonverteilerkübel

7 die Seilführung

8 die Steuerhebel *m*

9 das Handrad zum Entleeren *n* der Kübel *m*;

10 der Vibrationsfertiger:

11 das Getriebe

12 die Bedienungshebel *m*

13 die Antriebswelle zu den Vibratoren *m* des Vibrationsbalkens *m*

14 der Glättbalken (die Glättbohle)

15 die Laufschienenträger *m*;

16 das Fugenschneidgerät (der Fugenschneider):

17 das Fugenschneidmesser (Fugenmesser)

18 die Handkurbel zum Fahrantrieb *m*;

19 die Vibrationsstraßenwalze:

20 die Lenkwalze

21 die Vibrationswalze;

22 die Betonmischanlage, eine zentrale Mischstation, eine automatische Verwiege- u. Mischanlage:

23 die Sammelmulde

24 das Aufnahmebecherwerk

25 der Zementsilo

26 der Zwangsmischer

27 der Betonkübel;

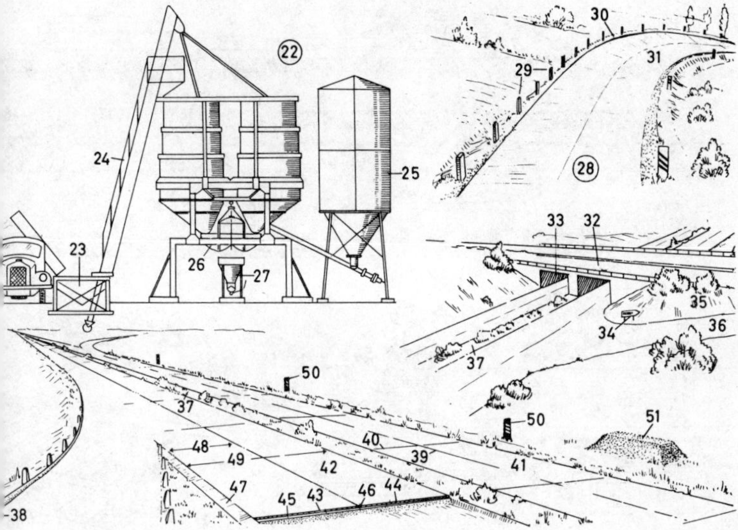

28 die Landstraße:

29 die Kurvenmarkierung

30 die Kurvenüberhöhung (Überhöhung)

31 die Kurve;

32-50 die Autobahn:

32 die Autobahnüberführung

33 die Autobahnunterführung

34 der Böschungskegel

35 der Straßendamm

36 die Autobahnausfahrt; *ähnl.:* die Autobahnauffahrt, eine Zubringerstraße

37 der Mittelstreifen (Grünstreifen, Rasenstreifen)

38 die Leitplanke: *Arten:* Zement- oder Holzleitplanke

39 u. 40 die Wärmedehnungsfugen *f*:

39 die Längsfuge

40 die Querfuge;

41 das Betonfeld

42 die Betonstraßendecke

43-46 das Profil einer Betonstraßendecke:

43 der Oberbeton

44 die Frostschutzschicht

45 der Unterbeton

46 der Dübel;

47 das Betonbankett

48 die Querneigung

49 die Fahrbahnbreite

50 die Ausfahrtankündigungsbake;

51 die Deponie (der Mischstoff-, Splitt- und Sandhaufen)

198 Eisenbahnstrecke

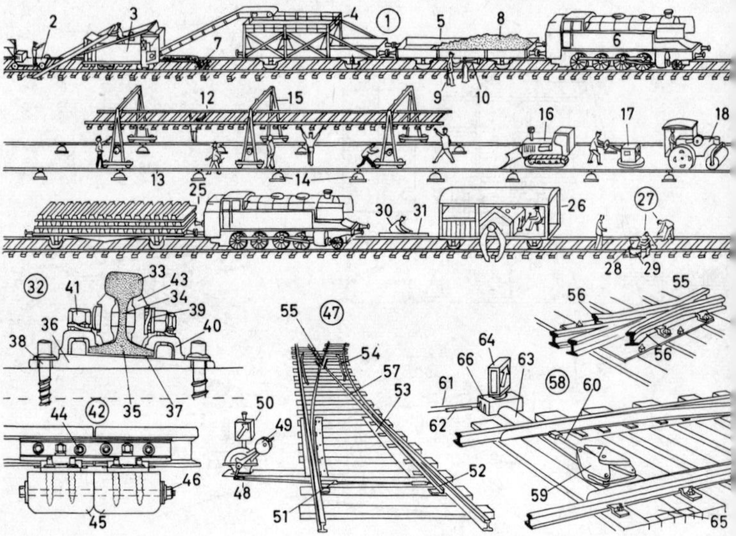

1-31 der Gleisbau; *ähnl.:* die Gleiserneuerung,
1 der Gleisbauzug:
2 der Kommandowagen
3 die Bettungsreinigungsmaschine
4 der Silowagen
5 der Schmutzwagen
6 die Arbeitslok
7 der gereinigte Schotter
8 der Schmutz;
9 der Sicherheitsposten
10 das Typhon, ein Signalhorn *n*
11 der Arbeitszug
12 das Gleisjoch (der Gleisrahmen)
13 die Lehrschiene
14 der Lehrschienenbock
15 der Transporthebebock od. Portalkran
16 die Planierraupe
17 der Schwingungsverdichter
18 die Bettungswalze
19 das Schwellenverlegegerät
20 der Rottenarbeiter, ein Bahnarbeiter *m*
21 die Schienenzange
22 der Bahndamm
23 der Schwellentransportwagen
24 der Schwellenzubringer
25 der Schwellentransportzug
26 die Gleisstopfmaschine
27 der Schweißtrupp:
28 der Thermitschweißtrichter
29 die Form
30 der Rottenführer
31 die Gleiswasserwaage;
32 die Schiene (Eisenbahnschiene):
33 der Schienenkopf
34 der Schienensteg
35 der Schienenfuß
36 die Unterlagsplatte
37 die Zwischenlage
38 die Schwellenschraube
39 die Federringe *m*
40 die Klemmplatte
41 die Hakenschraube;
42 der Schienenstoß:
43 die Schienenlasche
44 der Laschenbolzen
45 die Kuppelschwelle
46 die Kuppelschraube;

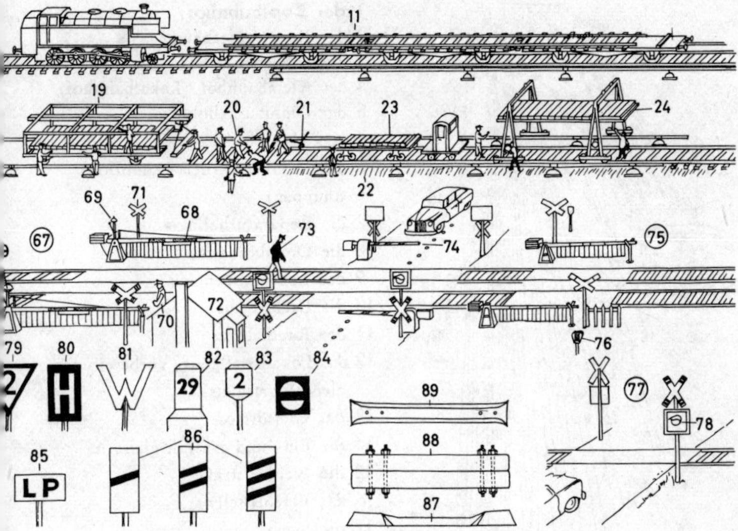

47 die Handweiche:
48 der Handstellbock
49 das Stellgewicht
50 das Weichensignal (die Weichenlaterne)
51 die Stellstange
52 die Weichenzunge
53 der Gleitstuhl
54 der Radlenker
55 das Herzstück
56 die Flügelschiene
57 die Zwischenschiene;
58 die fernbediente Weiche:
59 der Weichenspitzenverschluß
60 der Abstützstempel
61 der Drahtzug
62 das Spannschloß
63 der Kanal
64 das elektrisch beleuchtete Weichensignal
65 der Weichentrog
66 der Weichenantrieb, mit Schutzkasten *m*;

67-78 Bahnübergänge *m*:

67 der schienengleiche Bahnübergang
68 die Bahnschranke
69 das Vorläutewerk
70 der Schrankenwärter
71 das Warnkreuz
72 der Schrankenposten
73 der Streckengeher (Streckenwärter)
74 die Halbschrankenanlage
75 die Anrufschranke:
76 die Wechselsprechanlage;
77 der unbeschrankte Bahnübergang:
78 das Warnlicht;

79-86 Streckenkennzeichen:

79 die Geschwindigkeitsbegrenzungstafel
80 die Halttafel
81 das Wartezeichen
82 der Kilometerstein (Bahnkilometer *n*)
83 der Hundertmeterstein
84 das Gleissperrsignal
85 die Läute- und Pfeiftafel
86 die Vorsignalbaken *f*;
87 die Betonschwelle
88 die Kuppelschwelle
89 die Eisenschwelle

199 Bahnanlagen (Bahnbetriebsanlagen)

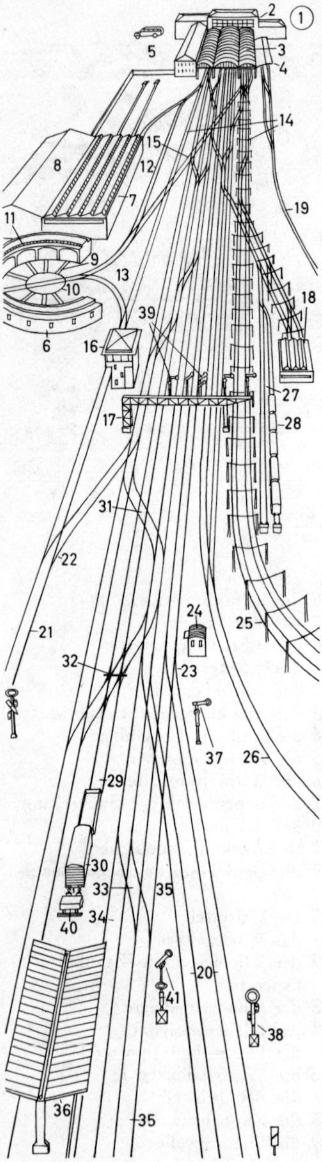

1 der Kopfbahnhof:
2 das Empfangsgebäude
3 die Bahnsteighalle;
4 der Kleinbahnhof (Lokalbahnhof)
5 der Omnibusbahnhof
6 u. 7 das Betriebswerk:
6 das Rundhaus (der Dampflokschuppen)
7 die Reparaturhalle;
8 die Omnibushalle
9 das Lokschuppengleis
10 die Drehscheibe
11 der Rauchabzug
12 das Lokaufstellgleis (Vorbereitungsgleis, Wartegleis)
13 das Gleisdreieck
14 die Ein- und Ausfahrgleise *n*
15 die Weichenstraße
16 das Befehlsstellwerk
17 die Signalbrücke
18 der Ellokschuppen
19 die Lokalbahn, eine Kleinbahn
20 die zweigleisige Hauptbahn (Hauptstrecke)
21 das Lokverkehrsgleis
22 die Abzweigung
23 die Streckenabzweigung
24 das Abzweig- oder Wärterstellwerk (Blockstellwerk)
25 die elektrisch betriebene Hauptbahn
26 die eingleisige Hauptbahn
27 die Abstellgruppe
28 die abgestellte Garnitur, ein Wagenzug *m*
29 das Abstellgleis
30 der Bahnhofswagen
31 die Gleiskreuzung
32 die Kreuzungsweiche
33 die Gleisverbindung
34 das Vorortgleis (Überholungsgleis)
35 das durchgehende Hauptgleis
36 der Durchgangsbahnhof

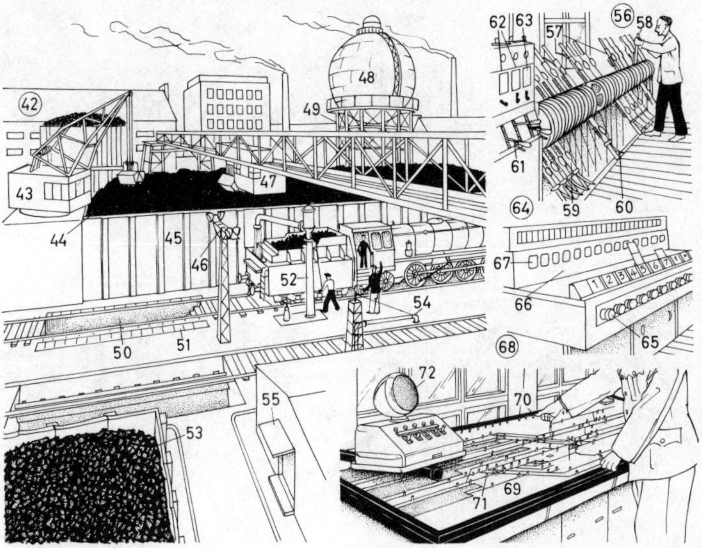

37 das Hauptsignal
38 das Vorsignal
39 das Wegesignal
40 der Bremsprellbock
41 das Blocksignal, mit Einfahrvorsignal *n*
42 die Bekohlungsanlage:
43 der Kohlenkran
44 der Kohlenbansen
45 die Bansenwand
46 die Flutlichtanlage
47 der Laufkran;
48 der Wasserhochbehälter
49 der Rahmenunterbau
50 die Untersuchungsgrube
51 die Ausschlackgrube (Entschlackung)
52 der Wasserkran
53 der Schlackenbansen
54 die Besandungsanlage
55 die Bahnmeisterei

56-72 Signalanlagen *f*,
56 das mechan. Stellwerk:
57 das Hebelwerk
58 der Weichenhebel [blau], ein Riegelhebel *m*
59 der Signalhebel [rot]
60 die Handfalle
61 der Fahrstraßenhebel
62 der Streckenblock
63 das Blockfeld;
64 das elektr. Stellwerk [E 43]:
65 die Weichen- und Signalhebel *m*
66 das Verschlußregister
67 das Überwachungsfeld;
68 das Gleisbildstellwerk:
69 der Stelltisch
70 die Drucktasten *f*
71 die Fahrstraßen *f*
72 die Kommandoanlage (Wechselsprechanlage)

1 die Expreßgutabfertigung (Expreßgutannahme und -abgabe):
2 das Expreßgut
3 der Expreßgutanhänger;
4 die Gepäckabfertigung:
5 die automatische Zeigerwaage
6 der Kabinenkoffer
7 die Anhängeadresse
8 der Gepäckschein
9 der Abfertigungsbeamte;
10 das Treffbuch
11 der Schuhputzer
12 der Putzschemel
13 die Bahnhofsgaststätte
14 der Warteraum
15 der Stadtplan
16 die Fahrplantrommel
17 der Hoteldiener
18 der Bahnsteigweiser:
19 die Ankunftstafel
20 die Abfahrtstafel;
21 die Gepäckschließfächer *n*, zur Selbstbedienung
22 der Bahnsteigkartenautomat (Bahnsteigkartenselbstgeber)
23 der Bahnsteigtunnel, mit Sperre *f*
24 die Schaffnerwanne
25 der Bahnsteigschaffner
26 die Bahnhofsbuchhandlung
27 die Handgepäckaufbewahrung
28 der Hotel- und Zimmernachweis

29 die Auskunft
30 die Bahnhofsuhr, eine Normaluhr
31 die Wechselstube
32 der Aushangfahrplan
33 die Übersichtskarte
34 die Fahrkartenausgabe:
35 der Fahrkartenschalter
36 die Fahrkarte
37 der Drehteller
38 die Sprechmembrane
39 der Schalterbeamte (Fahrkartenverkäufer)
40 die Fahrkartendruckmaschine
41 die Leuchtpultskala
42 das Drehprisma
43 der Handdrucker
44 der Taschenfahrplan
45 die Gepäckablage;
46 die öffentliche Fernsprechzelle
47 der Tabakwarenkiosk
48 der Blumenkiosk
49 der Auskunftsbeamte (*früh.* Bahnhofsportier)
50 das amtliche Kursbuch
51 die Tafel für die Meldung verspäteter Züge *m*
52 der Bahnhofsbriefkasten, ein Richtungsbriefkasten *m*
53 die Bahnhofsmission
54 die Sanitätswache

201 Bahnsteig

1 die Bahnsteighalle (Bahnhofsüberdachung)
2 die Bahnsteigtreppe, von der Bahnsteigunterführung (dem Bahnsteigtunnel *m*)
3 die Reisenden *m* u. *f*
4-12 das Reisegepäck:
4 der Handkoffer
5 das Anhängeschild
6 die Hotelmarken *f*
7 die Reisetasche
8 die Reisedecke (*früh.* das Plaid)
9 der Necessairekoffer
10 der Schirm, mit Hülle *f* (Futteral *n*)
11 die Hutschachtel
12 der Kabinenkoffer;
13 das Dienstnebengebäude
14 der Wagenputzer
15 die Putzleiter
16 der Hausbahnsteig, am Empfangsgebäude *n*
17 der fahrbare Zeitungsständer
18 die Reiselektüre
19 der Zeitungsverkäufer
20 der Gleisübergang
21 die Bahnsteigkante
22 der Bahnpolizist (Bahnpolizeibeamte)
23 der Fahrtrichtungsanzeiger
24 das Feld für den Zielbahnhof *m*
25 das Feld für die planmäßige Abfahrtszeit
26 das Feld für die Zugverspätung
27 der Reisezug, ein Triebwagen *m*
28 der Bahnsteiglautsprecher
29 der Elektrobahnsteigkarren
30 der Ladeschaffner
31 der Trinkbrunnen (das Trinkbecken)

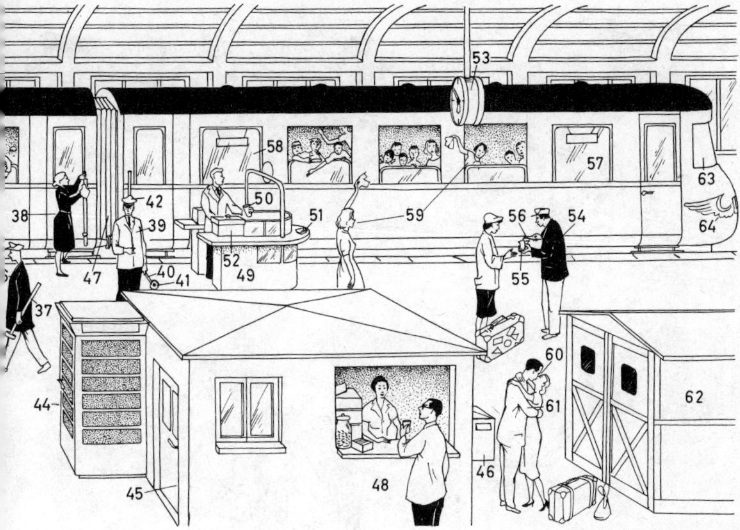

32 der Gepäckträger (Dienstmann)

33 der Gepäckschiebekarren

34 das Reisewegschild

35 das Ausfahrsignal, ein Lichttagessignal *n*

36 der Wagenmeister

37 der Radprüfhammer

38 die Dienstfrau, im Zugbegleitdienst *m*

39 der Aufsichtsbeamte

40 der Befehlsstab

41 die Signalscheibe [bei Dunkelheit als Lichtsignal]

42 die rote Mütze

43 die Ruhebank (Wartebank)

44 der Bahnsteigfernsprecher

45 der Dienstraum

46 der Bahnsteigbriefkasten

47 der Faltenbalg

48 der Bahnsteigkiosk für Erfrischungen *f* und Reiseverpflegung *f*

49 das rollende Bahnhofsbüfett

50 der Pappbecher

51 der Pappteller

52 der Brühwürstchenkessel

53 die Bahnsteiguhr

54 der Zugschaffner

55 das Fahrscheinheft (Rundreiseheft), mit Fahrscheinen *m*

56 die Loch- und Datumprägezange (Fahrkartenknipszange)

57 das Dienstabteil

58 das Abteil für Frau *f* und Kind *n*

59 der Abschied

60 der Kuß

61 die Umarmung

62 der Gepäckaufzug

63 der Führerstand

64 das Flügelrad

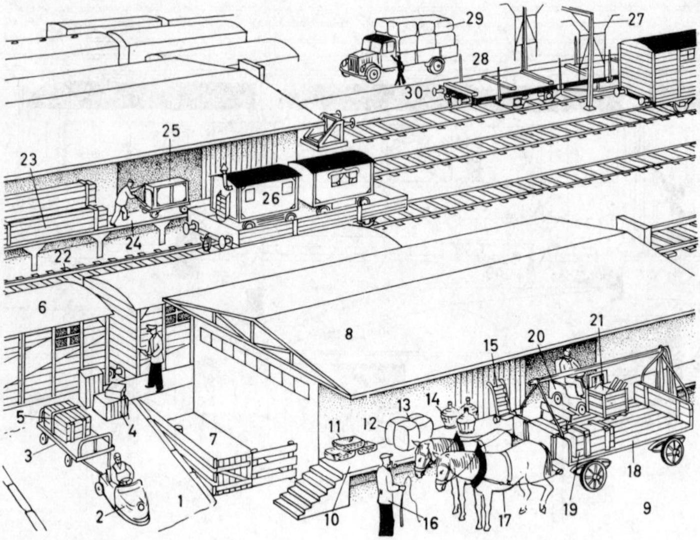

1 die Auffahrtrampe (Fahrzeugrampe); *ähnl.:* die Viehrampe
2 der Mulischlepper
3 der Mulianhänger
4 die Stückgüter *n* (Einzelgüter, Kolli *n*); *im Sammelverkehr:* Sammelgut *n* in Sammelladungen *f*
5 das Bandeisen
6 der Stückgutschnellverkehrswagen
7 der Kleintierpferch, ein Viehpferch *m*
8 die Güterhalle (der Güterschuppen)
9 die Ladestraße
10 die Hallenrampe (Laderampe)
11 der Obst- oder Gemüsekorb, ein Weidenkorb *m*
12 der Ballen
13 die Verschnürung
14 die Korbflasche
15 der Sack- oder Stechkarren
16 der Rollkutscher (Frachtfuhrmann)
17 das Zugpferd, ein Zugtier *n*
18 der Rollführerwagen (Zubringerwagen), ein Frachtwagen *m* für den Zubringerdienst *m*
19 die Lattenkiste
20 der Gabelstapler
21 die Palette, ein Behälter *m* für kleinere Stückgüter *n*
22 das Ladegleis
23 das Sperrgut
24 die Hallenrampe (Seitenrampe, Laderampe)
25 der bahneigene Kleinbehälter, ein Versandbehälter *m*
26 der Schaustellerwagen

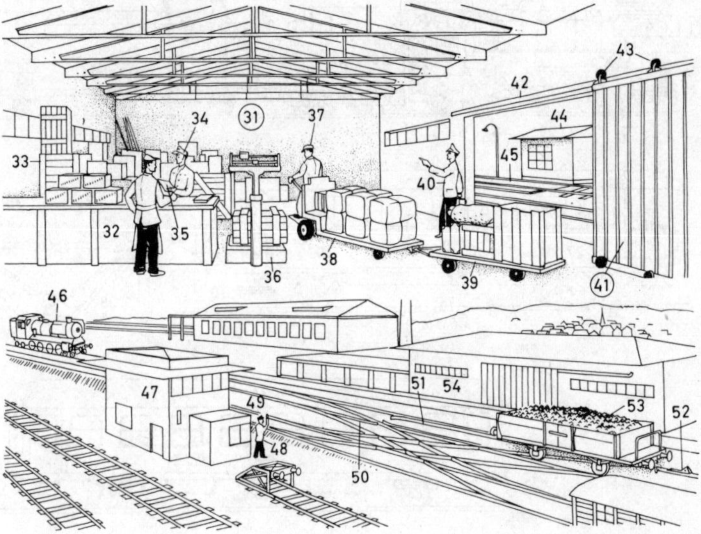

27 das Lademaß (die Ladelehre, Ladeschablone)
28 die Laderampe
29 die Strohballen *m*
30 der Rungenwagen

31 der Güterboden:

32 die Frachtgutannahme (Güterabfertigung)
33 das Frachtgut
34 der Ortsladeschaffner (Lademeister)
35 der Frachtbrief
36 die Stückgutwaage
37 der Güterbodenarbeiter
38 der Elektrokarren, ein Plattformkarren *m*
39 der Anhänger
40 der Abfertigungsbeamte;
41 das Hallentor:
42 die Laufschiene
43 die Laufrollen *f*;

44-54 der Verschiebebahnhof (Rangierbahnhof):

44 das Wiegehäuschen
45 die Gleiswaage
46 die Verschiebelokomotive (Rangierlokomotive)
47 das Verschiebestellwerk (Rangierstellwerk)
48 der Rangiermeister
49 der Ablaufberg (Rangierhügel, *ugs.* Eselsrücken)
50 das Verschiebegleis (Rangiergleis)
51 die Gleisbremse (Hemmschuhbremse)
52 der Gleishemmschuh
53 die Wagenladung
54 das Lagerhaus

203 Eisenbahnfahrzeuge (Schienenfahrzeuge) I

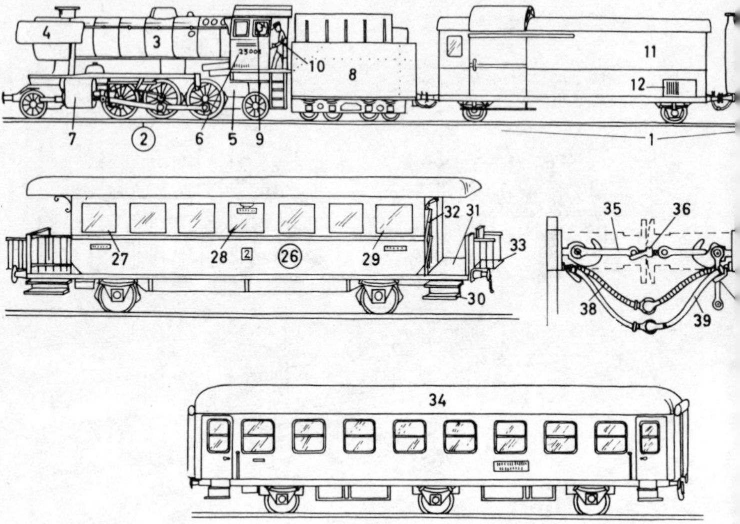

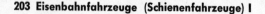

1 **der Personenzug** (*ugs.* Bummelzug),
2 die Personenzuglokomotive, eine Dampflokomotive:
3 der Kessel
4 das Windleitblech
5 die Feuerbüchse
6 die Loknummer u. Baureihennummer *f*
7 der Zylinder
8 der Tender;
9 u. 10 das Lokomotivpersonal (Lokpersonal):
9 der Lokomotivführer (Lokführer)
10 der Lokomotivheizer (Lokheizer);
11 der Reisezuggepäckwagen (Gepäckwagen, *ugs.* Packwagen)
12 das Hundeabteil
13 der Zugführer
14 das rote Lacklederband
15 die Eisenbahnermütze
16 die Signalpfeife, eine Trillerpfeife
17 der Zugschaffner
18 die Bahnpost:
19 der Bahnpostwagen
20 der Briefeinwurf (Zugeinwurf)
21 der Bahnpostschaffner
22 der plombierte Briefbeutel
23 der Päckchensack;
24 der Abteilwagen (*früh.* Coupéwagen), ein sogenannter Schlagwagen *m*:
25 das Trittbrett;
26 der Personenwagen 2. Klasse, ein Außenplattformwagen *m*:

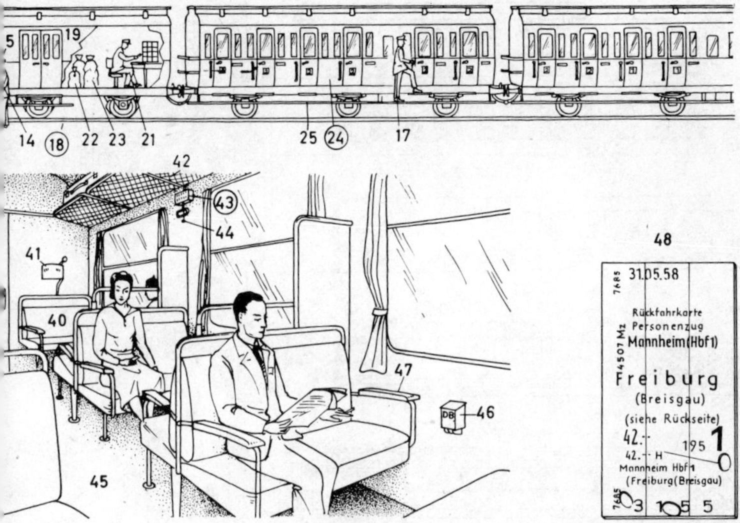

27 das Raucherabteil (*ugs.* Raucher)
28 das Schwerbeschädigtenabteil
29 das Nichtraucherabteil (*ugs.* Nichtraucher)
30 das Trittbrett
31 die Außenplattform
32 das Klappgitter
33 die Klappbrücke (Übergangsbrücke);
34 der Leichtmetallpersonenwagen
35-39 die Leitungs- und Wagenkupplung:
35 der Kupplungsbügel
36 die Spannvorrichtung (Kupplungsspindel mit Kupplungsschwengel *m*)
37 die nicht eingesenkte Kupplung
38 der Heizkupplungsschlauch (Verbindungsschlauch der Dampfheizleitung)
39 der Bremskupplungsschlauch der Bremsleitung;
40-47 das Wageninnere:
40 die Kunststoffpolsterbank
41 die Stelleinrichtung zur Temperaturregulierung
42 das Gepäcknetz
43 die Notbremse:
44 die Plombe;
45 der Mittelgang
46 der Klappaschenbecher
47 die Armstütze;
48 die Fahrkarte (Eisenbahnfahrkarte; *früh.* das Billett), eine Rückfahrkarte

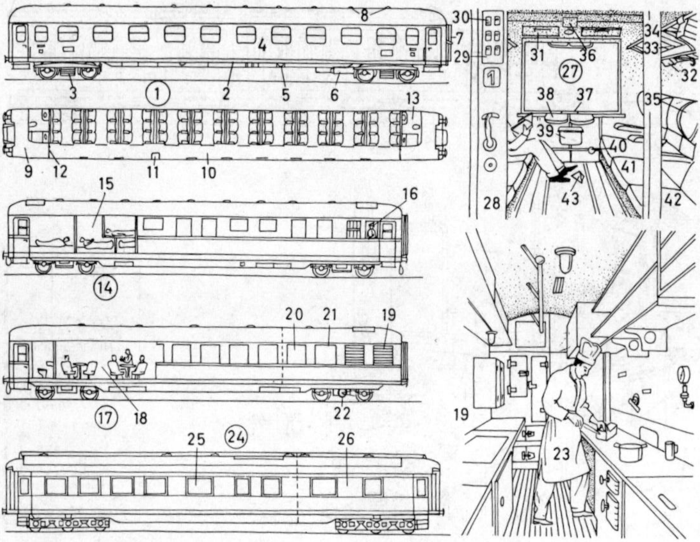

1 der Schnellzugwagen (D-Zug-Wagen):
2 der Untergestellrahmen
3 das Drehgestell
4 der Wagenkasten
5 der Druckluftbremszylinder
6 die Lichtmaschine
7 der Faltenbalg (die Wulstwagendichtung)
8 die Lüftung, ein Luftumwälzer *m*
9 die Innenplattform
10 der Seitengang
11 der Klappsitz
12 die Pendeltür
13 die Toilette;
14 der Schlafwagen:
15 das Schlafwagenabteil
16 der Schlafwagenschaffner;
17 der Speisewagen:
18 der Speiseraum
19 die Anrichte
20 das Office
21 die Zugküche (Wagenküche)
22 der Dynamo, zur Eigenstromerzeugung;
23 der Küchenmeister (Zugkoch)
24 der Gesellschaftswagen (Tanzwagen, Filmvorführwagen):
25 der Großraum (Gesellschaftsraum, Tanzraum)
26 der Barraum (die Zugbar);
27 das Abteil (Eisenbahnabteil, Einzelabteil; *früh.* Coupé):
28 die Abteilschiebetür
29 die Nummerntafel, zur Bezeichnung der belegten Plätze *m*
30 das Zeichen für den besetzten Platz
31 die Luftklappe
32 das Leselicht
33 der Gepäckrechen
34 der Anhänger für bestellte Plätze *m*

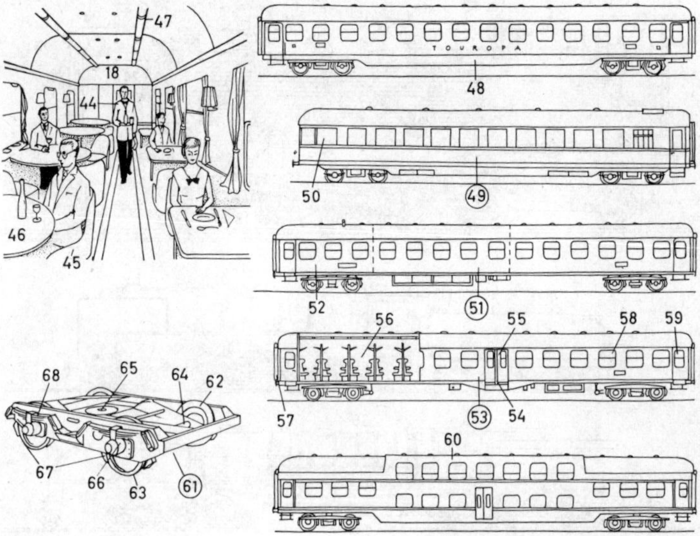

35 das verstellbare Kopfpolster
36 die Notbremse
37 das Warnschild [»Nicht hinauslehnen«]
38 das Klapptischchen
39 der Abfallkasten
40 die Heizungsregulierung
41 der Ausziehpolstersitz
42 der Eckplatz
43 die Fußstütze;
44 der Speisewagenober
45 der Drehsessel
46 der ovale Tisch
47 die Leuchtstofflampe
48 der Touropa-Fernreisewagen mit Liegesitzen *m*, Friseurabteil *n* und Waschräumen *m*, ein Liegewagen *m*
49 der Salonwagen:
50 der Salon (Aussichtsraum oder Konferenzraum);
51 der Küchenwagen:
52 der Wirtschaftsraum;
53 der Städteschnellverkehrswagen:
54 der Gummiwulst
55 der zweitürige Mitteleinstieg
56 das Großabteil
57 der Wagenübergang
58 das Übersetzfenster, ein zugfreies Fenster *n*
59 der eintürige Endeinstieg;
60 der Doppelstockpersonenwagen
61 das Drehgestell,
62-64 der Radsatz, mit Achse *f*:
62 das Wagenrad
63 der Spurkranz
64 die Achswelle;
65 das Drehzapfenloch
66 das Achslager, mit Achsschmierung *f*
67 die Bremsbacken *f*
68 die Achstragfeder

205 Eisenbahnfahrzeuge (Schienenfahrzeuge) III

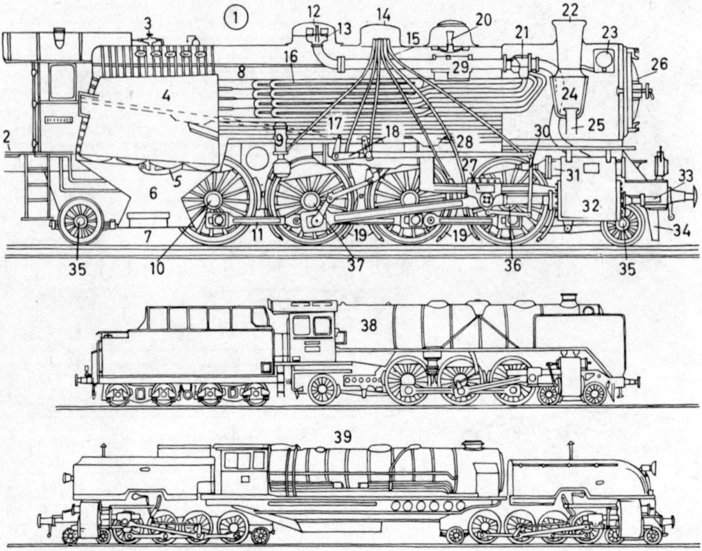

1 die Dampflokomotive (Dampflok, Kolbenlokomotive), eine Reibungslokomotive (Adhäsionslokomotive),

2-37 der Lokomotivkessel und das Loktriebwerk:

2 die Tenderbrücke, mit Kupplung *f*

3 das Sicherheitsventil, für Dampfüberdruck *m*

4 die Feuerbüchse

5 der Kipprost

6 der Aschkasten, mit Lüftung *f*

7 die Aschkastenbodenklappe

8 die Rauchrohre *n*

9 die Speisewasserpumpe

10 das Achslager

11 die Kuppelstange

12 der Dampfdom

13 der Dampfregler

14 der Sandkasten

15 die Sandabfallrohre *n*

16 der Langkessel

17 die Heizrohre *n*

18 die Dampfsteuerung

19 der Preßluftsandstreuer

20 das Speiseventil

21 der Dampfsammelkasten

22 der Schornstein (Rauchaustritt und Abdampfauspuff)

23 der Speisewasservorwärmer (Oberflächenvorwärmer)

24 der Funkenfänger

25 das Blasrohr

26 die Rauchkammertür

27 der Kreuzkopf

28 der Schlammsammler

29 das Rieselblech, zum Speisewasserreiniger *m*

30 die Schieberstange

31 der Schieberkasten

32 der Dampfzylinder (die Stopfbuchse)

33 die Kolbenstange

34 der Bahnräumer (Gleisräumer, Schienenräumer)

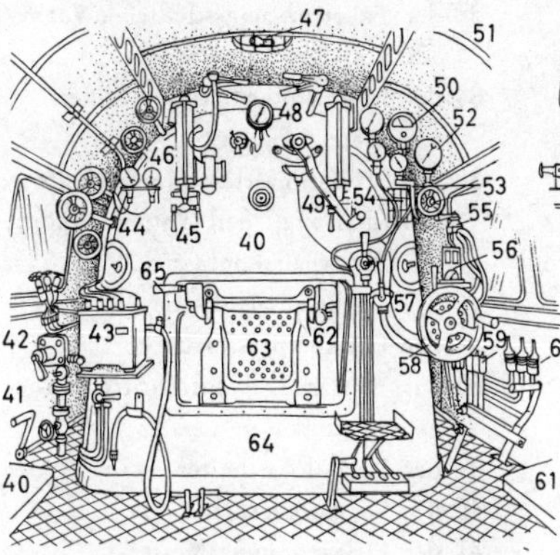

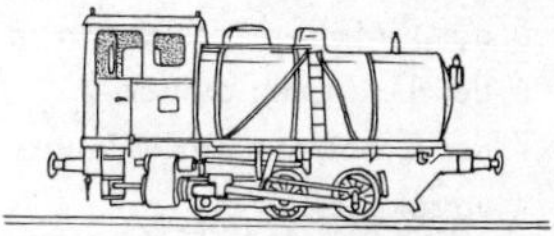

69

70

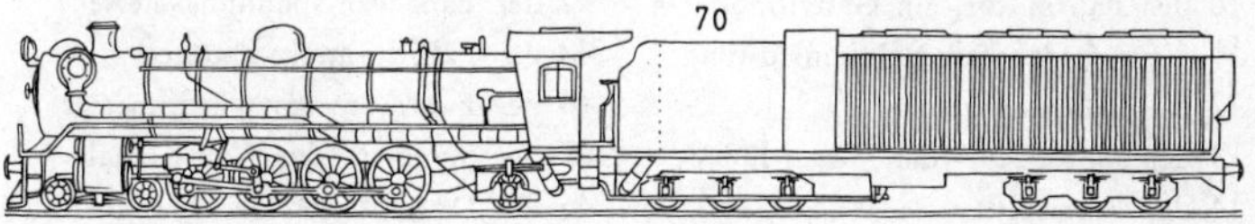

35 die Laufachse
36 die Kuppelachse
37 die Treibachse;
38 die Schlepptender-Schnellzuglokomotive
39 die Gelenklokomotive (Garratlokomotive)
40-65 der Dampflokführerstand:
40 der Heizersitz
41 die Kipprostkurbel
42 die Strahlpumpe
43 die automatische Schmierpumpe
44 der Vorwärmerdruckmesser
45 der Heizdruckmesser
46 der Wasserstandsanzeiger
47 die Beleuchtung
48 der Kesseldruckmesser
49 der Reglerhandhebel (Dampfabsperrschieber)
50 das Fernthermometer
51 das Lokführerhaus
52 der Bremsdruckmesser
53 der Dampfpfeifenhahn
54 der Buchfahrplan
55 das Führerbremsventil
56 der Geschwindigkeitsschreiber (Tachograph)
57 der Hahn zum Sandstreuer *m*
58 der Fahrtrichtungswender; *zugleich:* das Steuerrad
59 das Notbremsventil
60 das Auslöseventil
61 der Dampflokführersitz
62 der Blendschutz
63 die Feuertür
64 der Stehkessel
65 der Feuertüröffner;
66 die Tenderlok:
67 der Wasserkasten
68 der Brennstofftender;
69 die Dampfspeicherlokomotive (feuerlose Fabriklokomotive)
70 die Kondensationslokomotive

1 **die elektrische Lokomotive** (Elektrolok, Fahrdrahtlok, Ellok, elektrische Vollbahnlok):
2 die Oberleitung (Fahrleitung, der Fahrdraht)
3 der Stromabnehmer
4 der Hauptschalter, ein Ölschalter *m* oder Druckgasschalter *m*
5 die Einführungsisolatoren *m*
6 der Dachtrennschalter
7 der Transformator (Hauptumspanner)
8 das Nockenschaltwerk
9 der Feinregler
10 der Fahrmotor, ein Gestellmotor *m*
11 die Achsdruckausgleicheinrichtung
12 die Gelenkstange
13 der Motor für den Bremslüfter
14 der Bremslüfter
15 der Sandstreuer
16 der Motorlüfter
17 die Motorluftpumpe (der Luftkompressor)
18 der Umspannerlüfter
19 die Schlangenrohrölkühler *m*
20 das Luftansaugefilter
21 die Wendewiderstände *m*
22 das Führerbremsventil
23 der Lokkupplungsbügel
24 die Schraubenkupplung (Kupplungsspindel)
25 der Zughaken
26 der Bremslufthahn;
27 der Ellokführerstand:
28 der Ellokführer
29 der Ellokführersitz
30 der Ellokbeimann
31 das Fahrschalterhandrad
32 der Schaltstufenanzeiger
33 der Fahrtrichtungsschalter (Wendeschalter)
34 der Motorlüfterschalter (Lüfterschalter)
35 die SIFA-Schalttaste (Sicherheitsfahrschaltung, der Totmannknopf, der Sicherheitskontakt)
36 der Zugheizungsschalter
37 der Luftkompressorschalter
38 das Führerbügelventil (Stromabnehmerventil)
39 der Schnellausschalter
40 der Sandstreuerhebel
41 der Heizspannungsmesser
42 der Fahrdrahtspannungsmesser
43 der Fahrdrahtstrommesser
44 der Fahrmotorenzugkraftmesser
45 der Summer (das Warnsignal)
46 der Druckmesser der Hauptluftleitung (Bremsleitung)
47 der Druckmesser des Hilfsluftbehälters *m*
48 der Druckmesser des Hauptluftbehälters *m*
49 der Druckmesser des Lokbremszylinders *m*
50 der Luftpfeifenhebel
51 der Zusatzbremshahn
52 das Führerbremsventil, für die automatische Zugbremse
53 der Hauptschalterhandauslösehebel
54 der Geschwindigkeitsanzeiger;
55 der Elektrotriebwagen, mit Stromabnehmer *m*
56 die Elektrotagebaulok
57 der Fahrleitungsuntersuchungswagen, ein Turmwagen *m*
58 der Akkumulatorentriebwagen
59 die Elektroverschiebelok
60 der dreiteilige Elektrotriebzug

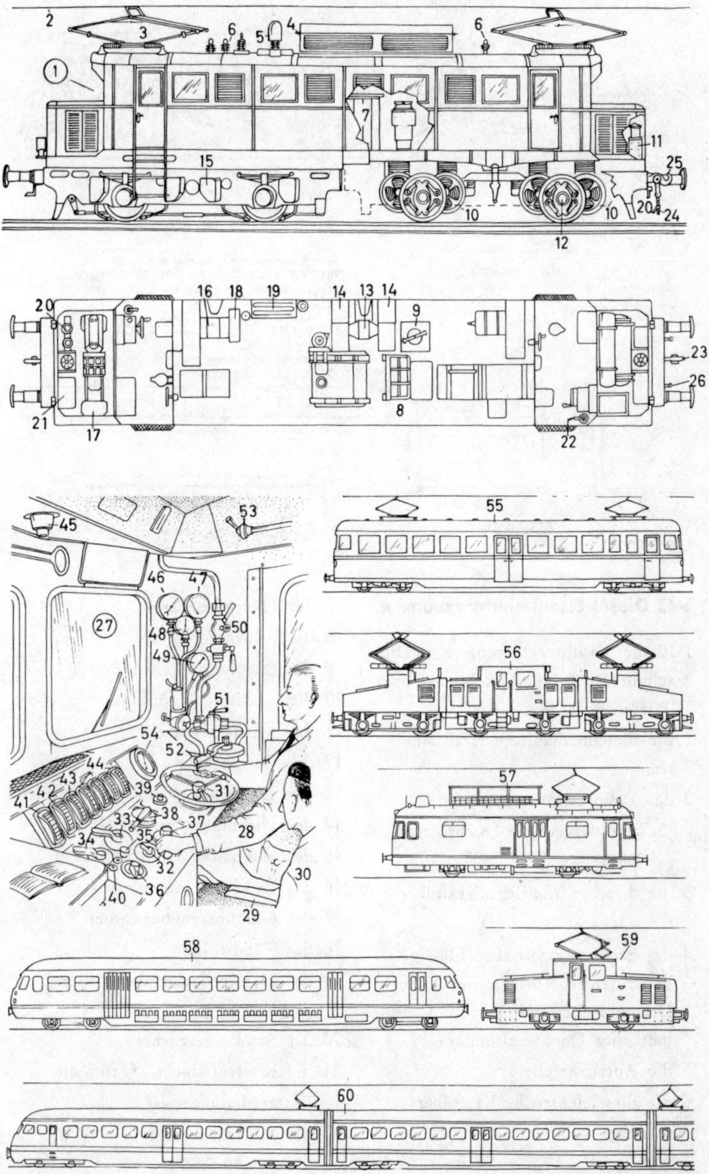
1 2 3 4 5 6 7 10 11 12 15 20 24 25
8 9 13 14 16 17 18 19 20 21 22 23 26
27 28 29 30 31 32 33 34 35 36 37 38 39 40 41 42 43 44 45 46 47 48 49 50 51 52 53 54
55
56
57
58
59
60

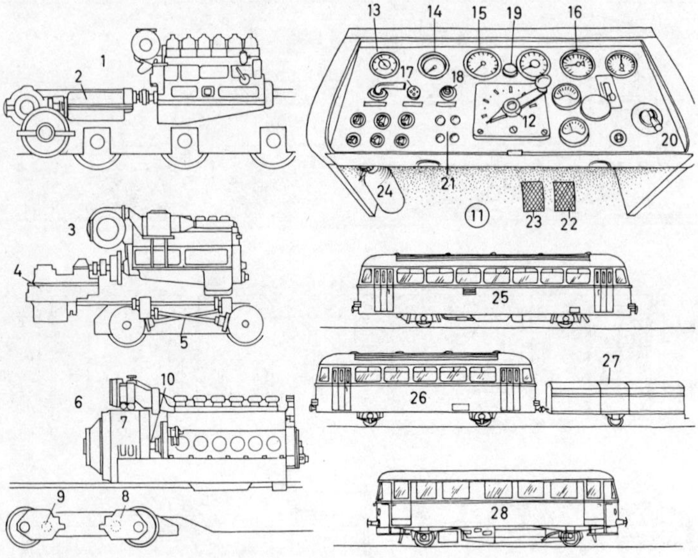

1-43 Diesel-Eisenbahnfahrzeuge *n*,

1-10 die Kraftübertragung von Dieselmotoren *m* auf Lokomotiv- oder Triebwagenachsen *f*:

1 die dieselmechanische Kraftübertragung

2 das Zahnradwechselgetriebe (Schaltrădergetriebe, Kupplungsgetriebe)

3 die dieselhydraulische Kraftübertragung

4 das Strömungsgetriebe (Flüssigkeitsgetriebe, Turbogetriebe), mit Drehmomentwandler *m* und automatischer Gangschaltung *f*

5 die Antriebswelle

6 die dieselelektrische Kraftübertragung

7 der Hauptgenerator

8 die Fahrmotoren *m*

9 das Stirnradvorgelege

10 die elastische Kupplung;

11 die Armaturentafel:

12 der Gangwähler

13 der Kühlwassertemperaturanzeiger

14 das Öldruckmanometer

15 der elektrische Drehzahlmesser

16 das Druckluftmanometer

17 der Glühkerzenüberwacher

18 das Zündschloß

19 das Handrad, für das Füllungsgestänge

20 der Sandstreuerhebel

21 die Kontrollampen *f* für die Batterieladung

22 der Füllungsfußhebel

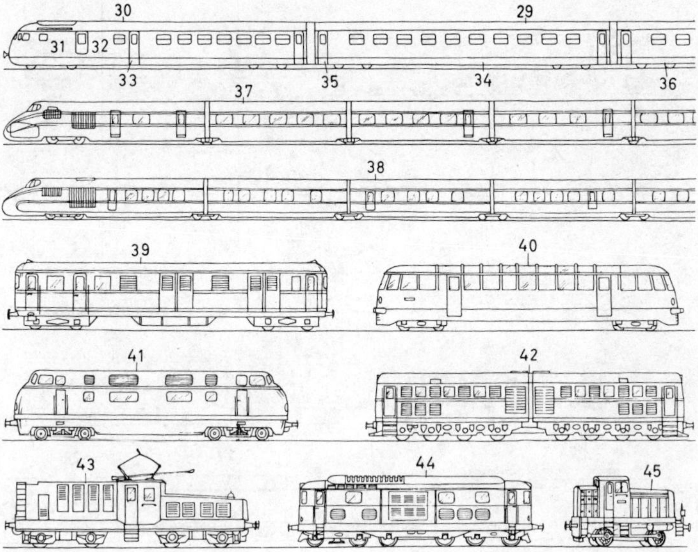

23 das Kupplungspedal
24 das Schaumlöschgerät;
25 der dieselmechanische Schienenomnibus (Schienenbus), in Aluminiumleichtbauweise *f*
26 der Schienenbusanhänger
27 der Schienenbuseinachsergepäckanhänger
28-40 Dieseltriebwagen *m*:
28 der dieselmechanische Leichtmetalltriebwagen
29 der Ferntriebwagenzug
30 der Maschinenwagen
31 der Maschinenraum
32 das Gepäckabteil
33 das Postabteil
34 der Mittelwagen (Zwischenwagen)
35 die Schwenkschiebetür
36 der Steuerwagen
37 u. 38 hydraulisch-mechan. Diesel-Gliedertriebzüge *m*:
37 der siebenteilige Tagesreisezug
38 der Schlafwagenzug;
39 der Diesel-Güterschlepptriebwagen, ein Trieb- und Nutzfahrzeug *n* für Fracht- und Postbeförderung *f*
40 der gläserne Zug, ein Aussichtsdieseltriebwagen *m*;
41 die Dieselschnellzuglok, mit Fernsteuereinrichtung *f*
42 die Doppel-Dieselgüterzuglokomotive
43 die Zweikraft-Werklokomotive [elektrisch od. dieselelektrisch];
44 die Gasturbinenlokomotive
45 die Gasmotorlokomotive

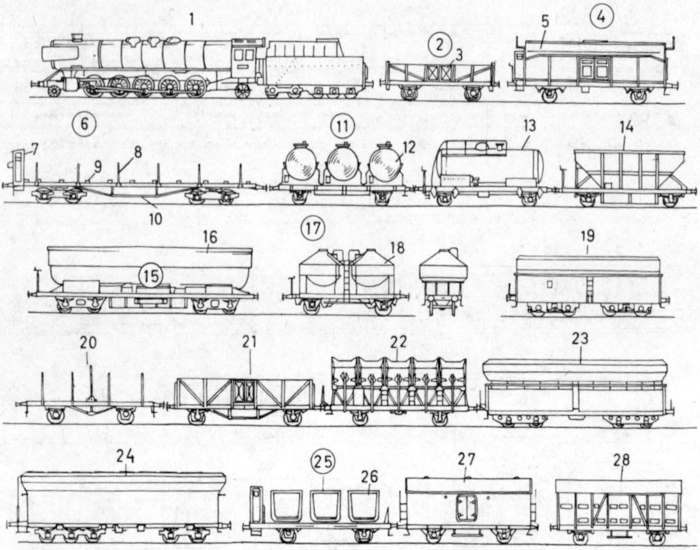

1 die Güterzugdampflokomotive mit Schlepptender *m*

2-34 Güterwagen *m* (Güterwaggons),

2 der offene Güterwagen (Bordwandwagen):

3 die Seitenwanddrehtüren *f*;

4 der gedeckte (geschlossene) Güterwagen:

5 das Schiebedach;

6 der Schienen- oder Flachwagen, mit Stahlrungen *f*:

7 der Handbremsstand, mit Schutzhäuschen *n*

8 die abklappbare Runge

9 der Bodenbalken (Auflagerbalken)

10 die Längsträgerverstärkung;

11 der Behälterwagen [für Chemikalien *f*]:

12 die Behälter *m*;

13 der Allzweckkesselwagen

14 der Bodenentlader (Bodenentleerer) [für Gleisschottertransport *m*]

15 der Druckgaskesselwagen [für Flüssiggase *n*]:

16 das Sonnenschutzblech;

17 der Staubbehälterwagen, ein Selbstentlader *m*:

18 die Deckelklappe;

19 der Erztransportwagen, ein Seitenentlader *m*

20 der Holztransportwagen (Langholzwagen)

21 der offene Wagen

22 der Muldenkippwagen

23 der Sattelwagen, ein Zweiseitenentlader *m* [für Koks *m*, Kohle *f*]

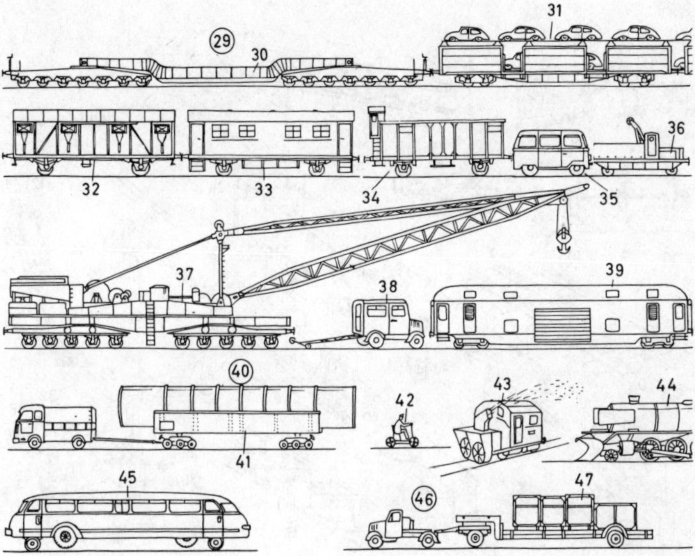

24 der gedeckte Selbstentladewagen [für Schuttgüter *n*]
25 der Behältertragewagen:
26 der Großbehälter;
27 der Kühlwagen
28 der mehrbödige Verschlagwagen [zur Geflügelbeförderung]
29 der vierzehnachsige Tiefladewagen [für Schwersttransporte *m*]:
30 die Ladebrücke;
31 der Doppelstockgüterwagen (Autotransportwagen)
32 der Mehrzweckwagen
33 der Werkstattwagen
34 der gedeckte Wagen;
35-47 Spezialschienen- u. -straßenfahrzeuge *n*:
35 der Gleiskraftwagen (das Schienenauto)
36 der Gleiskraftrottenzugkranwagen
37 der Gleis- und Brücken-Vorbaukranwagen
38 die Gleismeßdraisine (der Streckenprüfwagen)
39 der Doppelstockgepäckwagen (Autopackwagen)
40 der sechsachsige Straßenroller:
41 die Tiefladebrücke;
42 die Draisine, ein Schienenrad *n* od. Schienenkraftrad *n* (Gleiskraftrad)
43 die Streckenschneeschleuder, eine Schienenschneeräummaschine
44 die Lokomotive, mit Schneeräumer *m*
45 das Zweiwegefahrzeug (der Straßen-Schienen-Omnibus)
46 der Niederflurpritschenanhänger:
47 der Behälter

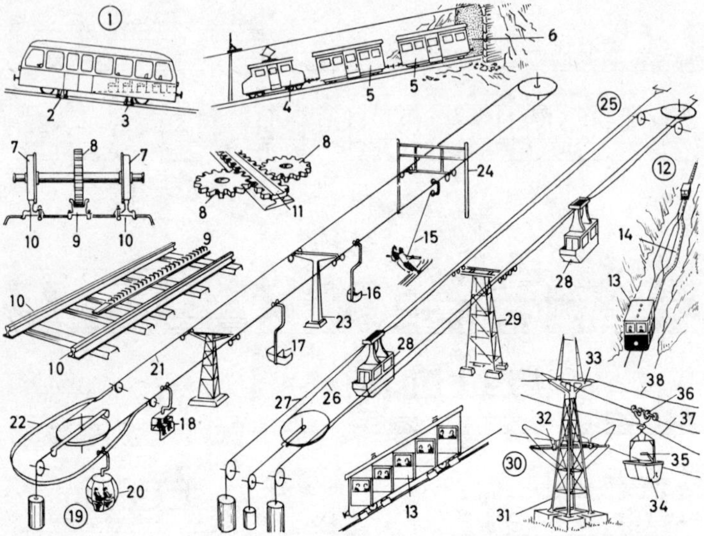

1-14 Schienenbergbahnen *f*,

1 der Triebwagen, mit forcierter Adhäsion:
2 der Antrieb
3 die Notbremse;
4 u. 5 die Zahnradbergbahn:
4 die elektrische Zahnradlokomotive
5 der Zahnradbahnanhänger;
6 der Tunnel
7-11 Zahnstangenbahnen *f* [Systeme]:
7 das Laufrad
8 das Triebzahnrad
9 die Sprossenzahnstange
10 die Schiene
11 die Doppelleiterzahnstange;
12 die Standseilbahn:
13 der Standseilbahnwagen
14 das Zugseil;

15-38 Seilschwebebahnen *f* (Schwebebahnen, Drahtseilbahnen, Seilbahnen),

15-24 Einseilbahnen *f*, Umlaufbahnen *f*:
15 der Schischlepplift
16-18 der Sessellift:
16 der Liftsessel, ein Einmannsessel *m*
17 der Doppelliftsessel, ein Zweimannsessel *m*
18 der kuppelbare Doppelsessel;
19 die Kleinkabinenbahn, eine Umlaufbahn:
20 die Kleinkabine (Umlaufkabine);
21 das Umlaufseil, ein Trag- und Zugseil *n*
22 die Umführungsschiene
23 die Einmaststütze
24 die Torstütze;
25 die Zweiseilbahn, eine Pendelbahn:
26 das Zugseil
27 das Tragseil
28 die Fahrgastkabine
29 die Zwischenstütze;
30 die Seilschwebebahn, eine Zweiseilbahn *f*:
31 die Gitterstütze
32 die Zugseilrolle
33 der Seilschuh (das Tragseillauflager)
34 der Wagenkasten, ein Kippkasten *m*
35 der Kippanschlag
36 das Laufwerk
37 das Zugseil
38 das Tragseil;

39 die Talstation:

40 der Spanngewichtschacht (Spannschacht)
41 das Tragseilspanngewicht
42 das Zugseilspanngewicht
43 die Spannseilscheibe
44 das Tragseil
45 das Zugseil
46 das Gegenseil (Unterseil)
47 das Hilfsseil
48 die Hilfsseilspannvorrichtung
49 die Zugseiltragrollen *f*
50 die Anfahrfederung (der Federpuffer)
51 der Talstationsbahnsteig
52 die Fahrgastkabine (Seilbahngondel), eine Großkabine (Großraumkabine)
53 das Laufwerk
54 das Gehänge
55 der Schwingungsdämpfer
56 der Abweiser (Abweisbalken);

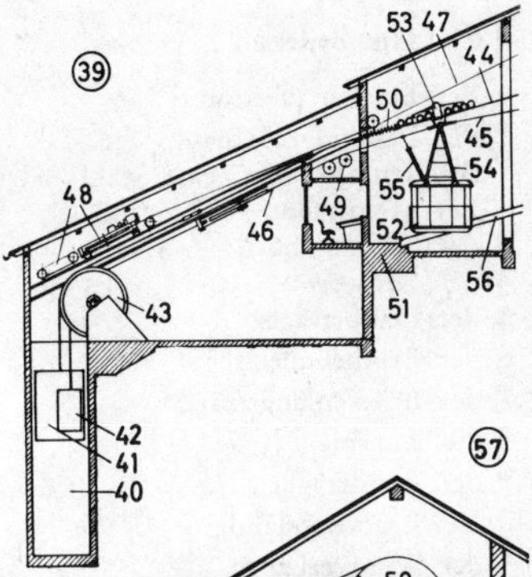

57 die Bergstation:

58 der Tragseilschuh
59 der Tragseilverankerungspoller
60 die Zugseilrollenbatterie
61 die Zugseilumlenkscheibe
62 die Zugseilantriebsscheibe
63 der Hauptantrieb
64 der Reserveantrieb
65 der Führerstand;

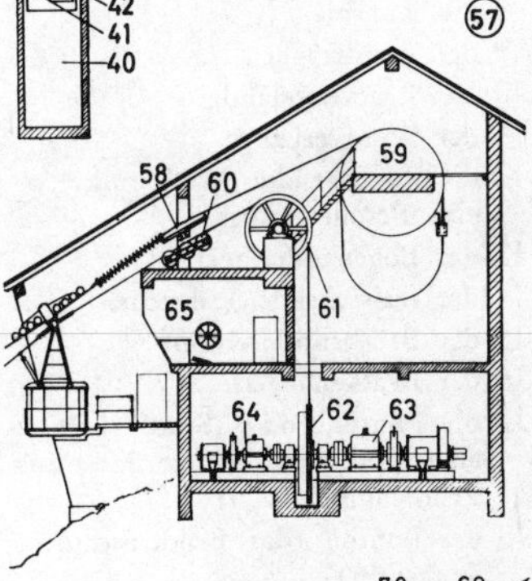

66 das Kabinenlaufwerk:

67 der Laufwerkhauptträger
68 die Doppelwiege
69 die Zweiradwiege
70 die Laufwerkrollen *f*
71 die Tragseilbremse, eine Notbremse bei Zugseilbruch *m*
72 der Gehängebolzen
73 die Zugseilmuffe
74 die Gegenseilmuffe
75 der Entgleisungsschutz;

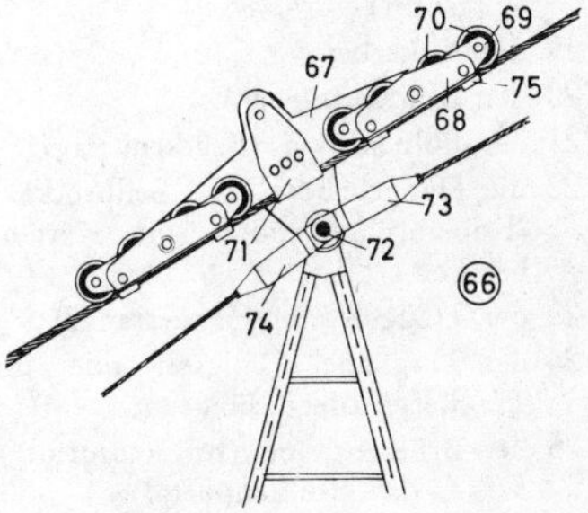

76 Seilbahnstützen *f* (Zwischenstützen):
77 der Stahlgittermast, eine Fachwerkstütze
78 der Stahlrohrmast, eine Stahlrohrstütze
79 der Tragseilschuh (Stützenschuh)
80 der Stützengalgen, ein Montagegerät *n* für Seilarbeiten *f*
81 das Stützenfundament

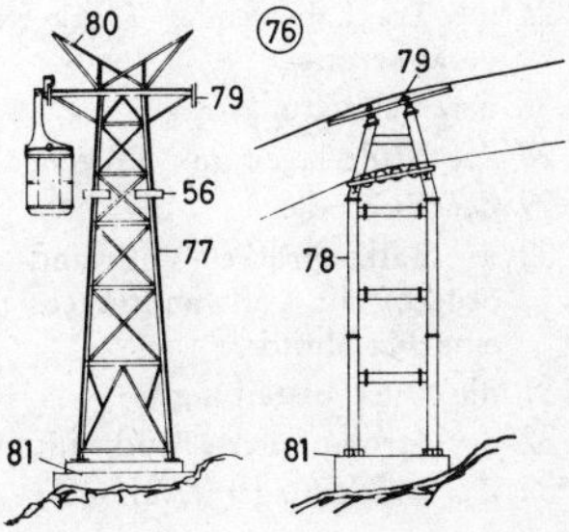

1-54 feste Brücken *f*,

1 der Brückenquerschnitt:
2 der Fahrbahnübergang (die Brückenfahrbahn), eine Stahl- oder Betonfahrbahn
3 der Schrammbord
4 der Gehweg
5 der Hauptträger
6 der Brückenquerträger
7 der Brückenlängsträger
8 die Konsole
9 der Randträger
10 das Brückengeländer
11 der Windverband;
12 die Bogenbrücke (Wölbbrücke), eine Betonbrücke:
13 das Bogenwiderlager
14 der freistehende Eisbrecher
15 der Brückenpfeilerkopf
16 der Brückenbogen;
17 die Pontonbrücke (Schiffbrücke), eine Notbrücke (Hilfsbrücke) aus Brückengliedern *n*:
18 der Ponton (das Brückenschiff, Tragschiff)
19 die Ankerkette
20 der Brückenträger
21 der Bohlenbelag (Brückenbelag);
22 die Hängebrücke, eine Seilbrücke (Kabelbrücke) oder eine Kettenbrücke:
23 der Hänger (die Hängestange)
24 das Tragkabel (Tragseil) oder die Tragkette (der Hängegurt)
25 der Brückenpylon (Brückenturm; *beide:* das Brückenportal)
26 die Tragkabel- oder Tragkettenverankerung
27 der Versteifungsträger
28 das Widerlager, mit Flügelmauer *f*
29 der Eisbrecher;
30 die Balkenbrücke (Vollwandbrücke) mit Vollwandträgern *m*, eine Flachbrücke:
31 die Queraussteifung
32 der Strompfeiler (Brückenpfeiler)
33 das Brückenlager (Auflager)
34 die Stützweite (Spannweite);
35 die Stahlbrücke aus Längerbalken *m*, eine Bogenbrücke:
36 der Bogenträger;
37 die Zügelgurtbrücke (Schrägseilbrücke):
38 das Abspannseil (Schrägseil)
39 der Pylonriegel
40 die Schrägseilverankerung;
41 die aufgeständerte Bogenbrücke:
42 der Bogenkämpfer
43 der Brückenständer
44 der Bogenscheitel;
45 die Holzbrücke:
46 das Brückenjoch;
47 die Fachwerkbrücke, eine Stahlbrücke, eine eingleisige Eisenbahnbrücke,
48-54 das Brückenfachwerk:
48 der Obergurt
49 der Untergurt
50 die Diagonale (Brückenstrebe)
51 die Vertikale (der Brückenpfosten)
52 der Fachwerkknoten
53 der obere Windverband
54 das Endportal (Windportal);

55-70 bewegl. Brücken *f*,

55 die Drehbrücke:
56 die Drehrichtung
57 der Drehkranz
58 der Drehpfeiler
59 der Tummelbaum (Drehantrieb)
60 die Endverriegelung;
61 die Klappbrücke:
62 die Brückenklappe
63 der Zahnkranz
64 der Drehzapfen;
65 die Hubbrücke:
66 der Hubturm
67 die Treibscheibe
68 der Überbau
69 das Gegengewicht
70 die Hubhöhe

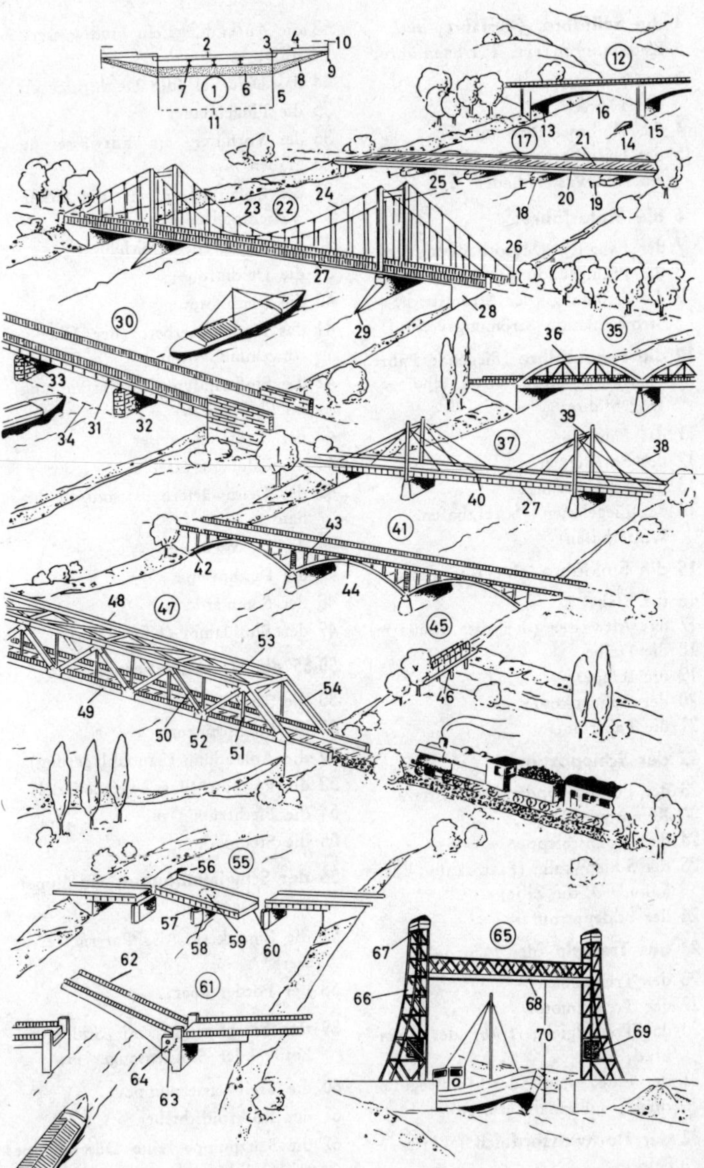
1 2 3 4 5 6 7 8 9 10 11
12 13 14 15 16
17 18 19 20 21
22 23 24 25 26 27 28 29
30 31 32 33 34
35 36
37 38 39 40 27
41 42 43 44
45 46
47 48 49 50 51 52 53 54
55 56 57 58 59 60
61 62 63 64
65 66 67 68 69 70

1 die Seilfähre (Gierfähre; *auch:* Kettenfähre), eine Personenfähre:
2 der Fährmann
3 das Fährseil;
4 die Flußinsel (Strominsel)
5 der Uferabbruch am Flußufer *n*, ein Hochwasserschaden *m*

6 die Motorfähre:
7 der Fährsteg (Motorbootsteg)
8 die Pfahlgründung;
9 die Strömung (der Stromstrich, Stromschlauch, Strömungsverlauf)

10 die Pendelfähre (fliegende Fähre, Flußfähre, Stromfähre), eine Wagenfähre:
11 das Fährboot
12 der Schwimmer
13 die Verankerung;
14 der Liegehafen (Schutzhafen, Winterhafen)

15 die Stakfähre, eine Kahnfähre:
16 die Stake;
17 das Altwasser (der tote Flußarm)
18 die Dalbe
19 die Buhne:
20 der Buhnenkopf;
21 die Fahrrinne

22 der Schleppzug:
23 der Flußschleppdampfer (*österr.* Remorqueur)
24 der Wohnschlepper
25 der Schleppkahn (Frachtkahn, Lastkahn, *md.* die Zille)
26 der Schleppschiffer;

27 das Treideln (der Leinzug):
28 der Treidelmast
29 der Treidelmotor
30 das Treidelgleis; *früh.* der Leinpfad;
31 der Fluß, nach der Flußregulierung (Flußkanalisierung)

32 der Hochwasserdeich (Winterdeich):
33 die Aufkadung, ein Hochwasserschutz *m*
34 das Deichsiel (die Deichschleuse)
35 die Flügelmauer
36 der Vorfluter, ein Entwässerungsgraben *m*
37 der Ableitungsgraben (die Sickerwasserableitung)
38 die Berme (der Deichabsatz)
39 die Deichkrone;
40 die Deichböschung
41 das Hochwasserbett (der Überschwemmungsraum)
42 die Flußwindung (Flußkrümmung), im Flußlauf *m*
43 der Strömungsweiser
44 die Kilometertafel
45 das Deichwärterhaus; *auch:* Fährhaus
46 der Deichwärter
47 die Deichrampe
48 der Sommerdeich
49 der Flußdamm (Uferdamm)

50-55 die Uferbefestigung:
50 die Sandsäcke *m*
51 die Steinschüttung
52 die Anlandung (Sandablagerung)
53 die Faschine (das Zweigebündel)
54 die Flechtzäune *m*
55 die Steinpackung;

56 der Schwimmbagger, ein Eimerkettenbagger *m*:
57 die Eimerkette (das Paternosterwerk)
58 der Fördereimer;

59 der Saugbagger, mit Schleppkopf- oder Schutensauger *m*:
60 die Treibwasserpumpe
61 der Rückspülschieber
62 die Saugpumpe, eine Düsenpumpe mit Spüldüsen *f*

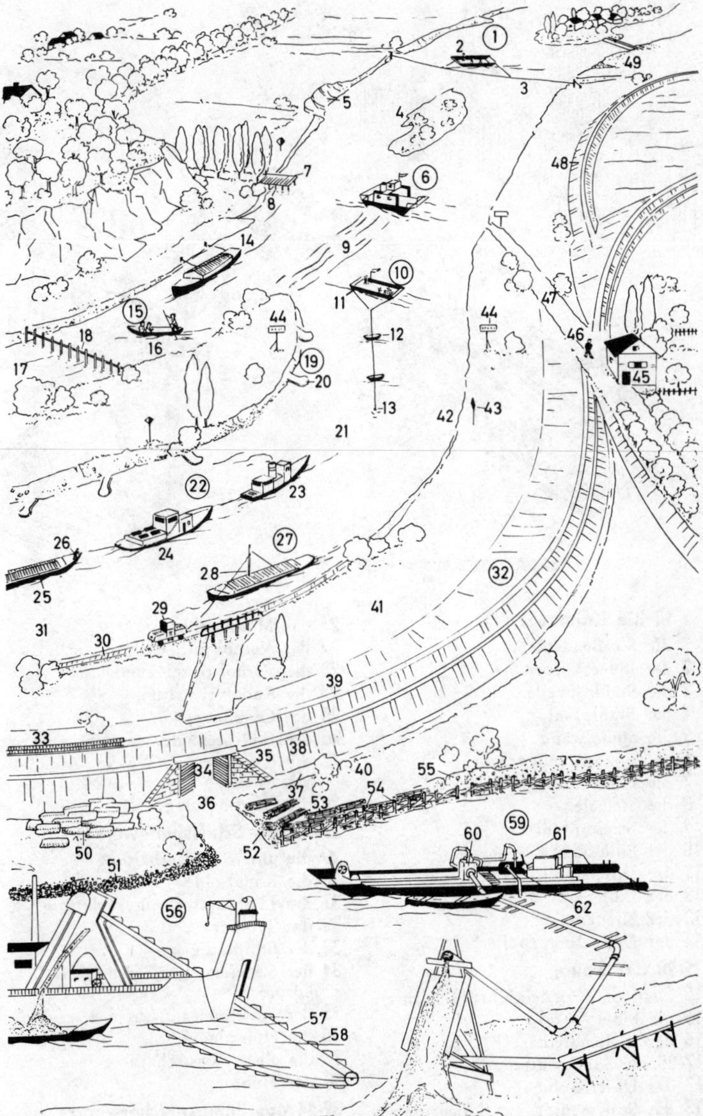
1
2
3
4
5
6
7
8
9
10
11
12
13
14
15
16
17
18
19
20
21
22
23
24
25
26
27
28
29
30
31
32
33
34
35
36
37
38
39
40
41
42
43
44
44
45
46
47
48
49
50
51
52
53
54
55
56
57
58
59
60
61
62

212 Wasserbau

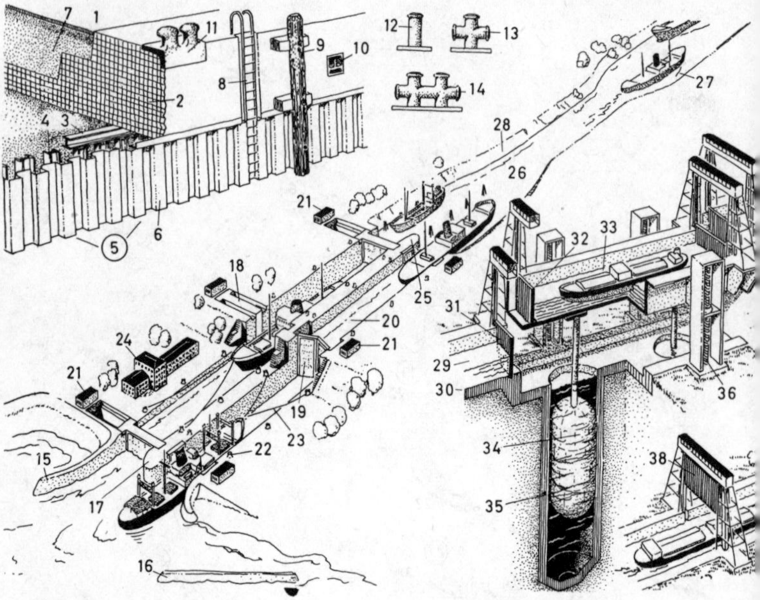

1-14 die Kaimauer:
1 die Straßendecke
2 der Mauerkörper
3 die Stahlschwelle
4 der Stahlpfahl
5 die Spundwand:
6 das Spundwandeisen;
7 die Hinterfüllung
8 die Steigeleiter
9 der Streichpfahl
10 die Pollernische
11 der Doppelpoller
12 der Poller
13 der Kreuzpoller
14 der Doppelkreuzpoller;

15-28 der Kanal,
15 u. 16 die Kanaleinfahrt (Einfahrt):
15 die Mole
16 der Wellenbrecher;
17-25 die Schleusentreppe:
17 das Unterhaupt
18 das Schleusentor, ein Schiebetor *n*
19 das Stemmtor
20 die Schleuse (Schleusenkammer)
21 das Maschinenhaus
22 das Verholspill, ein Spill *n*
23 die Verholtrosse, eine Trosse
24 die Kanalverwaltung
25 das Oberhaupt;
26 der Schleusenhafen, ein Vorhafen *m*
27 die Kanalweiche (Weiche, Ausweichstelle)
28 die Uferböschung;

29-38 das Schiffshebewerk:
29 die untere Wasserhaltung
30 die Kanalsohle
31 das Haltungstor, ein Hubtor *n*
32 das Trogtor
33 der Schiffstrog
34 der Schwimmer, ein Auftriebskörper *m*
35 der Schwimmerschacht
36 die Hubspindel
37 die obere Wasserhaltung
38 das Hubtor;

39-44 das Pumpspeicherwerk:
39 das Staubecken
40 das Wasserschloß

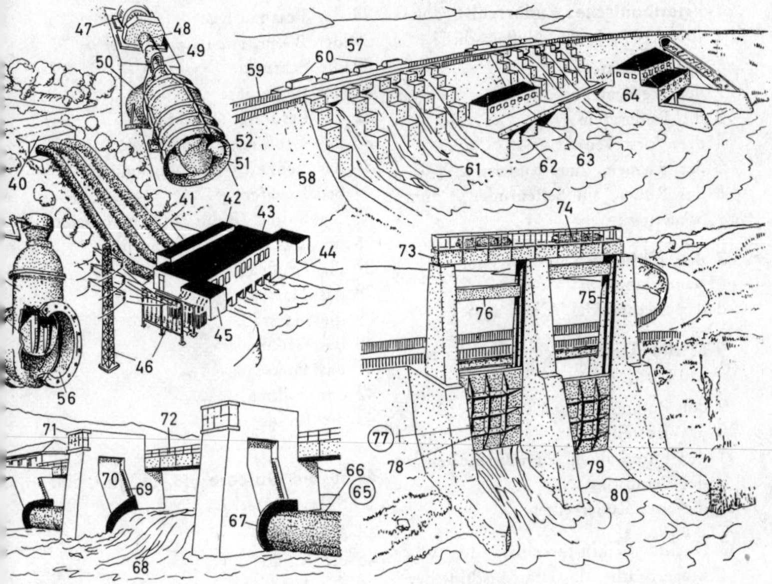

41 die Druckrohrleitung
42 das Schieberhaus
43 das Turbinenhaus (Pumpenhaus)
44 das Auslaufbauwerk;
45 das Schalthaus
46 die Umspannanlage

47-52 die Flügelradpumpe (Propellerpumpe):
47 der Antriebsmotor
48 das Getriebe
49 die Antriebswelle
50 das Druckrohr
51 der Ansaugtrichter
52 das Flügelrad;

53-56 der Schieber (Absperrschieber):
53 der Kurbelantrieb
54 das Schiebergehäuse
55 der Schieber
56 die Durchflußöffnung;

57-64 die Talsperre:
57 der Stausee
58 die Sperrmauer
59 die Mauerkrone
60 der Überlauf (Hochwasserüberlauf)
61 das Tosbecken
62 der Grundablaß
63 das Schieberhaus
64 die Kraftstation;

65-72 das Walzenwehr (Wehr), eine Staustufe; *anderes System:* Klappwehr,
65 die Walze, ein Staukörper *m*:
66 die Walzenkrone
67 das Seitenschild;
68 die Versenkwalze
69 die Zahnstange
70 die Nische
71 das Windwerkshaus
72 der Bedienungssteg;

73-80 das Schützenwehr:
73 die Windwerksbrücke
74 das Windwerk
75 die Führungsnut
76 das Gegengewicht
77 das Schütz (die Falle):
78 die Verstärkungsrippe;
79 die Wehrsohle
80 die Wangenmauer

213 Historische Schiffstypen

1-6 germanisches Ruderschiff [etwa 400 n. Chr.]; das Nydamschiff:
1 der Achtersteven
2 der Steuermann
3 die Ruderer m
4 der Vorsteven
5 der Riemen, zum Rudern *n*
6 das Ruder, ein Seitenruder *n* zum Steuern *n*;

7 der Einbaum, ein ausgehöhlter Baumstamm *m*
8 das Stechpaddel (die Pagaie)

9-12 die Trireme, ein röm. Kriegsschiff *n*:
9 der Rammsporn
10 das Kastell
11 der Enterbalken, zum Festhalten *n* des Feindschiffs *n*
12 die drei Ruderreihen *f*;

13-17 das Wikingerschiff (der Wikingerdrache, das Drachenschiff, der Seedrache, das Wogenroß) [altnordisch]:
13 der Helm (Helmstock)
14 die Zeltschere, mit geschnitzten Pferdeköpfen *m*
15 das Zelt
16 der Drachenkopf
17 der Schutzschild (Schild);

18-26 die Kogge (Hansekogge):
18 das Ankerkabel (Ankertau)
19 das Vorderkastell
20 der Bugspriet
21 das aufgegeite Rahsegel
22 das Städtebanner
23 das Achterkastell
24 das Ruder, ein Stevenruder *n*
25 das Rundgattheck
26 der Holzfender;

27-43 die Karavelle [»Santa Maria« 1492]:
27 die Admiralskajüte
28 der Besanausleger
29 der Besan, ein Lateinersegel *n*
30 die Besanrute
31 der Besanmast
32 die Lasching (Laschung)
33 das Großsegel, ein Rahsegel *n*
34 das Bonnett, ein abnehmbarer Segelstreifen *m*
35 die Buline (Bulin, Bulien, Buleine)
36 die Martnets (Seitengording)
37 die Großrah
38 das Marssegel
39 die Marsrah
40 der Großmast
41 das Focksegel
42 der Fockmast
43 die Blinde;

44-50 die Galeere [15.-18. Jh.], eine Sklavengaleere:
44 die Laterne
45 die Kajüte
46 der Mittelgang
47 der Sklavenaufseher, mit Peitsche *f*
48 die Galeerensklaven *m* (Rudersklaven, Galeerensträflinge)
49 die Rambate, eine gedeckte Plattform auf dem Vorschiff *n*
50 das Geschütz;

51-60 das Linienschiff [18./19. Jh.], ein Dreidecker *m*:
51 der Klüverbaum
52 das Vorbramsegel
53 das Großbramsegel
54 das Kreuzbramsegel
55-57 das Prunkheck:
55 der Bovenspiegel
56 die Heckgalerie
57 die Tasche, ein Ausbau *m* mit verzierten Seitenfenstern *n*
58 der Unterspiegel (Spiegel)
59 die Geschützpforten *f*, für Breitseitenfeuer *n*
60 der Pfortendeckel

1
2
3
4
5
6
7
8
9
10
11
12
13
14
15
16
17
18
19
20
21
22
23
24
25
26
27
28
29
30
31
32
33
34
35
36
37
38
39
40
41
42
43
44
45
46
47
48
49
50
51
52
53
54
55
56
57
58
59
60

1-72 die Takelung und Besegelung einer Bark,

1-9 die Masten *m* (Toppen):

1 das Bugspriet
2-4 der Vortopp:
2 der Fockmast
3 die Vorstenge (Vormarsstenge)
4 die Vorbramstenge;
5 u. 6 der Großtopp:
5 der Großmast
6 die Großstenge (Großmarsstenge);
7 die Großbramstenge
8 u. 9 der Besantopp;
8 der Besanmast
9 die Besanstenge;

10-19 das stehende Gut:

10 das Stag
11 das Stengestag
12 das Bramstengestag (Bramstag)
13 das Royalstengestag (Royalstag)
14 der Klüverleiter
15 das Wasserstag
16 die Wanten *f*
17 die Stengewanten *f*
18 die Bramstengewanten *f*
19 die Pardunen *f*;

20-31 die Schratsegel:

20 das Vor-Stengestagsegel
21 der Binnenklüver
22 der Klüver
23 der Außenklüver
24 das Groß-Stengestagsegel
25 das Groß-Bramstagsegel (Bramstengestagsegel)
26 das Groß-Royalstagsegel (Royalstengestagsegel)
27 das Besan-Stagsegel
28 das Besan-Stengestagsegel
29 das Besan-Bramstagsegel (Bramstengestagsegel)
30 das Besansegel (der Besan)
31 das Gaffeltoppsegel;

32-45 die Rundhölzer *n*:

32 die Fockrah
33 die Vor-Untermarsrah
34 die Vor-Obermarsrah
35 die Vor-Unterbramrah
36 die Vor-Oberbramrah
37 die Vor-Royalrah
38 die Großrah
39 die Groß-Untermarsrah
40 die Groß-Obermarsrah
41 die Groß-Unterbramrah
42 die Groß-Oberbramrah
43 die Groß-Royalrah
44 der Besanbaum (Großbaum)
45 die Gaffel;
46 das Fußpferd (Peerd; *pl*: die Peerden)
47 die Toppnanten *f*
48 die Dirk (Besandirk)
49 der Gaffelstander (Pickstander)
50 die Vor-Marssaling
51 die Vor-Bramsaling
52 die Groß-Marssaling
53 die Groß-Bramsaling
54 die Besansaling

55-66 die Rahsegel *n*:

55 das Focksegel
56 das Vor-Untermarssegel
57 das Vor-Obermarssegel
58 das Vor-Unterbramsegel
59 das Vor-Oberbramsegel
60 das Vor-Royalsegel
61 das Großsegel
62 das Groß-Untermarssegel
63 das Groß-Obermarssegel
64 das Groß-Unterbramsegel
65 das Groß-Oberbramsegel
66 das Groß-Royalsegel;

67-71 das laufende Gut:

67 die Brassen [*pl*; *sg*: die Braß]
68 die Schoten [*pl*; *sg*: die Schot]
69 die Besanschot
70 die Gaffelgeer [*pl*: die Gaffelgeerden]
71 die Gordings [*pl*; *sg*: die Gording];
72 das Reff

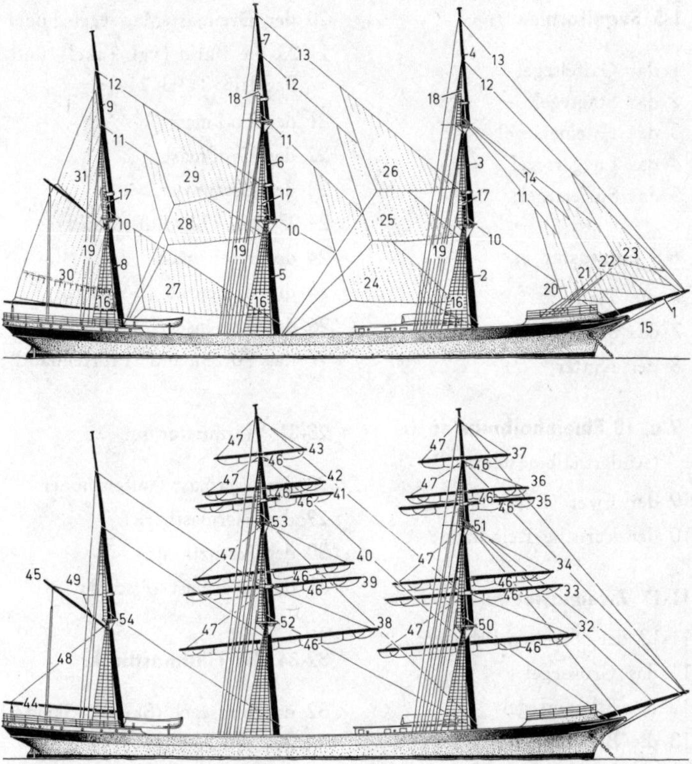
1
2
3
4
5
6
7
8
9
10
11
12
13
14
15
16
17
18
19
20
21
22
23
24
25
26
27
28
29
30
31
32
33
34
35
36
37
38
39
40
41
42
43
44
45
46
47
48
49
50
51
52
53
54
55
56
57
58
59
60
61
62
63
64
65
66
67
68
69
70
71
72

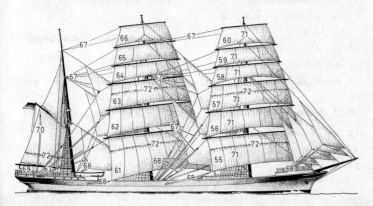

1-5 Segelformen *f*:

1 das Gaffelsegel
2 das Stagsegel
3 das Lateinersegel
4 das Luggersegel
5 das Sprietsegel;

6-8 Einmaster *m*,

6 die Tjalk:
7 das Schwert (Seitenschwert);
8 der Kutter;

9 u. 10 Eineinhalbmaster *m* (Anderthalbmaster):

9 der Ewer (Ever)
10 der kurische Reisekahn;

11-17 Zweimaster *m*,

11-13 der Toppsegelschoner:
11 das Großsegel
12 das Schonersegel
13 die Breitfock;
14 die Schonerbrigg:
15 der Schonermast mit Schratsegeln *n*
16 der voll getakelte Mast mit Rahsegeln *n*;
17 die Brigg;

18-27 Dreimaster *m*:

18 der Dreimast-Gaffelschoner
19 der Dreimast-Toppsegelschoner
20 der Dreimast-Marssegelschoner
21-23 die Bark [vgl. Takel- und Segelriß Tafel 214]:
21 der Fockmast
22 der Großmast
23 der Besanmast;
24-27 das Vollschiff (Schiff):
24 der Kreuzmast
25 die Bagienrah (Begienrah)
26 das Bagiensegel (Kreuzsegel)
27 das Portenband (Pfortenband);

28-31 Viermaster *m*:

28 der Viermast-Gaffelschoner
29 die Viermastbark:
30 der Kreuzmast;
31 das Viermastvollschiff;

32-34 die Fünfmastbark:

32 das Skysegel (Skeisel, Skeusel)
33 der Mittelmast
34 der Achtermast;

35-37 Entwicklung des Segelschiffes *n* in 400 Jahren:

35 das Fünfmastvollschiff »Preußen«, 1902-1910
36 der engl. Klipper »Spindrift« 1867
37 die Karavelle »Santa Maria« 1492

1
2
3
4
5
6
7
8
9
10
11
12
13
14
15
16
17
18
19
20
21
22
23
24
25
26
27
28
29
30
31
32
32
32
33
34
35
36
37

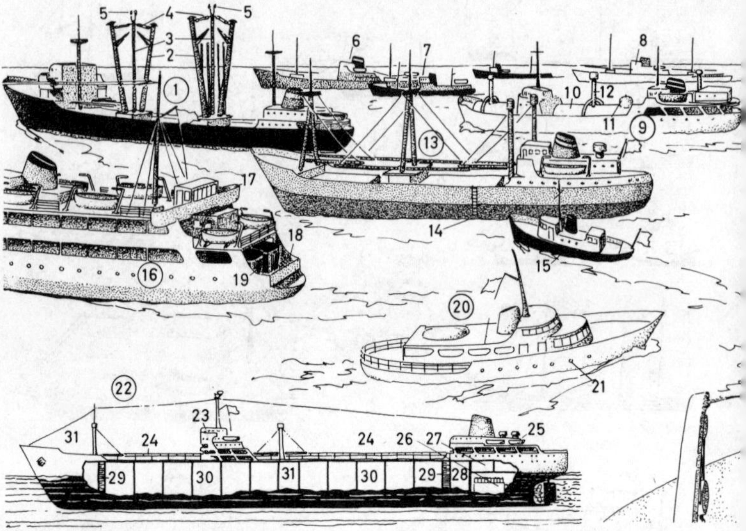

1 das Schwergut-Frachtschiff, ein Spezialfrachtschiff *n* für große Fahrt *f*:
2 der Ladepfosten (Pfosten)
3 der Schwergutbaum
4 die Gien, eine starke Talje, ein Flaschenzug *m*
5 der Rollenkopf;
6 der Fabriktrawler
7 der Fischtrawler (Trawler), ein Fischereifahrzeug *n*
8 der Bananendampfer, ein Fruchtschiff *n*
9 der Flüssiggastanker:
10 der Gastank
11 der Dom
12 der Abfackelmast, zum Verfackeln *n* (Verbrennen) von Gasrückständen *m*;
13 das Motorfrachtschiff, für mittlere Fahrt *f*:
14 die Jakobsleiter, eine Strickleiter;
15 das Lotsenboot
16 die Eisenbahnfähre (das Fährschiff, Trajekt):
17 die Manöverbrücke
18 das Fährdeck
19 der Eisenbahnwagen;
20 die Privatjacht, eine Motorjacht:
21 das Bullauge (*seem.* Bulleye);
22 der Tanker (Großtanker):
23 der Brückenaufbau
24 die Tankerbrücke (der Laufsteg)
25 der Maschinenaufbau
26 der Maschinenraum
27 der Hilfsmaschinenraum
28 der Treiböltank
29 der Kofferdamm
30 der Tank
31 der Pumpenraum;
32 der Ozeanliner (Passagierdampfer), ein Schiff *n* der Linienfahrt
33 das kombinierte Fracht-Fahrgast-Schiff, für große Fahrt *f*:

34 das Fallreep
35 das Ausbooten;
36 das Seebäderschiff, auf der Jungfernfahrt (Jungfernreise):
37 die Flaggengala (*seem.* über die Toppen *m* geflaggt);
38 das Küstenmotorschiff, für kleine Fahrt *f*
39 der Zollkreuzer
40 der Viehtransporter, ein Spezialschiff *n*:
41 der Niedergang (die Niedergangskappe)
42 der Lüfter
43 die Seitenpforte
44 die Wasserpforte (Lenzpforte);
45-66 der Ausflugsdampfer (Bäderdampfer),
45-50 die Bootsaufhängung:
45 der Davit
46 der Mittelstander
47 das Manntau
48 die Talje:
49 der Block
50 der Taljenläufer;
51 die Persenning
52 der Fahrgast (Passagier)
53 der Steward
54 der Deckstuhl (Liegestuhl)
55 der Schiffsjunge
56 der Eimer (*seem.* die Pütz, Pütze)
57 der Bootsmann:
58 die Litewka;
59 das Sonnensegel:
60 die Sonnensegelstütze
61 die Sonnensegellatte
62 das Bändsel;
63 die Nachtrettungsboje (Nachtboje):
64 das Wasserlicht;
65 der wachhabende Offizier (Wachhabende):
66 das Bordjackett

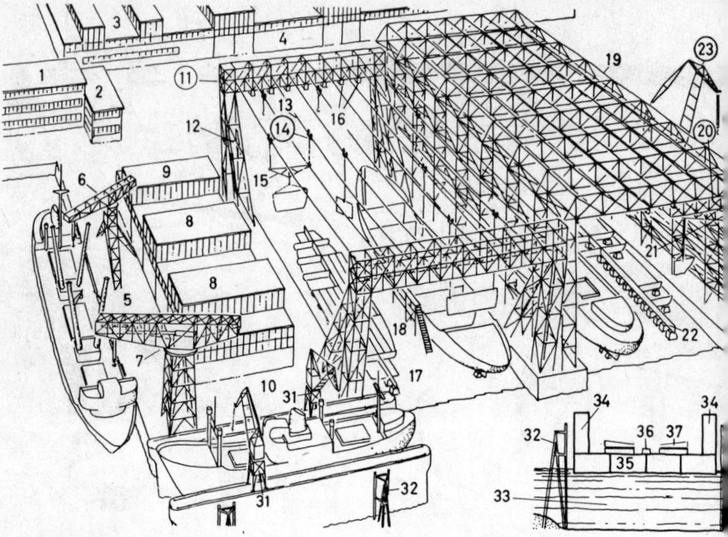

1-40 die Schiffswerft (Werft):

1 das Verwaltungsgebäude
2 das Konstruktionsbüro
3 u. 4 die Schiffbauhalle:
3 der Schnürboden
4 die Werkhalle;
5-9 der Ausrüstungskai:
5 der Kai
6 der Dreibeinkran
7 der Hammerkran
8 die Maschinenbauhalle
9 die Kesselschmiede;
10 der Reparaturkai

11-26 die Hellinganlagen *f* (Hellingen *f*, Helgen *m*),

11-18 die Kabelkranhelling (Portalhelling), eine Helling (ein Helgen *m*),
11 das Hellingportal (Portal):
12 die Portalstütze;
13 das Krankabel
14 die Laufkatze:
15 die Traverse;
16 das Kranführerhaus
17 die Hellingsohle
18 die Stelling, ein Baugerüst *n*;
19-21 die Gerüsthelling:
19 das Hellinggerüst
20 der Deckenkran:
21 die Drehlaufkatze;
22 der gestreckte Kiel
23-26 die neuzeitliche Kranhelling,
23 der Drehwippkran, ein Hellingkran *m*:
24 die Kranbahn;
25 das Schiff in Spanten *n*
26 der Schiffsneubau;

27-30 das Trockendock:

27 die Docksohle
28 das Docktor (der Dockponton, Verschlußponton)
29 der Turmdrehkran
30 das Pumpenhaus (Maschinenhaus);

31-40 das Schwimmdock:

31 der Dockkran, ein Torkran *m*
32 die Streichdalben *m* (Leitdalben)
33-40 der Dockbetrieb:
33 die Dockgrube
34 u. 35 der Dockkörper:
34 der Seitentank
35 der Bodentank;
36 der Kielpallen (Kielstapel), ein Dockstapel *m*

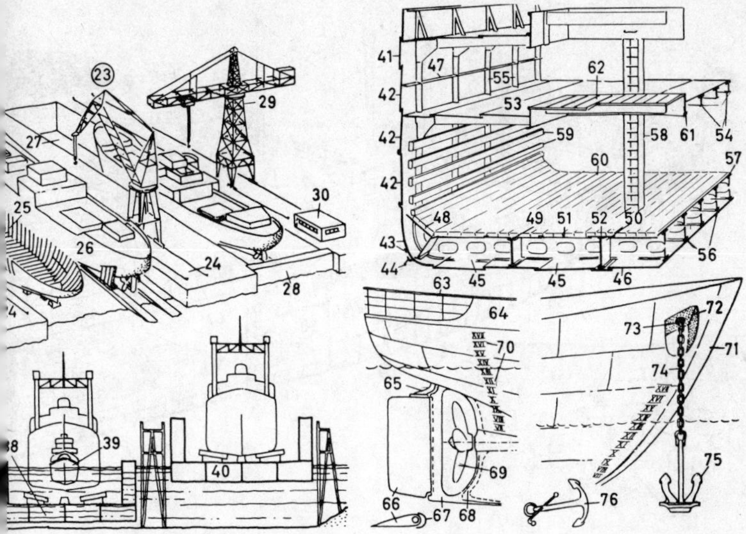

37 der Kimmpallen (Kimmstapel)
38-40 das Eindocken (Docken) eines Schiffes *n*:
38 das geflutete (gefüllte) Schwimmdock
39 der Schlepper beim Bugsieren *n* (Schleppen)
40 das gelenzte (leergepumpte) Dock;

41-58 die Konstruktionselemente *n*,
41-53 der Längsverband,
41-46 die Außenhaut:
41 der Schergang
42 der Seitengang
43 der Kimmgang
44 der Schlingerkiel (Kimmkiel)
45 der Bodengang
46 der Flachkiel;
47 der Stringer
48 die Tankrandplatte (Randplatte)
49 der Seitenträger
50 der Mittelträger
51 die Tankdecke
52 die Mittelplatte
53 die Deckplatte;
54 der Deckbalken
55 das Spant
56 die Bodenwrange
57 der Doppelboden
58 die Raumstütze;
59 u. 60 die Garnierung:
59 die Seitenwegerung
60 die Bodenwegerung;
61 u. 62 die Luke:
61 das Lukensüll
62 der Lukendeckel;
63-69 das Heck:
63 die offene Reling
64 das Schanzkleid
65 der Ruderschaft
66 u. 67 das Oertz-Ruder:
66 das Ruderblatt
67 u. 68 der Achtersteven (Hintersteven):
67 der Rudersteven (Leitsteven)
68 der Schraubensteven;
69 die Schiffsschraube;
70 die Ahming (Tiefgangsmarke)
71-73 der Bug:
71 der Vorsteven
72 die Ankertasche (Ankernische)
73 die Ankerklüse;
74 die Ankerkette
75 der Patentanker
76 der Stockanker

218 Motorschiff

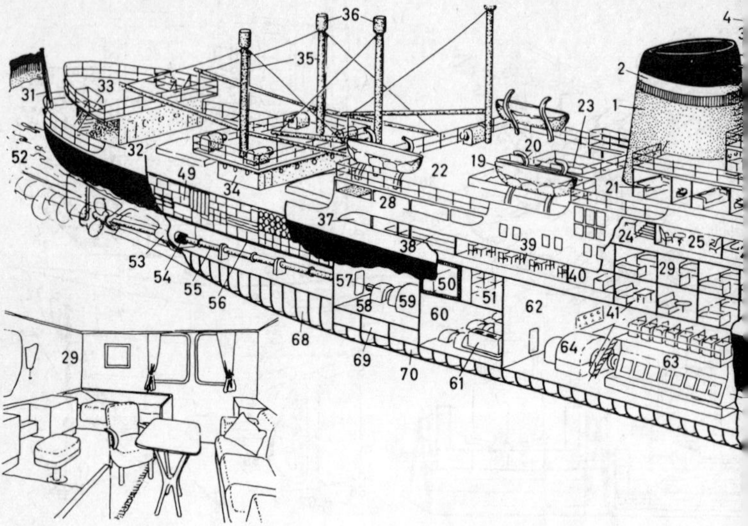

1-71 das kombinierte Fracht-Fahrgast-Schiff:

1 der Schornstein
2 die Schornsteinmarke
3 die Sirene (das Typhon)
4-11 das Peildeck:
4 die Antennenniederführung
5 die Funkpeilerrahmenantenne (die Peilantenne)
6 der Peilkompaß
7 die Morselampe
8 die Radarantenne
9 das Flaggensignal
10 die Signalleine
11 das Signalstag;
12-18 das Brückendeck (die Kommandobrücke, Brücke):
12 der Funkraum
13 die Kapitänskajüte
14 der Navigationsraum
15 die Steuerbord-Seitenlampe [grün; die Backbord-Seitenlampe rot]
16 die Brückennock (Nock)
17 das Schanzkleid (der Windschutz)
18 das Steuerhaus;
19-21 das Bootsdeck:
19 das Rettungsboot
20 der Davit (der Bootskran)
21 die Offizierskajüte;
22-27 das Promenadendeck:
22 das Sonnendeck (Lidodeck)
23 das Schwimmbad
24 der Aufgang
25 die Bibliothek
26 der Gesellschaftsraum (Salon)
27 die Promenade;
28-30 das A-Deck:
28 das halboffene Deck
29 die Zweibettkabine, eine Kabine
30 die Luxuskabine;
31 der Flaggenstock
32-42 das B-Deck (Hauptdeck):
32 das Achterdeck

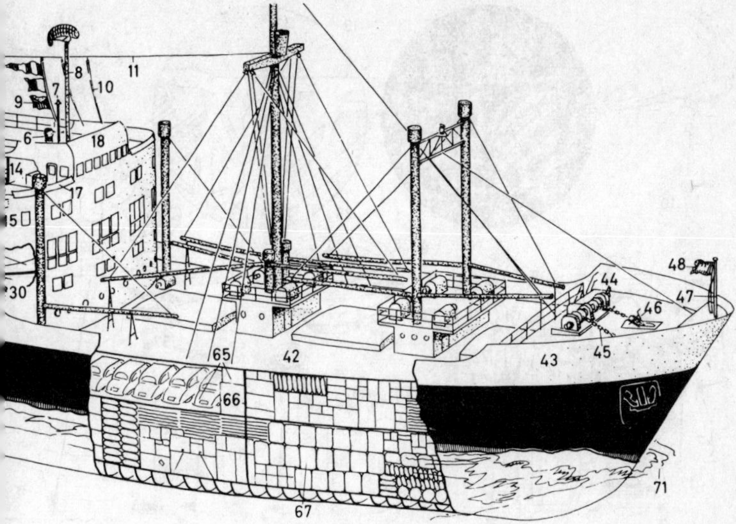

33 die Hütte (Manöverbrücke)
34 das Deckshaus
35 der Ladepfosten
36 der Lüfterkopf
37 die Kombüse (Schiffsküche)
38 die Pantry (Anrichte)
39 der Speisesaal
40 das Zahlmeisterbüro
41 die Einbettkabine
42 das Vordeck;
43 die Back
44-46 das Ankergeschirr:
44 die Ankerwinde
45 die Ankerkette
46 der Kettenstopper;
47 der Göschstock
48 die Gösch
49 die hinteren (achteren) Laderäume *m*
50 der Kühlraum
51 der Proviantraum
52 das Schraubenwasser (Kielwasser)
53 die Wellenhose
54 die Stopfbüchse
55 die Schraubenwelle
56 der Wellentunnel
57 das Drucklager
58-64 der dieselelektrische Antrieb:
58 der E-Maschinenraum
59 der E-Motor
60 der Hilfsmaschinenraum
61 die Hilfsmaschinen *f*
62 der Hauptmaschinenraum
63 die Hauptmaschine, ein Dieselmotor *m*
64 der Generator;
65 die vorderen Laderäume *m*
66 das Zwischendeck
67 die Ladung
68 der Ballasttank, für den Wasserballast
69 der Frischwassertank
70 der Treiböltank
71 die Bugwelle

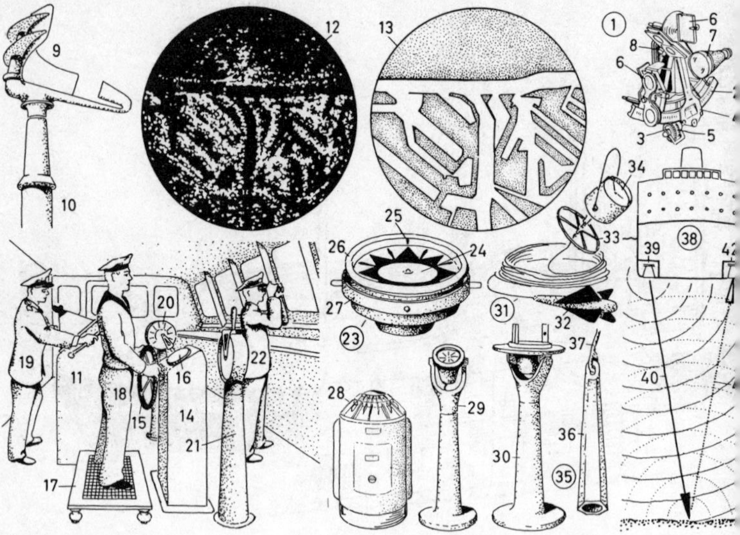

1 der Sextant:

2 der Gradbogen
3 die Meßtrommel
4 die Alhidade
5 der Nonius
6 der große und der kleine Spiegel
7 das Fernrohr
8 der Handgriff;

9-13 das Radargerät (Radar *m* oder *n*):

9 die Reflektorantenne, eine Drehantenne
10 der Radarmast
11 der Radarempfänger
12 das Radarbild
13 das Radarbild als Kartenausschnitt *m*;

14-22 das Steuerhaus (Ruderhaus):

14 die Steuersäule
15 das Steuerrad (»Ruder«)
16 der Steuerkompaß
17 der Steuerstand (die Gräting)
18 der Rudergänger
19 der Navigationsoffizier
20 der Maschinentelegraph
21 der Manövertelegraph
22 der Kapitän;

23-30 Kompasse *m*,

23 der Fluidkompaß, ein Magnetkompaß *m*:
24 die Kompaßrose
25 der Steuerstrich
26 der Kompaßkessel
27 die kardanische Aufhängevorrichtung;
28-30 die Kreiselkompaßanlage:
28 der Mutterkompaß
29 der Tochterkompaß
30 der Tochterkompaß mit Peilaufsatz *m*;

31 das Patentlog, ein Log *n* (eine Logge):

32 der Logpropeller
33 der Schwungradregulator
34 das Zählwerk (die Loguhr);

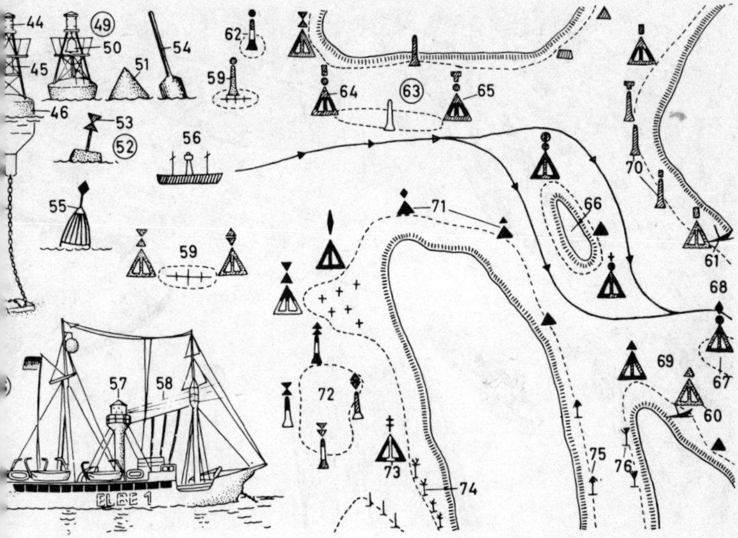

35-42 Lote *n*,

35 das Handlot:
36 der Lotkörper
37 die Lotleine;
38 das Echolot:
39 der Schallsender
40 der Schallwellenimpuls
41 das Echo
42 der Echoempfänger;

43-76 Seezeichen *n*, zur Betonnung und Befeuerung,

43-58 Fahrwasserzeichen *n*,
43 die Leuchtheultonne:
44 die Laterne
45 der Heulapparat
46 die Tonne (Boje)
47 die Bojenkette
48 der Bojenstein;
49 die Leuchtglockentonne:
50 die Glocke;
51 die Spitztonne [schwarz]
52 die Stumpftonne:
53 das Toppzeichen;
54 die Spierentonne [rot]
55 die Bakentonne
56 das Feuerschiff:
57 der Leuchtturm, ein Turmmast *m*
58 das Leuchtfeuer;
59-76 Fahrwasserbezeichnung *f*:
59 Wrack *n* [grüne Betonnung]
60 Wrack *n* an Steuerbord *n*
61 Wrack *n* an Backbord *n*
62 Untiefe *f*
63 Mittelgrund *m* an Backbord *n*:
64 Spaltung *f*
65 Vereinigung *f*;
66 Mittelgrund *m*
67 Mittelgrund *m* an Steuerbord *n*
68 das Hauptfahrwasser
69 das Nebenfahrwasser
70 Tonnen *f* an Backbord *n* [rot]
71 Tonnen *f* an Steuerbord *n* [schwarz]
72 Untiefe *f* außerhalb des Fahrwassers *n*
73 Fahrwassermitte *f*
74 Pricken *f* an Backbord *n*
75 Stangen *f* an Steuerbord *n*
76 Stangen *f* an Backbord *n*

220 Hafen I

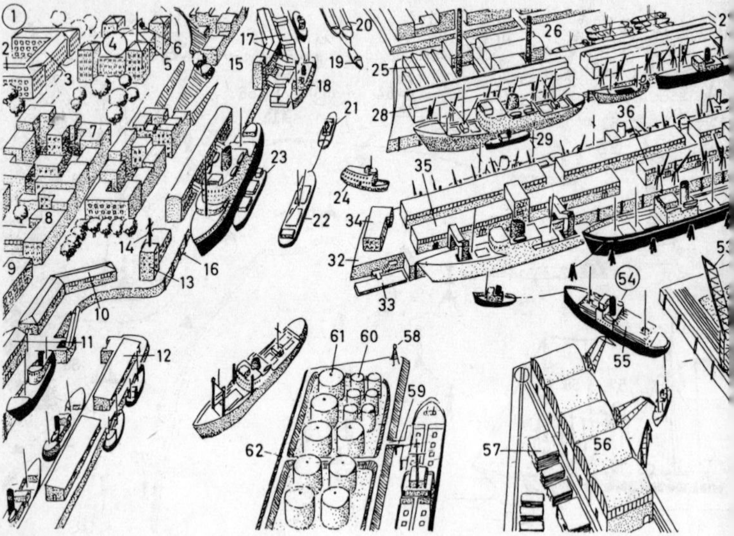

1 das Hafenkrankenhaus:
2 die Quarantänestation
3 das Tropeninstitut (Institut für Tropenmedizin *f*);
4 das »Meteorologische Amt«, eine Wetterwarte:
5 der Signalmast
6 der Sturmball (die Sturmwarnung);
7 das Hafenviertel

8-12 der Fischereihafen:

8 die Netzfabrik
9 die Fischkonservenfabrik
10 die Packhalle
11 die Fischauktionshalle (Fischhalle)
12 die Ausrüstungshalle;
13 das Hafenamt
14 der Wasserstandsanzeiger
15 die Kaistraße
16 die Fahrgastanlage
17 die Landungsbrücke
18 der Ausflugsdampfer
19 die Barkasse (Hafenbarkasse)
20 der Frachtkahn (Schleppkahn, *md.* die Zille)
21 der Schlepper
22 der Leichter (Lichter)
23 das Bunkerboot (Tankboot)
24 die Hafenfähre

25-62 der Freihafen:

25 die Hafenindustrie
26 der Binnenschiffhafen
27 der Hafenkanal
28-31 der Umschlaghafen:
28 der Stückgutschuppen (Kaischuppen, Schuppen)
29 das Wasserboot
30 die Schute
31 der Speicher;
32-36 der (die) Pier, eine Kaizunge (Kai *m*, *nd.* Kaje *f*):
32 das Höft, eine Landspitze
33 der Vorleger (Anlegeponton)
34 das Hafenzollamt
35 der Bananenschuppen

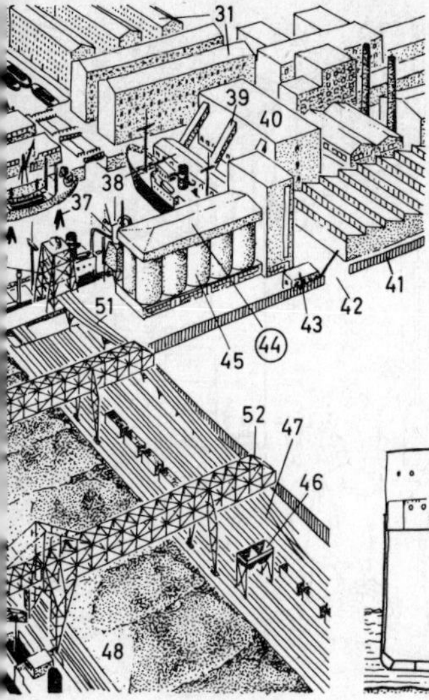

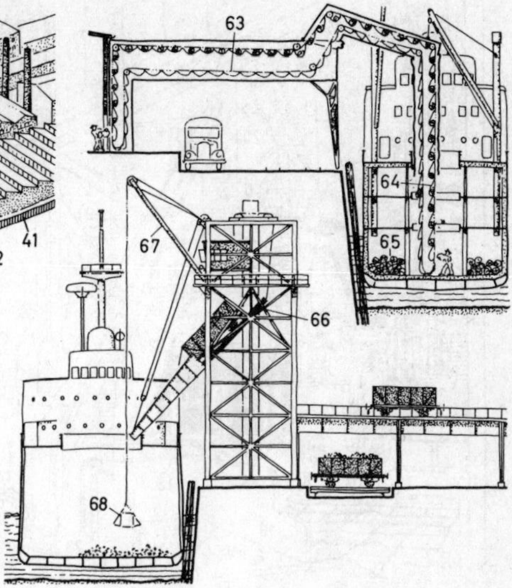

36 der Fruchtschuppen;
37 die Dalbe (der Dalben, Duckdalben, Dückdalben)
38 die Lagerhalle
39 das Förderband
40 das Kühlhaus
41-43 die Freihafengrenze:
41 das Zollgitter
42 u. 43 der Zolldurchlaß:
42 die Zollschranke
43 das Zollhaus;
44-53 der Schüttguthafen,
44 die Silos *m*:
45 die Silozelle;
46-53 der Kohlenhafen:
46 der Wiegebunker
47 die Hafenbahn
48 das Kohlenlager
49-51 die Bunkerstation:
49 die Verschiebebühne
50 die Kohlenschütte
51 das Ablaufgleis;
52 die Verladebrücke
53 der Ausleger;
54 ein Schiff *n* der Holzfahrt:
55 die Decksladung;
56 u. 57 der Holzhafen:
56 die Holzlagerhalle
57 das Holzlager;
58 das Hafenfeuer
59-62 der Ölhafen (Petroleumhafen):
59 die Schlauchbrücke
60 der Zwischentank
61 der Vorratstank
62 der Sicherheitsdamm;
63-68 der Umschlag,
63 u. 64 der Bananenförderer:
63 das Transportband
64 der Rüssel;
65 das Bananenbüschel
66-68 die Kohlenschütte:
66 der Fahrstuhl (die Bühne)
67 der Galgen
68 der Kohlenabweiser

1-36 der Lade- und Löschbetrieb,

1-21 der Kaibetrieb,
1-7 der Blocksäulendrehkran:
1 die Blocksäule (Drehsäule)
2 der Ausleger
3 die Zahnstange
4 das Schwenkgetriebe
5 die Vollsichtkanzel
6 der Zahnkranz
7 das Portal (Kranportal);
8 der Ladungsoffizier
9 die Hafenbahn
10 die Rampe (Laderampe, Verladerampe)
11 das Anschlaggerät
12 der Gabelstapler:
13 die Hubvorrichtung;
14 die (der) Brook
15 der Ladekasten
16 der Handhaken
17 der gefingerte Lederhandschuh
18 die Sackkarre
19 der Wandkran:
20 das Ei, ein Gewicht *n*
21 der Kranhaken;
22-36 der Schuppenbetrieb:
22 der Schuppenvorsteher
23 der Schauermann (Stauereiarbeiter)
24 der Waterclerk
25 das Konnossement (der Seefrachtbrief)
26 der Wäger (Wieger)
27 der Tallymann
28 die Meßlatte
29 die Schere, ein Meßgerät *n*
30-36 der Schuppen (Kaischuppen):
30 das Portal (Schuppenportal)
31 das Schiebetor (Tor)
32 u. 33 die Unterflurwaage:
32 die Standschale
33 die Waagesäule;
34 der Ballen (Warenballen, das Kollo)
35 die Marke (das Zeichen)
36 der Stapel (die Partie);

37-70 Spezialhafenfahrzeuge *n*,

37-46 der Schwimmkran:
37 der Ausleger

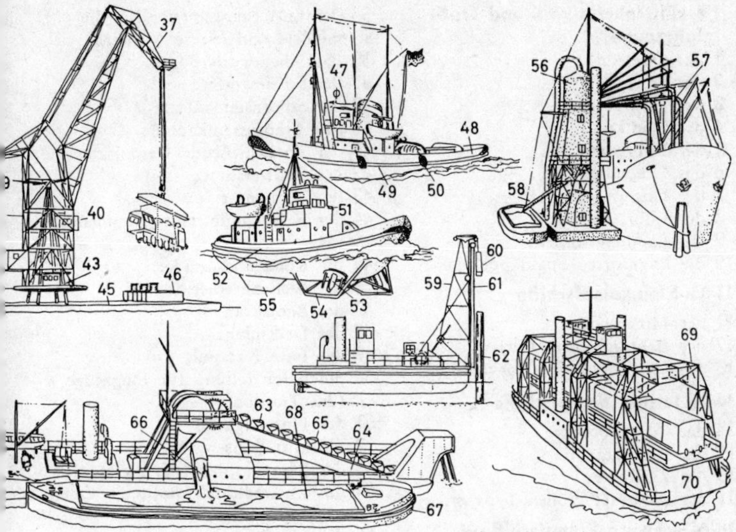

38 das Gegengewicht
39 die Verstellspindel
40 der Führerstand (das Kranführerhaus)
41 das Krangestell
42 das Windenhaus
43 die Kommandobrücke
44 die Drehscheibe
45 der Ponton, ein Prahm *m*
46 der Motorenaufbau;
47-50 der Seeschlepper:
47 das Nasenkleid (Schauerkleid), eine Persenning
48 die Scheuerleiste
49 die Backbordseite [backbord = links]
50 der Fender;
51-55 der Wassertrecker, ein Hafenschlepper *m*:
51 das Düsenschanzkleid
52 die Steuerbordseite [steuerbord = rechts]
53 der Voith-Schneider-Antrieb
54 der Propellerschutz
55 die Flosse;
56-58 der Getreideheber:
56 der Rezipient
57 das Saugrohr
58 das Verladerohr;
59-62 die Ramme:
59 das Rammgerüst
60 der Bär (Rammbär, das Rammgewicht)
61 die Gleitschiene
62 das Kipplager;
63-68 der Eimerbagger, ein Bagger *m*:
63 die Eimerkette
64 die Eimerleiter
65 der Baggereimer
66 die Schütte (Rutsche)
67 die Baggerschute
68 das Baggergut;
69 u. 70 das Trajekt, eine Eisenbahnfähre:
69 das Hebegerüst
70 die Hebebühne

1-8 Hilfsfahrzeuge *n* **und Troßfahrzeuge** *n*,
1 das Dockschiff:
2 das Dock
3 der Dockkörper
4 der Dockkran;
5 der Eisbrecher:
6 das Landedeck
7 der Gittermast
8 der Eisbrecherbug;
9 das Landungsschiff:
10 die Bugpforte (Bugklappe);

11-13 Kleinkampfschiffe *n*,
11 der Minensucher:
12 der Bootsgalgen (Davit);
13 das Geleitboot (die Korvette);

14-17 leichte Kampfschiffe *n*,
14 das Torpedoboot:
15 der Rohrsatz;
16 der Zerstörer
17 der Zerstörer großen Typs *m*;

18-64 schwere Kampfschiffe *n*,
18-20 U-Boote *n* (Unterseeboote):
18 das U-Boot kleinen Typs *m*
19 der U-Kreuzer (Unterseekreuzer)
20 das Atom-U-Boot;

21-30 Kreuzer *m*,
21 der leichte Kreuzer:
22 die Peitschenantenne;
23 der schwere Kreuzer:
24 der Zwillingsturm, ein Geschützturm *m*
25 der Dreibeinmast;
26 der Schlachtkreuzer:
27 der Drillingsturm
28 das Katapult
29 der Flugzeugkran
30 der Flugzeugschuppen;

31-64 Panzerschiffe *n*,
31 das Schlachtschiff,
32-35 die Schiffsartillerie:
32 die schwere Artillerie
33 die mittlere Artillerie
34 die leichte Artillerie
35 die Maschinenwaffen *f* der Flugabwehr;
36 der Entfernungsmesser für die schwere Artillerie
37 der Entfernungsmesser für die mittlere und leichte Artillerie
38 das Scheinwerferpodest
39 der Scheinwerfer
40 der Schornsteinaufsatz (die Schornsteinkappe)
41 der überschießende Geschützturm
42 der Splitterschutz
43 der Turmmast
44 der Kommandostand (Kommandoturm)
45 die Kommandobrücke
46 der Wellenbrecher
47 der Bootskran
48 der Decksplan:
49 das feste Katapult
50 die Bereitstellung für Flugzeuge *n* (das Transportgleis)
51 der Flugzeugkran
52 die Mittschiffsebene;
53 der Stauungsplan (die Stauung):
54 das wasserdichte Schott, ein Querschott *n*
55 die Abteilung
56 das Längsschott
57 der Außenpanzer (Seitenpanzer)
58 der Wallgang
59 die Barbette
60-63 die Maschinenanlage:
60 der Motorenraum
61 der Dieselmotor
62 der Getrieberaum
63 das Getriebe;
64 das Küstenpanzerschiff (der Monitor);

65-77 der Flugzeugträger,
65 die Vorderansicht (Buganansicht):
66 das Schwalbennest
67 der Flugzeugaufzug
68 die Aufbauten *m* (Insel *f*);
69-74 das Flugdeck:
69 das Landedeck
70 die Landebahn
71 das Landeseil (Bremsseil)
72 das Startdeck
73 das Katapult
74 der Flugzeugaufzug;
75 das Radargerät
76 das Schlauchboot
77 das Spiegelheck (der Spiegel)

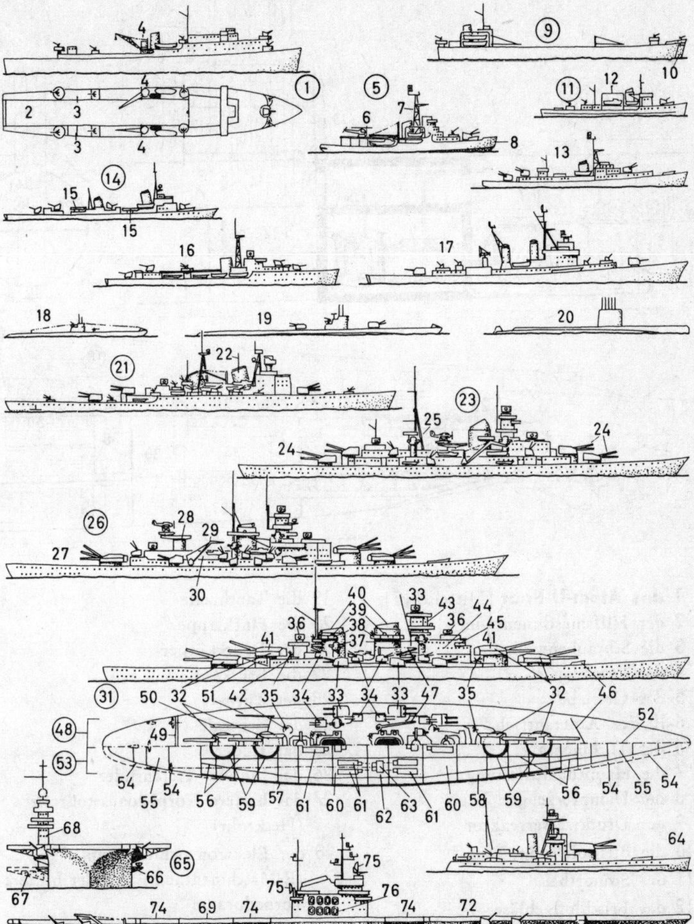
4
9
10
1
2
3
3
4
4
5
7
6
8
11
12
13
14
15
15
16
17
18
19
20
21
22
23
25
24
24
26
28
29
27
30
40
39
38
37
36
33
43
44
36
45
41
41
32
46
31
50
32
51
42
35
34
33
34
33
47
35
32
46
52
48
49
53
54
54
55
56
59
57
61
60
61
62
63
61
60
58
59
56
54
55
54
68
65
66
67
64
75
75
76
74
69
74
74
72
77
69
71
71
71
74
69
71
70
72
73
74
74
74

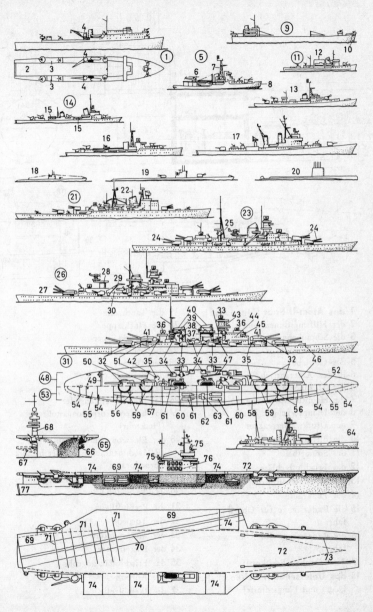

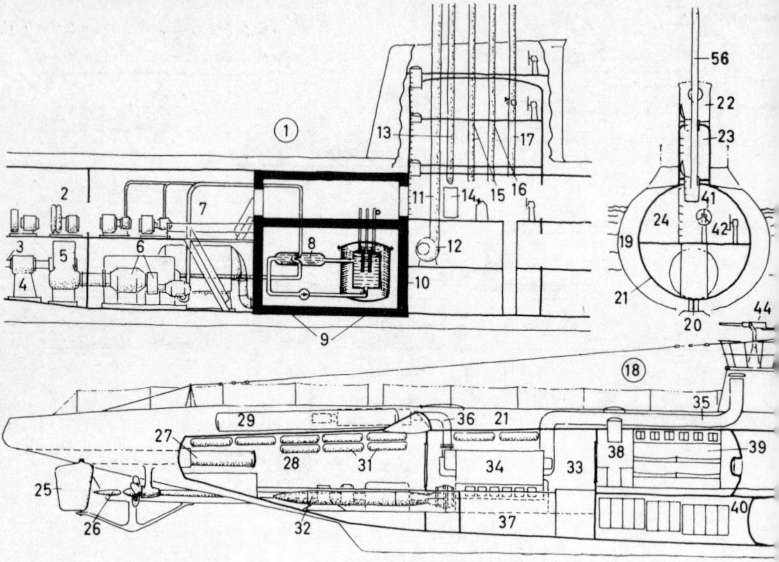

1 das Atom-U-Boot [Mittelschiff]:
2 der Hilfsmaschinenraum
3 die Schraubenwelle
4 das Drucklager
5 das Getriebe
6-10 der Atomantrieb:
6 der Turbinensatz
7 die Hauptdampfleitung
8 der Dampferzeuger
9 der Druckwasserreaktor
10 die Bleiisolierung;
11 der Schnorchel
12 das Frischluftgebläse
13 die Antennenzuführung
14 der Funkraum
15 die Radarstenge für Überwasserfahrt *f*
16 die Radarstenge für Unterwasserfahrt *f*
17 das Sehrohr (Periskop);
18 das Unterseeboot (U-Boot) [im Quer- und Längsschnitt]:
19 die Tauchzelle
20 die Flutklappe
21 der Druckkörper
22 die Brücke
23 der Turm
24 die Zentrale
25 das Ruder
26 das hintere Tiefenruder
27 das hintere Torpedoausstoßrohr (Heckrohr)
28 der Elektromaschinenraum (E-Maschinenraum) und der hintere Torpedoraum
29 der Behälter für Reservetorpedos *n*
30 das Torpedoluk
31 die Preßluftflasche
32 der Torpedo
33 der Motorenraum
34 der Dieselmotor
35 das Frischluftansaugrohr
36 der Auspuff
37 die Treibölzelle

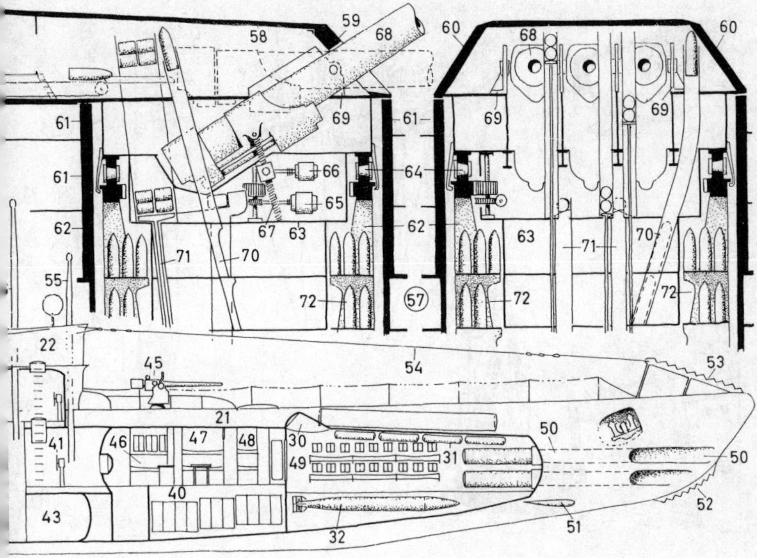

38 die Kombüse
39 der Unteroffiziersraum (U-Raum)
40 der Akkumulatorenraum
41 das Handrad der Seitensteuerung (»Ruder«)
42 das Handrad der Tiefensteuerung (»Tiefenruder«)
43 die Trimmzelle
44 das Luftabwehr-Schnellfeuergeschütz
45 die 8,8-cm-Schnellfeuerkanone
46 der Kommandantenwohnraum
47 der Offizierswohnraum
48 der Oberfeldwebelwohnraum
49 der Mannschaftswohnraum und vordere Torpedoraum (Bugtorpedoraum)
50 das vordere Torpedoausstoßrohr (Bugrohr)
51 das vordere Tiefenruder
52 die Netzsäge
53 der Netzabweiser
54 die Antenne
55 das Beobachtungssehrohr
56 das Rundblicksehrohr;

57 der Drillingsturm (Drillings-Panzerdrehturm), der schweren Schiffsartillerie,

58-60 der Drehpanzer:
58 die Panzerdecke
59 der Stirnpanzer
60 der Seitenpanzer;
61 die Barbette (der Schachtpanzer, die Geschützbank)
62 der Stützzylinder
63 die Turmdrehscheibe
64 der Rollenkranz
65 der Turmschwenkmotor
66 der Höhenrichtmotor
67 die Höhenrichtspindel
68 das Geschützrohr
69 die Rohrwiege
70 der Geschoßaufzug
71 der Kartuschaufzug
72 die Bereitschaftsmunition

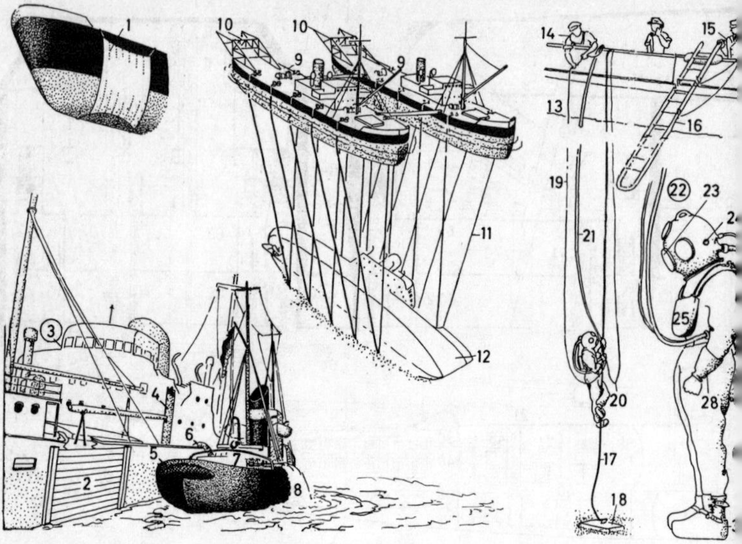

1 u. 2 das Abdichten eines Lecks *n*:

1 das Lecksegel, eine Persenning
2 das Pflaster, aus Balken, Bohlen und Persenning;
3 der Havarist, ein beschädigtes Schiff *n*:
4 die Havarie (Beschädigung);
5-8 der Pumpendampfer, ein Bergungsschiff *n*:
5 der Heckfender (die »Maus«)
6 das Saugrohr
7 der Pumpenraum
8 das ausgepumpte Wasser;

9-12 das Heben eines Wracks *n*:

9 das Hebeschiff (Hebefahrzeug, Bergungsschiff)
10 der Heckkran
11 die Hebetrosse (der Hebedraht)
12 das unterfangene Wrack;

13-19 das Tauchen:

13 das Taucherboot
14 die Hilfsmannschaft
15 der Bergungsinspektor
16 die Taucherleiter
17 das Grundtau
18 das Grundgewicht
19 die Signalleine;

20-30 die Taucherausrüstung:

20 das Telefonkabel
21 der Luftschlauch
22 der Taucherhelm:
23 das Sichtfenster
24 das Luftauslaßventil;
25 das Brustgewicht
26 das Rückengewicht
27 der Taucheranzug:
28 die wasserdichte Manschette

29 das Sitzgewicht
30 die Taucherschuhe *m*;

31-43 der Seenotkreuzer, ein Motorrettungsboot *n*:

31 das herabklappbare Heck
32 die Klappvorrichtung
33 die (das) Slip [die Lagerung für das Tochterboot]
34 der Schleppbock
35 der Schlepphaken
36 der Turm
37 die Brücke
38 der Vormann (Bootsführer)
39 der Bootssteurer
40 das Sprungnetz
41 der Signalscheinwerfer
42 das Lampenbrett
43 das Walrückendeck;
44 das Tochterboot
45 der Rettungsring (die Rettungsboje)
46 der Schiffbrüchige
47 das gestrandete Schiff (der gestrandete Havarist)
48 der Ölbeutel, zum Austräufeln *n* von Öl *n* auf die Wasseroberfläche
49 das Rettungstau
50 das Jolltau, ein endloses Tau *n*
51 die Hosenboje

52 u. 53 der Raketenapparat:

52 die Schießleine
53 die Rakete;

54-56 das Ölzeug:

54 der Südwester
55 die Öljacke
56 der Ölmantel;
57 die Schwimmweste
58 die Korkschwimmweste, ein Rettungsgürtel *m*

[Abkürzungen: Tragfläche(n) = Tf.; Seitenleitwerk = Sl.; Höhenleitwerk = Hl.; Fahrwerk = Fw.; Rumpf = R.]

1 der Eindecker, ein Schulterdecker *m*:
2 die hochgesetzte Tf.
3 das einfache Sl.;
4 der Anderthalbdecker [veraltet]:
5 das verstrebte Fw.
6 der Flugzeugsporn;
7 der Doppeldecker:
8 das Flugzeugspornrad
9 die Flugzeugschneekufe;
10 der Dreidecker [veraltet]:
11 die gerade Tf.;
12 der Tiefdecker:
13 der eckige Trapezflügel
14 das Doppel-Sl.
15 das Endscheibenleitwerk
16 der Torpedo-R.;
17 der durchhängende R.
18 der abgerundete Trapezflügel
19 der Mitteldecker:
20 der Knickflügel;
21 der Hochdecker:
22 das niedrige Sl.;
23 der Ovalflügel
24 das hohe Sl.
25 der Rechteckflügel
26 der Tonnen-R.
27 das Pfeilflügelflugzeug:
28 der positive Pfeilflügel;
29 das Keilflügelflugzeug:
30 der Keilflügel
31 das aufgesetzte Sl.;
32 das Amphibienflugzeug, ein Land- und Wasserflugzeug *n*:
33 der Flugzeugschwimmer
34 der Keulen-R.
35 das doppeltrapezförmige Hl.;
36 das Entenflugzeug:
37 das vorgesetzte Hl.
38 der Entenhals;
39 das Doppelrumpfflugzeug:
40 die Leitwerkträger *m*
41 das rechteckige Hl.;
42 das Schnellflugzeug (Hochgeschwindigkeitsflugzeug):
43 die Landekufe
44 der Granaten-R.;
45 die V-förmigen Tf.
46 der Kasten-R.
47 der Kamelhöcker-R.
48 das Dreifach-Sl.
49 das Bugrad
50 der zylindrische R.
51 das einziehbare Fw.
52 das flossenförm. Sl.
53 das Deltaflugzeug (Dreieckflugzeug):
54 der Deltaflügel (Dreieckflügel)
55 der Grenzschichtzaun, zum Absaugen *n* der Grenzschicht
56 das Deltaleitwerk
57 der deltaförm. R.;
58 der Spaltflügel
59 das T-Leitwerk
60 das Flugboot:
61 der Flugboot-R.
62 der Flächenstummel
63 der Flossenstummel
64 der Stützschwimmer;
65 der Kaulquappen-R.
66 das Doppelkreuzleitwerk
67 das Sichelflügelflugzeug:
68 der Sichelflügel;
69 das Autogiro (der Tragschrauber)
70 das Ringflügelflugzeug (der Coleopter, Koleopter, das Käferflugzeug), mit Strahlturbinenantrieb *m*
71 das Atomflugzeug, mit Flugzeugreaktor *m*

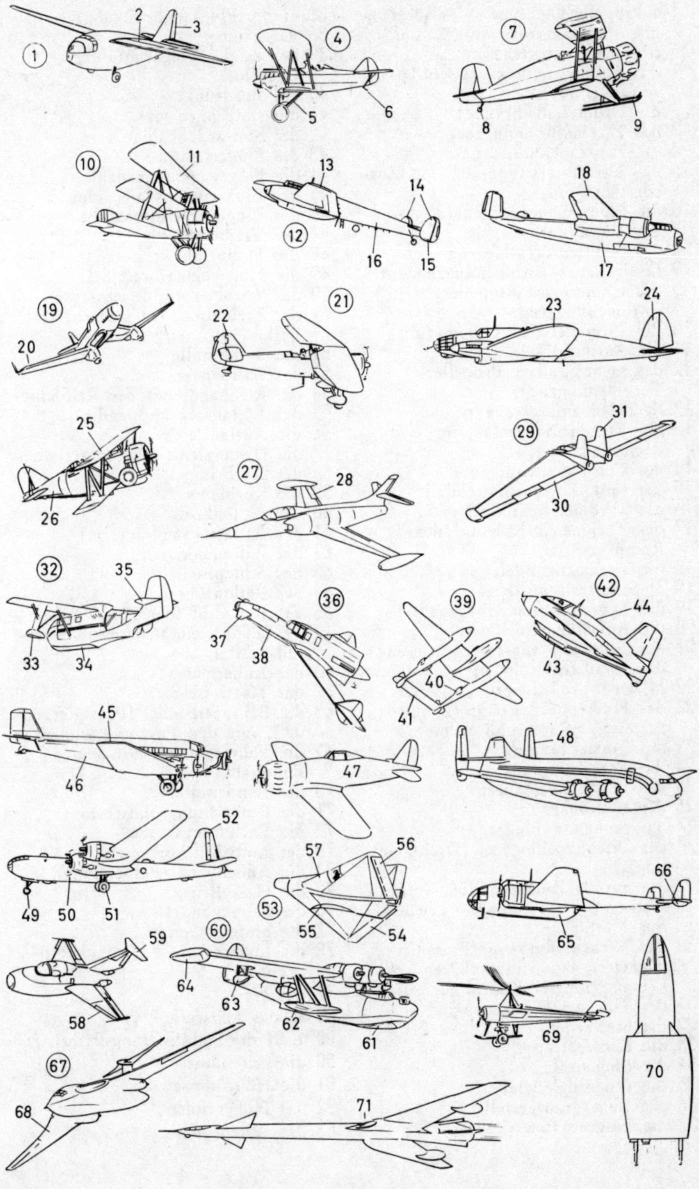
1
2
3
4
5
6
7
8
9
10
11
12
13
14
15
16
17
18
19
20
21
22
23
24
25
26
27
28
29
30
31
32
33
34
35
36
37
38
39
40
41
42
43
44
45
46
47
48
49
50
51
52
53
54
55
56
57
58
59
60
61
62
63
64
65
66
67
68
69
70
71

1-8 Propellerflugzeuge *n* (Flugzeuge mit Propellertriebwerk *n*, Luftschraubentriebwerk),
1 das Einmotorenflugzeug, ein Druckschrauber *m*:
2 die Druck-Luftschraube;
3 das Zweimotorenflugzeug:
4 die Zug-Luftschraube;
5 das Dreimotorenflugzeug, ein Zugschrauber *m*:
6 die Flugzeugmotorgondel;
7 das Viermotorenflugzeug
8 das Sechsmotorenflugzeug;
9-12 Propeller-Turbinenflugzeuge *n*,
9 das einmotorige Propeller-Turbinenflugzeug:
10 der Propeller (die Luftschraube)
11 die Auspuffdüse;
12 das mehrmotorige Propeller-Turbinenflugzeug;
13-18 Turbinenflugzeuge *n*:
13 der Turbinenlufteinlaß, im Rumpfbug *m*
14 der Turbinennachbrenner
15 der seitl. Turbinenlufteinlaß
16 die Turbine, im Flügel *m*
17 der Turbinenaufbau, auf dem Rumpf *m*
18 die Turbinengondel;
19-21 Staustrahlflugzeuge *n*,
19 das Staustrahltonnenflugzeug:
20 die Außenflügelturbine;
21 das Flugzeug mit intermittierendem Staustrahlrohr *n*;
22-24 der Mistelschlepp,
22 das Huckepackflugzeug (Doppelflugzeug, »Vater und Sohn«):
23 das Mutterflugzeug
24 das Parasitflugzeug;
25 das Lufttankverfahren:
26 der Lufttanker
27 das tankende Flugzeug;
28 das Triebflügelflugzeug (Drehflügelflugzeug):
29 die mittels Rückstoßdüsen *f* in Rotation *f* versetzbaren Triebflügel *m*;
30 das Verkehrsflugzeug (Passagierflugzeug), ein Stratosphärenverkehrsflugzeug *n* (Stratoliner *m*):
31 der Fluggast (Flugpassagier)
32 die Stewardeß
33 die Einstiegtreppe
34 die Eingangsluke
35 die Flugzeugladeluke
36 das Bugradfahrgestell
37 die Flugzeugführerkanzel
38-41 die Flugzeugbesatzung:
38 der Pilot
39 der zweite Flugzeugführer (Kopilot)
40 der Bordfunker
41 der Bordingenieur;
42 die Stewardeßkabine
43 die Flugzeugküche
44 die Flugzeugantennenanlage
45 der Flugzeugpassagierraum
46 das Flugzeugpositionslicht
47 der Treibstofftank
48 das Hauptfahrwerk
49 die Flugzeugmotorgondel
50 das Turbinenstrahltriebwerk;
51 der Freiballon, ein steuerbarer Ballon *m*:
52 die Ballonhülle
53 das Ballonnetz
54 die Reißbahn, mit der Reißleine
55 der Füllansatz (Appendix)
56 die Auslaufleine
57 die Distanzleine (Füllansatzleine)
58 der Korbring
59 die Korbleine
60 der Ballonkorb
61 der Ballast [Sandsäcke *m*]
62 der Ballonanker
63 das Schleppseil;
64 der Ballonführer
65 das Luftschiff (der Zeppelin, *ugs.* Zepp), ein steuerbares Starrluftschiff *n*:
66 der Ankermast
67 das Mastfesselgerät
68 die Fahrgastgondel (Passagiergondel), mit den Passagierräumen *m*
69 die Führergondel, mit dem Führerstand *m*
70 der Landepuffer
71 die Beobachtungsplattform
72 die Entlüftungshutze
73 der Luftschiffskörper
74 die Außenhaut (Bespannung)
75 die Gaszellen *f*
76 die Seitengondel
77 die hintere Gondel
78 die Luftschraube (der Luftschiffpropeller)
79 das Heck
80-83 das Leitwerk,
80 u. 81 die Stabilisierungsflächen *f*:
80 die Seitenflosse
81 die Höhenflosse;
82 das Höhenruder
83 das Seitenruder

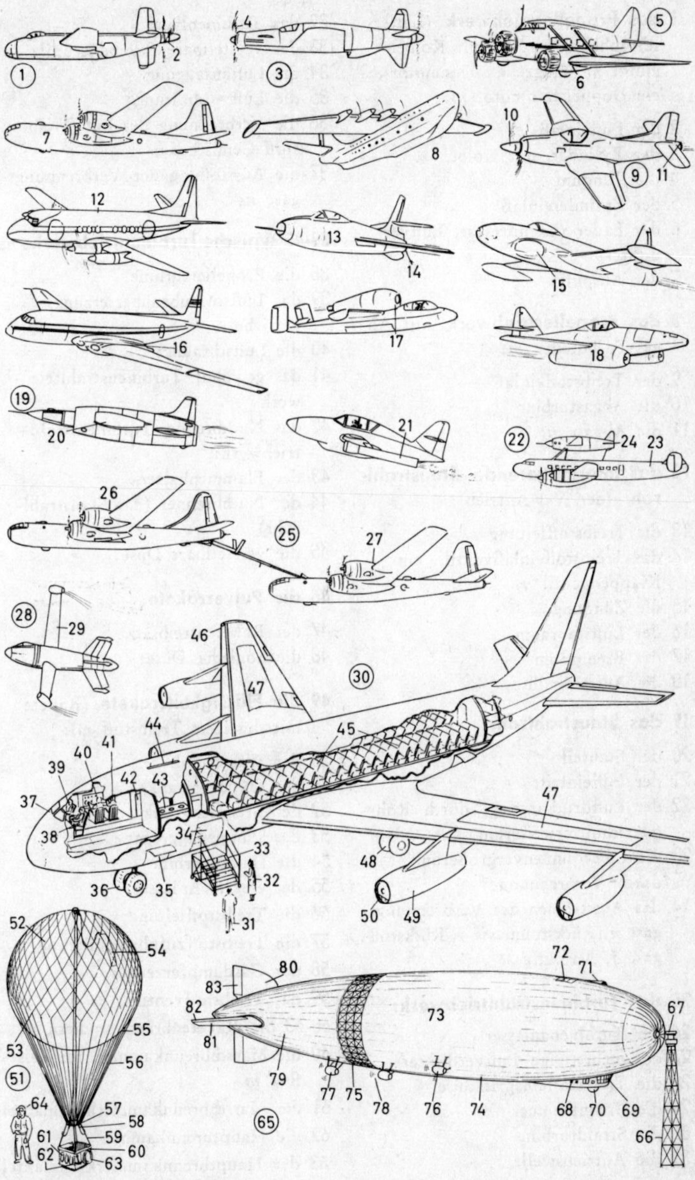
1
2
3
4
5
6
7
8
9
10
11
12
13
14
15
16
17
18
19
20
21
22
23
24
25
26
27
28
29
30
31
32
33
34
35
36
37
38
39
40
41
42
43
44
45
46
47
48
49
50
51
52
53
54
55
56
57
58
59
60
61
62
63
64
65
66
67
68
69
70
71
72
73
74
75
76
77
78
79
80
81
82
83

1 **das Propellertriebwerk** (Luftschraubentriebwerk) mit Kolbenmotor *m* (Flugzeugkolbenmotor), ein Doppelsternmotor *m*:
2 der Lufteinlaß
3 der Zylinder, mit Kolben *m*
4 die Zündung
5 der Zylindereinlaß
6 der Lader (Kompressor, Luftverdichter)
7 der Auspuff;

8 **das Propellertriebwerk,** mit Abgas-Turbolader *m*:
9 der Treibstoffeinlaß
10 die Abgasturbine
11 die Abgase *n*;

12 **das intermittierende Staustrahlrohr** (der V-1-Antrieb):
13 die Treibstoffleitung
14 das Treibstoffeinlaßventil, ein Klappenventil *n*
15 die Zündung
16 der Luftstauraum
17 der Brennraum
18 die Ausströmdüse;

19 **das Staustrahlrohr:**
20 der Stauteil
21 der Lufteintritt
22 der Luftdruckanstieg, durch Rohrquerschnitterweiterung *f*
23 die Luftvolumenvergrößerung, durch Verbrennung *f*
24 das Ausströmen der Verbrennungsgase *n* (Rückstoßmasse *f*, Rückstoßgase *f*, Auspuffgase *f*);

25 **das Turbinenstrahltriebwerk:**
26 der Turbinenanlasser
27 der mehrstufige Luftverdichter
28 die Treibstoffeinspritzdüse
29 die Brennkammer
30 die Strahlturbine
31 die Antriebswelle
32 das Turbinenlager
33 der verstellbare Schubdüsenpilz
34 die Luftansaugung
35 die Luftverdichtung
36 die Verbrennung des Luft-Treibstoff-Gemisches *n*
37 die Ausstoßung der Verbrennungsgase *n*;

38-45 **typische Turbinentriebwerke** *n*,
38 die Propellerturbine:
39 das Luftschraubenübersetzungsgetriebe
40 die Luftschraube;
41 das gewöhnl. Turbinenstrahltriebwerk
42 das Nachbrenner-Turbinenstrahltriebwerk:
43 der Flammenhalter
44 der Nachbrenner (das Staustrahlrohr)
45 die verstellbare Düse;

46 **die Pulverrakete:**
47 der Raketentreibsatz
48 die konische Düse;

49 **die Flüssigkeitsrakete** (Rakete mit flüssigem Treibstoff *m*):
50 der Wassertank
51 der Oxydatortank
52 der Brennstofftank
53 das Pumpenaggregat
54 die Dampfturbine
55 der elektr. Anlasser
56 die Treibstoffleitung
57 die Treibstoffzufuhrregulierung
58 der Gasdampferzeuger
59 das Treibstoffventil
60-63 die Raketenbrennkammern *f*:
60 die Marschbrennkammer, für Reiseflug *m*
61 der Marschbrennkammerkühlmantel
62 die Hauptbrennkammer
63 der Hauptbrennkammerkühlmantel

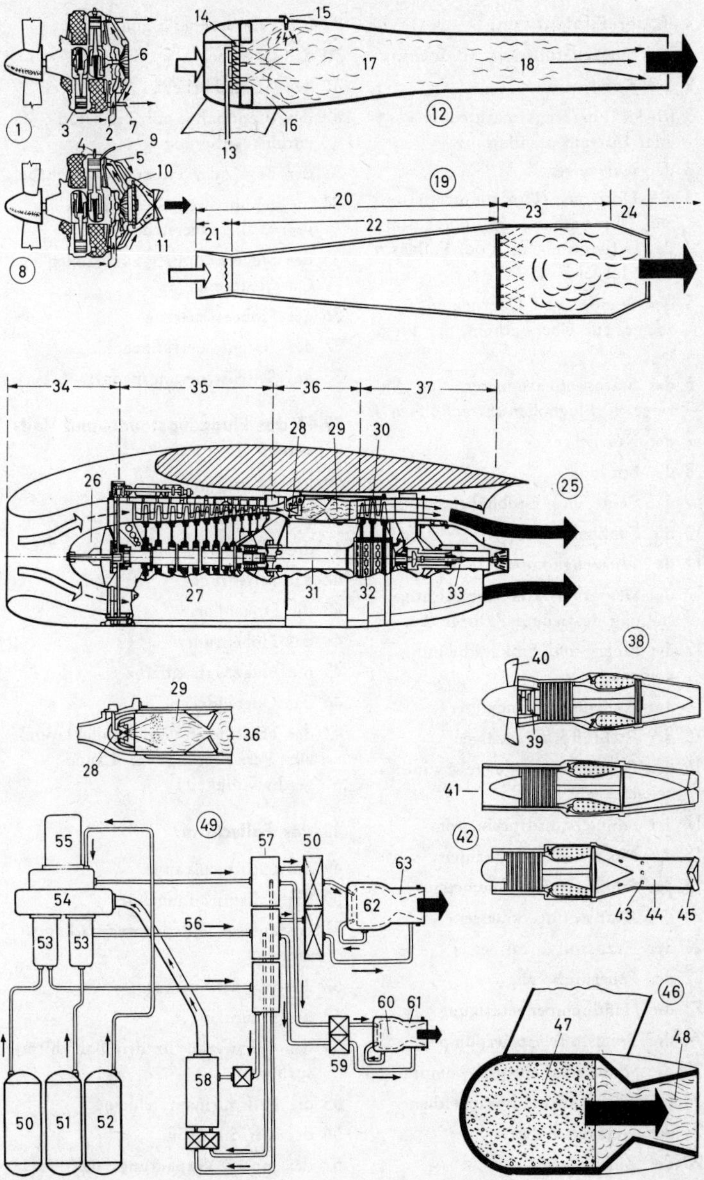
1
2
3
4
5
6
7
8
9
10
11
12
13
14
15
16
17
18
19
20
21
22
23
24
25
26
27
28
29
30
31
32
33
34
35
36
37
38
39
40
41
42
43
44
45
46
47
48
49
50
51
52
53
54
55
56
57
58
59
60
61
62
63

1-38 der Pilotenraum:

1 der Flugzeugführersitz (Pilotensitz)

2 der Kopilotensitz

3-16 das Flugzeugarmaturenbrett, zum Instrumentenflug *m*:

3 der Kurszeiger

4 der Horizont (Horizontkreisel), zur Überwachung des Flugzustandes *m* (des Steigens *n* od. Fallens *n* des Flugzeugs *n*)

5 der Wende- und Querneigungszeiger, zur Überwachung der Fluglage

6 das Statoskopvariometer, zur Anzeige v. Flughöhenschwankungen *f*

7 der Kursgeber

8 die Borduhr

9 der Fein- und Grobhöhenmesser

10 die Funkbake

11 der Flugzeugkompaß

12 die Deviationstafel, zur Richtigstellung des Kompaßkurses *m*

13 der Steig- und Sinkgeschwindigkeitsmesser

14 das Außenluftthermometer

15 der Preßluftdruckanzeiger

16 der Fahrtmesser (Fluggeschwindigkeitsmesser);

17 der Schmierstoffdruckmesser

18 der Motorwellendrehzähler

19 das Schmierstoffthermometer

20 der Kraftstoffdruckmesser

21 der Kraftstoffvorratmesser

22 der Feuerlöscherzug

23 die Handpumpenbetätigung

24 die Treibstoffeinspritzpumpe

25 die Schmierstoffeinspritzpumpe

26 das Treibstoffstandschauzeichen

27 der Netzausschalter

28 der Zündschalter

29 die Fahrwerkbetätigung

30 der Gashebel

31 der Gemischhebel

32 der Brandhahn, zur Treibstoffzufuhrregulierung

33 der Bug- oder Heckradauslösehebel

34 die gekuppelten Steuersäulen *f*; *innen:* die Quersteuerwellen

35 der Steuerknüppel, zur Höhen- u. Quersteuerung

36 der Höhensteuerzug

37 der Seitensteuerfußhebel

38 das Seitensteuerungspedal;

39-47 das Flugzeugsteuer- und -leitwerk:

39 das Höhenrudergestänge

40 das Querrudergestänge

41 die Seitenflosse

42 das Seitenruder

43 die Höhenflosse

44 das Höhenruder

45 die Flugzeugtragfläche

46 das Querruder

47 der Hilfsflügel (die Landeklappe), zur Verringerung der Landegeschwindigkeit;

48 der Fallschirm:

49 die Fallschirmkappe

50 die Fallschirmfangleine

51 der äußere Fallschirmverpackungssack

52 das Haupttragetau

53 der Hauptring

54 das Gurtwerk, für den Fallschirmspringer

55 die Fallschirmaufziehleine

56 der Verschlußstift

57 der innere Verpackungssack

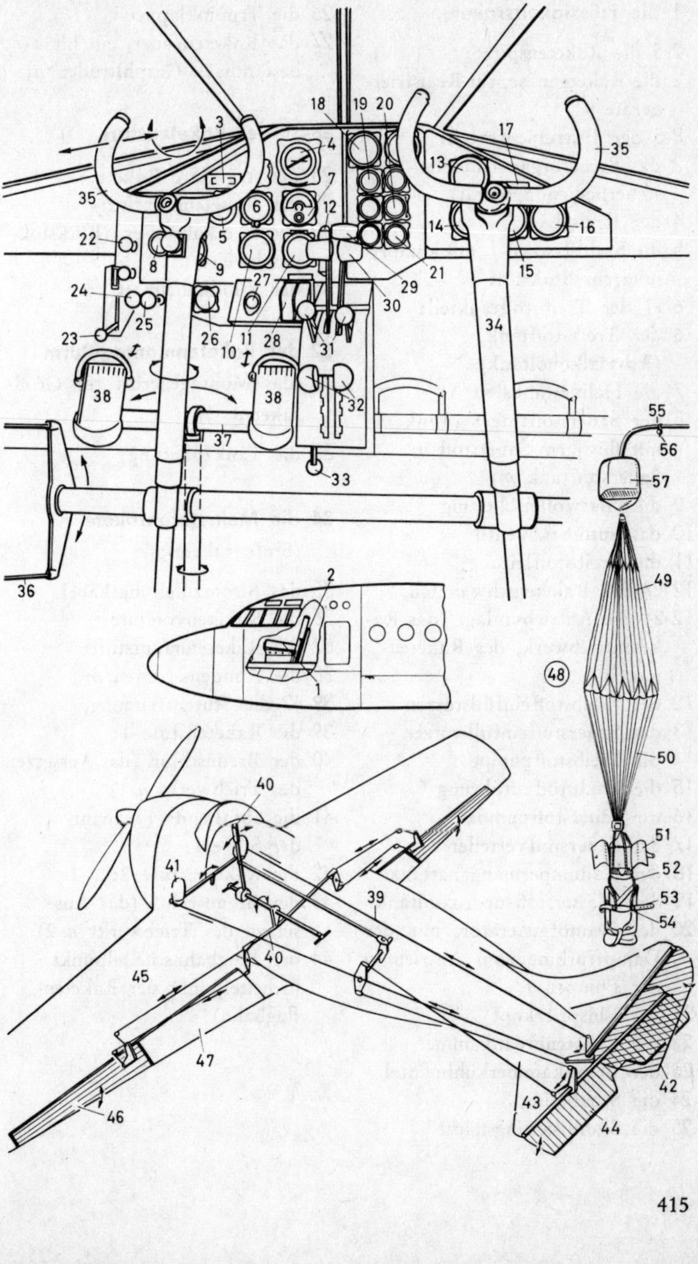
1
2
3
4
5
6
7
8
9
10
11
12
13
14
15
16
17
18
19
20
21
22
23
24
25
26
27
28
29
30
31
32
33
34
35
36
37
38
39
40
41
42
43
44
45
46
47
48
49
50
51
52
53
54
55
56
57

1 die Flüssigkeitsrakete,

2-5 die Raketenspitze:
2 die Raketennase, für Registriergeräte *n*
3-5 der Instrumententeil:
3 das Steuerorgan (Raketensteuerbedienungsgerät)
4 der Kreisel
5 die Stahlflaschen *f*, mit komprimiertem Stickstoff *m*;
6-11 der Treibstofftankteil:
6 der Treibstofftank (Äthylalkoholtank)
7 die Heliumtanks *m*
8 der Sauerstoffträger (Tank *m* mit flüssigem Sauerstoff *m*, Sauerstofftank *m*)
9 die Glaswolleisolierung
10 das automat. Ventil
11 die Treibstoffleitung;
12-27 der Raketenschwanzteil,
12-24 die Antriebsanlage (das Raketentriebwerk, der Raketenmotor):
12 der Treibstoffeinfüllstutzen
13 der Sauerstoffeinfüllstutzen
14 die Treibstoffpumpe
15 die Treibstoffzuführung
16 die Sauerstoffpumpe
17 der Sauerstoffverteiler
18 der Kaliumpermanganattank
19 der Wasserstoffsuperoxydtank
20 der Dampfgenerator, mit der Dampfturbine zum Antrieb *m* der Pumpen *f*
21 der Einspritzkopf
22 die Raketenbrennkammer
23 der Brennkammerkühlmantel
24 die Schubdüse;
25 die Stabilisierungsfläche
26 die Trimmklappe
27 das Raketenruder, ein hitzebeständiges Graphitruder *n*;

28-31 der Raketenstart,

28 die startklare Rakete:
29 der Raketenstarttisch
30 der Druckabweiser (Rückstoßgasabweiser)
31 der Zündkabelmast;

32 der Raketenmontageturm (das Montagegerüst für Großraketen *f*):

33 die Tankzuleitung;

34 die Mehrstufenrakete (Stufenrakete):

35 das Stromzuleitungskabel
36 die Raketenvorstufe
37 die Raketenhauptstufe
38 die Kondensstreifen *m*
39-42 die Stufentrennung,
39 die Raketenstufe 1:
40 der Brennschluß (das Aussetzen des Triebwerks *n* 1)
41 die abfallende Flugbahn der Stufe 1;
42 die Raketenstufe 2;
43 der Brennschluß (das Aussetzen des Triebwerks *n* 2)
44 der Flugbahnscheitelpunkt (Scheitelpunkt der Raketenflugbahn)

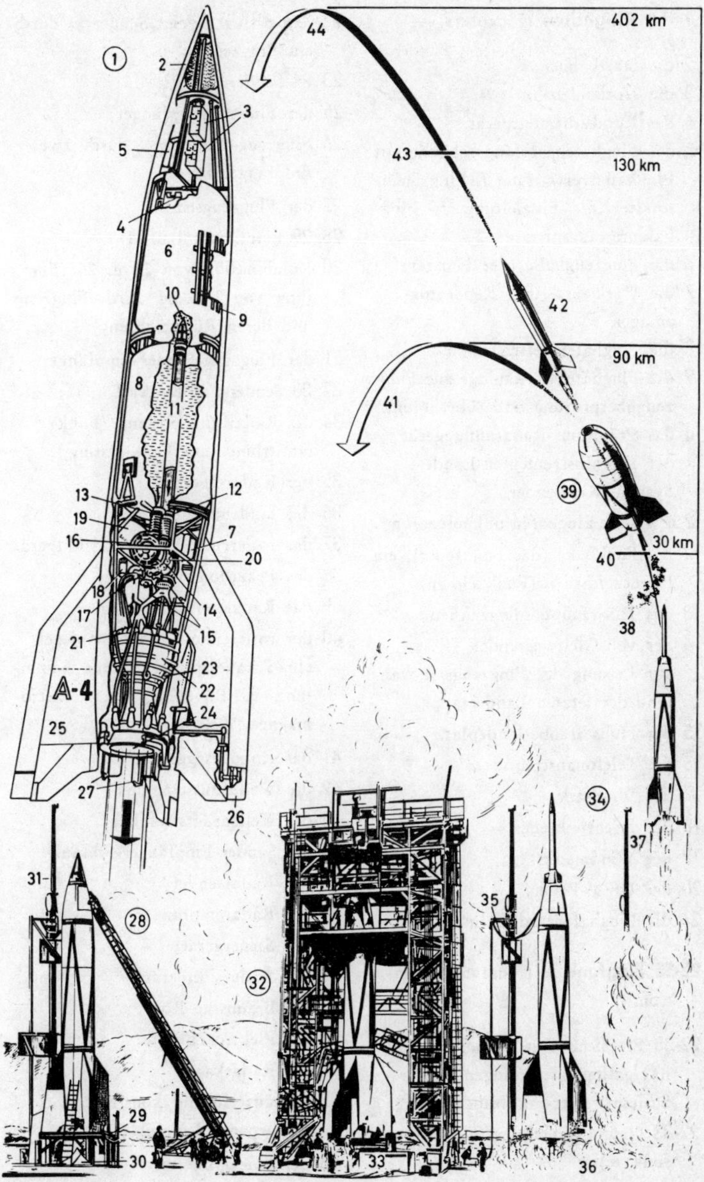

402 km
130 km
90 km
30 km
A-4
1
2
3
4
5
6
7
8
9
10
11
12
13
14
15
16
17
18
19
20
21
22
23
24
25
26
27
28
29
30
31
32
33
34
35
36
37
38
39
40
41
42
43
44

1 **der Flughafen** (Flugplatz):

2 die Startbahnen *f*
3 die Notlandebahn
4 das Rundsichtradargerät
5 das Flughafenempfangsgebäude mit Flughafenverwaltung *f*, Flugscheinschalter *m*, Flugleitung *f*, Flughafenrestaurant *n*
6 die Flugzeughalle (der Hangar)
7 die Werkstatt- und Reparaturanlagen *f*
8 die Flughafenwetterstation
9 die Flughafenwerftanlage zur Flugzeugüberprüfung und -überholung
10 das Präzisions-Radaranfluggerät
11 der ILS-(Instrumenten-Lande-System-)Kurssender
12 u. 18 die Flughafenfunkbefeuerung:
12 die Funkbake (das Funkfeuer), ein Landezeichen *n* (Funkzeichen)
13 das ILS-Haupteinflugzeichen
14 der ILS-Gleitwegsender
zur Leitung des Flugzeugs *n* während der letzten Landeetappe
15 der Hubschrauberlandeplatz
16 die Telefonanschlüsse *m*
17 der Windsack
18 das Drehfunkfeuer
19 der Windmesser
20 der UKW-Peiler
21 die Flughafenfrachthalle;

22-53 Flugfunk *m* (Flugfunknavigation *f*),

22-38 Flugsicherungssysteme *n* (Flugnavigationseinrichtungen *f*), für Schlechtwetter- u. Blindlandung *f*,
22-33 Ortungsverfahren *n* (Ortungsfunk *m*),
22 Anpeilen *n* zweier Sender *m* durch ein Flugzeug *n*:
23, 24 Sender I u. II
25 der Flugzeugempfänger;
26 Flugzeuganpeilung *f* durch zwei Empfänger *m*:
27 der Flugzeugsender
28, 29 Empfänger I u. II;
30 Kombination von 22 u. 26 (Empfang von I u. II durch Flugzeug und deren Rückstrahlung)
31 der Flugzeug-Sender-Empfänger
32, 33 Sender-Empfänger I u. II;
34 die Radarblindlandung (Funkermittlung und Funkmessung):
35 der Radarsender
36 das landende Flugzeug
37 das rotierende Radarrundsichtgerät
38 das Präzisionsradargerät;
39 das Radarrundsichtgerät:
40 der rotierende Radarrichtspiegel, ein Parabolspiegel *m* zur Sammlung u. Bündelung der elektromagnet. Wellen *f*
41 das Antriebsaggregat
42 die Wellenausstrahlung
43 die Wellenrückstrahlung
44 der Sender-Empfänger-Schrank
45 der Radarsender
46 der Radarempfänger
47 das Steuergerät;
48 das Radarsichtgerät:
49 die Braunsche Röhre
50 die Elektronenkarte;
51 die Radarkarte
52 der gitterförmig konstruierte Radarparabolspiegel
53 der Spiegeldrehturm

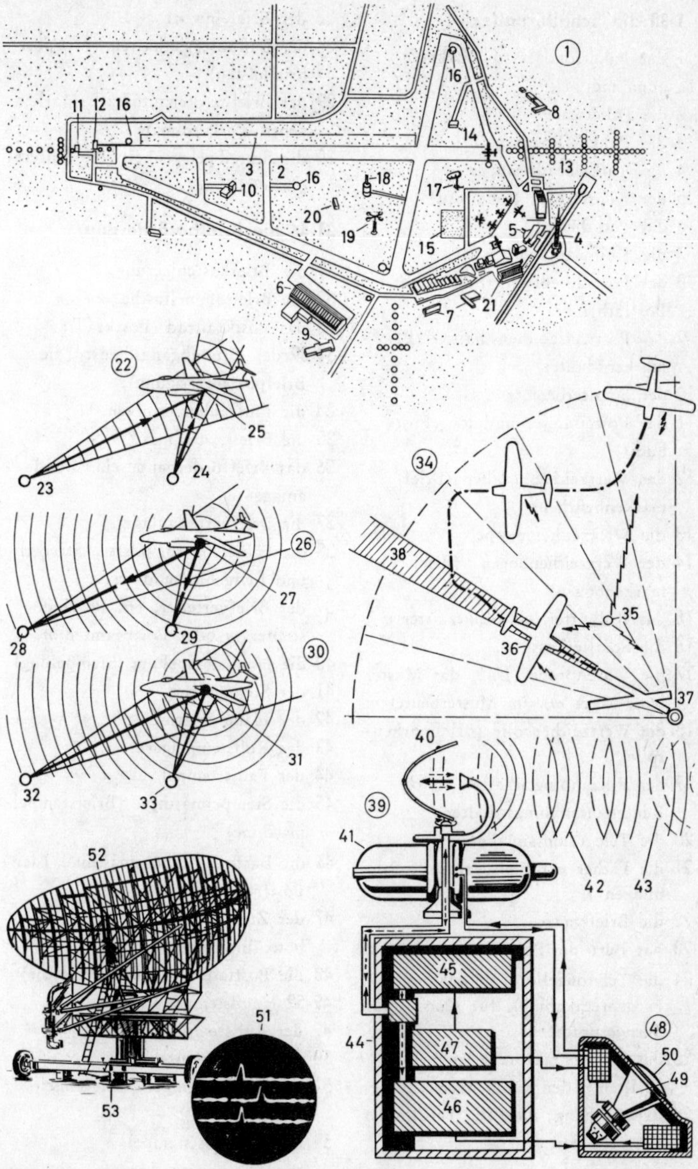
1
2
3
4
5
6
7
8
9
10
11
12
13
14
15
16
17
18
19
20
21
22
23
24
25
26
27
28
29
30
31
32
33
34
35
36
37
38
39
40
41
42
43
44
45
46
47
48
49
50
51
52
53

1-30 die Schalterhalle:

1 der Paketschalter (die Paketannahme)
2 die Paketwaage
3 das Paket (Postpaket):
4 die Aufklebeadresse;
5 der Kleistertopf (Leimtopf)
6 das Päckchen
7 die Schließanlage:
8 das Postschließfach (Schließfach, Postfach);
9 der Postwertzeichenschalter (Briefmarkenschalter)
10 der Schalterbeamte
11 das Posteinlieferungsbuch (Postbuch)
12 das Wertzeichenheftchen (Briefmarkenheftchen)
13 die Wertzeichenmappe
14 der Wertzeichenbogen (Briefmarkenbogen)
15 das Rollgitter, ein Schutzgitter *n*
16 die Schalterkasse
17 die Warenprobe (*früh.* das Muster ohne Wert *m*), im Musterbeutel *m*
18 die Wertzeichenrolle (Briefmarkenrolle)
19 der Einzahlungsschalter; *auch:* Rentenauszahlungsschalter
20 die Telegrammannahme
21 die Fächer *n* für postlagernde Sendungen *f*
22 die Briefwaage
23 das Büro des Postamtsvorstehers *m*
24 die Telefonzelle (Telefonkabine, Fernsprechkabine), für Orts- und Ferngespräche *n*:
25 das Tretkontaktbrett, zum Einschalten *n* der Kabinenbeleuchtung;
26 der Aushang; *hier:* die Tabelle der Postgebühren *f*
27 der Briefeinwurf
28 der Luftpostbriefkasten (Flugpostbriefkasten)
29 der Briefmarkenautomat (Markengeber, Postautomat)
30 die Schreibgelegenheit (die Schreibplatte);

31-46 die Briefbeförderung,

31 die Briefkastenleerung:
32 die Briefsammeltasche
33 das Postkraftrad (Postkrad);
34-39 der Briefabgangsdienst (die Briefpostabfertigung):
34 die Entstaubungsanlage
35 die Briefkastenpost
36 das Briefförderband, eine Bandanlage
37 die Briefverteilanlage
38 die Fächer *n* für Orts-, Strecken- und Leitgebietbunde *n*
39 der Briefverteiler, ein Postangestellter *m* oder Postbeamter *m*;
40 die Handstempelung (Stempelung):
41 der Stempeltisch
42 der Hammerstempel;
43 das Rollstempelgerät
44 der Fauststempel
45 die Stempelmaschine (Briefstempelmaschine)
46 die Barfreimachungsmaschine (der Postfreistempler);
47 der Zusteller (Briefträger, Postbote, Briefbote)
48 die Posttasche (Briefträgertasche)
49-52 Handstempel *m*:
49 der Rollstempel
50 der Ortswerbestempel
51 der Sonderstempel (Gelegenheitsstempel)
52 der Bahnpoststempel

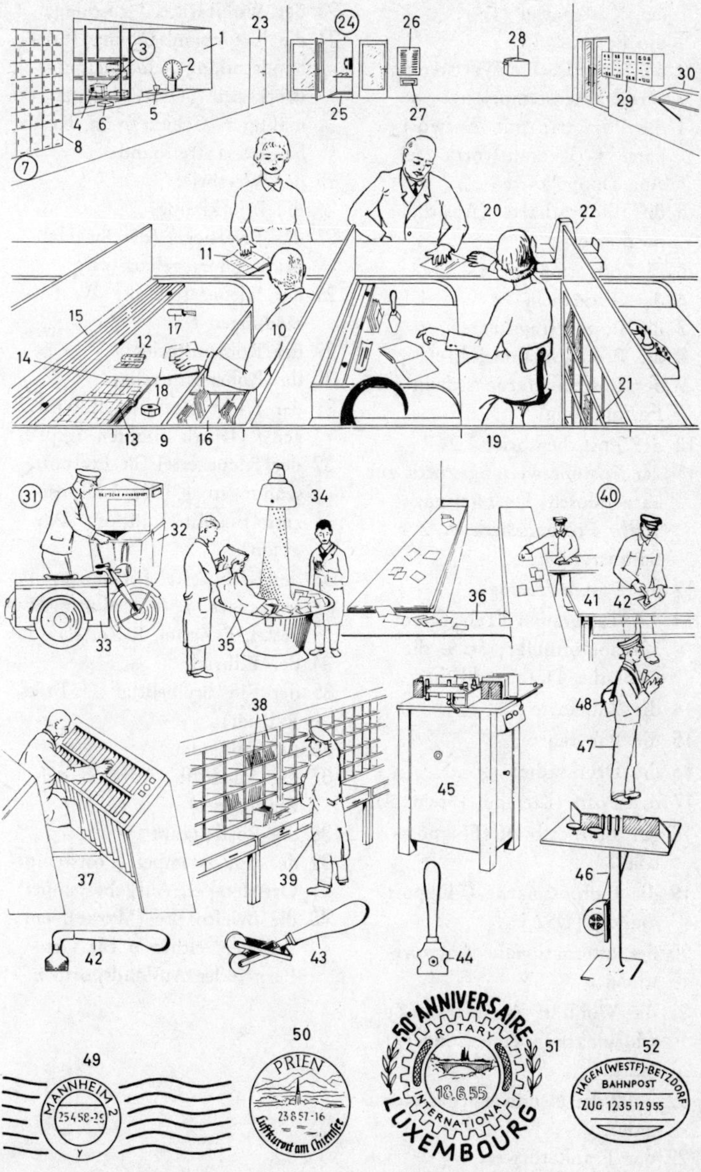

DEUTSCHE BUNDESPOST
MANNHEIM 2
PRIEN
Luftkurort am Chiemsee
50e ANNIVERSAIRE
ROTARY
18.6.55
INTERNATIONAL
LUXEMBOURG
HAGEN (WESTF)-BETZDORF
BAHNPOST
ZUG 1235 12955

1 der Kartenbrief
2 die Postkarte:
3 der eingedruckte Wertstempel (Freimarkenstempel);
4 die Postkarte mit Antwortkarte *f* (Rückantwortkarte), eine Doppelkarte
5 die Bildpostkarte (Ansichtspostkarte)
6-15 Postformulare *n*:
6 der Rückschein
7 die Postauftragskarte
8 die Postnachnahmekarte
9 der Posteinlieferungsschein (die Postquittung)
10 der Postscheckbrief
11 der Postüberweisungsscheck zur bargeldlosen Überweisung; *ähnl.:* Postbarscheck *m* zur Barauszahlung
12 die Postanweisung
13 das Telegramm (Telegrammaufgabeformular; *früh.* die Depesche, Drahtnachricht)
14 die Zahlkarte
15 die Paketkarte;
16 die Drucksache:
17 der Postfreistempel (Stempel);
18 der Luftpostbrief (Flugpostbrief)
19 die Luftpostmarke (Flugpostmarke) [USA]
20 der internationale Antwortschein
21 die Wohltätigkeitsmarke (Zuschlagmarke), eine Sondermarke,
22 u. 23 der Nennwert (das Nominale):
22 der Frankaturwert
23 der Wohltätigkeitszuschlag;
24 die Kreuzbandsendung (Streifbandsendung), eine Zeitungsdrucksache (Drucksache zu ermäßigter Gebühr), im Kreuzband *n* (Streifband)
25 der Wertbrief:
26 die Briefklappe
27 das Briefsiegel (der Siegelabdruck im Siegellack *m*);
28 der Klebezettel für Wertsendungen *f*
29 der Rohrpostbrief:
30 die Rohrpostmarke;
31 der Klebezettel für Eilsendungen *f* [Durch Eilboten, Exprès]
32 der Klebezettel für Luftpostsendungen *f* (der Luftpostzettel) [Mit Luftpost, Par avion]
33 der Klebezettel für Einschreibesendungen *f* (der Einschreibezettel, E-Zettel, R-Zettel)
34 der Eilbrief
35 der Einschreibebrief (E-Brief, R-Brief):
36 der Absender
37 die Anschrift (Adresse, der Empfänger)
38 die Postleitzahl
39 der Tagesstempel (Poststempel, Ortsstempel, Aufgabestempel)
40 die Briefmarke (Marke), ein Postwertzeichen *n* für Orts-, Fern- oder Auslandsporto *n*

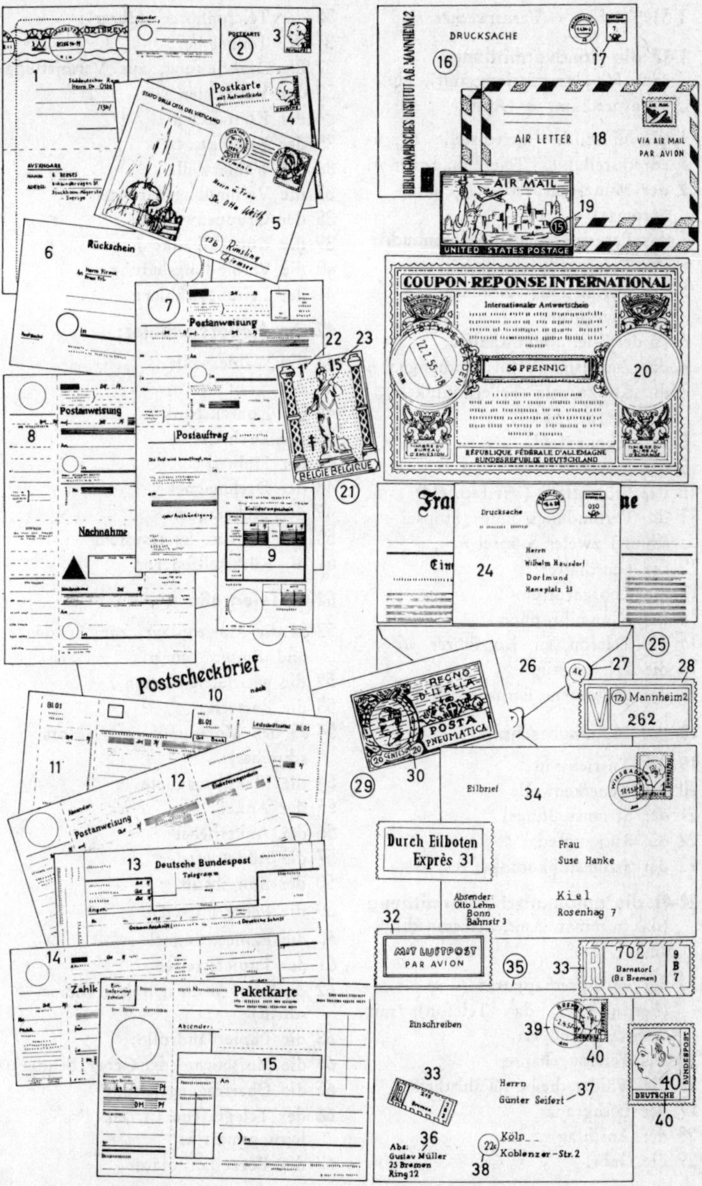

1
POSTKARTE
2
3
Postkarte mit Antwortkarte
4
STATO DELLA CITTÀ DEL VATICANO
5
Rückschein
6
7
Postanweisung
8
Postauftrag
Nachnahme
9
Postscheckbrief
10
11
12
Postanweisung
13
Deutsche Bundespost
Telegramm
14
Zahlk
Paketkarte
15
DRUCKSACHE
16
17
BIBLIOGRAPHISCHES INSTITUT AG. MANNHEIM 2
AIR LETTER
18
VIA AIR MAIL
PAR AVION
AIR MAIL
19
UNITED STATES POSTAGE
COUPON-REPONSE INTERNATIONAL
Internationaler Antwortschein
50 PFENNIG
20
RÉPUBLIQUE FÉDÉRALE D'ALLEMAGNE
BUNDESREPUBLIK DEUTSCHLAND
21
22
23
BELGIE BELGIQUE
Drucksache
24
Herrn
Wilhelm Hausdorf
Dortmund
Haneplatz 13
25
26
27
28
Mannheim 2
262
REGNO D'ITALIA
POSTA PNEUMATICA
29
30
Eilbrief
34
Durch Eilboten
Exprès 31
Frau
Suse Hanke
Kiel
Rosenhag 7
Absender:
Otto Lehm
Bonn
Bahnstr 3
32
MIT LUFTPOST
PAR AVION
35
33
702
Barnstorf
(Bz Bremen)
9
B
7
Einschreiben
39
40
33
Herrn
Günter Seifert
37
DEUTSCHE
BUNDESPOST
40
40
36
Abs:
Gustav Müller
28 Bremen
Ring 12
Köln
Koblenzer-Str. 2
38

1-51 Telefon *n* (Fernsprecher *m*),

1-17 die Handvermittlung (das Handvermittlungsamt), ein Fernsprechamt *n* (Amt),

1 die öffentliche Sprechstelle (Fernsprechstelle), ein Telefonhäuschen *n*:
2 der Münzfernsprecher (Telefonautomat)
3 das Fernsprechbuch (Telefonbuch);
4 der Fernsprechteilnehmer
5 der Vermittlungsschrank; *früh.* Klappenschrank,
6-12 der Vielfachumschalter:
6 das Anrufsignal, ein Leuchtsignal *n*
7 die Klinke, ein Federkontaktschalter *m*
8 das Klinkenfeld
9 der Stöpsel
10 das Stöpselfeld (Vielfachfeld)
11 die Verbindungsschnur (Stöpselschnur) zweier Stöpsel *m*
12 der Umschalter;
13 die Kopfgarnitur:
14 das Kinnmikrophon
15 das Telefon, ein Kopfhörer *m*;
16 die Telefonistin
17 der angerufene Fernsprecher;

18 der Nummernschalter:

19 das Antriebsrad
20 die Schneckenwelle
21 der Stromstoßflügel
22 die Rückzugfeder
23 der Stromstoßkontakt;

24-41 die automatische Vermittlung (das automat. Amt, Selbstanschlußamt),

24 der Fernsprechapparat (Fernsprecher, das Telefon), mit Selbstanschluß *m*:
25 das Telefongehäuse
26 die Wählerscheibe (Wählscheibe)
27 der Lochkranz
28 der Anschlag
29 die Gabel
30 der Telefonhörer (Hörer);
31 der Teilnehmer
32 die Drahtleitung, zur Vermittlung
33 der Vorwähler
34 der Kontaktarm
35 der Kontaktsatz
36 die Wählerwelle
37 die Verbindungsleitungen *f*
38 der Gruppenwähler
39 die Kontaktbänke *f*
40 die Verbindungsleitung
41 der Leitungswähler;

42 der Hebdrehwähler:

43 die Wählerwelle
44 der Kontaktarm
45 die Kontaktbank
46 der Drehteil
47 der Hubteil
48 der Drehmagnet
49 der Hubmagnet
50 das magnet. Sperrsystem
51 die Rückstellfeder;

52-67 Telegrafie *f*,

52-64 die Morseanlage, zum Senden *n* und Empfangen *n*:
52 die geerdeten Platten *f*
53 die Batterie
54-63 der Morseempfänger (Morseschreiber):
54 die Elektromagnete *m*
55 der Anker
56 der Ankerhebel
57 die Rückzugfeder
58 der Schreibstift
59 die Federrollen *f*
60 die Papiertrommel
61 der Papierstreifen
62 die Morsezeichen *n* (die Morseschrift)
63 die Papierbandrolle;
64 die Morsetaste (der Geber, Sender);
65 die Übertragungsleitung
66 der Telegrafenmast, ein Freileitungsmast *m*
67 der Porzellanisolator

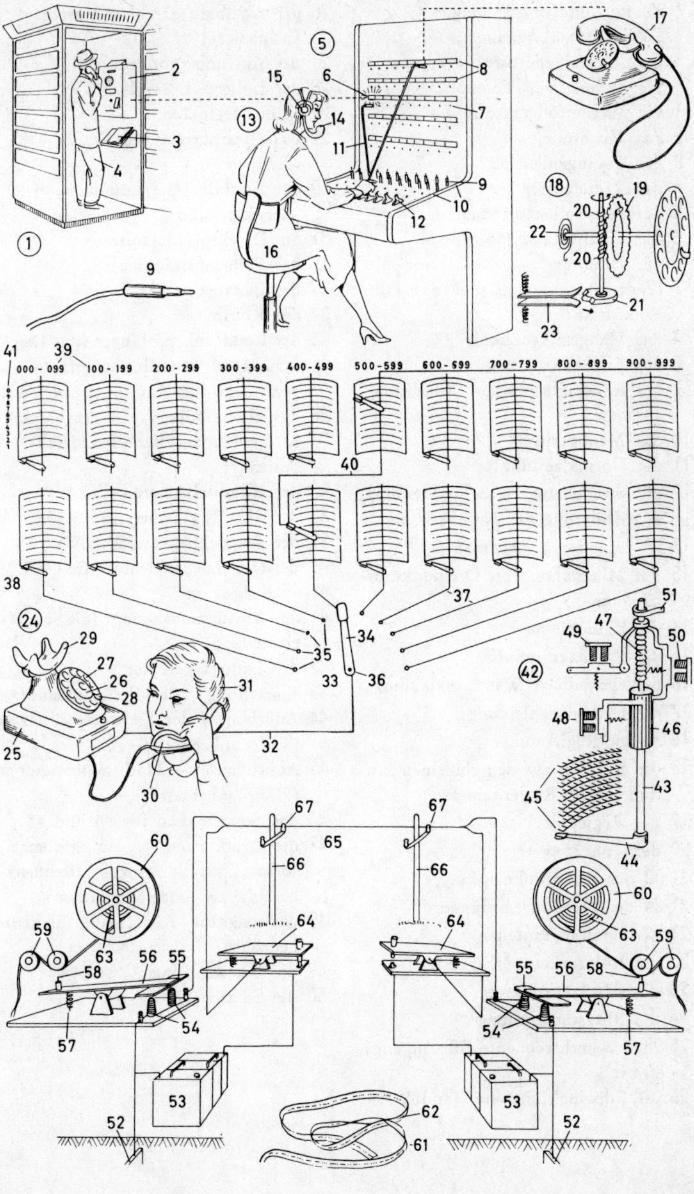
1
2
3
4
5
6
7
8
9
10
11
12
13
14
15
16
17
18
19
20
21
22
23
9
41
39
000 - 099
100 - 199
200 - 299
300 - 399
400 - 499
500 - 599
600 - 699
700 - 799
800 - 899
900 - 999
40
38
37
24
29
27
26
28
25
31
35
34
33
36
32
30
51
47
49
50
42
48
46
45
43
44
67
65
66
60
63
59
58
56
55
64
54
57
53
52
62
61

234 Rundfunk I (Radio)

1-20 die Rundfunksendung,
1-6 der Tonträgerraum,
1 u. 2 die Magnettonanlage, zur Herstellung von Tonmontagen *f*:
1 die Magnettongeräte *n*
2 das Mischpult;
3 der Toningenieur
4 das Regiefenster
5 der Kontrollautsprecher
6 die schallschluckende Wandverkleidung;
7-12 der Ansageraum und das Hörspielstudio:
7 das Hängemikrophon
8 das Tischmikrophon
9 der Rundfunksprecher (Rundfunkansager)
10 das Manuskript
11 die Normalzeituhr
12 die wandelbare Wandverkleidung, zur Änderung des Nachhalls *m*;
13-17 der öffentl. Sendesaal:
13 das Mikrophon, mit Dreipunktaufhängung *f*
14 die Radiobühne
15 der Zuschauerraum
16 die einstellbare Wandverkleidung
17 die Deckenverkleidung;
18-20 der Regieraum:
18 die Kabel *n* aus den einzelnen Studios *n* zum Regieraum *m*
19 das Regiepult
20 der Tonregisseur;
21-50 der Rundfunkempfang,
21-34 der Detektorempfänger:
21 die Empfangsantenne
22 die Isolatorkette (Eierkette)
23 der Abspannisolator
24 die Blitzschutzerdung
25-28 der hochfrequente Schwingungskreis:
25 die Schwingkreisspule [Induktivität]
26 der regelbare Drehkondensator [Kapazität]
27 der Abstimmknopf
28 der isolierte Schaltdraht;
29-32 der Detektor:
29 das Glasröhrchen, ein Staubschutz *m*
30 der Kristall [Germanium *n*, Selen oder Bleisulfid]
31 die Detektorfederspitze
32 das Führungsstäbchen;
33 der Bananenstecker
34 der Kopfhörer;
35 der Rundfunkempfänger (das Empfangsgerät, Rundfunkempfangsgerät, *ugs.* das Radio, *schweiz. m*):
36 das Holz- oder Preßstoffgehäuse
37-40 die Frequenzbereich-Einstellskalen *f*:
37 der Kurzwellenbereich (KW)
38 der Mittelwellenbereich (MW)
39 der Langwellenbereich (LW)
40 der Ultrakurzwellenbereich (UKW);
41-45 Knöpfe *m*:
41 der Abstimmungsknopf (die Sendereinstellung)
42 der Lautstärkeregler
43 Einstellung *f* der Ferritantenne
44 Anhebung *f* des Tieftonbereiches *m* (Tiefenanhebung *f*)
45 Anhebung *f* des Hochtonbereiches *m* (Höhenanhebung *f*);
46 das Schauzeichen für 44 und 45
47 die Drucktasten *f*, zur automatischen Einstellung von Frequenzbereichen *m* oder Sendern *m*
48 das magische Auge, eine Elektronenröhre
49 die Schallöffnung
50 die Schallwand

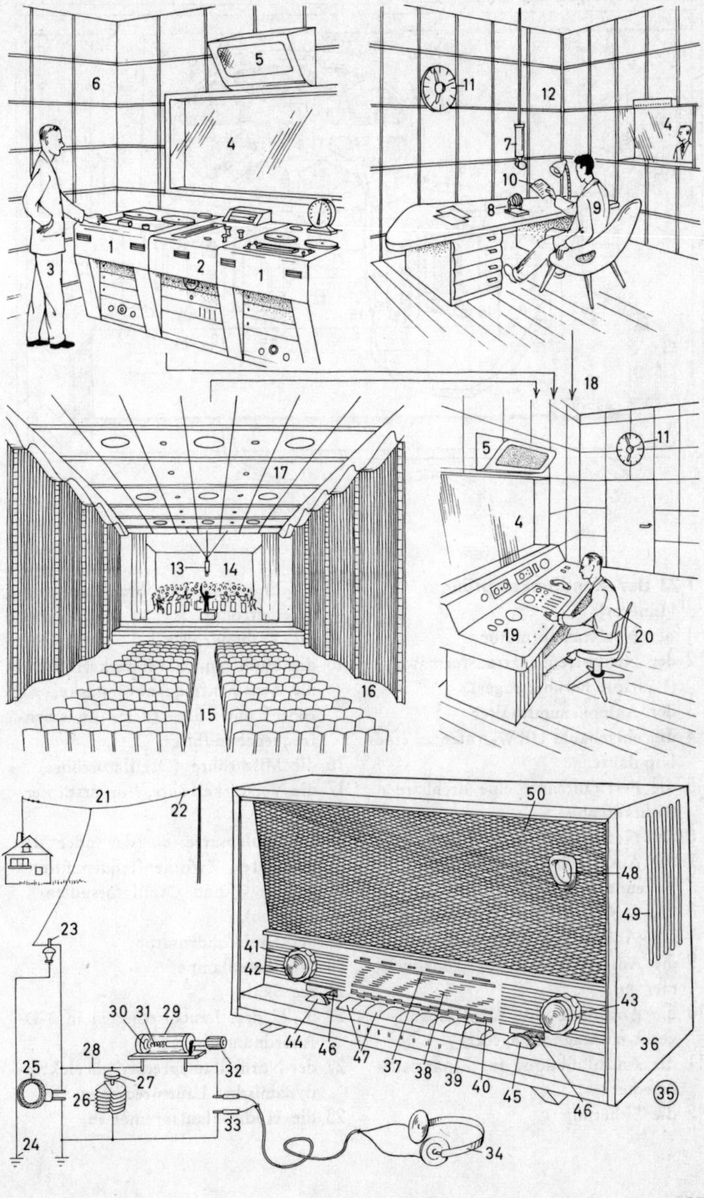
1
2
3
4
5
6
7
8
9
10
11
12
13
14
15
16
17
18
19
20
21
22
23
24
25
26
27
28
29
30
31
32
33
34
35
36
37
38
39
40
41
42
43
44
45
46
47
48
49
50

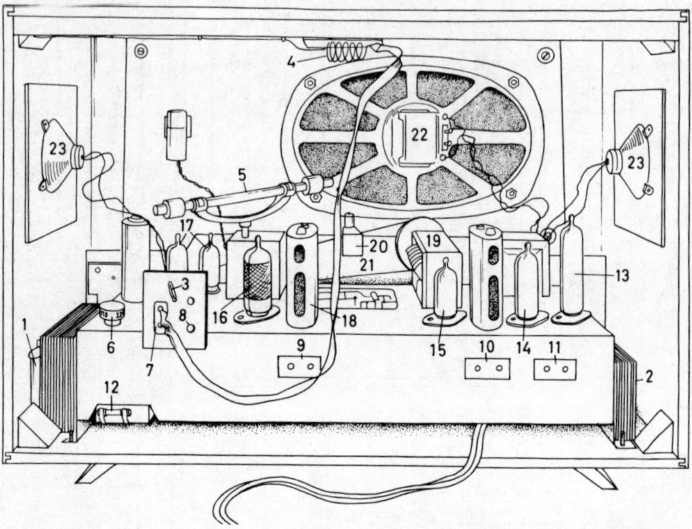

1-23 der Rundfunkempfänger [Inneres]:

1 der Netztransformator

2 der Niederfrequenztransformator (Lautsprecherübertrager)

3 der Antennenumschalter

4 die eingebaute UKW-Antenne, eine Dipolantenne

5 die Ferritantenne, eine drehbare Richtantenne

6 der Netzumschalter

7 die Anschlußbuchse für UKW-Antenne *f*

8 die Anschlußbuchse für MW- und LW-Antenne *f*

9 die Anschlußbuchse für Tonabnehmer *m*

10 die Anschlußbuchse für Tonbandgerät *n* (Magnettongerät)

11 die Anschlußbuchse für Zusatzlautsprecher *m*;

12 die Sicherung

13 die Endverstärkerröhre (Lautsprecherröhre)

14 die Verbundröhre

15 die Hochfrequenzverstärkerröhre, die Zwischenfrequenzverstärkerröhre und das (der) Zwischenfrequenzbandfilter

16 die Mischröhre (Oszillatorröhre)

17 die Verstärkerröhre, Vorverstärkerröhre

18 die Spulensätze *m* (das oder der Bandfilter, Zwischenfrequenzfilter, Eingangs- und Oszillatorspulensätze *m*),

19 der Drehkondensator

20 die Skalenlampe

21 die Skala

22 u. 23 drei Lautsprecher *m* in 3-D-Anordnung *f*:

22 der Normallautsprecher, ein elektrodynamischer Lautsprecher *m*

23 die Hochtonlautsprecher *m*

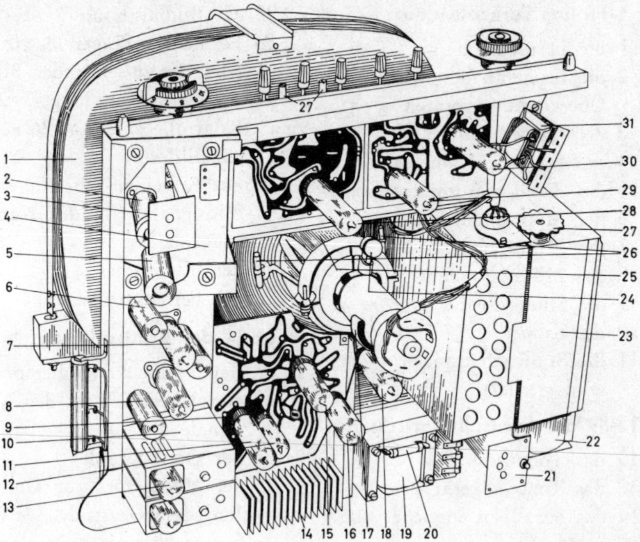

1-31 der Fernsehapparat

[von innen]:

1 die Bildröhre
2 die Hochfrequenzvorstufe
3 die Antennenanschlußplatte
4 der Kanalschalter
5 die Mischstufe und der Oszillator
6 der Bildzwischenfrequenzfilter
7 der Bildzwischenfrequenzverstärker
8 der Vorwiderstand
9 die gedruckte Schaltung
10 der Bildzwischenfrequenzgleichrichter
11 der **Video**verstärker
12 die getastete Regelung und die Schwarzsteuerung
13 der Störinverter
14 der Selengleichrichter
15 die Impulstrennstufe, mit Störaustastung *f*
16 der Tonzwischenfrequenzverstärker
17 der Ionenfallenmagnet
18 der Tondemodulator und die Niederfrequenzvorstufe
19 die Netzsiebdrossel
20 der Heißleiter
21 die Anschlußplatte, für den Fernregler
22 der Ausgangsübertrager der Vertikalablenkung
23 die Abschirmung
24 der Zentriermagnet
25 die Ablenkspule
26 die Entzerrungsmagnete *m*
27 die Serviceeinstellung
28 der Vertikalsperrschwinger und die Endstufe der Vertikalablenkung
29 der Horizontalsteuergenerator
30 die Niederfrequenzendstufe
31 der Tonausgangsübertrager

1-11 das Fernsehstudio:

1 die Fernsehkamera
2 die Kamerakabel *n*, zu den Überwachungsgeräten *n*
3 der Kameramann
4 das fahrbare Kamerastativ
5 das Kondensatormikrophon
6 der Mikrophonständer
7 der Mikrophongalgen
8 das Mikrophonkabel
9 die Studioscheinwerfer *m*
10 die Kulisse
11 die Studioschauspieler *m* (Fernsehdarsteller);

12-39 die Fernsehübertragung:

12 das Tonmischpult
13 das Tonbandgerät
14 das Schallplattenwiedergabegerät
15 der Toningenieur
16 der Tonmischraum
17 der Taktgeber (Impulserzeuger, zur Horizontal- und Vertikalablenkung der Bildimpulse *m* auf dem Empfangsschirm *m*)
18 das Kabel, zur Impulsübertragung
19 die Überwachungsgeräte *n*

20-24 der Filmgeberraum:

20 der Diageber (Diapositivgeber), zur fernsehmäßigen Abtastung fotograf. Diapositive *n*
21 der Normalfilmgeber, zur Tonfilmwiedergabe
22 der Schmalfilmgeber
23 das Kabel für die Tonübertragung zum Tonmischpult *n*
24 die Kabel *n* zur Übertragung der Bildsignale *n* (Videosignale) zum Bildmischpult *n*;
25 das Bildmischpult
26 Fernsehempfänger *m*, zur Auswahl des zu sendenden Bildes *n*
27 der Fernsehempfänger, zur Kontrolle eines aus 26 gewählten Bildes *n*
28 das Kabel zur Übertragung der Bildsignale *n* in den Kontrollraum *m*
29 der Bildmischer
30 der Fernsehregisseur

31-34 der Kontrollraum:

31 der Fernsehkontrollempfänger, zur Überwachung der Videosignale *n*
32 der Oszillograph
33 der Modulator, zur Umwandlung des auszusendenden Videofrequenzbandes *n* in einen für die Kabelübertragung zum Sender *m* günstigen Bereich *m*
34 das Übertragungskabel;
35 der Demodulator
36 der Modulator, zur Umwandlung des auszusendenden Videofrequenzbandes *n* in einen für die drahtlose Übertragung vorgesehenen Frequenzbereich *m* (Kanal)
37 der Modulator, für das Tonfrequenzband
38 der Fernsehantennenturm
39 die Fernsehsendeantenne, eine Schmetterlingsantenne;

40 u. 41 der Fernsehempfang:

40 die Fernsehempfangsantenne, eine Dipolantenne
41 der Fernsehempfänger (das Fernsehstandgerät, die Fernsehtruhe)

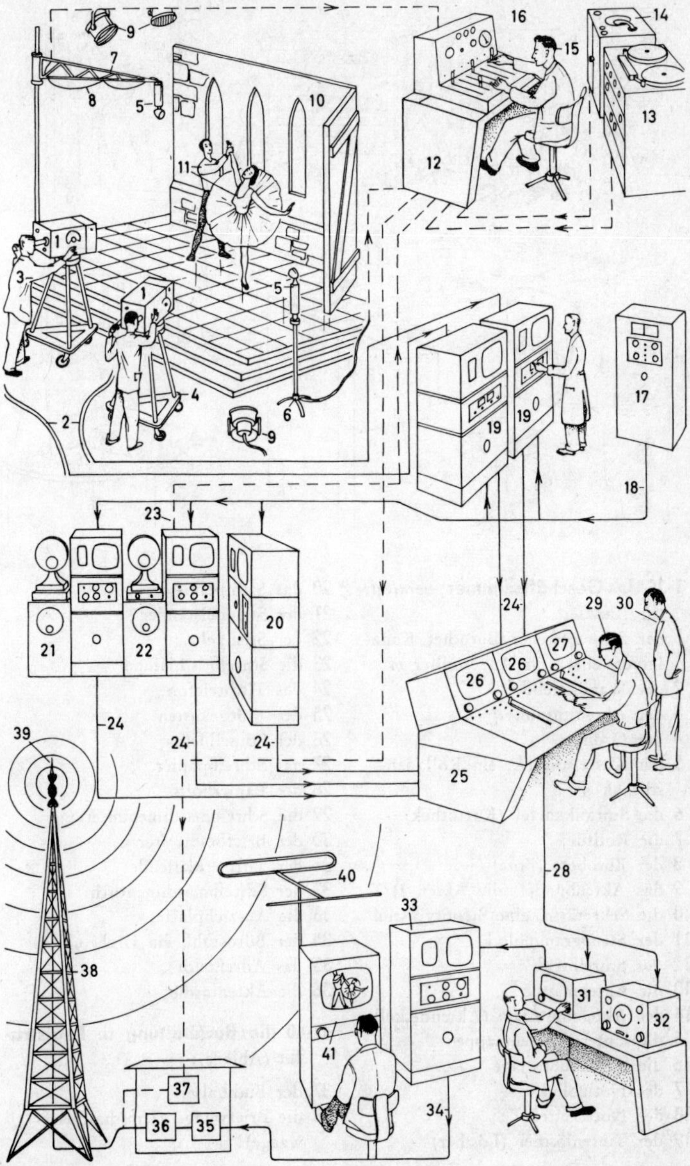
1
2
3
4
5
6
7
8
9
10
11
12
13
14
15
16
17
18
19
20
21
22
23
24
25
26
27
28
29
30
31
32
33
34
35
36
37
38
39
40
41

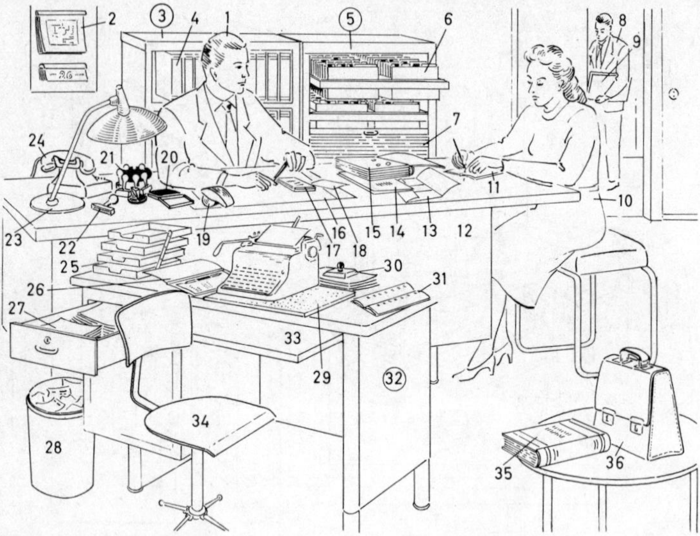

1-36 das Geschäftszimmer; *veraltet:* die Kanzlei:
1 der Bürovorsteher (Bürochef, Kanzleivorsteher), ein Angestellter *m*
2 der Wandkalender
3 der Aktenschrank:
4 der Ordner;
5 der Karteischrank, ein Rolladenschrank *m*:
6 die Schrankkartei (Kartothek)
7 die Rolltür;
8 der Bürobote (Bote)
9 das Aktenbündel (die Akten *f*)
10 die Sekretärin, eine Stenotypistin
11 der Stenogrammblock
12 der Schreibtisch
13 die Aktenmappe
14 der Aktenumschlag (Aktendeckel)
15 die Unterschriftenmappe
16 die Schreibunterlage
17 der Notizblock
18 der Notizzettel
19 der Tintenlöscher (Löscher)
20 das Stempelkissen
21 der Stempelständer
22 der Stempel
23 die Schreibtischlampe
24 das Tischtelefon
25 der Ablegekasten
26 der Schnellhefter
27 das Schreibpapier
28 der Papierkorb
29 die Schreibmaschinenunterlage
30 der Briefbeschwerer
31 der Vormerkkalender
32 der Schreibmaschinentisch:
33 die Ausziehplatte;
34 der Bürostuhl, ein Drehstuhl *m*
35 das Adreßbuch
36 die Aktentasche;

37-80 die Buchhaltung u. Registratur (Ablage):

37 der Buchhalter
38 die Briefwaage (Umschaltbriefwaage):

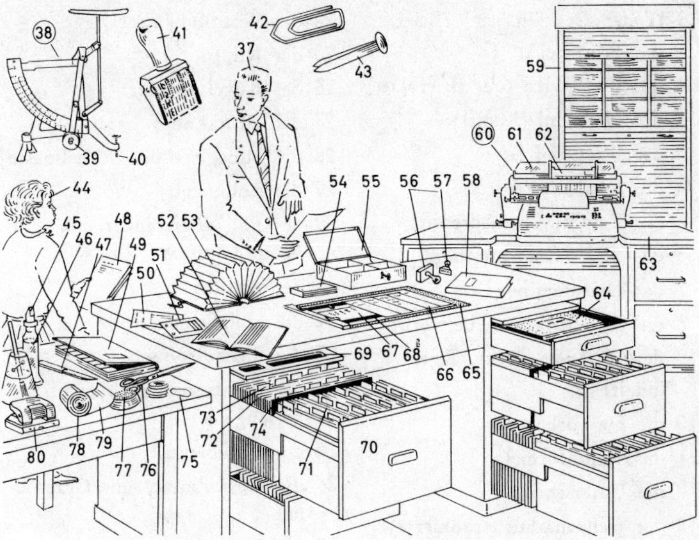

39 das Neigungsgewicht
40 die Stellschraube;
41 der Datumsstempel, ein Drehstempel *m*
42 die Büroklammer (Briefklammer)
43 die Musterklammer
44 der Lehrling
45 der Gummierstift
46 der Büroleim
47 der Brieföffner
48 das Portobuch
49 das Briefmarkenbuch
50 die Rechnung (Faktur)
51 die Quittung; *ähnl.:* der Buchungsbeleg
52 das Kontobuch (Registerbuch)
53 der Vorordner
54 der Kassenberichtsblock
55 die Geldkassette
56 der Kontierungsstempel
57 der Buchungsstempel
58 das Kassenbuch
59 der Registerschrank
60 der Buchungsautomat:
61 die Vorsteckeinrichtung;
62 das Kontoblatt
63 der Buchungstisch
64 das Hauptbuch (Bilanzbuch)
65 die Buchungsplatte, für die Handbuchung
66 das Journalblatt
67 das Kontenblatt
68 das Farbpapier
69 die Federschale
70 der Karteikasten
71 die Kartei
72 die Karteikarte
73 die Leitkarte
74 der Kartenreiter (die Sichtzunge)
75 der Packring (Gummiring)
76 die Papierschere
77 der Anfeuchter
78 die Klebrolle
79 der Klebstreifen
80 der Locher

1-12 der Geschäftsbrief (Brief, das Schreiben):
1 der Briefbogen (das Briefblatt)
2 der Heftrand (Rand)
3 der Briefkopf
4 die Anschrift (Adresse):
5 der Empfänger (Adressat);
6 das Briefdatum (Datum)
7 das Diktatzeichen
8 die Anrede, eine Überschrift
9 der Brieftext (Text, Briefinhalt)
10 die Hervorhebung
11 die Schlußformel
12 die Unterschrift;
13 der freigemachte (frankierte) Umschlag (Briefumschlag, die Briefhülle, Hülle, das Briefkuvert, Kuvert), ein Fensterbriefumschlag *m*:
14 die Briefklappe (Klappe)
15 der Absender
16 das Fenster;
17-36 Schreibgeräte *n* (Schreibzeug):
17 der Federhalter
18 die Schreibfeder (Feder), eine Stahlfeder
19 der Füllfederhalter (Füllhalter, *ugs.* Füller), ein Kolbenfüller *m*:
20 die Füllhalterfeder, eine Goldfeder
21 der Tintenraum (Tintenkanal)
22 der Kolben
23 das Sichtglas
24 die Verschlußkappe
25 der Klipp;
26 der Kugelschreiber:
27 der Druckknopf
28 die Mine, mit der Schreibpaste
29 die Rollkugel;
30 der Füllhalterständer, ein Feuchthalter *m*
31 der Bleistift:
32 die Holzfassung
33 die Bleistiftspitze;
34 der Bleistifthalter (Bleistiftverlängerer)
35 der Drehbleistift
36 die Bleistiftmine, eine Graphitmine;
37 die Adressiermaschine, ein Plattendrucker *m*:
38 die Plattenablage
39 das Farbband
40 das Druckkissen
41 der Druckarm
42 der Druckhebel
43 die geprägte Druckplatte
44 die Plattenaufnahme;
45 die Frankiermaschine (der Freistempler):
46 der Frankierstempel, ein Druckstock *m*
47 die Farbwalze
48 der Einstellhebel
49 die Handkurbel
50 der Farbbandschieber
51 der Summenzähler
52 der Wertkartenzähler
53 der Auslösehebel

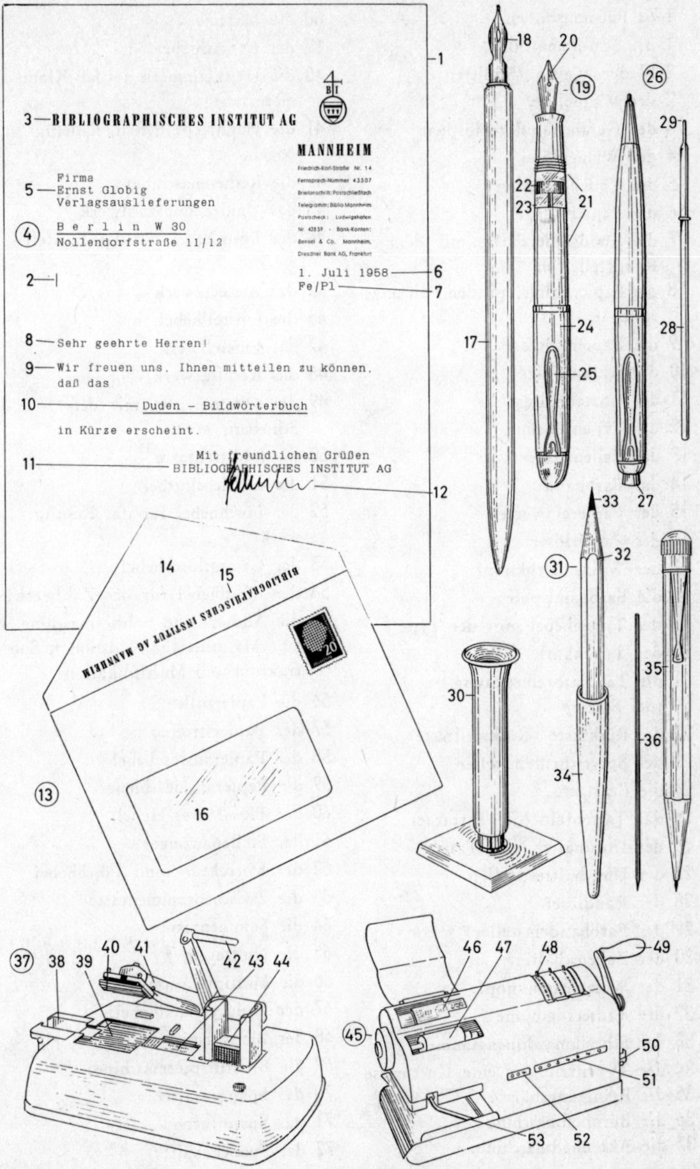
1
2
3—BIBLIOGRAPHISCHES INSTITUT AG
MANNHEIM
Friedrich-Karl-Straße Nr. 14
Fernsprech-Nummer 43307
Briefanschrift: Postschließfach
Telegramm: Biblio Mannheim
Postscheck: Ludwigshafen
Nr. 42859 · Bank-Konten:
Bensel & Co. Mannheim,
Dresdner Bank AG, Frankfurt
Firma
5—Ernst Globig
Verlagsauslieferungen
4 Berlin W 30
Nollendorfstraße 11/12
1. Juli 1958—6
Fe/Pl—7
8—Sehr geehrte Herren!
9—Wir freuen uns, Ihnen mitteilen zu können,
daß das
10—Duden - Bildwörterbuch
in Kürze erscheint.
Mit freundlichen Grüßen
11—BIBLIOGRAPHISCHES INSTITUT AG
12
13
14
15
BIBLIOGRAPHISCHES INSTITUT AG MANNHEIM
20
16
17
18
19
20
21
22
23
24
25
26
27
28
29
30
31
32
33
34
35
36
37
38
39
40
41
42
43
44
45
46
47
48
49
50
51
52
53

1-72 Büromaschinen *f*,
1 die Schreibmaschine,
2-17 der Wagen (Schlitten):
2 der Wagenlöser
3 der Gesamttabulatorlöscher
4 der Walzenlöser
5 der Zeileneinsteller
6 die Papieranlage
7 die Randstellerskala, mit dem Randsteller *m*
8 der Papierhalter, mit den Führungsrollen *f*
9 die Papierstütze
10 die Schreibwalze
11 der Kartenhalter
12 die Typenführung
13 der Zeilenrichter
14 das Farbband
15 der Papiereinwerfer
16 der Papierlöser
17 der Walzendrehknopf;
18 die Farbbandspule
19 der Typenhebel, mit der Type
20 der Typenkorb
21 die Tabulatoreinrichtung (der Setzer)
22 die Rücktaste (Rückstelltaste)
23 der Sperrschrifteinsteller
24 die Leertaste
25 das Tastenfeld (die Tastatur)
26 der Umschalter, eine Taste
27 der Umschaltfeststeller
28 der Randlöser
29 der Farbbandeinsteller
30 der Zeilenschalter
31 der Walzenstechknopf;
32 die Radierschablone
33 der Schreibmaschinengummi
34 der Typenreiniger, eine Knetmasse
35 die Reinigungsbürste
36 die Büroheftmaschine
37 die Aktenheftmaschine:
38 die Matrize
39 der Ladeschieber;
40 die Heftklammern *f* (der Klammernstab)
41 die Heftarten: heften, nadeln, nageln
42 die Rechenmaschine:
43 das Umdrehungszählwerk
44 der Löschhebel für das Einstellwerk
45 das Anzeigewerk
46 die Einstellhebel *m*
47 das Einstellwerk
48 das Resultatwerk
49 die Kommaleiste, mit den Schiebern *m*
50 die Schlittentaste
51 die Antriebskurbel
52 der Löschhebel für das Resultatwerk
53 der Gesamtlöschhebel
54 der Löschhebel für das Zählwerk;
55 die Addier- und Saldiermaschine, eine Maschine für Addition *f*, Subtraktion und Multiplikation:
56 die Papierrolle
57 der Papierstreifen
58 der Papierauslösehebel
59 die Papierabreißschiene
60 der Plus-Minus-Hebel
61 der Stellenanzeiger
62 der Korrektur- und Löschhebel
63 die Zwischensummentaste
64 die Summentaste
65 die Nulltasten *f*
66 die Multiplikationstaste
67 der Zeileneinstellhebel;
68 der Bleistiftspitzer
69 die Bleistiftspitzmaschine:
70 der Spannschalter
71 das Spannfutter
72 der Spänebehälter

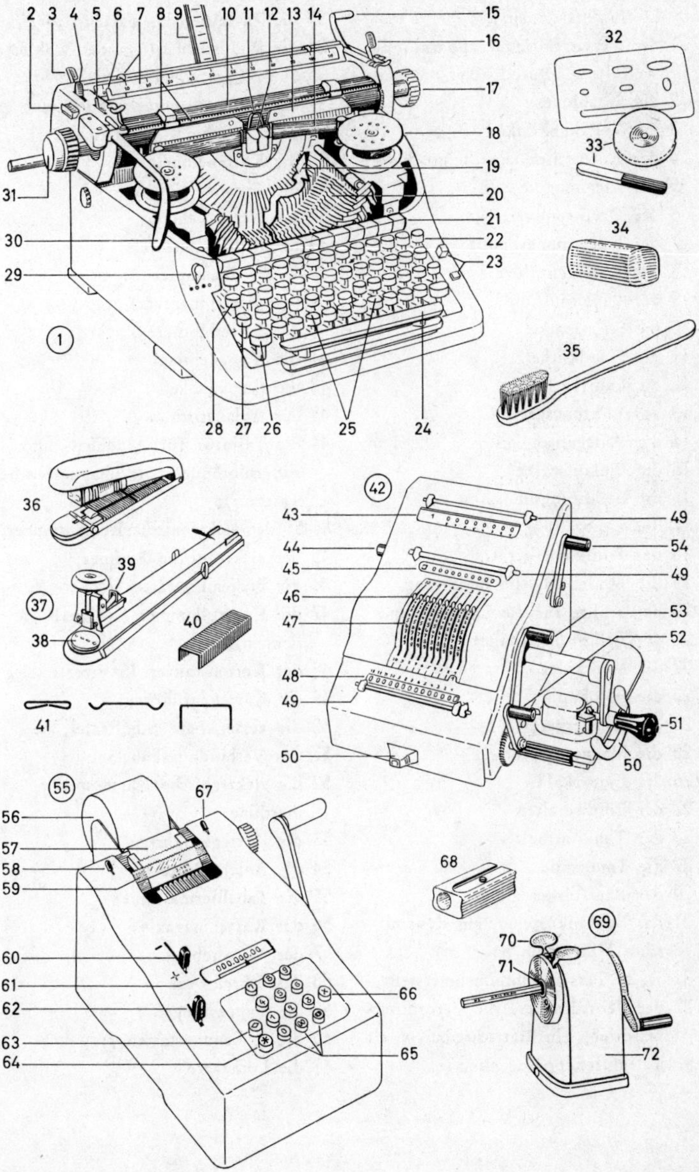

1
2
3
4
5
6
7
8
9
10
11
12
13
14
15
16
17
18
19
20
21
22
23
24
25
26
27
28
29
30
31
32
33
34
35
36
37
38
39
40
41
42
43
44
45
46
47
48
49
50
51
52
53
54
55
56
57
58
59
60
61
62
63
64
65
66
67
68
69
70
71
72

1-61 Büromaschinen *f*,
1 der Vervielfältigungsapparat (Vervielfältiger, Bürodrucker):
2 die Schablone
3 die Vorschubklinke
4 der Anlegetisch, ein Steigtisch *m*
5 die Klemmbacke
6 der Druckrandversteller
7 der Farbgebungsknopf
8 der Auflagenzähler
9 der Papierauffang
10 die Stapelbacke
11 die Handkurbel
12 die Laufregelung;
13 das Lichtpausgerät:
14 der Anlegetisch
15 die Einlaufwalze
16 die Belichtungsuhr;
17 die Lichtpause
18 das Fotokopiergerät:
19 der Schlitz für die Belichtung
20 der Schlitz für die Entwicklung
21 der Belichtungsschalter
22 die Meßskala;
23 die Fotokopie
24 das Diktiergerät:
25 die Magnettonplatte
26 die Indexskala
27 der Löschschalter
28 der Tonarmschalter
29 die Tonblende
30 der Lautstärkeregler
31 das Stielmikrophon, ein dynamisches Mikrophon *n*;
32-34 die Fernschreibteilnehmerstelle,
32 der Fernschreiber (die Fernschreibmaschine), ein Blattschreiber *m*, ein Telegrafenapparat *m*:
33 die Tastatur (das Tastenfeld)
34 die Wählscheibe (*ugs.* der Wähler);
35-61 Lochkartenmaschinen *f*,
35 der Magnettrommelrechner, eine elektronische Rechenmaschine:
36 die Karteneinheit
37 die Trommeleinheit
38 die Netzteileinheit
39 die Bedienungstafel;
40-61 die Maschinengruppe (der Maschinensatz),
40 der Schreiblocher:
41 die Karteneinlage
42 die Kartenablage
43 der Ablagetisch
44 die Tastatur für Alphabet- und Ziffernlochung *f* (alphanumerische Tastatur);
45-51 der elektronische Rechenstanzer,
45 der elektronische Rechner:
46 die Bedienungstasten *f*
47 die Kontrollampen *f* (Signallampen);
48 der Kartenstanzer (Stanzer):
49 die Kartenzuführung
50 die versenkbare Schalttafel;
51 das Verbindungskabel;
52 die elektronische Kartensortiermaschine:
53 die Kartenzuführung
54 die Ablagefächer *n*;
55 die Tabelliermaschine:
56 das Kartenmagazin
57 der Vorschub
58 das Schreibwerk
59 die Typenstangen *f*
60 die Bedienungstasten *f*;
61 die Lochkarte

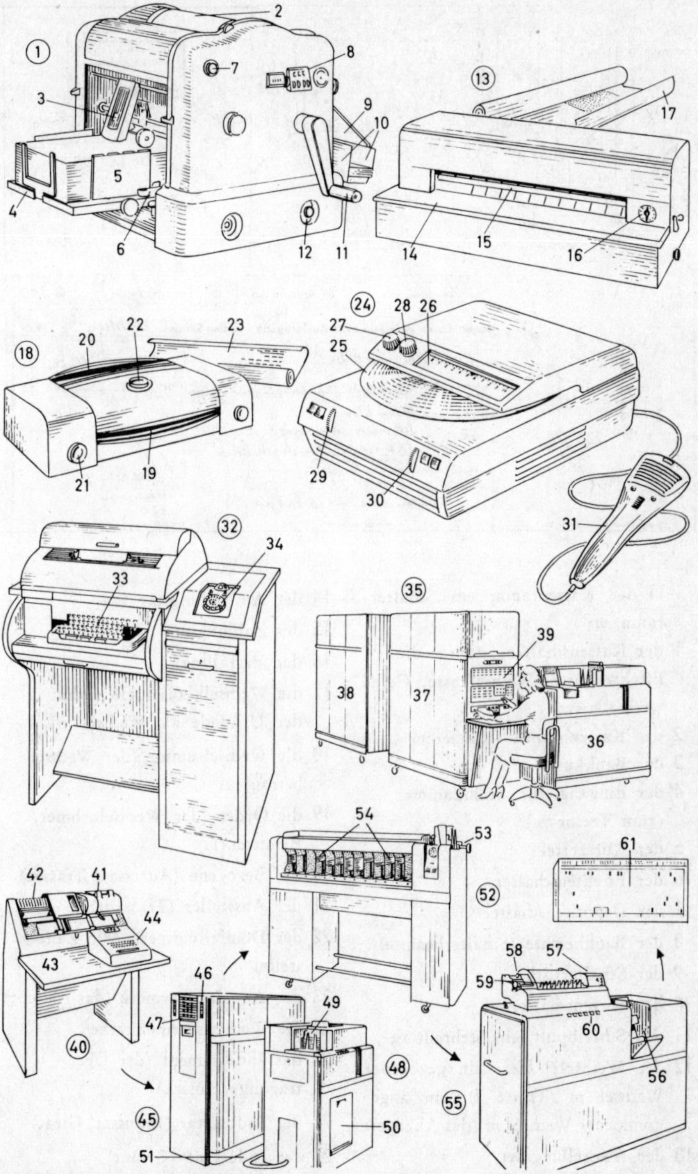

1
2
3
4
5
6
7
8
9
10
11
12
13
14
15
16
17
18
19
20
21
22
23
24
25
26
27
28
29
30
31
32
33
34
35
36
37
38
39
40
41
42
43
44
45
46
47
48
49
50
51
52
53
54
55
56
57
58
59
60
61

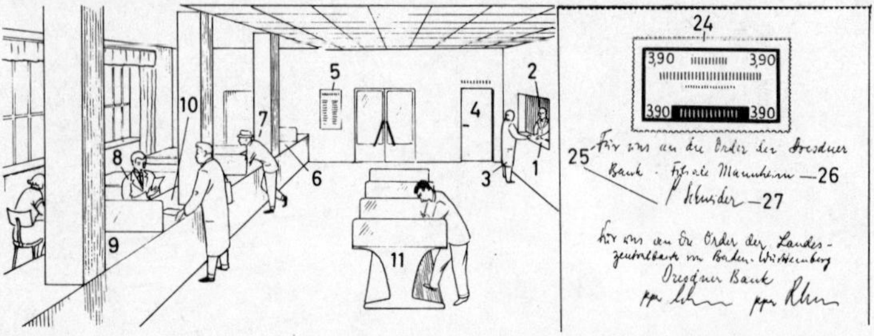

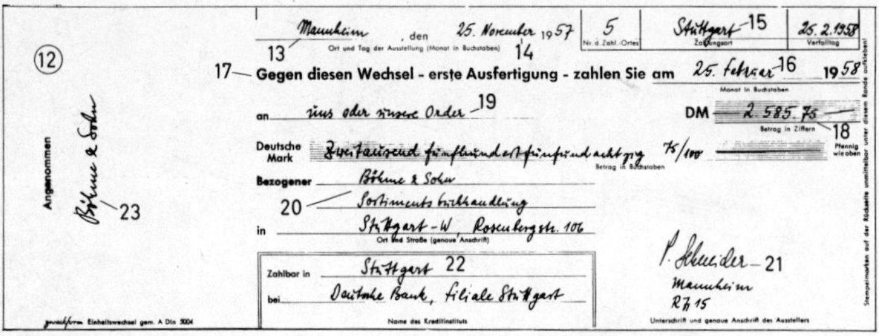

1-11 der Kassenraum, ein Schalterraum *m*:

1 der Kassenschalter; *ähnl.:* die Effektenkasse, Wechselkasse, Geldwechselkasse

2 der Kassenbeamte (Kassierer)

3 der Bankkunde

4 der Eingang zur Stahlkammer (zum Tresor *m*)

5 der Kurszettel

6 der Effektenschalter

7 der Depositenschalter

8 der Bankbeamte (Schalterbeamte)

9 der Schaltertisch

10 der Sortenschalter

11 das Schreibpult, ein Stehpult *n*;

12 der Wechsel; *hier:* ein gezogener Wechsel *m* (Tratte *f*), ein angenommener Wechsel *m* (das Akzept):

13 der Ausstellungsort

14 der Ausstellungstag

15 der Zahlungsort

16 der Verfalltag

17 die Wechselklausel (Bezeichnung der Urkunde als Wechsel *m*)

18 die Wechselsumme (der Wechselbetrag)

19 die Order (der Wechselnehmer, Remittent)

20 der Bezogene (Adressat, Trassat)

21 der Aussteller (Trassant)

22 der Domizilvermerk (die Zahlstelle)

23 der Annahmevermerk (das Akzept)

24 die Wechselstempelmarke

25 das Indossament (der Übertragungsvermerk)

26 der Indossatar (Indossat, Girat)

27 der Indossant (Girant)

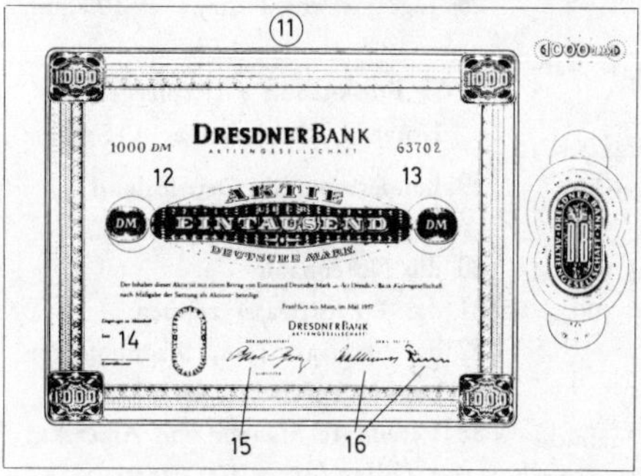

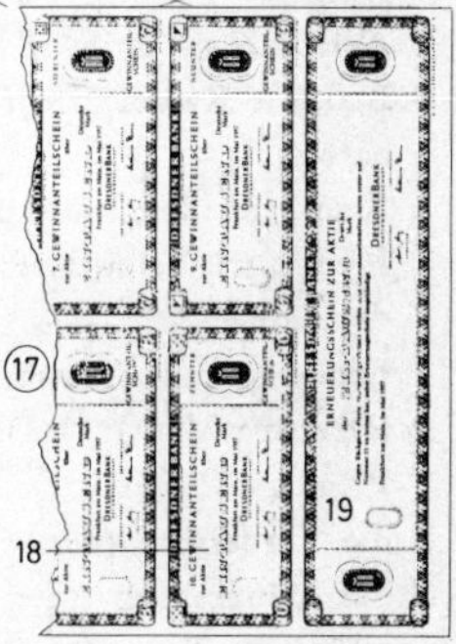

1-10 die Börse (Effekten-, Wertpapier- oder Fondsbörse),

1 der Börsensaal:

2 der Markt für Wertpapiere *n*

3 die Maklerschranke (der Ring)

4 der beeidigte Kursmakler (Börsenmakler, Effektenmakler, Sensal), ein Handelsmakler *m*

5 der freie Kursmakler (Agent), für Freiverkehr *m*

6 das Börsenmitglied, ein zum Börsenhandel *m* zugelassener Privater *m*

7 der Börsenvertreter (Effektenhändler), ein Bankangestellter *m*

8 die Kursmaklertafel (Kurstafel, Maklertafel, der Kursanzeiger)

9 der Börsendiener

10 die Telefonzelle (Fernsprechkabine);

11-19 Wertpapiere *n* (Effekten *pl*); *Arten:* Aktien *f*, festverzinsliche Renten *f*, Staats- und Länderanleihen *f*, Hypothekenpfandbriefe *m*, Kommunalobligationen *f*, Industrieobligationen *f*, Wandelanleihen *f*,

11 die Aktienurkunde (der Mantel); *hier:* die Inhaberaktie:

12 der Nennwert der Aktie

13 die laufende Nummer

14 die Seitennummer der Eintragung im Aktienbuch *n* der Bank

15 die Unterschrift des Aufsichtsratsvorsitzers *m*

16 die Unterschrift des Vorstandsvorsitzers *m*;

17 der Dividendenbogen (Kuponbogen):

18 der Dividendenkupon (Gewinnanteilschein)

19 der Erneuerungsschein (Talon)

1-28 Münzen *f* (Geldstücke *n*, Hartgeld *n*; *Arten:* Gold-, Silber-, Nickel-, Kupfer- oder Aluminiummünzen *f*),
1 Athen: Tetradrachme in Nuggetform:
2 die Eule (der Stadtvogel von Athen);
3 Aureus Konstantins d. Gr.
4 Brakteat Kaiser Friedrichs I. Barbarossa
5 Frankreich: Louisdor Ludwigs XIV.
6 Preußen: 1 Reichstaler Friedrichs des Großen
7 Bundesrepublik Deutschland: 5 DM (Deutsche Mark); 1 DM = 100 Pfennige:
8 die Vorderseite (der Avers)
9 das Münzzeichen (der Münzbuchstabe) des Prägeorts *m* (Münzamts *n*, der Münzstätte, Münzanstalt, Münze)
10 die Rückseite (der Revers)
11 die Randinschrift
12 das Münzbild, ein Landeswappen *n*;
13 Österreich: 25 Schilling; 1 Sch. = 100 Groschen:
14 die Länderwappen *n*;
15 Schweiz: 5 Franken; 1 Franken (franc, franco) = 100 Rappen (centimes)
16 Frankreich: 1 franc = 100 centimes
17 Belgien: 100 francs
18 Luxemburg: 1 franc
19 Niederlande (Holland): 2½ Gulden; 1 Gulden (florin) = 100 cents
20 Italien: 10 lire; 1 lira = 100 centesimi
21 Vatikanstaat: 10 lire
22 Spanien: 1 peseta = 100 céntimos = 4 reales
23 Portugal: 1 escudo = 100 centavos
24 Dänemark: 1 krone = 100 öre
25 Schweden: 1 krona
26 Norwegen: 1 krone
27 Tschechoslowak. Republik: 100 koruna; 1 koruna = 100 haléřu
28 Jugoslawien: 1 dinar = 100 para;

29-39 Banknoten *f* (Papiergeld *n*, Noten *f*, Geldscheine *m*, Scheine),
29 Bundesrepublik Deutschland: 50 DM:
30 die Notenbank
31 das Porträtwasserzeichen
32 der Strafsatz [eine Warnung vor Banknotenfälschungen];
33 Vereinigte Staaten von Amerika: 1 dollar ($) = 100 cents:
34 die Faksimileunterschriften *f*
35 der Kontrollstempel
36 die Reihenbezeichnung;
37 Großbritannien und Nordirland: 1 Pfund Sterling (£) = 20 shillings, 1 s = 12 pence, 1 penny (d), 2 s = 1 florin:
38 das Guillochenwerk;
39 Griechenland: 1000 drachmai (Drachmen); 1 drachme = 100 lepta;

40-44 die Münzprägung,
40 u. 41 die Prägestempel *m*:
40 der Oberstempel
41 der Unterstempel;
42 der Prägering
43 das Münzplättchen (Blankett, Rondell)
44 das Rändeleisen (die Rändelbacken *f*) zur Rändelung (Randverzierung) des Münzrandes *m*

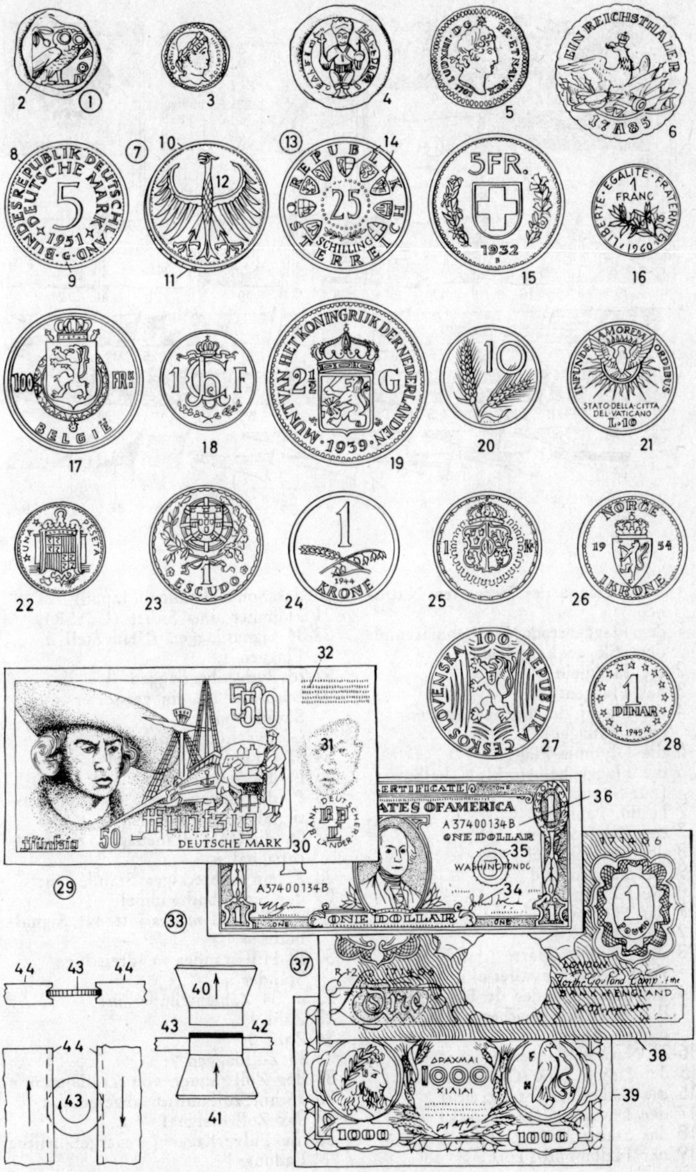
1
2
3
4
5
EIN REICHSTHALER
6
7
8
BUNDESREPUBLIK DEUTSCHLAND
DEUTSCHE MARK
5
1951
G
9
10
11
12
13
14
REPUBLIK ÖSTERREICH
25
SCHILLING
5FR.
1932
15
LIBERTE · EGALITE · FRATERNITE
1 FRANC
1960
16
100
FR.
BELGIË
17
1
F
18
MUNTVAN HET KONINGRIJK DER NEDERLANDEN
2½
G
1939
19
10
20
INFUNDE AMOREM CORDIBUS
STATO DELLA CITTA DEL VATICANO
L. 10
21
UNA PESETA
22
1
ESCUDO
23
1
1944
KRONE
24
1
25
NORGE
19
54
1 KRONE
26
100
REPUBLIKA ČESKOSLOVENSKÁ
27
1
DINAR
1945
28
50
Fünfzig
DEUTSCHE MARK
29
30
31
32
BANK DEUTSCHER LÄNDER
33
ONE DOLLAR
A37400134B
34
35
36
WASHINGTON DC
37
LONDON
BANK of ENGLAND
One
38
1000
39
40
41
42
43
44

245 Fahnen und Flaggen

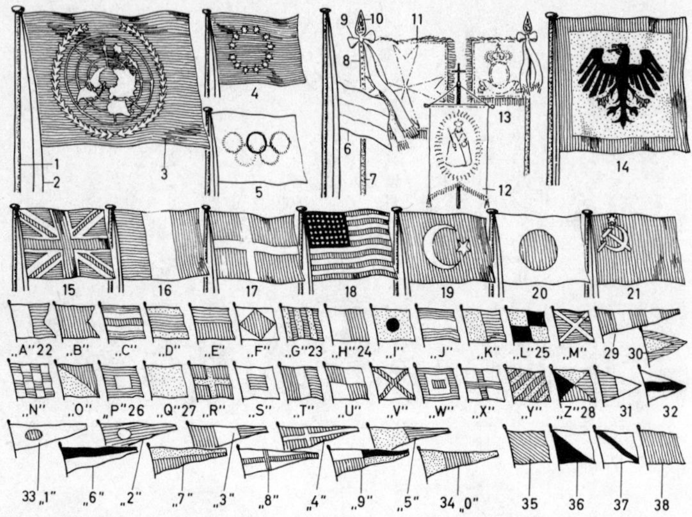

1-3 die Flagge der Vereinten Nationen *f*:
1 der Flaggenstock (Flaggenmast) mit dem Flaggenknopf *m*
2 die Flaggleine
3 das Flaggentuch;
4 die Flagge des Europarates *m* (Europaflagge)
5 die Olympia-Flagge
6 die Flagge halbstock[s] (halbmast) [zur Trauer]
7-11 die Fahne:
7 der Fahnenschaft
8 der Fahnennagel
9 das Fahnenband
10 die Fahnenspitze
11 das Fahnentuch;
12 das Banner
13 die Reiterstandarte (das Feldzeichen der Kavallerie)
14 die Standarte des dt. Bundespräsidenten [das Abzeichen eines Staatsoberhaupts *n*]
15-21 Nationalflaggen *f*:
15 der Union Jack (Großbritannien)
16 die Trikolore (Frankreich)
17 der Danebrog (Dänemark)
18 das Sternenbanner (USA)
19 der Halbmond (Türkei)
20 das Sonnenbanner (Japan)
21 Hammer und Sichel (UdSSR);
22-34 Signalflaggen *f*, ein Stell *n* Flaggen *f*,
22-28 Buchstabenflaggen *f*:
22 Buchstabe A, ein gezackter Stander *m*
23 G, das Lotsenrufsignal
24 H (»Lotse ist an Bord«)
25 L, die Seuchenflagge
26 P, der Blaue Peter, ein Abfahrtssignal *n*
27 Q, die Quarantäneflagge, ein Arztrufsignal *n*
28 Z, ein rechteckiger Stander *m*;
29 der Signalbuchwimpel, ein Wimpel *m* des internat. Signalbuchs *n*
30-32 Hilfsstander *m*, dreieckige Stander
33 u. 34 Zahlenwimpel *m*:
33 Zahl 1
34 Zahl 0;
35-38 Zollflaggen *f*:
35 der Zollstander von Zollbooten *n*
36 »Schiff zollamtlich abgefertigt«
37 das Zollrufsignal
38 die Pulverflagge [»feuergefährliche Ladung«]

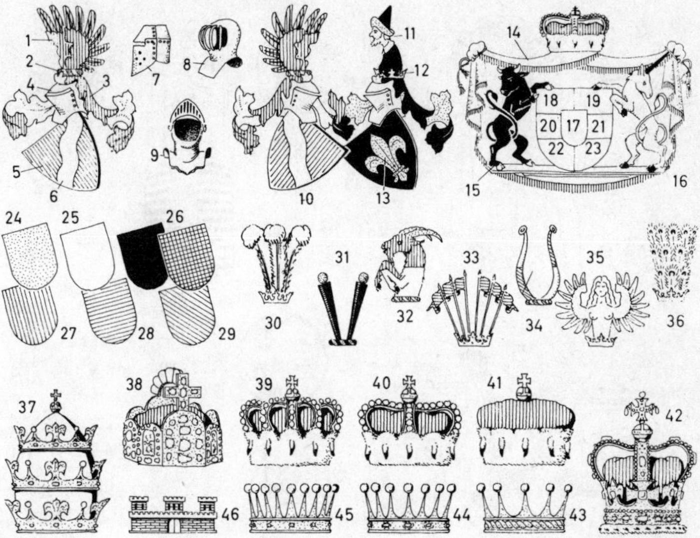

1-36 Heraldik *f* (Wappenkunde),
1-6 das Wappen:
1 die Helmzier
2 der Wulst
3 die Decke (Helmdecke)
4 der Stechhelm
5 der Wappenschild
6 der schräglinke Wellenbalken;
4, 7-9 Helme *m*:
7 der Kübelhelm
8 der Spangenhelm
9 der offene Helm;
10-13 das Ehewappen (Allianzwappen, Doppelwappen):
10 das Wappen des Mannes *m*
11-13 das Wappen der Frau:
11 der Menschenrumpf
12 die Laubkrone (Helmkrone)
13 die Lilie;
14 das Wappenzelt (der Wappenmantel)
15 u. 16 Schildhalter *m*, Wappentiere *n*:
15 der Stier
16 das Einhorn;
17-23 die Wappenbeschreibung (Blasonierung, Wappenfeldordnung):
17 das Herzschild
18-23 erstes bis sechstes Feld *n* (Wappenfeld)
18 u. 19 oben
22 u. 23 unten
18, 20, 22 vorn, rechts
19, 21, 23 hinten, links;
24-29 die Tinkturen *f*,
24 u. 25 Metalle *n*:
24 Gold *n* [gelb]
25 Silber *n* [weiß];
26 schwarz
27 rot
28 blau
29 grün;
1, 11, 30-36 Helmzier *f* (Helmzeichen *n*, Helmkleinod, Zimier):
30 die Straußenfedern *f*
31 der Küirißprügel
32 der wachsende Bock
33 die Turnierfähnchen *n*
34 die Büffelhörner *n*
35 die Harpyie
36 der Pfauenbusch;
37, 38, 42-46 Kronen *f*:
37 die Tiara
38 die Kaiserkrone [dt. bis 1806]
39 der Herzogshut
40 der Fürstenhut
41 der Kurfürstenhut (Kurhut)
42 die engl. Königskrone
43-45 Rangkronen *f*:
43 die Adelskrone
44 die Freiherrnkrone
45 die Grafenkrone;
46 die Mauerkrone eines Stadtwappens *n*

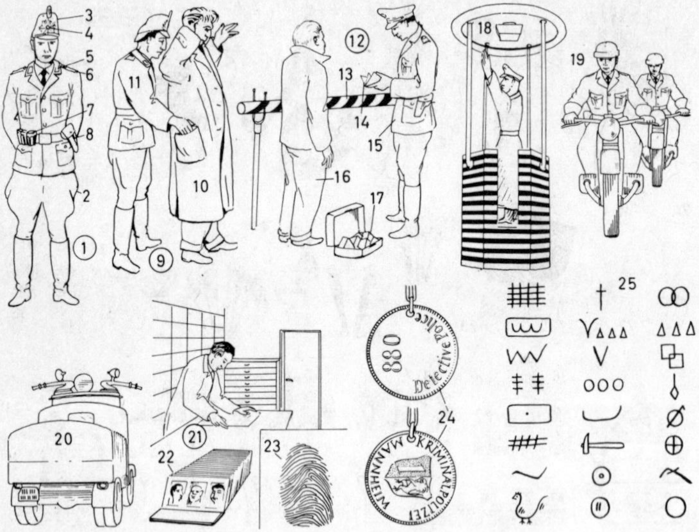

1-8 die Bereitschaftspolizei (kasernierte Polizeitruppe),
1 der Polizeibeamte (*ugs.* Polizist):
2 die Dienstkleidung (Polizeiuniform)
3 der Tschako
4 die Kokarde
5 der Kragenspiegel
6 die Schulterklappe
7 die Patronentasche
8 die Pistolentasche;
9-11 die Landespolizei,
9 die Durchsuchung:
10 der Verdächtige
11 der Polizeibeamte;
12 die Grenzkontrolle:
13 der Schlagbaum; *hier:* die Zollgrenze
14 u. 15 die Paßkontrolle:
14 der Reisepaß (Paß), ein Grenzübertrittsausweis *m*
15 der Beamte des Zollgrenzdienstes *m*;
16 der Schmuggler
17 das Schmuggelgut;
18 u. 19 die Verkehrspolizei; *andere Abteilungen:* Wasserschutzpolizei, Sittenpolizei, Gewerbepolizei u. a.:
18 der Verkehrspostenstand
19 die motorisierte Verkehrsstreife;
20 der Wasserwerfer
21-24 die Kriminalpolizei,
21 das Archiv des Erkennungsdienstes *m*:
22 die Verbrecherlichtbildkartei (*ugs.* das Verbrecheralbum)
23 der Fingerabdruck
24 die Kriminalpolizeimarke;
25 Gaunerzinken *m*

1 die Festnahme:

2 die Funkstreife (der Funkstreifenwagen)

3 der Kriminalbeamte

4 der Haftbefehl

5 der Verhaftete (Arretierte)

6 der Polizeibeamte

7 die Pistole

8 der Polizeihund

9 die Handfessel (Handschelle)

10 der Gummiknüppel;

11 die Gefängniszelle (Einzelzelle):

12 der Gefangene (Strafgefangene)

13 der Anstaltsanzug

14 der Gefängnisaufseher

15 das Guckloch

16 die Speisenklappe

17 das Gitterfenster;

18 die Gerichtsverhandlung (Hauptverhandlung, der Prozeß):

19 der Gerichtssaal

20 der Vorsitzende

21 die Prozeßakten *f*

22 der Richter (Beisitzer)

23 der Geschworene (Laienrichter); *ähnl.:* der Schöffe

24 der Protokollführer

25 der Staatsanwalt

26 das Barett

27 die Robe (der Talar)

28 die Anklageschrift

29 der Angeklagte

30 der Verteidiger (Rechtsbeistand, Rechtsanwalt)

31 die Vereidigung

32 der Zeuge

33 die Schwurhand

34 der Zeugentisch

35 die Zeugenschranke

36 der gerichtliche Sachverständige (Gutachter)

37 der Gerichtsarzt

38 die Zeugenbank

39 der Berichterstatter

40 der Pressetisch

249 Schule

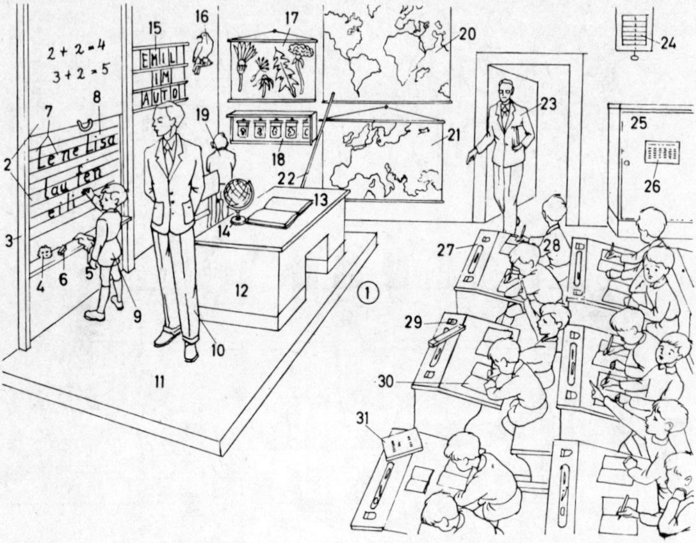

1-31 der Schulunterricht (Unterricht),
1 die Klasse (das Klassenzimmer, Schulzimmer):
2 die Wandtafel
3 der Tafelpfosten
4 der Tafelschwamm (Schwamm)
5 der Tafellappen (Lappen)
6 die Kreide
7 u. 8 die Schreibübung:
7 die Silbe
8 das Wort;
9 der Abc-Schütze (Erstkläßler)
10 der Lehrer; *früh.* Schulmeister
11 das Podest (Podium)
12 der (das) Katheder (das Pult)
13 das Klassenbuch
14 der Globus
15 die Lesetafel
16 der ausgestopfte Vogel
17 die Anschauungstafel
18 der Schaukasten, mit Präparaten *n*
19 der Eckensteher
20 u. 21 Wandkarten *f* (Schulkarten):
20 die Erdkarte
21 die Europakarte;
22 der Zeigestock (Zeigestab)
23 der Schulleiter (Rektor, Direktor)
24 die Lüftungsklappe
25 der Klassenschrank
26 der Stundenplan
27 die Schulbank
28 der Schüler (Schuljunge, Schulbub)
29 das Tintenfaß
30 das Schulheft (Aufgabenheft)
31 das Lesebuch;
32-70 Schulutensilien *pl*,
32 die Schiefertafel (Tafel):
33 der Holzrand

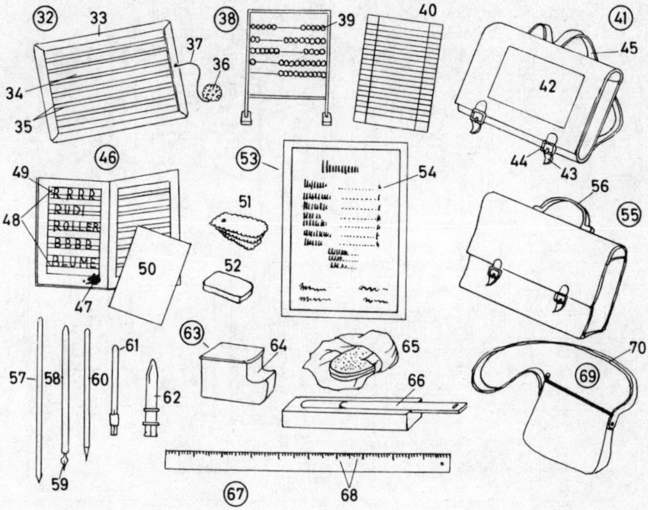

34 die Schreibfläche
35 die Linien *f*
36 der Tafelschwamm (Schwamm)
37 der Schwammfaden;
38 die Rechenmaschine:
39 die Zählkugel;
40 das Linienblatt
41 der Ranzen (Schulranzen):
42 der Ranzendeckel
43 der Verschlußriemen (Schnallenriemen)
44 die Schnalle
45 der Schulterriemen (Tragriemen);
46 das Schreibheft (Heft):
47 der Tintenklecks (Klecks, Tintenfleck)
48 das Geschriebene
49 der Buchstabe
50 das Löschblatt;
51 der Tintenwischer
52 der Radiergummi (Gummi)
53 das Zeugnis:
54 die Zensur (Note);
55 die Schulmappe (Schultasche):
56 der Griff (Henkel, Tragriemen);
57 der Griffel
58 der Federhalter
59 die Feder
60 der Bleistift
61 der Bleistiftverlängerer
62 die Bleistifthülse (der Bleistiftschützer)
63 das Tintenfaß (Klapptintenfaß):
64 die Federhalterrille;
65 das Frühstücksbrot (Pausenbrot)
66 der Griffel- od. Bleistiftkasten
67 das Lineal:
68 die Maßeinteilung;
69 die Schultertasche:
70 das Tragband (Schulterband)

250 Universität

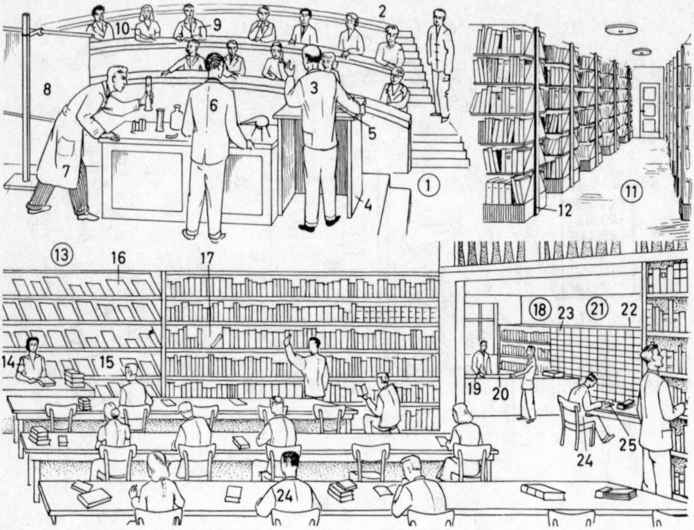

1-25 die Universität (Hochschule; *stud.* Uni),

1 die Vorlesung (das Kolleg):

2 der Hörsaal (das Auditorium)

3 der Dozent (Hochschullehrer), ein Universitätsprofessor *m*, Privatdozent oder Lektor

4 das (der) Katheder (das Vortragspult)

5 das Manuskript

6 der Assistent

7 der Famulus

8 das Lehrbild

9 der Student

10 die Studentin;

11-25 die Universitätsbibliothek; *ähnl.:* Staatsbibliothek, wissenschaftliche Landes- oder Stadtbibliothek,

11 das Büchermagazin, mit den Bücherbeständen *m*:

12 das Bücherregal, ein Stahlregal *n*;

13 der Lesesaal:

14 die Aufsicht, eine Bibliothekarin

15 das Zeitschriftenregal, mit Zeitschriften *f*

16 das Zeitungsregal

17 die Präsenzbibliothek (Handbibliothek), mit Nachschlagewerken *n* (Handbüchern, Lexika, Enzyklopädien *f*, Wörterbüchern *n*);

18 die Bücherausleihe (der Ausleihsaal) und der Katalograum:

19 der Bibliothekar

20 das Ausleihpult

21 der Hauptkatalog

22 der Karteischrank

23 der Karteikasten

24 der Bibliotheksbenutzer

25 der Leihschein

1-15 die Wahlversammlung (Wählerversammlung), eine Massenversammlung,
1 u. 2 der Vorstand:
1 der Versammlungsleiter
2 der Beisitzer;
3 der Vorstandstisch
4 die Glocke
5 der Wahlredner
6 das Rednerpult
7 das Mikrophon
8 die Versammlung (Volksmenge)
9 der Flugblattverteiler
10 der Saalschutz (die Ordner *m*)
11 die Armbinde
12 das Wahlplakat
13 das Wahlschild
14 der Aufruf
15 der Zwischenrufer;
16-30 die Wahl:
16 das Wahllokal (der Wahlraum)
17 der Wahlhelfer
18 die Wählerkartei (Wahlkartei)
19 die Wählerkarte, mit der Wahlnummer
20 der Stimmzettel, mit den Namen *m* der Parteien *f* und Parteikandidaten *m*
21 der Abstimmungsumschlag
22 die Wählerin
23 die Wahlzelle (Wahlkabine)
24 der Wähler mit Stimmrecht *n* (Wahlberechtigte *m*, Stimmberechtigte *m*)
25 die Wahlordnung
26 der Schriftführer
27 der Führer der Gegenliste
28 der Wahlvorsteher (Abstimmungsleiter)
29 die Wahlurne:
30 der Urnenschlitz

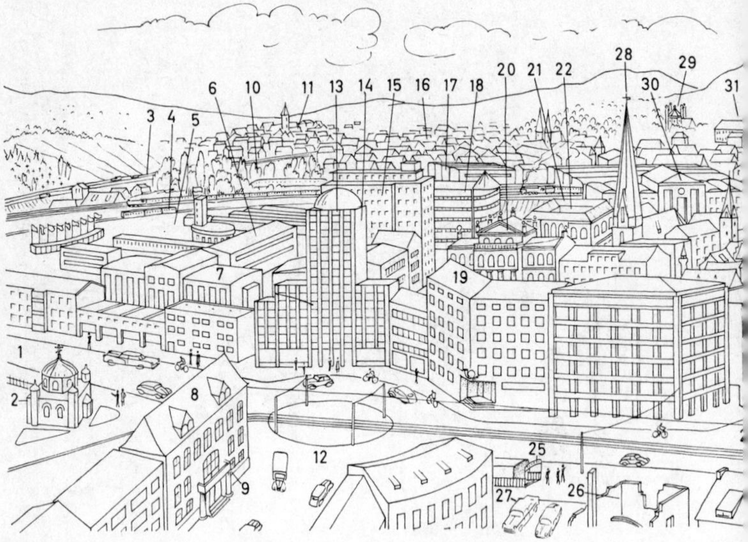

1-70 die Großstadt; *kleiner:* Kleinstadt, Provinzstadt:
1 die Ausfallstraße
2 die griechisch-orthodoxe Kirche
3 die Umgehungsstraße
4 die Hochbahn, eine Stadtbahn
5 das Ausstellungsgelände (Messegelände)
6 das Ausstellungsgebäude (Messegebäude)
7 die Stadthalle
8 das Gerichtsgebäude (Justizgebäude)
9 der Altan
10 der Stadtpark (die Parkanlage, Grünanlage)
11 der Vorort, ein Wohnviertel *n* (*schweiz.* Wohnquartier)
12 der Rundplatz, mit Kreisverkehr *m*
13 das Hochhaus
14 die Reklamefläche
15 das Bürohaus, ein Geschäftshaus *n*
16 das Stadtviertel
17 das Straßenbahndepot
18 das Kaufhaus (Warenhaus)
19 das Hauptpost- und Telegrafenamt, ein öffentliches Gebäude *n*
20 das Opernhaus
21 das Museum
22 der Lichthof
23 der Trolleybus (Obus, Oberleitungsomnibus)
24 die Omnibusoberleitung
25 der Eingang zur Untergrundbahn
26 das Trümmergrundstück
27 der Parkplatz
28 die Stadtkirche
29 die Synagoge
30 der Hauptbahnhof
31 der Stadtrand (die Peripherie)
32 die Geschäftsstraße, eine Hauptverkehrsstraße
33 das Geschäftsviertel (Stadtzentrum, die City, Innenstadt)
34-45 die Altstadt (der Stadtkern):

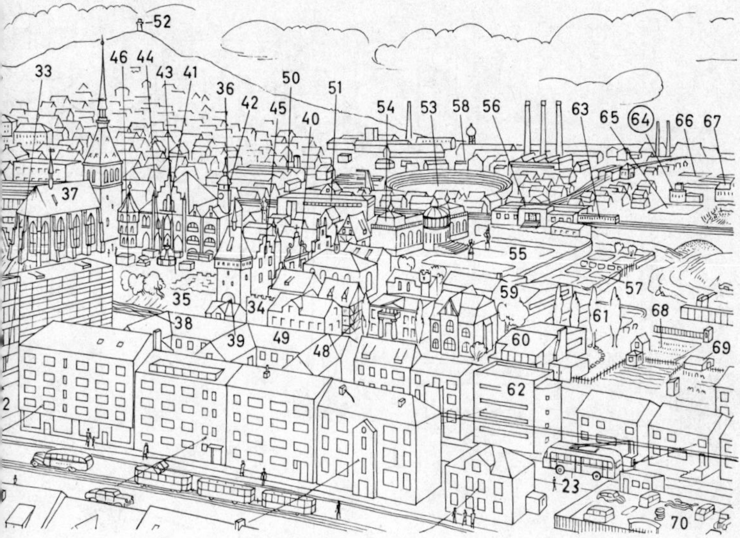

34 die Stadtmauer, eine Ringmauer
35 der Stadtwall
36 der Mauerturm
37 das Münster (der Dom, die Stiftskirche)
38 der Stadtgraben
39 das Stadttor
40 die Sackgasse, eine Gasse
41 das Rathaus (Stadthaus)
42 der Turmhelm
43 der Markt (Marktplatz)
44 der Marktbrunnen
45 das historische Gebäude;
46 die Marktbuden *f*
47 die Kaserne, mit dem Kasernenhof *m*
48 das Fachwerkhaus
49 der Häuserblock (die Mietshäuser *n*; *früh.* Mietskasernen *f*)
50 die Großmarkthalle (Markthalle)
51 der Schlacht- und Viehhof
52 der Aussichtsturm
53 das Sportstadion
54 das Schloß
55 der Hofgarten
56 der Nebenbahnhof
57 der botanische Garten
58 das Industriegelände
59 das Villenviertel
60 die Stadtvilla
61 der Villengarten
62 die Hochgarage
63 die Vorortbahn
64 die Kläranlage (Abwässerreinigung):
65 das Absetzbecken
66 die Rieselfelder *n*;
67 die Müllverbrennungsanstalt
68 der Schrebergarten
69 die Stadtrandsiedlung
70 der Autofriedhof

253 Stadt II

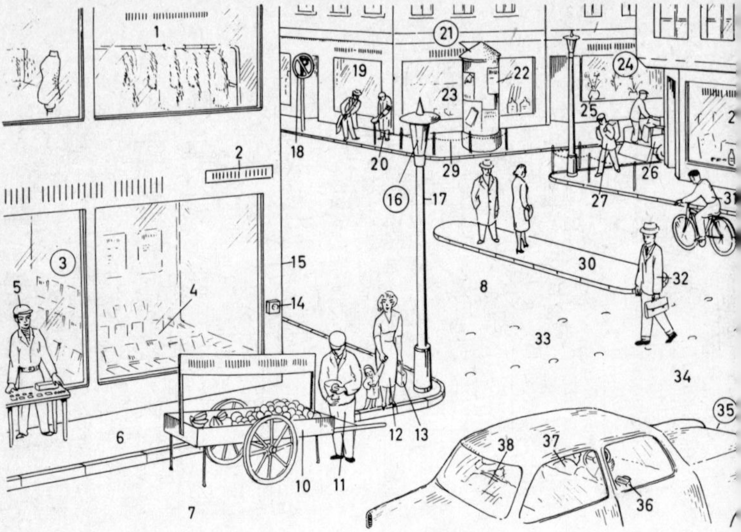

1 das Pelzgeschäft (der Kürschnerladen), ein Etagengeschäft *n*
2 das Straßenschild, mit dem Straßennamen *m*
3 die Buchhandlung, mit Antiquariat *n*:
4 die Auslage;
5 der Straßenhändler (fliegende Händler)
6 der Gehsteig (Bürgersteig, das Trottoir)
7 die Nebenstraße (Seitenstraße); *ähnl.:* Querstraße
8 die Hauptstraße
9 die Straßenkreuzung
10 der Obstwagen
11 der Obsthändler (Obstverkäufer)
12 die Käuferin
13 die Einkaufstasche
14 der Polizeimelder
15 die Straßenecke
16 die Straßenleuchte (Straßenlaterne, Straßenlampe):
17 der Laternenpfahl;
18 das Parkverbotszeichen
19 das Schokoladengeschäft (der Süßwarenladen)
20 der Bettler
21 die Litfaßsäule (Anschlagsäule, Plakatsäule):
22 das Plakat;
23 die Drogerie
24 das Blumengeschäft:
25 die Schaufensterdekoration;
26 der Kohlenwagen
27 der Kohlenträger
28 die Apotheke
29 die Sperrkette
30 die Verkehrsinsel
31 der Radfahrer
32 der Fußgänger (Straßenpassant, Passant)
33 der Fußgängerüberweg
34 die Fahrbahn

35 das Taxi (die Taxe; *schweiz.* der Taxi), am Taxistand *m*:
36 der Fahrpreisanzeiger (Taxameter)
37 der Taxifahrer (Taxichauffeur, Taxischoffför);
38 der Fahrgast
39 die Verkehrsampel
40 die Fischhandlung, ein Eckladen *m*
41 das Schaufenster
42 der Fensterputzer
43 der Fahrradständer
44 der Zeitungsverkäufer
45 das Extrablatt
46 der Papierkorb (Abfallkorb)
47 der Straßenkehrer
48 der Straßenschmutz
49 der Gully (Schlammfang)
50 der Warenautomat
51 die Parkzeituhr (das Parkometer)
52 die Bäckerei
53 der Hausierer
54 der Trödelladen
55 der Feuermelder
56 das Verkehrszeichen, ein Gebotszeichen *n*; *hier:* Halt! Vorfahrt achten!
57 die Antiquitätenhandlung
58-69 der Verkehrsunfall,
58 der Verkehrsunfallwagen:
59 das Blaulicht;
60 das beschädigte Auto
61 das umgestürzte Motorrad
62 die Bremsspur
63 die Glasscherben *f*
64 der Polizeibeamte, ein Verkehrspolizist *m*
65 der Autofahrer
66 die Fahrzeugpapiere
67 der Augenzeuge
68 der Motorradfahrer; *hier:* der Verletzte (Verunglückte, das Verkehrs-
69 der Unfallarzt [opfer)

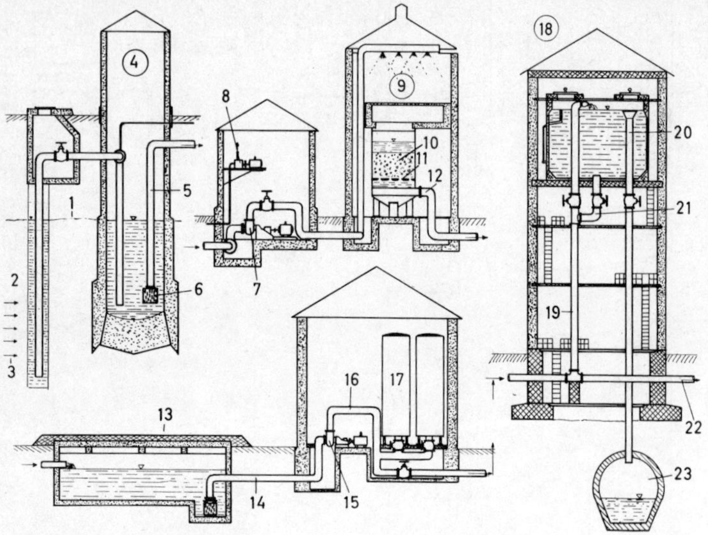

1-66 die Trinkwasserversorgung:
1 der Grundwasserspiegel
2 die wasserführende Schicht
3 der Grundwasserstrom
4 der Sammelbrunnen, für das Rohwasser:
5 die Saugleitung
6 der Saugkorb, mit Fußventil *n*;
7 die Schöpfpumpe, mit Motor *m*
8 die Vakuumpumpe, mit Motor *m*
9 die Schnellfilteranlage:
10 der Filterkies
11 der Filterboden, ein Rost *m*
12 die Ablaufleitung, für filtriertes Wasser *n*;
13 der Reinwasserbehälter
14 die Saugleitung, mit Saugkorb *m* und Fußventil *n*
15 die Hauptpumpe, mit Motor *m*
16 die Druckleitung
17 der Windkessel
18 der Wasserturm (Wasserhochbehälter, das Wasserhochreservoir):
19 die Steigleitung
20 die Überlaufleitung
21 die Falleitung
22 die Leitung in das Verteilungsnetz
23 der Abwasserkanal;
24-39 die Fassung einer Quelle:
24 die Quellstube
25 der Sandfang
26 der Einsteigschacht
27 der Entlüfter
28 die Steigeisen *n*
29 die Ausschüttung
30 das Absperrventil
31 der Entleerungsschieber
32 der Seiher

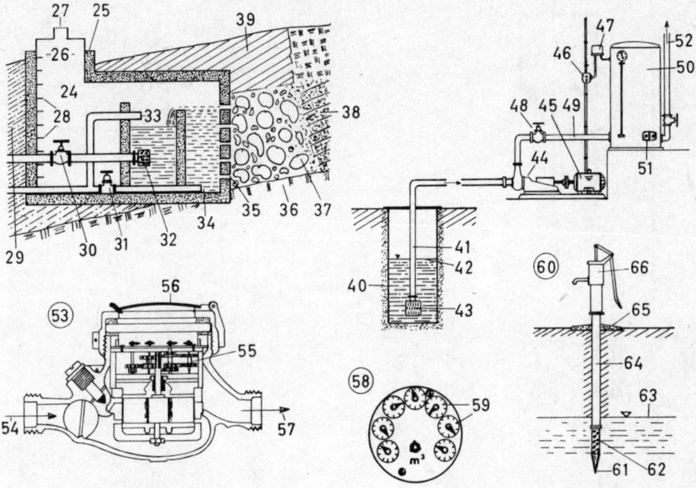

33 der Überlauf

34 der Grundablaß

35 die Tonrohre *n*

36 die wasserundurchlässige Schicht

37 vorgelagerte Feldsteine *m*

38 die wasserführende Schicht

39 die Stampflehmpackung;

40-52 die Einzelwasserversorgung:

40 der Brunnen

41 die Saugleitung

42 der Grundwasserspiegel

43 der Saugkorb, mit Fußventil *n*

44 die Kreiselpumpe

45 der Motor

46 der Motorschaltschutz

47 der Druckwächter, ein Schaltgerät *n*

48 der Absperrschieber

49 die Druckleitung

50 der Windkessel

51 das Mannloch

52 die Leitung zum Verbraucher *m*;

53 die Wasseruhr (der Wasserzähler, Wassermesser), ein Flügelradwasserzähler *m*:

54 der Wasserzufluß

55 das Zählwerk

56 die Haube, mit Glasdeckel *m*

57 der Wasserabfluß;

58 das Zifferblatt des Wasserzählers *m*:

59 das Zählwerk;

60 der Rammbrunnen:

61 die Rammspitze

62 das (der) Filter

63 der Grundwasserspiegel

64 das Brunnenrohr (Mantelrohr)

65 die Brunnenumrandung

66 die Handpumpe

255 Feuerwehr

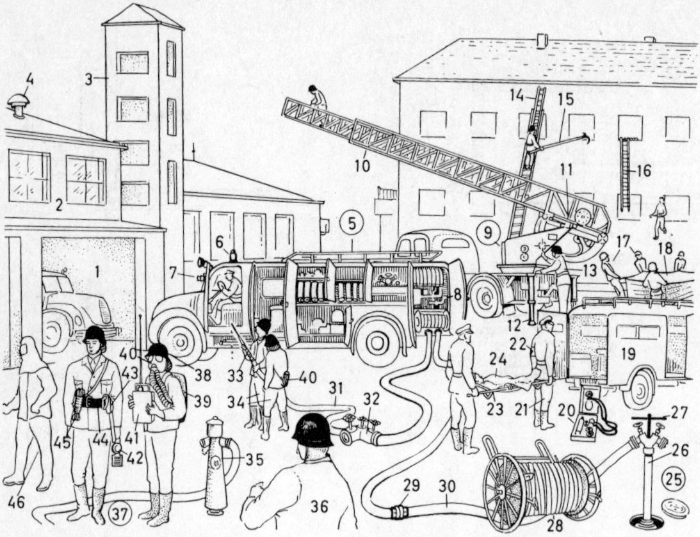

1-46 die Feuerwehrübung (Lösch-, Steig-, Leiter-, Rettungsübung),

1-3 die Feuerwache:

1 die Fahrzeughalle und das Gerätehaus

2 die Mannschaftsunterkunft (Unterkunft)

3 der Übungsturm;

4 die Feuersirene (Alarmsirene)

5 das Löschfahrzeug (die Kraftspritze, Motorspritze):

6 das Blaulicht (Warnlicht), ein Blinklicht *n*

7 das Signalhorn

8 die Motorpumpe, eine Kreiselpumpe;

9 die Kraftfahrdrehleiter:

10 der Leiterpark, eine Stahlleiter (mechanische Leiter)

11 das Leitergetriebe

12 die Abstützspindel;

13 der Maschinist

14 die Schiebeleiter

15 der Einreißhaken

16 die Hakenleiter

17 die Haltemannschaft

18 das Sprungtuch

19 der Rettungswagen (Unfallwagen), ein Krankenkraftwagen *m* (*ugs.* das Sanitätsauto, Krankenauto, die Ambulanz)

20 das Wiederbelebungsgerät, ein Sauerstoffgerät *n*

21 der Sanitäter

22 die Armbinde

23 die Tragbahre (Krankenbahre)

24 der Bewußtlose

25 der Unterflurhydrant:

26 das Standrohr

27 der Hydrantenschlüssel;

28 die fahrbare Schlauchhaspel

29 die Schlauchkupplung

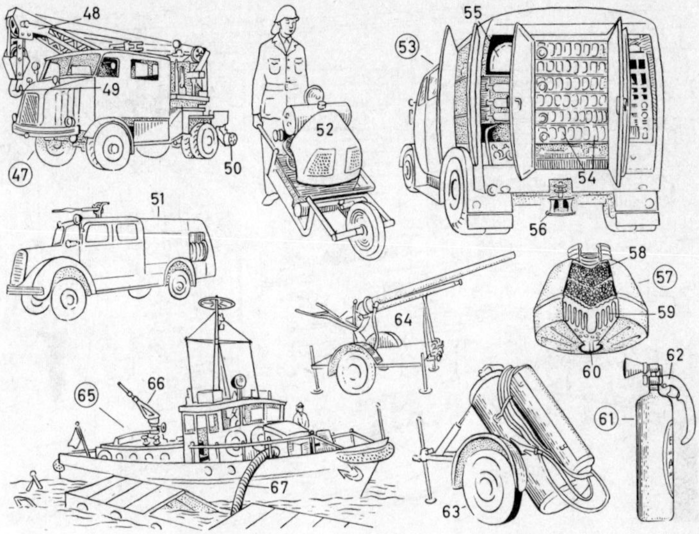

30 die Saugleitung, eine Schlauchleitung
31 die Druckleitung
32 das Verteilungsstück
33 das Strahlrohr
34 der Löschtrupp
35 der Überflurhydrant
36 der Brandmeister
37 der Feuerwehrmann:
38 der Feuerschutzhelm, mit dem Nackenschutz *m*
39 das Atemschutzgerät
40 die Gasmaske
41 das tragbare Funksprechgerät, mit dem Lippenmikrophon *n*
42 der Handscheinwerfer
43 das Feuerwehrbeil
44 der Hakengurt
45 die Fangleine (Rettungsleine)
46 die Schutzkleidung (Wärmeschutzkleidung) aus Asbest *m* (Asbestanzug) oder Metallstoff *m*;
47 der Kranwagen:
48 der Bergungskran
49 der Zughaken
50 die Stützrolle;
51 das Tanklöschfahrzeug (der Tanklöschwagen)
52 die Tragkraftspritze
53 der Schlauch- und Gerätewagen:
54 die Rollschläuche *m*
55 die Kabeltrommel
56 das Spill;
57 der (das) Gasmaskenfilter:
58 die Aktivkohle
59 der Staubfilter
60 die Lufteintrittsöffnung;
61 der Handfeuerlöscher:
62 das Pistolenventil;
63 das fahrbare Löschgerät
64 der Luftschaum- und Wasserwerfer
65 das Feuerlöschboot:
66 die Wasserkanone
67 der Saugschlauch

256 Kaufhaus (Warenhaus)

1 die Kassiererin
2 die elektrische Registrierkasse (Ladenkasse, Tageskasse):
3 die Zifferntasten *f*
4 der Auslöschknopf
5 der Geldschub (Geldkasten)
6 die Geldfächer *n*, für Hartgeld *n* und Banknoten *f*
7 der quittierte Kassenzettel (Kassenbon, Bon)
8 die Zahlung (registrierte Summe)
9 das Zählwerk
10 der Tagesumsatz;
11 der Lichthof
12 die Herrenartikelabteilung
13 die Schauvitrine (Innenauslage)
14 die Warenausgabe
15 das Warenkörbchen
16 die Kundin (Käuferin)
17 die Strumpfwarenabteilung
18 die Verkäuferin
19 das Preisschild
20 der Handschuhständer
21 der Dufflecoat, ein dreiviertellanger Mantel *m*
22 die Rolltreppe
23 die Leuchtstoffröhre (die Leuchtstofflampe)
24 das Reisebüro
25 das Werbeplakat
26 die Theater- und Konzertkartenverkaufsstelle (Kartenvorverkaufsstelle)
27 das Kreditbüro
28 die Damenkonfektionsabteilung (Abteilung für Damenkleidung):
29 das Konfektionskleid (*ugs.* Kleid von der Stange)
30 der Staubschutz
31 die Kleiderstange
32 die Ankleidekabine (Ankleidezelle, der Anproberaum)

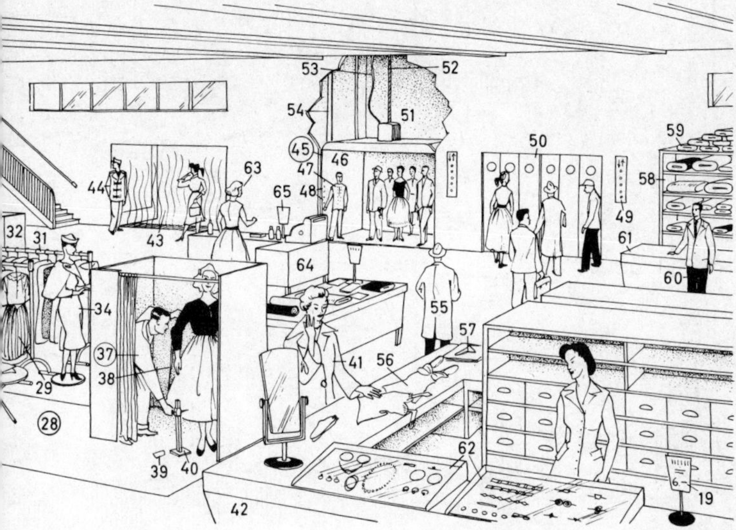

33 der Empfangschef
34 die Modepuppe
35 der Lehnsessel
36 das Modejournal (die Modezeitschrift)
37 der Schneider, beim Abstecken *n*:
38 das Metermaß (Bandmaß)
39 die Schneiderkreide
40 der Rocklängenmesser (Rockrunder);
41 der lose Mantel
42 das Verkaufskarree
43 der Warmluftvorhang
44 der Portier (Pförtner)
45 der Personenaufzug (Lift):
46 der Fahrstuhl (die Fahrkabine)
47 der Fahrstuhlführer (Aufzugführer, Liftboy)
48 die Steuerung
49 der Stockwerkanzeiger
50 die Schiebetür
51 der Aufzugschacht
52 das Tragseil
53 das Steuerseil
54 die Führungsschiene;
55 der Kunde (Käufer)
56 die Wirkwaren *pl*
57 die Weißwaren *pl* (Tischwäsche *f* und Bettwäsche *f*)
58 das Stofflager (die Stoffabteilung)
59 der Stoffballen (Tuchballen)
60 der Abteilungsleiter (Rayonchef)
61 die Verkaufstheke
62 die Bijouteriewarenabteilung (Galanteriewarenabteilung)
63 die Neuheitenverkäuferin
64 der Sondertisch
65 das Plakat mit der Sonderanpreisung
66 die Gardinenabteilung
67 die Rampendekoration

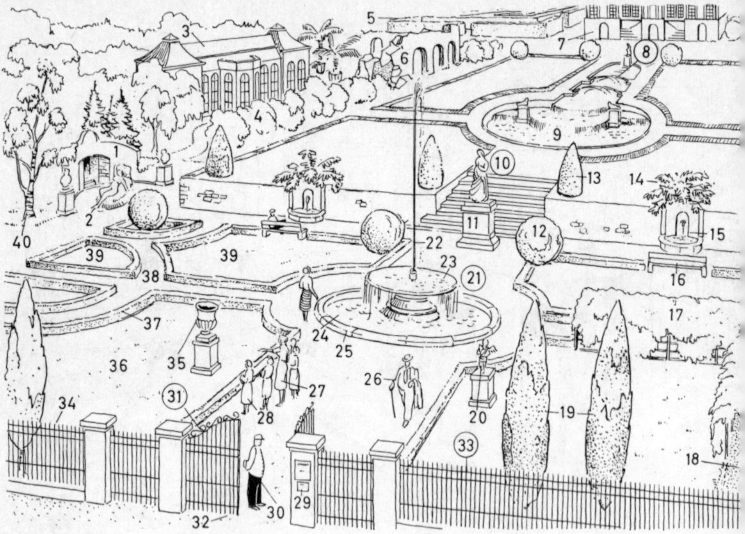

1-40 der französische Park (Barockpark), ein Schloßpark *m*:

1 die Grotte
2 die Steinfigur, eine Quellnymphe
3 die Orangerie
4 das Boskett
5 der Irrgarten (das Labyrinth aus Heckengängen *m*)
6 das Naturtheater
7 das Barockschloß
8 die Wasserspiele *n* (Wasserkünste *f*):
9 die Kaskade (der stufenförmige künstliche Wasserfall);
10 das Standbild (die Statue), ein Denkmal *n*:
11 der Denkmalsockel;
12 der Kugelbaum
13 der Kegelbaum
14 der Zierstrauch
15 der Wandbrunnen
16 die Parkbank
17 die Pergola (der Laubengang)
18 der Kiesweg
19 der Pyramidenbaum
20 die Amorette
21 der Springbrunnen:
22 die Fontäne (der Wasserstrahl)
23 das Überlaufbecken
24 das Bassin
25 der Brunnenrand (die Ummauerung);
26 der Spaziergänger
27 die Erzieherin (Gouvernante)
28 die Zöglinge *m* (Schülerinnen *f*) des Mädchenpensionats *n*
29 die Parkordnung
30 der Parkwächter
31 das Parktor (Gittertor), ein schmiedeeisernes Tor *n*:
32 der Parkeingang;
33 das Parkgitter:
34 der Gitterstab;
35 die Steinvase

36 die Rasenfläche (Grünfläche, der Rasen)
37 die Wegeinfassung, eine beschnittene Hecke
38 der Parkweg
39 die Parterreanlage
40 die Birke;

41-69 der englische Park (Landschaftspark, Naturgarten) und das Parkleben:

41 der Reitweg
42 der Reiter beim Ausritt *m* (Spazierritt)
43 der Amateurfotograf
44 das Liebespaar beim Stelldichein *n* (Treffen, Rendezvous)
45 das Eselreiten
46 der Schwan
47 das Schwanenhäuschen
48 die Freiversammlung:
49 der Redner;
50 der Parkteich (Teich)
51 das Ruderboot (der Kahn)
52 der Ruderer
53 die Pyramidenpappel
54 der Viererzug (Vierspänner, das Viergespann)
55 der Kriegsversehrte (Kriegsbeschädigte, Körperbehinderte, Invalide)
56 der Spielwagen
57 der Goldfischteich
58 der Erfrischungskiosk
59 die Lutschstange
60 der Tretroller
61 die Heilsarmeekapelle:
62 der Heilsarmeesoldat
63 die Heilsarmeekadettin
64 der Schutenhut
65 die Sammelbüchse;
66 der Schlafende (Schläfer)
67 der Abfallsammler
68 der Parkwärter, ein Stadtgärtner *m*
69 der Abfallkorb

258 Kinderspielplatz

1-59 Kinderspiele *n* (Spiele):
1 das Versteckspiel (Verstecken)
2 das Tretauto (der Selbstfahrer)
3 das Luftgewehr
4 das Plumpsackspiel (der Rundkreis, das »Faule Ei«):
5 der Plumpsack;
6 der Purzelbaum
7 das Sackhüpfen
8 der Roller
9 die Gabelschleuder (Steinschleuder, Schleuder)
10 das Planschbecken
11 der Ball
12 die Kinderschwester (Nurse)
13 das Hüpfspiel (Paradiesspiel, »Himmel und Hölle«)
14 die Großmutter (*ugs.* Oma)
15 das Kapotthütchen
16 der Strickstrumpf
17 das Kreiselspiel (Kreiseln):
18 der Kreisel (Peitschenkreisel, Tanzknopf)
19 der Kreiselstock;
20 das Reifenspiel:
21 der Reifen
22 der Treibstock;
23 das Haschen (Fangspiel, Greifspiel, Fangen), ein Bewegungsspiel *n*
24 das Diabolospiel, ein Geschicklichkeitsspiel *n*
25 das Diabolo (der Doppelkreisel, Schleuderkreisel)
26 der Sandplatz (Sandkasten):
27 der Sandeimer

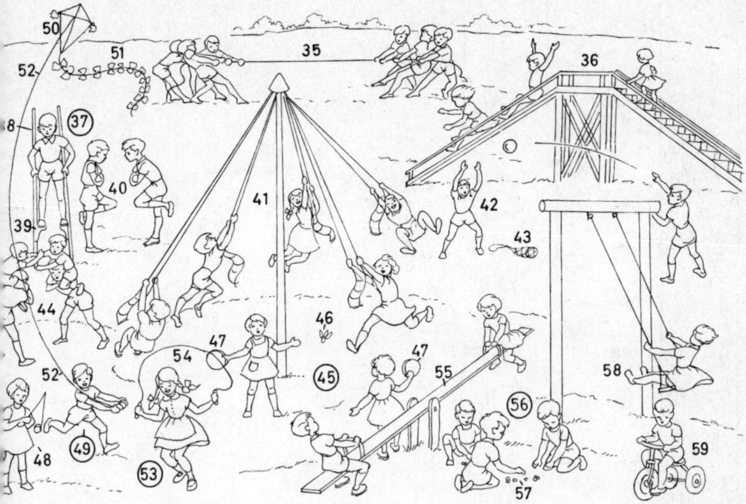

28 die Sandschaufel;
29 der Ringelreihen (Ringelreigen)
30 der Korbkinderwagen (Kinderwagen, Korbwagen):
31 die Ausfahrgarnitur
32 das Verdeck
33 die Korbtasche;
34 das Kinderfräulein
35 das Tauziehen (Seilziehen)
36 die Rutschbahn (Rutsche)
37 das Stelzenlaufen:
38 die Stelze
39 der Trittklotz (Stelzentritt, *nd.* die Knagge, der Knaggen);
40 der Hahnenkampf (das Rempeln)
41 der Rundlauf
42 das Ballspiel
43 das Ballnetz
44 der Reiterkampf
45 das Tamburinspiel:
46 der Federball
47 das Tamburin;
48 das Yo-Yo-Spiel
49 das Drachensteigen:
50 der Papierdrachen (Drachen)
51 der Drachenschwanz
52 die Drachenschnur;
53 das Seilhüpfen (Seilspringen):
54 das Springseil;
55 die Wippe
56 das Murmelspiel:
57 die Murmeln *f* (Marmeln, Marbeln, Schusser *m*, Klicker);
58 die Schaukel
59 das Kinderdreirad (Dreirad)

1-26 das Vestibül (der Empfangsraum, Anmelderaum):
1 der Portier
2 die Postablage, mit den Postfächern *n*
3 das Schlüsselbrett
4 die Kugelleuchte, eine Mattglaskugel
5 der Nummernkasten (Klappenkasten)
6 das Lichtrufsignal
7 der Empfangschef (Geschäftsführer)
8 das Fremdenbuch
9 der Zimmerschlüssel:
10 das Nummernschild, mit der Zimmernummer;
11 die Hotelrechnung
12 der Anmeldeblock, mit Meldezetteln *m* (Anmeldeformularen *n*)
13 der Reisepaß
14 der Hotelgast
15 der Luftkoffer, ein Leichtkoffer *m* für Flugreisen *f*
16 das Wandschreibpult (Wandpult)
17 der Hausdiener (Hausknecht);
18-26 die Halle (Hotelhalle):
18 der Hotelboy (Hotelpage, Boy, Page)
19 der Hoteldirektor
20 der Speisesaal (das Hotelrestaurant)
21 die Krone, eine mehrflammige Leuchte
22 die Kaminecke:
23 der Kamin
24 der (das) Kaminsims
25 das offene Feuer
26 der Klubsessel;
27-38 das Hotelzimmer, ein Doppelzimmer *n* mit Bad *n*:
27 die Doppeltür
28 die Klingeltafel
29 der Schrankkoffer:
30 das Kleiderabteil

31 das Wäscheabteil;
32 das Doppelwaschbecken
33 der Zimmerkellner
34 das Zimmertelefon
35 der Veloursteppich
36 der Blumenschemel
37 das Blumenarrangement
38 das Doppelbett;
39 der Gesellschaftssaal (Festsaal),
40-43 die Tischgesellschaft (geschlossene Gesellschaft) beim Festessen *n* (Mahl, Bankett):
40 der Festredner, beim Trinkspruch *m* (Toast)
41 der Tischnachbar von 42
42 der Tischherr von 43
43 die Tischdame von 42;
44-46 der Fünfuhrtee (Five o'clock tea), in der Hoteldiele,
44 das Bartrio (die Barband):
45 der Stehgeiger;
46 das Paar beim Tanzen *n* (Tanzpaar);
47 der Ober (Kellner)
48 das Serviertuch
49 der Zigarren-und-Zigaretten-Boy
50 der Tragladen (Bauchladen)
51 die Hotelbar:
52 die Fußleiste
53 der Barhocker
54 die Bartheke (Theke)
55 der Bargast
56 das Cocktailglas
57 das Whiskyglas
58 der Sektkork
59 der Sektkübel (Sektkühler)
60 das Meßglas
61 der Cocktailshaker (Mixbecher)
62 der Mixer (Barmixer)
63 die Bardame
64 das Flaschenbord
65 das Gläserregal
66 die Spiegelverkleidung

1-29 das Restaurant (die Restauration; *weniger anspruchsvoll:* die Wirtschaft, die Trinkstube),

1-11 der Ausschank (die Theke, das Büfett; *österr.* Büffet):

1 der Bierdruckapparat (Selbstschenker)

2 die Tropfplatte

3 der Bierbecher, ein Becherglas *n*

4 der Bierschaum (die Blume)

5 die Aschenkugel für Tabakasche *f*

6 das Bierglas

7 der Bierwärmer

8 der Büfettier (*österr.* Büffetier)

9 das Gläserregal

10 das Flaschenregal

11 der Tellerstapel (Geschirrstapel);

12 der Kleiderständer (Garderobenständer):

13 der Huthaken

14 der Kleiderhaken;

15 der Wandventilator (Wandlüfter)

16 die Flasche

17 das Tellergericht

18 die Bedienung (Kellnerin, Serviererin; *schweiz.* Saaltochter)

19 das Tablett

20 der Losverkäufer

21 die Speisekarte (Tageskarte, Menükarte; *schweiz.* Menukarte)

22 die Menage

23 der Zahnstocherbehälter

24 der Streichholzständer (Zündholzständer)

25 der Gast

26 der Bieruntersetzer (Bierdeckel)
27 das Bierglas
28 die Blumenverkäuferin (das Blumenmädchen)
29 der Blumenkorb;
30-44 die Weinstube (das Weinlokal, Weinrestaurant):
30 der Oberkellner (*ugs.* Ober)
31 die Weinkarte
32 die Weinkaraffe
33 das Weinglas
34 der Kachelofen:
35 die Ofenkachel
36 die Ofenbank;
37 das Holzpaneel (Paneel)
38 die Eckbank
39 der Stammtisch
40 der Stammgast
41 die Besteckkommode (Kommode)
42 der Weinkühler:
43 die Weinflasche
44 die Eisstückchen *n*;
45-54 die Schnellgaststätte (das Schnellbüfett, *österr.* Schnellbüffet), ein Automatenrestaurant *n*, zur Selbstbedienung:
45 die Glaswand
46 die Kassiererin
47 die Wechselkasse
48 der Glücksspielautomat
49 der Speiseautomat (Speisenselbstgeber):
50 der Geldschlitz (Geldeinwurf)
51 die Warenausgabe;
52 der Getränkeautomat
53 der Stehtisch
54 die Menüplatte (*schweiz.* Menuplatte)

261 Gaststätten II

1-26 das Kaffee (Café, Kaffeehaus) mit Konditorei *f*; *ähnl.:* das Espresso, die Teestube,

1 das Büfett (Kuchenbüfett, Konditoreibüfett, *österr.* Büffet):

2 die Großkaffeemaschine

3 der Zahlteller

4 die Torte

5 das Baiser (*obd.* und *österr.* die Meringe, *schweiz.* Meringue), ein Zuckerschaumgebäck *n* mit Schlagsahne *f* (Schlagrahm *m*, *bayr.-österr.* Schlagobers *n*, Obers);

6 der Konditorlehrling

7 das Büfettfräulein (die Büfettdame, *österr.* Büffetdame)

8 der Zeitungsschrank (das Zeitungsregal)

9 die Wandleuchte

10 die Eckbank, eine Polsterbank

11 der Kaffeehaustisch:

12 die Marmorplatte;

13 die Serviererin

14 das Tablett (Auftragetablett, Serviertablett, Servierbrett)

15 die Limonadenflasche

16 das Limonadenglas

17 die Schachspieler *m* bei der Schachpartie (Partie Schach *n*)

18 das Kaffeegedeck:

19 die Tasse Kaffee *m*

20 das Zuckerschälchen

21 das Sahnekännchen (der Sahnengießer);

22 der Verehrer (Kavalier), ein junger Mann *m*

23 das junge Mädchen (der Backfisch, Teenager)

24 der Zeitungsleser, ein Kaffeehausgast *m* (Kaffeehausbesucher)

25 die Zeitung

26 der Zeitungshalter;

27-44 das Gartenkaffee, ein Gartenlokal *n*:

27 die Sitzterrasse
28 die Kinder *n* beim Reifenspiel *n*:
29 der Fangreifen
30 der Fangstab;
31 die Spielwiese
32 der gedeckte Vorbau (die Glasveranda):
33 das Aussichtsfenster, ein breites Fenster *n*;
34 die Eisbombe
35 das Glas mit Orangeade *f*
36 das Trinkröhrchen, ein Stroh- oder Kunststofftrinkhalm *m*
37 der Eisbecher:
38 die Eiswaffel
39 der Eislöffel;
40 die Tischtuchklammer
41 die Handstange
42 das Zwergbäumchen
43 der Gartenkies
44 der Fußabstreicher (Abstreifer, Abtreter, das Abstreifgitter);

45-51 die Eisdiele und **die Espressobar:**

45 die Konservatorbüchse, zum Aufbewahren *n* des Speiseeises *n* (Gefrorenen *n*)
46 die Eiskremmasse
47 die elektrische Eismaschine:
48 der Maschinensatz, mit Ammoniakverdampfer *m*, Kompressor *m* und Kühler *m*
49 der Spiralkneter (das Rührwerk);
50 die Espressomaschine (italienische Mokkamaschine)
51 die Mokkatasse

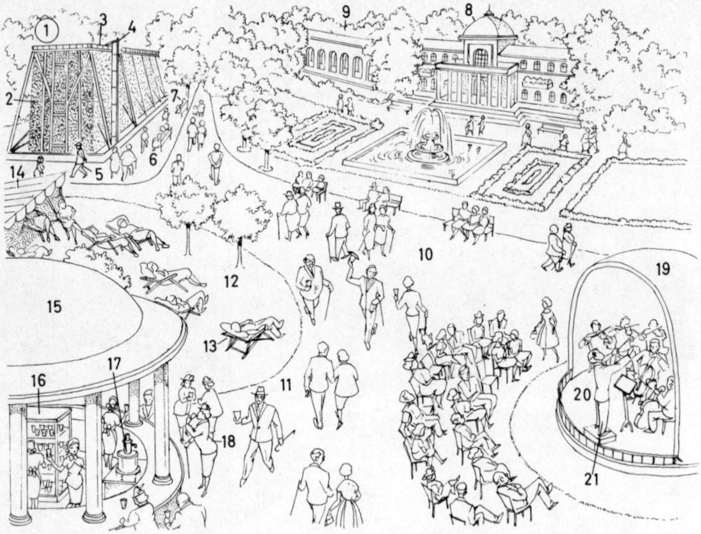

1-49 der Kurort (Badeort, das Bad),
1-21 der Kurpark,
1-7 die Saline,
1 das Gradierwerk (Rieselwerk):
2 das Dornreisig
3 die Verteilungsrinne, für die Sole
4 die Solezuleitung vom Pumpwerk *n*;
5 der Gradierwärter
6 u. 7 die Inhalationskur:
6 das Freiinhalatorium
7 der Kranke, beim Inhalieren *n* (bei der Inhalation);
8 das Kurhaus, mit dem Kursaal *m* (Kasino *n*)
9 die Wandelhalle (der Säulengang, die Kolonnade)
10 die Kurpromenade
11 die Brunnenallee
12-14 die Liegekur:
12 die Liegewiese
13 der Liegestuhl
14 das Sonnendach;
15-17 der Brunnen (die Heilquelle, Trinkquelle):
15 der Brunnenpavillon (das Brunnenhaus, der Quellpavillon)
16 der Gläserstand
17 die Zapfstelle;
18 der Kurgast (Badegast), bei der Trinkkur
19 der Konzertpavillon
20 die Kurkapelle, beim Kurkonzert *n*
21 der Kapellmeister (Dirigent);
22 die Pension

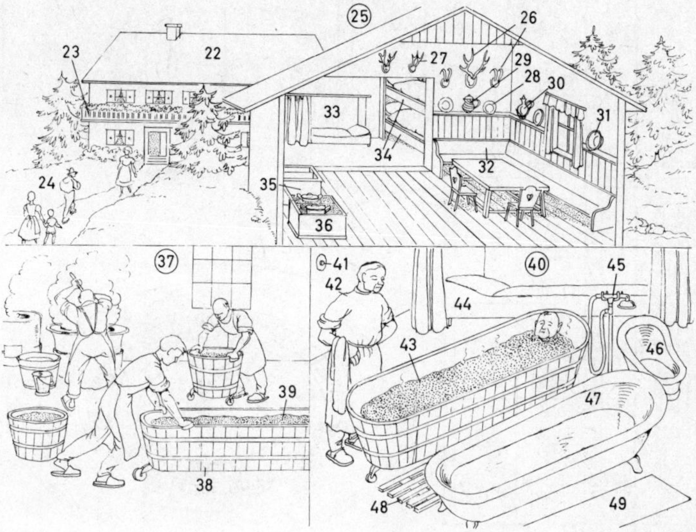

23 der Umlaufbalkon
24 die Pensionsgäste *m* (Feriengäste, Urlauber, Sommerfrischler)
25 das Wochenendhaus (Sommerhaus), ein Blockhaus *n*:
26 die Jagdtrophäen *f*
27 das Rehgehörn
28-31 das Zinngeschirr (Zinn):
28 der Zinnteller
29 der Zinnkrug
30 die Zinnflasche
31 die Zinnschüssel;
32 die Eckbank
33 das Klappbett
34 die Doppelkoje
35 der Eiskasten
36 die Kochkiste;
37-49 das Moorbad (Schlammbad),
37 die Moorküche:
38 die Moorwanne, eine Holzwanne
39 der Moorbrei (das Heilmoor);
40 der Baderaum:
41 die Alarmklingel
42 der Bademeister
43 das Moorvollbad
44 das Ruhebett
45 die Handbrause
46 die Sitzbadewanne, für das Teilmoorbad
47 das Reinigungsbad
48 der Lattenrost
49 der Badevorleger

263 Roulett

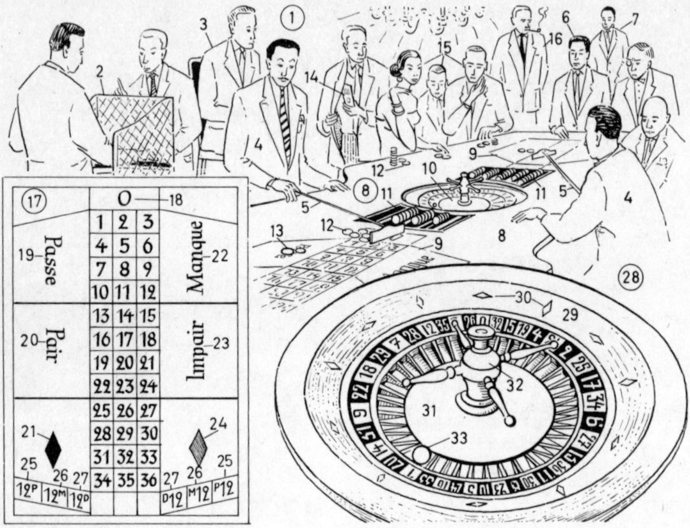

1-33 das Roulett, ein Glücksspiel *n* (Hasardspiel),
1 der Roulettspielsaal (Spielsaal), in der Spielbank (im Spielkasino *n*):
2 die Kasse
3 der Spielleiter (Chef *m* de partie)
4 der Handcroupier (Croupier)
5 das Rateau (die Geldharke)
6 der Kopfcroupier
7 der Saalchef
8 der Roulettspieltisch:
9 das Tableau (der Spielplan)
10 die Roulettmaschine
11 die Tischkasse (Bank)
12 der Jeton (die Plaque, Spielmarke, das Stück)
13 der Einsatz;
14 der Kasinoausweis
15 der Roulettspieler
16 der Privatdetektiv (Hausdetektiv);
17 der Roulettspielplan:
18 Zero (Null, 0)
19 Passe (Groß) [Zahlen von 19-36]
20 Pair [gerade Zahlen]
21 Noir (Schwarz)
22 Manque (Klein) [Zahlen von 1-18]
23 Impair [ungerade Zahlen]
24 Rouge (Rot)
25 Douze premier (erstes Dutzend) [Zahlen von 1 bis 12]
26 Douze milieu (mittleres Dutzend) [Zahlen von 13 bis 24]
27 Douze dernier (letztes Dutzend) [Zahlen von 25 bis 36];
28 die Roulettmaschine (das Roulett):
29 der Roulettkessel
30 das Hindernis
31 die Drehscheibe, mit den Nummern *f* 0 bis 36
32 das Drehkreuz
33 die Roulettkugel

1-19 das Billard (Billardspiel):
1 die Billardkugel (der Billardball), eine Elfenbein- oder Kunststoffkugel
2-6 Billardstöße *m*:
2 der Mittelstoß (Horizontalstoß)
3 der Hochstoß [ergibt Nachläufer *m*]
4 der Tiefstoß [ergibt Rückzieher *m*]
5 der Effetstoß
6 der Kontereffetstoß;
7-19 das Billardzimmer,
7 das französische Billard (Karambolagebillard); *ähnl.:* das deutsche oder englische Billard (Lochbillard):
8 der Billardspieler
9 das Queue (der Billardstock):
10 die Queuekuppe, eine Lederkuppe;
11 der weiße Spielball
12 der rote Stoßball
13 der weiße Punktball
14 der Billardtisch (das Brett), ein Schiefer- oder Marmortisch *m*:
15 die Spielfläche mit grüner Tuchbespannung *f*
16 die Bande (Gummibande);
17 das Billardtaxi, eine Kontrolluhr
18 die Anschreibetafel
19 der Queueständer

1-16 das Schachspiel (Schach, das königliche Spiel), ein Kombinationsspiel *n* oder Positionsspiel *n*,
1 das Schachbrett (Spielbrett), mit den Figuren *f* in der Ausgangsstellung:
2 das weiße Feld (Schachbrettfeld, Schachfeld)
3 das schwarze Feld
4 die weißen Schachfiguren *f* (Figuren, die Weißen) [weiß = W]
5 die schwarzen Schachfiguren *f* (die Schwarzen) [schwarz = S]
6 die Buchstaben *m* und Zahlen *f* zur Schachfelderbezeichnung, zur Niederschrift (Notation) von Schachpartien *f* (Zügen *m*) und Schachproblemen *n*
7 die Schachfigurensymbole *n* (Figurensymbole), zur Darstellung von Schachstellungen *f*:
8 der König
9 die Dame (Königin)
10 der Läufer
11 der Springer
12 der Turm
13 der Bauer;
14 die Gangarten *f* (Züge *m*) der einzelnen Figuren *f*
15 das Matt (Schachmatt), ein Springermatt *n* [S f 3 ‡]
16 die Schachuhr, eine Doppeluhr für Schachturniere *n* (Schachmeisterschaften *f*);

17-19 das Damespiel (Damspiel):
17 das Damebrett
18 der weiße Damestein; *auch* Spielstein *m* für Puff- und Mühlespiel *n*
19 der schwarze Damestein;

20 das Saltaspiel (Salta):
21 der Saltastein;
22 das Spielbrett, für das **Puffspiel** (Puff, Tricktrack)

23-25 das Mühlespiel:
23 das Mühlebrett
24 die Mühle
25 die Zwickmühle (Doppelmühle);

26-28 das Halmaspiel:
26 das Halmabrett
27 der Hof
28 die verschiedenfarbigen Halmafiguren *f* (Halmasteine *m*);

29 das Würfelspiel (Würfeln, Knobeln):
30 der Würfelbecher (Knobelbecher)
31 die Würfel *m* (Knobel)
32 die Augen *n*;

33 das Dominospiel (Domino):
34 der Dominostein
35 der Pasch;

36 Spielkarten *f*:
37 die französische Spielkarte (das Kartenblatt)
38-45 die Farben *f* (Serienzeichen *n*):
38 Kreuz *n* (Treff)
39 Pik *n* (Pique, Schippen *n*)
40 Herz *n* (Cœur)
41 Karo *n* (Eckstein *m*)
42 Eichel *f* (Ecker)
43 Grün *n* (Blatt, Gras, Grasen)
44 Rot *n* (Herz)
45 Schellen *n*

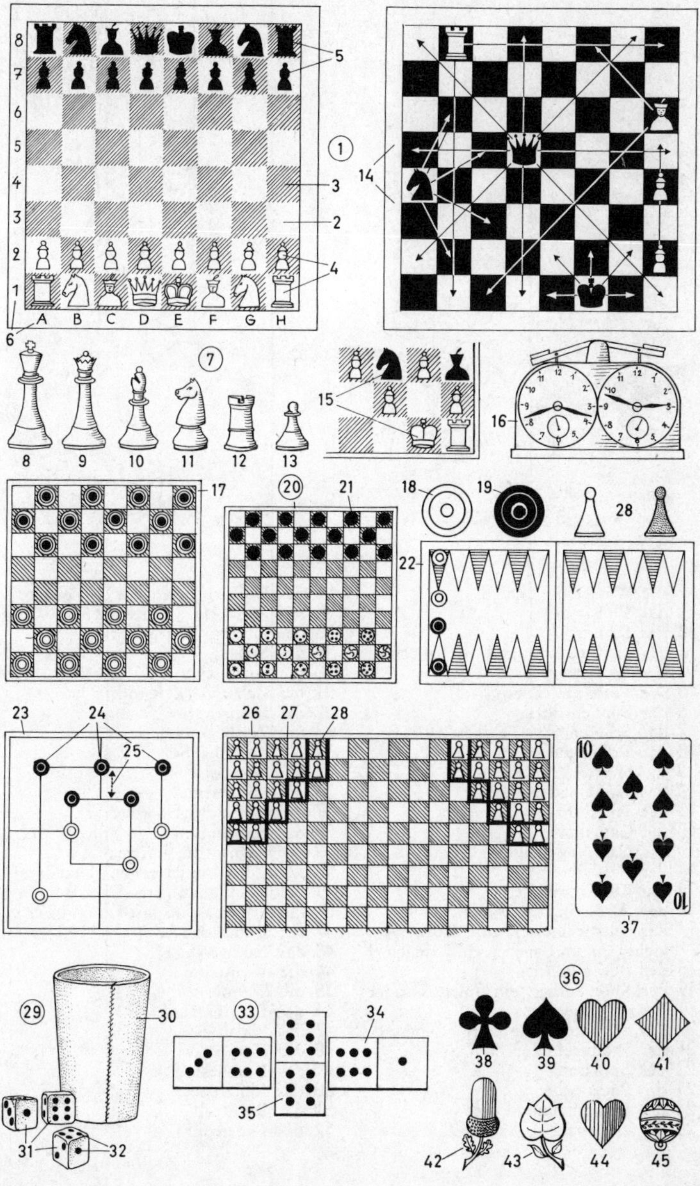
8
7
6
5
4
3
2
1
A B C D E F G H
1 2 3 4 5 6 7 8 9 10 11 12 13 14 15 16 17 18 19 20 21 22 23 24 25 26 27 28 29 30 31 32 33 34 35 36 37 38 39 40 41 42 43 44 45
10

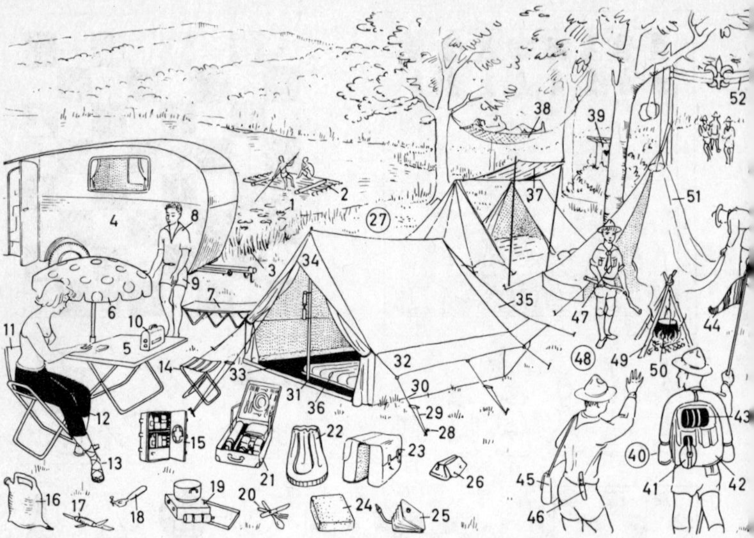

1 die Wasserrose
2 das Floß
3 das Schilf
4-52 der Campingplatz (Zeltplatz):
4 der Wohnwagen
5 der Falttisch (Klapptisch)
6 der Sonnenschirm
7 das Scherenbett (Feldbett)
8 das Polohemd
9 die Shorts *pl*
10 das Kofferradio
11 der Faltstuhl
12 die Caprihose
13 die Campingschuhe *m*
14 der Falthocker
15 die Reiseapotheke
16 der Wasserbeutel
17 das Taschenmesser, mit Korkenzieher *m* und mehreren Klingen *f*
18 der Büchsenöffner
19 der Sportkocher, ein Spiritus- oder Benzinkocher *m*
20 das zusammenklappbare Eßbesteck
21 der Picknickkoffer
22 der Sportsack
23 die Packtasche
24 das Schaumgummikissen
25 der Blasebalg
26 der Kulturbeutel (das Necessaire)
27 das Zelt, ein Giebelzelt *n*:
28 der Hering (Zeltpflock)
29 der Seilzug
30 die Spannschnur
31 der Zeltstab (Zeltstock)
32 die Dachtraufe
33 der Zeltboden
34 die Regenhaube
35 die Zeltapsis;
36 die Luftmatratze
37 das Vordach (Überdach)
38 die Hängematte
39 der Abort (die Latrine)
40-52 das Pfadfindertreffen (Jamboree),
40 der Pfadfinder (Boy-Scout):
41 die Trinkflasche, mit Trinkbecher *m*
42 der Rucksack (Affe)
43 das Kochgeschirr;
44 der Wimpel
45 die Wandertasche
46 das Fahrtenmesser
47 das Halstuch
48 der Kochplatz:
49 das Kochgestell
50 das Holzfeuer;
51 das Rundzelt
52 das Lagertor

1 der Badewärter
2 das Rettungsseil
3 der Rettungsring
4 der Sturmball
5 der Zeitball
6 die Warnungstafel
7 die Gezeitentafel, eine Anzeigetafel für Ebbe *f* und Flut *f*
8 die Tafel, mit Wasser- und Lufttemperaturangabe *f*
9 der Badesteg
10 der Wimpelmast:
11 der Wimpel;
12 das Wasservelo (Wassertretrad, Wasserfahrrad)
13 das Wellenreiten, hinter dem Motorboot *n*:
14 der Wellenreiter
15 das Gleitbrett;
16 der Wasserschi
17 die Schwimmatratze
18 der Wasserball
19-23 Strandkleidung *f*,
19 der Strandanzug:
20 der Strandhut
21 die Strandjacke
22 die Strandhose
23 der Strandschuh (Badeschuh);
24 die Strandtasche (Badetasche)
25 der Bademantel
26 der zweiteilige Damenbadeanzug:
27 das Badehöschen
28 der Büstenhalter;
29 die Badehaube (Bademütze, Schwimmkappe)
30 der Badegast
31 das Ringtennis:
32 der Gummiring;
33 das Gummitier, ein Schwimmtier *n*
34 der Strandwärter
35 die Sandburg (Strandburg)
36 der Strandkorb
37 der Unterwasserjäger (Tieftaucher):
38 die Tauchbrille
39 der Schnorchel
40 die Handharpune (der Fischspeer)
41 die Tauchflosse (Schwimmflosse), zum Sporttauchen *n*;
42 der Badeanzug (Schwimmanzug):
43 die Badehose (Schwimmhose)
44 die Badekappe (Schwimmkappe);
45 das Strandzelt, ein Hauszelt *n*
46 die Rettungsstation

1-32 die Schwimmanstalt (Badeanstalt, das Schwimmbad, die Schwimmanlage), ein Freibad *n*:

1 die Badezelle (Zelle, Badekabine, Kabine)
2 die Dusche (Brause)
3 der Umkleideraum
4 das Sonnenbad od. Luftbad

5-10 die Sprunganlage:

5 der Kunstspringer
6 der Sprungturm:
7 die Zehnmeterplattform
8 die Fünfmeterplattform
9 das Dreimeterbrett (Sprungbrett)
10 das Einmeterbrett, ein Trampolin *n*;
11 das Sprungbecken
12 der gestreckte Kopfsprung
13 der Fußsprung
14 der Paketsprung
15 der Bademeister

16-20 der Schwimmunterricht:

16 der Schwimmlehrer (Schwimmmeister)
17 der Schwimmschüler, beim Schwimmen *n*
18 das Schwimmkissen
19 der Schwimmgürtel (Korkgürtel, Tragegürtel, die Korkweste)
20 das Trockenschwimmen;
21-23 die Schwimmbecken *n* (Schwimmbassin, Bassin):
21 das Nichtschwimmerbecken
22 die Laufrinne
23 das Schwimmerbecken;

24-32 das Freistilwettschwimmen einer Schwimmstaffel:

24 der Zeitnehmer
25 der Zielrichter
26 der Wenderichter
27 der Startblock (Startsockel)
28 der Anschlag, eines Wettschwimmers *m*
29 der Startsprung
30 der Starter
31 die Schwimmbahn
32 die Korkleine;

33-40 die Schwimmarten *f* (Schwimmstile *m*, Schwimmlagen *f*, Stilarten):

33 das Brustschwimmen
34 der Schmetterlingsstil (Butterflystil)
35 der Delphinstil
36 das Rückenschwimmen
37 das Seitenschwimmen
38 das Kraulschwimmen (Crawlen, Kraulen, Kriechstoßschwimmen); *ähnl.*: das Handüberhandschwimmen
39 das Tauchen (Unterwasserschwimmen)
40 das Wassertreten;

41-46 das Wasserspringen (Wasserkunstspringen, Turmspringen, Kunstspringen, die Wassersprünge *m*):

41 der Hechtsprung aus dem Stand *m*
42 der Auerbachsprung vorwärts
43 der Salto (Doppelsalto) rückwärts
44 die Schraube mit Anlauf *m*
45 der Bohrer
46 der Handstandsprung;

47-51 das Wasserballspiel:

47 das Wasserballtor
48 der Tormann
49 der Wasserball
50 der Verteidiger
51 der Stürmer

5
7
4
8
3
6
9
1
2
10
13
12
11
14
15
19
31
30
21
17
32
18
16
29
28
27
24
20
22
25
23
26
33
34
35
36
37
38
40
39
45
46
44
42
43
49
47
50
51
41
48

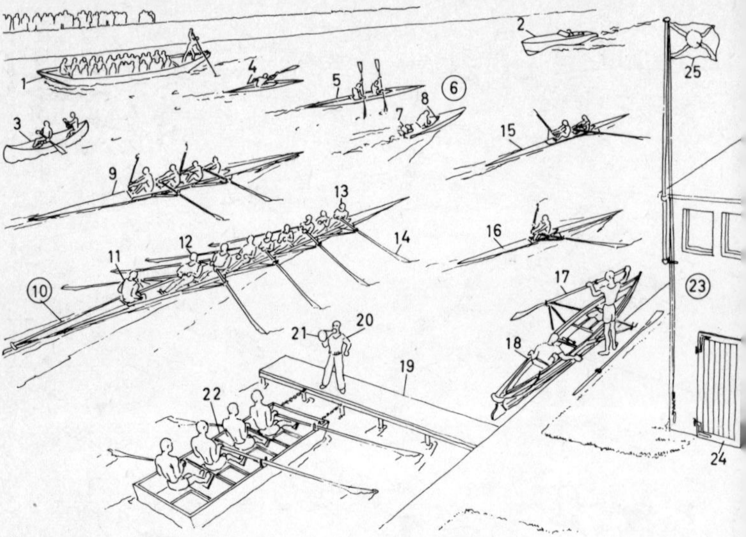

1-66 Rudersport *m* (Rudern *n*) **und Paddeln** *n*,

1-18 die Auffahrt zur Regatta (Ruderregatta, zum Wettrudern *n*):

1 der Stechkahn, ein Vergnügungsboot *n*

2 das Motorboot (Autoboot)

3 der Kanadier, ein Kanu *n*

4 das (der) Kajak (der Grönländer), ein Paddelboot *n*

5 das (der) Doppelkajak

6 das Außenbordmotorboot, ein Motorrennboot *n*:

7 der Außenbordmotor

8 die Plicht (das Kockpit, Cockpit, der Sitzraum);

9-16 Rennboote *n* (Sportboote, Auslegerboote),

9-15 Riemenboote *n*:

9 der Vierer ohne Steuermann *m* (Vierer ohne), ein Kraweelboot *n*

10 der Achter (Rennachter):

11 der Steuermann

12 der Schlagmann, ein Ruderer *m*

13 der Bugmann (die »Nummer Eins«)

14 der Riemen;

15 der Zweier (der Riemenzweier);

16 der Einer (der Renneiner, das Skiff);

17 das Skull

18 der Einer mit Steuermann *m* (ein Klinkereiner);

19 der Steg (Bootssteg, Landungssteg, Anlegesteg)

20-22 das Kastenrudern (Schulrudern):

20 der Rudertrainer

21 das Megaphon (Sprachrohr, *scherzh.* die Flüstertüte)

22 der Ruderkasten;

23 das Bootshaus (Klubhaus):

24 der Bootsschuppen

25 die Klubflagge (der Klubstander);

26-33 der Gigvierer, ein Gigboot *n* (Dollenboot, Tourenboot):

26 das Ruder (Steuer)

27 der Steuersitz

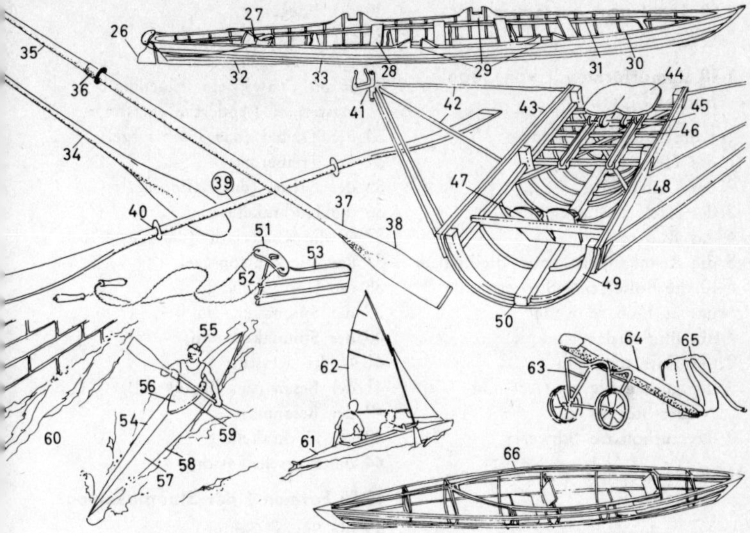

28 die Ducht (Ruderbank)
29 die Dolle (Riemenauflage)
30 der Dollbord
31 der Duchtweger
32 der Kiel (Außenkiel)
33 die Außenhaut [geklinkert];
34 das einfache Paddel (Stechpaddel, die Pagaie)
35-38 der Riemen (das Skull):
35 der Holm (Riemenholm)
36 die Belederung
37 der Riemenhals
38 das Blatt (Riemenblatt);
39 das Doppelpaddel:
40 der Tropfring;
41-50 der Rollsitz (Rudersitz):
41 die Dolle (Drehdolle)
42 der Ausleger
43 das Spülbord
44 der Rollsitz
45 die Rollschiene (Rollbahn)
46 die Versteifung
47 das Stemmbrett
48 die Außenhaut
49 der (das) Spant
50 der Kiel (Innenkiel);
51-53 das Ruder (Steuer):
51 das Ruderjoch (Steuerjoch)
52 die Steuerleine
53 das Blatt (Ruderblatt, Steuerblatt);
54-66 Faltboote *n*:
54 der Faltbooteiner, ein Sporteiner *m*
55 der Faltbootfahrer
56 die Spritzdecke
57 das Verdeck
58 die Gummihaut (Außenhaut, Bootshaut)
59 der Süllrand
60 die Floßgasse
61 der Faltbootzweier, ein Tourenzweier *m* (Wanderzweier)
62 das Faltbootsegel
63 der Bootswagen
64 die Stabtasche
65 der Bootsrucksack
66 das Faltbootgerüst

1-60 Segelsport *m* (Jachtsport, Segeln *n*),

1-10 Rumpfformen *f* **von Segelbooten** *n*,

1-4 die Fahrtenkieljacht:
1 das Heck
2 der Löffelbug
3 der Kiel (Ballastkiel)
4 das Ruder;
5 die Rennkieljacht, mit Bleikiel *m*
6-10 die Jolle, eine Schwertjacht:
6 das aufholbare Ruder
7 die Plicht (das Kockpit)
8 der Kajütenaufbau
9 der gerade Steven (Auf-und-Nieder-Steven)
10 das aufholbare Schwert;

11-18 Heckformen *f* **von Segelbooten** *n*:

11 das Jachtheck
12 der Jachtspiegel
13 das Kanuheck
14 das Spitzgattheck (Spitzgatt)
15 das Totholz
16 das Namensschild
17 das Spiegelheck
18 der Spiegel;

19-26 die Beplankung,

19-21 die Klinkerbeplankung:
19 die Außenhautplanke
20 das Spant, ein Querspant *n*
21 der Klinknagel;
22 die Kraweelbeplankung
23 der Nahtspantenbau
24 das Nahtspant, ein Längsspant *n*
25 die Diagonalkraweelbeplankung
26 die innere Beplankung;

27-50 Jachttypen *m*:

27 die Schonerjacht »America« [1851]
28-32 die Schonerjacht, ein Zweimaster *m*:
28 das Großsegel
29 das Schonersegel
30 der Flieger
31 die Hochtakelung
32 der Stagsegelschoner;
33-36 die Yawl, ein Eineinhalbmaster *m* (Anderthalbmaster):
33 der Treiber (das Treibersegel)
34 der Treibermast
35 der Ballon (das Ballonsegel)
36 die Hochtakelung;
37-40 die Kutterjacht (der Kutter):
37 das Vierkanttopsegel
38 die Hochtakelung
39 der Spinnaker, ein Beisegel *n*
40 der Spinnakerbaum;
41-44 die Ketsch:
41 der Besan (das Besansegel)
42 der Besanmast
43 die Hochtakelung
44 die Stagsegelketsch;

45-50 Formen *f* **der Slooptakelung:**

45 die Sloop (Schlup)
46 die Steilgaffel
47 das Achterstag
48 das Bugstag
49 die Bugstagspreize
50 der Schärenkreuzer;

51-60 die Regatta (das Regattasegeln, die Segelregatta, das Wettsegeln):

51 der Start
52-54 das Wenden (Fahrtrichtungsänderung *f* gegen den Wind; *mehrmaliges Wenden:* Kreuzen *n*):
52 das Anluven (Vorsegel *n* los, Großschot *f* dichtholen, Ruder steuerbord)
53 die Segel *n* killen
54 Segel *n* fest;
55 die Wendeboje (Wendemarke)
56-58 das Halsen (Fahrtrichtungsänderung *f* mit dem Wind *m*):
56 das Abfallen
57 Vorsegel *n* killt
58 Segel *n* fest;
59 das Ziel
60 die Windrichtung

270

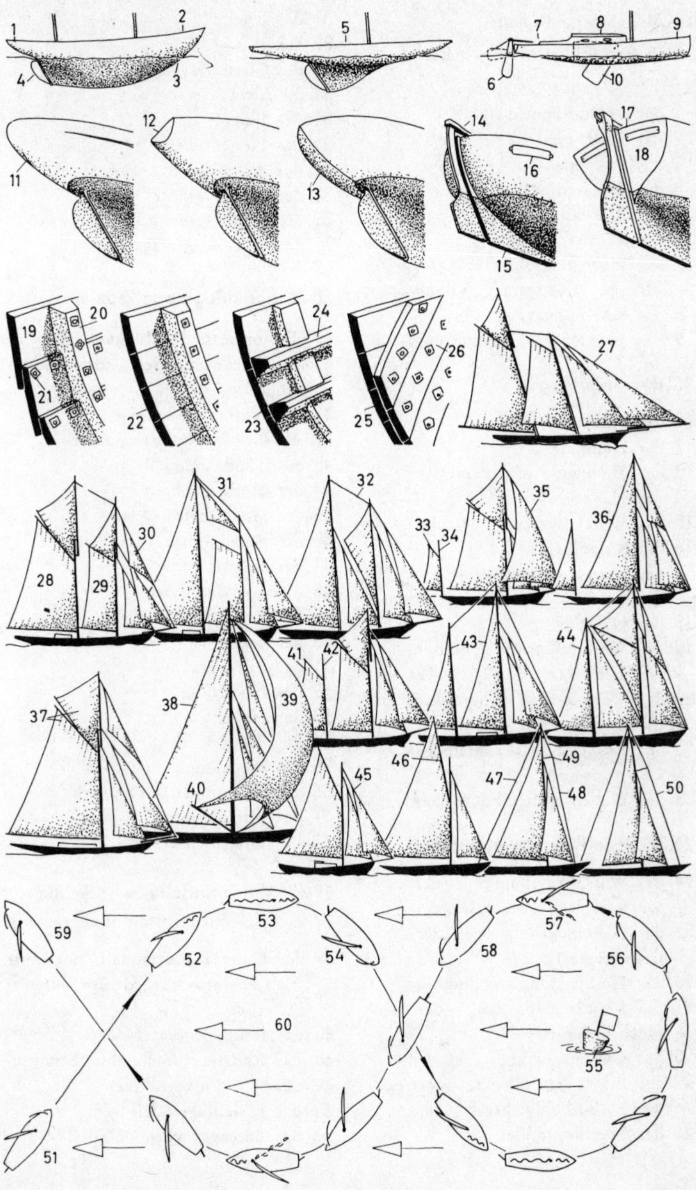
1
2
3
4
5
6
7
8
9
10
11
12
13
14
15
16
17
18
19
20
21
22
23
24
25
26
27
28
29
30
31
32
33
34
35
36
37
38
39
40
41
42
43
44
45
46
47
48
49
50
51
52
53
54
55
56
57
58
59
60

1-23 das Segelfliegen,

1-12 Segelflugstarte *m* (Startarten *f*),

1 der Autoschleppstart:
2 das Schleppseil
3 das Schleppauto;
4 der Windenstart:
5 das Rückholseil
6 die Rückholwinde;
7 der Flugschleppstart (Flugzeugschlepp, Schleppstart, Schleppflug):
8 das Schleppflugzeug
9 das geschleppte Segelflugzeug;

10 der Segelflug:

11 der Starthang
12 der Hangstart;
13 der Hangwind (Aufwind)
14 das Hangsegeln
15 das Wolkensegeln
16 die Kumuluswolke
17 der (das) Looping, eine Kunstflugfigur des Kunstsegelfliegens *n*
18 der Gleitflug
19 der Warmluftstrom (Thermikschlauch, Bart)
20 das Wärmesegeln (Thermiksegeln)
21 die Gewitterfront
22 das Frontsegeln (Frontensegeln, Gewittersegeln)
23 das Wellensegeln (Föhnsegeln);

24-37 Segelflugzeugtypen *m*:

24 das Wassersegelflugzeug (der Wassersegler, Wassergleiter)
25 das Lastensegelflugzeug (der Lastensegler)
26 das Hochleistungssegelflugzeug
27 das Motorsegelflugzeug (der Motorsegler);
28 das Gleitflugzeug:
29 der Pilot (Segelflieger, Sportsegelflieger, Segelfluglehrer)
30 der Segelflugschüler
31 der Rumpf
32 der Führersitz
33 die Gleitkufe
34 die Strebe
35 der Flügel
36 das Höhenruder
37 das Seitenruder;
38 der Segelflugplatz
39 die Segelflugzeughangars *m*, mit dem Segelfliegerlager *n*

40-63 Segelflugmodellbau *m*,

40-58 motorlose Segelflugmodelle *n*:
40 das Nurflügelmodell (schwanzlose Modell)
41 das Normalmodell
42 die Ente (das Entenmodell)
43 das Tandemmodell
44 der Modellrohbau:
45 die Modellkufe
46 die Rumpfspitze (der Rumpfbug)
47 der Rumpf
48 das Sperrholzspant
49 der Randbogen
50 der Gurt
51 der Tragflügel
52 das Querruder
53 der Holm
54 die Rippe
55 die Bespannung
56 der Schwanz (das Leitwerk)
57 das Seitenleitwerk
58 das Höhenleitwerk;

59-63 Motormodelle *n* (Segelflugmodelle mit Hilfsmotorauftrieb *m*):

59 das Gummimotormodell, mit Auftrieb *m* durch aufgedrillte Gummifäden *m*
60 das ferngesteuerte Modell
61 das Raketenmodell, mit Feststoffrakete *f* (Pulverrakete)
62 das Fesselflugmodell
63 das düsengetriebene Modell

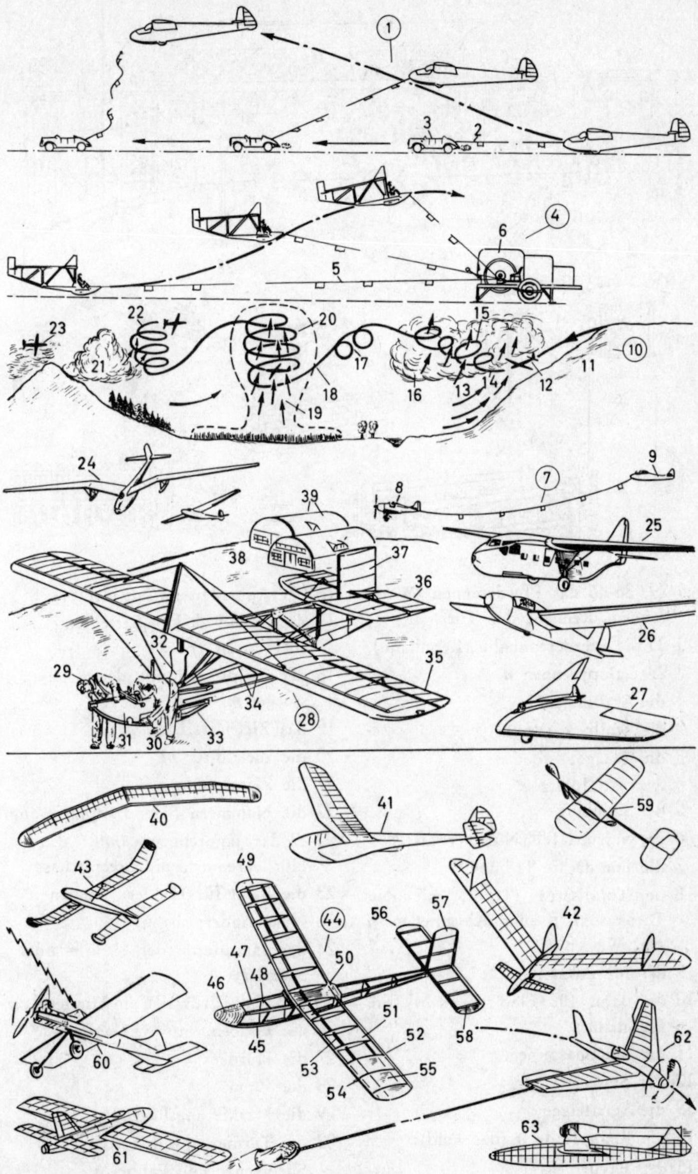
1
2
3
4
5
6
7
8
9
10
11
12
13
14
15
16
17
18
19
20
21
22
23
24
25
26
27
28
29
30
31
32
33
34
35
36
37
38
39
40
41
42
43
44
45
46
47
48
49
50
51
52
53
54
55
56
57
58
59
60
61
62
63

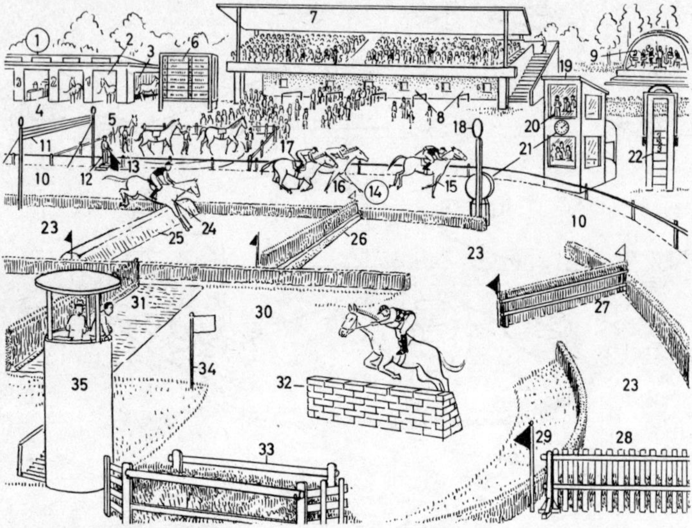

1-29, 36-46 das Pferderennen (Wettrennen, Rennen, der Turf),
1-35 die Pferderennbahn (Rennbahn),
1-29 Galopprennen *n*,
1 die Stallungen *f*:
2 die Stallbox (Box)
3 die Waage;
4 der Sattelplatz
5 der Führring
6 die Startertafel (Nummerntafel)
7 die überdachte Tribüne
8 der Totalisator (Toto), mit den Totokassen *f* zum Abschließen *n* von Wetten *f*
9 der Musikpavillon
10 die Bahn für Flachrennen *n* (die Flachbahn)
11 die Startmaschine
12 der Starter
13 die Startflagge
14 die Rennpferde *n* (das Feld):
15 der Favorit
16 der Außenseiter (Outsider);
17 die Gewichtdecke (Satteldecke mit Bleiplatten *f*)
18 der Zielpfosten mit dem Zielspiegel *m*
19 das Zielrichterhaus
20 die Zielrichter *m*
21 die Zeitmessung
22 die Nummern *f* der Endplacierung
23-29 das Jagdrennen; *ähnl.:* das Hürdenrennen, die Steeplechase:
23 die Bahn für Hindernisrennen *n* (die Hindernisbahn)
24 das Jagdpferd (der Hunter oder Steepler)
25 der Wall (Erdwall), ein Hindernis *n*
26 der Graben, mit Rickhecke *f*
27 die Hürde
28 der Zaun
29 die Markierungsflagge;
30 die Turnierbahn für Reiten *n*, Springen *n* und Fahren *n*

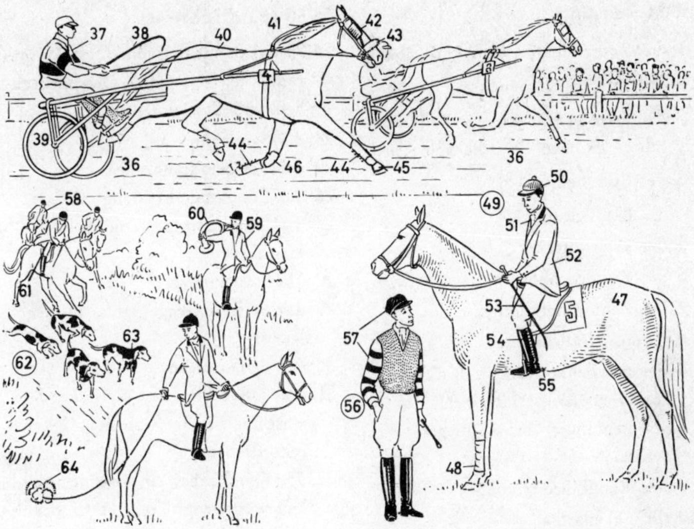

31-34 das Jagdspringen:
31 der Wassergraben, mit Hecke *f*
32 die Mauer
33 der Oxer, für Hochweitsprung *m*
34 die Wendeflagge;
35 der Bahnrichterturm (das Richterhaus);
36-46 das Trabrennen:
36 die Trabrennbahn (Traberbahn, der Track), eine Hartbahn
37 der Fahrer
38 die Peitsche
39 das Sulky
40 das Traberpferd (der Traber)
41 der Obercheck (Check)
42 die Scheuklappe
43 die Bodenblende
44 die Gamasche
45 die Gummikappe, eine Streifkappe
46 die Kniekappe;
47 das Reitpferd
48 die Bandage
49 der Herrenreiter, ein Amateur *m*:
50 die Jagdkappe
51 die Halsbinde
52 die Reitjacke
53 die Reitpeitsche
54 der Reitstiefel
55 der Sporn;
56 der Jockei, ein Berufsrennreiter *m*:
57 der Dreß in den Stallfarben *f*, eine Seidenbluse und -kappe;
58-64 die Parforcejagd (Hetzjagd, Reitjagd); *hier:* eine Schleppjagd; *ähnl.:* die Fuchsjagd, Schnitzeljagd:
58 der Parforcejäger
59 der Piqueur, beim Blasen *n* des Halalis *n* (Schlußsignals *n* der Jagd)
60 das Jagdhorn (Hifthorn)
61 der Master
62 die Hundemeute (Meute, Koppel):
63 der Hirschhund;
64 die Schleppe, mit der Fuchslosung

273 Rad- und Motorsport

1-23 Radsport *m*:

1 die Radrennbahn; *hier:* Hallenbahn

2-7 das Sechstagerennen:

2 der Sechstagefahrer, ein Bahnrennfahrer *m* beim Zwischenspurt *m*

3 der Sturzhelm

4 die Rennleitung:

5 der Zielrichter

6 der Rundenzähler;

7 die Rennfahrerkabine;

8-10 das Straßenrennen:

8 der Straßenfahrer, ein Radrennfahrer *m*; *ähnl.:* Flieger (Kurzstreckenfahrer) beim Fliegerrennen *n*

9 das Rennfahrertrikot

10 die Labeflasche;

11-15 das Steherrennen (Dauerrennen):

11 der Schrittmacher, ein Motorradfahrer *m*

12 die Schrittmachermaschine (das Schrittmachermotorrad)

13 die Rolle, eine Schutzvorrichtung

14 der Steher (Dauerfahrer), ein Berufsrennfahrer *m*

15 die Stehermaschine, ein Rennrad *n*;

16 das Rennrad (die Rennmaschine) für Straßenrennen *n*, ein Straßenrenner *m*:

17 der Rennsattel, ein ungefederter Sattel *m*

18 der Rennlenker

19 der Schlauchreifen (Rennreifen)

20 die Schaltungskette

21 der Rennhaken

22 der Riemen

23 der Ersatzschlauchreifen;

24-50 Motorsport *m*,

24-28 das Sandbahnrennen, ein Motorradrennen *n*; *ähnl.:* Grasbahnrennen und Straßenrennen:

24 die Sandbahn

25 der Motorradrennfahrer

26 die Lederschutzkleidung

27 die Rennmaschine, eine Solomaschine

28 die Startnummer;

29 das Seitenwagengespann, in der Kurve:

30 der Seitenwagen;

31 die vollverkleidete Weltrekordmaschine bei der Geschwindigkeitsrekordfahrt

32 das Gymkhana, ein Geschicklichkeitswettbewerb *m*; *hier:* der Motorradfahrer beim Sprung *m*

33 die Geländefahrt, eine Leistungsprüfung

34-45 das Autorennen:

34 die Rennstrecke

35 Start *m* und Ziel *n*

36 der Starter

37 die Startflagge

38 der Rennwagen

39 der Rennfahrer

40 der Strohballen

41 die Box

42 der Reifenwechsel:

43 der Rennmonteur;

44 das Ärztezelt

45 die Zuschauertribüne;

46-50 Rennboote *n* (Sportboote) [Schnitt]:

46 das Quer- u. Längsstufenrennboot:

47 der Bootsmotor;

48 das Außenbordrennboot (Stufenboot); *ähnl.:* Gleitboot:

49 der Außenbordmotor

50 die Stabilisierungsflosse

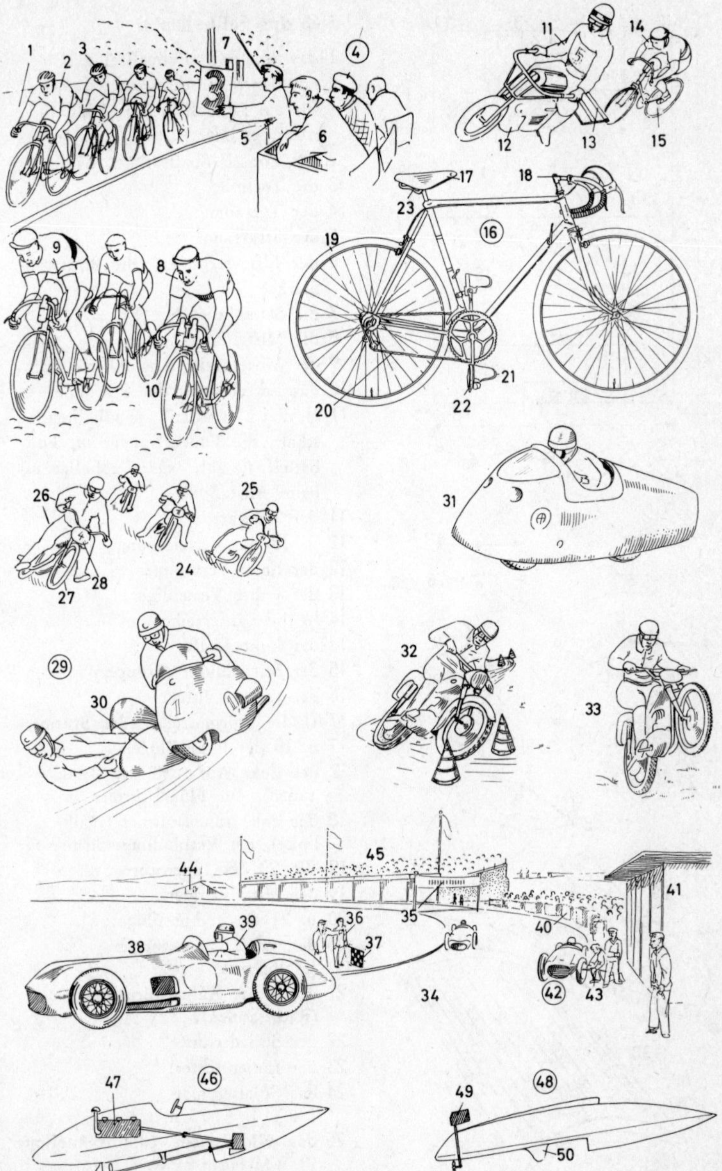
1
2
3
4
5
6
7
8
9
10
11
12
13
14
15
16
17
18
19
20
21
22
23
24
25
26
27
28
29
30
31
32
33
34
35
36
37
38
39
40
41
42
43
44
45
46
47
48
49
50

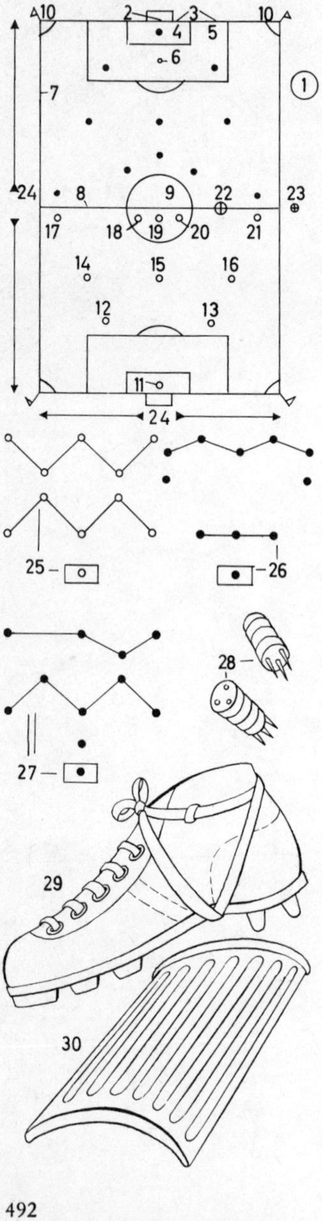

1-63 das Fußballspiel

1 das Spielfeld (Fußballfeld), mit der Mannschaftsaufstellung für ein Fußballspiel *n* (Fußballmatch *m* oder *n*):
2 das Tor (Fußballtor)
3 die Torlinie
4 der Torraum
5 der Strafraum
6 der Elfmeterpunkt (die Strafstoßmarke)
7 die Seitenlinie
8 die Mittellinie
9 der Mittelkreis (Anstoßkreis)
10 das Eckfeld, mit der Eckfahne;
11-21 die Mannschaft (Fußballmannschaft, die Fußballspieler *m*, Fußballelf *f*, Elf, *ugs.* Fußballer *m*) beim Anstoß *m*:
11 der Torwart
12 u. 13 die Verteidigung:
12 der linke Verteidiger
13 der rechte Verteidiger;
14-16 die Läuferreihe:
14 der linke Läufer
15 der Mittelläufer (Stopper)
16 der rechte Läufer;
17-21 die Stürmerreihe (der Sturm),
17 u. 18 der linke Flügel:
17 der linke Außenstürmer (Linksaußen), ein Flügelstürmer *m*
18 der linke Innenstürmer (Halblinke), ein Verbindungsstürmer *m*;
18, 19, 20 der Innensturm
19 der Mittelstürmer
20 u. 21 der rechte Flügel:
20 der rechte Innenstürmer (Halbrechte)
21 der rechte Außenstürmer (Rechtsaußen);
22 der Schiedsrichter
23 der Linienrichter
24 das Spielfeldmaß [90-110×64-75 m];
25 das WM-System (die Aufstellung in WM-Form *f*)

26 der Schweizer Riegel
27 der brasilianische Riegel
28 die Stollen *m* (Klötzchen *n*)
29 der Fußballschuh
30 die Beinschiene
31 die Tribüne (Zuschauertribüne):
32 die Sitzreihen *f*
33 die Barriere;
34 die Vereinsfahne
35 der Lautsprechermast
36 die Torlatte (Querlatte)
37 der Torpfosten
38 das Tornetz
39 der Torschuß
40 die Faustabwehr (das Fausten) des Torwarts *m*
41 der Abstoß
42 der Freistoß
43 die Mauer (Sperrmauer)
44 der Trainer
45 die Ersatzspieler *m*
46 die Mittelfahne
47 der Linienrichter
48 die Handflagge
49 der Einwurf
50 der Ausball
51 das Foul (der Fehler), ein Regelvergehen *n*
52 der Fußball, ein Hohlball *m* mit Gummiblase *f*
53 der Rückzieher
54 der Stutzen (Sportstrumpf)
55 der Jersey (das Sportleibchen)
56 der Kopfstoß (Kopfball, das Köpfen)
57 das Abseits
58 der Eckstoß (Eckball)
59 das Sperren
60 das Stoppen, mit der Sohle
61 die Ballabgabe (das Abgeben), ein Zuspiel *n* (eine Vorlage) im Flachpaß *m*
62 die Ballannahme, mit dem Innenrist *m*
63 der Durchbruch, ein Dribbling *n* (das Dribbeln, die Ballführung)

1-8 der Handball (das Handballspiel); *ähnl.:* der Hallenhandball:

1 das Tor
2 die Torlinie
3 der Torraum
4 die Dreizehnmeterlinie
5 die Freiwurflinie
6 die Strafecke
7 die Ecke
8 der Handballspieler, ein Feldspieler *m* beim Schlagwurf *m*;

9-18 das Hockey (Hockeyspiel):

9 die Seitenlinie
10 die Einrollinie
11 die Torlinie
12 der Schußkreis
13 das Tor
14 der Tormann
15 der Beinschutz (Schienbein-, Knie- und Zehenschutz)
16 der Hockeyspieler
17 der Hockeystock (Hockeyschläger)
18 der Hockeyball, ein Korkball *m* mit Lederhülle *f*;

19-27 das Rugby (Rugbyspiel, der Rugbyfußball):

19 das Gedränge
20 der eiförmige Rugbyball
21-27 das Rugbyfeld, ein Spielfeld *n*:
21 die Mallinie
22 das Malfeld
23 die Marklinie
24 das Mal (Tor)
25 die Lagergrenze
26 die Neunmeterlinie
27 die Mittellinie;

28-30 der Football (das Footballspiel):

28 der Footballspieler
29 der Sturzhelm
30 das Achselpolster;

31-38 der Basketball (das Basketballspiel, Korbballspiel):

31 der Basketball
32 das Zielbrett
33 der Basketballkorb (Korb)
34-36 die Flur (das Spielfeld):
34 die Endlinie
35 der Freiwurfraum
36 die Freiwurflinie;
37 der Basketballspieler, beim Korbwurf *m*
38 die Auswechselspieler;

39-54 der Baseball (das Baseballspiel),

39-45 das Spielfeld:
39 das Malquadrat
40 das Schlagmal
41 das Schlagfeld
42 das Laufmal
43 die Werferplatte
44 die Fängerlinie
45 die Spielergrenze;
46 der Schläger, ein Spieler *m* der Schlägerpartei
47 der Fänger, mit Schutzkleidung *f* und Fängerhandschuh *m*
48 der Schiedsrichter
49 der Lauf eines Schlägers *m* zum Laufmal *n*
50 der Basemann, ein Spieler *m* der Fängerpartei
51 das Malkissen
52 das Schlagholz
53 der Werfer
54 der Baseball;

55-61 das Kricket (Cricket, Kricketspiel):

55 das Krickettor (Gatter), mit den Querhölzern *n* (Barren *m*)
56 der Torstrich
57 die Schlagmallinie
58 der Torwächter der Fangpartei
59 der Schlagmann (Schläger) der Verteidigerpartei
60 das Schlagholz, eine flache Holzkeule
61 der Einschenker;

62-67 das Krocket (Krocketspiel):

62 der Standpflock
63 das Krockettor
64 der Wendepfahl
65 der Krocketspieler
66 der Krockethammer
67 die Krocketkugel

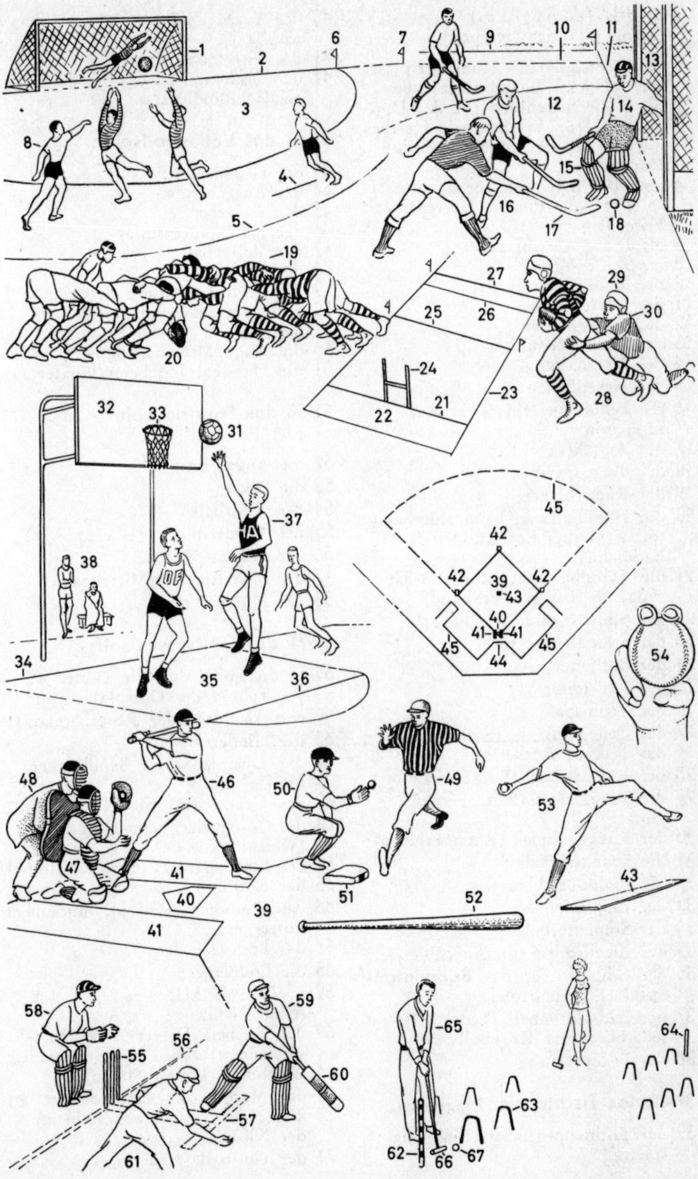

1
2
3
4
5
6
7
8
9
10
11
12
13
14
15
16
17
18
19
20
21
22
23
24
25
26
27
28
29
30
31
32
33
34
35
36
37
38
39
40
41
42
43
44
45
46
47
48
49
50
51
52
53
54
55
56
57
58
59
60
61
62
63
64
65
66
67

1-35 das Tennis (Lawn-Tennis, Tennisspiel, der Netzball),

1 der Tennisplatz (Tennisspielplatz, Lawn-Court), ein Hartplatz *m*:
2 bis 3 die Seitenlinie für das Doppelspiel (für das Doppel; Herrendoppel, Damendoppel, gemischte Doppel)
4 bis 5 die Seitenlinie für das Einzelspiel (für das Einzel; Herreneinzel, Dameneinzel)
6 bis 7 die Aufschlaglinie
8 bis 9 die Mittellinie
3 bis 10 die Grundlinie
11 das Mittelzeichen
12 das Aufschlagfeld
13 das Netz (Tennisnetz)
14 der Netzhalter
15 der Netzpfosten
16 die Tennisspielerin; *hier:* Aufschlägerin
17 der Aufschlag
18 der Tennispartner
19 der Rückschläger
20 die Handhaltung, beim Rückhandschlag *m* (bei der Rückhand, Backhand)
21 die Handhaltung, beim Vorhandschlag *m* (bei der Vorhand)
22 der Schiedsrichter
23 der Schiedsrichterstuhl
24 der Balljunge
25 der Fußrichter
26 der Tennisball
27 der Tennisschläger (Schläger, das Rakett, Racket):
28 der Rakettschaft (Racketschaft)
29 die Schlagfläche (Saitenbespannung);
30 der Rakettrahmen (Racketrahmen):
31 die Spannschraube;
32 der Halbflugschlag
33 der Flugschlag
34 der Schmetterball
35 der Blendschirm (die Augenblende);
36 der Schläger für das **Badmintonspiel** (Federballspiel)
37 der Badmintonball (Federball), ein lederbezogener Korkball *m*:
38 der Federkranz;

39-42 das Tischtennis (Pingpong):

39 der Tischtennisspieler (Pingpongspieler)
40 der Tischtennisschläger (Pingpongschläger)
41 das Tischtennisnetz
42 der Tischtennisball (Pingpongball), ein Zelluloidball *m*;

43-51 das Volleyballspiel:

43 der Grundspieler
44 der Aufgaberaum
45 der Aufgeber
46 der Handkantenschlag
47 der Volleyball
48 der Netzspieler
49 die richtige Haltung der Hände *f*
50 u. 51 das Servieren des Volleyballs *m*:
50 die Handhaltung beim Drop *m*
51 die Handhaltung beim Floater *m*;

52-58 das Faustballspiel (der Faustball):

52 die Angabelinie
53 die Leine
54 der Faustball
55 der Vorderspieler (Überschläger)
56 der Hammerschlag
57 der Mittelspieler (Mittelmann)
58 der Hinterspieler;

59-71 das Golfspiel (Golf),

59-62 die Spielbahn (die Löcher *n*), ein Teil *m* des Golfplatzes *m*:
59 der Abschlag (der Abschlagplatz)
60 die Hindernisse *n*
61 die Sandgrube (der Sandbunker, Bunker)
62 das Grün (Golfgrün, Puttergrün);
63 der Golfspieler, beim Treibschlag *m* (Weitschlag *m*)
64 der Schlägerträger (Caddy, Caddie)
65 der Köcher
66 das Einlochen (Putten), mit einem Putter *m*:
67 das Loch
68 die Lochflagge;
69 u. 70 Golfschläger *m* (Clubs, Klubs):
69 der Treiber (Driver), ein Holzschläger *m*; *ähnl.:* der Brassie, der Golflöffel (Löffel, Spoon)
70 der Mashie, ein Eisenschläger *m*; *ähnl.:* der Treiber aus Stahl *m*, der Niblick
71 der Golfball

1
2
3
4
5
6
7
8
9
10
11
12
12
12
12
13
14
15
16
17
18
19
20
21
22
23
24
25
26
27
28
29
30
31
32
33
34
35
36
37
38
39
40
41
42
43
44
45
46
47
48
49
50
51
52
53
54
55
56
57
58
59
60
61
61
62
63
64
65
66
67
68
69
70
71

1-66 der Fechtsport (die Fechtkunst),
1-14 die Fechthiebe *m*:
1 bis 2 der Primhieb (Kopfhieb, die Prim)
2 bis 1 der Sekundhieb (Sekondhieb, die Sekund, Sekond)
3 bis 4 die steile Terz (Hochterz)
5 bis 6 die Tiefterz (Bauchterz), ein Flankenhieb *m*
7 bis 8 die Gesichtsterz (der äußere Gesichtshieb)
9 bis 10 die Brustquart (Bauchquart, der Bauchhieb)
11 die Terzseite
12 die Quartseite
13 hohe Hiebe *m*
14 tiefe Hiebe *m*;
15-43 das Sportfechten,
15-32 das Florettfechten:
15 der Fechtmeister (Fechtlehrer)
16 die Fechtbahn (Kampfbahn, Planche, der Fechtboden)
17 u. 18 die Fechter *m* (Florettfechter) beim Freigefecht *n* (Assaut *m*, Gang, Kontrafechten *n*)
19 der Angreifer, in der Ausfallstellung (im Ausfall *m*)
20 der gerade Stoß, eine Aktion (Botta dritta, ein Coup droit *m*)
21 der Angegriffene, in der Paradeaktion (Deckung)
22 die Terzdeckung (Terzparade)
23 die Mensurlinie (Fechtlinie, Fechterlinie)
24 die bewegl. Mensur (der Fechtabstand, Fechterabstand)
25-31 die Fechtausrüstung:
25 das Florett
26 der Fechthandschuh
27 die Florettmaske (der Fechtkorb)
28 der gepolsterte Fechtlatz (Halsschutz)
29 u. 30 der Fechtanzug:
29 die Fechtjacke
30 die Fechthose;
31 die absatzlosen Fechtschuhe *m*;
32 die Grundstellung zum Fechtergruß *m* und Fechterstellung *f*;
33-38 das Sportsäbelfechten:
33 der Säbelfechter
34 der leichte Säbel (Sportsäbel)
35 der Säbelhandschuh
36 die Säbelmaske
37 der Kopfhieb außen
38 die Quintenparade;
39-43 das Degenfechten (Geländefechten):
39 der Degenfechter
40 der Stoßdegen (Degen)
41 die Arretspitze
42 der Kopfvorstoß
43 die Auslage;
44 das Übungsfechten (Schulfechten):
45 das Phantom
46 der schwere Säbel
47 die Maske;
48 die Bindungen *f*:
49 die Quartbindung
50 die Terzbindung
51 die Cerclebindung
52 die Sekondbindung;
53-66 Fechtwaffen *f*,
53 das ital. Florett, eine Stoßwaffe, Stichwaffe,
54-57 das Gefäß:
54 der Florettknauf
55 der Griff
56 die Griffstange (Parierstange)
57 das Stichblatt (die Glocke);
58 die Florettklinge
59 der Knopf;
60 das französische Florett:
61 die Brille;
62 der Degen (Stoßdegen)
63 der leichte Säbel, eine Hieb- und Stoßwaffe:
64 der Korb
65 die Lederschlaufe;
66 der Dolch (das Stilett)

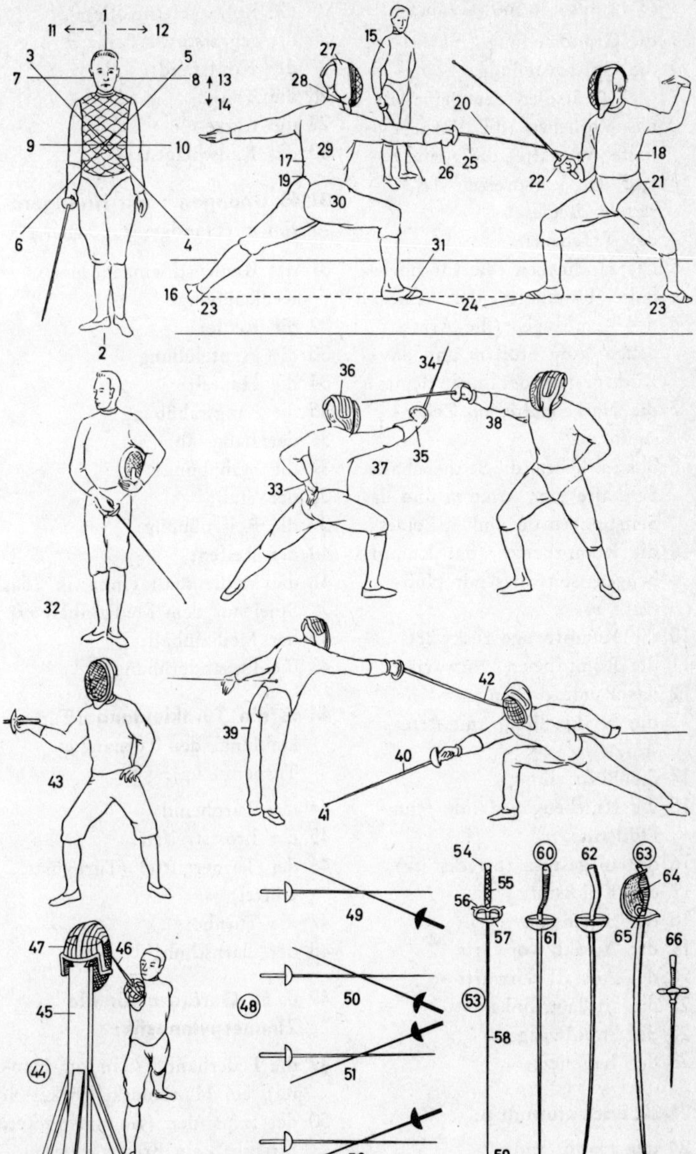
1
2
3
4
5
6
7
8
9
10
11
12
13
14
15
16
17
18
19
20
21
22
23
24
25
26
27
28
29
30
31
32
33
34
35
36
37
38
39
40
41
42
43
44
45
46
47
48
49
50
51
52
53
54
55
56
57
58
59
60
61
62
63
64
65
66

1-23 Freiübungen *f* (Gymnastik):

1 die Grundstellung
2 die Grätschstellung (das Grätschen der Beine *n*)
3 das Vorheben (die Vorhebehalte, Vorhalte) der Arme *m* und das Vorspreizen des rechten Beines *n*
4 das Knieheben
5 das Hochheben (die Hochhebehalte, Hochhalte) der Arme *m*
6 das Armbeugen (die Armbeuge) zum Stoß *m* und das Rückspreizen des linken Beines *n*
7 die Nackenhalte, im Zehenstand *m*
8 das Seitheben (die Seithebehalte, Seithalte) der Arme *m* und das Seitspreizen des linken Beines *n*
9 die Rumpfbeuge (das Rumpfbeugen) seitwärts mit Hüftstütz *m*
10 die Rumpfbeuge rückwärts
11 die Rumpfbeuge vorwärts
12 das Rumpfdrehen
13 die Hockstellung, mit Armstütze *f*
14 die Reitstellung
15 die Kniebeuge, Hände *f* im Hüftstütz *m*
16 der Liegestütz (Streckstütz)
17 der Knickstütz
18 der Seitenstütz
19 der Ausfall vorwärts
20 der Ausfall seitwärts
21 die Auslage links
22 die Standwaage
23 der Kniesitz;

24-30 Bodenturnen *n*:

24 der Handstand
25 die Rolle (Hechtrolle):
26 die gegrätschten Beine *n*
27 der Kopfstand;
28 die Brücke
29 die Kerze
30 das Radschlagen;

31-43 Übungen *f* **mit Handgeräten** *n* (Handgerätübungen *f*):

31 das Keulenschwingen, eine Keulenübung:
32 die Keule;
33 die Hantelübung:
34 die Hantel;
35 die Langstabübung:
36 der Langstab;
37 die Stabübung:
38 der Stab;
39 die Reifenübung:
40 der Reifen;
41 die Medizinballgymnastik (das Spiel mit dem Medizinball *m*):
42 der Medizinball;
43 die Expanderübung;

44-48 die Turnkleidung (Turnerkleidung, der Turnanzug, Turneranzug):

44 das Turnhemd
45 der Bruststreifen
46 der Turnergürtel (Turngürtel, Gürtel)
47 die Turnhose
48 der Turnschuh;

49 u. 50 Geräte *n* **für die Zimmergymnastik:**

49 die Federhantel (Sandow-Hantel), ein Handmuskelstärker *m*
50 der Expander (Gummistrecker, Strecker), ein Bruststärker *m*

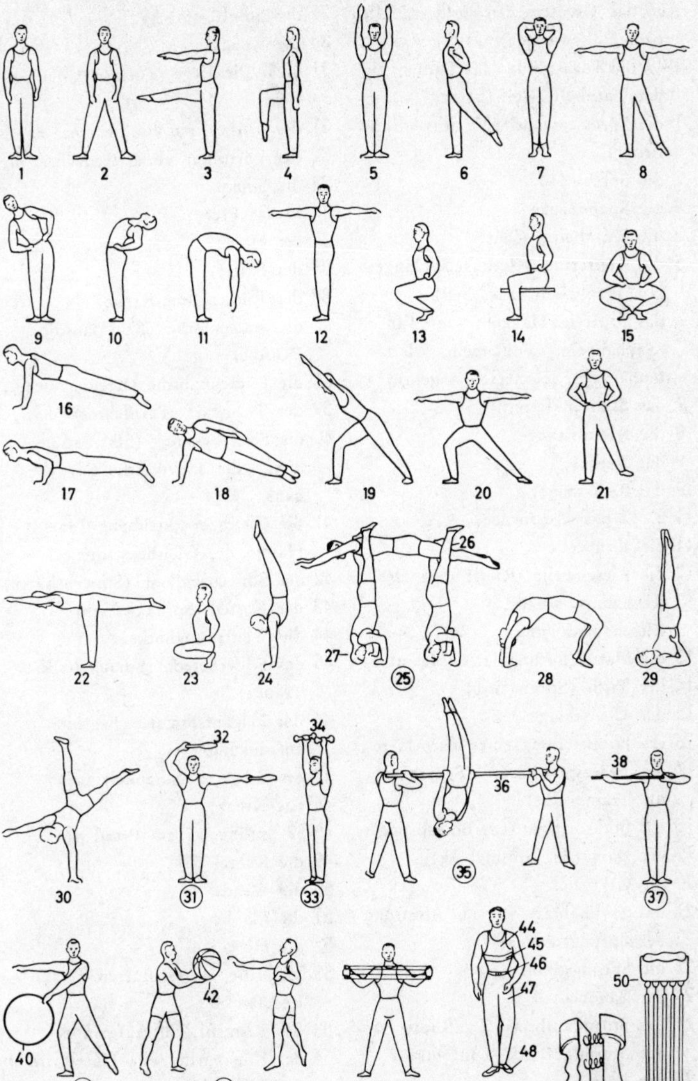
1
2
3
4
5
6
7
8
9
10
11
12
13
14
15
16
17
18
19
20
21
22
23
24
26
27
25
28
29
30
32
31
34
33
35
36
38
37
39
40
41
42
43
44
45
46
47
48
49
50

1-56 das Geräteturnen in der Halle (das Hallenturnen),
1-48 die Turnstunde (das Turnen), in der Turnhalle (im Turnsaal *m*),
1 die Sprossenwand (die schwedische Leiter):
2 die Sprosse;
3 die Spannbeuge
4 die Wandleiter (Leiter)
5 das Klettertau (Kletterseil, Hangeltau, Hangelseil, Tau, Seil)
6 das fußfreie Hangeln, am Tau *n* (Tauhangeln, Seilhangeln, Klettertauhangeln, Kletterseilhangeln)
7 das Stangenklettern:
8 die Kletterstange;
9 das Reck:
10 die Reckstange;
11 u. 12 das Reckturnen:
11 die Kniewelle
12 die Riesenwelle (Riesenfelge, der Riesenumschwung, Riesenaufschwung);
13 die Matte (Sprungmatte, Matratze)
14 der Tisch (Sprungtisch)
15 der Überschlag
16 die Hilfestellung eines Turners *m*
17 das Federsprungbrett (Federbrett, die Trampoline)
18 das Bockspringen (der Bocksprung):
19 der Bock (der Sprungbock);
20 die Grätsche
21 das Sprungbrett, für den Absprung
22 der Sprungständer
23 die Sprungschnur
24 der Sandbeutel
25 das Sturmlaufbrett (Laufbrett)
26 der Sturmlaufbock (Laufbock)
27 der Barren:
28 der Holm;
29 der Schulterstand
30 die Waage
31 u. 32 die Riege (Turnriege, Turnerriege):
31 der Turner, ein Geräteturner *m*
32 der Vorturner, ein Riegenführer *m*;
33 die Schere
34-38 das Pferd:
34 der Hals
35 der Sattel
36 der Rücken (das Kreuz)
37 die Halspausche (Kopfpausche, Pausche)
38 die Rückenpausche (Kreuzpausche);
39 der Turnwart (Turnlehrer)
40 die Schwebekante (Schwebstange); *ähnl.:* die schwedische Schwebebank
41 die Gleichgewichtsübung (das Halten des Gleichgewichts *n*)
42 der Schwebebalken (Schwebebaum)
43 der Kasten (Sprungkasten)
44 die Weitsprunghocke
45 das Schwebereck (Schaukelreck, Trapez)
46 der Felgaufschwung (Felgenaufschwung)
47 die Ringe *m* (Schaukelringe)
48 das Kreuz;
49-52 Sprünge *m* am Pferd *n*:
49 die Kehre
50 die Wende
51 die Flanke
52 die Hocke;
53-56 Griffe *m* (Griffarten *f*) am Reck *n*:
53 der Ristgriff, ein Aufgriff *m*
54 der Kammgriff, ein Untergriff *m*
55 der Ellengriff
56 der Zwiegriff

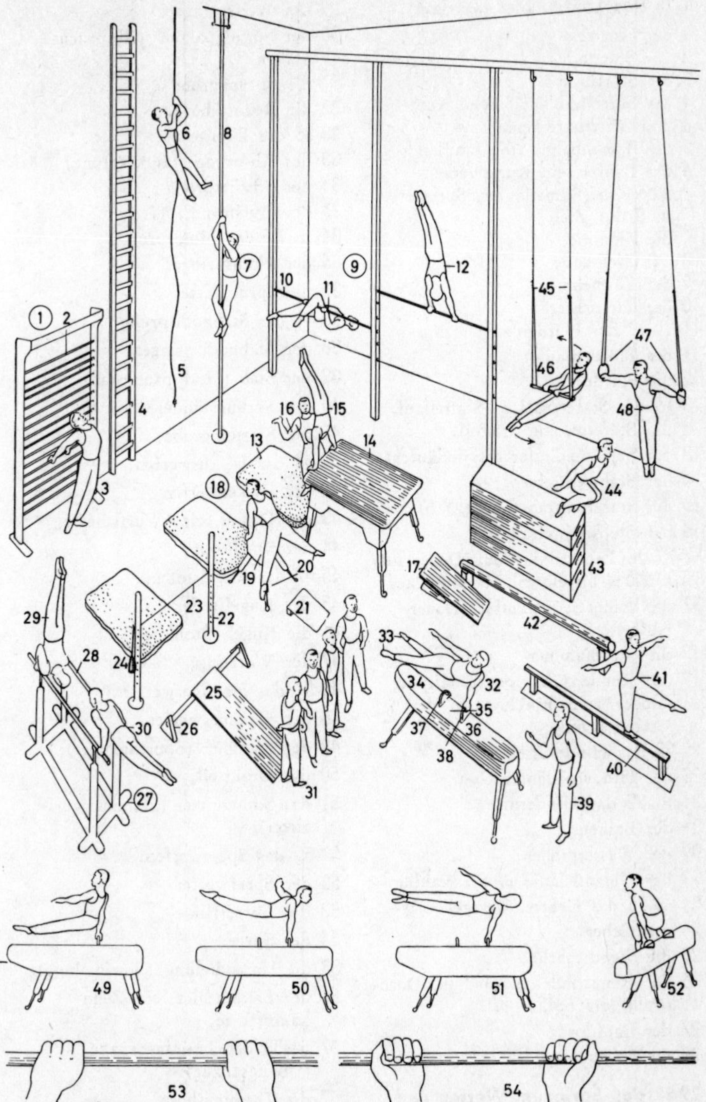
1
2
3
4
5
6
7
8
9
10
11
12
13
14
15
16
17
18
19
20
21
22
23
24
25
26
27
28
29
30
31
32
33
34
35
36
37
38
39
40
41
42
43
44
45
46
47
48
49
50
51
52
53
54
55
56

1-28 das Laufen (der Wettlauf):
1 der Starter
2 das Startloch
3 die Startlinie
4 der Start (Ablauf), beim Kurz- und Mittelstreckenlauf *m*
5 die Aschenbahn, eine Laufbahn
6 der Läufer, ein Kurzstreckenläufer *m* (Schnelläufer, Sprinter)
7 u. 8 das Ziel:
7 die Ziellinie
8 das Zielband;
9 der Zeitnehmer
10 der Zielrichter
11 u. 12 der Hürdenlauf:
11 der Hürdenläufer
12 die Hürde;
13-16 der Stafettenlauf (Staffellauf, die Stafette, die Staffel):
13 der Stafettenläufer (Staffelläufer)
14 der Stabwechsel
15 der Stafettenstab (Staffelstab)
16 der Stabwechselraum;
17-19 der Langstreckenlauf (Dauerlauf) [3000 m bis einschl. Marathonlauf]:
17 der Langstreckenläufer (Dauerläufer)
18 die Startnummer
19 der Rundenzählapparat, mit der Glocke zum Einläuten *n* der letzten Runde;
20-22 der Hindernislauf:
20 der Hindernisläufer
21 u. 22 das Hindernis:
21 der Balken
22 der Wassergraben;
23 der Geländelauf; *ähnl.:* Waldlauf
24 u. 25 das Gehen (Wettgehen):
24 der Geher
25 die Wendemarke;
26 der Rennschuh (Laufschuh, Dornschuh, die Spikes *pl*):
27 der Laufdorn;
28 die Stoppuhr;

29-55 das Springen, Werfen und Stoßen,

29-32 der Weitsprung:
29 der Weitspringer
30 der Sprungbalken (Absprungbalken)
31 die Sprunggrube
32 die Rekordmarke;
33-35 der Dreisprung:
33 der Absprung (Hinkesprung)
34 der Schrittsprung
35 der Aufsprung;
36 u. 37 der Hochsprung:
36 der Hochspringer
37 die Sprunglatte;
38-41 der Stabhochsprung:
38 der Stabhochspringer
39 der Stab (Hochsprungstab)
40 der Sprungständer
41 die Einstechgrube;
42-44 das Diskuswerfen:
42 der Diskuswerfer
43 der Diskus, eine Wurfscheibe
44 der Wurfkreis;
45-47 das Kugelstoßen:
45 der Kugelstoßer
46 die Kugel (Stoßkugel)
47 der Wurfring;
48-51 das Hammerwerfen:
48 der Hammerwerfer
49 der Hammer (Sporthammer):
50 das Drahtseil;
51 das Schutzgitter (Hammerwurfgitter);
52-55 das Speerwerfen:
52 der Speerwerfer
53 die Abwurflinie
54 der Speer:
55 die Umwickelung (Bewickelung);
56 der Leichtathlet, ein Zehnkämpfer *m*,
57 u. 58 der Trainingsanzug (Übungsanzug):
57 die Trainingshose
58 die Trainingsjacke;
59 das Abzeichen

1
2
3
4
5
6
7
8
9
10
11
12
13
14
15
16
17
18
19
20
21
22
23
24
25
26
27
28
29
30
31
32
33
34
35
36
37
38
39
40
41
42
43
44
45
46
47
48
49
50
51
52
53
54
55
56
57
58
59

1-6 das Gewichtheben:

1 der Gewichtheber
2 das einarmige Reißen
3 die Hantel (Kugelhantel)
4 das beidarmige Stoßen (Stemmen)
5 die Scheibenhantel
6 das beidarmige Drücken;

7-14 das Ringen (der Ringkampf),

7-10 der griechisch-römische Ringkampf:
7 der Ringkämpfer (Ringer), ein Amateurringer *m*
8, 9, 11 der Bodenkampf:
8 die Brücke, eine Verteidigungsstellung
9 die Bank (Hocke), eine Erwartungsstellung
10 u. 12 der Standkampf:
10 der doppelte Nackenheber (Doppelnelson)
11 u. 12 das Freistilringen (Freiringen, Catch-as-catch-can):
11 der Armschlüssel und Beinhebel *m*
12 der doppelte Beinschlüssel;
13 die Ringmatte (Matte)
14 das Gürtelringen (isländische Glima); *ähnl.:* das schweizerische Schwingen (der Hosenlupf);

15-17 das Judo (Jiu-Jitsu, Dschiu-Dschitsu, Jujutsu), eine japanische Selbstverteidigung:

15 der Armhebel
16 der Würgegriff
17 die Beinschere;

18-46 das Boxen (der Boxkampf, der oder das Boxmatch, der Faustkampf),

18-26 das Boxtraining:
18 der Boxball (Birnball, Punchingball, Plattformball, die Boxbirne)
19 der Doppelendball
20 der Punktball
21 der Sandsack
22 der Boxer, ein Berufsboxer *m* (Berufssportler, Professional)
23 der Boxhandschuh
24 der Sparringspartner (Trainingspartner, Übungsgegner)
25 der gerade Stoß (die Gerade)
26 das Abducken und Seitneigen *n*;
27 der Nahkampf; *hier:* der Clinch
28 der Schwinger
29 der Haken (Aufwärtshaken)
30 der Hochhaken
31 der Tiefschlag [verboten]
32 der Ring (Boxring, Kampfring):
33 die Seile *n* (Boxringseile)
34 die neutrale Ecke
35 der Sieger
36 der durch Niederschlag *m* (Knockout *m*, K.o.) Besiegte (Unterlegene, k.o.-geschlagene Gegner)
37 der Ringrichter
38 das Auszählen;
39 der Punktrichter
40 der Sekundant (Helfer)
41 der Manager (Veranstalter, Vermittler)
42 der Zeitnehmer
43 der Gong
44 der Protokollführer
45 der Reporter
46 der Pressefotograf

1
2
3
4
5
6
7
8
9
10
11
12
13
14
15
16
17
18
19
20
21
22
23
24
25
26
27
28
29
30
31
32
33
34
35
36
37
38
39
40
41
42
43
44
45
46

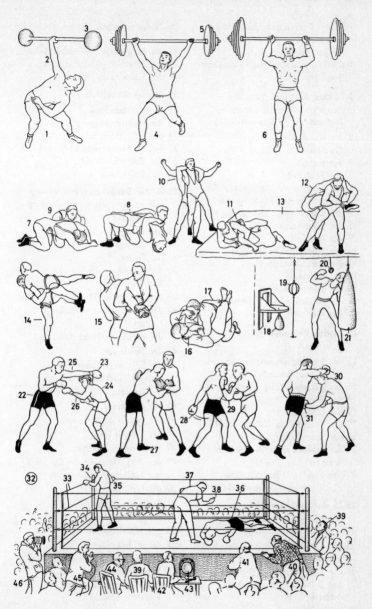

1-56 das Bergsteigen (Berggehen, Bergwandern, die Alpinistik, Hochtouristik):
1 die Unterkunftshütte (Schutzhütte, Berghütte, Hütte)

2-14 das Klettern (Felsklettern, Felsgehen, *bayr.* Kraxeln) [Felstechnik *f*, Klettertechnik]:
2 die Randkluft
3 die Felswand (Wand)
4 der Felsriß
5 das Felsband
6 der Bergsteiger (Berggeher, Felsgeher, Alpinist, Hochtourist)
7 die Kletterweste (Kletterjacke)
8 die Kletterhose
9 der Kamin
10 der Felsblock (Felszacken)
11 die Selbstsicherung
12 der Seilring
13 das Kletterseil (Seil)
14 die Felsleiste (der Felsvorsprung, das Gesims);

15-22 das Eisgehen (Eisklettern) [Eistechnik *f*]:
15 der Eishang (Firnhang, Schneehang), ein Schneefeld *n*
16 der Eisgeher (Eisgänger)
17 der Eispickel
18 die Eisstufe
19 die Schneebrille (Gletscherbrille)
20 die Sturmhaube (Windhaube)
21 die Schneewehe (Schneewächte, Wächte)
22 der Eisgrat (Firngrat, Grat, die Eisschneide, Firnschneide);

23-25 der Seilquergang (das Gehen am Seil *n*), eine Gletscherquerung:
23 das Gletscherfeld (der Gletscherbruch)
24 die Gletscherspalte (Firnspalte)
25 die Eisbrücke (Firnbrücke, Schneebrücke);

26-28 die Seilschaft (Partie, Bergpartie):
26 der Bergführer (Gletscherführer)
27 der Eisgeher (Gletschergeher)
28 der Schlußmann;

29-34 das Abseilen:
29 der Kletterschluß
30 die Schultersicherung
31 der sich Abseilende
32 der Einschenkelsitz (Schenkelsitz)
33 der Zweischenkelsitz
34 der Dülfersitz;

35-56 die Bergsteigerausrüstung (alpine Ausrüstung, Hochgebirgsausrüstung):
35 der Bergstock (Alpenstock):
36 die Zwinge
37 die Spitze;
38 der Eispickel (die Eisaxt, das Eisbeil):
39 die Spitzhaue (Haue)
40 die Widerhaken *m* (Zähne, Kerben *f*)
41 die Breithaue (Schaufel)
42 der Spielring
43 die Spielringschlinge (Pickelschlinge, Pickelschlaufe)
44 der Lederschieber (Schieber)
45 der Haltering;
46 der benagelte Bergschuh:
47 der Flügelnagel
48 die Steigeisenbindung;
49 der Bergschuh mit Profilsohle *f* aus Hartgummi *n* oder *m*:
50 die Geröllkappe;
51 der Kletterschuh
52 der Kletterhammer:
53 der Handriemen;
54 der Eishaken
55 der Mauerhaken (Fiechtlhaken, Kletterhaken)
56 der Schnappring (Karabiner, Karabinerhaken)

1
2
3
4
5
6
7
8
9
10
11
12
13
14
15
16
17
18
19
20
21
22
23
24
25
26
27
28
29
30
31
32
33
34
35
36
37
38
39
40
41
42
43
44
45
46
47
48
49
50
51
52
53
54
55
56

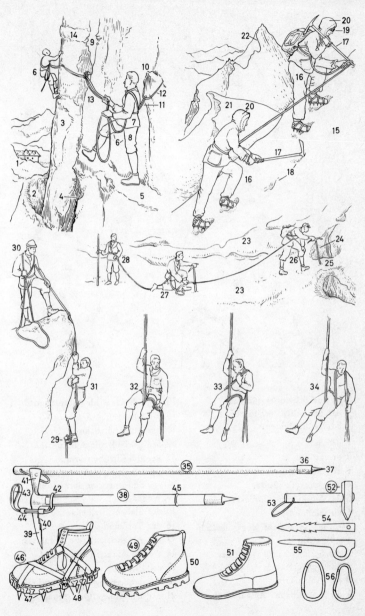

1-34 der Schisport (Schilauf, das Schilaufen, Schifahren, Schneeschuhfahren):

1 der Sessellift

2 der Schilift

3 die Schispur

4 der Schisturz (Sturz)

5 das Schikjöring (Schijöring)

6 die Schihütte

7-14 der Sprunglauf (*ugs.* das Schispringen),

7 die Sprungschanze (*früh.* der Sprunghügel):

8 der Anlaufturm

9 die Anlaufbahn (Ablaufbahn)

10 der Schanzentisch (Absprungtisch, die Schanze);

11 die Aufsprungbahn

12 der Auslauf (die Auslaufbahn)

13 der Schiedsrichterturm

14 der Schiflug des Schispringers *m*, ein Schisprung *m* über große Weiten *f*;

15 der Slalom (Slalomlauf, Torlauf):

16 das Torfähnchen;

17 der Abfahrtslauf (die Abfahrt):

18 die Schußfahrt, in Vorlage *f*

19 die Piste;

20 der Schneepflug (die Grätschfahrt)

21 der Umsprung (Quersprung)

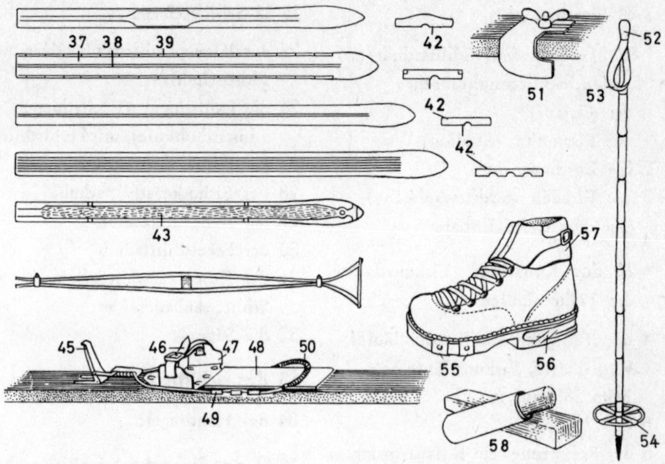

22 der Geländesprung
23 der Telemark (Telemarkschwung, Ausfallschwung)
24-27 der Aufstieg,
24 der Treppenschritt:
25 der Bergschi
26 der Talschi;
27 der Grätenschritt;
28 der Schlittschuhschritt:
29 der Gleitschi;
30 der Schiläufer, ein Langläufer *m* beim Langlauf *m* (Flachlauf)
31 die Wendung (Kehrtwendung)
32 der Kristiania (Kristianiaschwung, Querschwung, Parallelkristiania), ein Schischwung *m* (Parallelschwung)
33 der Stemmbogen:
34 das Kanten;

35-58 die Schiausrüstung,

35-41 die Schier *m* (Skier, Schneeschuhe, Bretter *n*, Brettel *n*):
35 der Tourenschi [Aufsicht *f*]
36 der Slalomschi (Abfahrtsschi):
37 die Lauffläche
38 die Führungsrille
39 die Stahlkante;
40 der Langlaufschi
41 der Sprungschi;
42 die Profile *n* [zu 35, 36, 40, 41]
43 das Seehundsfell (Schifell, Steigfell)
44 die Verspannung
45-50 die Bindung, eine Kandaharbindung:
45 der Vorderstrammer
46 der Zehenriemen
47 die Backe
48 die Fußplatte
49 der Tiefenzug
50 die Spiralfeder;
51 das Harscheisen
52-54 der Schistock:
52 der Lederknauf (Knauf)
53 die Schlaufe (Schlinge)
54 der Schneeteller;
55-57 der Schistiefel:
55 der Sohlenschutz (Sohlenschoner)
56 der Absatzsporn (Schisporn)
57 die Gamasche;
58 das Schiwachs

1-48 Eissport *m*,

1-32 das Eislaufen (Schlittschuhlaufen, Schlittschuhfahren, der Eislauf),
1 das Eisstadion (Stadion):
2 die Zuschauer *m*
3 die Eisbahn (Schlittschuhbahn), eine künstliche Eisbahn;

4-22 der Kunstlauf (Eiskunstlauf, das Figurenlaufen):

4 der Eisläufer (Schlittschuhläufer, Kunstläufer, Eiskunstläufer), beim Sololauf *m*
5 der Mond
6 der Rehsprung, ein Eislaufsprung *m*
7 das Paarlaufen, ein Kürlauf *m* (eine Kür)
8 die Spirale, ein Eistanz *m*
9 der Bogen
10 der Standfuß
11 der Spielfuß
12 die Spitzenpirouette (Pirouette)
13-20 die Grundfiguren *f* (Elementarfiguren, Schulfiguren) des Eislaufs *m* beim Pflichtlauf *m*:
13 der Bogenachter
14 der Schlangenbogen
15 der Dreier
16 der Doppeldreier
17 die Schlinge
18 der Gegendreier
19 die Wende
20 die Gegenwende;
21 die Brille, beim Kürlauf *m*
22 der Schnabel, eine Bremsfigur beim Kürlauf *m*;

23 der Eisschnellauf:

24 der Eisschnelläufer;

25-32 Schlittschuhe *m*,

25 der Klemmschlittschuh (Klammerschlittschuh):
26 die Laufschiene (Gleitschiene, Schlittschuhkufe), mit Hohlschliff *m*;
27 der Schlittschuhschlüssel
28 der Eishockeyschlittschuh
29 der Rennschlittschuh
30 der Segelschlittschuh
31 der Kunstlaufschlittschuh, mit dem Schlittschuhstiefel *m*:
32 die Säge;

33 das Schlittschuhsegeln:

34 das Handsegel;

35-41 das Eishockey (der Eisstockball):

35 der Eishockeyspieler
36 der Torwart (Tormann)
37 u. 38 der Eishockeyschläger (Eishockeystock):
37 der Schlägerschaft
38 das Schlägerblatt;
39 die Eishockeyscheibe (der Puck), eine Hartgummischeibe
40 der Schienbeinschutz
41 die Holzbande;

42 das Curling; *ähnl.:* das Eisschießen:

43 der Curlingspieler
44 der Curlingstein; *ähnl.:* der Eisstock
45 die Daube (das Ziel);

46 das Eissegeln,

47 u. 48 die Eisjacht (das Eissegelboot):
47 die Eiskufe
48 der Ausleger

1
2
3
4
5
6
7
8
9
10
11
12
17
19
13
14
15
16
17
18
19
20
21
22
23
24
25
26
27
28
29
30
31
32
33
34
35
35
36
37
38
39
40
41
42
43
44
45
46
47
47
48
02

1 der Nansenschlitten, ein Polarschlitten *m*
2 der Hörnerschlitten:
3 die Schlittenkufe (Kufe, der Schlittenläufer)
4 die Sitzstrebe, eine Strebe;

5-20 Schlittensport *m*, ein Schneesport *m*,

5-10 das Bobfahren,
5 der Zweierbob, ein Bobsleigh *m* (Bob, Lenkschlitten):
6 die Radsteuerung; *andere Art:* Zugsteuerung;
7 der Steuermann (Bobführer), ein Bobfahrer *m* (Bobsleighfahrer)
8 der Bremser, beim Auslegen *n* (in der Auslage)
9 die Bobbahn (Bobsleighbahn)
10 die überhöhte Kurve;
11 u. 12 das Rodeln (Schlittenfahren, der Rodelsport):
11 der Rodelschlitten (Rodel, Schlitten) auf der Rodelbahn (Schlittenbahn); *ähnl.:* der Rennrodel (Rennschlitten, Sportschlitten)
12 der Schlittenfahrer (Rodler);
13 der Toboggan, ein kufenloser Schlitten *m*:
14 das Bodenbrett
15 das Schutzdach;
16 der Sturzhelm (die Sturzhaube, Sturzkappe) des Tobogganfahrers *m*
17 der Knieschützer
18 der Skeleton:
19 das Liegebrett (Gleitbrett);
20 das Kratzeisen, zum Lenken *n* und Bremsen *n*

1 die Schneelawine (Lawine); *Arten:* Staublawine, Grundlawine
2 der Lawinenbrecher, eine Ablenkmauer; *ähnl.:* der Lawinenkeil
3 die Lawinengalerie
4 das Schneetreiben
5 die Schneeverwehung (Schneewehe)
6 der Schneezaun
7 der Straßenreinigungswagen:
8 der Vorbauschneepflug (Schneepflug)
9 die Schneekette (Gleitschutzkette)
10 die Kühlerhaube
11 das Kühlerhaubenfenster und die Fensterklappe (Jalousie);
12 der Schneemann
13 der Schneereifen (Schneeteller)
14 die Schneeballschlacht:
15 der Schneeball;
16 der Kufengleiter (Schneeroller)
17 die Schlitterbahn (Schleife, *bayr.* Ranschel):
18 der Junge, beim Schlittern *n* (Schleifen, *bayr.* Ranscheln)
19 das Glatteis;
20 die Schneedecke, auf dem Dach *n*
21 der Eiszapfen
22 der Schneeschipper (Schneeschaufler), beim Schippen *n* (Schneeschippen, Schneeschaufeln):
23 die Schneeschippe (Schneeschaufel);
24 der Schneehaufen
25 der Pferdeschlitten:
26 die Schlittenschellen *f* (Schellen, das Schellengeläut);
27 der Fußsack
28 die Ohrenklappe (der Ohrenschützer)
29 der Stuhlschlitten (Stehschlitten, Tretschlitten, der Liebesrodel); *ähnl.:* der Stoßschlitten (Schubschlitten)

287 Verschiedene Sportarten

1 das Kegeln (Kegelspiel, Sportkegeln):
2 die Kegelbahn, eine Asphaltbahn
3 die Kugel (Kegelkugel)
4 der Kugelfang
5 das Prellpolster (Wandpolster)
6 der Schutzstand
7 der Kegeljunge
8 das Kegelfeld [Aufstellung im Vierpaß]
9-14 die Kegel *m*:
9 der Vordereckkegel
10 die Vordergassenkegel
11 der Eckkegel
12 der König
13 die Hintergassenkegel
14 der Hintereckkegel;
15 der Kegeleinwurf
16 die Kugelrinne (der Kugelrücklauf)
17 der Wurfanzeiger
18 die Bande
19 die Anlaufbahn
20 der Kegler;
21 das Boulespiel (Cochonnet); *ähnl.:* das ital. Bocciaspiel, das engl. Bowlspiel:
22 der Boulespieler
23 die Malkugel (Zielkugel)
24 die gerillte Wurfkugel
25 die Spielgruppe;
26 das Polo (Treibballspiel); *ähnl.:* das Radpolo:
27 der Polospieler, ein Stürmer *m*
28 der Polohammer (Poloschläger);
29 der Radball [Zweier-Radball]:
30 der Radballspieler;
31 das Kunstradfahren:
32 die Saalmaschine;
33 der Rollkunstlauf (das Rollschuhlaufen); *andere Rollschuhsportarten:* der Rollschnellauf, das Rollhockey:
34 die Rollschuhläuferin beim Spagat *n*;
35 der Rollschuh:
36 die Metallrolle;
37-47 das Bogenschießen:
37 der Bogenschütze
38 der Bogen:
39 der Bügel
40 die Sehne;
41 der Pfeil:
42 die Pfeilspitze
43 der Pfeilschaft
44 die Befiederung
45 die Nock;
46 der Köcher
47 die Zielscheibe;
48 das Schleuderballspiel:
49 der Schleuderball
50 die Anwurflinie;
51 das bask. Pelotaspiel; *ähnl.:* Jai alai:
52 der Pelotaspieler
53 der Schläger (cesta);
54 das Rhönrad:
55 der Griff
56 das Fußbrett;
57 der Stierkampf (die Corrida); *ähnl.:* das portugies. Rejonar:
58 die Stierarena (Arena)
59, 61, 63 u. 65 die Stierkämpfer *m* (Toreros, Toreadore):
59 der Tuchschwenker (Capeador, Chulo)
60 das rote Tuch (die Capa)
61 der Lanzenreiter (Picador)
62 die Lanze
63 der Banderillero
64 die Banderilla (der Wurfpfeil)
65 der Schwertkämpfer (Töter, Espada, Matador);
66 die Muleta
67 der Kampfstier (Toro)

1
2
3
4
5
6
7
8
9
10
11
12
13
14
15
16
17
18
19
20
21
22
23
24
25
26
27
28
29
30
31
32
33
34
35
36
37
38
39
40
41
42
43
44
45
46
47
48
49
50
51
52
53
54
55
56
57
58
59
60
61
62
63
64
65
66
67

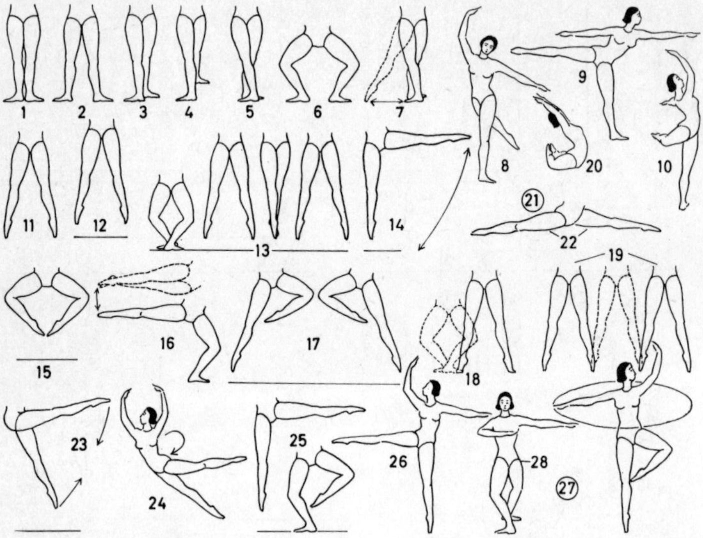

1-10 das Exercice (die Tanzübung) des klassischen Tanzes *m*,

1-5 die Fußpositionen *f* (Stellungen, Haltungen der Füße *m*):

1 1. Position

2 2. Position

3 3. Position

4 4. Position

5 5. Position;

6 das Plié (die Kniebeuge)

7 das Battement (der Beinschlag)

8 das Développé (die Abwicklungslinie; *hier:* croisé derrière (hinten gekreuzt)

9 die Arabeske (Ausschmückung, Verzierung)

10 die Attitude (Stellung, Haltung); *hier:* attitude effacée;

11-28 die Schulschritte *m*:

11 échappé (entflohen)

12 sauté (aufgehüpft)

13 entrechat (verflochtene Kapriole *f*); *hier:* entrechat quatre mit zwei changements während des Sprunges *m*

14 assemblé (zusammengebracht)

15 cambré (gekrümmt), eine passé-Stellung (angezogene Stellung)

16 capriole (die Kapriole, der Luftsprung)

17 pas de chat (der Katzenschritt)

18 glissade (das Rutschen, Gleiten)

19 chaîné (gekettet)

20 soubresaut (der unerwartete Sprung)

21 jeté (der Sprung von einem Fuß *m* auf den anderen):

22 der (das) Spagat;

23 jeté passé (der passierende Sprung)

24 grand jeté en tournant (der große Drehsprung)

25 fouetté (gepeitscht); *ähnl.:* révoltade (der Umschwung)

26 sissonne (der Sprung von beiden Füßen *m* auf einen)

27 pirouette (die Pirouette, Drehung um die eigene Achse):

28 préparation (die Vorbereitung);

29-41 der Kunsttanz (die Tanzkunst),

29-34 der klassische Tanz (das klassische Ballett),

29 das Corps de ballet (die Tanzgruppe, das Ballettkorps, die Balletttruppe):

30 die Ballettänzerin (Balletteuse);

31-34 der Pas de trois (Tanz für drei):

31 die Primaballerina (erste Solistin, erste Solotänzerin), eine Spitzentänzerin

32 der Primoballerino (erste Solist, erste Solotänzer)

33 das Tutu (der kurze Tanzrock)

34 der Tanzschuh, ein Spitzenschuh *m*;

35 die Tanzgroteske, ein Charaktertanz *m*:

36 der Charaktertänzer;

37 die Tanzpantomime (Pantomime):

38 der Pantomime;

39 der Bolero, ein Nationaltanz *m*, ein Paartanz *m*:

40 die Tänzerin;

41 der moderne Tanz (Ausdruckstanz, Podiumstanz, German Dance);

42 der Schuhplattler, ein Volkstanz *m*

43 der Foxtrott, ein Gesellschaftstanz *m*,

44 u. 45 das Tanzpaar:

44 der Tanzpartner

45 die Tanzpartnerin

289 Karneval (Fasching, Fastnacht)

1-48 der Maskenball (das Maskenfest, Narrenfest, Kostümfest):
1 der Ballsaal (Festsaal, Saal)
2 das Jazzorchester (die Jazzband), ein Tanzorchester *n*
3 der Jazzmusiker
4 der (das) Lampion (die Papierlaterne)
5 die Girlande
6-48 die Maskierung (Verkleidung) bei der Maskerade,
6 die Hexe:
7 die Gesichtsmaske (Maske);
8 der Trapper (Pelzjäger)
9 das Apachenmädchen:
10 der Netzstrumpf;
11 der Hauptgewinn der Tombola (Verlosung), ein Präsentkorb *m*
12 die Pierrette:
13 die Larve;
14 der Teufel
15 der Domino
16 das Hawaiimädchen:
17 die Blumenkette
18 der Bastrock;
19 der Pierrot:
20 die Halskrause;
21 die Midinette:
22 das Biedermeierkleid
23 der Schutenhut
24 das Schönheitspflästerchen (die Musche);
25 die Bajadere (indische Tänzerin)
26 der Grande
27 die Kolombine (Kolumbine)
28 der Maharadscha
29 der Mandarin, ein chines. Würdenträger
30 die Exotin
31 der Cowboy; *ähnl.* Gaucho
32 der Vamp, im Phantasiekostüm *n*
33 der Stutzer (Dandy, Geck, *österr.* das Gigerl), eine Charaktermaske:
34 die Ballrosette (das Ballabzeichen);

35 der Harlekin
36 die Zigeunerin
37 die Kokotte (Halbweltdame)
38 der Eulenspiegel, ein Narr *m* (Schelm, Schalk, Possenreißer):
39 die Narrenkappe (Schellenkappe);
40 die Rassel (Klapper)
41 die Odaliske (Orientalin), eine orientalische Haremssklavin:
42 die Pluderhose;
43 der Seeräuber (Pirat):
44 die Tätowierung;
45 die Papiermütze
46 die Pappnase
47 die Knarre (Ratsche, Rätsche)
48 die Pritsche (Narrenpritsche);
49-54 Feuerwerkskörper *m*:
49 das Zündblättchen (Knallblättchen)
50 das (der) Knallbonbon
51 die Knallerbse
52 der Knallfrosch
53 der Kanonenschlag
54 die Rakete;
55 die Papierkugel
56 der Scherzartikel
57-70 der Karnevalszug (Faschingszug):
57 der Karnevalswagen (Faschingswagen)
58 der Karnevalsprinz (Prinz Karneval):
59 das Narrenzepter
60 der Narrenorden (Karnevalsorden);
61 die Karnevalsprinzessin (Faschingsprinzessin)
62 das Konfetti
63 die Riesenfigur, eine Spottgestalt
64 die Schönheitskönigin
65 die Märchenfigur
66 die Papierschlange
67 das Funkenmariechen
68 die Prinzengarde
69 der Hanswurst, ein Spaßmacher *m*
70 die Landsknechttrommel

1-63 der Wanderzirkus:
1 das Zirkuszelt (Spielzelt, Chapiteau)
2 der Zeltmast
3 der Scheinwerfer
4 der Beleuchter
5 der Artistenstand
6 das Trapez (Schaukelreck)
7 der Luftakrobat (Trapezkünstler, »fliegende Mensch«)
8 die Strickleiter
9 die Musikertribüne (Orchestertribüne)
10 die Zirkuskapelle
11 der Manegeneingang
12 der Sattelplatz (Aufsitzplatz)
13 die Stützstange (Zeltstütze)
14 das Sprungnetz, ein Sicherheitsnetz *n*
15 der Zuschauerraum
16 die Zirkusloge
17 der Zirkusdirektor
18 der Artistenvermittler (Agent)
19 der Eingang und Ausgang
20 der Aufgang
21 die Manege (Reitbahn)
22 die Bande (Piste)
23 der Musikclown
24 der Clown (Spaßmacher)
25 die »komische Nummer«, eine Zirkusnummer
26 die Kunstreiter *m*
27 der Manegendiener, ein Zirkusdiener *m*
28 die Pyramide:
29 der Untermann;
30 u. 31 die Freiheitsdressur:
30 das Zirkuspferd in Levade *f*

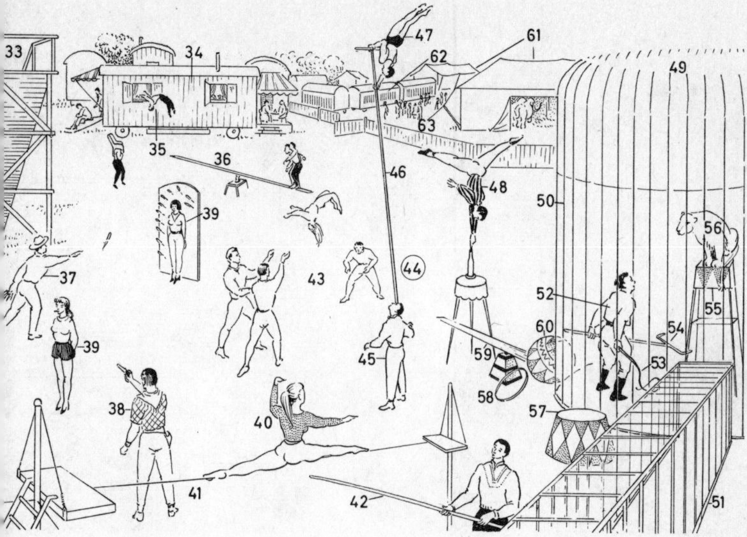

31 der Dresseur, ein Stallmeister *m*;
32 der Voltigereiter (Voltigeur)
33 der Notausgang
34 der Wohnwagen (Zirkuswagen)
35 der Schleuderakrobat
36 das Schleuderbrett
37 der Messerwerfer
38 der Kunstschütze
39 die Assistentin
40 die Seiltänzerin
41 das Drahtseil
42 die Balancierstange (Gleichgewichtsstange)
43 die Wurfnummer (Schleudernummer)
44 der Balanceakt:
45 der Untermann
46 die Perche (Bambusstange)
47 der Akrobat;
48 der Äquilibrist
49 der Raubtierkäfig, ein Rundkäfig *m*
50 das Raubtiergitter
51 der Laufgang (Gittergang, Raubtiergang)
52 der Dompteur (Tierbändiger, Tierlehrer)
53 die Bogenpeitsche (Peitsche)
54 die Schutzgabel
55 das Piedestal
56 der Tiger
57 das Setzstück
58 der Springreifen
59 die Wippe
60 die Laufkugel
61 die Zeltstadt
62 der Käfigwagen
63 die Tierschau

291 Rummelplatz

1-67 der Jahrmarkt (*südwestdt.* die Messe, *bayr.* die Dult):
1 der Festplatz (die Festwiese, Wiese)
2 das Kinderkarussell, ein Karussell *n* (*österr.* ein Ringelspiel *n*, *md.* / *schweiz.* eine Reitschule)
3 die Erfrischungsbude (Getränkebude, der Getränkeausschank)
4 das Kettenkarussell (der Kettenflieger)
5 die Berg-und-Tal-Bahn, eine Geisterbahn
6 die Schaubude
7 die Kasse
8 der Ausrufer (Ausschreier)
9 das Medium
10 der Schausteller
11 der Stärkemesser (Kraftmesser, »Lukas«)
12 der ambulante Händler
13 der Luftballon
14 die Luftschlange
15 die Federmühle, ein Windrad *n*
16 der Taschendieb (Dieb)
17 der Verkäufer
18 der türkische Honig
19 das Abnormitätenkabinett
20 der Riese
21 die Riesendame
22 die Liliputaner *m* (Zwerge)
23 das Bierzelt
24 die Schaustellerbude (das Schaustellerzelt)
25-28 fahrende Leute *pl* (Fahrende *m*):
25 der Feuerschlucker
26 der Schwertschlucker
27 der Kraftmensch
28 der Entfesselungskünstler;
29 die Zuschauer *m*
30 der Eisverkäufer (*ugs.* Eismann)
31 die Eiswaffel (Eistüte), mit Eis *n* (Speiseeis)

32 der Bratwurststand (die Würstchenbude):
33 der Bratrost (Rost)
34 die Rostbratwurst (Bratwurst)
35 die Wurstzange;
36 die Kartenlegerin, eine Wahrsagerin
37 das Riesenrad (russische Rad)
38 das Orchestrion (die automatische Orgel), ein Musikwerk *n* (Musikautomat *m*)
39 die Achterbahn (Gebirgsbahn)
40 die Turmrutschbahn (Rutschbahn)
41 die Schiffsschaukel (Luftschaukel)
42 das Wachsfigurenkabinett (Panoptikum)
43 die Wachsfigur (Wachspuppe)
44 die Spielbude
45 das Glücksrad
46 die Teufelsscheibe (das Taifunrad)
47 der Wurfring
48 die Gewinne *m*
49 der Stelzenläufer
50 das Reklameplakat
51 der Zigarettenverkäufer, ein fliegender Händler *m*
52 der Bauchladen
53 der Obststand
54 der Todesfahrer (Steilwandfahrer)
55 das Lachkabinett (Spiegelkabinett)
56 der Konkavspiegel
57 der Konvexspiegel
58 die Schießbude
59 der (das) Hippodrom
60 der Trödelmarkt (Altwarenmarkt)
61 das Sanitätszelt (die Sanitätswache)
62 die Skooterbahn (das Autodrom)
63 der Skooter (Autoskooter)
64-66 der Topfmarkt:
64 der Marktschreier
65 die Marktfrau
66 die Töpferwaren *f*;
67 die Jahrmarktbummler *m*

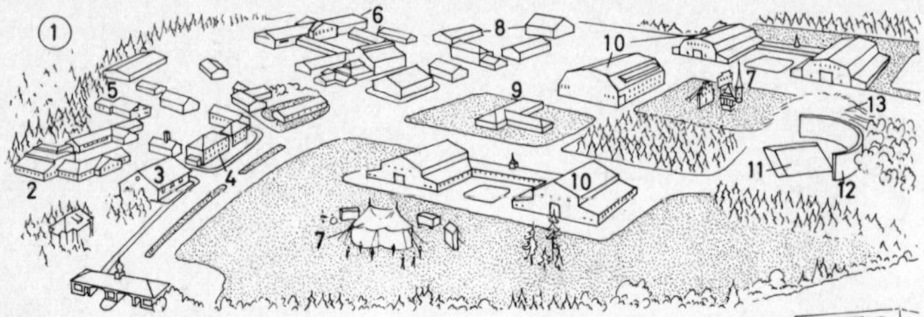

1-13 die Filmstadt,

1 das Freigelände (Außenbaugelände):
2 die Kopierwerke *n*
3 die Schneidehäuser *n*
4 das Verwaltungsgebäude
5 der Filmlagerbunker (das Filmarchiv)
6 die Werkstätten *f*
7 die Filmbauten *m*
8 die Kraftstation
9 die technischen und Forschungslaboratorien *n*
10 die Filmateliergruppen *f*
11 das Betonbassin für Wasseraufnahmen *f*
12 der Rundhorizont
13 der Horizonthügel;

14-61 Filmaufnahmen *f*,

14 das Musikatelier:
15 die »akustische« Wandbekleidung
16 die Bildwand
17 das Filmorchester;
18 die Außenaufnahme (Freilichtaufnahme):
19 die Krankamera (Kran-Dolly)
20 das Praktikabel
21 das Mikrophon am Galgen *m*
22 der Tonwagen
23 die »stumme« (nicht schallgepanzerte) Kamera auf Holzstativ *n*
24 der Bühnenarbeiter
25 der Bühnenmeister;
26-61 die Atelieraufnahme im Tonfilmatelier *n* (Spielfilmatelier *n*, in der Aufnahmehalle):
26 der Produktionsleiter
27 die Hauptdarstellerin (Filmschauspielerin, der Filmstar, Filmstern, Star); *früh.* die Diva (Filmdiva)
28 der Hauptdarsteller (Filmschauspieler, Filmheld, Held)

29 der Filmkomparse (Filmstatist, Komparse, Statist)
30 der Mikrophongalgen
31 das Ateliermikrophon
32 das Mikrophonkabel
33 die Filmkulisse und der Prospekt (die Hintergrundkulisse)
34 der Klappenmann
35 die Synchronklappe, mit Tafel *f* für Filmtitel *m*, Filmszenennummer *f* und Drehdatum *n*
36 der Maskenbildner (Filmfriseur)
37 der Beleuchter
38 die Streuscheibe
39 das Scriptgirl (Skriptgirl, die Ateliersekretärin)
40 der Filmregisseur
41 der Kameramann
42 der Schwenker (Kameraschwenker, Kameraführer)
43 der Filmarchitekt
44 der Aufnahmeleiter
45 das Filmdrehbuch (Drehbuch, Filmmanuskript, Manuskript, Script, Skript)
46 der Regieassistent
47 die schalldichte Filmkamera (Bildaufnahmekamera)
48 der Schallschutzkasten (Blimp)
49 der Kamerakran
50 das Pumpstativ
51 die Abdeckblende, zum Abdecken *n* von Fehllicht *n*
52 der Stativscheinwerfer (Aufheller)
53 die Scheinwerferbrücke
54 die Ateliertonbox für die Tonaufnahme:
55 das Mischpult
56 die Tonkamera
57 der Tonkameratisch
58 der Lautsprecher
59 der Verstärker;
60 der Tonmeister
61 der Tonassistent

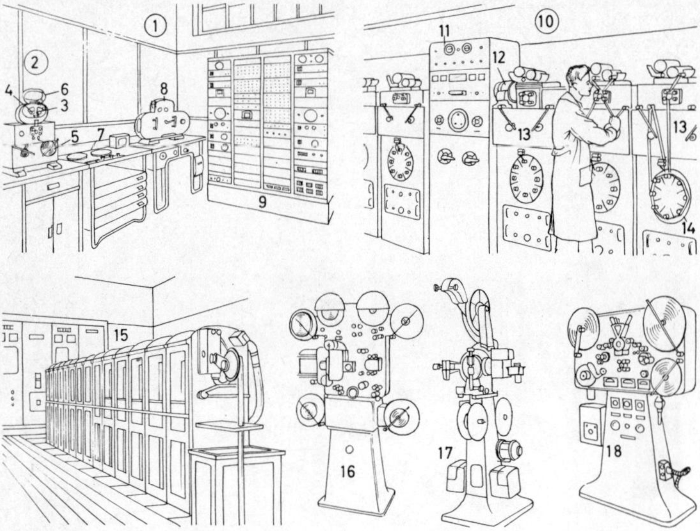

1-34 die Tonfilmherstellung,

1 der Tonaufnahmeraum (Tonkameraraum),

2 die Magnettonkamera, zur elektromagnet. Tonaufnahme:

3 der magnet. Aufsprechkopf

4 der magnet. Hörkopf

5 die Magnetfilmspule

6 der antimagnet. Abschirmdeckel;

7 das Schmalbandmagnetophon (Bandaufnahmegerät)

8 die Lichttonkamera, zur fotograf. Tonaufnahme

9 das Verstärkergestell;

10 die Mischanlage:

11 das Schaltfeld

12 der Antriebs- und Gleichhaltemotor (Synchronmotor)

13 die Tonwiedergabegeräte *n* (Bandspieler *m*), für Dialog-, Musik-, Geräuschbänder *n*

14 der Filmschleifenteller;

15-18 die Kopieranstalt, zur Entwicklung und Kopierung der Filme *m*:

15 die lichtdichten Tageslichtfilmentwickelmaschinen *f*, für Bildnegativ- u. Bildpositiventwicklung *f*, Tonnegativ- u. Tonpositiventwicklung *f*

16-18 Kopiermaschinen *f*:

16 die Kontaktkopiermaschine, für Bild *n* oder Ton *m* oder beides kombiniert (Bild-Ton-Kopiermaschine)

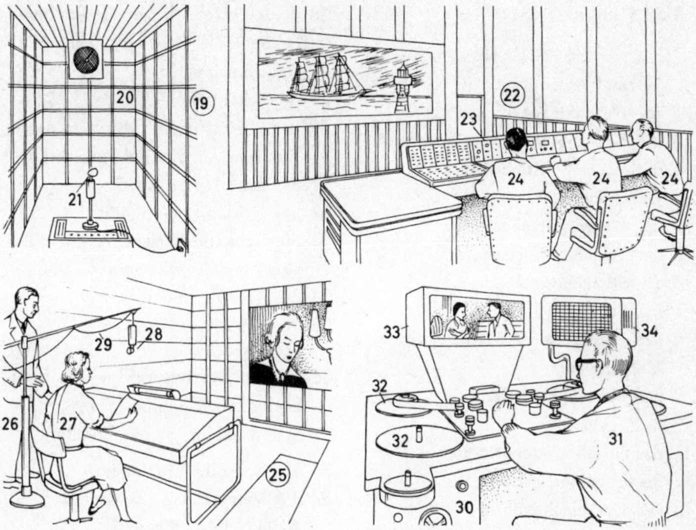

17 die opt. Bildkopiermaschine, für Trick *m*, Umkopierung *f* von Normal- auf Schmalfilm *m*

18 die opt. Tonkopiermaschine, für Schmalfilm *m*;

19 der Hallraum:

20 der Hallraumlautsprecher

21 das Hallraummikrophon;

22-24 die Tonmischung (Mischung mehrerer Tonstreifen *m*),

22 das Mischatelier:

23 das Mischpult, für Einkanalton *m* oder Stereoton *m*

24 die Mischtonmeister *m* (Tonmeister), bei der Mischarbeit;

25-29 die Synchronisation (Nachsynchronisierung),

25 das Synchronisierungsatelier:

26 der Synchronregisseur

27 die Synchronsprecherin

28 das Galgenmikrophon

29 das Tonkabel;

30-34 der Schnitt:

30 der Schneide- und Abhörtisch

31 der Schnittmeister (Cutter)

32 die Filmteller *m*, für die Bild- und Tonstreifen *m*

33 die Bildprojektion

34 der Lautsprecher

1-35 Filmkameras *f*,

1 die schwere Bildkamera, eine Normalfilmkamera:
2 die Aufnahmeoptik
3 die Sonnenblende (das Kompendium), mit Filterbühne *f* und Gazeklemme *f*
4 der Gegenlichttubus
5 der variable Softvorsatz
6 die Schärfenskala
7 die Feineinstellung
8 der Sucher, eine einschwenkbare Mattscheibe
9 der Sicherungsschalter
10 die Beobachtungslupe
11 das Filmkassettengehäuse
12 die Lupenjustierung
13 der Gesamtbildzähler
14 der Einzelbildzähler
15 die Sektorenblendeeinstellung
16 die Sektorenskala
17 der Seitensucher
18 die Kameratür
19 der Polwendeschalter
20 das Filmschaltwerk (die Filmfortschaltung, der Filmtransport)
21 der exzentergesteuerte Doppelgreifer;
22 die leichte Bildkamera (Handkamera od. Schulterkamera)
23 die Bild-Ton-Kamera (Wochenschaukamera, Reporterkamera), für Bild- und Tonaufnahme *f*
24 die Schmalfilmkamera (Amateurkamera):
25 das Sucherfenster
26 der Meterzähler (Filmzähler)
27 der Antrieb (Motor oder Federwerkaufzug, Uhrfederaufzug);
28-35 Spezialkameras *f*,
28 der elektronisch gesteuerte Zeitdehner (die Zeitlupe), eine Hochfrequenzkamera:
29 die Schaltuhr;
30 der Zeitraffer, mit Einzelbildschaltung *f* u. Stoppuhreinrichtung *f*:
31 der Schärfenstellhebel;
32 das Trickaufnahmegerät:
33 die Tricktischkamera; *auch:* Filmtitel- und Textkamera
34 die Trickzeichnung
35 der Filmtitel;

36-44 der Breitwandfilm (Breitfilm, Breitwand-Raumton-Film, Stereotonfilm, Stereophonfilm),

36 die Breitbildaufnahme:
37 die Verzerrlinse (Zerroptik, Zylinderlinse, Zerrlinse, Anamorphotlinse, Komprimierlinse)
38 die stereophonische Tonaufnahme, im Dreikanalverfahren *n*
39 die Stereotonkamera
40 die drei Mikrophone *n*
41 der Tonschriftträger
42 der Breitwandprojektor:
43 die Entzerrlinse (Dehnungslinse);
44 die drei Hinterbühnenlautsprecher *m*;

45-52 der Panoramafilm,

45 die Panoramatonaufnahme:
46 die fünf Mikrophone *n*
47 die Dreifachbildkamera;
48 der Dreifachbildprojektor
49 das Panoramabild (die kreisbogenförmige, gekrümmte Bildwand)
50 die fünf Lautsprecher *m*
51 die Effektlautsprecher *m* im Kinosaal *m*
52 das Vielfachtonwiedergabegerät

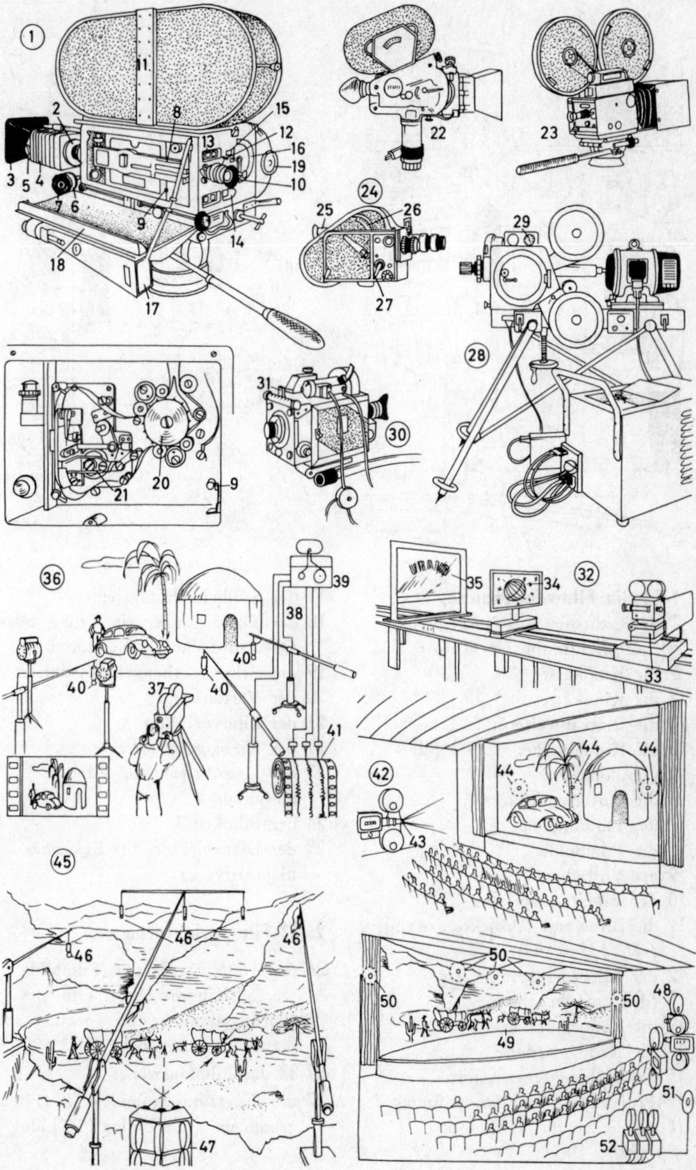
1
2
3
4
5
6
7
8
9
10
11
12
13
14
15
16
17
18
19
20
21
22
23
24
25
26
27
28
29
30
31
32
33
34
35
36
37
38
39
40
41
42
43
44
45
46
47
48
49
50
51
52

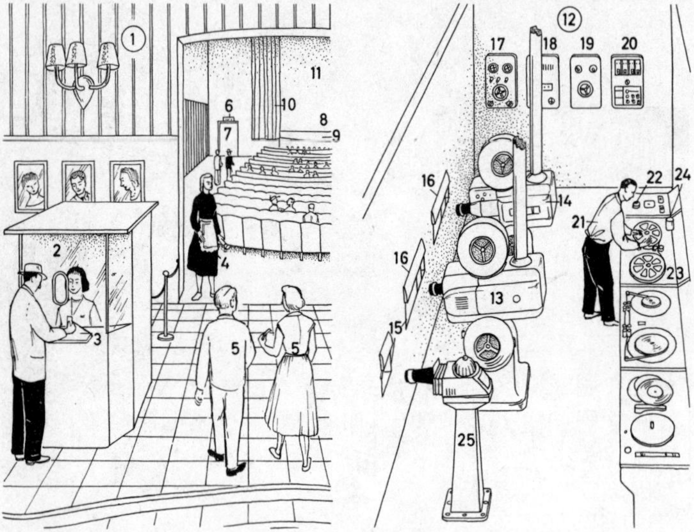

1-25 die Filmwiedergabe,
1 das Lichtspielhaus (Lichtspieltheater, Filmtheater, Kino):
2 die Kinokasse
3 die Kinokarte
4 die Platzanweiserin
5 die Kinobesucher *m* (das Filmpublikum)
6 die Notbeleuchtung
7 der Notausgang
8 die Filmbühne
9 die Vorbühne
10 der Bildwandvorhang
11 die Bildwand (Projektionswand; *früh.* Leinwand);
12 der Filmvorführraum (die Vorführkabine):
13 die Linksmaschine
14 die Rechtsmaschine
15 das Kabinenfenster, mit Projektions- und Schauöffnung *f*
16 die Feuerschutzfallklappe
17 der Saalbeleuchtungsregler
18 der Gleichrichter, ein Selen- oder Quecksilberdampfgleichrichter *m*
19 die elektr. Vorhangzugmaschine
20 der Verstärker
21 der Filmvorführer
22 der Kinogongschalter
23 der Umrolltisch, zur Filmumspulung
24 der Filmkitt
25 der Diaprojektor, für Reklamediapositive *n*;

26-53 Filmprojektoren *m*,

26 der Tonfilmprojektor (Filmbildwerfer, Kinoprojektor, Filmvorführungsapparat, die Theatermaschine, Kinomaschine),
27-38 das Filmlaufwerk:
27 die Feuerschutztrommeln *f* (Filmtrommeln), mit Umlaufölkühlung *f*

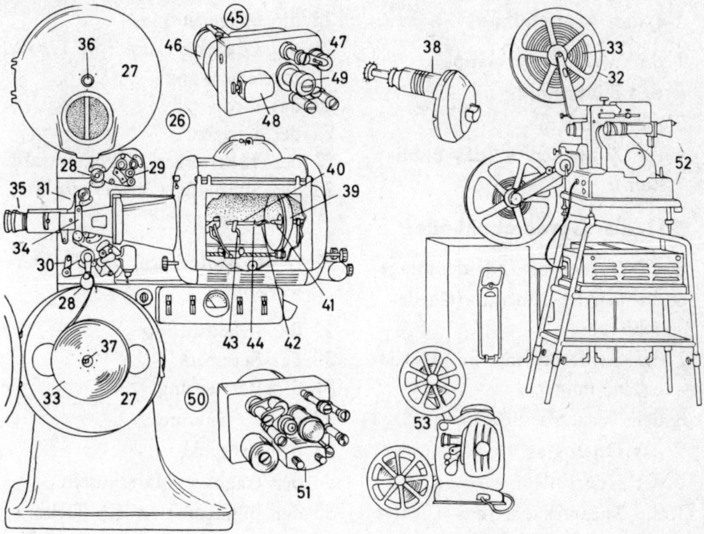

28 die Vor- und Nachwickel-Filmzahntrommeln *f*
29 die Umlenkrolle, mit Bildstrichverstellung *f*
30 der Schleifenbildner, zur Filmvorberuhigung; *auch:* Filmrißkontakt *m*
31 die Filmgleitbahn
32 die Filmspule
33 die Filmrolle
34 das Bildfenster (Filmfenster), mit Filmkühlgebläse *n*
35 das Projektorobjektiv
36 die Abwickelachse
37 die Aufwickelfriktion
38 das Malteserkreuzgetriebe;
39-44 das Lampenhaus:
39 die Spiegelbogenlampe, mit asphärischem Hohlspiegel *m* und Blasmagnet *m* zur Lichtbogenstabilisierung
40 die Positivkohle
41 die Negativkohle
42 der Lichtbogen
43 der Kohlenhalter
44 der Krater (Kohlenkrater);
45 das Lichttongerät [auch für Mehrkanal-Lichtton-Stereophonie *f* und für Gegentaktspur *f* vorgesehen]:
46 die Lichttonoptik
47 der Tonkopf
48 die Tonlampe, im Gehäuse *n*
49 die Fotozelle, in der Hohlachse;
50 das Vierkanal-Magnettonzusatzgerät (der Magnettonabtaster):
51 der Vierfachmagnetkopf;
52 die Schmalfilmtheatermaschine, für Wanderkino *n*
53 der Heimprojektor

1-4 die Arenabühne:

1 die Scheinwerferklappe
2 das Bühnenbild
3 die Spielfläche
4 die Zuschauer *m* (das Publikum);

5-11 die Garderobenhalle:

5 die Garderobe (Kleiderablage)
6 die Garderobenfrau (Garderobiere)
7 die Garderobenmarke (Garderobennummer)
8 der Theaterbesucher
9 das Opernglas
10 der Kontrolleur
11 die Theaterkarte (das Theaterbillett), eine Einlaßkarte;

12 u. 13 das Foyer (die Wandelhalle, der Wandelgang):

12 der Platzanweiser; *früh.:* Logenschließer
13 das Programmheft (Programm);

14-28 das Theater:

14 die Bühne
15 das Proszenium

16-19 der Zuschauerraum:

16 der dritte Rang (die Galerie)
17 der zweite Rang
18 der erste Rang
19 das Parkett;

20 die Probe (Theaterprobe):

21 der Theaterchor (Chor)
22 der Sänger
23 die Sängerin
24 der Orchesterraum (die Orchesterversenkung)
25 das Orchester
26 der Dirigent
27 der Taktstock (Dirigentenstab)
28 der Sitzplatz (Zuschauerplatz, Theaterplatz);

29-42 der Malersaal, eine Theaterwerkstatt:

29 die Arbeitsbrücke
30 das Setzstück
31 die Versteifung
32 die Kaschierung
33 der Prospekt
34 der tragbare Malerkasten
35 der Bühnenmaler, ein Dekorationsmaler *m*
36 die fahrbare Palette
37 der Bühnenbildner
38 der Kostümbildner
39 der Kostümentwurf
40 die Figurine
41 die Modellbühne
42 der Bühnenbildentwurf;

43-52 die Schauspielergarderobe:

43 der Schminkspiegel
44 das Schminktuch
45 der Schminktisch
46 der Schminkstift
47 der Schminkmeister, ein Maskenbildner *m*
48 der Theaterfriseur
49 die Perücke
50 die Requisiten *n*
51 das Theaterkostüm
52 die Signallampe

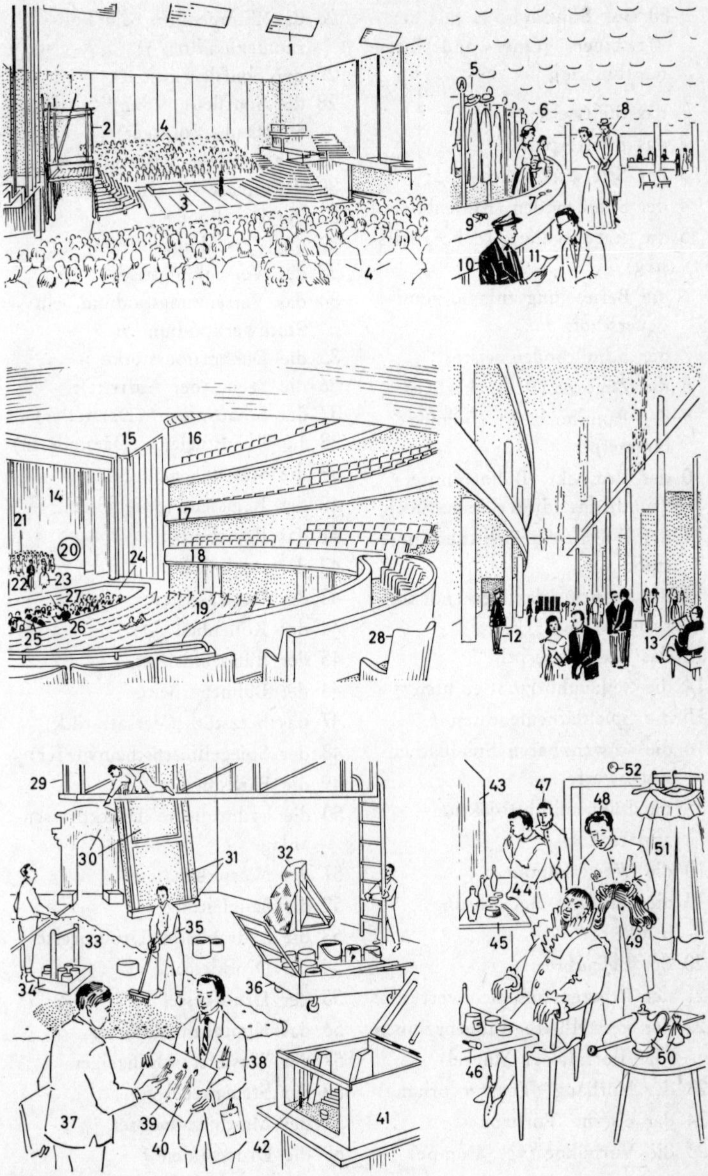
1
2
3
4
5
6
7
8
9
10
11
12
13
14
15
16
17
18
19
20
21
22
23
24
25
26
27
28
29
30
31
32
33
34
35
36
37
38
39
40
41
42
43
44
45
46
47
48
49
50
51
52

1-60 das Bühnenhaus mit der Maschinerie (Ober- und Untermaschinerie),
1 das Stellwerk:
2 das Meisterpult
3 der Stellwartenzettel;
4 der Schnürboden (Rollenboden)
5 die Arbeitsgalerie (der Arbeitssteg)
6 die Berieselungsanlage, zum Feuerschutz *m*
7 der Schnürbodenmeister
8 die Züge *m* (Prospektzüge)
9 der Rundhorizont (Bühnenhimmel)
10 der Prospekt (Bühnenhintergrund, das Hinterhängestück)
11 der Bogen, ein Zwischenhängestück *n*
12 die Soffitte (das Deckendekorationsstück)
13 das Kastenoberlicht
14 die Seilzughorizontleuchten *f*
15 die Spielflächenleuchten *f*
16 die schwenkbaren Spielflächenscheinwerfer *m*
17 die Bühnenbildprojektionsapparate *m*
18 die Wasserkanone
19 die fahrbare Beleuchtungsbrücke
20 der Beleuchter
21 der Proszeniumsscheinwerfer
22 der verstellbare Bühnenrahmen (das Portal, der Mantel)
23 der Vorhang (Theatervorhang)
24 der eiserne Vorhang
25 die Vorbühne (*ugs.* Rampe)
26 das Rampenlicht (die Fußrampenleuchten *f*)
27 der Souffleurkasten
28 die Souffleuse (*männl.:* der Souffleur, Vorsager)
29 der Inspizientenstand
30 der Spielwart (Inspizient)
31 die Drehbühne
32 die Versenkungsöffnung
33 der Versenkungstisch
34 das Versenkungspodium, ein Stockwerkpodium *n*
35 die Dekorationsstücke *n*
36 die Szene (der Auftritt):
37 der Schauspieler (Darsteller)
38 die Schauspielerin (Darstellerin)
39 die Statisten *m*;
40 der Regisseur (Spielleiter)
41 das Regiebuch
42 der Regietisch
43 der Regieassistent
44 das Rollenheft
45 der Bühnenmeister
46 der Bühnenarbeiter
47 das Setzstück (Versatzstück)
48 der Spiegellinsenscheinwerfer:
49 die Farbscheibe;
50 die hydraulische Druckpressenanlage:
51 der Wasserbehälter
52 die Saugleitung
53 die hydraulische Druckpresse
54 die Druckleitung
55 der Druckkessel
56 das Kontaktmanometer
57 der Wasserstandsanzeiger
58 der Steuerhebel
59 der Maschinenmeister
60 die Drucksäulen *f*

1
2
3
4
5
6
7
8
9
10
11
12
13
14
15
16
17
18
19
20
21
22
23
24
25
26
27
28
29
30
31
32
33
34
35
36
37
38
39
40
41
42
43
44
45
46
47
48
49
50
51
52
53
54
55
56
57
58
59
60

1-3 das Kabarett (Brettl, die Kleinkunstbühne):

1 der Begleiter, ein Pianist *m* (Klavierspieler)

2 der Conférencier (Ansager), ein Kabarettist *m*

3 die Chansonette (Chansonsängerin, Diseuse), eine Vortragskünstlerin; *ähnl.:* Schlagersängerin;

4-8 das Varieté (Varietétheater, Revuetheater, *schweiz.* Variété):

4 die Solotänzerin, ein Revuestar *m*

5 der Solotänzer, ein Stepptänzer *m*

6 die Girltruppe (Tanztruppe):

7 das Revuegirl (Girl);

8 das Nummerngirl;

9-22 Artistik *f* (Varieté- und Zirkuskunst):

9 der Parterreakrobat (Bodenakrobat, Akrobat), ein Tempoakrobat *m*

10 der Handspringer

11 Elastikakte *m*:

12 der Kautschukakt

13 der Klischniggakt;

14 die Schönheitstänzerin, eine Schlangentänzerin

15 der Kraftakt:

16 der Äquilibrist;

17 der Jongleur, ein Geschicklichkeitskünstler *m*

18 Zauberer *m*:

19 der Manipulator

20 der Illusionist;

21 der Ikarier

22 das Diabolo, ein Fangspiel *n*;

23 das Handpuppentheater (Kasperletheater):

24 des Teufels *m* Großmutter *f*, eine Handpuppe (Puppe)

25 der Kasper (*ugs.* der od. das Kasperle, Kasperl)

26 das Krokodil

27 der Teufel;

28 das Schattenspiel

29-40 das Marionettentheater, ein Puppentheater *n* (Puppenspiel),

29 die Marionette:

30 das Spielkreuz (Führungskreuz)

31 der Hängefaden

32 der Spielfaden

33 das Klappgelenk

34 der Balg

35 das Glied;

36 der Marionettenspieler, ein Puppenspieler *m*

37 die Spielbrücke

38 die Miniaturbühne, eine Puppenbühne

39 der Bühnenausschnitt

40 der Vorleser

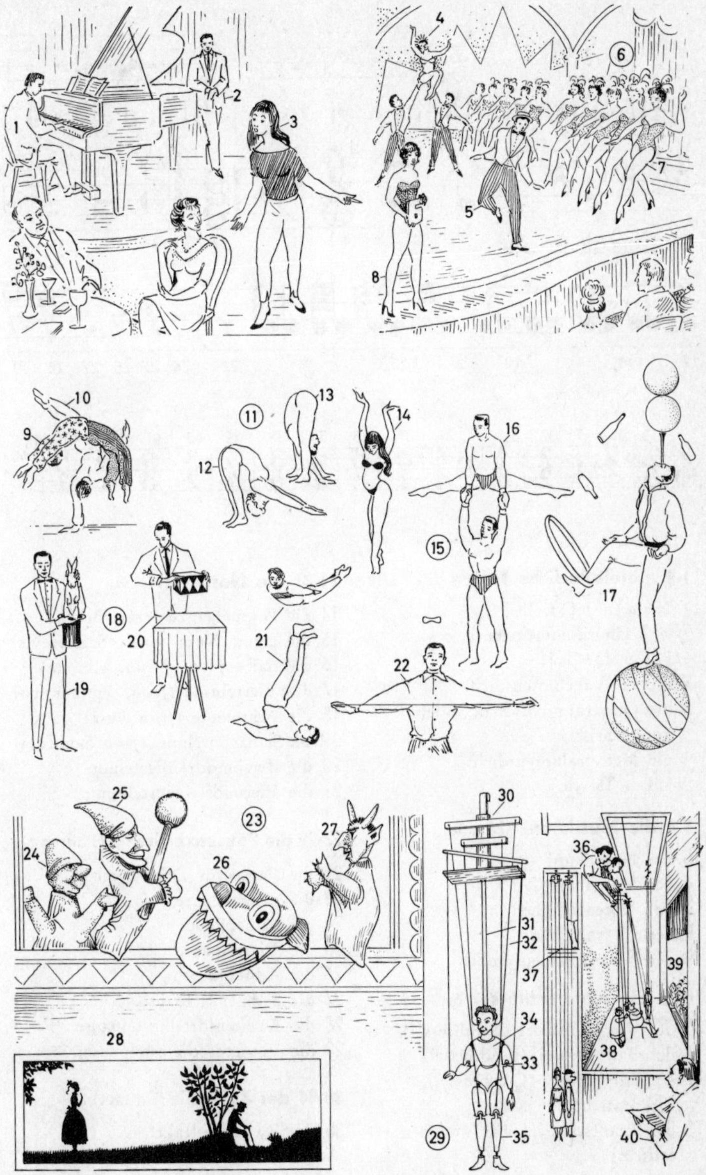
1
2
3
4
5
6
7
8
9
10
11
12
13
14
15
16
17
18
19
20
21
22
23
24
25
26
27
28
29
30
31
32
33
34
35
36
37
38
39
40

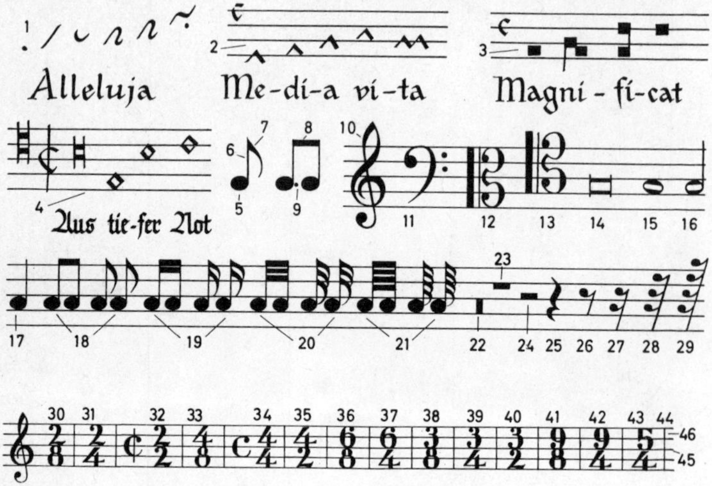

1-4 mittelalterliche Noten *f*:

1 Neumen *f* [11. Jh.]
2 u. 3 Choralnotationen *f* [12. u. 13. Jh.]:
2 die Hufnagelnotenschrift
3 die Quadratnotenschrift (Vierecknotenschrift);
4 die Mensuralnotenschrift [14. u. 15. Jh.];

5-9 die Musiknote (Note):

5 der Notenkopf
6 der Notenhals
7 das Notenfähnchen
8 der Notenbalken
9 der Verlängerungspunkt;

10-13 die Notenschlüssel *m*:

10 der Violinschlüssel (G-Schlüssel)
11 der Baßschlüssel (F-Schlüssel)
12 der Altschlüssel (C-Schlüssel), für Bratsche *f*
13 der Tenorschlüssel, für Violoncello *n*;

14-21 die Notenwerte *m*:

14 die Doppelganze (*früh.* Brevis)
15 die ganze Note (*früh.* Semibrevis)
16 die halbe Note (*früh.* Minima)
17 die Viertelnote (*früh.* Semiminima)
18 die Achtelnote (*früh.* Fusa)
19 die Sechzehntelnote (*früh.* Semifusa)
20 die Zweiunddreißigstelnote
21 die Vierundsechzigstelnote;

22-29 die Pausenzeichen *n* (Pausen *f*):

22 die Pause für Doppelganze *f*
23 die ganze Pause
24 die halbe Pause
25 die Viertelpause
26 die Achtelpause
27 die Sechzehntelpause
28 die Zweiunddreißigstelpause
29 die Vierundsechzigstelpause;

30-44 der Takt (die Taktart)·

30 der Zweiachteltakt
31 der Zweivierteltakt

32 der Zweihalbetakt
33 der Vierachteltakt
34 der Viervierteltakt
35 der Vierhalbetakt
36 der Sechsachteltakt
37 der Sechsvierteltakt
38 der Dreiachteltakt
39 der Dreivierteltakt
40 der Dreihalbetakt
41 der Neunachteltakt
42 der Neunvierteltakt
43 der Fünfvierteltakt
44 der Taktstrich;

45 u. 46 das Notensystem:

45 die Notenlinie
46 der Zwischenraum;

47-50 die Tonleitern *f*:

47 die C-Dur-Tonleiter;
Stammtöne: c, d, e, f, g, a, h, c
48 die c-Moll-Tonleiter [harmonisch]
49 die chromatische Tonleiter
50 die Viertelton-Tonleiter;

51-59 die Versetzungszeichen *n*
(Vorzeichen, die Vorzeichnung),

51 u. 52 die Erhöhungszeichen *n*:
51 das Kreuz (die Halbtonerhöhung)
52 das Doppelkreuz (die Erhöhung um 2 Halbtöne);
53 u. 54 Erniedrigungszeichen *n*:
53 das b (die Halbtonerniedrigung, b rotundum)
54 das Doppel-b (die Erniedrigung um 2 Halbtöne);
55 das Auflösungszeichen (b quadratum)
56-59 die Vierteltonversetzungszeichen *n*:
56 die Vierteltonerhöhung
57 die Dreivierteltonerhöhung
58 die Vierteltonerniedrigung
59 die Dreivierteltonerniedrigung

1-15 die Tonarten *f* (Durtonarten und Molltonarten, Paralleltonarten mit gleichen Vorzeichen *n*), im Quintengang *m*:

1 C-Dur (a-Moll)
2 G-Dur (e-Moll)
3 D-Dur (h-Moll)
4 A-Dur (fis-Moll)
5 E-Dur (cis-Moll)
6 H-Dur (gis-Moll)
7 Fis-Dur (dis-Moll)
8 Cis-Dur (ais-Moll)
9 F-Dur (d-Moll)
10 B-Dur (g-Moll)
11 Es-Dur (c-Moll)
12 As-Dur (f-Moll)
13 Des-Dur (b-Moll)
14 Ges-Dur (es-Moll)
15 Ces-Dur (as-Moll);

16-18 der Akkord,

16 u. 17 Dreiklänge *m*:
16 der Durdreiklang
17 der Molldreiklang;
18 der Vierklang, ein Septimenakkord *m*;
19 die reine Prim (Prime, der Einklang)

20-27 die Intervalle *n* (Tonstufen *f*):

20 die große Sekunde
21 die große Terz
22 die reine Quarte
23 die reine Quinte
24 die große Sexte
25 die große Septime
26 die reine Oktave
27 die große None;

28-38 die Verzierungen *f*:

28 der lange Vorschlag
29 der kurze Vorschlag
30 der Schleifer (Doppelvorschlag)
31 der Triller ohne Nachschlag *m*
32 der Triller mit Nachschlag *m*
33 der Praller (Pralltriller, Schneller)
34 der Mordent
35 der Doppelschlag
36 das Arpeggio aufwärts
37 das Arpeggio abwärts

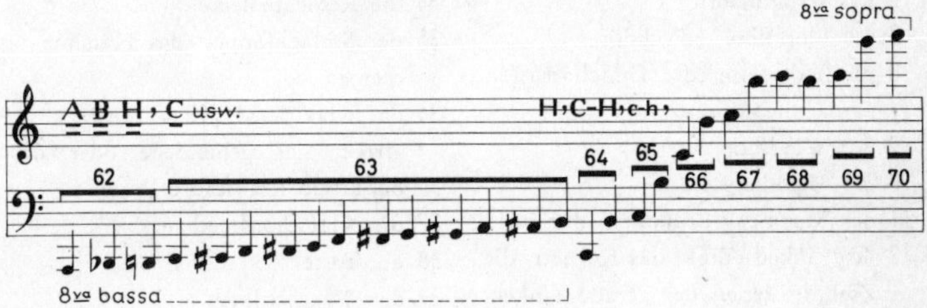

c' h'; c'' h''; c''' h'''; c'''' h''''; c'''''

c^1 h^1; c^2 h^2; c^3 h^3; c^4 h^4; c^5

38 die Triole; *entspr.:* Duole, Quartole, Quintole, Sextole, Septole (Septimole);

39-45 die Synkope:

39 der Auftakt

40 der Bindebogen

41 marcato, ein Akzentzeichen *n* (Betonungszeichen)

42 die Fermate, ein Halte- und Ruhezeichen *n*

43 das Wiederholungszeichen

44 u. 45 die Oktavzeichen *n*:

44 ottava sopra (eine Oktave höher)

45 ottava bassa (eine Oktave tiefer);

46-48 der Kanon:

46 die führende Stimme (Melodie)

47 die imitierende Stimme

48 die Tempobezeichnung;

49 crescendo (anschwellend)

50 decrescendo (abnehmend)

51 legato (gebunden)

52 portato (getragen)

53 tenuto (gehalten)

54 staccato (Stakkato, abgestoßen)

55-61 dynamische Bezeichnungen *f*:

55 piano (leise)

56 pianissimo (sehr leise)

57 pianissimo possibile (so leise wie möglich)

58 forte (stark)

59 fortissimo (sehr stark)

60 fortissimo possibile (so stark wie möglich)

61 fortepiano (stark ansetzend, leise weiterklingend);

62-70 die übliche **Einteilung des Tonumfangs** *m*:

62 die Subkontraoktave

63 die Kontraoktave

64 die große Oktave

65 die kleine Oktave

66 die 1gestr. Oktave

67 die 2gestr. Oktave

68 die 3gestr. Oktave

69 die 4gestr. Oktave

70 die 5gestr. Oktave

1 die Lure, eine Bronzetrompete
2 die Panflöte (Panpfeife, Syrinx), eine Hirtenflöte
3 der Diaulos, eine doppelte Schalmei:
4 der Aulos
5 die Phorbeia (Mundbinde);
6 das Krummhorn
7 die Blockflöte (Blochflöte)
8 die Sackpfeife (der Dudelsack); *ähnl.:* die Musette:
9 der Windsack
10 die Melodiepfeife
11 der Stimmer (Brummer, Bordun);
12 der Zinken (Zink, das Kornett, die Zinke); *Arten:* der gerade Zinken, der krumme Zinken, der Serpent
13 die Schalmei; *größer:* der Bomhart (Pommer, die Bombarde)
14 die Kithara; *ähnl. u. kleiner:* die Lyra (Leier):
15 der Jocharm
16 der Saitenhalter
17 der Steg
18 der Schallkasten
19 das Plektron (Plectrum), ein Schlagstäbchen *n*;
20 die Pochette (Taschengeige, Sackgeige, Stockgeige)
21 die Sister (Cister), ein Zupfinstrument *n*; *ähnl.:* die Pandora:
22 die Rose (Rosette), ein Schalloch *n*;
23 die Viola, eine Gambe; *größer:* die Viola da Gamba, der (die) Violone:
24 der Violenbogen (Bogen);
25 die Drehleier (Radleier, Bauernleier, Bettlerleier, Vielle, das Organistrum):
26 das Streichrad
27 der Schutzdeckel
28 die Klaviatur
29 der Resonanzkörper
30 die Melodiesaite
31 die Bordunsaite (der Bordun);
32 das Hackbrett (Cymbal, die Zimbel); *ähnl.:* das Psalterium:
33 der Schallkasten
34 die Resonanzdecke
35 der Schlagklöppel (das Hämmerchen);
36 das Klavichord (Clavichord); *Arten:* das gebundene oder das bundfreie Klavichord
37 die Klavichordmechanik:
38 die Taste
39 der Waagebalken
40 der Führungsstift
41 der Führungsschlitz
42 das Auflager
43 die Tangente
44 die Saite;
45 das Clavicembalo (Cembalo, Klavizimbel), ein Kielflügel *m*; *ähnl.:* das Spinett (Virginal):
46 das obere Manual
47 das untere Manual;
48 die Cembalomechanik:
49 die Taste
50 die Docke (der Springer)
51 der Springerrechen (Rechen)
52 die Zunge
53 der Federkiel (Kiel)
54 der Dämpfer
55 die Saite;
56 das Portativ, eine tragbare Orgel; *andere Form:* das Regal, *größer:* das Positiv:
57 die Pfeife
58 der Balg

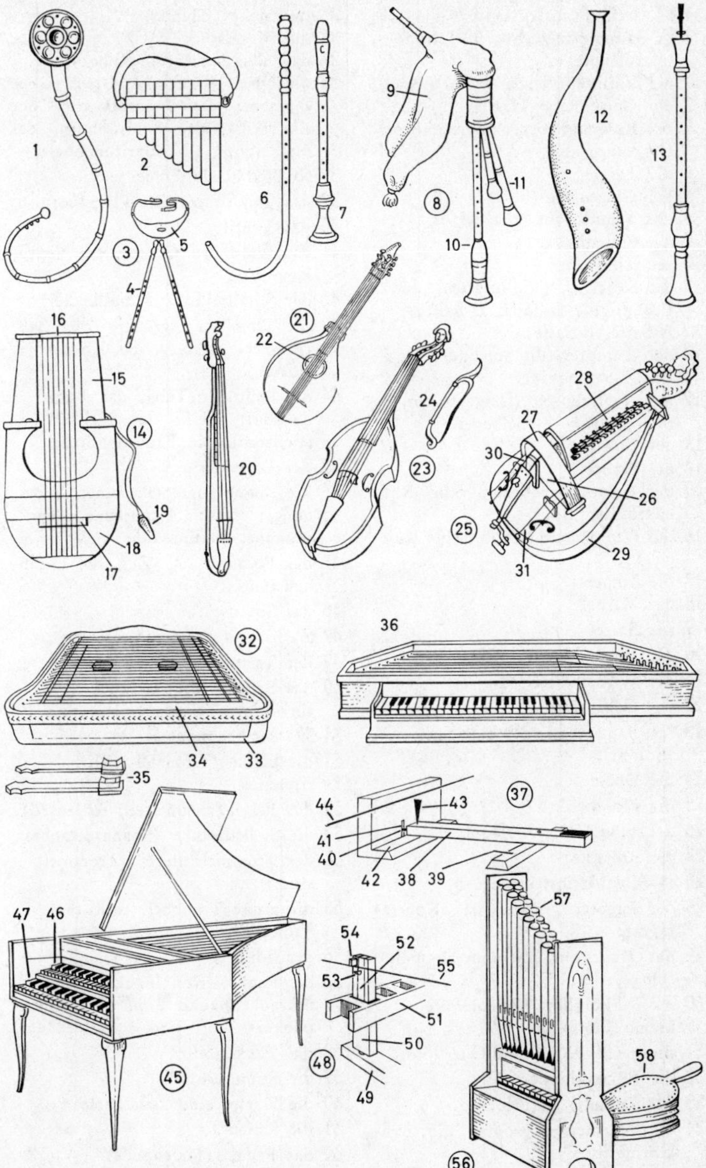
1
2
3
4
5
6
7
8
9
10
11
12
13
14
15
16
17
18
19
20
21
22
23
24
25
26
27
28
29
30
31
32
33
34
35
36
37
38
39
40
41
42
43
44
45
46
47
48
49
50
51
52
53
54
55
56
57
58

1-62 Orchesterinstrumente *n*,
1-27 Saiteninstrumente *n*, Streichinstrumente *n*,
1 die Violine (Geige, *früh.* Fiedel):
2 der Geigenhals (Hals)
3 der Resonanzkörper (Geigenkörper, Geigenkorpus)
4 die Zargen *f*
5 der Geigensteg (Steg)
6 das F-Loch, ein Schalloch *n*
7 der Saitenhalter
8 die Kinnstütze
9 die Saiten *f* (Violinsaiten, der Bezug): die G-Saite, D-Saite, A-Saite, E-Saite;
10 der Dämpfer (die Sordine)
11 das Kolophonium
12 der Violinbogen (Geigenbogen, Bogen, *früh.* Fiedelbogen):
13 der Frosch
14 die Stange
15 der Geigenbogenbezug, ein Roßhaarbezug *m*;
16 das Violoncello (Cello), eine Kniegeige:
17 die Schnecke
18 der Wirbel
19 der Sattel
20 der Wirbelkasten
21 der Wirbelhalter
22 das Griffbrett;
23 der Kontrabaß (die Baßgeige, Violone):
24 die Decke
25 die Hohlkehle
26 der Flödel (die Einlage);
27 die Bratsche;
28-38 Holzblasinstrumente *n*,
28 das Fagott; *größer:* das Kontrafagott:
29 das Mundrohr, mit dem Doppelrohrblatt *n*;
30 die Pikkoloflöte (Piccoloflöte, kleine Flöte)
31 die große Flöte, eine Querflöte:
32 die Flötenklappe
33 das Tonloch (Griffloch);
34 die Klarinette; *größer:* die Baßklarinette:
35 die Brille (Klappe)
36 das Mundstück
37 das Schallstück (die Stürze);
38 die Oboe (Hoboe); *Arten:* Oboe d'amore; die Tenoroboen: Oboe da caccia, das Englischhorn; das Heckelphon (die Baritonoboe);
39-48 Blechblasinstrumente *n*,
39 das Tenorhorn, ein Flügelhorn *n*:
40 das Ventil;
41 das Waldhorn (Horn), ein Ventilhorn *n*:
42 der Schalltrichter (Schallbecher);
43 die Trompete; *größer:* die Baßtrompete; *kleiner:* das Kornett (Piston)
44 die Baßtuba (Tuba, das Bombardon); *ähnl.:* das Helikon (Pelitton), die Kontrabaßtuba:
45 der Daumenring;
46 die Zugposaune (Posaune, Trombone); *Arten:* Altposaune, Tenorposaune, Baßposaune:
47 der Posaunenzug (Zug, die Posaunenstangen *f*)
48 das Schallstück;
49-59 Schlaginstrumente *n*:
49 der Triangel
50 das Becken (die Tschinellen *f*, türkischen Teller *m*)
51-59 Membraphone *n*,
51 die kleine Trommel (Wirbeltrommel):
52 das Fell (Trommelfell, Schlagfell)
53 die Stellschraube (Spannschraube);
54 der Trommelschlegel (Trommelstock)
55 die große Trommel (türkische Trommel)
56 der Schlegel
57 die Pauke (Kesselpauke), eine Schraubenpauke; *ähnl.:* Maschinenpauke:
58 das Paukenfell
59 die Stimmschraube;
60 die Harfe, eine Pedalharfe:
61 die Saiten *f*
62 das Pedal (Harfenpedal)

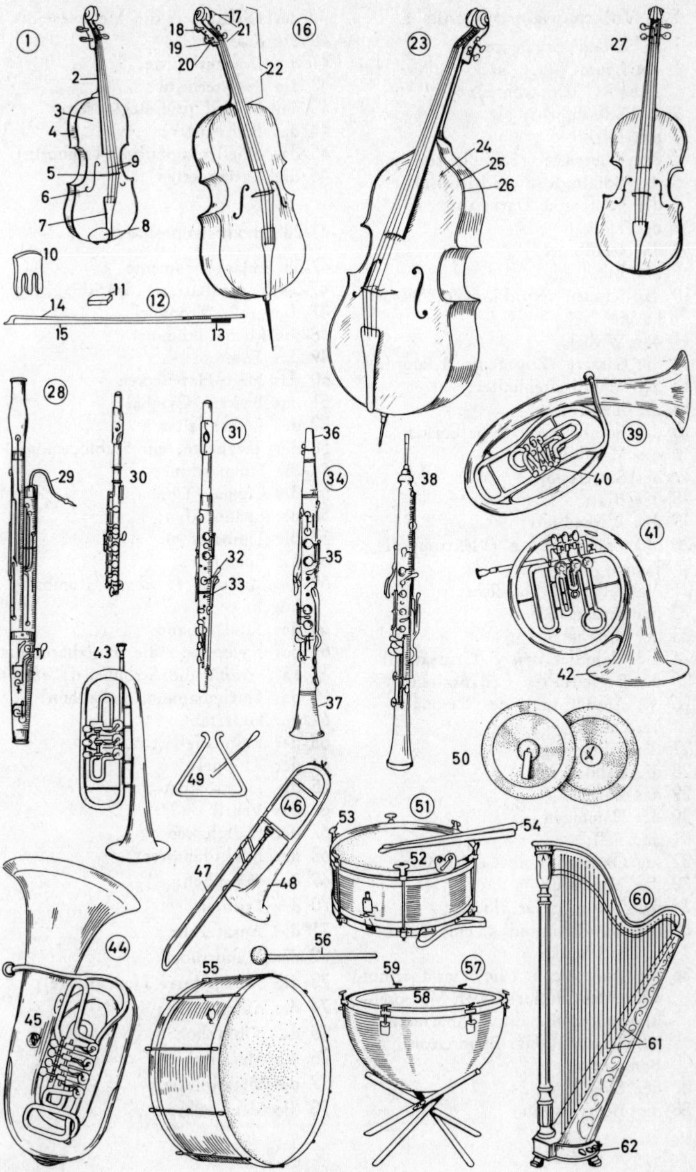
1
2
3
4
5
6
7
8
9
10
11
12
13
14
15
16
17
18
19
20
21
22
23
24
25
26
27
28
29
30
31
32
33
34
35
36
37
38
39
40
41
42
43
44
45
46
47
48
49
50
51
52
53
54
55
56
57
58
59
60
61
62

1-46 Volksmusikinstrumente *n*,

1-31 Saiteninstrumente *n*,

1 die Laute (*älter und größer:* die Theorbe, Chitaronne):
2 der Schallkörper
3 das Dach
4 der Querriegel (Saitenhalter)
5 das Schalloch (die Schallrose)
6 die Saite, eine Darmsaite
7 der Hals
8 das Griffbrett
9 der Bund
10 der Kragen (Knickkragen, Wirbelkasten)
11 der Wirbel;
12 die Gitarre (Zupfgeige, Klampfe):
13 der Metallsaitenhalter
14 die Metallsaite
15 der Schallkörper (Schallkasten);
16 die Mandoline:
17 der Sattelknopf
18 das Blatt
19 das Wirbelbrett;
20 das Spielplättchen (Plektron, die Penna)
21 die Zither (Schlagzither):
22 der Stimmstock
23 der Stimmnagel
24 die Melodiesaiten *f* (Griffsaiten)
25 die Begleitsaiten *f* (Baßsaiten)
26 die Ausbuchtung des Resonanzkastens *m*;
27 der Schlagring
28 die Balalaika
29 das Banjo:
30 das Tamburin
31 das Fell;
32 die Okarina, eine Gefäßflöte:
33 das Mundstück
34 das Tonloch (Griffloch);
35 die Mundharmonika, eine Zweilochharmonika
36 das Akkordeon (die Handharmonika, das Schifferklavier, Matrosenklavier); *ähnl.:* die Ziehharmonika, Konzertina, das Bandoneon, die Bandonika:
37 der Balg
38 der Balgverschluß
39 der Diskantteil die Melodieseite)
40 die Klaviatur
41 das Diskantregister
42 die Registertaste
43 der Baßteil (die Begleitseite)
44 das Baßregister;
45 das Schellentamburin (Tamburin)
46 die Kastagnetten *f*;

47-78 Jazzinstrumente *n*,

47-58 Schlaginstrumente *n*,

47-54 die Jazzbatterie (das Schlagzeug):
47 die große Trommel
48 die kleine Trommel
49 das Tomtom
50 das High-Hat-Becken
51 das Becken (Cymbal)
52 der Beckenhalter
53 der Jazzbesen, ein Stahlbesen *m*
54 die Fußmaschine;
55 die Conga (Tumba):
56 der Spannreifen;
57 die Timbales *m*
58 die Bongos *m*
59 die Maracas *f*; *ähnl.:* Rumbakugeln
60 der Sapo cubano
61 das Xylophon (die Holzharmonika); *früh.:* die Strohfiedel; *ähnl.:* das Marimbaphon, Tubaphon:
62 der Holzstab
63 der Resonanzkasten
64 der Klöppel;
65 die Jazztrompete:
66 das Ventil
67 der Haltehaken
68 der Effektdämpfer;
69 das Saxophon:
70 der Trichter
71 das Ansatzrohr
72 das Mundstück;
73 die Schlaggitarre (Jazzgitarre):
74 die Aufsatzseite;
75 das Vibraphon:
76 der Metallrahmen
77 die Metallplatte
78 die Metallröhre

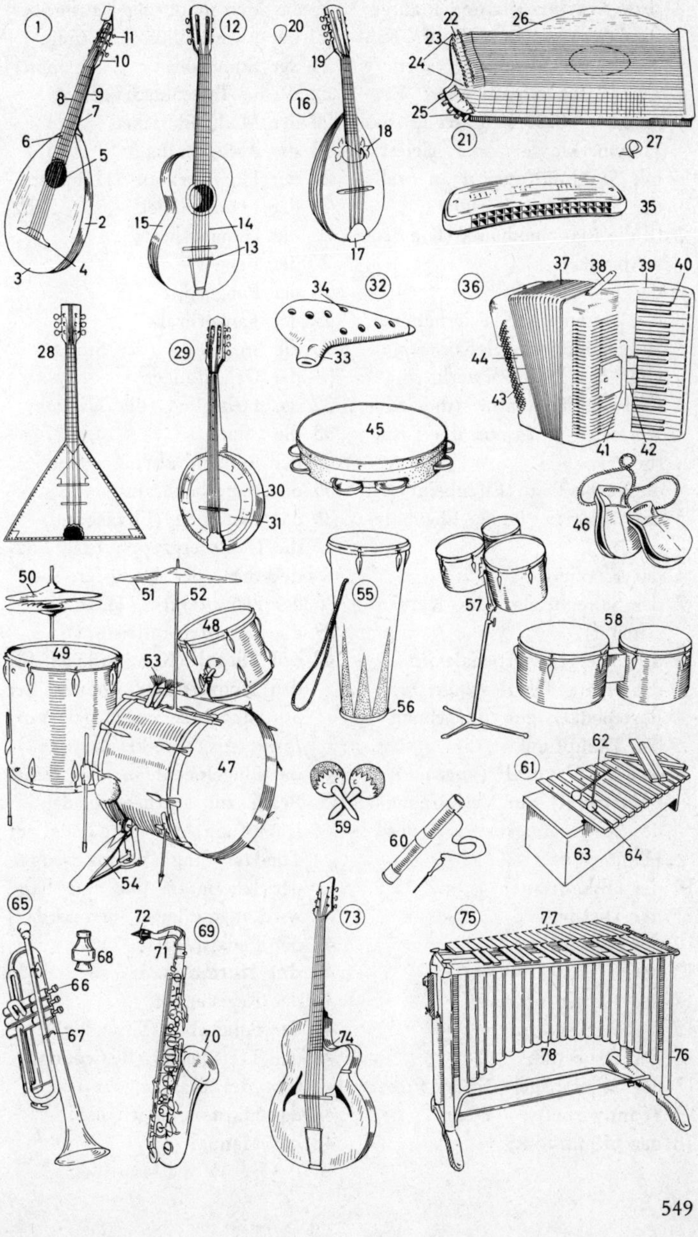
1
2
3
4
5
6
7
8
9
10
11
12
13
14
15
16
17
18
19
20
21
22
23
24
25
26
27
28
29
30
31
32
33
34
35
36
37
38
39
40
41
42
43
44
45
46
47
48
49
50
51
52
53
54
55
56
57
58
59
60
61
62
63
64
65
66
67
68
69
70
71
72
73
74
75
76
77
78

1 **das Klavier** (Piano, Pianino, Pianoforte, Fortepiano), ein Tasteninstrument *n*; *niedere Form:* das Kleinklavier; *Vorformen:* das Pantaleon, das Hammerklavier; die Celesta, mit Stahlplättchen *n* an Stelle der Saiten *f*,

2-18 die Pianomechanik (Klaviermechanik):

2 der Eisenrahmen

3 der Hammer (Klavierhammer, Saitenhammer, Filzhammer); *alle:* das Hammerwerk

4 u. 5 die Klaviatur (die Klaviertasten *f*, Tasten, die Tastatur):

4 die weiße Taste (Elfenbeintaste)

5 die schwarze Taste (Ebenholztaste);

6 das Klaviergehäuse

7 der Saitenbezug (die Klaviersaiten *f*)

8 u. 9 die Klavierpedale *n*:

8 das rechte Pedal (*ungenau:* Fortepedal), zur Aufhebung der Dämpfung

9 das linke Pedal (*ungenau:* Pianopedal), zur Verkürzung des Schwingungsweges *m* der Hämmer *m*;

10 die Diskantsaiten *f*

11 der Diskantsteg

12 die Baßsaiten *f*

13 der Baßsteg

14 der Plattenstift

15 die Mechanikstütze

16 der Druckstab

17 der Stimmnagel (Stimmwirbel, Spannwirbel)

18 der Stimmstock;

19 das Metronom (der Taktmesser)

20 der Stimmschlüssel (Stimmhammer)

21 der Stimmkeil

22-39 die Tastenmechanik:

22 der Mechanikbalken

23 die Abhebestange

24 der Hammerkopf (Hammerfilz)

25 der Hammerstiel

26 die Hammerleiste

27 der Fanger

28 der Fangerpilz

29 der Fangerdraht

30 die Stoßzunge (der Stößer)

31 der Gegenfanger

32 das Hebeglied (die Wippe)

33 die Pilote

34 der Pilotendraht

35 der Bändchendraht

36 das Bändchen (Litzenband)

37 die Dämpfergruppe (das Filzdöckchen, der Dämpfer, die Dämpfung)

38 der Dämpferarm

39 die Dämpferpralleiste;

40 **der Flügel** (Konzertflügel für den Konzertsaal; *kleiner:* der Stutzflügel, Zimmerflügel; *Vorform:* das Tafelklavier):

41 die Flügelpedale *n*; das rechte Pedal zur Aufhebung der Dämpfung; das linke Pedal zur Tondämpfung (Verschiebung der Klaviatur: nur eine Saite wird angeschlagen »una corda«)

42 der Pedalstock;

43 **das Harmonium:**

44 der Registerzug

45 der Kniehebel (Schweller)

46 der Tretschemel (Bedienungstritt des Blasebalgs *m*)

47 das Harmoniumgehäuse

48 das Manual

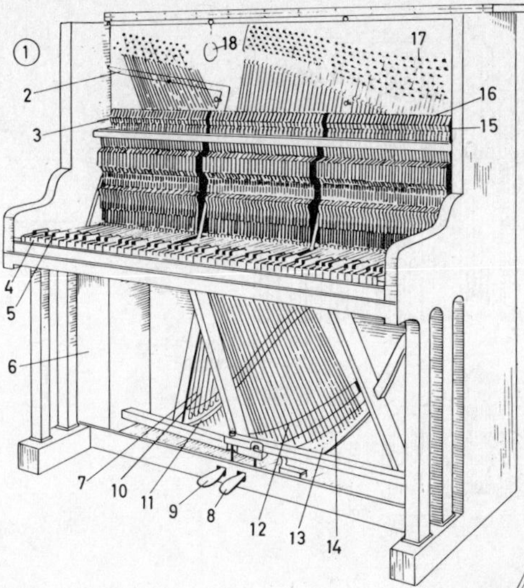
1
2
3
4
5
6
7
8
9
10
11
12
13
14
15
16
17
18

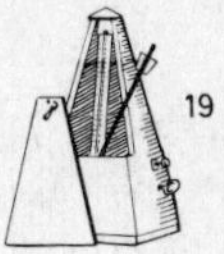
19

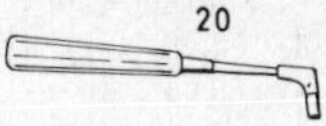
20

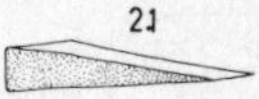
21

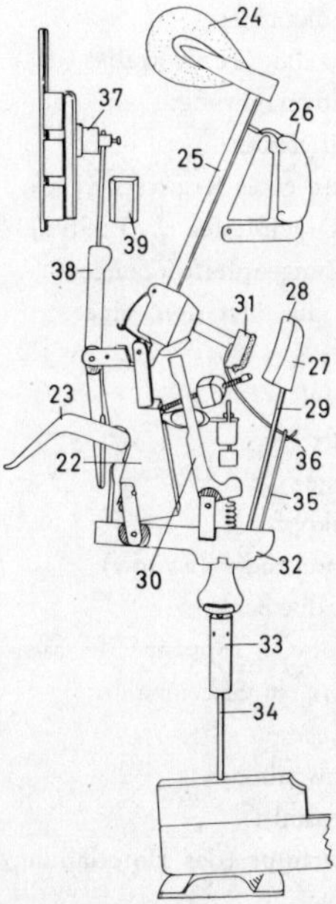
22
23
24
25
26
27
28
29
30
31
32
33
34
35
36
37
38
39

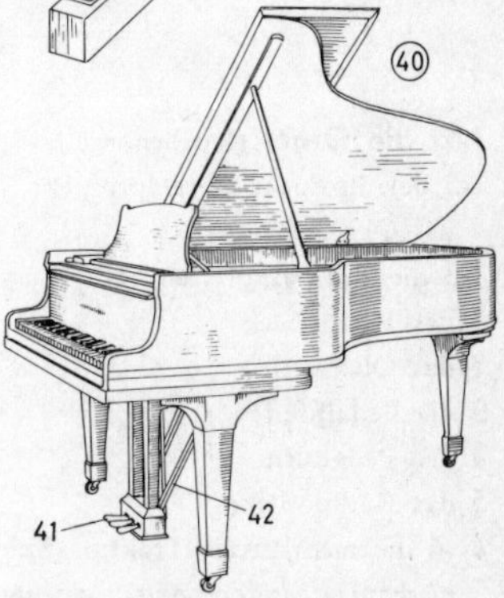
40
41
42

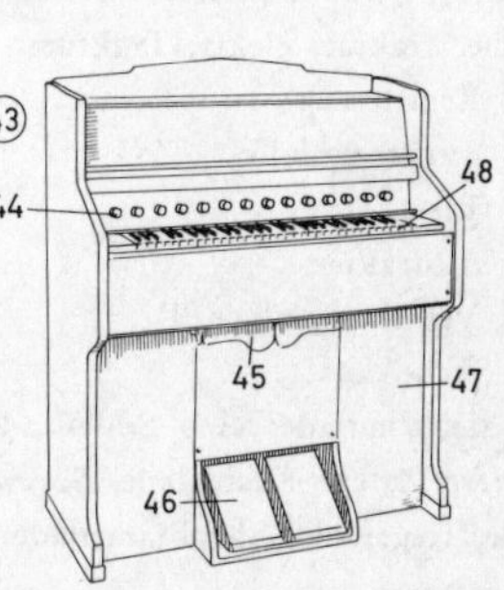
43
44
45
46
47
48

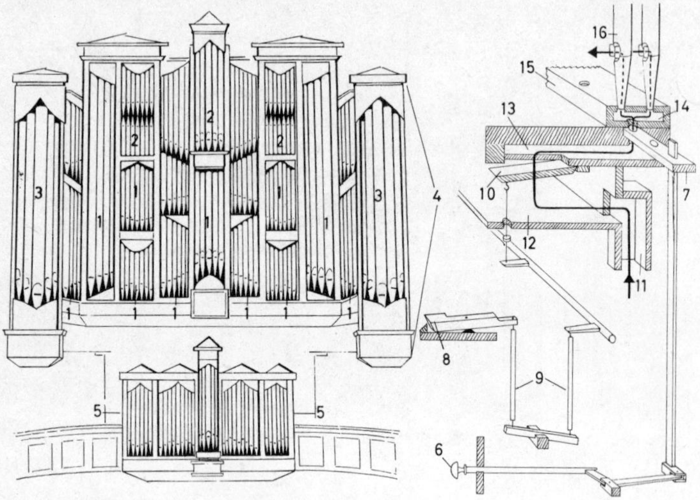

1-52 die Orgel (Kirchenorgel),
1-5 der Prospekt (Orgelprospekt, das Orgelgehäuse),
1-3 die Prospektpfeifen *f*:
1 das Hauptwerk
2 das Oberwerk
3 die Pedalpfeifen *f*;
4 der Pedalturm
5 das Rückpositiv;
6-16 die mechanische Traktur (Spielmechanik); *andere Arten:* pneumatische Traktur, elektr. Traktur:
6 der Registerzug
7 die Registerschleife
8 die Taste
9 die Abstrakte
10 das Ventil (Spielventil)
11 der Windkanal
12-14 die Windlade, eine Schleiflade; *andere Arten:* Kastenlade, Springlade, Kegellade, Membranenlade:
12 die Windkammer
13 die Kanzelle (Tonkanzelle)
14 die Windverführung;
15 der Pfeifenstock
16 die Pfeife eines Registers *n*;
17-35 die Orgelpfeifen *f* (Pfeifen),
17-22 die Zungenpfeife (Zungenstimme) aus Metall *n*, eine Posaune:
17 der Stiefel
18 die Kehle
19 die Zunge
20 der Bleikopf
21 die Stimmkrücke (Krücke)
22 der Schallbecher;
23-30 die offene Lippenpfeife aus Metall *n*, ein Salicional *n*:
23 der Fuß
24 der Kernspalt
25 der Aufschnitt
26 die Unterlippe (das Unterlabium)

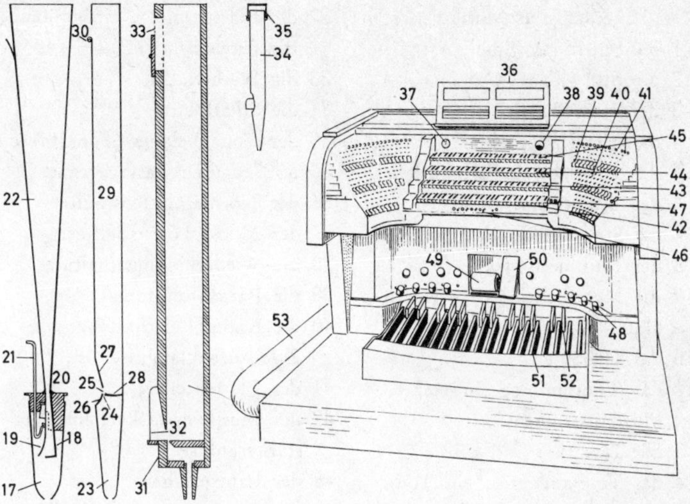

27 die Oberlippe (das Oberlabium)
28 der Kern
29 der Pfeifenkörper (Körper)
30 die Stimmrolle (der Stimmlappen), eine Stimmvorrichtung;
31-33 die offene Lippenpfeife aus Holz *n*, ein Prinzipal *n*:
31 der Vorschlag
32 der Bart
33 der Stimmschlitz, mit Schieber *m*;
34 die gedackte (gedeckte) Lippenpfeife
35 der Metallhut;
36-52 der Orgelspieltisch (Spieltisch) einer elektrisch gesteuerten Orgel:
36 das Notenpult
37 die Kontrolluhr für die Walzenstellung
38 die Kontrolluhr für die Stromspannung
39 die Registertaste
40 die Taste für freie Kombination *f*
41 die Absteller *m* für Zunge *f*, Koppel *f* usw.
42 das I. Manual, für das Rückpositiv
43 das II. Manual, für das Hauptwerk
44 das III. Manual, für das Oberwerk
45 das IV. Manual, für das Schwellwerk
46 die Druckknöpfe *m* und Kombinationsknöpfe *m*, für die Handregistratur, freie, feste Kombinationen *f* und Setzerkombinationen *f*
47 die Schalter *m*, für Wind *m* und Strom *m*
48 der Fußtritt, für die Koppel
49 der Rollschweller (Registerschweller),
50 der Jalousieschweller
51 die Pedaluntertaste (Pedaltaste)
52 die Pedalobertaste;
53 das Kabel

1-10 mechanische Musikwerke *n*,
1 die Spieldose (Spieluhr):
2 die Stiftwalze (Walze)
3 der Metallkamm
4 die Metallzunge
5 der Antrieb, ein Uhrwerk *n*
6 der Stift (Zahn)
7 die Stellvorrichtung;
8 der Musikautomat:
9 die Metallscheibe (das Notenblatt)
10 das Gehäuse;
11 das Trautonium, ein elektr. Musikinstrument *n*:
12 die Tastatur;
13 das Tonbandgerät, ein Tonbandkoffer *m*:
14 das Tonband
15 die Bandspule
16 der Wickeldorn
17 der Aussteuerungsregler
18 die Eingangswähler *m*
19 die Aussteuerungsanzeige
20 die Kurzstopptaste
21 die Aufnahmetaste
22 die Wiedergabetaste
23 die Halttaste
24 die Umspultaste
25 die Tricktaste
26 das Klangregister
27 der Lautstärkeregler und Netzschalter *m*
28 das Mikrophon;
29 der Phonoautomat:
30 das Gehäuse
31 der Gehäuseschlitz;
32 der Plattenspieler, ein automat. Plattenwechsler *m*:
33 die Wechselachse
34 die Schallplatte
35 der Tonabnehmer (Tonarm)
36 u. 37 das Dreitastaggregat:
36 der Normalplattenschalter
37 der Mikroplattenschalter;
38 die Wiederholungsschaltung
39 die Pausenschaltung
40 die Klangfilterschaltung, ein Zweistufenklangfilter *m*
41 der Plattenteller;
42 der Musikverstärker, eine Verstärkeranlage:
43 der Lautsprecher
44 das Fernbedienungsgerät;
45 der Musikschrank:
46 der Rundfunkempfänger
47 der Plattenspieler

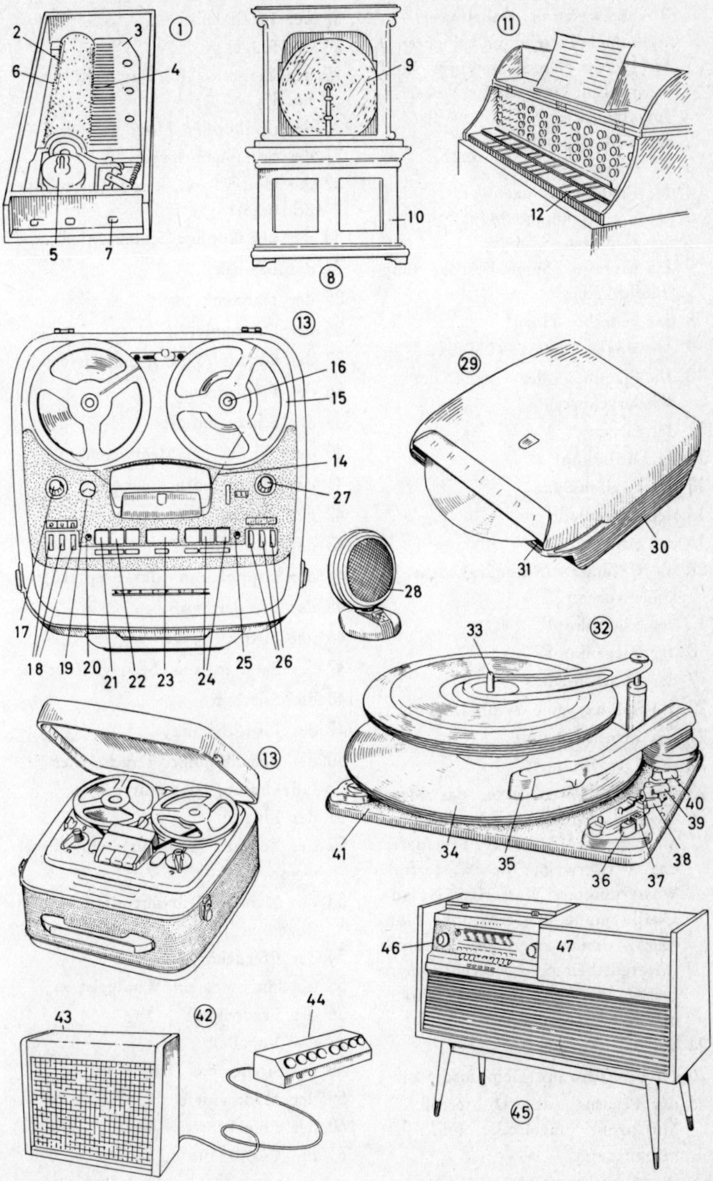
1
2
3
4
5
6
7
8
9
10
11
12
13
14
15
16
17
18
19
20
21
22
23
24
25
26
27
28
29
30
31
32
33
34
35
36
37
38
39
40
41
13
42
43
44
45
46
47

1-61 Fabelwesen *n* (Fabeltiere), mytholog. Tiere *n* und Figuren *f*,
1 der Drache (Drachen, Wurm, Lindwurm, Lintwurm, *bayr. / österr.* Tatzelwurm):
2 der Schlangenleib
3 die Klaue
4 der Fledermausflügel
5 das doppelzüngige Maul
6 die gespaltene Zunge;
7 das Einhorn [Symbol *n* der Jungfräulichkeit]:
8 das gedrehte Horn;
9 der Vogel Phönix (Phönix):
10 die Flamme oder Asche der Wiedergeburt;
11 der Greif:
12 der Adlerkopf
13 die Greifenklaue
14 der Löwenleib
15 die Schwinge;
16 die Chimära (Schimäre), ein Ungeheuer *n*:
17 der Löwenkopf
18 der Ziegenkopf
19 der Drachenleib;
20 die Sphinx, eine symbol. Gestalt:
21 das Menschenhaupt
22 der Löwenrumpf;
23 die Nixe (Wassernixe, das Meerweib, die Meerfrau, Meerjungfrau, Meerjungfer, Meerfee, Seejungfer, das Wasserweib, die Wasserfrau, Wasserjungfer, Wasserfee, Najade, Quellnymphe, Wassernymphe, Flußnixe); *ähnl.:* Nereide, Ozeanide (Meergottheiten, Meergöttinnen); *männl.* der Nix (Nickel, Nickelmann, Wassermann):
24 der Mädchenleib
25 der Fischschwanz (Delphinschwanz);
26 der Pegasus (das Dichterroß, Musenroß, Flügelroß); *ähnl.:* der Hippogryph:
27 der Pferdeleib
28 die Flügel *m*;
29 der Zerberus (Kerberos, Höllenhund):
30 der dreiköpfige Hundeleib
31 der Schlangenschweif;
32 die Hydra von Lerna (Lernäische Schlange):
33 der neunköpfige Schlangenleib;
34 der Basilisk:
35 der Hahnenkopf
36 der Drachenleib;
37 der Gigant (Titan), ein Riese *m*:
38 der Felsbrocken
39 der Schlangenfuß;
40 der Triton, ein Meerwesen *n*:
41 das Muschelhorn
42 der Pferdefuß
43 der Fischschwanz;
44 der Hippokamp (das Seepferd):
45 der Pferderumpf
46 der Fischschwanz;
47 der Seestier, ein Seeungeheuer *n*:
48 der Stierleib
49 der Fischschwanz;
50 der siebenköpfige Drache der Offenbarung (Apokalypse):
51 der Flügel;
52 der Zentaur (Kentaur), ein Mischwesen *n*:
53 der Menschenleib mit Pfeil *m* und Bogen *m*
54 der Pferdekörper;
55 die Harpyie, ein Windgeist *m*:
56 der Frauenkopf
57 der Vogelleib;
58 die Sirene, ein Dämon *m*:
59 der Mädchenleib
60 der Flügel
61 die Vogelklaue

1
2
3
4
5
6
7
8
9
10
11
12
13
14
15
16
17
18
19
20
21
22
23
24
25
26
27
28
29
30
31
32
33
34
35
36
37
38
39
40
41
42
43
44
45
46
47
48
49
50
51
52
53
54
55
56
57
58
59
60
61

1 Zeus *m* (Jupiter), der Göttervater (Olympier),
2-4 die Attribute *n*:
2 der Blitz
3 das Zepter
4 der Adler;
5 Hera *f* (Juno):
6 die Opferschale
7 der Schleier
8 das Zepter;
9 Ares *m* (Mars), Kriegsgott *m*:
10 der Kammhelm
11 der Panzer;
12 Artemis *f* (Diana), Jagdgöttin *f*:
13 der Köcher
14 die Hirschkuh;
15 Apollon *m* (Apollo), Lichtgott *m* und Führer *m* der Musen *f*:
16 der Bogen;
17 Athene *f* (Athena, Minerva), Göttin *f* des Wissens *n* und der Künste *f*:
18 der Helmbusch
19 der korinth. Helm
20 die Lanze;
21 Hermes *m* (Merkur), Götterbote *m* und Gott *m* der Wege *m* und des Handels *m*:
22 die Flügelschuhe *m*
23 der Flügelhut
24 der Geldbeutel
25 der Kaduzeus (Flügelstab, Merkurstab);
26 Eros *m* (Amor, Cupido), Liebesgott *m*:
27 der Flügel
28 der Pfeil (Liebespfeil);
29 Poseidon *m* (Neptun), Meeresgott *m*:
30 der Dreizack
31 der Delphin;
32 Dionysos *m* (Bakchos, Bacchus), Gott *m* des Weins *m*:
33 der Thyrsos (Thyrsusstab, Bacchantenstab)
34 das Pantherfell;
35 die Mänade (Bacchantin):
36 die Fackel;
37 Tyche *f* (Fortuna), Göttin *f* des Zufalls *m* und Glücks *n*:
38 die Mauerkrone
39 das Füllhorn;
40 Pan *m* (Faunus), Hirtengott *m*:
41 die Panflöte
42 der Bocksfuß;
43 Nike *f* (Viktoria), Siegesgöttin *f*:
44 der Siegeskranz;
45 Atlas *m*, ein Riese *m*:
46 das Himmelsgewölbe;
47 Janus *m*, Schützer *m* des Hauses *n*:
48 der Januskopf;
49 Medusa *f*, eine der Gorgonen:
50 das Medusenhaupt (Gorgonenhaupt);
51 die Erinnys (Erinnye, Eumenide, Furie), eine Rachegöttin:
52 das Schlangenbündel;
53-58 die Moiren *f* (Parzen *f*), Schicksalsgöttinnen *f*:
53 Klotho *f*:
54 die Spindel;
55 Lachesis *f*:
56 die Schriftrolle;
57 Atropos *f*:
58 die Schere;
59-75 die Musen *f* (Kamönen, Kamenen):
59 Klio *f* [Geschichte *f*]:
60 die Schriftrolle;
61 Thalia *f* [Komödie *f*]:
62 die komische Maske;
63 Erato *f* [Liebesdichtung *f*]:
64 die Lyra;
65 Euterpe *f* [Instrumentalmusik *f*]:
66 die Flöte;
67 Polyhymnia *f* (Polymnia) [hymn. Gesang *m*]
68 Kalliope *f* [Epos *n*]:
69 das Schreibtäfelchen;
70 Terpsichore *f* [Chorlyrik *f* und Tanz *m*]:
71 die Kithara;
72 Urania *f* [Astronomie *f*]:
73 der Himmelsglobus;
74 Melpomene *f* [Tragödie *f*]:
75 die tragische Maske

1
2
3
4
5
6
7
8
9
10
11
12
13
14
15
16
17
18
19
20
21
22
23
24
25
26
27
28
29
30
31
32
33
34
35
36
37
38
39
40
41
42
43
44
45
46
47
48
49
50
51
52
53
54
55
56
57
58
59
60
61
62
63
64
65
66
67
68
69
70
71
72
73
74
75

1-40 vorgeschichtliche (prähistorische) **Fundgegenstände** *m* (Funde *m*),

1-9 die Altsteinzeit (das Paläolithikum) und **die Mittelsteinzeit** (das Mesolithikum):

1 der Faustkeil, aus Feuerstein *m*
2 die Wurfspitze
3 die Harpune, aus Knochen *m*
4 die Pfeilspitze
5 die Wurfstange, aus der Geweihstange des Rentiers *n*
6 der Ahnenstein, ein bemalter Stein *m*
7 der Pferdekopf, eine Schnitzerei
8 das Steinzeitidol, eine Elfenbeinstatuette
9 der Bison, ein Felsbild *n* (Höhlenbild *n*) [Höhlenmalerei *f*];

10-20 die Jungsteinzeit (das Neolithikum):

10 die Amphore [Schnurkeramik *f*]
11 der Bombentopf [Stichbandkeramik *f*]
12 die Kragenflasche [Megalithkeramik *f*]
13 das spiralverzierte Gefäß [Bandkeramik *f*]
14 der Glockenbecher [Zonenkeramik *f*]
15 das Pfahlhaus, ein Pfahlbau *m*; *ähnl.:* das italienische Terramare, der britische Crannog
16 der Dolmen, ein Megalithgrab *n* (*ugs.* Hünengrab); *andere Arten:* das Ganggrab, das Galeriegrab; *ähnl.:* das Kuppelgrab
17 das Steinkistengrab, ein Hockergrab *n*
18 der Menhir; *ähnl.:* der nordische Bautastein, der deutsche Hinkelstein, ein Monolith *m*
19 die Bootaxt, ein Steinbeil *n*
20 das Terrakottaidol, ein Idol *n* (Götzenbild);

21-40 die Bronzezeit und **die Eisenzeit;** *Epochen:* die Hallstattzeit, die La-Tène-Zeit:

21 die bronzene Lanzenspitze
22 der Bronzedolch
23 die Tüllenaxt, eine Bronzeaxt
24 die Gürtelscheibe
25 der Halskragen
26 der goldene Halsring
27 die Violinbogenfibel, eine Fibel (Bügelnadel)
28 die Schlangenfibel; *andere Arten:* die Kahnfibel, die Armbrustfibel
29 die Kugelkopfnadel, eine Bronzenadel
30 die Spiralbrillenfibel; *ähnl.:* die Plattenfibel
31 das Bronzemesser
32 der eiserne Schlüssel
33 die Pflugschar
34 die Situla aus Bronzeblech *n*, ein Grabgefäß *n*
35 die Henkelkanne [Kerbschnittkeramik *f*]
36 der Kesselwagen, ein Miniaturkultwagen *m* (Kultwagen)
37 die keltische Silbermünze
38 die Gesichtsurne, eine Aschenurne; *andere Arten:* die Hausurne, die Buckelurne
39 das Urnengrab:
40 die Kegelhalsurne

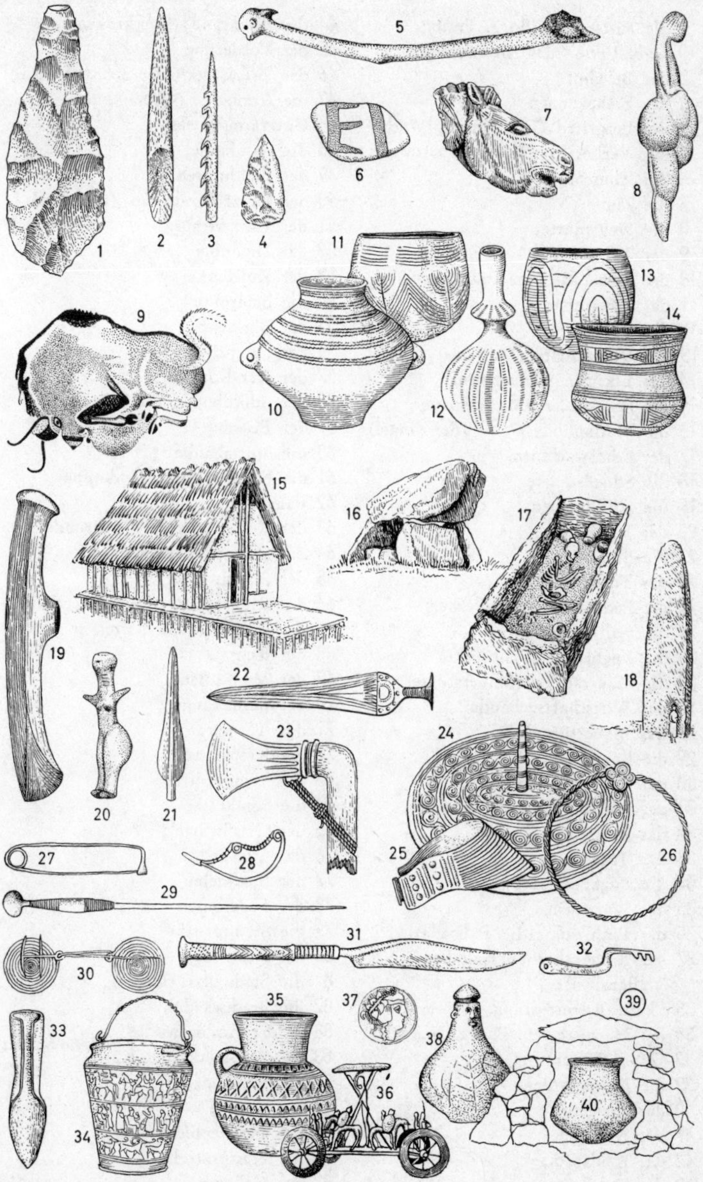
1
2
3
4
5
6
7
8
9
10
11
12
13
14
15
16
17
18
19
20
21
22
23
24
25
26
27
28
29
30
31
32
33
34
35
36
37
38
39
40

310 Ritterwesen (Rittertum)

1 die Ritterburg (Burg, Feste,
früh. Veste, das Ritterschloß):
2 der Burghof
3 der Ziehbrunnen
4 der Bergfried (Hauptturm, Wacht-
5 das Verlies [turm, Wartturm):
6 der Zinnenkranz
7 die Zinne
8 die Wehrplatte;
9 der Türmer
10 die Kemenate (das Frauenhaus)
11 das Zwerchhaus
12 der Söller
13 das Vorratshaus (Mushaus)
14 der Eckturm (Mauerturm)
15 die Ringmauer (Mantelmauer,
16 die Bastion [der Zingel)
17 der Scharwachturm
18 die Schießscharte
19 die Schildmauer
20 der Wehrgang
21 die Brustwehr
22 das Torhaus:
23 die Pechnase (der Gußerker)
24 das Fallgatter;
25 die Zugbrücke (Fallbrücke)
26 die Mauerstrebe (Mauerstütze)
27 das Wirtschaftsgebäude
28 das Mauertürmchen
29 die Burgkapelle
30 der Palas (die Dürnitz)
31 der Zwinger
32 das Burgtor
33 der Torgraben
34 die Zugangsstraße
35 der Wartturm
36 der Pfahlzaun (die Palisade)
37 der Ringgraben (Burggraben,
Wallgraben);
38-65 die Ritterrüstung,
38 der Harnisch, ein Panzer *m*,
39-42 der Helm:
39 die Helmglocke
40 das Visier
41 das Kinnreff
42 das Kehlstück;
43 die Halsberge
44 der Brechrand (Stoßkragen)
45 der Vorderflug
46 das Bruststück (der Brustharnisch)
47 die Armberge (Ober- und
Unterarmschiene)
48 die Armkachel
49 der Bauchreifen
50 der Panzerhandschuh (Gantelet)
51 der Panzerschurz
52 der Diechling
53 der Kniebuckel
54 die Beinröhre
55 der Bärlatsch;
56 der Langschild
57 der Rundschild:
58 der Schildbuckel (Schildstachel);
59 der Eisenhut
60 die Sturmhaube
61 die Kesselhaube (Hirnkappe)
62 Panzer *m*:
63 der Kettenpanzer (die Brünne)
64 der Schuppenpanzer
65 der Schildpanzer;
66 der Ritterschlag (die Schwertleite):
67 der Burgherr, ein Ritter *m*
68 der Knappe
69 der Mundschenk
70 der Minnesänger;
71 das Turnier:
72 der Kreuzritter
73 der Tempelritter
74 die Schabracke
75 der Grießwärtel;
76 das Stechzeug:
77 der Stechhelm
78 der Federbusch
79 die Stechtartsche
80 der Rüsthaken
81 die Stechlanze (Lanze)
82 die Brechscheibe;
83-88 der Roßharnisch:
83 das Halsstück (der Kanz)
84 der Roßkopf
85 der Fürbug
86 das Flankenblech
87 der Kürißsattel
88 das Gelieger

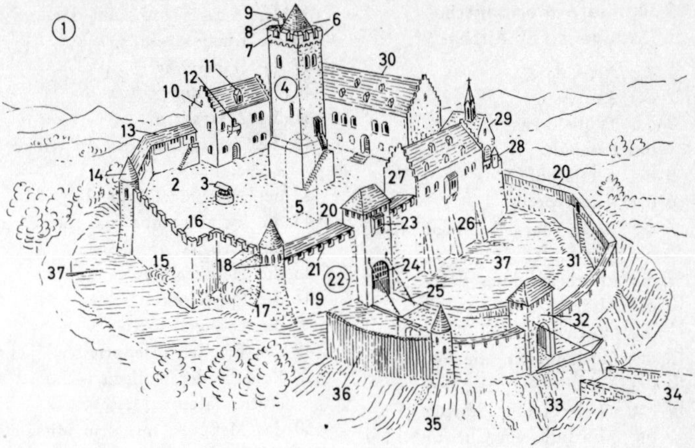
1
2 3 4 5 6 7 8 9 10 11 12 13 14 15 16 17 18 19 20 21 22 23 24 25 26 27 28 29 30 31 32 33 34 35 36 37

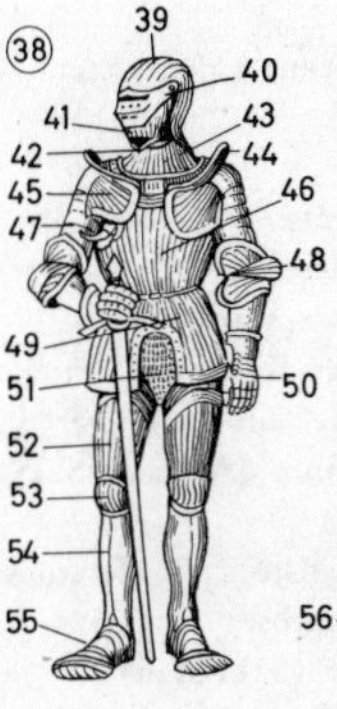
38
39 40 41 42 43 44 45 46 47 48 49 50 51 52 53 54 55

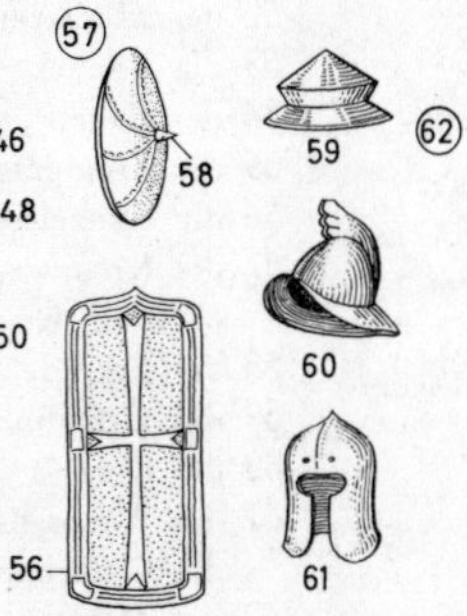
57
56 58 59 60 61

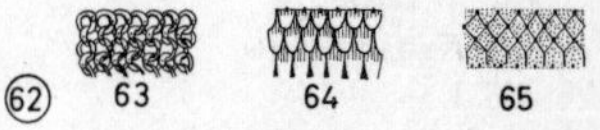
62
63 64 65

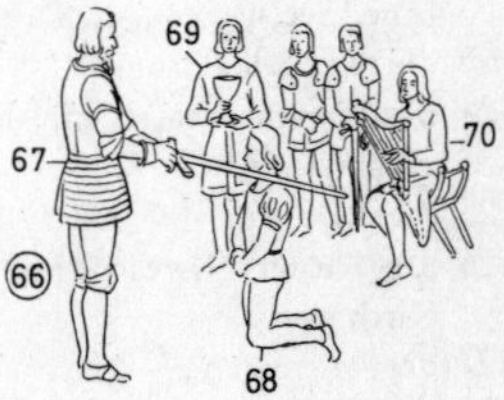
66
67 68 69 70

71
72 73 74 75

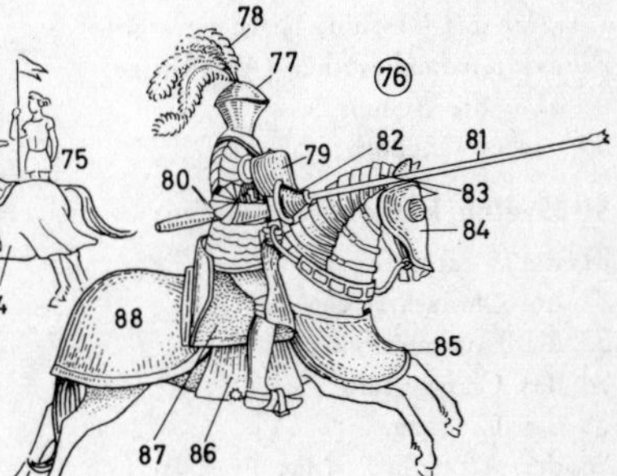
76
77 78 79 80 81 82 83 84 85 86 87 88

1-30 eine protestantische (evangelische) **Kirche:**

1 der Altarplatz
2 der Taufstein
3 das Taufbecken
4 das Lesepult
5 der Altarstuhl
6 der Altarteppich
7 der Altar (der Abendmahlstisch):
8 die Altarstufen *f*
9 die Altarbekleidung (Altardecke);
10 die Altarkerze
11 die Hostienschachtel
12 der Hostienteller (die Patene)
13 der Kelch
14 die Bibel (Heilige Schrift)
15 das Altarbild, ein Christusbild *n*
16 das Kirchenfenster:
17 die Glasmalerei;
18 die Sakristeitür
19 die Kanzeltreppe
20 die Kanzel
21 der Schalldeckel (Kanzeldeckel)
22 der Prediger (Pastor, Pfarrer, Geistliche, Seelsorger), im Ornat *m*
23 die Kanzelbrüstung
24 die Nummerntafel, mit den Liedernummern *f*
25 die Empore
26 der Küster (Kirchendiener, Kirchner)
27 der Mittelgang
28 die Kirchenbank (Bank); *alle:* das Gestühl, Kirchengestühl
29 der Kirchenbesucher (Andächtige); *alle:* die Gemeinde
30 das Gesangbuch;

31-65 eine katholische Kirche:

31 die Altarstufen *f*
32 die Chorschranken *f*
33 die Kommunionbank
34 das Chorgestühl
35 der Umgang
36 der Altarplatz (das Presbyterium, der oder das Chor)
37 der Altar (Hochaltar, Hauptaltar)
38 die Kanontafeln *f*
39 das Tabernakel
40 das Kruzifix
41 die Altarkerze
42 das Triptychon (der dreiteilige Flügelaltar):
43 der Altarflügel (Flügel);
44 die Ewige Lampe (das Ewige Licht)
45 der Nebenaltar
46 die Heiligenfigur
47 die Epistelseite
48 die Evangelienseite
49 der Priester (Meßpriester), beim Lesen *n* der heiligen Messe (stillen Messe, Messe)
50 das Meßpult, mit dem Missale *n* (Meßbuch)
51 das Meßtuch
52 der Ministrant (Meßdiener)
53 die Kanzel
54 der Engel
55 die Trompete
56 die Kanzeltreppe
57 die Kreuzwegstation (Station des Kreuzwegs *m*)
58 der Betende, ein Gläubiger *m*
59 das Gebetbuch (Andachtsbuch)
60 die Kerze
61 der Almosenstock (Opferstock, die Opferbüchse)
62 der Mesner (Sakristan)
63 der Klingelbeutel
64 das Almosen (die Opfergabe)
65 die Grabplatte

1
2
3
4
5
6
7
8
9
10
11
12
13
14
15
16
17
18
19
20
21
22
23
24
25
26
27
28
29
30
123
1-4
26

31
32
33
34
35
36
37
38
39
40
41
42
43
44
45
46
47
48
49
50
51
52
53
54
55
56
57
58
59
60
61
62
63
64
65

1 die Kirche:

2 der Kirchturm
3 der Kirchturmhahn
4 die Wetterfahne (Windfahne)
5 der Turmknauf
6 die Kirchturmspitze
7 die Kirchturmuhr
8 das Schalloch
9 die elektrisch betriebene Glocke
10 das Firstkreuz
11 das Kirchendach
12 die Gedenkkapelle (Gnadenkapelle)
13 die Sakristei, ein Anbau *m*
14 die Gedenktafel (Gedenkplatte, der Gedenkstein, das Epitaph)
15 der Seitengang
16 das Kirchenportal (die Kirchentür);
17 der Kirchgänger
18 die Friedhofsmauer (Kirchhofmauer)
19 das Friedhofstor (Kirchhoftor)
20 das Pfarrhaus

21-41 der Friedhof (Kirchhof, Gottesacker):

21 das Leichenhaus (die Leichenhalle, Totenhalle, Leichenkapelle, Parentationshalle)
22 der Totengräber
23 das Grab (die Grabstelle, Grabstätte, Begräbnisstätte):
24 der Grabhügel
25 das Grabkreuz;
26 der Grabstein (Gedenkstein, Leichenstein, das Grabmal)
27 das Familiengrab (Familienbegräbnis)
28 die Friedhofskapelle
29 der Lebensbaum
30 das Kindergrab
31 das Urnengrab:
32 die Urne;
33 das Soldatengrab
34-41 die Beerdigung, (Beisetzung, das Begräbnis, Leichenbegängnis):
34 die Grube
35 der Sarg
36 die Sandschale
37 der Geistliche
38 die Hinterbliebenen *m./f.*
39 der Witwenschleier, ein Trauerschleier *m*
40 die Sargträger *m*
41 die Totenbahre;

42-50 die Prozession (der gottesdienstliche Umgang, Umzug):

42 das Prozessionskreuz, ein Tragkreuz *n*
43 der Kreuzträger
44 die Prozessionsfahne, eine Kirchenfahne
45 der Ministrant
46 der Baldachinträger
47 der Priester
48 die Monstranz, mit dem Allerheiligsten *n* (Sanktissimum)
49 der Traghimmel (Baldachin)
50 die Prozessionsteilnehmer *m*;

51-61 die Aufbahrung:

51 der Sarg
52 der Katafalk (das Trauergerüst, Leichengerüst)
53 das Bahrtuch
54 der Tote (Leichnam, Verstorbene, die Leiche)
55 die Totenkerze
56 der Kandelaber, ein Leuchter *m*
57 der Kranz:
58 die Kranzschleife
59 die Widmung;
60 der Lorbeerbaum:
61 der Pflanzenkübel;

62 die Katakombe (das Zömeterium), eine unterirdische, altchristliche Begräbnisstätte:

63 die Grabnische (das Arkosolium)
64 die Steinplatte

1
2
3
4
5
6
7
8
9
10
11
12
13
14
15
16
17
18
19
20
21
22
23
24
25
26
27
28
29
30
31
32
33
34
35
36
37
38
39
40
41
42
43
44
45
46
47
48
49
50
51
52
53
54
55
56
57
58
59
60
61
62
63
64

1 die christliche Taufe:

2 die Taufkapelle (das Baptisterium)
3 der evangelische (protestantische) Geistliche:
4 der Talar (Ornat)
5 die Beffchen *n*
6 der Halskragen;
7 der Täufling
8 das Taufkleidchen
9 der Taufschleier
10 der Taufstein:
11 das Taufbecken;
12 die Paten *m*;

13 die kirchliche Trauung (Vermählungsfeier, Hochzeit),

14 u. 15 das Brautpaar:
14 die Braut
15 der Bräutigam;
16 der Ring (Trauring, Ehering)
17 der Brautstrauß (das Brautbukett)
18 der Myrtenkranz (Brautkranz)
19 der Schleier (Brautschleier)
20 das Brautkissen
21 das Myrtensträußchen
22 der Geistliche
23 die Trauzeugen *m*;

24 das Abendmahl (die Abendmahlsfeier, Kommunion):

25 die Abendmahlsgäste *m* (Kommunikanten)
26 die Hostie, eine Oblate
27 der Abendmahlskelch (Wein, Abendmahlswein);
28 der Rosenkranz (das Rosarium, der Laienpsalter, Marienpsalter), eine Gebetsschnur:
29 die Vater-unser-Perle
30 die Ave-Maria-Perle; *je* 10: ein Gesetzlein *n*
31 das Schildchen
32 das Kruzifix;

33-48 liturg. Geräte *n* (kirchl. Geräte, heilige Sachen *f*) der katholischen Kirche,

33 die Monstranz (Sonnenmonstranz, das heilige Sakrament, Allerheiligste, Venerabile, Sanktissimum):
34 die Meßhostie (große Hostie)
35 die Lunula
36 der Strahlenkranz;
37 das Weihrauchfaß (Räucherfaß, Rauchfaß, Thuribulum) für liturg. Räucherungen *f* (Inzensationen *f*):
38 die Rauchfaßkette
39 der Rauchfaßdeckel
40 die Rauchfaßschale, ein Feuerbecken *n*;
41 das Weihrauchschiffchen:
42 der Weihrauchlöffel;
43 die Altarschelle
44 der Meßkelch
45 der Weihwasserkessel
46 das Ziborium (Ciborium, der Speisekelch) mit den kleinen Hostien *f* für die Laienkommunion
47 die Altarglocke
48 der Weihwedel (das Aspergill);

49-66 christl. Kreuzformen *f*:

49 das latein. Kreuz (Passionskreuz)
50 das griechische Kreuz
51 das russische Kreuz
52 das Petruskreuz
53 das Antoniuskreuz (Taukreuz, ägypt. Kreuz)
54 das Andreaskreuz (Schrägkreuz, der Schragen, das burgund. Kreuz)
55 das Schächerkreuz (Gabelkreuz, Deichselkreuz)
56 das Lothringer Kreuz
57 das Henkelkreuz
58 das Doppelkreuz (erzbischöfl. Kreuz)
59 das Kardinalkreuz (Patriarchenkreuz)
60 das päpstl. Kreuz (Papstkreuz)
61 das konstantin. Kreuz, ein Christusmonogramm *n* (CHR)
62 das Wiederkreuz
63 das Ankerkreuz
64 das Krückenkreuz
65 das Kleeblattkreuz (Lazaruskreuz, Brabanter Kreuz)
66 das Jerusalemer Kreuz

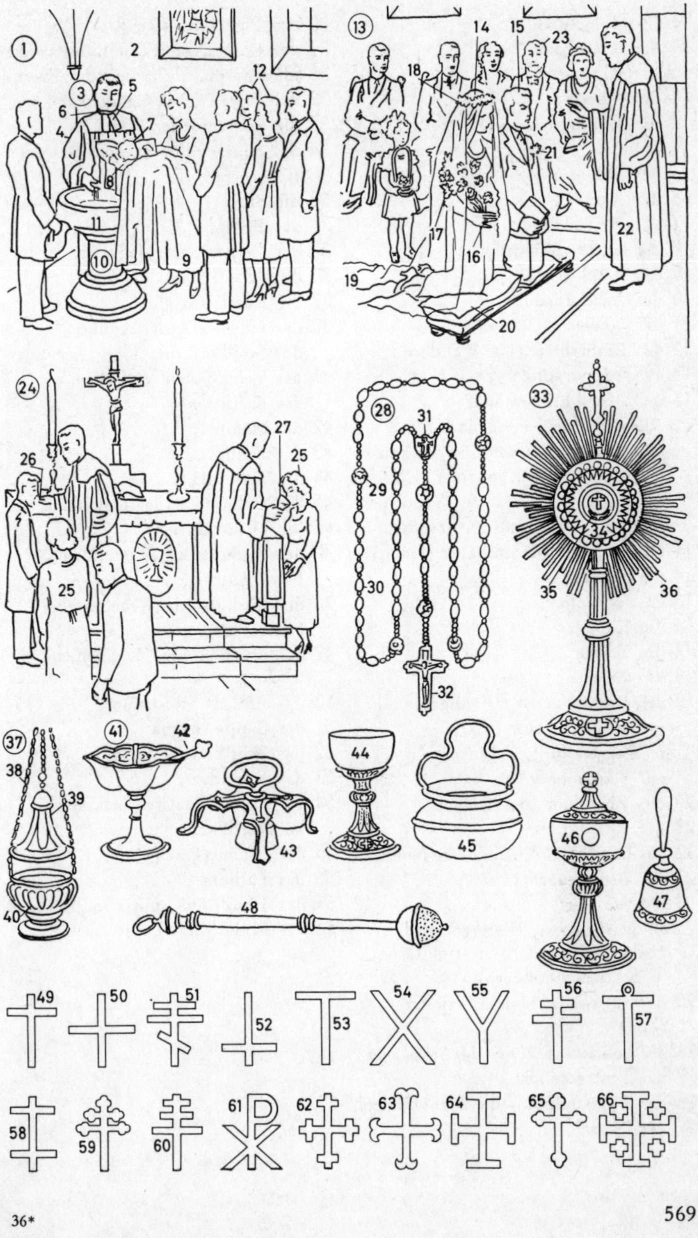
1
2
3
4
5
6
7
8
9
10
11
12
13
14
15
16
17
18
19
20
21
22
23
24
25
26
27
28
29
30
31
32
33
34
35
36
37
38
39
40
41
42
43
44
45
46
47
48
49
50
51
52
53
54
55
56
57
58
59
60
61
62
63
64
65
66

1-12 das Kloster:
1 der Kreuzgang
2 der Klosterhof
3 der Mönch
4 die Mönchszelle (Klosterzelle, Zelle):
5 das Bett
6 das Kruzifix
7 das Heiligenbild
8 die Kutte (Mönchskutte)
9 das Betpult
10 der Arbeitstisch
11 der Schemel
12 das Bücherbrett, ein Wandbrett *n*;
13-24 Ordenstrachten *f*,
13 der Benediktinermönch (Benediktiner), ein Mönch *m*; *andere Mönchsorden:* Franziskaner und Minoriten, Kapuziner, Zisterzienser u. Bernhardiner, Trappisten (Reform. Zisterzienser), Jesuiten,
14-16 das (der) Mönchshabit (Habit):
14 die Kutte
15 das Skapulier
16 die Kapuze;
17 die Tonsur
18 das Brevier
19 der Dominikaner (Predigermönch; *in England:* Black Friar, *in Frankreich:* Jakobiner), ein Bettelmönch *m*:
20 das Zingulum (der Gürtel)
21 der Rosenkranz;
22 das Englische Fräulein, eine Nonne:
23 der Brustkragen
24 der Schleier;
25-58 Geistliche *m* (Kleriker), in liturgischen Gewändern *n* (im Ornat, in Kirchengewändern),
25 der russisch-orthodoxe Priester (Pope):
26 der Podrisnik; *ähnl.:* das Sticharion
27 das Epitrachelion
28 das Epimanikion (die Handbinde)
29 der Gürtel
30 das Phelonion (die Risa)
31 das Kamilavkion (die Kamilawka);
32-58 der römisch-katholische Klerus,
32 der Priester, im Chorgewand *n*:
33 die Soutane (der Talar)
34 das Superpelliceum, ein Chorrock *m* (Chorhemd *n*)
35 die Stola
36 das Birett;
37 der Priester, im Meßgewand *n*:
38 die Albe (Alba)
39 die Kasel (Casula)
40 das Humerale (der Amikt, das Schultertuch)
41 das Velum, zum Verhüllen *n* des Kelches *m*
42 die Manipel;
43 der Bischof:
44 die Tunicella
45 die Dalmatika (das Colobium)
46 die Mitra (Inful)
47 der Bischofsring (Pastoralring, Pontifikalring)
48 der Bischofsstab (Krummstab, Hirtenstab);
49 der Kardinal, in Zeremonientracht *f*:
50 das Rochett (Rochetum)
51 die Cappa magna
52 das Brustkreuz (Pektorale)
53 das Käppchen;
54 der Papst (Pontifex maximus), im Pontifikalornat *n*:
55 der Fanon (Fanone)
56 das Pallium
57 der Handschuh, mit dem Kreuz *n*
58 der Fischerring (Papstring)

1
2
3
4
5
6
7
8
9
10
11
12
13
14
15
16
17
18
19
20
21
22
23
24
25
26
27
28
29
30
31
32
33
34
35
36
37
38
39
40
41
42
43
44
45
46
47
48
49
50
51
52
53
54
55
56
57
58

1-18 ägyptische Kunst *f*,

1 die Pyramide, eine Spitzpyramide, ein Königsgrab *n*:
2 die Königskammer
3 die Königinnenkammer
4 der Luftkanal
5 die Sargkammer;
6 die Pyramidenanlage:
7 der Totentempel
8 der Taltempel
9 der Pylon (Torbau)
10 die Obelisken *m*;
11 der ägyptische Sphinx
12 die geflügelte Sonnenscheibe
13 die Lotossäule:
14 das Knospenkapitell;
15 die Papyrussäule:
16 das Kelchkapitell;
17 die Palmensäule
18 die Bildsäule;

19 u. 20 babylonische Kunst *f*,

19 der babylonische Fries:
20 der glasierte Reliefziegel;

21-28 Kunst *f* **der Perser** *m*,

21 das Turmgrab:
22 die Stufenpyramide;
23 die Stiersäule:
24 der Blattüberfall
25 das Palmettenkapitell
26 die Volute
27 der Schaft
28 das Stierkapitell;

29-36 Kunst *f* **der Assyrer** *m*,

29 die Sargonsburg, eine Palastanlage:
30 die Stadtmauer
31 die Burgmauer
32 der Tempelturm (Zikkurat), ein Stufenturm *m*
33 die Freitreppe
34 das Hauptportal;
35 die Portalbekleidung:
36 die Portalfigur;

37 kleinasiatische Kunst *f*:

38 das Felsgrab

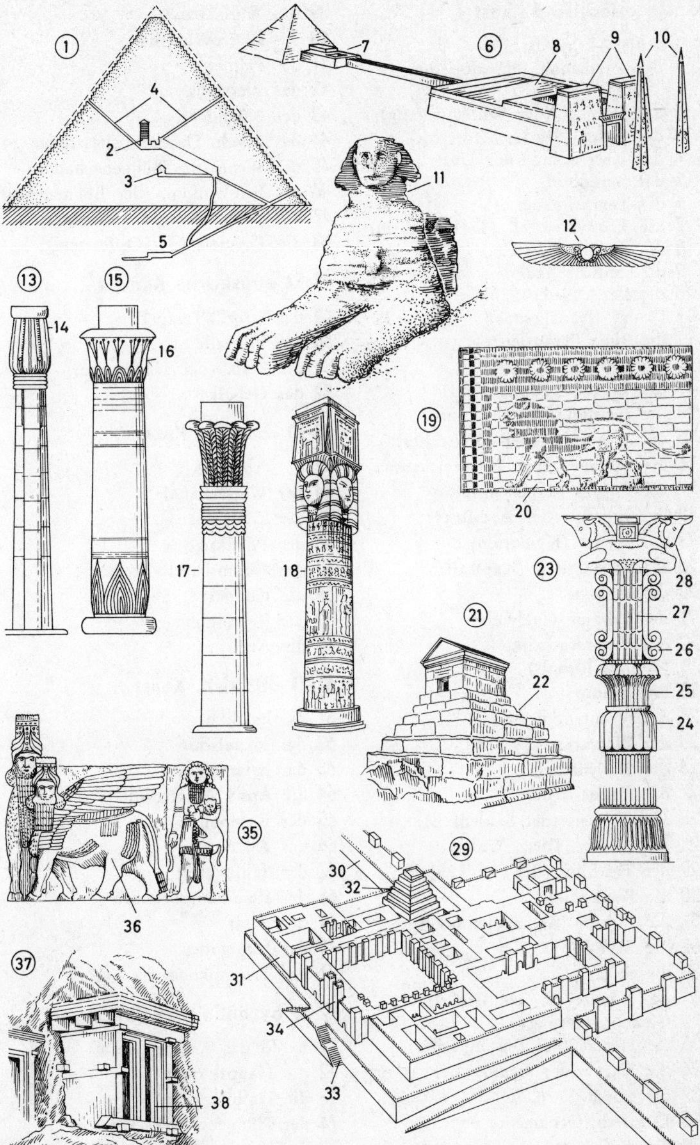
1
2
3
4
5
6
7
8
9
10
11
12
13
14
15
16
17
18
19
20
21
22
23
24
25
26
27
28
29
30
31
32
33
34
35
36
37
38

1-48 griechische Kunst *f*,

1-7 die Akropolis,
1 der Parthenon, ein dorischer Tempel *m*:
2 das Peristyl (der Säulenumgang)
3 der Aetos (das Giebeldreieck)
4 das Krepidoma (der Unterbau);
5 das Standbild
6 die Tempelmauer
7 die Propyläen *pl* (Torbauten *m*);
8 die dorische Säule
9 die ionische Säule,
10 die korinthische Säule,
11-14 das Kranzgesims:
11 die Sima (Traufleiste)
12 das Geison
13 der Mutulus (Dielenkopf)
14 der Geisipodes (Zahnschnitt);
15 die Triglyphe (der Dreischlitz)
16 die Metope, eine Friesverzierung
17 die Regula (Tropfenplatte)
18 das Epistyl (der Architrav)
19 das Kyma (Kymation)
20-25 das Kapitell (Kapitäl):
20 der Abakus
21 der Echinus (Igelwulst)
22 das Hypotrachelion (der Säulenhals)
23 die Volute
24 das Volutenpolster
25 der Blattkranz;
26 der Säulenschaft
27 die Kannelierung
28-31 die Basis (der Säulenfuß):
28 der Toros (Torus, Wulst)
29 der Trochilus (die Hohlkehle)
30 die Rundplatte
31 die Plinthe (der Säulensockel);
32 der Stylobat
33 die Stele:
34 das Akroterion; *am Giebel:* die Giebelverzierung;
35 die Herme (der Büstenpfeiler)
36 die Karyatide; *männl.:* der Atlant
37 die griech. Vase,
38-43 griech. Ornamente *n*:
38 die Perlschnur, ein Zierband *n*
39 das Wellenband
40 das Blattornament
41 die Palmette
42 das Eierstabkyma
43 der Mäander;
44 das griech. Theater (Theatron):
45 die Skene (das Bühnengebäude)
46 das Proskenium (der Bühnenplan)
47 die Orchestra (der Tanzplatz)
48 die Thymele (der Opferstein);

49-52 etruskische Kunst *f*,

49 der etrusk. Tempel:
50 die Vorhalle
51 die Zella (der Hauptraum)
52 das Gebälk;

53-60 römische Kunst *f*,

53 der Aquädukt:
54 der Wasserkanal;
55 der Zentralbau:
56 der Portikus
57 das Gesimsband
58 die Kuppel;
59 der Triumphbogen:
60 die Attika;

61-71 altchristl. Kunst *f*,

61 die Basilika:
62 das Mittelschiff
63 das Seitenschiff
64 die Apsis (Altarnische)
65 der Kampanile
66 das Atrium
67 der Säulengang
68 der Reinigungsbrunnen
69 der Altar
70 der Lichtgaden
71 der Triumphbogen;

72-75 byzantinische Kunst *f*,

72 u. 73 das Kuppelsystem:
72 die Hauptkuppel
73 die Halbkuppel;
74 der Hängezwickel (Pendentif)
75 das Auge, eine Lichtöffnung

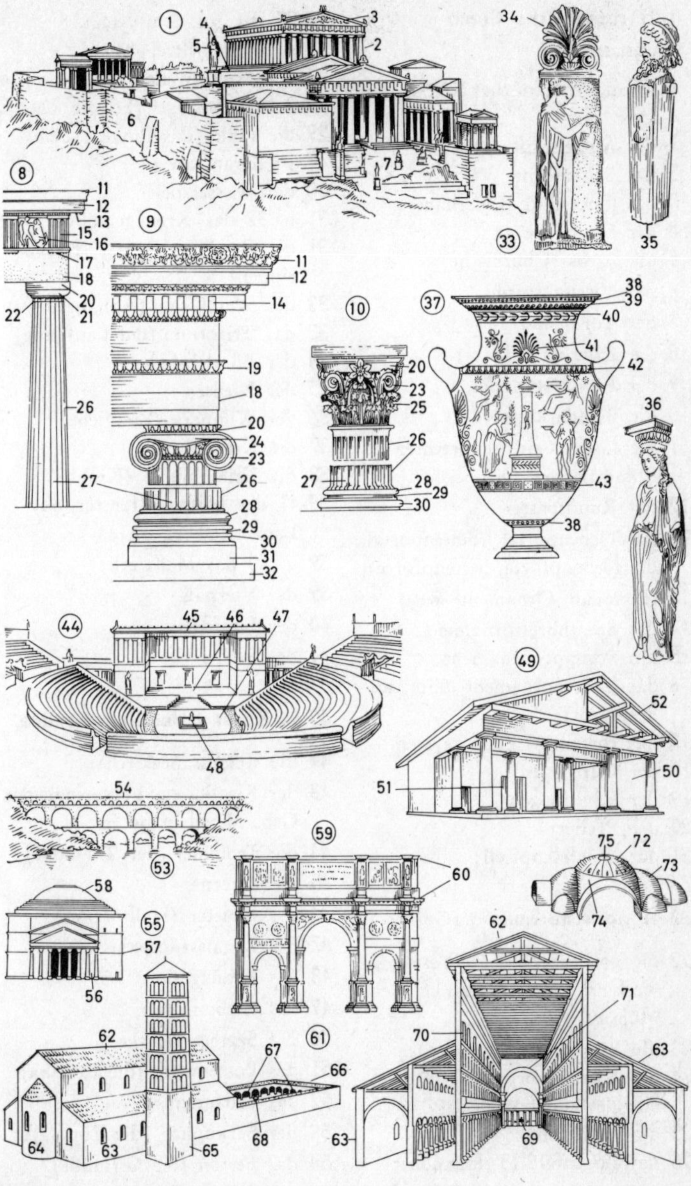
1
2
3
4
5
6
7
8
9
10
11
12
13
14
15
16
17
18
19
20
21
22
23
24
25
26
27
28
29
30
31
32
33
34
35
36
37
38
39
40
41
42
43
44
45
46
47
48
49
50
51
52
53
54
55
56
57
58
59
60
61
62
63
64
65
66
67
68
69
70
71
72
73
74
75

1-21 romanische Kunst *f* (Romanik),

1-13 die romanische Kirche, ein Dom *m*:
1 das Mittelschiff
2 das Seitenschiff
3 das Querschiff (Querhaus)
4 der Chor
5 die Apsis (Chornische)
6 der Vierungsturm:
7 der Turmhelm
8 die Zwergarkaden *f*;
9 der Rundbogenfries
10 die Blendarkade
11 die Lisene, ein senkrechter Wandstreifen *m*
12 das Rundfenster
13 das Nebenportal (Seitenportal, die Nebenpforte, Seitenpforte);
14-16 roman. Ornamente *n*:
14 das Schachbrettornament
15 das Schuppenornament
16 das Zackenornament (Zickzackornament);
17 das roman. Wölbungssystem:
18 der Gurtbogen
19 der Schildbogen
20 der Pfeiler;
21 das Würfelkapitell;

22-41 gotische Kunst *f* (Gotik),

22 die gotische Kirche [Westwerk *n*, Westfassade *f*], ein Münster *n*:
23 die Rosette (Fensterrose)
24 das Kirchenportal, ein Gewändeportal *n*
25 die Archivolte
26 das Bogenfeld (Tympanon);
27-35 das got. Bausystem,
27 u. 28 das Strebewerk:
27 der Strebepfeiler
28 der Strebebogen (Schwibbogen);
29 die Fiale (das Pinakel), ein Pfeileraufsatz *m*
30 der Wasserspeier
31 u. 32 das Kreuzgewölbe:
31 die Gewölberippen *f* (Kreuzrippen)
32 der Schlußstein (Abhängling);
33 das Triforium (der Laufgang)
34 der Bündelpfeiler
35 der Dienst;
36 der Wimperg (Ziergiebel):
37 die Kreuzblume
38 die Kriechblume (Krabbe)
39-41 das Maßwerkfenster, ein Lanzettfenster *n*,
39 u. 40 das Maßwerk:
39 der Vierpaß
40 der Fünfpaß;
41 das Stabwerk;

42-54 Kunst *f* **der Renaissance,**

42 die Renaissancekirche:
43 der Risalit, ein vorspringender Gebäudeteil *m* od. *n*
44 die Trommel (der Tambour)
45 die Laterne
46 der Pilaster (Halbpfeiler);
47 der Renaissancepalast:
48 das Kranzgesims
49 das Giebelfenster
50 das Segmentfenster
51 das Bossenwerk (die Rustika)
52 das Gurtgesims,
53 der Sarkophag (die Tumba):
54 das Feston (die Girlande)

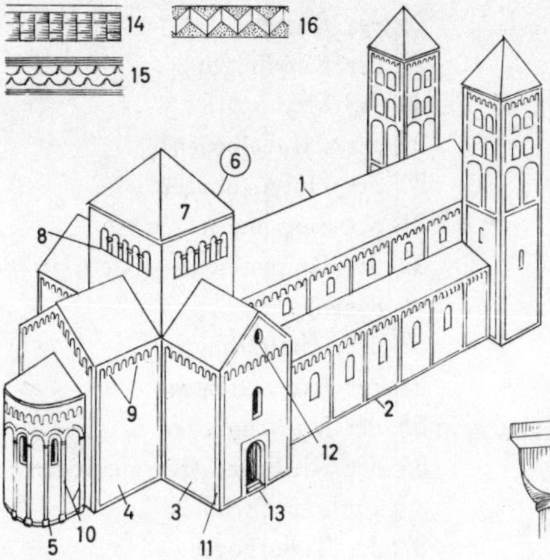
14
15
16
6
1
7
8
9
2
12
13
3
4
11
10
5

17
18
19
20

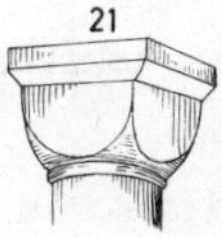
21

22
23
25
24
26

36
37
38
39
40
41

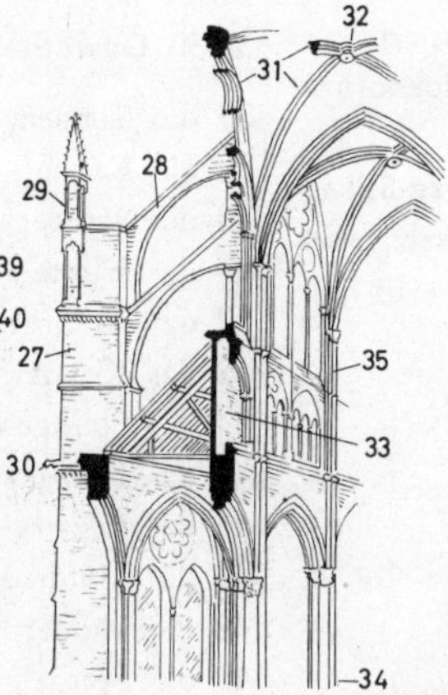
32
31
28
29
27
35
33
30
34

53
54

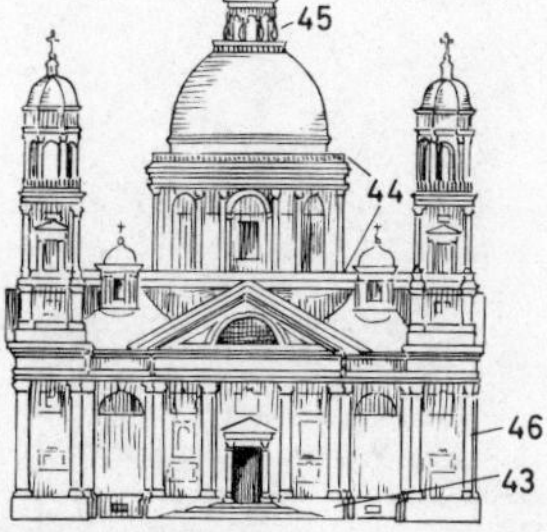
42
45
44
46
43

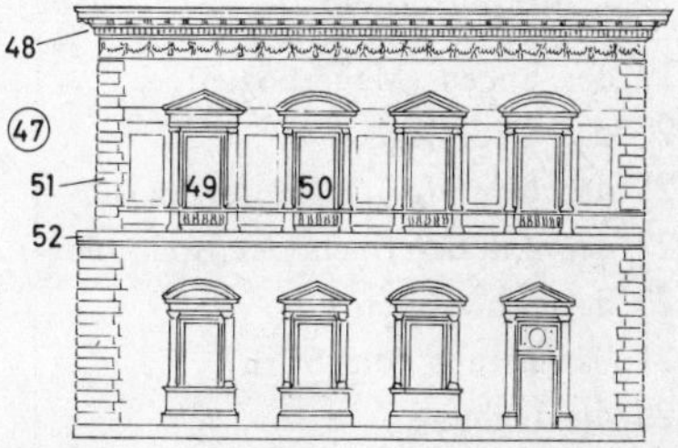
48
47
51
49
50
52

1-8 Kunst *f* **des Barocks** *m* od. *n*,

1 die Barockkirche:
2 das Ochsenauge
3 die welsche Haube
4 die Dachgaube
5 der Volutengiebel
6 die gekuppelte Säule;
7 die Kartusche:
8 das Rollwerk;

9-13 die Kunst *f* **des Rokokos** *n*,

9 die Rokokowand:
10 die Voute, eine Hohlkehle
11 das Rahmenwerk
12 die Sopraporte (Supraporte);
13 die Rocaille, ein Rokokoornament *n*;
14 der Tisch im **Louis-seize-Stil** *m*
15 das Bauwerk des **Klassizismus** *m* (im klassizistischen Stil *m*), ein Torbau *m*

16 der **Empiretisch** (Tisch im Empirestil *m*)

17 das **Biedermeiersofa** (Sofa im Biedermeierstil *m*)

18 der Lehnstuhl im **Jugendstil** *m*

19-37 Bogenformen *f*,

19 der Bogen (Mauerbogen):
20 das Widerlager
21 der Kämpfer (Kämpferstein)
22 der Anfänger, ein Keilstein *m*
23 der Schlußstein
24 das Haupt (die Stirn)
25 die Leibung
26 der Rücken;
27 der Rundbogen
28 der Flachbogen
29 der Parabelbogen
30 der Hufeisenbogen
31 der Spitzbogen
32 der Dreipaßbogen (Kleeblattbogen)
33 der Schulterbogen
34 der Konvexbogen
35 der Vorhangbogen
36 der Kielbogen (Karniesbogen); *ähnl.:* Eselsrücken
37 der Tudorbogen;

38-50 Gewölbeformen *f*,

38 das Tonnengewölbe:
39 die Kappe
40 die Wange;
41 das Klostergewölbe
42 das Kreuzgratgewölbe
43 das Kreuzrippengewölbe
44 das Sterngewölbe
45 das Netzgewölbe
46 das Fächergewölbe
47 das Muldengewölbe:
48 die Mulde;
49 das Spiegelgewölbe:
50 der Spiegel

1
2
3
4
5
6
7
8
9
10
11
12
13
14
15
16
17
18
19
20
21
22
23
24
25
26
27
28
29
30
31
32
33
34
35
36
37
38
39
40
41
42
43
44
45
46
47
48
49
50

1-6 chinesische Kunst *f*,

1 die Pagode (Stockwerkpagode), ein Tempelturm *m*:
2 das Stufendach;
3 der Pailou, ein Ehrentor *n*:
4 der Durchgang;
5 die Porzellanvase
6 die geschnittene Lackarbeit;

7-11 japanische Kunst *f*:

7 der Tempel
8 der Glockenturm:
9 das Traggebälk;
10 der Bodhisattwa, ein buddhistischer Heiliger *m*
11 das Torii, ein Tor *n*;

12-18 islamische Kunst *f*,

12 die Moschee:
13 das Minarett, ein Gebetsturm *m*;
14 der Mikrab (die Betnische)
15 der Mimbar (Predigtstuhl)
16 das Mausoleum, eine Grabstätte
17 das Stalaktitengewölbe
18 das arabische Kapitell;

19-28 indische Kunst *f*:

19 der tanzende Schiwa, ein indischer Gott *m*
20 die Buddhastatue
21 der Stupa (die indische Pagode), ein Kuppelbau *m*, ein buddhistischer Sakralbau *m*:
22 der Schirm
23 der Steinzaun
24 das Eingangstor;
25 die Tempelanlage:
26 der Schikhara (Tempelturm);
27 die Tschaityahalle:
28 die Tschaitya, ein kleiner Stupa *m*

1
2
3
4
7
5
6
8
9
12
13
13
11
10
16
17
15
14
18
20
19
27
22
25
26
21
22
24
23
28

1 rot
2 gelb
3 blau
4 rosa
5 braun
6 himmelblau
7 orange
8 grün
9 violett
10 die additive Farbmischung:
11 weiß;
12 die subtraktive Farbmischung:
13 schwarz;
14 das Sonnenspektrum
15 die Grauleiter
16 die Glühfarben *f*

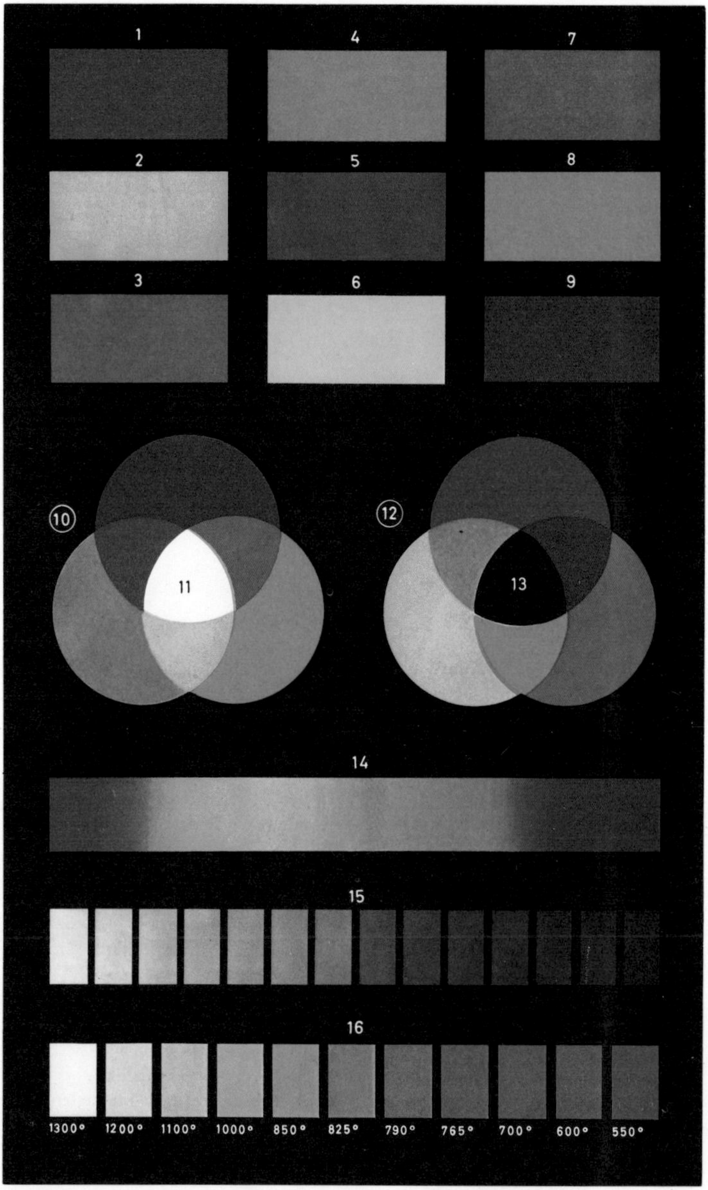
1
4
7
2
5
8
3
6
9
10
11
12
13
14
15
16
1300°
1200°
1100°
1000°
850°
825°
790°
765°
700°
600°
550°

1-43 das Atelier (Studio):
1 das Atelierfenster
2 der Kunstmaler, ein Künstler
3 die Atelierstaffelei
4 die Kreideskizze, mit dem Bildaufbau *m*
5 der Kreidestift
6-19 Malutensilien *pl* (Malgeräte *n*):
6 der Flachpinsel
7 der Haarpinsel
8 der Rundpinsel
9 der Grundierpinsel
10 der Malkasten
11 die Farbtube, mit Ölfarbe *f*,
12 der Firnis;
13 das Malmittel
14 das Palettenmesser
15 der (die) Malspachtel
16 der Kohlestift
17 die Temperafarbe (Guaschfarbe)
18 die Aquarellfarbe (Wasserfarbe)
19 der Pastellstift;
20 der Keilrahmen (Blendrahmen)
21 die Leinwand (das Malleinen)
22 die Malpappe, mit dem Malgrund *m*
23 die Holzplatte
24 die Holzfaserplatte (Preßholzplatte)
25 der Maltisch
26 die Feldstaffelei
27 das Stilleben, ein Motiv *n*
28 die Handpalette:
29 der Palettenstecker;
30 das (der) Podest
31 die Gliederpuppe
32 das Aktmodell (Modell, der Akt)
33 der Faltenwurf
34 der Zeichenbock
35 der Zeichenblock (Skizzenblock)
36 die Ölstudie
37 das Mosaik
38 die Mosaikfigur
39 die Mosaiksteine *m*
40 das Fresko (Wandbild)
41 das Sgraffito (die Kratzmalerei, der Kratzputz)
42 der Putz
43 der Entwurf

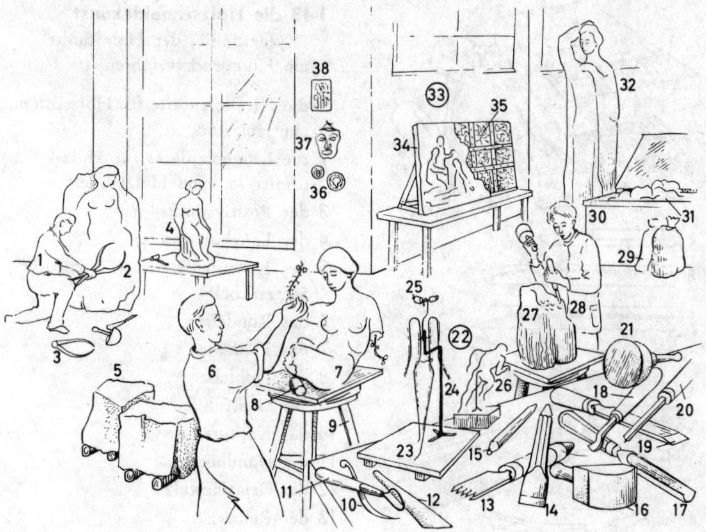

1 der Bildhauer
2 der Proportionszirkel
3 der Tastzirkel
4 das Gipsmodell, ein Gipsguß *m*
5 der Steinblock (Rohstein)
6 der Modelleur (Tonbildner)
7 die Tonfigur, ein Torso *m*
8 die Tonrolle, eine Modelliermasse
9 der Modellierbock
10 das Modellierholz
11 die Modellierschlinge
12 das Schlagholz
13 das Zahneisen
14 das Schlageisen (der Kantenmeißel)
15 das Punktiereisen
16 der Eisenhammer (Handfäustel)
17 der Hohlbeitel
18 das gekröpfte Eisen
19 der Kantbeitel, ein Stechbeitel *m*
20 der Geißfuß
21 der Holzhammer (Schlegel)
22 das Gerüst:
23 die Fußplatte
24 das Gerüsteisen
25 der Knebel (Reiter);
26 die Wachsplastik
27 der Holzblock
28 der Holzbildhauer (Bildschnitzer)
29 der Sack mit Gipspulver *n* (Gips *m*)
30 die Tonkiste
31 der Modellierton (Ton)
32 die Statue, eine Skulptur (Plastik)
33 das Flachrelief (Basrelief, Relief):
34 das Modellierbrett
35 das Drahtgerüst, ein Drahtgeflecht *n*;
36 das Rundmedaillon (Medaillon)
37 die Maske
38 die Plakette

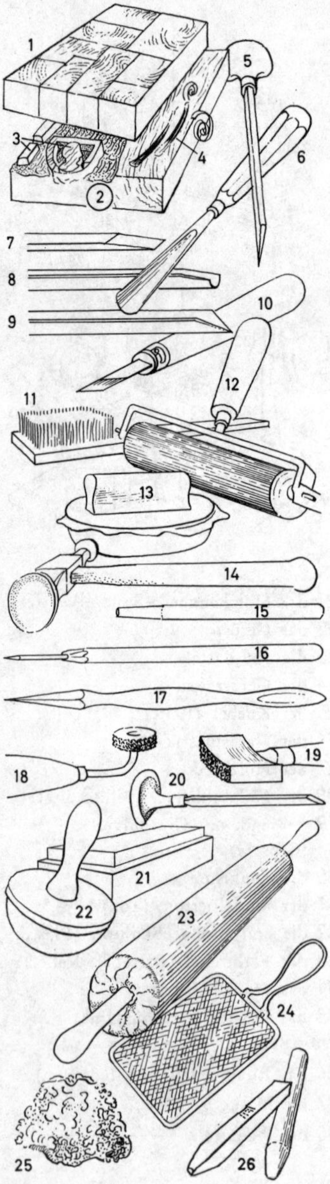

1-13 die Holzschneidekunst (Xylographie, der Holzschnitt), ein Hochdruckverfahren *n*:

1 die Hirnholzplatte für Holzstich *m*, ein Holzstock *m*
2 die Langholzplatte für Holzschnitt *m*, eine Holzmodel:
3 der Positivschnitt
4 der Langholzschnitt;
5 der Konturenstichel (Linienstichel, Spitzstichel)
6 das Rundeisen
7 das Flacheisen
8 das Hohleisen
9 der Geißfuß
10 das Konturenmesser
11 die Handbürste
12 die Gelatinewalze
13 der Reiber;

14-24 der Kupferstich (die Chalkographie), ein Tiefdruckverfahren *n*; *Arten:* die Radierung, die Schabkunst (das Mezzotinto), die Aquatinta, die Kreidemanier (Krayonmanier):

14 der Punzenhammer
15 die Punze
16 die Radiernadel (Graviernadel)
17 der Polierstahl, mit dem Schaber *m*
18 das Kornroulett (Punktroulett, der Punktroller)
19 das Wiegemesser (Wiegeeisen, die Wiege, der Granierstahl)
20 der Rundstichel (Boll-, Bolzstichel), ein Grabstichel *m*
21 der Ölstein
22 der Tampon (Einschwärzballen)
23 die Lederwalze
24 das Spritzsieb;

25 u. 26 die Lithographie (der Steindruck), ein Flachdruckverfahren *n*:

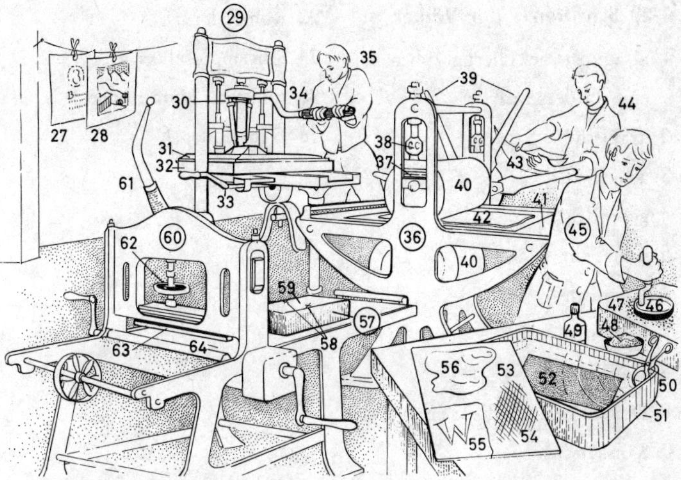

25 der Wasserschwamm (Schwamm), zum Anfeuchten *n* des Lithosteines *m*
26 die Lithokreide (Fettkreide), eine Kreide;

27-64 die graphische Werkstatt, eine Druckerei:

27 der Einblattdruck
28 der Mehrfarbendruck (Farbdruck, die Chromolithographie)
29 die Tiegeldruckpresse, eine Handpresse:
30 das Kniegelenk
31 der Tiegel, eine Preßplatte
32 die Druckform
33 die Durchziehkurbel
34 der Bengel;
35 der Drucker
36 die Kupferdruckpresse:
37 die Pappzwischenlage
38 der Druckregler
39 das Sternrad
40 die Walze
41 der Drucktisch
42 das Filztuch;
43 der Probeabzug (Probedruck, Andruck)
44 der Kupferstecher
45 der Lithograph, beim Steinschliff *m*:
46 die Schleifscheibe
47 die Körnung
48 der Glassand;
49 die Gummilösung
50 die Greifzange
51 das Ätzbad, zum Ätzen *n* der Radierung
52 die Zinkplatte
53 die polierte Kupferplatte
54 die Kreuzlage
55 der Ätzgrund
56 der Deckgrund
57 der Lithostein:
58 die Paßzeichen *n* (Nadelzeichen)
59 die Bildplatte;
60 die Steindruckpresse:
61 der Druckhebel
62 die Reiberstellung
63 der Reiber
64 das Steinbett

1-20 Schriften *f* **der Völker** *n*:

1 altägyptische Hieroglyphen *f*, eine Bilderschrift
2 arabisch
3 armenisch
4 georgisch
5 chinesisch
6 japanisch
7 hebräisch
8 Keilschrift *f*
9 Devanagari *n* (die Schrift des Sanskrit *n*)
10 siamesisch
11 tamulisch (Tamul *n*)
12 tibetisch
13 Sinaischrift *f*
14 phönizisch
15 griechisch
16 lateinische (romanische) Kapitalis *f* (Kapitalschrift)
17 Unzialis *f* (Unziale, Unzialschrift)
18 karolingische Minuskel *f*
19 Runen *f*
20 russisch;

21-26 alte **Schreibgeräte** *n*,
21 indischer Stahlgriffel *m*, ein Ritzer *m* für Palmblattschrift *f*
22 altägyptischer Schreibstempel *m*, eine Binsenrispe
23 Rohrfeder *f*
24 Schreibpinsel *m*
25 römische Metallfeder *f*
26 Gänsefeder *f*

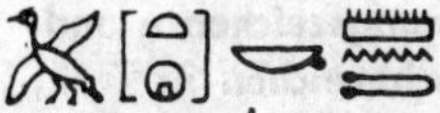
1

اتصف بالشجاعة اما
2

Թագաւոր
3

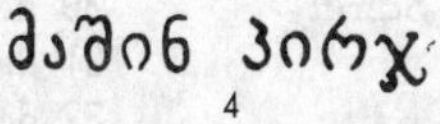
4

體育之
5

ノ御坂
6

וַיָּדוּ וָאֵרָאֶה אֶת־אֲתָי יֵשֵׁב
7

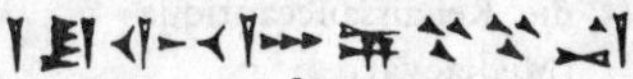
8

केत चित्तमन्तरकाया मवीग-
9

ยัง ไร เกื่อน เก่า ลบ
10

உறிரண்ணியவர்மன்
11

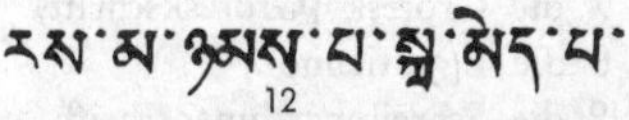
12

13

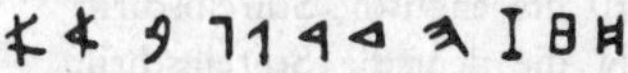
14

Τῆς παρελθούσης νυκτὸ
15

IMPCAESARI·
16

MINJSUENJE
17

addiem festum
18

19

Кожух генератора и
20

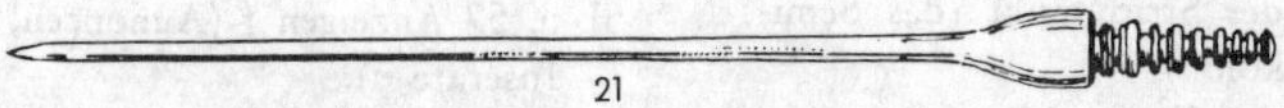
21

22

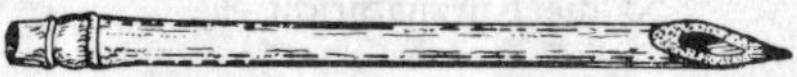
23

24

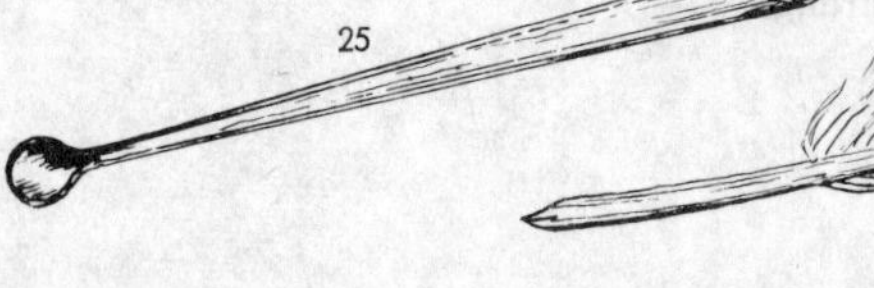
25

26

1-15 Schriften *f*:

1 die gotische Schrift
2 die Schwabacher Schrift (Schwabacher)
3 die Fraktur
4 die Renaissanceantiqua (Mediaeval)
5 die vorklassizistische Antiqua (Barockantiqua)
6 die klassizistische Antiqua
7 die Grotesk (Groteskschrift)
8 die Egyptienne
9 die Schreibmaschinenschrift
10 die englische Schreibschrift
11 die deutsche Schreibschrift
12 die lateinische Schreibschrift
13 die Kurzschrift (Stenographie)
14 die Lautschrift (phonetische Umschrift)
15 die Blindenschrift;

16-29 Satzzeichen *n*:

16 der Punkt
17 der Doppelpunkt (das Kolon)
18 das Komma
19 der Strichpunkt (das Semikolon)
20 das Fragezeichen
21 das Ausrufezeichen
22 der Apostroph
23 der Gedankenstrich
24 die runden Klammern *f*
25 die eckigen Klammern *f*
26 das Anführungszeichen (die Anführungsstriche *m*, *ugs.* die Gänsefüßchen *n*)
27 das französische Anführungszeichen
28 der Bindestrich
29 die Fortführungspunkte;

30-35 Betonungszeichen *n* **und Aussprachezeichen** *n*:

30 der Accent aigu (der Akut)
31 der Accent grave (der Gravis)
32 der Accent circonflexe (der Zirkumflex)
33 die Cedille [unter c]
34 das Trema [über e]
35 die Tilde [über n];
36 das Paragraphenzeichen

37 die Zeitung:

38 der Zeitungskopf (Kopf)
39 das Impressum
40 der Leitartikel
41 die Kopfleiste
42 die Schlagzeile
43 die Spaltenlinie
44 das Pressefoto
45 die Bildunterschrift
46 die Spaltenüberschrift
47 die Spalte
48 die Karikatur
49 die Sportnachrichten *f*
50 das Feuilleton
51 u. 52 Anzeigen *f* (Annoncen, Inserate *n*):
51 die Familienanzeige
52 die Werbeanzeige (Werbeannonce), eine Firmenanzeige;
53 die Kurznachricht

Duden	Duden	Duden	Duden
1	2	3	4
Duden	Duden	Duden	Duden
5	6	7	8
Duden	Duden	Duden	Duden
9	10	11	12

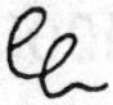

13

ɔ:l pi:pl

14

15

.	:	,	;	?	!	’	—	()	[]	„“
16	17	18	19	20	21	22	23	24	25	26
» «	-	…	é	è	ê	ç	ë	ñ	§	
27	28	29	30	31	32	33	34	35	36	

326 Mathematik I

① I II III IV V VI VII VIII IX X
② 1 2 3 4 5 6 7 8 9 10

① XX XXX XL L LX LXX LXXX XC XCIX C
② 20 30 40 50 60 70 80 90 99 100

① CC CCC CD D DC DCC DCCC CM CMXC M
② 200 300 400 500 600 700 800 900 990 1000

③ 9658 ④ 5 kg ⑤ 2 ⑥ 2. ⑦ +5 ⑧ -5

1-26 Arithmetik *f*,

1-22 die Zahl:

1 die römischen Ziffern *f* (Zahlzeichen *n*)

2 die arabischen Ziffern *f*

3 die reine (unbenannte) Zahl, eine vierstellige Zahl [8 = die Einerstelle, 5 = die Zehnerstelle, 6 = die Hunderterstelle, 9 = die Tausenderstelle]

4 die benannte Zahl

5 die Grundzahl (Kardinalzahl)

6 die Ordnungszahl (Ordinalzahl)

7 die positive Zahl [mit dem positiven Vorzeichen *n*]

8 die negative Zahl [mit dem negativen Vorzeichen *n*]

9 allgemeine Zahlen *f*

10 die gemischte Zahl [3 = die ganze Zahl, $^{1}/_{3}$ der Bruch (die Bruchzahl, gebrochene Zahl, ein Zahlenbruch *m*)]

11 gerade Zahlen *f*

12 ungerade Zahlen *f*

13 Primzahlen *f*

14 die komplexe Zahl [3 = die reelle Zahl, $2\sqrt{-1}$ = die imaginäre Zahl]

15 u. 16 gemeine Brüche *m*:

15 der echte Bruch [2 = der Zähler, der Bruchstrich, 3 = der Nenner]

16 der unechte Bruch, zugleich der Kehrwert (reziproke Wert) von 15;

17 der Doppelbruch

18 der uneigentliche Bruch [ergibt

⑨ $a, b, c \ldots$ ⑩ $3\frac{1}{3}$ ⑪ $2, 4, 6, 8$ ⑫ $1, 3, 5, 7$

⑬ $3, 5, 7, 11$ ⑭ $3 + 2\sqrt{-1}$ ⑮ $\frac{2}{3}$ ⑯ $\frac{3}{2}$

⑰ $\frac{\frac{5}{6}}{\frac{3}{4}}$ ⑱ $\frac{12}{4}$ ⑲ $\frac{4}{5} + \frac{2}{7} = \frac{38}{35}$ ⑳ $0{,}357$

㉑ $0{,}6666\ldots = 0{,}\bar{6}$ ㉒ ㉓ $3 + 2 = 5$

㉔ $3 - 2 = 1$ ㉕ $3 \cdot 2 = 6$ ㉖ $6 : 2 = 3$

beim »Kürzen« *n* eine ganze Zahl]

19 ungleichnamige Brüche [35 = der Hauptnenner (gemeinsame Nenner)]

20 der endliche Dezimalbruch (Zehnerbruch) mit Komma *n* und Dezimalstellen *f* [3 = die Zehntel, 5 = die Hundertstel, 7 = die Tausendstel]

21 der unendliche periodische Dezimalbruch

22 die Periode;

23-26 das Rechnen (die Grundrechnungsarten *f*):

23 das Zusammenzählen (Addieren, die Addition); [3 u. 2 = die Summanden *m*, + = das Pluszeichen (= das Gleichheitszeichen), 5 = die Summe (das Ergebnis, Resultat)]

24 das Abziehen (Subtrahieren, die Subtraktion); [3 = der Minuend, — = das Minuszeichen, 2 = der Subtrahend, 1 = der Rest (die Differenz)]

25 das Vervielfachen (Malnehmen, Multiplizieren, die Multiplikation); [3 = der Multiplikand, · = das Malzeichen, 2 = der Multiplikator, 2 u. 3 Faktoren *m*, 6 = das Produkt]

26 das Teilen (Dividieren, die Division); [6 = der Dividend (die Teilungszahl), : = das Divisionszeichen, 2 = der Teiler (Divisor), 3 = der Quotient (Teilwert)]

① $3^2 = 9$ ② $\sqrt[3]{8} = 2$ ③ $\sqrt{4} = 2$

④ $3x + 2 = 12$

⑤ $4a + 6ab - 2ac = 2a(2 + 3b - c)$

⑥ ${}^{10}\log 3 = 0,4771$ oder $\lg 3 = 0,4771$

⑦ $\frac{k[1000\text{ DM}] \cdot p[5\%] \cdot t[2\text{ Jahre}]}{100} = z[100\text{ DM}]$

1-24 Arithmetik *f*,

1-10 höhere Rechnungsarten *f*:

1 die Potenzrechnung (das Potenzieren); [3 hoch 2 = die Potenz, 3 = die Basis, 2 = der Exponent (die Hochzahl), 9 = der Potenzwert]

2 die Wurzelrechnung (das Radizieren, das Wurzelziehen); [3. Wurzel aus 8 = die Kubikwurzel, 8 = der Radikand (die Grundzahl), 3 = der Wurzelexponent (Wurzelgrad), $\sqrt{}$ = das Wurzelzeichen, 2 = der Wurzelwert]

3 die Quadratwurzel (Wurzel)

4 u. 5 die Buchstabenrechnung (Algebra):

4 die Bestimmungsgleichung; [3,2 = die Koeffizienten *m*, x = die Unbekannte]

5 die identische Gleichung (Identität, Formel); [a, b, c = die allgemeinen Zahlen *f*];

6 die Logarithmenrechnung (das Logarithmieren); [log = das Logarithmierzeichen, 3 = der Numerus, 10 = die Grundzahl (Basis), 0 = die Kennziffer, 4771 = die Mantisse, 0,4771 = der Logarithmus]

7 die Zinsrechnung; [k = das Kapital (der Grundwert), p = der Zinsfuß (Prozentsatz, Hundertsatz), t = die Zeit, Z = die Zinsen *m* (Prozente *n*, der Zins, Gewinn), % = das Prozentzeichen]

(8) 2 Jahre $\hat{=}$ 50 DM
4 Jahre $\hat{=}$ x DM

(9) $2 : 50 = 4 : x$

(10) $x = 100$ DM

(11) $2 + 4 + 6 + 8 \ldots$

(12) $2 + 4 + 8 + 16 + 32 \ldots$

(13) $\frac{dy}{dx}$

(14) $\int ax\,dx = a\int x\,dx = \frac{ax^2}{2} + C$

(15) ∞ (16) $\equiv$ (17) $\approx$ (18) $\neq$ (19) $>$

(20) $<$ (21) $\parallel$ (22) $\sim$ (23) $\sphericalangle$ (24) $\triangle$

8-10 die Schlußrechnung (Dreisatzrechnung, Regeldetri); [$\triangleq$ = entspricht]

8 der Ansatz mit der Unbekannten x

9 die Gleichung (Bestimmungsgleichung)

10 die Lösung;

11-14 höhere Mathematik:

11 die arithmetische Reihe mit den Gliedern *n* 2, 4, 6, 8

12 die geometrische Reihe

13 u. 14 die Infinitesimalrechnung:

13 der Differentialquotient (die Ableitung); [dx, dy = die Differentiale, d = das Differentialzeichen]

14 das Integral (die Integration); [x = die Veränderliche (der Integrand), C = die Integrationskonstante, $\int$ = das Integralzeichen, dx = das Differential];

15-24 mathematische Zeichen *n*:

15 unendlich

16 identisch (das Identitätszeichen)

17 annähernd gleich

18 ungleich (das Ungleichheitszeichen)

19 größer als

20 kleiner als

21-24 geometrische Zeichen *n*:

21 parallel (das Parallelitätszeichen)

22 ähnlich (das Ähnlichkeitszeichen)

23 das Winkelzeichen

24 das Dreieckszeichen

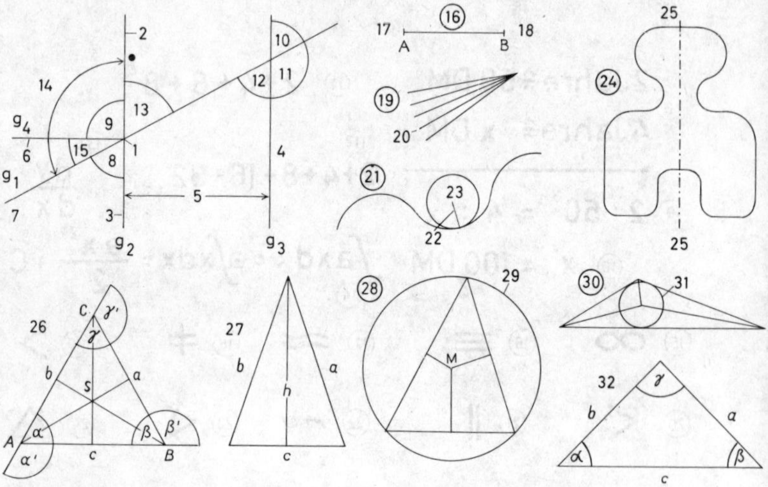

1-58 die Planimetrie (elementare, euklidische Geometrie),

1-23 Punkt *m*, **Linie** *f*, **Winkel** *m*:

1 der Punkt [Schnittpunkt von g 1 und g 2], der Scheitelpunkt von 8
2 u. 3 die Gerade g 2
4 die Parallele zu g 2
5 der Abstand der Geraden *f* g 2 und g 3
6 die Senkrechte (g 4) auf g 2
7 u. 3 die Schenkel *m* von 8
8 der Winkel
8 u. 13 Scheitelwinkel *m*
9 der rechte Winkel [90°]
10 der spitze Winkel, zugl. Wechselwinkel zu 8
11 der stumpfe Winkel
10, 11 u. 12 der überstumpfe Winkel
12 der Gegenwinkel zu 8
13, 9 u. 15 der gestreckte Winkel [180°]
14 der Nebenwinkel; *hier:* Supplementwinkel zu 13
15 der Komplementwinkel zu 8
16 die Strecke AB:
17 der Endpunkt A
18 der Endpunkt B;
19 das Strahlenbündel:
20 der Strahl;
21 die krumme (gekrümmte) Linie:
22 ein Krümmungshalbmesser *m*
23 ein Krümmungsmittelpunkt *m*;

24-58 die ebenen Flächen *f*,

24 die symmetrische Figur:
25 die Symmetrieachse;

26-32 Dreiecke *n*,

26 das gleichseitige Dreieck; [A, B, C die Eckpunkte *m*; a, b, c die Seiten *f*; α, β, γ die Innenwinkel *m*; α', β', γ' die Außenwinkel *m*; S der Schwerpunkt]
27 das gleichschenklige Dreieck; [a, b die Schenkel *m*; c die Basis (Grundlinie), h die Achse, eine Höhe]

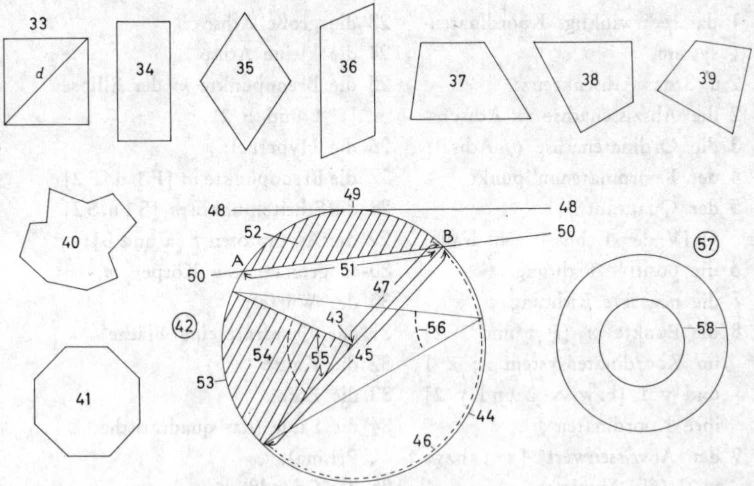

28 das spitzwinklige Dreieck mit den Mittelsenkrechten *f*:
29 der Umkreis;
30 das stumpfwinklige Dreieck mit den Winkelhalbierenden *f*:
31 der Inkreis;
32 das rechtwinklige Dreieck und die trigonometrischen Winkelfunktionen *f*; [a, b die Katheten *f*; c die Hypotenuse; γ der rechte Winkel; a:c = sin α (Sinus); b:c = cos α (Kosinus); a:b = tg α (Tangens); b:a = ctg α (Kotangens)]

33-39 Vierecke *n*,

33-36 Parallelogramme *n*:

33 das Quadrat; [d eine Diagonale]
34 das Rechteck
35 der Rhombus (die Raute)
36 das Rhomboid;
37 das Trapez
38 das Deltoid (der Drachen)
39 das unregelmäßige Viereck;
40 das Vieleck
41 das regelmäßige Vieleck

42 der Kreis:

43 der Mittelpunkt (das Zentrum)
44 der Umfang (die Peripherie, Kreislinie)
45 der Durchmesser
46 der Halbkreis
47 der Halbmesser (Radius, r)
48 die Tangente
49 der Berührungspunkt (P)
50 die Sekante
51 die Sehne AB
52 das Segment (der Kreisabschnitt)
53 der Kreisbogen
54 der Sektor (Kreisausschnitt)
55 der Mittelpunktswinkel (Zentriwinkel)
56 der Umfangswinkel (Peripheriewinkel);
57 der Kreisring:
58 konzentrische Kreise *m*

1 das rechtwinklige Koordinatensystem,
2 u. 3 das Achsenkreuz:
2 die Abszissenachse (x-Achse)
3 die Ordinatenachse (y-Achse);
4 der Koordinatennullpunkt
5 der Quadrant
[I-IV der 1. bis 4. Quadrant]
6 die positive Richtung
7 die negative Richtung
8 die Punkte *m* [P 1 und P 2] im Koordinatensystem *n*; x 1 und y 1 [bzw. x 2 und y 2] ihre Koordinaten *f*
9 der Abszissenwert [x 1 bzw. x 2] (die Abszisse)
10 der Ordinatenwert [y 1 bzw. y 2] (die Ordinaten *f*);
11-29 die Kegelschnitte *m*,
11 die Kurven *f* im Koordinatensystem *n*:
12 lineare Kurven *f* [a die Steigung der Kurve, b der Ordinatendurchgang der Kurve, c die Wurzel der Kurve]
13 gekrümmte Kurven *f*;
14 die Parabel, eine Kurve zweiten Grades *m*:
15 die Äste *m* der Parabel
16 der Scheitelpunkt (Scheitel) der Parabel
17 die Achse der Parabel;
18 eine Kurve dritten Grades *m*:
19 das Kurvenmaximum
20 das Kurvenminimum
21 der Wendepunkt;
22 die Ellipse:
23 die große Achse
24 die kleine Achse
25 die Brennpunkte *m* der Ellipse [F 1 und F 2];
26 die Hyperbel:
27 die Brennpunkte *m* [F 1 u. F 2]
28 die Scheitelpunkte *m* [S 1 u. S 2]
29 die Asymptoten *f* [a und b];
30-46 geometrische Körper *m*,
30 der Würfel:
31 das Quadrat, eine Fläche
32 die Kante
33 die Ecke;
34 die Säule (das quadratische Prisma):
35 die Grundfläche;
36 der Quader
37 das Dreikantprisma
38 der Zylinder, ein gerader Zylinder *m*:
39 die Grundfläche, eine Kreisfläche
40 der Mantel;
41 die Kugel
42 das Rotationsellipsoid
43 der Kegel:
44 die Kegelhöhe (Höhe des Kegels *m*);
45 der Kegelstumpf
46 die vierseitige Pyramide

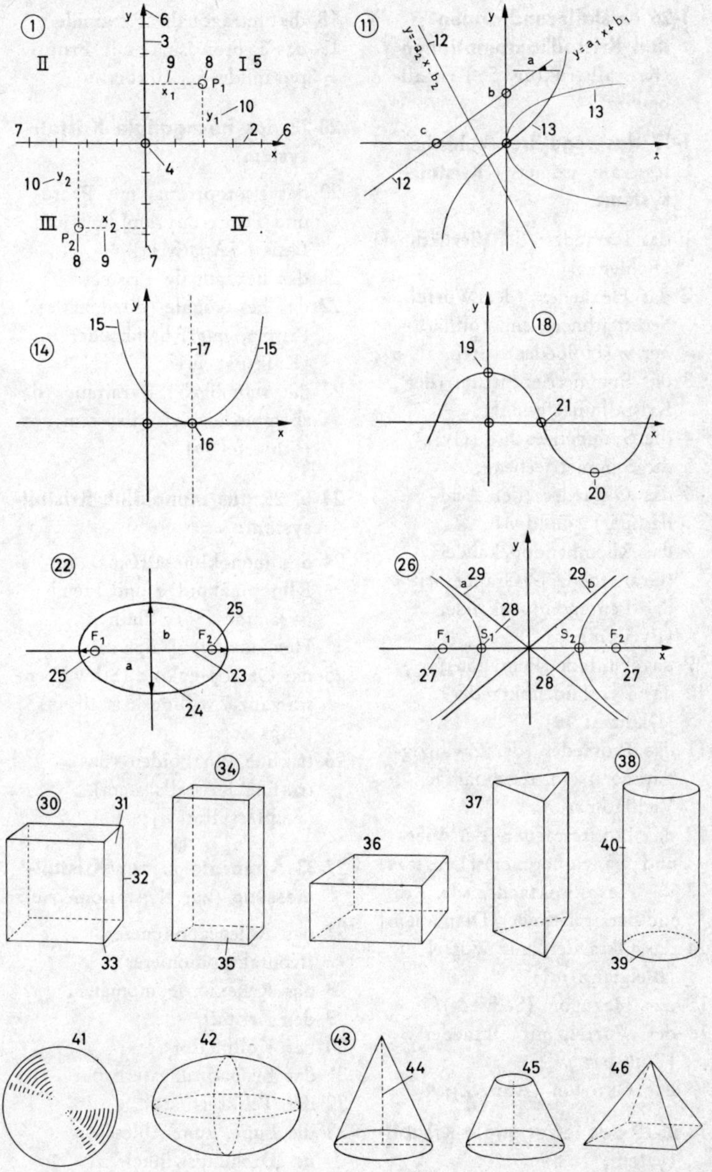

1
y
x
I
II
III
IV
P1
P2
x1
y1
x2
y2
11
y=a1x+b1
y=-a2x-b2
a
b
c
14
18
22
F1
F2
a
b
26
S1
S2
30
34
38
43

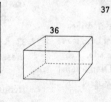

1-26 Kristallgrundformen *f* **und Kristallkombinationen** *f* (Kristallstruktur *f*, Kristallbau *m*),

1-17 das reguläre (kubische, tesserale, isometr.) **Kristallsystem:**

1 das Tetraeder (der Vierflächner) [Fahlerz *n*]
2 das Hexaeder (der Würfel, Sechsflächner), ein Vollflächner *m* (Holoeder) [Steinsalz *n*]:
3 das Symmetriezentrum (der Kristallmittelpunkt)
4 die Symmetrieachse (Gyre)
5 die Symmetrieebene;
6 das Oktaeder (der Achtflächner) [Gold *n*]
7 das Rhombendodekaeder (Granatoeder) [Granat *m*]
8 das Pentagondodekaeder [Pyrit *m*]:
9 das Fünfeck (Pentagon);
10 das Pyramidenoktaeder [Diamant *m*]
11 das Ikosaeder (der Zwanzigflächner), ein regelmäßiger Vielflächner *m*
12 das Ikositetraeder (der Vierundzwanzigflächner) [Leuzit *m*]
13 das Hexakisoktaeder (der Achtundvierzigflächner) [Diamant *m*]
14 das Oktaeder, mit Würfel *m* [Bleiglanz *m*]:
15 das Hexagon (Sechseck);
16 der Würfel, mit Oktaeder *n* [Flußspat *m*]:
17 das Oktogon (Achteck);

18 u. 19 das tetragonale Kristallsystem:

18 die tetragonale Pyramide
19 das Protoprisma, mit Protopyramide *f* [Zirkon *m*];

20-22 das hexagonale Kristallsystem:

20 das Protoprisma, mit Proto- und Deuteropyramide *f* und Basis *f* [Apatit *m*]
21 das hexagonale Prisma
22 das hexagonale (ditrigonale) Prisma, mit Rhomboeder *n* [Kalkspat *m*];
23 die rhombische Pyramide (das rhombische Kristallsystem) [Schwefel *m*]

24 u. 25 das monokline Kristallsystem:

24 das monokline Prisma, mit Klinopinakoid *n* und Hemipyramide *f* (Teilflach *n*, Hemieder *n*) [Gips *m*]
25 das Orthopinakoid (Schwalbenschwanz-Zwillingskristall *m*) [Gips *m*];
26 trikline Pinakoiden (das trikline Kristallsystem) [Kupfersulfat *n*];

27-33 Apparate *m* **zur Kristallmessung** (zur Kristallometrie):

27 das Anlegegoniometer (Kontaktgoniometer)
28 das Reflexionsgoniometer:
29 der Kristall
30 der Kollimator
31 das Beobachtungsfernrohr
32 der Teilkreis
33 die Lupe, zum Ablesen *n* des Drehungswinkels *m*

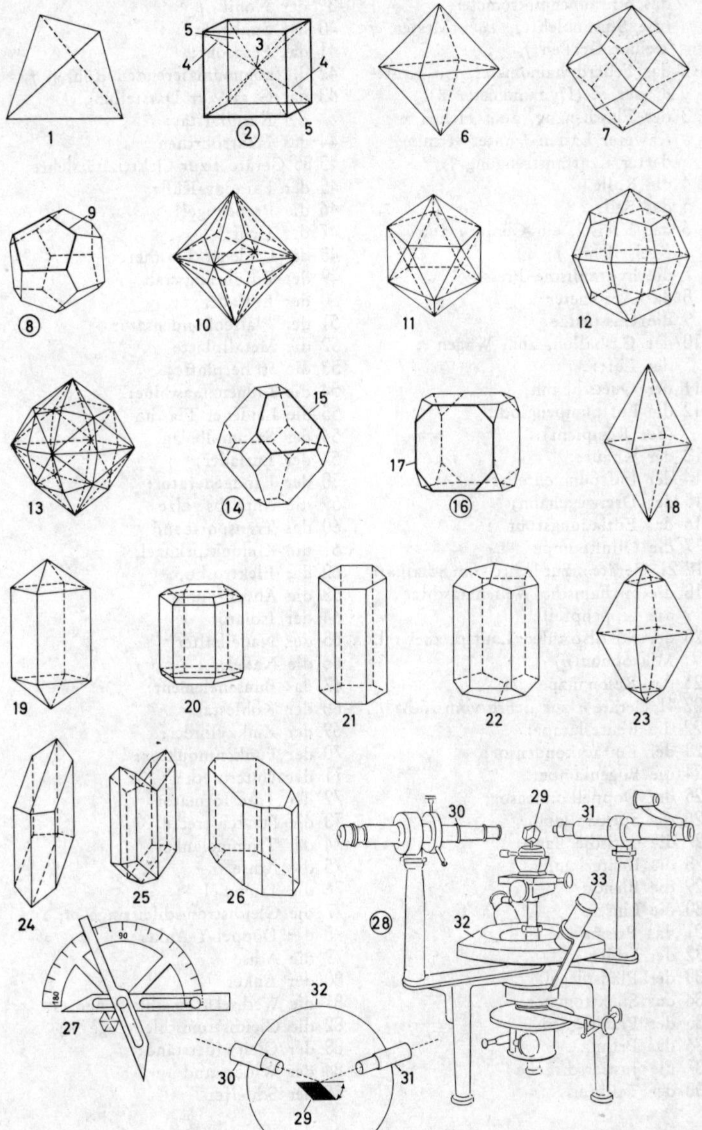
1
5
3
4
4
2
5
6
7
9
8
10
11
12
13
15
14
17
16
18
19
20
21
22
23
24
25
26
27
90
180
28
29
30
31
33
32
32
30
31
29

331 Physikalische Lehrgeräte I

1 das Schraubenmikrometer (die Schraublehre), zum Messen *n* kleiner Größen *f*
2 das Federdynamometer, ein Kraftmesser *m* (Dynamometer *n*)
3 der Flaschenzug, zum Heben *n* schwerer Lasten *f* unter verminderter Kraftanstrengung *f*:
4 die Rolle
5 das Seil;
6 der Kreisel, ein Gerät *n* zur Kreisellehre *f*
7 die hydraulische Presse
8 das Aräometer
9 die Gasspritze
10 der Gasballon, zum Wägen *n* der Luft:
11 der Quetschhahn;
12 die Luftpumpenglocke (der Rezipient):
13 der Knauf;
14 der Luftpumpenteller:
15 der Dreiwegehahn;
16 das Entladungsrohr
17 die Ölluftpumpe
18-21 Geräte *n* zur Lehre vom Schall *m*:
18 die mechanische Wellenmaschine
19 die Lippenpfeife
20 der Schallstrahler (Lautsprecher od. Mikrophon *n*)
21 das Resonanzpendel;
22-41 Geräte *n* zur Lehre vom Licht *n*,
22 die Reuterlampe:
23 der Einfachkondensor;
24 die Bogenlampe:
25 der Doppelkondensor;
26 die Spektrallampe
27 die optische Bank:
28 die Reuterlampe
29 die Blende
30 die Linse
31 das Prisma
32 der Schirm;
33 der Planspiegel
34 das Spektrometer:
35 der Prismentisch
36 das Prisma
37 die Justierschraube
38 der Teilkreis
39 der Nonius
40 das Spaltrohr
41 das Fernrohr;
42 die kommunizierenden Röhren *f*
43 das Gerät zur Darstellung der Kapillarität:
44 das Haarröhrchen;
45-85 Geräte *n* zur Elektrizitätslehre:
45 der Faraday-Käfig
46 die Probekugel:
47 der Griff;
48 die Leidener Flasche:
49 der Zuführungsstab
50 der Entlader;
51 der Plattenkondensator:
52 die Metallplatte
53 die Isolierplatte;
54 die Influenzmaschine:
55 die Leidener Flasche
56 der Stanniolbelag
57 der Entlader;
58 der Bandgenerator:
59 die Antriebswalze
60 das Transportband
61 die Konduktorkugel;
62 das Elektroskop:
63 die Abschirmung
64 der Isolator
65 der Nadelhalter
66 die Nadel;
67 das Bunsenelement:
68 der Kohlestab
69 der Zinkzylinder;
70 der Funkeninduktor:
71 der Unterbrecher
72 der Transformator
73 die Funkenstrecke;
74 der Trommelanker:
75 die Achse
76 die Trommel
77 die Gleichstromschleifringe *m*;
78 der Doppel-T-Anker:
79 die Achse
80 der Anker
81 die Wechselstromschleifringe *m*
82 die Gleichstromschleifringe *m*;
83 der Gleitwiderstand:
84 der Widerstand
85 der Schleifer

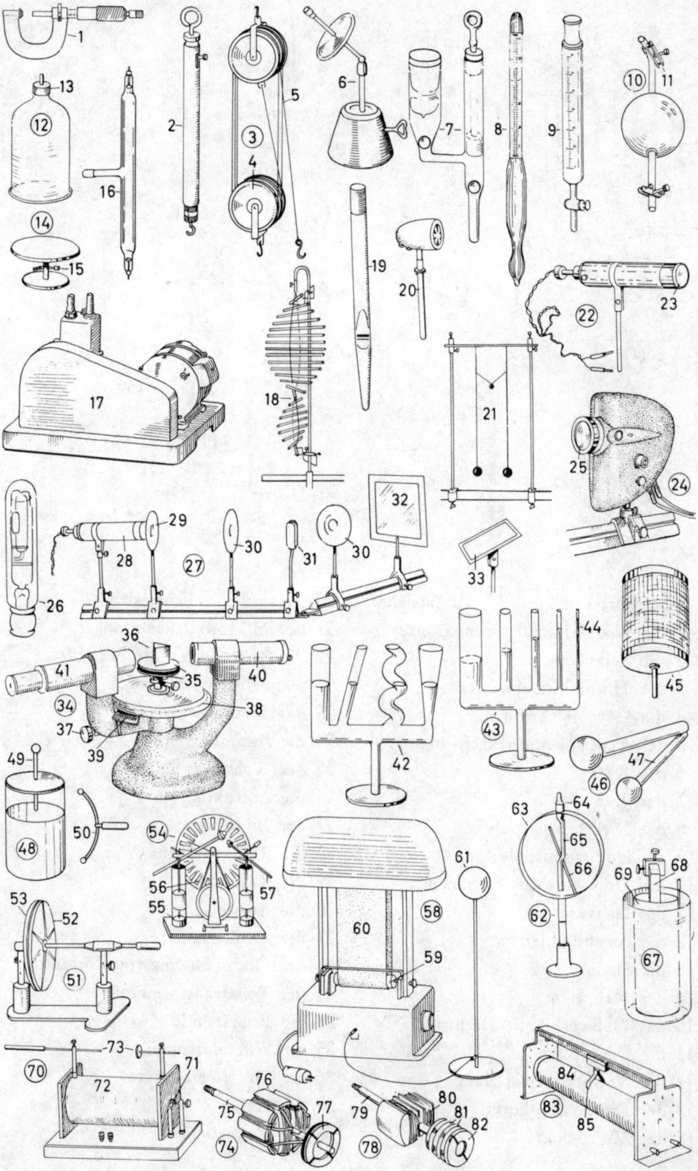
1
2
3
4
5
6
7
8
9
10
11
12
13
14
15
16
17
18
19
20
21
22
23
24
25
26
27
28
29
30
30
31
32
33
34
35
36
37
38
39
40
41
42
43
44
45
46
47
48
49
50
51
52
53
54
55
56
57
58
59
60
61
62
63
64
65
66
67
68
69
70
71
72
73
74
75
76
77
78
79
80
81
82
83
84
85

332 Physikalische Lehrgeräte II

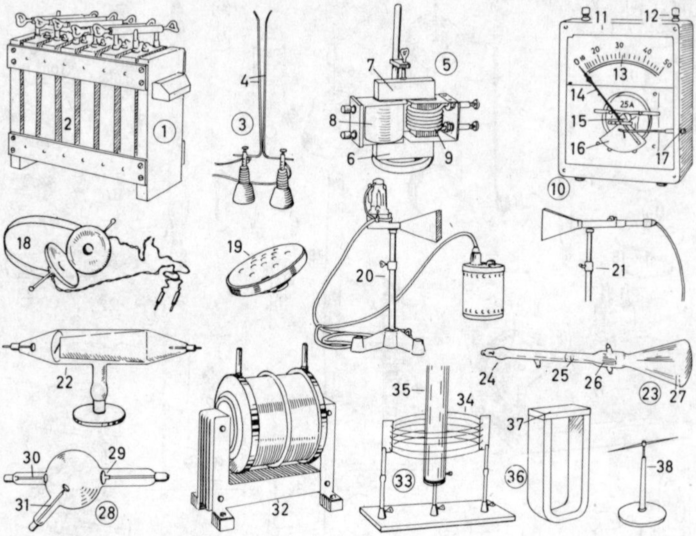

1-35 Geräte *n* zur Elektrizitätslehre,
1 die Stahlakkumulatorenbatterie:
2 die Zelle;
3 der Hörnerblitzableiter:
4 die Hörnerelektroden *f*;
5 der Experimentiertransformator:
6 der Kern
7 das Joch
8 die Niederstromspule
9 die Hochstromspule;
10 das Drehspul-Meßinstrument:
11 das Gehäuse
12 die Anschlußklemme
13 die Skala
14 der Meßzeiger
15 das Meßwerk, mit Drehspule *f*
16 die Dämpfung
17 die Nullpunkteinstellung;
18 der Doppelkopfhörer
19 das Mikrophon
20 der Mikrowellensender
21 der Mikrowellenempfänger
22 die Kathodenstrahlröhre, für magnetische Ablenkung *f*
23 das Braunsche Rohr:
24 die Kathode (*techn.* Katode)
25 der Wehneltzylinder
26 die Ablenkplatten *f*
27 der Bildschirm;
28 die Röntgenröhre:
29 die Kathode
30 die Anode
31 die Antikathode;
32 der Hochspannungstransformator
33 der Teslatransformator:
34 die Primärspule
35 die Sekundärspule;
36 der Hufeisenmagnet:
37 der Anker
38 die Magnetnadel

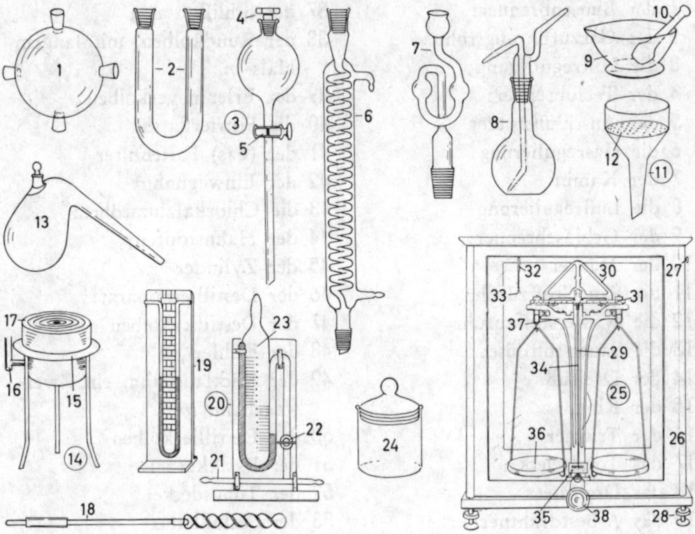

1 die Scheidtsche Kugel
2 das U-Rohr
3 der Scheidetrichter (Tropftrichter):
4 der Achtkantschliffstöpsel
5 der Hahn;
6 der Schlangenkühler
7 das Sicherheitsrohr (der Gäraufsatz)
8 die Spritzflasche
9 der Mörser
10 das Pistill (der Stampfer, die Keule)
11 die Nutsche (der Büchnertrichter):
12 das Filtersieb;
13 die Retorte
14 das Wasserbad:
15 der Dreifuß
16 der Wasserstandszeiger
17 die Einlegeringe *m*;
18 der Rührer
19 das Über- und Unterdruckmanometer (Manometer)
20 das Spiegelglasmanometer, für kleine Drücke *m*:
21 die Ansaugleitung
22 der Hahn
23 die verschiebbare Skala;
24 das Wägeglas
25 die Analysenwaage:
26 das Gehäuse [schieben *n*
27 die Vorderwand, zum Hoch-
28 die Dreipunktauflage
29 der Ständer
30 der Waagebalken
31 die Reiterschiene
32 die Reiterauflage
33 der Reiter
34 der Zeiger
35 die Skala
36 die Wägeschale
37 die Arretierung
38 der Arretierungsknopf

1 der Bunsenbrenner:
2 das Gaszuführungsrohr
3 die Luftregulierung;
4 der Teclubrenner:
5 der Anschlußstutzen
6 die Gasregulierung
7 der Kamin
8 die Luftregulierung;
9 der Gebläsebrenner:
10 der Mantel
11 die Sauerstoffzufuhr
12 die Wasserstoffzufuhr
13 die Sauerstoffdüse;
14 der Dreifuß
15 der Ring
16 der Trichter
17 das Tondreieck
18 das Drahtnetz
19 das Asbestdrahtnetz
20 das Becherglas (der Kochbecher)
21 die Bürette, zum Abmessen *n* von Flüssigkeit *f*
22 das Bürettenstativ:
23 die Bürettenklemme;
24 die Meßpipette
25 die Vollpipette (Pipette)
26 der Meßzylinder (das Meßglas)
27 der Meßkolben
28 der Mischzylinder
29 die Abdampfschale, aus Porzellan *n*
30 die Schlauchklemme (der Quetschhahn)
31 der Tontiegel, mit Deckel *m*
32 die Tiegelzange
33 die Klemme (Klammer)
34 das Reagenzglas (Probierglas)
35 das Reagenzglasgestell (der Reagenzglashalter)
36 der Stehkolben:
37 der Schliffansatz;
38 der Rundkolben, mit langem Hals *m*
39 der Erlenmeyerkolben
40 die Filtrierflasche
41 der (das) Faltenfilter
42 der Einweghahn
43 die Chlorkalziumröhre:
44 der Hahnstopfen;
45 der Zylinder
46 der Destillierapparat:
47 der Destillierkolben
48 der Kühler
49 der Rücklaufhahn, ein Zweiwegehahn *m*;
50 der Destillierkolben
51 der Exsikkator:
52 der Tubusdeckel
53 der Schlußhahn
54 der Exsikkatoreneinsatz, aus Porzellan *n*;
55 der Dreihalskolben
56 das Verbindungsstück
57 die Dreihalsflasche
58 die Gaswaschflasche
59 der Gasentwicklungsapparat (Kippsche Apparat):
60 der Überlaufbehälter
61 der Substanzbehälter
62 der Säurebehälter
63 die Gasentnahme

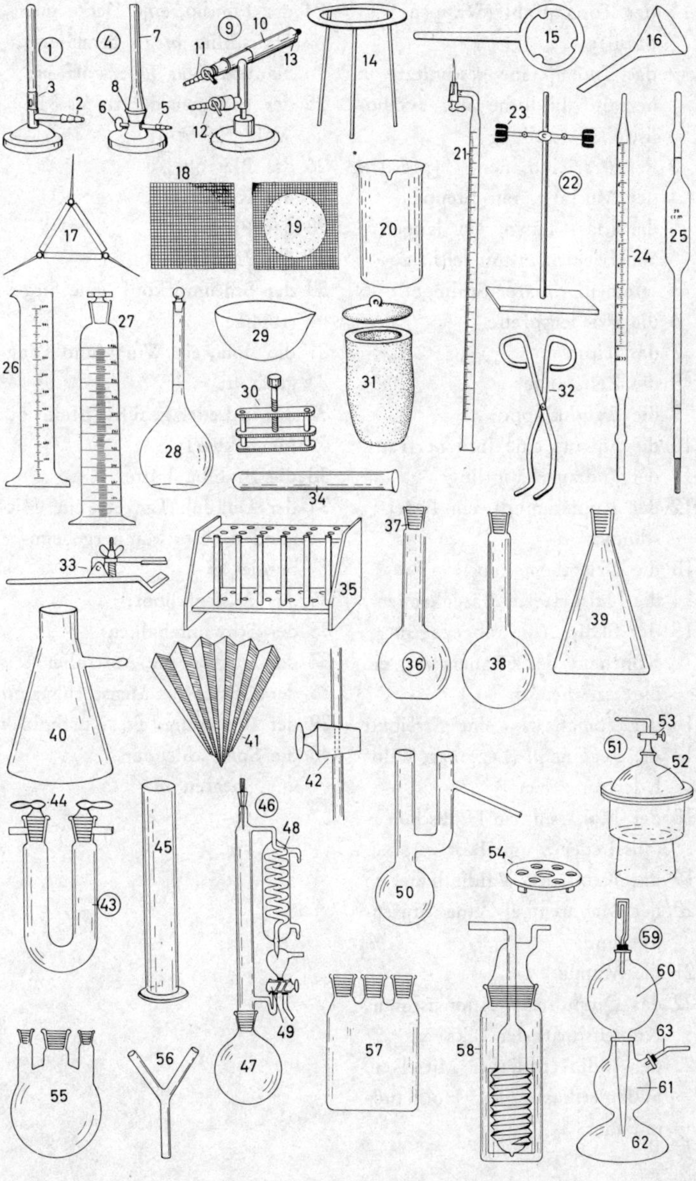
1
2
3
4
5
6
7
8
9
10
11
12
13
14
15
16
17
18
19
20
21
22
23
24
25
26
27
28
29
30
31
32
33
34
35
36
37
38
39
40
41
42
43
44
45
46
47
48
49
50
51
52
53
54
55
56
57
58
59
60
61
62
63

1 der Totempfahl (Wappenpfahl):
2 das Totem, eine geschnitzte u. bemalte bildliche od. symbolische Darstellung;
3 der Prärieindianer
4 der Mustang, ein Steppenpferd *n*
5 der (das) Lasso, ein langer Wurfriemen *m* mit leicht zusammenziehbarer Schlinge
6 die Friedenspfeife
7 das Tipi:
8 die Zeltstange
9 die Rauchklappe;
10 die Squaw, eine Indianerfrau
11 der Indianerhäuptling:
12 der Kopfschmuck, ein Federschmuck *m*
13 die Kriegsbemalung
14 die Halskette aus Bärenkrallen *f*
15 der Skalp (die abgezogene Kopfhaut des Gegners *m*), ein Siegeszeichen *n*
16 der Tomahawk, eine Streitaxt
17 die Leggins *pl* (Leggings, Wildledergamaschen *f*)
18 der Mokassin, ein Halbschuh *m* (aus Leder *n* und Bast *m*);
19 das Kanu der Waldindianer *m*
20 der Mayatempel, eine Stufenpyramide
21 die Mumie
22 das Quipu (die Knotenschnur, Knotenschrift der Inka *m*)
23 der Indio (Indianer Mittel- u. Südamerikas); *hier:* Hochlandindianer:
24 der Poncho, eine Decke mit Halsschlitz *m* als ärmelloser, mantelartiger Überwurf *m*;
25 der Indianer der tropischen Waldgebiete *n*:
26 das Blasrohr;
27 der Köcher
28 der Pfeil:
29 die Pfeilspitze;
30 der Schrumpfkopf, eine Siegestrophäe
31 die Bola, ein Wurf- und Fanggerät *n*:
32 die in Leder gehüllte Stein- od. Metallkugel;
33 die Pfahlbauhütte
34 der Dukduk-Tänzer, ein Mitglied *n* eines Männergeheimbundes *m*
35 das Auslegerboot:
36 der Schwimmbalken;
37 der eingeborene Australier:
38 der Gürtel aus Menschenhaar *n*
39 der Bumerang, ein Wurfholz *n*
40 die Speerschleuder mit Speeren *m*

1
2
3
4
5
6
7
8
9
10
11
12
13
14
15
16
17
18
19
20
21
22
23
24
25
26
27
28
29
30
31
32
33
34
35
36
37
38
39
40

1 der Eskimo
2 der Schlittenhund, ein Polarhund *m*
3 der Hundeschlitten
4 der (das) Iglu, eine kuppelförmige Schneehütte:
5 der Schneeblock
6 der Eingangstunnel;
7 die Tranlampe
8 das Wurfbrett
9 die Stoßharpune
10 die einspitzige Harpune
11 der Luftsack
12 der (das) Kajak, ein leichtes Einmannboot *n*:
13 das fellbespannte Holz- oder Knochengerüst
14 das Paddel;
15 das Rengespann:
16 das Rentier
17 der Ostjake
18 der Ständerschlitten;
19 die Jurte, ein Wohnzelt *n* der west- und zentralasiatischen Nomaden *m*:
20 die Filzbedeckung
21 der Rauchabzug;
22 der Kirgise:
23 die Schaffellmütze;
24 der Schamane:
25 der Fransenschmuck
26 die Rahmentrommel;
27 der Tibeter:
28 die Gabelflinte
29 die Gebetsmühle
30 der Filzstiefel;
31 das Hausboot (der Sampan)
32 die Dschunke:
33 das Mattensegel;
34 die Rikscha
35 der Rikschakuli
36 der (das) Lampion
37 der Samurai:
38 die wattierte Rüstung;
39 die Geisha:
40 der Kimono
41 der Obi
42 der Fächer;
43 der Kuli
44 der Kris, ein malaiischer Dolch *m*
45 der Schlangenbeschwörer:
46 der Turban
47 die Flöte
48 die tanzende Schlange

1
2
3
4
5
6
7
8
9
10
11
12
13
14
15
16
17
18
19
20
21
22
23
24
25
26
27
28
29
30
31
32
33
34
35
36
37
38
39
40
41
42
43
44
45
46
47
48

1 die Kamelkarawane:
2 das Reittier
3 das Lasttier (Tragtier);
4 die Oase:
5 der Palmenhain;
6 der Beduine:
7 der Burnus;
8 der Massaikrieger:
9 die Haartracht
10 der Schild
11 die bemalte Rindshaut
12 die Lanze mit langer Klinge *f*;
13 der Neger:
14 die Tanztrommel;
15 das Wurfmesser
16 die Holzmaske
17 die Ahnenfigur
18 die Signaltrommel:
19 der Trommelstab;
20 der Einbaum, ein aus einem Baumstamm *m* ausgehöhltes Boot *n*
21 die Negerhütte
22 die Negerin:
23 die Lippenscheibe;
24 der Mahlstein
25 die Hererofrau:
26 die Lederhaube
27 die Kalebasse;
28 die Bienenkorbhütte
29 der Buschmann:
30 der Ohrpflock
31 der Lendenschurz
32 der Bogen
33 der Kirri, eine Keule mit rundem, verdicktem Kopf *m*;
34 die Buschmannfrau beim Feuerbohren *n*
35 der Windschirm
36 der Zulu im Tanzschmuck *m*:
37 der Tanzstock
38 der Beinring;
39 das Kriegshorn aus Elfenbein *n*
40 die Amulett-und-Würfel-Kette
41 der Pygmäe:
42 die Zauberpfeife zur Geisterbeschwörung;
43 der Fetisch

1
2
3
4
5
6
7
8
9
10
11
12
13
14
15
16
17
18
19
20
21
22
23
24
25
26
27
28
29
30
31
32
33
34
35
36
37
38
39
40
41
42
43

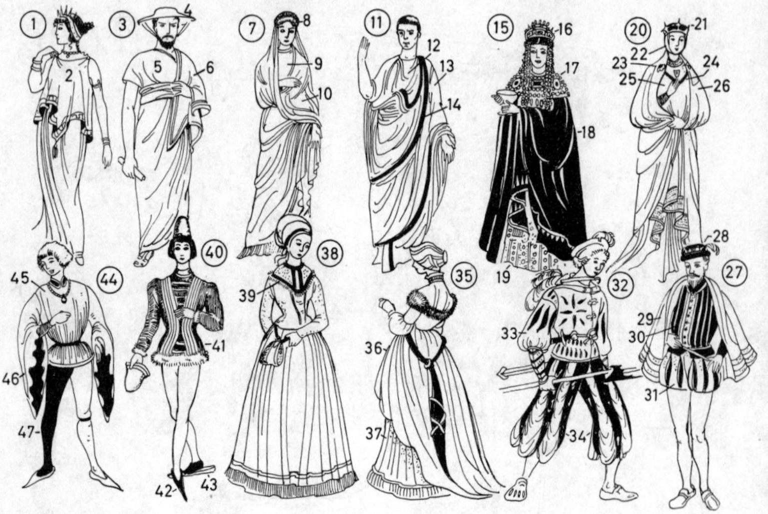

1 Griechin *f*:
2 der Peplos;
3 Grieche *m*:
4 der Petasos (thessalische Hut)
5 der Chiton, ein Leinenrock *m* als Untergewand *n*
6 das Himation, ein wollener Überwurfmantel *m*;
7 Römerin *f*:
8 das Stirntoupet
9 die Stola
10 die Palla, ein farbiger Umwurf *m*;
11 Römer *m*:
12 die Tunika
13 die Toga
14 der Purpursaum;
15 byzantin. Kaiserin *f*:
16 das Perlendiadem
17 das Schmuckgehänge
18 der Purpurmantel
19 das Gewand;
20 deutsche Fürstin *f* [13. Jh.]:
21 das Diadem (der Schapel)
22 das Kinnband
23 die Tassel
24 die Mantelschnur
25 das gegürtete Kleid
26 der Mantel;
27 Deutscher *m* in span. Tracht *f* [um 1575]:
28 das Barett
29 der kurze Mantel (die Kappe)
30 das ausgestopfte Wams
31 die gepolsterte Oberschenkelhose;
32 Landsknecht *m* [um 1530]:
33 das Schlitzwams
34 die Pluderhose;
35 Baslerin *f* [um 1525]:
36 das Überkleid
37 das Gretchengewand;
38 Nürnbergerin *f* [um 1500]:
39 der Schulterkragen (Goller, Koller);
40 Burgunder *m* [15. Jh.]:
41 das kurze Wams
42 die Schnabelschuhe *m*
43 die Holzunterschuhe *m* (Trippen *f*);

44 junger Edelmann [um 1400]:
45 die kurze Schecke
46 die Zaddelärmel *m*
47 die Strumpfhose;
48 Augsburger Patrizierin *f* [um 1575]:
49 die Ärmelpuffe
50 das Überkleid (die Marlotte);
51 franz. Dame *f* [um 1600]:
52 der Mühlsteinkragen
53 die geschnürte Taille (Wespentaille);
54 Herr *m* [um 1650]:
55 der schwed. Schlapphut
56 der Leinenkragen
57 das Weißzeugfutter
58 die Stulpenstiefel *m*;
59 Dame *f* [um 1650]:
60 die gepufften Ärmel *m* (Puffärmel);
61 Herr *m* [um 1700]:
62 der Dreieckhut (Dreispitz, Dreimaster)
63 der Galanteriedegen;
64 Dame *f* [um 1700]:
65 die Spitzenhaube
66 der Spitzenumhang
67 der Stickereisaum;
68 Dame *f* [um 1880]:
69 die Turnüre (der Cul de Paris);
70 Dame *f* [um 1858]:
71 die Schute (der Schutenhut)
72 der runde Reifrock (die Krinoline);
73 Herr *m* der Biedermeierzeit:
74 der hohe Kragen (Vatermörder)
75 die geblümte Weste
76 der Schoßrock;
77 die Zopfperücke:
78 das Zopfband (die Zopfschleife);
79 Damen *f* im Hofkleid *n* [um 1780]:
80 die Schleppe
81 die Rokokofrisur
82 der Haarschmuck
83 der flache Reifrock

339 Zoo (Zoologischer Garten)

1-15 das Raubtierhaus [Innenansicht],
1 der Raubtierkäfig:
2 das Eisengitter, ein Gitter *n*
3 der Kletterbaum (Krallbaum)
4 der Trennschieber
5 die Klimaanlage;
6 das Raubtier
7 der Futtereimer
8 der Tierwärter (Wärter, Tierpfleger)
9 die Wasserschale
10 das Schutzgitter (Absperrgitter)
11 die Ablaufrinne, zur Desodorierung
12 der Behandlungskäfig, ein Gittergang *m*:
13 das Operationsfenster
14 die Aufziehvorrichtung
15 der Schieber;
16 die Freianlage (das Freigehege):
17 der Naturfelsen
18 der Absperrgraben, ein Wassergraben *m*
19 die Schutzmauer
20 die gezeigten Tiere *n*; *hier:* ein Löwenrudel *n*
21 der Zoobesucher
22 die Verbotstafel;
23 die Voliere (das Vogelgehege), ein großer Vogelkäfig *m*
24 das Giraffenhaus; *ähnl.:* Elefantenhaus, Affenhaus
25 der Außenkäfig (Sommerkäfig)
26 das Aquarium:
27 der Wasserzulauf
28 die Durchlüftungsanlage
29 das Magnetventil
30 das Absperrventil
31 der Schmutzfänger
32 das Mischventil
33 das Mischgefäß
34 der Wassermesser
35 der Temperaturregler
36 die doppelwandige Glasscheibe
37 das Wasserbecken;
38 das Terra-Aquarium:
39 der Glasschaukasten
40 die Frischluftzuführung
41 der Luftabzug (die Entlüftung)
42 die Bodenheizung;
43 das Terrarium:
44 die Erläuterungstafel;
45 die Klimalandschaft (das Klimaschaubild)

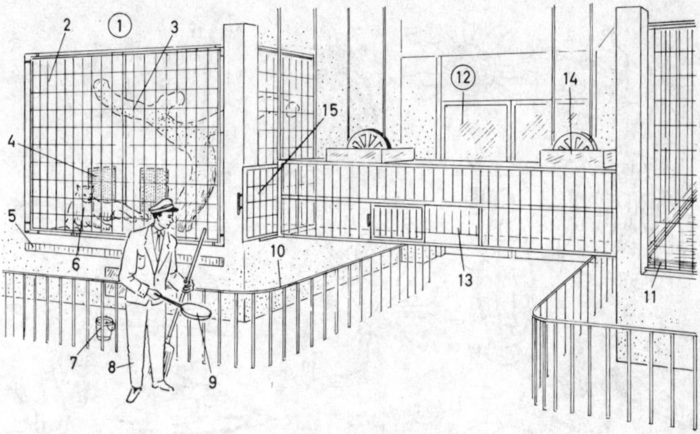
1
2
3
4
5
6
7
8
9
10
11
12
13
14
15

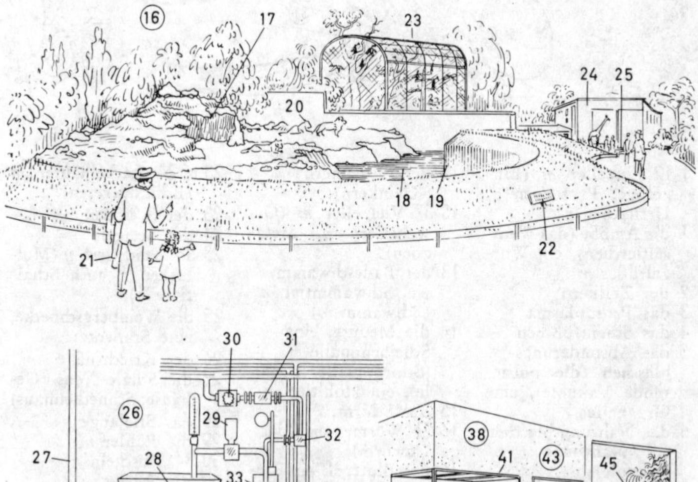
16
17
18
19
20
21
22
23
24
25

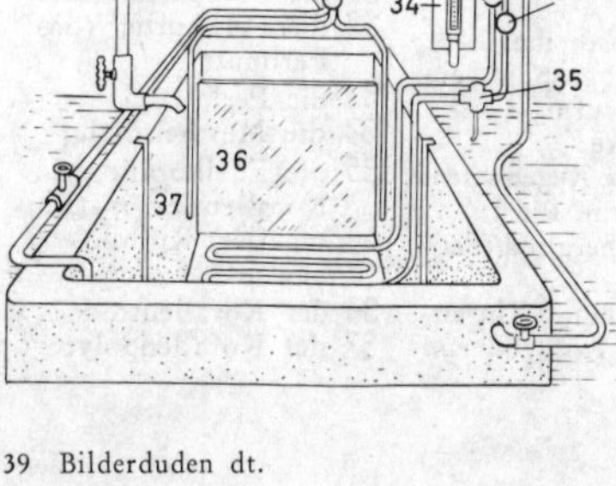
26
27
28
29
30
31
32
33
34
30
35
36
37

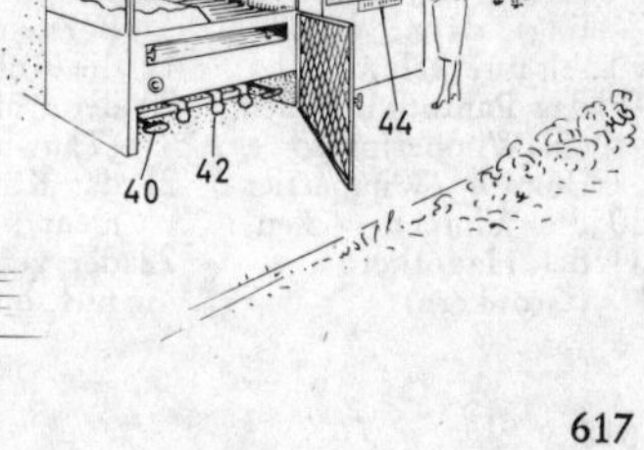
38
39
40
41
42
43
44
45

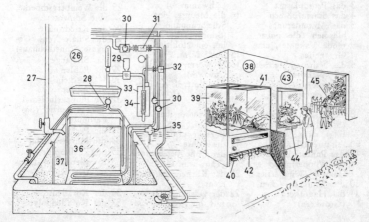

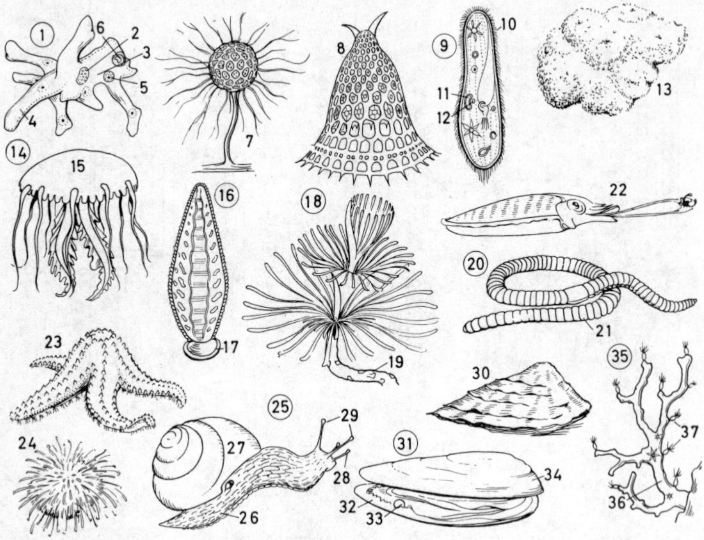

1-12 Einzeller *m* (Einzellige, Protozoen *n*, Urtierchen *n*),
1 die Amöbe (das Wechseltierchen), ein Wurzelfüßer *m*:
2 der Zellkern
3 das Protoplasma
4 das Scheinfüßchen
5 das Absonderungsbläschen (die pulsierende Vakuole), eine Organelle
6 das Nahrungsbläschen (die Nahrungsvakuole);
7 das Gittertierchen, ein Sonnentierchen *n*
8 das Strahlentierchen (Strahltier, der Strahling), *darg.:* das Kieselsäureskelett
9 das Pantoffeltierchen, ein Wimperinfusorium *n* (Wimpertierchen);
10 die Wimper
11 der Hauptkern (Großkern)
12 der Nebenkern (Kleinkern);
13-37 Vielzeller *m* (Gewebetiere *n*, Metazoen):
13 der Badeschwamm, ein Schwammtier *n* (Schwamm *m*)
14 die Meduse, eine Scheibenqualle (Schirmqualle, Qualle), ein Hohltier *n*:
15 der Schirm;
16-21 Würmer *m* (das Gewürm):
16 der Blutegel, ein Ringelwurm *m* (Gliederwurm):
17 die Saugscheibe;
18 der Spirographis, ein Borstenwurm *m*:
19 die Röhre;
20 der große Regenwurm (Tauwurm, Pier):
21 das Körperglied (Segment);
22 der gemeine Tintenfisch, ein Kopffüßer *m*
23 u. 24 Stachelhäuter *m* (Echinodermen):
23 der Seestern
24 der Seeigel;
25-34 Weichtiere *n* (Mollusken *f*, auch Schaltiere *n*),
25 die Weinbergschnecke, eine Schnecke:
26 der Kriechfuß
27 die Schale (das Gehäuse, Schneckenhaus)
28 das Stielauge
29 die Fühler *m*;
30-34 Muscheln *f*:
30 die Auster
31 die Flußperlmuschel:
32 die Perlmutter (das Perlmutt)
33 die Perle
34 die Muschelschale;
35 die Edelkoralle, ein Korallentier *n* (Blumentier, Riffbildner *m*):
36 der Korallenstock
37 der Korallenpolyp

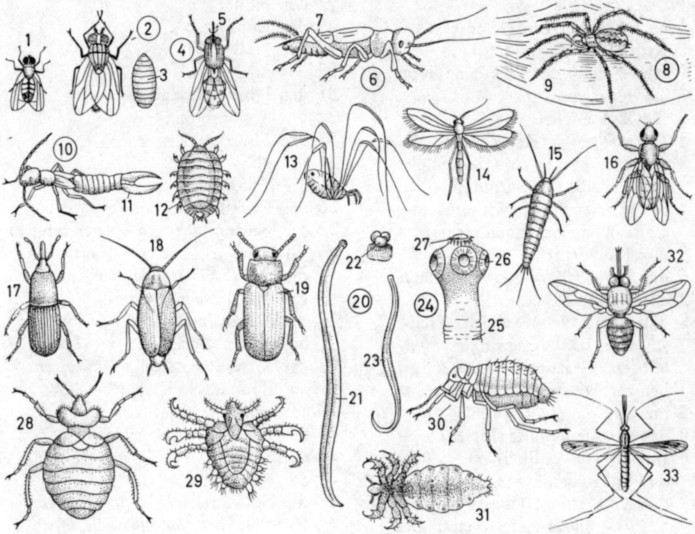

1-13 Hausinsekten *n*:
1 die kleine Stubenfliege
2 die gemeine Stubenfliege:
3 die Puppe (Tönnchenpuppe);
4 die Stechfliege (der Wadenstecher):
5 der dreigliedrige Fühler;
6 das Heimchen (die Hausgrille), eine Grabheuschrecke:
7 der Flügel mit Schrillader *f* (Schrillapparat *m*);
8 die Hausspinne (Winkelspinne):
9 das Wohnnetz;
10 der Ohrenkriecher (Ohrenhöhler, Ohrwurm, Öhrling, Dermapter):
11 die Hinterleibzange (Raife *pl*, Cerci);
12 die Kellerassel (Assel), ein Ringelkrebs *m*
13 der Weberknecht (Kanker, die Kankerspinne);
14 u. 15 Textilschädlinge *m*:
14 die Motte (Kleidermotte)
15 das Silberfischchen (der Zuckergast), ein Zottenschwanz *m*;
16-19 Vorratsschädlinge *m*:
16 die Käsefliege
17 der Kornkäfer (Kornkrebs, Kornwurm)
18 die Küchenschabe (Schabe, der Schwabe, Franzose, Russe, Kakerlak)
19 der Mehlkäfer (Mehlwurm);
20-31 Schmarotzer *m* des Menschen *m*,
20 der Spulwurm:
21 das Weibchen
22 der Kopf
23 das Männchen;
24 der Bandwurm, ein Plattwurm *m*:
25 der Kopf, ein Haftorgan *n*
26 der Saugnapf
27 der Hakenkranz;
28-33 Ungeziefer *n*:
28 die Wanze (Bettwanze, Wandlaus)
29 die Filzlaus
30 der Floh (Menschenfloh)
31 die Kleiderlaus;
32 die Tsetsefliege
33 die Malariamücke (Fiebermücke, Gabelmücke)

1-23 Gliederfüßer *m*,
1 u. 2 Krebstiere *n* (Krebse *m*, Krustentiere *n*),
1 die Wollhandkrabbe, eine Krabbe, ein Kurzschwanzkrebs *m*
2 die Wasserassel;
3-23 Insekten *n* (Kerbtiere, Kerfe *m*):
3 die Seejungfer, ein Gleichflügler *m*, eine Libelle (Wasserjungfer)
4 der Wasserskorpion (die Wasserwanze), ein Schnabelkerf *m*:
5 das Raubbein;
6 die Eintagsfliege (das Uferaas):
7 das Facettenauge;
8 das grüne Heupferd (die Heuschrecke, der Heuspringer, Heuhüpfer, Grashüpfer), eine Springheuschrecke, ein Geradflügler *m*:
9 die Larve
10 das geschlechtsreife Insekt, eine Imago, ein Vollkerf *m*
11 das Springbein;
12 die Köcherfliege (Wassermotte, Frühlingsfliege), ein Netzflügler *m* (Gitterflügler)
13 die Blattlaus (Röhrenlaus), eine Pflanzenlaus:
14 die ungeflügelte Blattlaus
15 die geflügelte Blattlaus;
16-20 Zweiflügler *m*,
16 die Stechmücke (*obd.* Schnake, *österr.* Gelse, der Moskito), eine Mücke, ein Langhorn *n*:
17 der Stechrüssel;
18 die Schmeißfliege (Brechfliege, der Brummer), eine Fliege:
19 die Made
20 die Puppe;
21-23 Hautflügler *m*,
21 u. 22 die Ameise:
21 das geflügelte Weibchen
22 der Arbeiter;
23 die Hummel;
24-39 Käfer *m* (Deckflügler),
24-38 Vielfresser *m*,
24 der Hirschkäfer (*obd.* Schröter, *md.* Hausbrenner, *schweiz.* Donnerkäfer, *österr.* Schmidkäfer), ein Blatthornkäfer *m*:
25 die Kiefer *m* (Zangen *f*)
26 die Freßwerkzeuge *n*
27 der Fühler
28 der Kopf
29 der Halsschild
30 das Schildchen
31 der Hinterleibsrücken
32 die Atemöffnung
33 der Flügel
34 die Flügelader
35 die Knickstelle
36 der Deckflügel;
37 der Siebenpunkt, ein Marienkäfer *m* (Marienwürmchen *n*, Brautwürmchen, *md.* Gottesgiebchen, *schweiz.* Frauenkäfer *m*)
38 der Zimmermannsbock (Zimmerbock), ein Bockkäfer *m* (Bock);
39 der Mistkäfer, ein Laufkäfer *m*, ein Raubkäfer *m*;
40-47 Spinnentiere *n*,
40 der Hausskorpion, ein Skorpion *m*:
41 der Kiefertaster
42 die Kieferfühler
43 der Schwanzstachel;
44-46 Spinnen *f* (*md.* Kanker *m*):
44 der Holzbock, eine Milbe, eine Zecke
45 die Kreuzspinne, eine Radnetzspinne (ein Radweber *m*):
46 die Spinnwarze;
47 das Spinnengewebe (das Spinnennetz, *österr.* das Spinnweb);
48-56 Schmetterlinge *m* (Falter),
48 der Maulbeerseidenspinner, ein Seidenspinner *m*:
49 die Eier *n*
50 die Seidenraupe
51 der Kokon;
52 der Schwalbenschwanz, ein Edelfalter *m* (Ritter):
53 der Fühler
54 der Augenfleck;
55 der Ligusterschwärmer, ein Schwärmer *m*:
56 der Rüssel

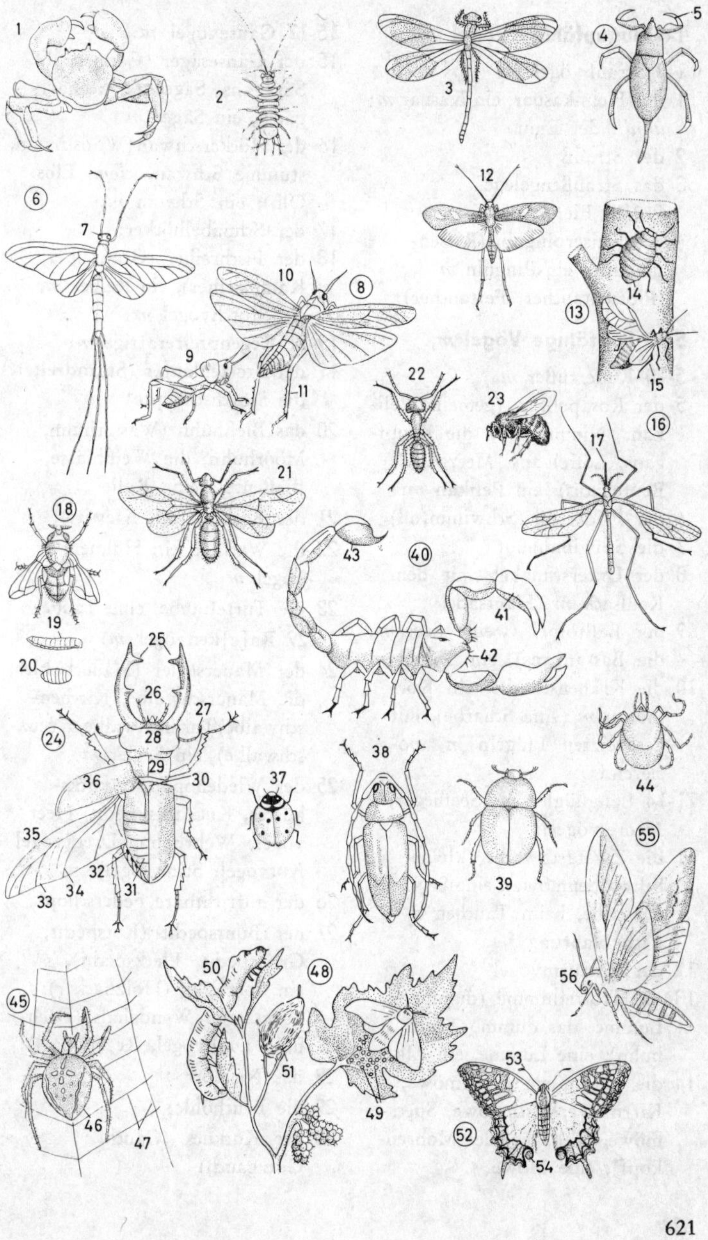
1
2
3
4
5
6
7
8
9
10
11
12
13
14
15
16
17
18
19
20
21
22
23
24
25
26
27
28
29
30
31
32
33
34
35
36
37
38
39
40
41
42
43
44
45
46
47
48
49
50
51
52
53
54
55
56

1-4 flugunfähige Vögel *m*,

1-3 Straußvögel *m*:

1 der Helmkasuar, ein Kasuar *m*; *ähnl.*: der Emu

2 der Strauß

3 das Straußengelege [12-14 Eier *n*];

4 der Kaiserpinguin (Riesenpinguin), ein Pinguin *m* (Flossentaucher, Fettaucher);

5-30 flugfähige Vögel *m*,

5-10 Ruderfüßer *m*,

5 der Rosapelikan (gemeine Pelikan, Nimmersatt, die Kropfgans, Löffelgans, Meergans, Beutelgans), ein Pelikan *m*:

6 der Ruderfuß (Schwimmfuß)

7 die Schwimmhaut

8 der Unterschnabel, mit dem Kehlsack *m* (Hautsack);

9 der Baßtölpel (weiße Seerabe, die Bassangans), ein Tölpel *m*

10 die Krähenscharbe, ein Kormoran *m* (eine Scharbe), mit gespreizten Flügeln *m* »posierend«;

11-14 Langflügler *m* (Seeflieger, Meeresvögel):

11 die Zwergschwalbe (kleine Schwalbenmöwe), eine Seeschwalbe, beim Tauchen *n* nach Nahrung *f*

12 der Eissturmvogel

13 die Trottellumme (dumme Lumme, das dumme Tauchhuhn), eine Lumme, ein Alk *m*

14 die Lachmöwe (Haffmöwe, Kirrmöwe, Fischmöwe, Speckmöwe, Seekrähe, der Mohrenkopf), eine Möwe;

15-17 Gänsevögel *m*:

15 der Gänsesäger (Ganner, die Sägegans, Sägeente, Schnarrgans), ein Säger *m*

16 der Höckerschwan (Wildschwan, stumme Schwan, *alem.* Elbs, Ölb), ein Schwan *m*:

17 der Schnabelhöcker;

18 der Fischreiher (Graureiher, Kammreiher), ein Reiher *m*, ein Storchvogel *m*

19-21 Regenpfeiferartige *m*:

19 der Stelzenläufer (Strandreiter, die Storchschnepfe)

20 das Bleßhuhn (Wasserhuhn, Moorhuhn, die Weißblässe, Bläßente), eine Ralle

21 der Kiebitz (*nd.* Kiewitt);

22 die Wachtel, ein Hühnervogel *m*

23 die Turteltaube, eine Taube

24-29 Ra[c]kenvögel *m*:

24 der Mauersegler (Mauerhäkler, die Mauerschwalbe, Kirchenschwalbe, Turmschwalbe, Kreuzschwalbe), ein Segler *m*

25 der Wiedehopf (Kuckucksküster, Kuckucksknecht, Heervogel, Wehrhahn, Dreckvogel, Kotvogel, Stinkvogel):

26 der aufrichtbare Federschopf;

27 der Buntspecht (Rotspecht, Großspecht, Fleckspecht), ein Specht *m* (Holzhacker); *verw.*: der Wendehals (Drehhals, Drehvogel, Regenvogel):

28 das Nestloch

29 die Bruthöhle;

30 der Kuckuck (Gauch, Gutzgauch)

1
2
3
4
5
6
7
8
9
10
11
12
13
14
15
16
17
18
19
20
21
22
23
24
25
26
27
28
29
30

1, 3, 4, 5, 7, 9 Singvögel *m*:

1 der Stieglitz (Distelfink), ein Finkenvogel *m*

2 der Bienenfresser

3 das Gartenrotschwänzchen (Rotschwänzchen), ein Drosselvogel *m*

4 die Blaumeise, eine Meise, ein Standvogel *m*

5 der Gimpel (Dompfaff)

6 die Blauracke (Mandelkrähe)

7 der Pirol, ein Zugvogel *m*

8 der Eisvogel

9 die weiße Bachstelze, eine Stelze

10 der Buchfink (Edelfink)

1
2
3
4
5
6
7
8
9
10
S. Vogel

345 Exotische Vögel

1 der Gelbhaubenkakadu, ein Papageienvogel *m*
2 der Ararauna
3 der blaue Paradiesvogel
4 der Sappho-Kolibri
5 der Kardinal
6 der Tukan (Rotschnabeltukan, Pfefferfresser), ein Klettervogel *m*

1
2
3
4
5
6
J. Vogel

1-20 Singvögel *m*,

1-3 Rabenvögel *m* (Raben):

1 der Eichelhäher (Eichelhabicht, Nuß-, Spiegelhäher, Holzschreier), ein Häher *m*

2 die Saatkrähe (Feld-, Haferkrähe), eine Krähe

3 die Elster (Alster, Gartenkrähe, *schweiz.* Atzel);

4 der Star (Rinderstar, Starmatz)

5 der Haussperling (Dach-, Kornsperling)

6-8 Finkenvögel *m*,

6 u. 7 Ammern *f*;

6 die Goldammer (Gelbammer, der Kornvogel, Grünschling)

7 der Ortolan (Gärtner, die Garten-, Sommerammer);

8 der Erlenzeisig (Erdfink, Strumpfwirker, Leineweber), ein Zeisig *m*;

9 die Kohlmeise (Spiegel-, Rollmeise, der Schlosserhahn), eine Meise

10 das Wintergoldhähnchen (Safranköpfchen); *ähnl.:* das Sommergoldhähnchen (Goldköpfchen), ein Goldhähnchen *n* (Goldämmerchen, Sommerkönig *m*)

11 der Kleiber (Blauspecht, Baumrutscher)

12 der Zaunkönig (Zaunschlüpfer, Dorn-, Vogel-, Winterkönig)

13-17 Drosselvögel *m* (Drosseln *f*, Erdsänger *m*):

13 die Amsel (Schwarz-, Dreckamsel, Graudrossel, *schweiz.* Amstel)

14 die Nachtigall (Wassernachtigall, der Rotvogel, *dicht.* Philomele)

15 das Rotkehlchen (Rötel)

16 die Singdrossel (Wald-, Weißdrossel, Zippe)

17 der Sprosser (Sproßvogel);

18 u. 19 Lerchen *f*:

18 die Heidelerche (Baum-, Steinlerche)

19 die Haubenlerche (Kamm-, Dreck-, Hauslerche);

20 die Rauchschwalbe (Dorf-, Lehmschwalbe), eine Schwalbe

1-19 Tagraubvögel *m* (Greife),

1-4 Falken *m:*

1 der Merlin (Zwergfalke)

2 der Wanderfalke:

3 die »Hose« (Unterdeckfedern *f*, das Schenkelgefieder)

4 der Lauf;

5-9 Adler *m*,

5 der Seeadler (Meeradler):

6 der Hakenschnabel

7 der Fang

8 der Stoß (Schwanz);

9 der Mäusebussard (Mauser);

10-13 Habichtartige *m:*

10 der Habicht (Hühnerhabicht)

11 der Rote Milan (die Gabel-, Königsweihe)

12 der Sperber (Sperlingstößer)

13 die Rohrweihe (Sumpf-, Rostweihe);

14-19 Nachtraubvögel *m* (Eulen *f*):

14 die Waldohreule (Goldeule, der kleine Uhu)

15 der Uhu:

16 das Federohr;

17 die Schleiereule:

18 der »Schleier« (Federkranz);

19 der Steinkauz (das Käuzchen, der Totenvogel)

1
2
3
4
5
6
7
8
11
10
9

1-11 Schmetterlinge *m,*

1-6 Tagfalter *m:*

1 der Admiral
2 das Tagpfauenauge
3 der Aurorafalter
4 der Zitronenfalter
5 der Trauermantel
6 der Bläuling;

7-11 Nachtfalter *m* (Nachtschmetterlinge):

7 der Braune Bär
8 das Rote Ordensband
9 der Totenkopf (Totenkopfschwärmer), ein Schwärmer *m:*
10 die Raupe
11 die Puppe

1
2
3
4
5
6
7
8
9
10
11
12
13
14
15
16
17
18
19
20
S. Vogel

1 Gigantocypris Agassizi (der Riesenmuschelkrebs)
2 Macropharynx longicaudatus (der Pelikan-Aal)
3 Pentacrinus (der Haarstern), eine Seelilie, ein Stachelhäuter *m*
4 Thaumatolampas diadema (die Wunderlampe), ein Tintenfisch *m* [leuchtend]
5 Atolla, eine Tiefseemeduse, ein Hohltier *n*
6 Melanocetes, ein Armflosser *m* [leuchtend]
7 Lophocalyx philippensis, ein Glasschwamm *m*
8 Mopsea, eine Rindenkoralle [Kolonie; leuchtend]
9 Hydrallmania, ein Hydreidpolyp *m*, ein Polyp *m*, ein Hohltier *n* [Kolonie]
10 Malacosteus indicus, ein Großmaul *n* [leuchtend]
11 Brisinga endecacnemos, ein Schlangenstern *m*, ein Stachelhäuter *m* [nur gereizt leuchtend]
12 Pasiphaea, eine Garnele, ein Krebs *m*
13 Echiostoma, ein Großmaul *n*, ein Fisch *m* [leuchtend]
14 Umbellula encrinus, eine Seefeder, ein Hohltier *n* [Kolonie]
15 Pentacheles, ein Krebs *m*
16 Lithodes, ein Krebs *m*, eine Krabbe
17 Archaster, ein Seestern *m*, ein Stachelhäuter *m*
18 Oneirophanta, eine Seegurke, ein Stachelhäuter *m*
19 Palaeopneustes niasicus, ein Seeigel *m*, ein Stachelhäuter *m*
20 Chitonactis, eine Seeanemone, ein Hohltier *n*

1-17 Fische *m*,
1 der Menschenhai (Blauhai), ein Haifisch *m* (Hai):
2 die Nase
3 die Kiemenspalte;
4 der Teichkarpfen (Flußkarpfen), ein Spiegelkarpfen *m* (Karpfen):
5 der Kiemendeckel
6 die Rückenflosse
7 die Brustflosse
8 die Bauchflosse
9 die Afterflosse
10 die Schwanzflosse
11 die Schuppe;
12 der Wels (Flußwels, Wallerfisch, Waller, Weller):
13 der Bartfaden;
14 der Hering
15 die Bachforelle (Steinforelle, Bergforelle), eine Forelle
16 der gemeine Hecht (Schnock, Wasserwolf)
17 der Flußaal (Aalfisch, Aal)
18 das Seepferdchen (der Hippokamp, Algenfisch):
19 die Büschelkiemen *f*;

20-26 Lurche *m* (Amphibien *f*),
20-22 Molche *m*,
20 der Kammolch, ein Wassermolch *m*:
21 der Rückenkamm;
22 der Feuersalamander, ein Salamander *m*;
23-26 Froschlurche *m*:
23 die Erdkröte, eine Kröte (*nd.* Padde, *obd.* ein Protz *m*)
24 der Laubfrosch:
25 die Schallblase
26 die Haftscheibe;

27-41 Kriechtiere *n* (Reptilien),
27 u. 31-37 Echsen *f*:
27 die Zauneidechse
28 die Karettschildkröte:
29 der Rückenschild;
30 der Basilisk
31 der Wüstenwaran, ein Waran *m*
32 der grüne Leguan, ein Leguan *m*
33 das Chamäleon, ein Wurmzüngler *m*:
34 der Klammerfuß
35 der Rollschwanz;
36 der Mauergecko, ein Gecko *m* (Haftzeher)
37 die Blindschleiche, eine Schleiche;
38-41 Schlangen *f*,
38 die Ringelnatter (Schwimmnatter, Wassernatter, Wasserschlange, Unke), eine Natter:
39 die Mondflecken *m*;
40 u. 41 Vipern *f* (Ottern):
40 die Kreuzotter (Otter, Höllennatter), eine Giftschlange
41 die Aspisviper

1
2
3
4
5
6
7
8
9
10
11
12
13
14
15
16
17
18
19
20
21
22
23
24
25
26
27
28
29
30
31
32
33
34
35
36
37
38
39
40
41

1 das Schnabeltier, ein Kloakentier *n* (Eileger *m*)
2 u. 3 Beuteltiere *n*:
2 das nordamerikanische Opossum, eine Beutelratte
3 das rote Riesenkänguruh, ein Känguruh *n*;
4-7 Insektenfresser *m* (Kerbtierfresser):
4 der Maulwurf
5 der Igel:
6 der Stachel;
7 die Hausspitzmaus, eine Spitzmaus;
8 das Neunbindengürteltier (neungürtlige Weichgürteltier, langschwänzige Weichgürteltier)
9 die Ohrenfledermaus, eine Glattnase, ein Flattertier *n* (eine Fledermaus)
10 das Steppenschuppentier, ein Schuppentier *n*
11 das Zweizehenfaultier
12-19 Nagetiere *n*:
12 das Meerschweinchen
13 das Stachelschwein
14 die Biberratte
15 die Wüstenspringmaus
16 der Hamster
17 die Wühlmaus
18 das Murmeltier
19 das Eichhörnchen;
20-31 Huftiere *n*,
20 der afrikanische Elefant, ein Rüsseltier *n*
21 der Rüssel
22 der Stoßzahn;
23 der Lamantin, eine Sirene
24 der südafrikanische Klippschliefer, ein Schliefer *m* (Klippdachs)
25-27 Unpaarhufer *m*:
25 das afrikanische Spitznashorn, ein Nashorn *n*
26 der Flachlandtapir, ein Tapir *m*
27 das Zebra;
28-31 Paarhufer *m*,
28-30 Wiederkäuer *m*:
28 das Lama
29 das Trampeltier (zweihöckrige Kamel)
30 der Guanako;
31 das Nilpferd

1
2
3
4
5
6
7
8
9
10
11
12
13
14
15
16
17
18
19
20
21
22
23
24
25
26
27
28
29
30
31

1-10 Huftiere *n*, Wiederkäuer *m*:
1 der Elch
2 der Wapiti
3 die Gemse (Gams)
4 die Giraffe
5 die Hirschziegenantilope (Antilope)
6 das Mufflon
7 der Steinbock
8 der Hausbüffel
9 der Bison
10 der Moschusochse;
11-17 Raubtiere *n*,
11-13 Hundartige *m*:
11 der Schabrackenschakal (Schakal)
12 der Rotfuchs
13 der Wolf;
14-16 Marder *m*:
14 der Steinmarder
15 der Zobel
16 das Wiesel;
17 der Seeotter, ein Otter *m*;
18-22 Robben *f* (Flossenfüßler *m*):
18 der Seebär (die Bärenrobbe)
19 der Seehund
20 das Polarmeerwalroß:
21 das Barthaar
22 der Hauer;
23-29 Wale *m*:
23 der Tümmler
24 der gemeine Delphin
25 der Pottwal:
26 das Atemloch
27 die Fettflosse
28 die Brustflosse
29 die Schwanzflosse

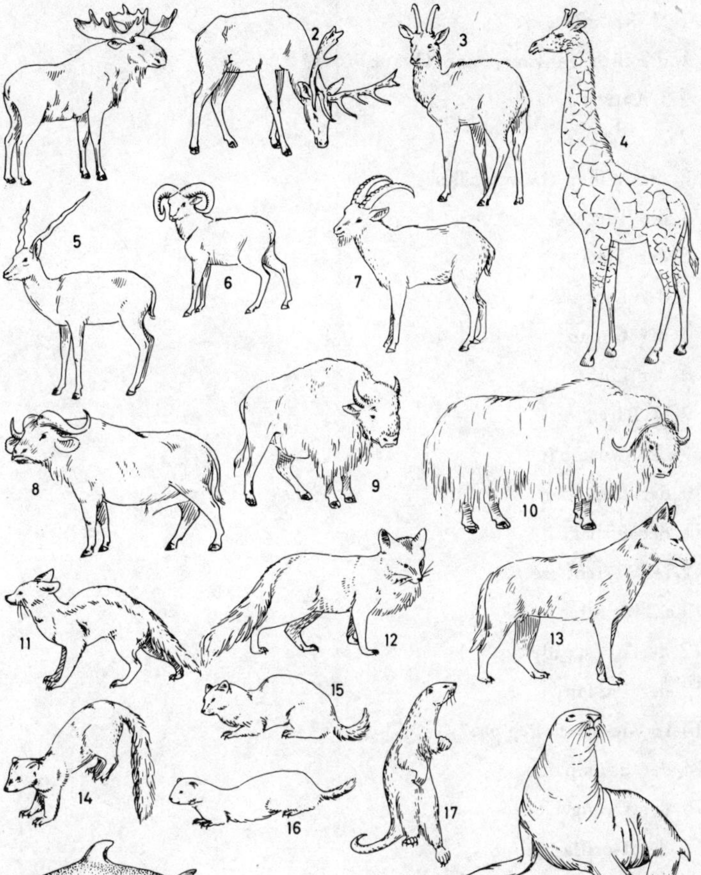
2
3
4
5
6
7
8
9
10
11
12
13
14
15
16
17
18
19
20
21
22
23
24
25
26
27
28
29

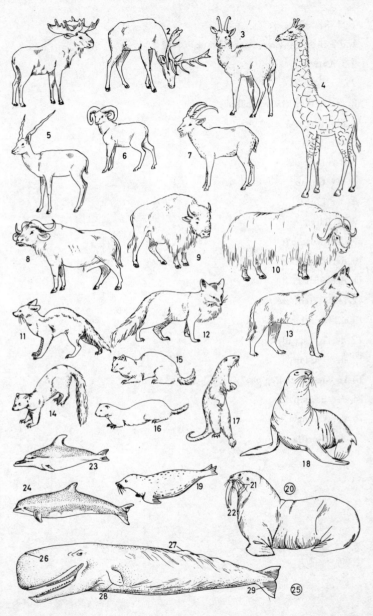

1-11 Raubtiere *n*:
1 die Streifenhyäne, eine Hyäne
2-8 Katzen *f*,
2 der Löwe:
3 die Mähne (Löwenmähne)
4 die Tatze;
5 der Tiger
6 der Leopard
7 der Gepard
8 der Luchs;
9-11 Bären *m*:
9 der Waschbär
10 der Braunbär
11 der Eisbär;
12-16 Herrentiere *n*,
12 u. 13 Affen *m*:
12 der Rhesusaffe
13 der Pavian;
14-16 Menschenaffen *m*:
14 der Schimpanse
15 der Orang-Utan
16 der Gorilla

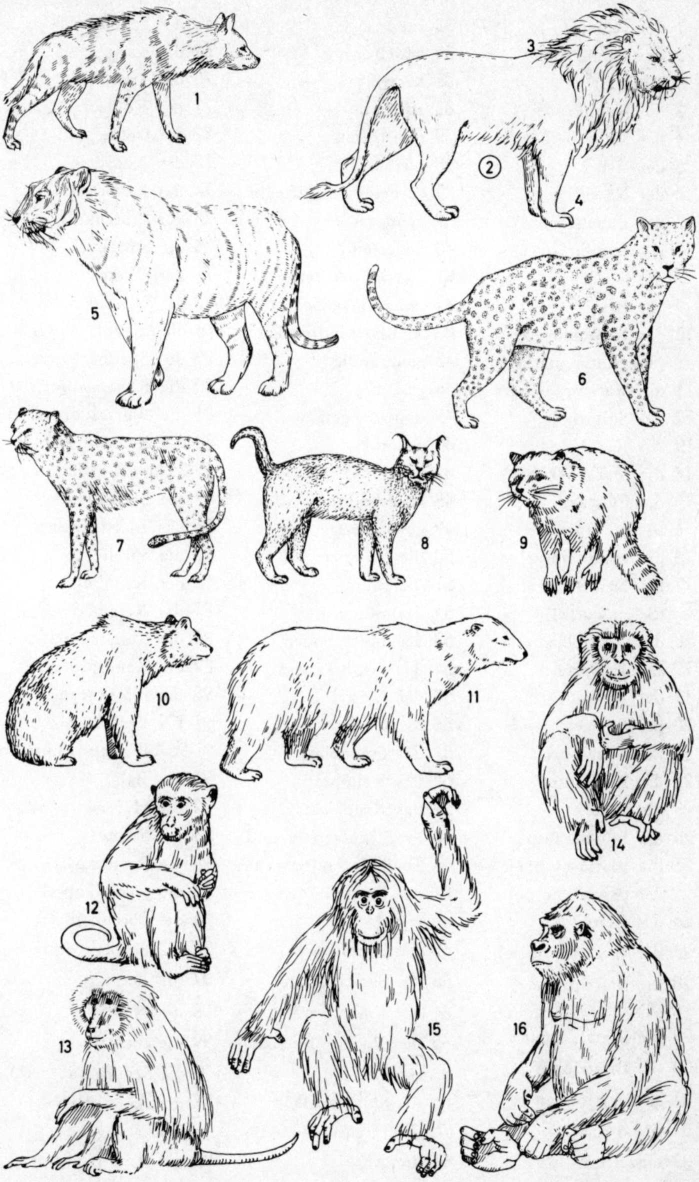
1
2
3
4
5
6
7
8
9
10
11
12
13
14
15
16

1 der Baum:
2 der Baumstamm (Stamm)
3 die Baumkrone
4 der Wipfel
5 der Ast
6 der Zweig;
7 der Baumstamm [Querschnitt]:
8 die Rinde
9 der Bast
10 das Kambium (der Kambiumring)
11 die Markstrahlen *m*
12 das Splintholz
13 das Kernholz
14 die Markröhre;
15 die Pflanze,
16-18 die Wurzel:
16 die Hauptwurzel
17 die Nebenwurzel (Seitenwurzel)
18 das Wurzelhaar;
19-25 der Sproß:
19 das Blatt
20 der Stengel
21 der Seitensproß
22 die Endknospe
23 die Blüte
24 die Blütenknospe
25 die Blattachsel, mit der Achselknospe;
26 das Blatt:
27 der Blattstiel (Stiel)
28 die Blattspreite (Spreite)
29 die Blattaderung
30 die Blattrippe;
31-38 Blattformen *f*:
31 lineal
32 lanzettlich
33 rund
34 nadelförmig
35 herzförmig
36 eiförmig
37 pfeilförmig
38 nierenförmig;
39-42 geteilte Blätter *n*:
39 gefingert
40 fiederteilig
41 paarig gefiedert
42 unpaarig gefiedert;
43-50 Blattrandformen *f*:
43 ganzrandig
44 gesägt
45 doppelt gesägt
46 gekerbt
47 gezähnt
48 ausgebuchtet
49 gewimpert:
50 die Wimper;
51 die Blüte:
52 der Blütenstiel
53 der Blütenboden
54 der Fruchtknoten
55 der Griffel
56 die Narbe
57 das Staubblatt
58 das Kelchblatt
59 das Kronblatt;
60 Fruchtknoten *m* und Staubblatt *n* [Schnitt]:
61 die Fruchtknotenwand
62 die Fruchthöhle
63 die Samenanlage
64 der Embryosack
65 der Pollen (Blütenstaub)
66 der Pollenschlauch;
67-77 Blütenstände *m*:
67 die Ähre
68 die Traube
69 die Rispe
70 die Trugdolde
71 der Kolben
72 die Dolde
73 das Köpfchen
74 das Körbchen
75 der Blütenkrug
76 die Schraubel
77 der Wickel;
78-82 Wurzeln *f*:
78 die Adventivwurzeln *f*
79 die Speicherwurzel
80 die Kletterwurzeln *f*
81 die Wurzeldornen *m*
82 die Atemwurzeln *f*;
83-85 der Grashalm:
83 die Blattscheide
84 das Blatthäutchen
85 die Spreite;
86 der Keimling:
87 das Keimblatt
88 die Keimwurzel
89 die Keimsproßachse
90 die Blattknospe;
91-102 Früchte *f*,
91-96 Öffnungsfrüchte *f*:
91 der Balg
92 die Hülse
93 die Schote
94 die Spaltkapsel
95 die Deckelkapsel
96 die Porenkapsel;
97-102 Schließfrüchte *f*:
97 die Beere
98 die Nuß
99 die Steinfrucht
100 die Sammelnußfrucht
101 die Sammelsteinfrucht
102 die Apfelfrucht

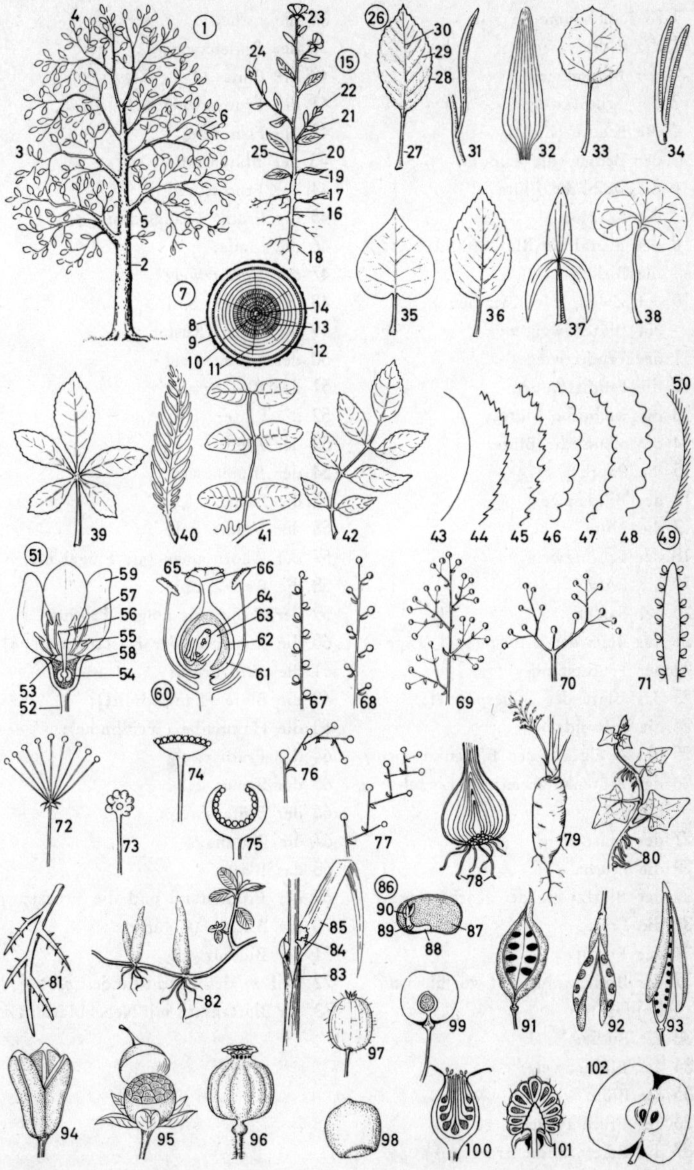
1
2
3
4
5
6
7
8
9
10
11
12
13
14
15
16
17
18
19
20
21
22
23
24
25
26
27
28
29
30
31
32
33
34
35
36
37
38
39
40
41
42
43
44
45
46
47
48
49
50
51
52
53
54
55
56
57
58
59
60
61
62
63
64
65
66
67
68
69
70
71
72
73
74
75
76
77
78
79
80
81
82
83
84
85
86
87
88
89
90
91
92
93
94
95
96
97
98
99
100
101
102

1-73 Laubbäume *m*,
1 die Eiche:
2 der Blütenzweig
3 der Fruchtzweig
4 die Frucht (Eichel)
5 der Becher (die Cupula)
6 die weibliche Blüte
7 die Braktee
8 der männliche Blütenstand;
9 die Birke:
10 der Zweig mit Kätzchen *n*, ein Blütenzweig *m*
11 der Fruchtzweig
12 die Fruchtschuppe
13 die weibliche Blüte
14 die männliche Blüte;
15 die Pappel:
16 der Blütenzweig
17 die Blüte
18 der Fruchtzweig
19 die Frucht
20 der Samen
21 das Blatt der Zitterpappel (Espe *f*)
22 der Fruchtstand
23 das Blatt der Silberpappel;
24 die Salweide:
25 der Zweig mit den Blütenknospen *f*
26 das Blütenkätzchen mit Einzelblüte *f*
27 der Blattzweig
28 die Frucht
29 der Blattzweig der Korbweide;
30 die Erle:
31 der Fruchtzweig
32 der Blütenzweig mit vorjährigem Zapfen *m*;
33 die Buche:
34 der Blütenzweig
35 die Blüte
36 der Fruchtzweig
37 die Ecker (Buchenfrucht);
38 die Esche:
39 der Blütenzweig
40 die Blüte
41 der Fruchtzweig;
42 die Eberesche:
43 der Blütenstand
44 der Fruchtstand
45 die Frucht [Längsschnitt];
46 die Linde:
47 der Fruchtzweig
48 der Blütenstand;
49 die Ulme (Rüster):
50 der Fruchtzweig
51 der Blütenzweig
52 die Blüte;
53 der Ahorn:
54 der Blütenzweig
55 die Blüte
56 der Fruchtzweig
57 der Ahornsamen mit Flügel *m*;
58 die Roßkastanie:
59 der Zweig mit jungen Früchten *f*
60 die Kastanie (der Kastaniensamen)
61 die reife Frucht
62 die Blüte [Längsschnitt];
63 die Hainbuche (Weißbuche):
64 der Fruchtzweig
65 der Samen
66 der Blütenzweig;
67 die Platane:
68 das Blatt
69 der Fruchtstand und die Frucht;
70 die Akazie (Robinie):
71 der Blütenzweig
72 Teil *m* des Fruchtstandes *m*
73 der Blattansatz mit Nebenblättern *n*

1
2
3
4
5
6
7
8
9
10
11
12
13
14
15
16
17
18
19
20
21
22
23
24
25
26
27
28
29
30
31
32
33
34
35
36
37
38
39
40
41
42
43
44
45
46
47
48
49
50
51
52
53
54
55
56
57
58
59
60
61
62
63
64
65
66
67
68
69
70
71
72
73

1-71 Nadelbäume *m* (Koniferen *f*),
1 die Edeltanne (Weißtanne):
2 der Tannenzapfen, ein Fruchtzapfen *m*
3 die Spindel
4 der weibliche Blütenzapfen
5 die Deckschuppe
6 der männliche Blütensproß
7 das Staubblatt
8 die Zapfenschuppe
9 der Samen mit Flügel *m*
10 der Samen [Längsschnitt]
11 die Tannennadel (Nadel);
12 die Fichte:
13 der Fichtenzapfen
14 die Zapfenschuppe
15 der Samen
16 der weibliche Blütenzapfen
17 der männliche Blütenstand
18 das Staubblatt
19 die Fichtennadel;
20 die Kiefer (gemeine Kiefer, Föhre):
21 die Zwergkiefer
22 der weibliche Blütenzapfen
23 der zweinadlige Kurztrieb
24 die männlichen Blütenstände *m*
25 der Jahrestrieb
26 der Kiefernzapfen
27 die Zapfenschuppe
28 der Samen
29 der Fruchtzapfen der Zirbelkiefer
30 der Fruchtzapfen der Weymouthskiefer (Weimutskiefer)
31 der Kurztrieb [Querschnitt];
32 die Lärche:
33 der Blütenzweig
34 die Schuppe des weiblichen Blütenzapfens *m*
35 der Staubbeutel
36 der Zweig mit Lärchenzapfen *m* (Fruchtzapfen)
37 der Samen
38 die Zapfenschuppe;
39 der Lebensbaum:
40 der Fruchtzweig
41 der Fruchtzapfen
42 die Schuppe
43 der Zweig, mit Geschlechtssprossen *m*
44 der männliche Sproß
45 die Schuppe, mit Pollensäcken *m*
46 der weibliche Sproß;
47 der Wacholder:
48 der weibliche Sproß [Längsschnitt]
49 der männliche Sproß
50 die Schuppe, mit Pollensäcken *m*
51 der Fruchtzweig
52 die Wacholderbeere (Krammetsbeere)
53 die Frucht [Querschnitt]
54 der Samen;
55 die Pinie:
56 der männliche Sproß
57 der Fruchtzapfen mit Samen *m* [Längsschnitt];
58 die Zypresse:
59 der Fruchtzweig
60 der Samen;
61 die Eibe:
62 die Geschlechtssprossen *m*
63 der Fruchtzweig
64 die Frucht [Längsschnitt];
65 die Zeder:
66 der Fruchtzweig
67 die Fruchtschuppe
68 die Geschlechtssprossen *m*;
69 der Mammutbaum:
70 der Fruchtzweig
71 der Samen

1
2
3
4
5
6
7
8
9
10
11
12
13
14
15
16
17
18
19
20
21
22
23
24
25
26
27
28
29
30
31
32
33
34
35
36
37
38
39
40
41
42
43
44
45
46
47
48
49
50
51
52
53
54
55
56
57
58
59
60
61
62
63
64
65
66
67
68
69
70
71
♂
♀

357 Ziersträucher und Zierbäume I

1 die Forsythie:
2 der Fruchtknoten und das Staubblatt
3 das Blatt;
4 der gelbblühende Jasmin:
5 die Blüte [Längsschnitt] mit Griffel *m*, Fruchtknoten *m* und Staubblättern *n*;
6 die gemeine Rainweide:
7 die Blüte
8 der Fruchtstand;
9 der wohlriechende Pfeifenstrauch
10 der gemeine Schneeball:
11 die Blüte
12 die Früchte *f*;
13 der Oleander:
14 die Blüte [Längsschnitt];
15 die rote Magnolie:
16 das Blatt;
17 die japanische Quitte:
18 die Frucht;
19 der gemeine Buchsbaum:
20 die weibliche Blüte
21 die männliche Blüte
22 die Frucht [Längsschnitt];
23 die Weigelie
24 die Palmlilie [Teil *m* des Blütenstands *m*]:
25 das Blatt;
26 die Hundsrose:
27 die Frucht;
28 die Kerrie:
29 die Frucht;
30 die rotästige Kornelkirsche:
31 die Blüte
32 die Frucht (Kornelkirsche, Kornelle);
33 der echte Gagel

1
2
3
4
5
6
7
8
9
10
11
12
13
14
15
16
17
18
19
20
21
22
23
24
25
26
27
28
29
30
31
32
33

1 der gemeine Tulpenbaum:
2 die Fruchtblätter *n*
3 das Staubblatt
4 die Frucht;
5 der Ysop:
6 die Blüte [von vorn]
7 die Blüte
8 der Kelch mit Frucht *f*;
9 der gemeine Hülsstrauch (die Stechpalme):
10 die Zwitterblüte
11 die männliche Blüte
12 die Frucht mit bloßgelegten Steinen *m*;
13 das echte Geißblatt (Jelängerjelieber *m* od. *n*):
14 die Blütenknospen *f*
15 die Blüte [aufgeschnitten];
16 die gemeine Jungfernrebe (der wilde Wein):
17 die geöffnete Blüte
18 der Fruchtstand
19 die Frucht [Längsschnitt];
20 der echte Besenginster:
21 die Blüte nach Entfernung *f* der Blumenblätter *n*
22 die junge Hülse;
23 der Spierstrauch (die Spiräe):
24 die Blüte [Längsschnitt]
25 die Frucht *f*
26 das Fruchtblatt *f*;
27 die Schlehe (der Schwarzdorn, Schlehdorn):
28 die Blätter *n*
29 die Früchte *f*;
30 der eingriffelige Weißdorn:
31 die Frucht;
32 der Goldregen:
33 die Blütentraube
34 die Früchte *f*;
35 der schwarze Holunder (Holunderbusch, Holderbusch, Holder, Holler):
36 die Holunderblüten *f* (Holderblüten, Hollerblüten), Blütentrugdolden *f*
37 die Holunderbeeren *f* (Holderbeeren, Hollerbeeren)

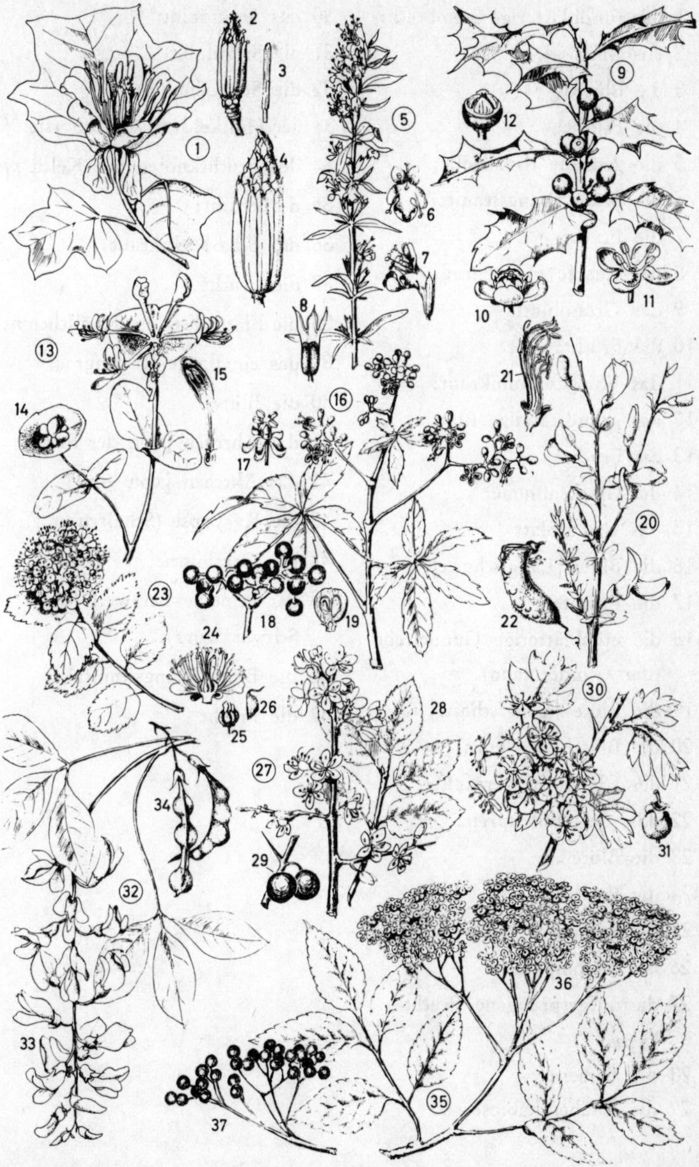
1
2
3
4
5
6
7
8
9
10
11
12
13
14
15
16
17
18
19
20
21
22
23
24
25
26
27
28
29
30
31
32
33
34
35
36
37

359 Wiesenblumen und Blumen am Wegrand I

1 der rundblätterige Steinbrech:
2 das Blatt
3 die Blüte
4 die Frucht;
5 die gemeine Kuhschelle:
6 die Blüte [Längsschnitt]
7 die Frucht;
8 der scharfe Hahnenfuß:
9 das Grundblatt
10 die Frucht;
11 das Wiesenschaumkraut:
12 das grundständige Blatt
13 die Frucht;
14 die Glockenblume:
15 das Grundblatt
16 die Blüte [Längsschnitt]
17 die Frucht;
18 die efeublätterige Gundelrebe (der Gundermann):
19 die Blüte [Längsschnitt]
20 die Blüte [von vorn];
21 der scharfe Mauerpfeffer
22 das (der) Ehrenpreis:
23 die Blüte
24 die Frucht
25 der Samen;
26 das Pfennigkraut:
27 die aufgesprungene Fruchtkapsel
28 der Samen;
29 die Taubenskabiose:
30 das Grundblatt
31 die Strahlblüte
32 die Scheidenblüte
33 der Hüllkelch mit Kelchborsten *f*
34 der Fruchtknoten mit Kelch *m*
35 die Frucht;
36 das Scharbockskraut:
37 die Frucht
38 die Blattachsel mit Knöllchen *n*;
39 das einjährige Rispengras:
40 die Blüte
41 das Ährchen [von der Seite]
42 das Ährchen [von vorn]
43 die Karyopse (Schalfrucht *f*);
44 der Grasbüschel
45 der gemeine Beinwell (die Schwarzwurz):
46 die Blüte [Längsschnitt]
47 die Frucht

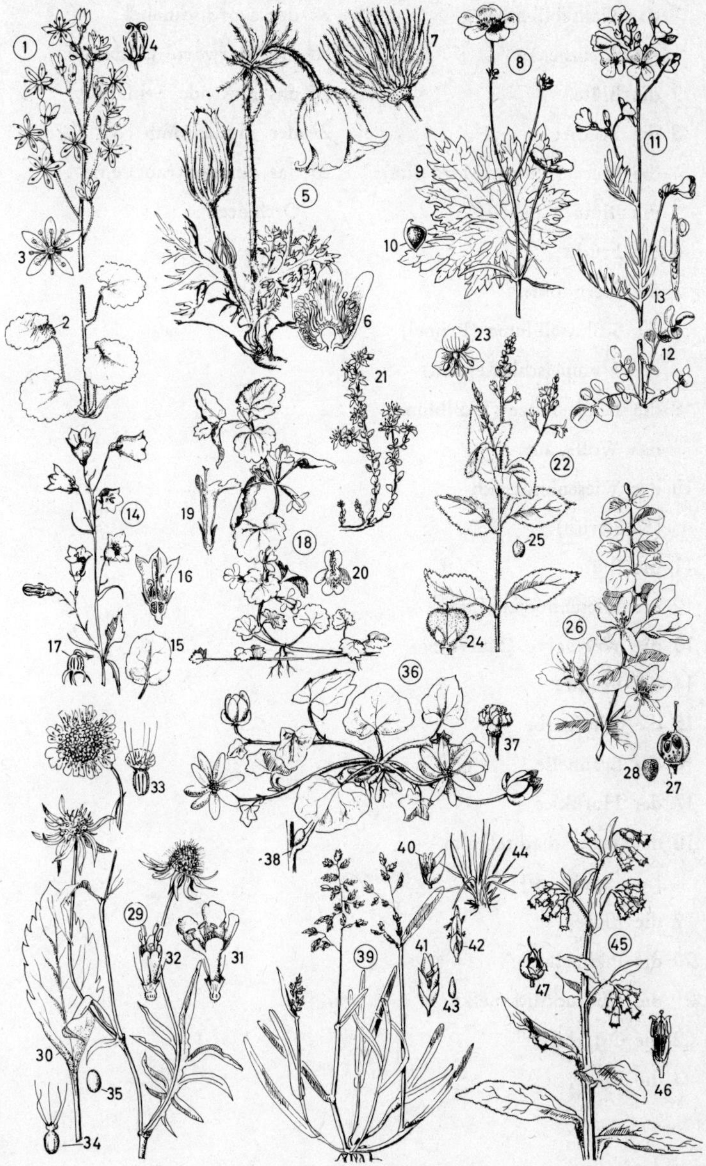
1
2
3
4
5
6
7
8
9
10
11
12
13
14
15
16
17
18
19
20
21
22
23
24
25
26
27
28
29
30
31
32
33
34
35
36
37
38
39
40
41
42
43
44
45
46
47

360 Wiesenblumen und Blumen am Wegrand II

1 das Gänseblümchen (Maßliebchen):
2 die Blüte
3 die Frucht;
4 die Wucherblume (Margerite):
5 die Blüte
6 die Frucht;
7 die Sterndolde
8 die Schlüsselblume (Primel, das Himmelschlüsselchen)
9 die Königskerze (Wollblume, das Wollkraut)
10 der Wiesenknöterich (Knöterich):
11 die Blüte;
12 die Wiesenflockenblume
13 die Wegmalve (Malve):
14 die Frucht;
15 die Schafgarbe
16 die Braunelle
17 der Hornklee
18 der Ackerschachtelhalm [ein Sproß *m*]:
19 die Blüte;
20 die Pechnelke
21 die Kuckuckslichtnelke
22 die Osterluzei:
23 die Blüte;
24 der Storchschnabel
25 die Wegwarte (Zichorie)
26 das nickende Leinkraut
27 der Frauenschuh
28 das Knabenkraut, eine Orchidee

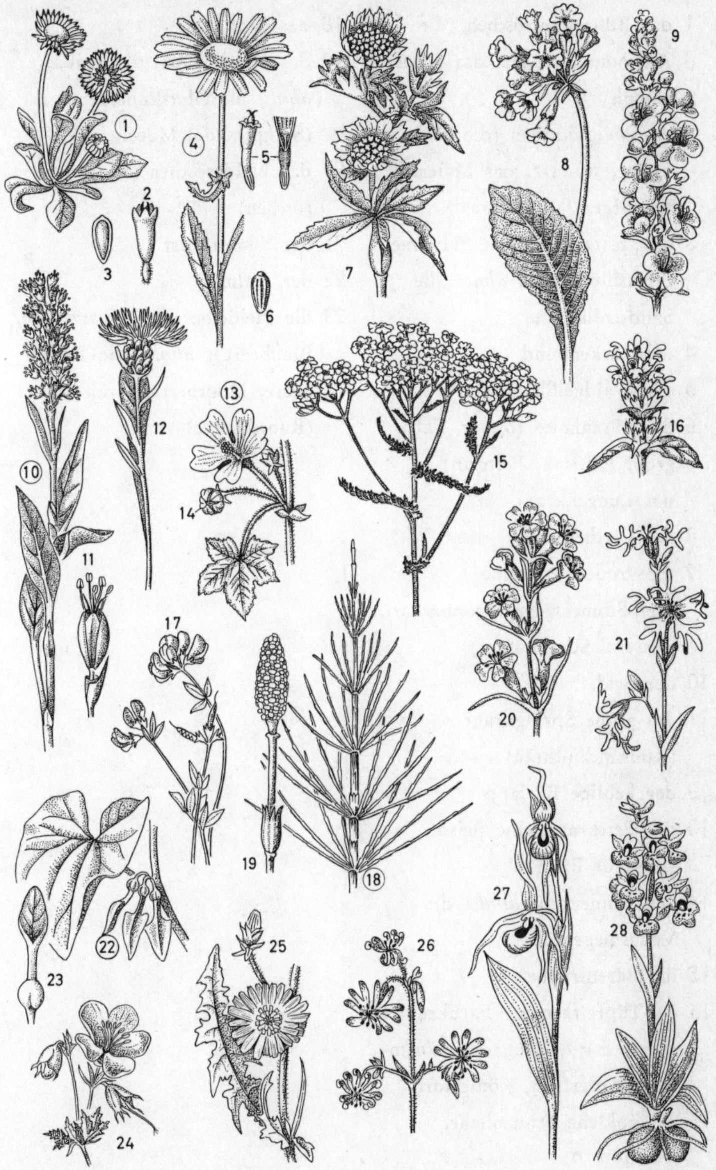
1
2
3
4
5
6
7
8
9
10
11
12
13
14
15
16
17
18
19
20
21
22
23
24
25
26
27
28

361 Wald-, Moor- und Heidepflanzen

1 das Buschwindröschen (die Anemone, *schweiz.* das Schneeglöggli)

2 das Maiglöckchen (die Maiblume, *schweiz.* das Maierisli, Knopfgras, Krallegras)

3 das Katzenpfötchen (Himmelfahrtsblümchen); *ähnl.:* die Sandstrohblume

4 der Türkenbund

5 der Waldgeißbart

6 der Bärenlauch (*österr.* Faltigron, Faltrian, Feltrian)

7 das Lungenkraut

8 der Lerchensporn

9 die große Fetthenne (der Schmerwurz, Donnerbart, *schweiz.* Schuhputzer)

10 der Seidelbast

11 das große Springkraut (Rührmichnichtan)

12 der keulige Bärlapp

13 das Fettkraut, eine fleischfressende Pflanze

14 der Sonnentau; *ähnl.:* die Venusfliegenfalle

15 die Bärentraube

16 der Tüpfelfarn, ein Farnkraut *n* (Farn *m*); *ähnl.:* der Wurmfarn, Adlerfarn, Königsfarn

17 das goldene Frauenhaar, ein Moos *n*

18 das Wollgras

19 das Heidekraut (die Erika); *ähnl.:* die Glockenheide (Sumpfheide, Moorheide)

20 das Heideröschen (Sonnenröschen)

21 der Sumpfporst

22 der Kalmus

23 die Heidelbeere (Schwarzbeere, Blaubeere); *ähnl.:* die Preiselbeere, Moorbeere, Krähenbeere (Rauschbeere)

1
2
3
4
5
6
7
8
9
10
11
12
13
14
15
16
17
18
19
20
21
22
23

1-13 Alpenpflanzen *f*,
1 die Alpenrose:
2 der Blütenzweig;
3 das Alpenglöckchen:
4 die ausgebreitete Blütenkrone
5 die Samenkapsel mit dem Griffel *m*;
6 die Edelraute:
7 der Blütenstand;
8 die Aurikel
9 das Edelweiß:
10 die Blütenformen *f*
11 die Frucht mit dem Pappusschopf *m*
12 der Teil-Blütenkorb;
13 der stengellose Enzian;
14-57 Wasser- u. Sumpfpflanzen *f*,
14 die Seerose:
15 das Blatt
16 die Blüte;
17 die Victoria regia:
18 das Blatt
19 die Blattunterseite
20 die Blüte;
21 das Schilfrohr (der Rohrkolben):
22 der männliche Teil des Kolbens *m*
23 die männliche Blüte
24 der weibliche Teil
25 die weibliche Blüte;
26 das Vergißmeinnicht:
27 der blühende Zweig
28 die Blüte [Schnitt];
29 der Froschbiß
30 die Brunnenkresse:
31 der Stengel mit Blüten *f* und jungen Früchten *f*
32 die Blüte
33 die Schote mit Samen *m*
34 zwei Samen *m*;
35 die Wasserlinse:
36 die blühende Pflanze
37 die Blüte
38 die Frucht;
39 die Schwanenblume:
40 die Blütendolde
41 die Blätter *n*
42 die Frucht;
43 die Grünalge
44 der Froschlöffel:
45 das Blatt
46 die Blütenrispe
47 die Blüte;
48 der Flügeltang, eine Braunalge:
49 der Laubkörper (Thallus, das Thallom)
50 das Haftorgan;
51 das Pfeilkraut:
52 die Blattformen *f*
53 der Blütenstand mit männlichen Blüten *f* [oben] und weiblichen Blüten *f* [unten];
54 das Seegras:
55 der Blütenstand;
56 die Wasserpest:
57 die Blüte

1
2
3
4
5
6
7
8
9
10
11
12
13
14
15
16
17
18
19
20
21
22
23
24
25
26
27
28
29
30
31
32
33
34
35
36
37
38
39
40
41
42
43
44
45
46
47
48
49
50
51
52
53
54
55
56
57

1 der Eisenhut (Sturmhut)
2 der Fingerhut (die Digitalis)
3 die Herbstzeitlose (*österr.* Lausblume, das Lauskraut, *schweiz.* die Herbstblume, Winterblume)
4 der Schierling
5 der Schwarze Nachtschatten (*österr.* Mondscheinkraut, Saukraut)
6 das Bilsenkraut
7 die Tollkirsche (Teufelskirsche, *schweiz.* Wolfsbeere, Wolfskirsche, Krottenblume, Krottenbeere, *österr.* Tintenbeere, Schwarzbeere), ein Nachtschattengewächs *n*
8 der Stechapfel (Dornapfel, die Stachelnuß)
9 der Aronsstab
10-13 Giftpilze *m*:
10 der Fliegenpilz, ein Blätterpilz *m*
11 der Knollenblätterpilz
12 der Satanspilz
13 der Giftreizker

363

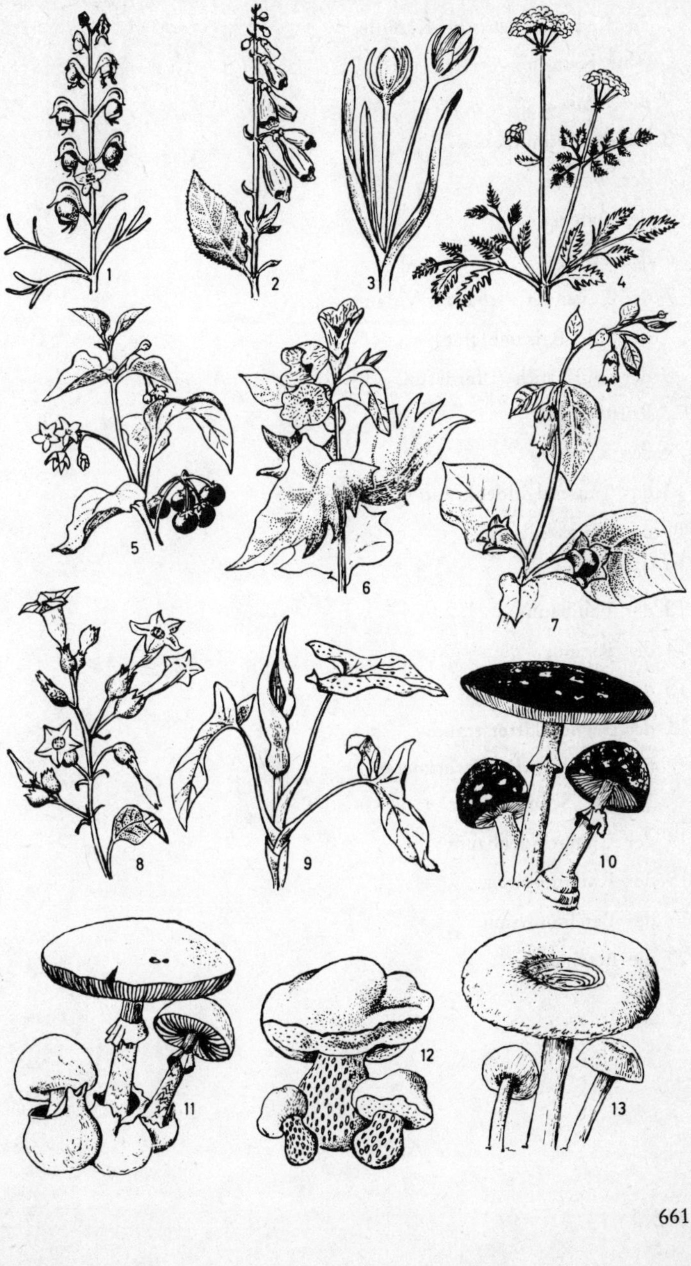

364 Heilpflanzen

1 die Kamille (deutsche Kamille, echte Kamille)
2 die Arnika
3 die Pfefferminze
4 der Wermut
5 der Baldrian
6 der Fenchel
7 der Lavendel (*schweiz.* Valander, die Balsamblume)
8 der Huflattich (Pferdefuß, Brustlattich)
9 der Rainfarn
10 das Tausendgüldenkraut
11 der Spitzwegerich
12 der Eibisch
13 der Faulbaum
14 der Rizinus
15 der Schlafmohn
16 der Sennesblätterstrauch (die Kassie); *die getrockneten Blätter:* Sennesblätter *n*
17 der Chinarindenbaum
18 der Kampferbaum
19 der Betelnußbaum:
20 die Betelnuß

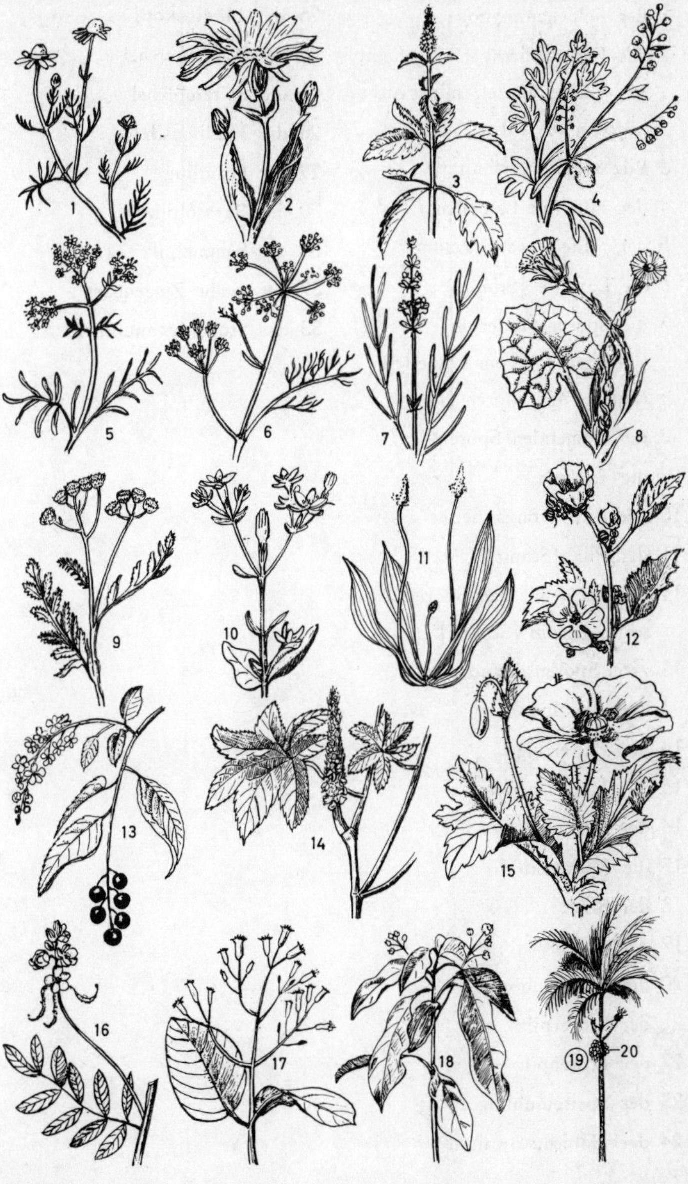
1
2
3
4
5
6
7
8
9
10
11
12
13
14
15
16
17
18
19
20

1 der Feldchampignon:
2 das Fadengeflecht (Pilzgeflecht, Myzelium, Myzel) mit Fruchtkörpern *m* (Pilzen)
3 Pilz *m* [Längsschnitt]
4 der Hut mit Lamellen *f*
5 der Schleier (das Velum)
6 die Lamelle [Schnitt]
7 die Sporenständer *m* (Basidien *f*) [vom Lamellenrand *m* mit Sporen *f*]
8 die keimenden Sporen *f*;
9 die Trüffel:
10 der Pilz [von außen]
11 der Pilz [Schnitt]
12 Inneres *n* mit den Sporenschläuchen *m* [Schnitt]
13 zwei Sporenschläuche *m* mit den Sporen *f*;
14 der Pfifferling
15 der Maronenpilz
16 der Steinpilz:
17 die Röhrenschicht
18 der Stiel;
19 der Eierbovist
20 der Flaschenbovist
21 der Butterpilz
22 der Birkenpilz
23 der Speisetäubling
24 der Habichtschwamm
25 der Mönchskopf
26 die Speisemorchel
27 die Spitzmorchel
28 der Hallimasch
29 der Grünling
30 der Parasolpilz
31 der Semmelpilz
32 der Gelbe Ziegenbart
33 das Stockschwämmchen

1
2
3
4
5
6
7
8
9
10
11
12
13
14
15
16
17
18
19
20
21
22
23
24
25
26
27
28
29
30
31
32
33

1 der Kaffeestrauch:
2 der Fruchtzweig
3 der Blütenzweig
4 die Blüte
5 die Frucht mit den beiden Bohnen *f* [Längsschnitt]
6 die Kaffeebohne; *nach Verarbeitung:* der Kaffee;
7 der Teestrauch:
8 der Blütenzweig
9 das Teeblatt; *nach Verarbeitung:* der Tee
10 die Frucht;
11 der Matestrauch:
12 der Blütenzweig mit den Zwitterblüten *f*
13 die männl. Blüte
14 die Zwitterblüte
15 die Frucht;
16 der Kakaobaum:
17 der Zweig mit Blüten *f* und Früchten *f*
18 die Blüte [Längsschnitt]
19 die Kakaobohnen *f*; *nach Verarbeitung:* der Kakao, das Kakaopulver
20 der Samen [Längsschnitt]
21 der Embryo;
22 der Zimtbaum:
23 der Blütenzweig
24 die Frucht
25 die Zimtrinde; *zerstoßen:* der Zimt;
26 der Gewürznelkenbaum:
27 der Blütenzweig
28 die Knospe; *getrocknet:* Gewürznelke, »Nelke«
29 die Frucht (Mutternelke);
30 der Muskatnußbaum:
31 der Blütenzweig
32 die weibl. Blüte [Längsschnitt]
33 die reife Frucht
34 die Muskatblüte (der Macis), ein Samen *m* mit geschlitztem Samenmantel *m*
35 der Samen [Querschnitt]; *getrocknet:* die Muskatnuß;
36 der Pfefferstrauch:
37 der Fruchtzweig
38 der Blütenstand
39 die Frucht [Längsschnitt] mit Samen *m* (Pfefferkern); *gemahlen:* der Pfeffer;
40 die virginische Tabakpflanze:
41 der Blütenzweig
42 die Blüte
43 das Tabakblatt; *verarbeitet:* der Tabak
44 die reife Fruchtkapsel
45 der Samen;
46 die Vanillepflanze:
47 der Blütenzweig
48 die Vanilleschote; *nach Verarbeitung:* Vanillestange;
49 der Pistazienbaum:
50 der Blütenzweig mit den weibl. Blüten *f*
51 die Mandel (Pistazie);
52 das Zuckerrohr:
53 die Pflanze (der Habitus) in der Blüte
54 die Blütenrispe
55 die Blüte

1
2
3
4
5
6
7
8
9
10
11
12
13
14
15
16
17
18
19
20
21
22
23
24
25
26
27
28
29
30
31
32
33
34
35
36
37
38
39
40
41
42
43
44
45
46
47
48
49
50
51
52
53
54
55

1 der Raps:
2 das Basalblatt
3 die Blüte [Längsschnitt]
4 die reife Fruchtschote
5 der ölhaltige Samen;
6 der Flachs (Lein):
7 der Blütenstengel
8 die Fruchtkapsel;
9 der Hanf:
10 die fruchtende weibliche Pflanze
11 der weibliche Blütenstand
12 die Blüte
13 der männliche Blütenstand
14 die Frucht
15 der Samen;
16 die Baumwolle:
17 die Blüte
18 die Frucht
19 das Samenhaar [die Wolle];
20 der Kapokbaum:
21 die Frucht
22 der Blütenzweig
23 der Samen
24 der Samen [Längsschnitt];
25 die Jute:
26 der Blütenzweig
27 die Blüte
28 die Frucht;
29 der Olivenbaum (Ölbaum):
30 der Blütenzweig
31 die Blüte
32 die Frucht;
33 der Gummibaum:
34 der Zweig mit Früchten *f*
35 die Feige
36 die Blüte;
37 der Guttaperchabaum:
38 der Blütenzweig
39 die Blüte
40 die Frucht;
41 die Erdnuß:
42 der Blütenzweig
43 die Wurzel mit Früchten *f*
44 die Frucht [Längsschnitt];
45 die Sesampflanze:
46 der Zweig mit Blüten *f* und Früchten *f*
47 die Blüte [Längsschnitt]
48 die Kokospalme:
49 der Blütenstand
50 die weibliche Blüte
51 die männliche Blüte [Längsschnitt]
52 die Frucht [Längsschnitt]
53 die Kokosnuß;
54 die Ölpalme:
55 der männliche Blütenkolben mit der Blüte
56 der Fruchtstand mit der Frucht
57 der Samen mit den Keimlöchern *n*;
58 die Sagopalme:
59 die Frucht;
60 das Bambusrohr:
61 der Blattzweig
62 die Blütenähre
63 das Halmstück mit Knoten *m*;
64 die Papyrusstaude:
65 der Blütenschopf
66 die Blütenähre

1
2
3
4
5
5
6
7
8
9
10
11
12
13
14
15
16
17
18
19
20
21
22
23
24
25
26
27
28
29
30
31
32
33
34
35
♀
♂
36
37
38
39
40
41
42
43
44
45
46
47
48
49
50
51
52
53
54
55
56
57
58
59
60
61
62
63
64
65
66

1 die Dattelpalme:
2 die fruchttragende Palme
3 der Palmwedel
4 der männliche Blütenkolben
5 die männliche Blüte
6 der weibliche Blütenkolben
7 die weibliche Blüte
8 ein Zweig *m* des Fruchtstandes *m*
9 die Dattel
10 der Dattelkern (Samen);
11 die Feige:
12 der Zweig mit Scheinfrüchten *f*
13 die Feige mit Blüten *f* [Längsschnitt]
14 die weibliche Blüte
15 die männliche Blüte;
16 der Granatapfel:
17 der Blütenzweig
18 die Blüte [Längsschnitt, Blütenkrone entfernt]
19 die Frucht
20 der Samen (Kern) [Längsschnitt]
21 der Samen [Querschnitt]
22 der Embryo;
23 die Zitrone (Limone); *ähnl.:* Mandarine *f*, Apfelsine *f*, Pampelmuse *f* (Grapefruit *f*):
24 der Blütenzweig;
25 die Apfelsinenblüte (Orangenblüte) [Längsschnitt]
26 die Frucht
27 die Apfelsine (Orange) [Querschnitt]
28 die Bananenstaude:
29 die Blätterkrone
30 der Scheinstamm mit den Blattscheiden *f*
31 der Blütenstand mit jungen Früchten *f*
32 der Fruchtstand
33 die Banane
34 die Bananenblüte
35 das Bananenblatt [Schema];
36 die Mandel:
37 der Blütenzweig
38 der Fruchtzweig
39 die Frucht
40 die Steinschale mit dem Samen *m* [der Mandel];
41 das Johannisbrot:
42 der Zweig mit weibl. Blüten *f*
43 die weibliche Blüte
44 die männliche Blüte
45 die Frucht
46 die Fruchtschote [Querschnitt]
47 der Samen;
48 die Edelkastanie:
49 der Blütenzweig
50 der weibliche Blütenstand
51 die männliche Blüte
52 der Fruchtbecher (die Cupula) mit den Samen *m* [den Kastanien *f*, Maronen *f*];
53 die Paranuß:
54 der Blütenzweig
55 das Blatt
56 die Blüte [Aufsicht]
57 die Blüte [Längsschnitt]
58 der geöffnete Fruchttopf mit einliegenden Samen *m*
59 die Paranuß [Querschnitt]
60 die Nuß [Längsschnitt];
61 die Ananaspflanze (Ananas):
62 die Scheinfrucht mit der Blattrosette
63 die Blütenähre
64 die Ananasblüte
65 die Blüte [Längsschnitt]

1
2
3
4
5
6
7
8
9
10
11
12
13
14
15
16
17
18
19
20
21
22
23
24
25
26
27
28
29
30
31
32
33
34
35
36
37
38
39
40
41
42
43
44
45
46
47
48
49
50
51
52
53
54
55
56
57
58
59
60
61
62
63
64
65

ZUR EINRICHTUNG DES BUCHES

Im Bildteil ist bei allen Substantiven das Geschlecht angegeben, soweit es nicht aus der Beugung ersichtlich ist. Synonyme stehen in Klammern.

Auf den Tafeln sind die Ziffern derjenigen Gegenstände in einen Kreis gesetzt, deren Einzelteile im folgenden bezeichnet werden.

Die Interpunktion richtet sich nach den zusammenfassenden Bezeichnungen, die entweder auf der Bildtafel durch Kreise gekennzeichnet sind oder etliche Begriffe im Textteil zusammenfassen (z. B. 17–24).

Folgende Abkürzungen wurden verwendet:

ähnl.	ähnlich
alem.	alemannisch
bayr.	bayrisch
bergm.	bergmännisch
Bez.	Bezeichnung
darg.	dargestellt
dicht.	dichterisch
f	Femininum
fam.	familiär
früh.	früher
m	Maskulinum
mitteld.	mitteldeutsch
mundartl.	mundartlich
n	Neutrum
nd.	niederdeutsch
obd.	oberdeutsch
od.	oder
österr.	österreichisch
Pl.	Plural
scherzh.	scherzhaft
schwäb.	schwäbisch
schweiz.	schweizerisch
seem.	seemännisch
Sgl.	Singular
sog.	sogenannt
südd.	süddeutsch
südwestd.	südwestdeutsch
stud.	studentisch
techn.	technisch
ugs.	umgangssprachlich
versch.	verschiedene
verw.	verwandt

ZUR EINRICHTUNG DES REGISTERS

Die fetten Zahlen sind die Tafelnummern, die im Bilderteil *oben* auf den Seiten angegeben sind.
Im Register wurden ~ als Unterführungen verwendet, die entweder für das ganze vorangegangene Wort stehen oder für einen Teil des Wortes, der dann durch einen Punkt (·) abgegrenzt worden ist.
Um dem Benutzer das Suchen zu erleichtern, wurden, soweit es nötig erschien, kursiv gesetzte Hinweise auf den Verwendungsbereich des Wortes gegeben.

ais-Moll **300** 8
Ajourarbeit **101** 27
Akazie **355** 70
Akelei **62** 10
Akkord **300** 16–18
Akkordeon **303** 36
Akku **111** 55, **138** 56, **192** 38
~kasten **192** 41
~ladestelle **192** 42–45
Akkumulator **111** 55, **192** 38
Akkumulatoren·grubenlokomotive **138** 46
~raum **223** 40
~triebwagen **206** 58
Akkuzellenprüfer **192** 46
Akrobat **290** 47, **298** 9
Akropolis **316** 1–7
Akroterion **316** 34
Akt **321** 32
Akte **238** 9
Akten·bündel **238** 9
~deckel **238** 14
~heftmaschine **240** 37
~mappe **238** 13
~schrank **238** 3
~tasche **238** 36
~umschlag **238** 14
Aktie **243** 11–19
Aktienurkunde **243** 11
Aktion **277** 20
Aktivkohle **255** 58
Aktmodell **321** 32
Akut **325** 30
Akzelerator **185** 39
Akzentzeichen **300** 41
Akzept **242** 12, 23
Alarm·klingel **262** 41
~sirene **255** 4
Alaun·stein **104** 22
~stift **51** 80
Alba **314** 38
Albanien **14** 1
Albe **314** 38
Album **47** 14, **112** 52
~blatt **112** 54
Alençonspitze **101** 30
Alfagras **130** 26
Algebra **327** 4 u. 5
Algenfisch **350** 18
Alhidade **219** 4
Alk **343** 13
Alkalizellulose **163** 7
Alkohol·ausfluß **28** 45
~gefäß **28** 44
Alkylierung **139** 31
Alldog **67** 1
Allerheiligstes **312** 48, **313** 33
Allianzwappen **246** 10–13
Allongeperücke **35** 2
Allwetterdach **196** 38
Allzweck·kesselwagen **208** 13
~tisch **44** 3
Almosen **311** 64
~stock **311** 61
Aloe **56** 13
Alpen·glöckchen **362** 3
~pflanzen **362**
~rose **362** 1
~stock **282** 35
~veilchen **56** 5
Alpha·partikel **2** 27
~strahlung **1** 10
Alpinist **282** 6
Alpinistik **282** 1–56
Alsike **70** 3
Altan **252** 9
Altar **311** 7, 37, **316** 69
~bekleidung **311** 9
~bild **311** 15
~decke **311** 9
~flügel **311** 43
~glocke **313** 47
~kerze **311** 10, 41
~nische **316** 64
~platz **311** 1, 36
~schelle **313** 43
~stufe **311** 8, 31
~stuhl **311** 5
~teppich **311** 6
Alt·bestand **84** 4
~holz **84** 4
Altokumulus **8** 15
~ castellanus **8** 16
~floccus **8** 16
Altölauffangschale **191** 32
Altostratus **8** 8
~ praecipitans **8** 9
Alt·reh **88** 34
~ricke **88** 34
~schlüssel **299** 12
~stadt **252** 34–45
~steinzeit **309** 1–9
~warenmarkt **291** 60
~wasser **16** 75, **211** 17
Aluminiumleichtbauweise **207** 25
Amalgam **27** 17
Amarant **62** 21
Amaryllisgewächs **56** 8
Amateur *[Sport]* **272** 49
~fotograf **257** 43
~kamera **294** 24
~rennmaschine **182** 59
~ringer **281** 7
Amboß **119** 19, **132** 16
~*[Ohrknochen]* **19** 61
~*[Patrone]* **87** 58
~einsatz **132** 20, 28–30
~fuß **132** 17
Ambulanz **255** 19
Ameise **342** 21 u. 22
Amerika **14** 29–34, **15** 12 u. 13
Amikt **314** 40
Ammer **346** 6 u 7
Ammoniak **164** 24
~abwasserleitung **148** 35
~verdampfer **261** 48
~wäscher **148** 34
Ammonsulfatlauge **164** 26
Amöbe **340** 1
a-Moll **300** 1
Amor **308** 26
Amorette **257** 20
Amourettengras **70** 26
Ampel **253** 39
Amphibien **350** 20–26
~flugzeug **225** 32
Amphore **309** 10
Ampulle **26** 32
Amsel **346** 13
Amstel **346** 13
Amt, meteorologisches **220** 4
~*[Telefon]* **233** 1–17
Amulett- u. -Würfel-Kette **337** 40
Analysenwaage **333** 25
Anamorphotlinse **294** 37
Ananas **368** 61
~blüte **368** 64
~erdbeere **60** 16
~galle **82** 40
~pflanze **368** 61
Anästhesist **28** 30
Anbau **312** 13
~möbel **44** 25
~regal **47** 53
~streuer **195** 17
Anbiß **86** 21
Andächtiger **311** 29
Andachtsbuch **311** 59
Anderthalb·decker **225** 4
~master **215** 9 u. 10, **270** 33–36
Andreaskreuz **313** 54
Andromeda **5** 24
Andruck **323** 43
~presse, Mailänder **174** 38
Anemometer **10** 27
Anemone **361** 1
Aneroidbarometer **10** 8
Anfahrfederung **209** 50
Anfänger **318** 22
Anfeuchter **238** 77
Anfeuerholz **52** 61
Anführungs·strich **325** 26
~zeichen **325** 26
~zeichen, französisches **325** 27
Angabelinie **276** 52
Angegriffener **277** 21
Angeklagter **248** 29
Angel **89** 20–23
~*[Griff]* **46** 52, **85** 37
~fischerei **89** 7–12
~geräte **89** 20–54
Angel·haken **89** 31
~ruten **89** 20–23, 26
~schnur **89** 29
~sport **89**
Angestellter **238** 1
Angler **89** 7
Angorakatze **74** 17
Angreifer **277** 19
Anhänge·adresse **200** 7
~maul **67** 39
~platte **177** 28
Anhänger **189** 50, **202** 39
~lore **196** 25
Anhänge·schild **201** 5
~vorrichtung **189** 48
Anhöhe **13** 66
Anke **106** 18
Anker **217** 75, 76
~*[Magnet]* **233** 55, **332** 37
~*[techn.]* **331** 80
~*[Uhr]* **107** 23
~geschirr **218** 44–46
~hebel **233** 56
~kabel **213** 18
~kette **210** 19, **217** 74, **218** 45
~klüse **217** 73
~kreuz **313** 63
~mast **226** 66
~nische **217** 72
~rad **107** 22
~tasche **217** 72
~tau **213** 18
~winde **218** 44
Anklageschrift **248** 28
Ankleide·kabine **25** 4, **256** 32
~zelle **256** 32
Ankunftstafel **200** 19
Anlage **315** 29
~, chemische **3** 38
Anlage·apparat **175** 22
~tisch **174** 4, **175** 4, 21, 30
Anlandung **211** 52
Anlasser **186** 6, **227** 55
~motor **184** 50
~ritzel **184** 33
Anlaßwiderstand **129** 3
Anlauf **162** 20
~bahn **283** 9, **287** 19
~turm **283** 8
Anlege·einrichtung **177** 17
~goniometer **330** 27
~ponton **220** 33
~station **177** 55
~steg **269** 19
~tisch **177** 57, **241** 4, 14
~walze **158** 32
Anleimmaschine **178** 31
Anluven **270** 52
Anmelde·block **259** 12
~formular **259** 12
~raum **259** 1–26

Bau·system, got. **317** 27–35
~werk **318** 15
~zaun **113** 44
~zeichnung **144** 57
B-Deck **218** 32–42
B-Dur **300** 10
Beamtenlampe **138** 58
Beben, tekton. **11** 32–38
~, vulkan. **11** 32–38
Becher **355** 5
~filter-Reservehahn **182** 32
~glas **260** 3, **334** 20
~mulde **145** 71
~werk **145** 70
Becken **51** 63
Becken *[Anatomie]* **19** 18–21
~*[Musikinstrument]* **302** 50 **303** 51
~dusche **104** 37
~halter **303** 52
~verschlußhebel **51** 65
bedeckt **9** 24
Bedienung **260** 18
Bedienungs·automatik **161** 13, 69
~bühne **161** 36
~hebel **128** 38, **197** 12
~knopf **111** 39
~pult **171** 38
~schalter **145** 19
~schieber **161** 48
~steg **212** 72
~stuhl **104** 28
~stand **162** 23
~tafel **241** 39
~taste **241** 46, 60
~tritt **166** 39, **304** 46
~tür **166** 8
~- u. Steuerpult **176** 39
Bedlingtonterrier **71** 18
Bedola **121** 44
Beduine **337** 6
Beerdigung **312** 34–41
Beere **60** 9, **354** 97
Beeren·hochstamm **55** 11
~obst **60**
~strauch **55** 19
~sträucher **60** 1–30
Beet **55** 26, **79** 38
Befehls·stab **201** 40
~stellwerk **199** 16
Befestigungsschraube **102** 30
Befeuerung **219** 43-76
Beffchen **313** 5
Befiederung **287** 44
Beförderung **17** 18–23
Befreiungsgriff **17** 34
Begasungskammer **83** 21
Begichtung **140** 44
Begienrah **215** 25
Begleiter **298** 1
Begleit·saite **303** 25
~seite **303** 43
Begonia **56** 10
Begonie **56** 10
Begräbnis **312** 34–41
~stätte **312** 23, 62
Begrenzungs·blech **196** 34, 44
~lampe **213** 65
Behälter **202** 21, **208** 12, 47
~tragewagen **208** 25
~wagen **208** 11
Behandlungs·käfig **339** 12
~stuhl **27** 3–5
Behang **71** 2
Behelfstrage **17** 23
Beige **64** 16, **84** 24
Beil **64** 20
Beilauf **147** 45
Bein **17** 11, **18** 49–54, **19** 22–25
~brech **63** 12
~hebel **281** 11
~heil **70** 13
~kleid **34** 10
~kloben **29** 4
~ling **33** 59, **34** 11
~nerv **20** 30
~prothese **23** 48
~ring **337** 38
~röhre **310** 54
~schere **281** 17
~schiene **274** 30
~schlag **288** 7
~schlüssel **281** 12
~schutz **275** 15
~well **70** 13, **359** 45
~wurz **70** 13
Beisegel **270** 39
Beisetzung **312** 34–41
Beisitzer **248** 22, **251** 2
Beiß·korb **71** 27
~ring **30** 40
~zange **99** 35, **127** 21, **130** 37
Beitel **127** 64, **322** 17
Beiwagen **182** 60, **183** 1
~maschine **182** 60
~rad **213** 64
~schiff **213** 62
~stoßstange **213** 63
~windschutzscheibe **213** 66
Beiz·apparat **83** 13
~brühbottich **83** 15
Beize **86** 42–46
Beiz·jagd **86** 42–46
~trommel **83** 14
Beketteln **102** 12
Bekleidung **315** 35
Bekohlungsanlage **199** 42
Belag **113** 87, **114** 52
~*[Bremse]* **136** 104
~*[Brot]* **46** 38
Belastungsscheibe **158** 21
Belederung **269** 36
Beleuchter **290** 4, **292** 37, **297** 20
Beleuchtung **205** 47
Beleuchtungs·brücke **297** 19
~spiegel **15** 59
Belgien **14** 2
Belichtungs·messer **111** 38
~regler **173** 22
~schalter **241** 21
~schaltuhr **112** 32
~skala **111** 11
~uhr **241** 16
~zeit **111** 20
Belüfter **184** 3
Bemaßung **144** 59
Benagelung **99** 33
Benediktiner **314** 13
~mönch **314** 13
Bengel **323** 34
Benguellastrom **15** 43
Benzin **139** 28
~einspritzung **187** 27
~kanister **191** 22
~kocher **266** 19
~leitung **184** 10
~lötkolben **119** 5
~lötlampe **119** 49
~meßuhr **190** 5
~motor **184** 1
~-Öl-Gemisch **190** 22
~pumpe **184** 9, **190** 2
~redestillation **139** 59
~schlauch **190** 3
~tank **185** 65
~uhr **186** 14
~verbrauchprüfer **192** 36
Benzol·abtransport **164** 6
~anlage **148** 43
~chlorierung **164** 8
~erzeugung **148** 43
~fabrik **148** 43
~gewinnung **164** 6
~wagen **148** 44
~wäsche **148** 42
Beobachtungs·fernrohr **108** 44, **330** 31
~lupe **294** 10
~plattform **226** 71
~sehrohr **223** 55
~spalt **6** 9
~stand **6** 10
Beplankung **270** 19–26
Beregnungsvorrichtung **79** 19
Bereifung **180** 30 **189** 22
Bereitschafts·munition **223** 72
~polizei **247** 1–8
Berg **4** 2
~bahnen **209**
Berge·halde **137** 9
~mittel **138** 23
~versatz **137** 23, 40, **138** 16
Berg·forelle **350** 15
~fried **310** 4
~führer **282** 26
~gehen **282** 1–56
~geher **282** 6
~gipfel **12** 40
~hang **12** 37
~hütte **282** 1
~kette **12** 39
~kuppe **12** 35
~mann **137** 1 u. 2
Bergmanns·ausrüstung **138** 54–58
~lampe **138** 57
Berg·massiv **12** 39
~mütze **36** 26
~partie **282** 26–28
~paß **12** 47
~rücken **12** 36
~rutsch **11** 46
~sattel **12** 42
~schi **283** 25
~schuh **282** 46, 49
~spitze **12** 40
~sport **282**
~station **209** 57
~steigen **282** 1–56
~steiger **282** 6
~steigerausrüstung **282** 35–56
~stock **282** 35
~-und-Tal-Bahn **291** 5
Bergungs·inspektor **224** 15
~kran **255** 48
~schiff **224** 5–8, 9
~wesen **224**
Bergwandern **282** 1–56
Bergwerk **4** 5, **16** 34 35, **137**, **138**
Berichterstatter **248** 39
Berieselungsanlage **297** 6
Berline **179** 1
Berlocke **38** 32
Berme **211** 38
Bernhardiner **71** 38
Berufs·boxer **281** 22
~mantel **144** 24
~rennfahrer **273** 14
~rennreiter **272** 56
~sportler **281** 22
Berührungspunkt **328** 49
Besan **213** 29, **214** 30, **270** 41
~ausleger **213** 28
~baum **214** 44
~-Bramstagsegel **214** 29
~dirk **214** 48

F

Fahrrad·gepäcktasche **181** 19
~gestell **180** 14–20
~glocke **180** 4
~kippständer **180** 34
~klingel **180** 4
~lampe **180** 7
~nummer **180** 51
~pedal **180** 78
~pumpe **180** 48
~rahmen **180** 14–20
~sattel **180** 22
~schloß **180** 49
~ständer **253** 43
~tachometer **180** 33
Fahrrinne **211** 21
Fahrschalter **193** 35
~handrad **206** 31
Fahr·scheinheft **201** 55
~schiene **92** 4
Fähr·schiff **216** 16
~seil **211** 3
Fahrstand **193** 34
Fährsteg **211** 7
Fahr·stock **138** 53
~straße **199** 71
~straßenhebel **199** 61
Fahrstuhl **220** 66, **256** 46
~führer **256** 47
Fahrt, große **216** 1
~, kleine **216** 38
~, mittlere **216** 13
Fährte **86** 8
Fahrten·kieljacht **270** 1–4
~messer **266** 46
Fahrtmesser **228** 16
Fahrtrichtungs·änderung **270** 52–54
~anzeiger **186** 27, **201** 23
~schalter **206** 33
~wender **205** 58
~zeiger **189** 46
Fahrwasser·bezeichnung **219** 59–76
~mitte **219** 73
~zeichen **219** 43–58
Fahrweg **16** 99
Fahrwerk **225** 5, 51
~betätigung **228** 29
Fahrzeituhr **193** 37
Fahrzeug **179** 1–54
~halle **255** 1
~papiere **253** 66
~rampe **202** 1
Fäkalienwagen **195** 34
Faksimileunterschrift **244** 34
Faktor *[Math.]* **326** 25
Faktur **238** 50
Falke **347** 1–4
Falken·beize **86** 42–46
~haube **86** 44
Falkenier **86** 42
Falken·jagd **86** 42–46
~jäger **86** 42
~kappe **86** 44
~männchen **86** 46
Falkner **86** 42
Falknerei **86** 42–46
Fällaxt **85** 13
Fallbrücke **310** 25
Falle **83** 9
~ *[Schloß]* **134** 37
~ *[Wehr]* **212** 77
Falleitung **254** 21
Fallen **12** 3
Fällen **84** 27, **85** 19
Fallgatter **310** 24
Fällkeil **85** 24
Fall·kerb(e) **85** 20
~klappe **295** 16
~nestgestell **75** 5
~reep **216** 34
~richtung **12** 3
~rohr **40** 10, **51** 44, **140** 56
Fallschirm **228**
~aufziehleine **228** 55
~fangleine **228** 50
~kappe **228** 49
~verpackungssack **228** 51
Fall·schnecke **142** 18
~streifen **8** 9
~tür **40** 13
~winkel **87** 78
Faltboote **269** 54–66
Faltboot·einer **296** 54
~fahrer **269** 55
~gerüst **269** 66
~segel **269** 62
~zweier **269** 61
Falte **32** 38, **102** 1
~, liegende **12** 15
~, schiefe **12** 13
~, stehende **12** 12
~, überkippte **12** 14
Falten·balg **201** 47, **204** 7
~balgübergang **188** 4
~filter **334** 41
~gebirge **12** 12–20
~trägerrock **31** 34
~wurf **321** 33
Falter **342** 48–56
Falthocker **266** 14
Faltigron **361** 6
Faltrian **361** 6
Falt·stuhl **266** 11
~tisch **266** 5
Falz **178** 54
~abpreßgerät **177** 42
~apparat **175** 55, **176** 37
~eisen **123** 24
~messer **178** 12
~pfanne **117** 59
~tasche **178** 10
~trichter **175** 53
Falzung **178** 13
Falzzange **99** 67
Familie **45** 1–4
Familien·anzeige **325** 51
~begräbnis **312** 27
~grab **312** 27
Famulus **250** 7
Fang **71** 3, **88** 45, **347** 7
~boot **90** 38–43, 46
Fangen **258** 23
Fanger **304** 27
Fänger **275** 47
Fangerdraht **304** 29
Fänger·handschuh **275** 47
~linie **275** 44
~partei **275** 50
Fangerpilz **304** 28
Fang·gerät **335** 31
~gürtel **83** 24
~jagden **86** 19–27
~kettstuhl **160** 23
~leine **228** 50, **255** 45
~partei **275** 58
~reifen **261** 29
~schuß **86** 17
~spiel **258** 23, **298** 22
~stab **261** 30
Fanon **314** 55
Fanone **314** 55
Faraday-Käfig **331** 45
Farb·ansatzbehälter **161** 70
~auffangblech **161** 15
~auftragwalze **175** 18, 27, 61
~badbehälter **161** 63
Farbband **239** 39, **240** 14
~einsteller **240** 29
~schieber **239** 50
~spule **240** 18
Farbdruck **323** 28
Farbe **320**
Färbe·apparat **161** 21–26, 58
~haspel **161** 1
~maschine **161** 12
~mittel **103** 32
Färben **161**
Färbetrog **161** 19
Farb·filter **111** 48
~gebungsknopf **241** 7
~glashalter **110** 4
~hebewalze **175** 63
~kasten **175** 65, **176** 16
~kübel **121** 27
Farbmischung, additive **320** 10
~, subtraktive **320** 12
Farbmittelzerstäuber **83** 34–37
Farbmuster·behälter **161** 21
~entnahmeöffnung **161** 67
Farb·papier **238** 68
~puder **52** 44
~pulver **121** 9
~scheibe **297** 49
~spritzapparat **171** 51
~stift **50** 24
Farbmuster·stoffzusatzleitung **161** 66
~stück **161** 7
~tube **321** 11
~verreibzylinder **175** 62
~walze **174** 5, 15, 40, **239** 47
~wanne **161** 8
~werk **174** 6, 15, 34, 39, **175** 19, 28, 50, 57
Farn **361** 16
~kraut **361** 16
farthing **244** 37
Fasan **88** 77
Fasanenfeder **36** 56
Faschiermaschine **96** 39
Faschine **211** 53
Fasching **289**
Faschings·prinzessin **289** 61
~wagen **289** 57
~zug **289** 57–70
Fase **136** 60
Faser **125** 20
~bandetagentrockner **163** 31
Faß **80** 23, **126** 24
~aushobelmaschine **126** 37
~band **126** 26
~binder **126** 16
~boden **126** 30
~daube **126** 21
Fassen **93** 20–28
Faß·fabrikationsmaschine **126** 34–38
~füller **93** 29
~haken **117** 23
~keller **80** 21
~krösemaschine **126** 38
Fäßler **126** 16
Fasson·hammer **106** 41
~lehre **155** 19
~leinen **124** 25
Faß·reif **126** 26
~rumpf **126** 25
~schaber **126** 13
~stab **126** 21
Fassung **254** 24–39
Faß·zange **29** 53
~zieher **126** 4
~zug **126** 4
Fastnacht **289**
Faul·baum **364** 13
~tier **351** 11
Fauna **349**
Faunus **308** 40
Faust **18** 48
~ *[Werkzeug]* **119** 17
~abwehr **274** 40
Faustball **276** 52–58
~spiel **276** 52–58
Fäustel **137** 1, **150** 35
Fausten **274** 40
Faust·hammer **132** 15
~kampf **281** 18–46

Faust·keil **309** 1
~leier **127** 22
~säge **127** 1
~stempel **231** 44
~treiber **126** 5
Favoris **35** 24
Favorit **272** 15
F-Dur **300** 9
Fechser **57** 16, **60** 20
Fecht·abstand **277** 24
~anzug **277** 29 u. 30
~ausrüstung **277** 25–31
~bahn **277** 16
~boden **277** 16
Fechten **277**
Fechter **277** 17 u. 18
~abstand **277** 24
~gruß **277** 32
~linie **277** 23
~stellung **277** 32
Fecht·handschuh **277** 26
~hieb **277** 1–14
~hose **277** 30
~jacke **277** 29
~korb **277** 27
~kunst **277** 1–66
~latz **277** 28
~lehrer **277** 15
~linie **277** 23
~meister **277** 15
~schuh **277** 31
~sport **277** 1–66
~waffe **277** 53–66
Feder *[Gefieder]* **74** 31
~ *[Schreibgerät]* **144** 45, **239** 18, **249** 59
~ *[techn.]* **10** 10, **134** 50, **136** 71
~aufhängung **185** 24
Federball **258** 46, **276** 37
~spiel **276** 36
Feder·bart **88** 73
~bett **48** 13
~brett **279** 17
~busch **310** 78
~deckbett **48** 13
~dynamometer **331** 2
~gelenk **11** 42
Federhalter **239** 17, **249** 58
~rille **249** 64
Feder·hantel **278** 49
~haus **107** 16
~keil **136** 71
~kiel **301** 53
~kielpose **89** 48
~kissen **48** 6
~kontaktschalter **233** 7
~kranz **347** 18
~kranz *[Federball]* **276** 38
~mühle **291** 15
~ohr **88** 78, **347** 16
~puffer **209** 50
~riemen **118** 74
Feder·ring **107** 13, **136** 32, **198** 39
~rolle **233** 59
~schale **238** 69
~schmuck **335** 12
~schopf **343** 26
~spanner **192** 12
~sprungbrett **279** 17
~toque **36** 43
~verschlußglied **181** 29–31
~vieh **64** 32
~werkaufzug **294** 27
~wild **86** 41
~wisch **52** 24
~zirkel **144** 44
~zunge **193** 33
Fehler **274** 51
Fehl·kante **115** 89
~rippe **95** 19
Feige **368** 11, 13
Feilbank **134** 15
Feile **132** 35, **134** 3
Feil·kloben **134** 16
~maschine **134** 1
~nagel **106** 22
Feim **64** 12
Fein·bäcker **97** 33
~einstellung **294** 7
~estrich **118** 40
~gehaltstempel **38** 30
~hechel **125** 5, 7
~kostgeschäft **98**
~mechanikdrehbank **107** 55
Feinmeß·geräte **145** 38–43
~schraube **142** 53
Fein·regler **206** 9
~sieb **77** 34
~taster **145** 42
~- u. Grobhöhenmesser **228** 9
Feld **65** 4, **87** 37
~*[Brettspiel]* **265** 2, 3
~arbeiten **65** 1–46
Feldbahn **151** 4, **196** 23
~diesellokomotive **196** 24
Feld·bestellung **65** 10–22
~bett **266** 7
~bohne **70** 15
~champignon **365** 1
~distel **63** 32
~früchte **69**
~futterbau **70** 1–28
~hase **88** 59
~hüter **65** 13
~kamille **63** 8
~krähe **346** 2
~mohn **63** 2
~rain **65** 3
~salat **59** 38
~schädlinge **81** 37-55
~scheune **65** 26
~schmiede **134** 4
~spieler **275** 8
Feld·staffelei **321** 26
~stecher **108** 37
~stein **25** 12, **65** 9, **254** 37
~wächter **65** 13
~weg **16** 102, **65** 18
~wicke **70** 18
Felgaufschwung **279** 46
Felge **180** 28, **185** 30
Felgen·aufschwung **279** 46
~kranz **131** 29
Fell *[Musikinstrument]* **302** 52, **303** 31
Fels·band **282** 5
~bild **309** 9
~block **150** 8, **282** 10
~brocken **307** 38
~gehen **282** 2–14
~geher **282** 6
~geröll **12** 45
~grab **315** 38
~klettern **282** 2–14
~leiste **282** 14
~riß **282** 4
~schulter **12** 41
~sohle **13** 70
~sturz **11** 46
~technik **282** 2–14
~terrasse **13** 47, 63
~vorsprung **282** 14
~wand **150** 15, **282** 3
~zacken **282** 10
Feltbase **121** 44
Feltrian **361** 6
Fenchel **364** 6
Fender **221** 50
Fenster **39** 22, 23, **179** 10, **261** 33
~ *[Briefumschlag]* **239** 16
~band **39** 86
~bank **44** 20, **113** 12, **115** 33
~briefumschlag **239** 13
~brüstung **39** 24
~hochwindevorrichtung **161** 3
~klappe **286** 11
~laden **39** 30
~leder **52** 28, **190** 25
~leibung **39** 26, **113** 10, 11
~öffnung **115** 30
~putzeimer **190** 24
~putzer **253** 42
~riegel **115** 57
~rose **317** 23
~schwamm **190** 26
~sohlbank **113** 12
~stiel **115** 51
~sturz **39** 25, **113** 9
~vorhang **48** 21
Feriengast **262** 24
Ferkel **74** 9, **76** 40
~box **76** 39
~durchlaß **76** 46
Fermate **300** 42
Fern·bedienungsgerät **306** 44
~bestrahlungsapparatur **2** 28
~gasleitung **194** 33
~glas **108** 37
~heizleitung **194** 30
~laster **194** 30
~lastzug **189** 44
~regler **236** 21
Fernrohr **15** 60, **108** 37–44, **219** 7
~, monokulares **108** 42
~lupe **109** 9
Fernschreiber **241** 32
Fernschreib·maschine **241** 32
~teilnehmerstelle **241** 32–34
Fernseh·antennenturm **237** 38
~apparat **236** 1–31
~darsteller **237** 11
~empfang **237** 40 u. 41
~empfänger **237** 26, 27, 41
~empfangsantenne **237** 40
Fernsehen **236–237**
Fernseh·kamera **237** 1
~kontrollempfänger **237** 31
~regisseur **237** 30
~sendeantenne **237** 39
~standgerät **237** 41
~studio **237** 1–11
~truhe **237** 41
~übertragung **237** 12–39
Fernsprech·amt **233** 1–17
~apparat **233** 24
~buch **233** 3
Fernsprecher **233** 1–51
Fernsprech·kabine **231** 24, **243** 10
~stelle **233** 1
~teilnehmer **233** 4
~zelle, öffentliche **200** 46
Fern·thermometer **166** 9, **205** 50
~triebwagenzug **207** 29
~verkehrsstraße **16** 17
Ferritantenne **234** 43, **235** 5
Ferse **21** 63
Fersenbein **19** 27
~schoner **100** 18
Fertig·behandlung **162** 1–65
~bohrer **143** 32
~kalander **168** 23
~produkt **91** 65
~schneider **143** 32

Firstziegel **117** 3, 52
Fisch **89** 13, 66, **349** 13, **350**
~auktionshalle **220** 11
~behälter **89** 62
~besteck **46** 8
Fische *[Sternbild]* **6** 43
Fischeier **89** 67
Fischer **89** 2
~boot **89** 1, **90** 24
Fischerei·fahrzeug **90** 11, **216** 7
~hafen **220** 8–12
Fischer·kahn **89** 1
~ring **314** 58
Fisch·faß **89** 63
~gabel **46** 65
~halle **220** 11
~handlung **253** 40
~heber **42** 66
~kessel **89** 18
~konserve **98** 19
~konservenfabrik **220** 9
~korb **89** 9
~laich **89** 67
~leiter **89** 13
~logger **90** 1
~messer **46** 64
~möwe **343** 14
~paß **89** 13
~reiher **343** 18
~schwanz **307** 25, 43, 46, 49
~schwanzbohrer **139** 20
~speer **267** 40
~transportbehälter **89** 64
~trawler **90** 11, **216** 7
~weg **89** 13
~zuchtanstalt **89** 55–67
~züchter **89** 65
Fis-Dur **300** 7
fis-Moll **300** 4
Fissurenbohrer **27** 42
Fittich **88** 76, 79
Fitting **119** 40
Five o'clock tea **259** 44–46
Fixativ **103** 29
Fixiertank **112** 3
Fixkamm **156** 67
Fixstern **5** 9–48
~himmel **5** 1–35
Flach·bahn **272** 10
~bogen **318** 28
~brücke **210** 30
~dach **39** 77
~dachpfanne **117** 60
~druckverfahren **323** 25 u. 26
Fläche **329** 31
~, ebene **328** 24–58
Flacheisen **136** 10, **323** 7
Flächen·eisen **150** 38
~schleifmaschine **143** 10
Flächenstummel **225** 62
Flachfeile **134** 23
Flachglas **122** 5
~herstellung **155** 1–11
Flach·hang **13** 58
~kiel **217** 46
~küste **13** 35–44
~landtapir **351** 26
~lauf **283** 30
~meißel **134** 18
~moor **13** 14
~offsetmaschine **174** 38
~pinsel **121** 19, **321** 6
~raspel **99** 22
~relief **322** 33
Flachs **367** 6
Flach·schaber **192** 16
~schlüssel **134** 52
~schraubstock **134** 24
~sticharbeit **101** 10
~strahlspüldüse **195** 33
~strickmaschine **160** 35
~wagen **208** 6
~zange **134** 70
Flaggen **14**, **245**
~gala **216** 37
~knopf **245** 1
~mast **245** 1
~signal **218** 9
~stock **218** 31, **245** 1
~tuch **245** 3
Flagg·leine **245** 2
~wal **90** 44
Flakon **48** 27, 28
Flamme **307** 10
Flammenblume **62** 14
Flammendes Herz **62** 5
Flammen·halter **227** 43
~ofen **133** 1
Flämmer **135** 62
Flanellwindel **30** 5
Flanke **18** 32, **88** 26
~ *[Sport]* **279** 51
Flanken·blech **310** 86
~hieb **277** 6–5
Flansch **136** 2, 5
Flapper **90** 21
Flarr **90** 36
Fläschchen **30** 46
Flasche **77** 15, **192** 45, **260** 16
~ *[Kran]* **145** 9
Flaschen·abfüll-apparat **80** 26
~bier **93** 40
~blasmaschine **155** 12
~bord **259** 64
~bovist **365** 20
~einfüll- und -verschlußmaschine **93** 32
~etikett **93** 42
Flaschen·fach **42** 10
~füllanlage **77** 13–22
~förderband **77** 20
~gestell **80** 32
~herstellung **155** 12
~kapsel **93** 43
~keller **80** 31
~korb **45** 52, **77** 16, **80** 34
~kork **80** 29
~milchkasten **77** 23
~öffner **46** 47
~regal **260** 10
~reiniger **41** 25
~reinigungsanlage **77** 13–22
~reinigungsmaschine **77** 13, **93** 31
~spule **160** 4
~verschließanlage **77** 13–22
~verschluß **93** 41
~wagen **135** 59
~zug **139** 7, **216** 4, **331** 3
Flattertier **351** 9 u. 10
Flecht·arbeit **50** 29, **130** 16
~arten **130** 1–4
~werk **130** 4
~zaun **211** 54
Fleck, blinder **21** 50
~entferner **53** 56
~specht **343** 27
Fledermaus **351** 9 u. 10
~flügel **307** 4
~gaube **116** 23
~gaupe **116** 23
Flederwisch **52** 24
Fleetreep **90** 4
Flegelstiel **66** 29
Fleisch **170** 40
~bearbeitungs-maschine **96** 36
~deck **90** 30
~dünnung **95** 15
Fleischer **94** 1, **96** 9
Fleischerei **96**
Fleischer·laden **96** 1–28
~meister **96** 9
Fleisch·hauer **94** 1
~klopfer **41** 4
~konserve **98** 20
~messer **96** 32
~nelke **62** 6
~pastete **96** 16
~salat **96** 21
~stück **86** 43
~wolf **42** 37, **96** 4, 39
~wurst **96** 17
Flensmesser **90** 61
Flick **181** 5
Flickzeug **181** 1
~schachtel **181** 2
Fliege **342** 18
~ *[Bart]* **35** 16
~ *[Schlips]* **33** 44
~, künstl. **89** 36
Fliegenfänger **83** 3
Fliegen·klappe **83** 2
~klatsche **83** 2
~pilz **363** 10
~rolle **89** 28
~rute **89** 23
Flieger *[Segel]* **270** 30
Fliehkraftregler **184** 41
Fliese **41** 51
Fließzone **11** 2
Flinte **87** 33
Flittergras **70** 26
Floater **276** 51
F-Loch **302** 6
Flockenblume **63** 1
Flödel **302** 26
Floh **341** 30
Flomen **95** 45
Florentiner **36** 39
Florett **277** 25
~, franz. **277** 60
~, ital. **277** 53
~fechten **277** 15–32
~fechter **277** 17 u. 18
~klinge **277** 58
~knauf **277** 54
~maske **277** 27
florin **244** 19, 37
Floß **266** 2
Flosse **221** 55
Flossen·füßler **352** 18–22
~stummel **225** 63
~taucher **343** 4
Floßgasse **269** 60
Flöte **308** 66, **336** 47
~, große **302** 31
~, kleine **302** 30
Flötenklappe **302** 32
Flotte·abflußventil **161** 26
~zirkulation **161** 25
~verteilung **161** 28
Flottholz **90** 6
Flowmeter **28** 37
Flöz **137** 23, **138** 22
Flug, außeratmo-sphärischer **4** 57
Flug·abwehr **222** 35
~ascheabscheider **145** 50
~bahn **229** 41
~bahnscheitelpunkt **229** 44
~benzin **139** 37
~blattverteiler **251** 9
Flugboot **225** 60
~-Rumpf **225** 61
Flug·brettchen **78** 49
~deck **222** 69–74
Flügel **341** 7, **342** 33
~ *[Fischerei]* **90** 16
~ *[Flugzeug]* **271** 35
~ *[Musikinstrument]* **304** 40
~ *[Sport]* **274** 17 u. 18, 20 u. 21
~ader **342** 34
~altar **311** 42
~decke **82** 10
~horn **302** 39

franco **244** 15
Frankaturwert **232** 22
Franken **244** 15
Frankier·maschine **239** 45
~stempel **239** 46
Frankreich **14** 7
Franse **52** 12
Fransen·besen **52** 11
~schmuck **336** 25
Franzose *[Schraubenschlüssel]* **119** 52
~ *[Insekt]* **341** 18
Franzosen·gras **70** 22
~kraut **63** 31
Fräsanschlag **128** 20
Fräse **115** 17
Fräser **170** 51
Fräs·kette, endlose **128** 30
~kopf **128** 45
~maschine **128** 29, **143** 18
Fraß·bild **82** 23 u. 24
~gang **60** 63, **82** 23 u. 24
Frässpindel **128** 19, 23, **170** 60
Fraßstelle **81** 50
Fräs·tisch **143** 13 **170** 52
~trommel **195** 22
Frauen·frisuren **35** 27–38
~haar **361** 17
~haus **310** 10
~herz **62** 5
~käfer **342** 37
~kleidung **32**
~kopf **307** 56
~schuh **360** 27
Frei·anlage **339** 16
~bad **268** 1–32
~ballon **226** 51
~fallmischer **113** 33
~gefecht **277** 17 u. 18
~gehege **339** 16
~gelände **292** 1
Freihafen **220** 25–62
~grenze **220** 41–43
Freiheits·dressur **290** 30 u. 31
~mütze **36** 2
Frei·herrnkrone **246** 44
~inhalatorium **262** 6
~landspalierbaum **55** 16
Freilauf **184** 35
~knarre **192** 21
~nabe **180** 63
Frei·leitungsmast **146** 36, **233** 66
~lichtaufnahme **292** 18
~luftkur **29** 21–25
~luftschaltanlage **146** 29–35
Frei·markenstempel **232** 3
~ringen **281** 11 u. 12
~stempler **239** 45
~stilringen **281** 11 u. 12
~stilwettschwimmen **268** 24–32
~stoß **274** 42
~treppe **315** 33
~übungen **278** 1–23
~versammlung **257** 48
~wange **118** 44
~wurflinie **275** 5, 36
~wurfraum **275** 35
Fremdenbuch **259** 8
Frequenz·bereich-Einstellskala **236** 37–40
~verstärker **236** 16
Fresko **321** 40
Freß·napf **71** 36
~werkzeug **342** 26
Frett **86** 24
Frettchen **86** 24
~führer **86** 25
Frettieren **86** 23
Friedenspfeife **335** 6
Friedhof **16** 106, **312** 21–41
Friedhofs·kapelle **312** 28
~mauer **312** 18
~tor **312** 19
Fries **315** 19, **317** 9
~decke **30** 7
~verzierung **316** 16
Frikandeau **95** 12
Frischhaltepackung **97** 28
Frischling **88** 51
Frischluft **184** 75
~ansaugrohr **223** 35
~gebläse **40** 58, **134** 6, **223** 12
~hebel **186** 16
~klappe **166** 24
~regulierung **137** 15
~zuführung **138** 35, **339** 40
Frisch·milchkühler **77** 32
~- u. Abluftregler **166** 23
~wassertank **218** 69
~wetterregulierung **137** 15
Friseur **104** 11
~gehilfe **104** 6
~meister **104** 11
~sessel **104** 28
Friseuse **103** 28
Frisier·hocker **48** 31
~toilette **48** 26
~umhang **103** 26
Frisur **35** 1–38, **104** 2
Frivolitätenarbeit **101** 19
Fromental **70** 22
Front *[meteorolog.]* **9** 25–29
~lenker **189** 25
Frontensegeln **271** 22
Front·segeln **271** 22
~tür **183** 42
Frosch **302** 13
~biß **362** 29
~löffel **362** 44
~lurche **350** 23–26
Froster **42** 3
Frost·nachtspanner **81** 16
~schmetterling **81** 16
~schutzschicht **196** 60, **197** 44
~spanner **81** 16
Frotteebadetuch **25** 17
Frucht **354** 91–102, **359** 47
~becher **368** 52
~blütenstand **61** 46
~fleisch **60** 24, 35, 58, **61** 6
~höhle **354** 62
~hülle **59** 6, **61** 42, 50
~hülse **70** 8
~knoten **60** 7, **354** 54, 60
~knotenwand **354** 61
~körper **365** 2
~saft **98** 18
~saftzentrifuge **42** 39
~schalenwickler **81** 9
~schiff **216** 8
~schuppen **220** 36
~stiel **60** 13
~traube **60** 11
~wand **61** 42
~zapfen **356** 2
Frühbeet **79** 16
Frühlings·anfang **5** 6
~fliege **342** 12
~punkt **5** 6
Frühstücksbrot **249** 65
F₁-Schicht **4** 18
F₂-Schicht **4** 19
F-Schlüssel **299** 11
Fuchs **88** 42
~ *[Heizung]* **40** 40
Fuchsia **56** 3
Fuchsie **56** 3
Fuchslosung **272** 64
Fuchsschwanz *[Pflanze]* **62** 21
~ *[Säge]* **85** 38, **115** 60, **127** 51
~griff **127** 28
Fuge **197** 39
Füge·bank **126** 31
~maschine **128** 11
Fugen·messer **197** 17
~schneider **197** 16
~schneidgerät **197** 16
~schneidmesser **197** 17
Fühler **82** 3, **340** 29 **342** 27, 53
~lehre **134** 62
Fühl·hebel **142** 56
~uhr **145** 42
Fuhre **65** 15
Führer·bremsventil **205** 55, **206** 22, 52
~bügelventil **206** 38
~gondel **226** 69
~kabine **145** 11
~kanzel **226** 37
~korb **145** 11
~sitz **271** 32
~stand **201** 63, **209** 65, **221** 40
Fuhrmann **5** 27
Führring *[Fußring]* **75** 42
~ *[Reitsport]* **272** 5
Führungs·gestänge **196** 27
~griff **173** 27
~hebel **102** 23
~kette **68** 13
~kreuz **298** 30
~leiste **133** 40
~nut **212** 75
~rille **283** 38
~rolle **141** 65
~schiene **128** 9, **191** 29, **256** 54
~schlitz **301** 41
~stäbchen **234** 32
~stange **2** 42
~steg **68** 12
~stift **301** 40
~walze **149** 13, **158** 47
~zapfen **134** 41
Fuhrwerk **179** 1–54
Fuhrwerkswaage **145** 88
Füll·anlage **77** 13–22
~ansatz **226** 55
~ansatzleine **226** 57
Füllen **74** 2
Füller **239** 19
~ *[Fleischerei]* **96** 52
~aufzug **196** 51
~zugabe **196** 52
Füll·federhalter **239** 19
~grube **145** 72
~hahn **40** 65
Füllhalter **239** 19
~feder **239** 20
~ständer **47** 13, **239** 30
Füll·horn **308** 39
~kasten **156** 9
~maschine **77** 21, **96** 52
~masse **147** 38
~mine **144** 50
~ort **137** 27, **138** 1
~sandeimer **150** 29
~schlauch **190** 3
~stab **1** 39
~stellung **140** 48, 49
~stift **144** 50
~stock **124** 14
~stoff **124** 23
~tür **40** 61
~- und Strangaufdrehmaschine **124** 1

Füllung **27** 33
Füllungsfußhebel **207** 22
Fund **309** 1–40
Fundament·graben **113** 75
~streifen **118** 2
~vorsprung **118** 3
Fundgegenstände, vorgeschichtl. **309** 1–40
Fünfeck **330** 9
Fünfmast·bark **215** 32–34
~vollschiff **215** 35
Fünf·meterplattform **268** 8
~paß **317** 40
~uhrtee **259** 44–46
~vierteltakt **299** 43
Funk·bake **228** 10, **230** 12
~befeuerung **230** 12 u. 18
Funken·fänger **205** 24
~horn **146** 47, **147** 61
~induktor **331** 70
~mariechen **289** 67
~strecke **147** 62, **331** 73
Funk·ermittlung **230** 34
~feuer **230** 12
~messung **230** 34
~peilerrahmen-antenne **218** 5
~raum **218** 12, **223** 14
~sprechgerät **255** 41
~streife **248** 2
~streifenwagen **248** 2
~turm **16** 33
~zeichen **230** 12
Fürbug **310** 85
Furche **22** 25, **65** 8
Furchen·rad **68** 16
~wal **90** 44
Furie **308** 51
Furnier **127** 34, **128** 53
~bock **127** 32
~presse **127** 32
~schälmaschine **128** 52
~schnellpresse **128** 56
Fürstenhut **246** 40
Fürstin **338** 20
Fusa **299** 18
Fuß **18** 54, **19** 26–29, **21** 52–63
~ *[Orgel]* **305** 23
~abstreicher **261** 44
~abstreifer **118** 25
Fußball **274** 52
~elf **274** 11–21
Fußballer **274** 11–21
Fußball·feld **274** 1
~mannschaft **274** 11–21
Fußball·schuh **274** 29
~spiel **274** 1–63
~spieler **274** 11–21
~tor **274** 2
Fuß·bank **44** 36
~boden **118**
~bodensteckdose **120** 31
~bremse **173** 12, **182** 16, **185** 40
~brett **287** 56
~ende **48** 4
Fußgänger **253** 32
~überweg **194** 3, **253** 33
Fuß·gebinde **117** 76
~hebel **144** 14, **185** 39–41
~kasten **181** 23
~kissen **47** 20
~kontakt **27** 12, **133** 46
~leiste **121** 34, **259** 52
~linie **117** 81
~luftpumpe **192** 49
~maschine **303** 54
~maß **99** 12
~matte **43** 34
~muskel **20** 49
~note **178** 62
~pferd *[Segelschiff]* **214** 46
~pfette **116** 44, **117** 40
~pflege **25** 18
~pfleger **25** 19
~platte **114** 50, **283** 48, **322** 23
~position **288** 1–5
~rampenleuchte **297** 26
~raste **182** 37
~richter **276** 25
~ring **75** 42
~rücken **21** 61
~sack **286** 27
~schalter **52** 10
~schalthebel **182** 36
~schemel **44** 36
~sohle **21** 62
~sprung **268** 13
~steg **178** 58
~steuerhebel **133** 11
~stück **177** 25
~stütze **104** 32, **179** 7, **204** 43
~teil **29** 11, **48** 4
Fußtritt *[Orgel]* **305** 48
~ *[Wagen]* **179** 13
~hebel **177** 18
Fuß·ventil **254** 6
~verband **17** 4
~weg **16** 43
~winde **145** 21
~wurzelknochen **19** 26
Futter *[Kleidung]* **34** 18, 43
Futteral **201** 10
Futter·apparat **75** 8
~automat **75** 8
Futter·bau **70** 1–28
~brett **118** 56
~dämpfer **67** 55
~eimer **339** 7
Fütterer **75** 8
Futter·gang **76** 33
~haus **54** 14
~klee **70** 1
~krippe **76** 3
~messer **66** 34
~napf **71** 36
~pflanzen **70**
~rinne **76** 32
~rübe **70** 21
~rübenmiete **64** 12
~schneidemaschine **75** 41
~schneider **75** 41
~silo **64** 45
~speicher **64** 45
~stampfer **66** 34
~stelle **86** 28
~stoff **102** 69
~tisch **75** 22, **76** 32
~trog **76** 43
~wicke **70** 18

G

Gabel **46** 58
~ *[Telefon]* **233** 29
~ *[Wagen]* **72** 29, **179** 30
~deichsel **179** 30
~flinte **336** 28
~häkelei **101** 28
~heuwender **67** 29
~kopf **180** 11
~kreuz **313** 55
~mücke **341** 33
~schaft **180** 10
~schaftrohr **180** 10
~scheide **180** 12
~schleuder **258** 9
~schlüssel **191** 15
~stapler **202** 20, **221** 12
~verkleidung **183** 24
~weihe **347** 11
Gaff **89** 12
Gaffel **214** 45
~geer **214** 70
~segel **215** 1
~stander **214** 49
~toppsegel **214** 31
Gagel **357** 33
Gaillardie **62** 19
Galanterie·degen **338** 63
~warenabteilung **256** 62
Galaxis **5** 35
Galeere **213** 44–50
Galeeren·sklave **213** 48
~sträfling **213** 48
Galerie **1** 42, **296** 16
Galette **163** 16
Galgen **220** 67, **292** 21
~mikrophon **293** 28
Gallapfel **82** 34
Galle **82** 34
Gallen·blase **22** 11, 36
~blasengang **22** 38
~gang **22** 37 u. 38
Gall·mücke **81** 40
~wespe **82** 33
Galopp **73** 43 u. 44
~rennen **272** 1–29
Galosche **100** 27
Galvanoplastik **172**
Galvanoplastiker **172** 4
Gamasche **272** 44, **283** 57, **335** 17
Gamaschenhose **31** 27
Gambe **301** 23
Gamma·strahlung **1** 12, 17
~strahlenbehandlung **29** 48–55
Gams **352** 3
~wurz **63** 13
Ganasche **73** 11
Gang **39** 73, **311** 27
~ *[Fechten]* **277** 17 u. 18
~art **73** 39–44
~einstellung **181** 35
~gewicht **107** 35
~regler **107** 24–26
~schaltung **207** 4
~wähler **207** 12
Ganner **343** 15
Gans **74** 34
Gänse·blümchen **360** 1
~feder **324** 26
~fuß **63** 25
~füßchen **325** 26
~fußschar **68** 34
~kresse **63** 9
Ganser **74** 34
Gänserich **74** 34
Gänse·säger **343** 15
~vögel **343** 15–17
Gantelet **310** 50
Ganter **74** 34
Ganz·holz **115** 87
~packung **23** 19
ganzrandig **354** 43
Ganzstahlkarosserie **185** 1
Garage **39** 32, 79, **190** 32
Garageneinfahrt **39** 52
Găraufsatz **333** 7
Garbe **65** 23
Gärbottich **93** 12
Garderobe **296** 5
~ *[Möbel]* **43** 1
Garderoben·frau **296** 6
~halle **296** 5–11
~marke **296** 7
~nummer **296** 7
~spiegel **43** 5
~ständer **260** 12
~stange **48** 45
~tisch **43** 6
Garderobiere **296** 6
Gardine **48** 21

Geschirr·stapel **260** 11
~tuch **41** 16
Geschlechtsorgane, männliche **22** 66–77
~, weibliche **22** 79–88
Geschlechtssprosse **356** 43, 62, 68
Geschmeide **38** 1–33
Geschoß *[Etage]* **40** 11
~ *[Gewehr]* **87** 55
~aufzug **223** 70
~treppe **118** 42–44
Geschriebenes **249** 48
Geschütz **213** 50
~bank **223** 61
~pforte **213** 59
~rohr **223** 68
~turm **222** 24, 41
Geschwindigkeits·-anzeiger **206** 54
~begrenzungstafel **198** 79
~messer **228** 16
~rekordfahrt **273** 31
~schreiber **205** 56
Geschworener **248** 23
Ges-Dur **300** 14
Gesellschafts·anzug **34** 57
~kleid **32** 25
~raum **204** 25, **218** 26
~saal **259** 39
~spiele **265**
~tanz **288** 43
~wagen **179** 33, **204** 24
Gesenk·hammer **133** 8
~platte **134** 11
Gesetzlein **313** 30
Gesicht **18** 4–17, **73** 5
Gesichts·hieb **277** 7–8
~kompresse **103** 10
~maske **289** 7
~massage **103** 33
~muskel **21** 6
~puder **103** 17
~schleier **36** 40
~terz **277** 7–8
~urne **309** 38
~wasser **103** 14
Gesims **282** 14
~band **316** 57
~schalung **117** 42
Gesneriengewächs **56** 7
Gespann **65** 16
Gesperre **127** 23, **145** 24 u. 25
Gespinst·motte **81** 5
~netz **81** 7
Gestänge **173** 19
~bühne **139** 4
Gestein **12** 23, **150** 3
Gesteins·bank **138** 23
~bohrer **150** 11
~schicht **13** 78
Gestell **127** 7, **130** 22
~ *[Wald]* **84** 1
~arbeit **130** 22–24
~motor **206** 10
Gestirn **5** 9-48
Gestück **118** 12
Gestühl **311** 28
Gesundheitsstempel **94** 14
getragen **300** 52
Getränke·ausschank **291** 3
~automat **260** 52
~bude **291** 3
Getreide **64** 43, **69** 1-37
~annetzmaschine **91** 54
~arten **69** 1–37
~beize **83** 13–16
~blatt **69** 19
~bürstmaschine **91** 56
~ernte **65** 19–24
~feime **65** 27
~feld **65** 19
~garbe **65** 23
~großmühle **91** 45–67
~halm **69** 5
~heber **221** 56–58
~hocke **65** 21
~miete **65** 27
~poliermaschine **91** 56
~puppe **65** 21
~putzmaschine **91** 63
~reinigungsmaschine **91** 45–56
~sack **83** 16
~schälmaschine **91** 52
~stiege **65** 22
~verarbeitungs-maschinen **91** 57-67
~waage **91** 46
~waschmaschine **91** 53
Getriebe **156** 29, **186** 55–62, **212** 48, **222** 63
~aufhängung **186** 62
~flansch **186** 57
~kasten **129** 4, **133** 36, **157** 2, 33, 39
~öleimer **191** 9
~ölpumpe **191** 8
~rad **186** 59
~raum **222** 62
Gewand **338** 19
Gewändeportal **317** 24
Gewebe **162** 22, 64
~ablegevorrichtung **162** 35
Gewebe·druck-maschine **162** 53
~befestigung **162** 24
~filmdruck **162** 5 9
~schermaschine **162** 42
~schnitt **165** 14
~tiere **340** 13–37
~trockenmaschine **162** 21
Gewehr **86** 30
~kolben **87** 3
~lauf **87** 34
~schloß **87** 9
Geweih **88** 5–11
Gewicht **221** 20
~belastung **162** 2
~decke **272** 17
~heben **281** 1–6
~heber **281** 1
Gewichtl **88** 29–31
Gewichtstein **77** 40
Gewiegtes **96** 25
gewimpert **354** 49
Gewinde **120** 60, **136** 16, 66
~backe **134** 65
~bohrer **134** 64
~kopf **180** 75
~lehre **145** 41
~schneideisen **106** 15
~schneidkluppe **119** 42, **120** 48
~stahl **142** 46
~stift **136** 46
~strähler **129** 14
Gewinn **291** 48
Gewinn *[Mathematik]* **327** 7
~anteilschein **243** 18
Gewitter **9** 38
~front **271** 21
~segeln **271** 22
Gewölbe **80** 22
~formen **318** 38–50
~rippe **317** 31
Gewürm **340** 16–21
Gewürz·nelkenbaum **366** 26
~pflanzen, trop. **366**
~schränkchen **41** 10
Geysir **11** 21
Gezähe **138** 37–53
gezähnt **354** 47
Gezeitentafel **267** 7
Gicht·bühne **140** 4
~gasabzug **140** 13
~glocke **140** 6
Giebel **39** 15, **116** 5
~dreieck **316** 3
~fenster **317** 49
~scheibe **117** 25
~seite **39** 15
~verzierung **316** 34
~zelt **266** 27
Gien **216** 4
Gierfähre **211** 1
Gießer **141** 8
Gießform **154** 15
Gießkanne **54** 17
~kannenbrause **79** 28
~kern **172** 18
~kolonne **141** 13
~löffel **141** 24
~mund **172** 17
~pfannenschnabel **140** 42
~schale **172** 22
~werk **169** 25
Gift·blase **78** 13
~drüse **78** 14
~gassprüher **83** 40
~legeröhre **83** 1
~pflanzen **363**
~pilze **363** 10–13
~reizker **363** 13
~schaumgerät **83** 44
~schlange **350** 40
~staubwolke **83** 48
~stoffbehälter **83** 32
~verstäubung **83** 46
~weizen **83** 1
Gigant **307** 37
Gigantocypris Agassizi **349** 1
Gigboot **269** 26–33
Gigerl **289** 33
Gigvierer **269** 26–33
Gilge **62** 12
Gimpel **344** 5
Gimpenhäkelei **101** 28
Gipfel **12** 40
Gipfelung **11** 6
Gips **322** 29
~binde **26** 8
Gipser **113** 83
Gips·guß **322** 4
~lager **152** 15
~modell **322** 4
~pulver **322** 29
~verband **29** 25
~zerkleinerungs-maschine **152** 16
Giraffe **352** 4
Giraffenhaus **339** 24
Girant **242** 27
Girat **242** 26
Girbotol- u. Claus-anlage **139** 61
Girl **298** 7
Girlande **289** 5, **317** 54
Girltruppe **298** 6
gis-Moll **300** 6
Gitarre **303** 12
Gitter **79** 13, **203** 32
~fenster **248** 17
~flügler **342** 12
~gang **290** 51
~mast **146** 36, **222** 7
~rost **191** 11
~stab **257** 34
~stütze **209** 31
~tierchen **340** 7
~tor **257** 31
~träger **145** 7
~tubus **6** 2
~ziegel **151** 23

Grab·stätte **312** 23, **319** 16
~stein **312** 26
~stelle **312** 23
~stichel **129** 24, **323** 20
~zahn **196** 6
Gradbogen **219** 2
Gradier·wärter **262** 5
~werk **16** 32, **262** 1
Gradnetz **15** 1–7
Grafenkrone **246** 45
Granatapfel **368** 16
Granate **90** 53
Granaten-Rumpf **225** 44
Granatoeder **330** 7
Grande **289** 26
Granierstahl **323** 19
Granne **69** 12
Graphit **3** 18
~meiler **1** 31–46
~mine **239** 36
Gras **130** 26
~ *[Spielkarte]* **265** 43
~büschel **359** 44
Grasen **265** 43
Gras·halm **354** 83–85
~hüpfer **342** 8
~mähmaschine **67** 27
Grat **282** 22
~ *[Dach]* **116** 12
Grätenschritt **283** 27
Gräting **219** 17
Grätsche **279** 20
Grätschen **278** 2
Grätsch·fahrt **283** 20
~stellung **278** 2
Grat·sparren **116** 62
~ziegel **117** 8
Grauleiter **320** 15
Graupe **98** 35
Graupeln **9** 35
Graureiher **343** 18
Gravier·kugel **106** 34
~nadel **323** 16
Gravis **325** 31
Gravur **38** 29
Greif **307** 11, **347** 1–24
~arm **2** 47
Greifenklaue **307** 13
Greifer **145** 57, **149** 35, **169** 22
~brücke **148** 21
~drehkran **148** 5
~system **174** 20
~wagen **174** 11
Greif·spiel **258** 23
~werkzeug **23** 50
~zange **2** 44, **29** 53, **323** 50
~zirkel **129** 18
Greiskraut **63** 12
Grendel **68** 9
Grenz·horizont **13** 21
~kontrolle **247** 12
~lehrdorn **142** 52
Grenz·lehre **142** 49
~rain **65** 3
~schichtzaun **225** 55
~stein **65** 2
~übertrittsausweis **247** 14
Gretchen·frisur **35** 31
~gewand **338** 37
Greyhound **71** 24
Griebs **60** 59
Grieche **338** 3
Griechenland **14** 8
Griechin **338** 1
griechisch **324** 15
Grieß **98** 36
Griessäule **68** 8
Grieß- u. Dunstauflösestuhl **91** 61
~- u. Dunstputzmaschine **91** 60
Grießung **91** 57
Grießwärtel **310** 75
Griff **37** 11, **134** 45, **180** 3, **249** 56
~ *[Sport]* **279** 53–56
~art **279** 53–56
~brett **302** 22, **303** 8
Griffel **249** 57
~ *[Fruchtknoten]* **60** 42, **354** 55
~kasten **249** 66
Griff·loch **302** 33, **303** 34
~saite **303** 24
~stange **160** 22, **277** 56
Grillapparat **42** 29
Grille **341** 6
Grimmdarm **22** 19-21
Grindel **68** 9
Grob·brecher **153** 6
~hechel **125** 4
~kreiselbrecher **150** 19
~schmied **132** 10
~sieb **77** 36
Grönländer **269** 4
Groom **179** 27
Groschen **244** 13
Groß·abteil **204** 56
~bagger **151** 3
~baum **214** 44
~behälter **208** 26
~binder **126** 16
~-Bramsaling **214** 53
~bramsegel **213** 53
~-Bramstagsegel **214** 25
~bramstenge **214** 7
Groß·britannien **14** 9
~buchstabe **170** 11
größer als **327** 19
Großer Bär **5** 29
~ Hund **5** 14
~ Ozean **15** 19
~ Wagen **5** 29
Groß·hirn **19** 42, **20** 22
~kabine **209** 52
Groß·kaffeemaschine **261** 2
~kern **340** 11
~kopf **81** 1
~markthalle **252** 50
~-Marssaling **214** 52
~marsstenge **214** 6
~mast **213** 40, **214** 5, **215** 22
~maul **349** 10, 13
~mutter **258** 14
~-Oberbramrah **214** 42
~-Oberbramsegel **214** 65
~-Obermarsrah **214** 40
~-Obermarssegel **214** 63
~rah **213** 37, **214** 38
Großraum **204** 25
~kabine **209** 52
~lastwagen **189** 39
~lore **150** 14
~-Straßenbahnzug **193** 1
Groß-Royal·rah **214** 43
~segel **214** 66
~stagsegel **214** 26
Groß·schneefräse **195** 21
~segel **213** 33, **214** 61, **215** 11, **270** 28
~specht **343** 27
~stadt **252** 1–70
~stenge **214** 6
~-Stengestagsegel **214** 24
~tanker **216** 22
~topp **214** 5–6
~-Unterbramrah **214** 41
~-Unterbramsegel **214** 64
~-Untermarsrah **214** 39
~-Untermarssegel **214** 62
~vatermütze **36** 5
~vieh **74** 1 u. 2
Grotesk **325** 7
Groteske **288** 35
Groteskschrift **325** 7
Grotte **257** 1
Grubber **68** 31
Grübchen **18** 16
Grube **312** 34
~ *[Bergwerk]* **137** 1–40
Gruben·betrieb **137** 3–11, 14–40
~geräte **138** 37–53
~helm **138** 54
~lampe **138** 57 u. 58
~lokomotive **137** 28, **138** 46 u. 47
~lüfter **137** 10
~maschine **138** 37–53
~ventilator **137** 10
Gruben·wagen **137** 29
~wasser **137** 30
~zug **137** 28 u. 29
Grummet **65** 35–43
grün **246** 29, **320** 8
Grün *[Golf]* **276** 62
~ *[Spielkarte]* **265** 43
~alge **362** 43
~anlage **252** 10
Grund·ablaß **212** 62, **254** 34
~birne **69** 38
~blatt **359** 9
~brett **112** 33
Gründel **68** 9
Grund·figur **284** 13–20
~fläche **329** 35, 39
~gewicht **90** 10, **224** 18
~hobel **127** 60
Grundierpinsel **321** 9
Grundlinie *[Ballspiel]* **276** 3–10
~ *[Mathematik]* **328** 27
Grund·platte **134** 36, **141** 51, **160** 34
~rahmen **162** 15
~rechnungsart **326** 23–26
~riß **144** 63
~rute **89** 22
~spieler **276** 43
~stellung **277** 32, **278** 1
~strecke **137** 38, **138** 11
~tau **90** 18, **224** 17
~teller **46** 3
Gründung **211** 8
Grundwasser **12** 21
~spiegel **254** 1, 42, 63
~strom **254** 3
Grund·werk **167** 28
~wert **327** 7
~zahl **326** 5, **327** 2, 6
Grün·fläche **39** 76, **257** 36
~futterschneider **75** 41
~futtersilo **75** 19
~kern **69** 25
~kohl **59** 34
Grünling **365** 29
Grünmalz **92** 11
~wender **92** 9
Grünstreifen **197** 37
Gruppenwähler **233** 38
Grus **5** 42
Gruß **277** 32
G-Saite **302** 9
G-Schlüssel **299** 10
γ-Strahlung **1** 17
Guanako **351** 30
Guaschfarbe **321** 17
Guckloch **43** 31, **248** 15
Gugelhupf **97** 44

Heck·radauslösehebel **228** 33
~rohr **223** 27
~scheibe **183** 48
Hede **125** 7
Hederich **63** 21
Heervogel **343** 25
Hefe·presse **93** 19
~reinzucht **93** 15–18
Heft **249** 46
~ *[Messer]* **46** 51
~ *[Säge]* **85** 41
Heften **177** 8
Heft·feld **124** 27
~garn **102** 52
~gaze **177** 33, **178** 20
~klammer **240** 40
~kopf **177** 54
~lade **177** 9
~lage **177** 12
~lasche **114** 60
~maschine **240** 36
~nadel **178** 21
~pflaster **17** 7, **23** 54
~rand **239** 2
~sattel **178** 24
~schnur **177** 10
Heftung **177** 34
Heft·zwecke **144** 52
~zwirn **99** 3
Heide **16** 5
~grütze **70** 20
~korn **70** 20
~kraut **361** 19
~krautgewächs **56** 12
Heidelbeere **361** 23
Heidelerche **346** 18
Heidenweizen **70** 20
Heide·pflanzen **361**
~röschen **361** 20
Heiligen·bild **314** 7
~figur **311** 46
Heil·moor **262** 39
~pflanzen **364**
~quelle **262** 15–18
Heilsarmee·kadettin **257** 63
~kapelle **257** 61
~soldat **257** 62
Heimatzeichen **186** 35
Heimchen **341** 6
Heim·projektor **295** 53
~siphon **47** 41
Heinz **65** 43
Heinze **65** 43
Heiß·dampfzuleitung **166** 21
~leiter **236** 20
Heißluft·bad **25** 7–16
~bläser **27** 10
~gebläsekammer **168** 40
~leitung **133** 57
~raum **25** 7
~trockenkanal **168** 38
Heiß·mangel **166** 25
~rauchräucherschrank **96** 47
Heißwasserleitung **3** 36
heiter **9** 21
Heiz·bettdecke **48** 51
~druckmesser **205** 45
Heizer **203** 10
~sitz **205** 40
Heizgas **139** 36
~herstellung **148** 1–46
Heiz·kammer **140** 27
~kasten **177** 27
~keller **40**
~kissen **23** 52
~körper **40** 76
~körperpinsel **121** 16
~körperrippe **40** 77
~kupplungsschlauch **203** 38
~öl **40** 50, **139** 42
~platte **42** 28
~raum **40** 38–81, **79** 7
~rohr **79** 8, **205** 17
~spannungsmesser **206** 41
Heizung **169** 45
Heizungs·regulierung **204** 40
~röhre **158** 52
Heizwindleitung **140** 18
Held **292** 28
Helfer **17** 20, **281** 40
Helgen **217** 11–26
Helikopter **83** 47
Helium·kern **1** 10
~tank **229** 7
Helling **217** 11–26
~anlage **217** 11–26
~gerüst **217** 19
~kran **217** 23
~portal **217** 11
~sohle **217** 17
Helm **246** 4, 7–9, **310** 39–42
~ *[Schiff]* **213** 13
~ *[Werkzeug]* **85** 14, **132** 27
~, korinth. **308** 19
~busch **308** 18
~decke **246** 3
~glocke **310** 39
~kasuar **343** 1
~kleinod **246** 1, 11, 30–36
~krone **246** 12
~öler **180** 65
~stock **213** 13
~zeichen **246** 1, 11, 30–36
~zier **246** 1, 11, 30–36
Hemd **33** 11, 39, 41
~ärmel **33** 43
~bluse **32** 6
~brust **33** 42
~hose **33** 13
~knopf **33** 52
~kragen **33** 51
Hemd·krause **33** 2
~spitze **33** 2
Hemieder **330** 24
Hemi·pyramide **330** 24
~sphäre **5** 1–35
Hemmschuh **202** 52
~bremse **202** 51
Hemmung **107** 22 u. 23
Hemmungsrad **107** 22
Hengst **74** 2
Henkel **41** 72, **45** 17, **249** 56
~kanne **309** 35
~kreuz **313** 57
Henne **74** 19, **75** 20
Henriquatre **35** 8
Heppe **85** 30
Hera **308** 5
Heraldik **246**
Herbst **80** 9
~anfang **5** 7
~blume **363** 3
~löwenzahn **63** 13
~punkt **5** 7
~zeitlose **363** 3
Hercules **5** 21
Herd **41** 35, **42** 26
~apfel **69** 38
~platte **41** 41
~ring **41** 42
~tiefe **11** 34
Hererofrau **337** 25
Hering **350** 14
~ *[Zelt]* **266** 28
Herings·logger **90** 1
~treibnetz **90** 2–10
Herkules **5** 21
Herme **316** 35
Hermes **308** 21
Herr **338** 54, 61, 73
Herren·artikelabteilung **256** 12
~fahrrad **180** 1
~friseur **104**
~hemd **33** 36
~hut **36** 11
~hutgeschäft **36** 1–26
~kleidung **34**
~nachthemd **33** 50
~reiter **272** 49
~salon **104** 1–38
~schirm **43** 13
~schlafanzug **33** 35
~schlüpfer **33** 56
~schuh **100** 2
~slip **33** 57
~tiere **353** 12–16
~trenchcoat **34** 40
~unterkleidung **33** 35–65
~unterwäsche **33** 35–65
~wäsche **33** 35–65
~wintermantel **34** 65
~zimmer **47**
Hervorhebung **239** 10
Herz **20** 14, **22** 8, 24, 25, 45–57
~ *[Spielkarten]* **265** 40, 44
~blume **62** 5
~brett **115** 93
~diele **149** 42
herzförmig **354** 35
Herz·kammer **22** 51
~kirsche **61** 5
~klappe **22** 46 u. 47
~linie **21** 74
Herzogshut **246** 39
Herz·ohr **22** 24
~schild **246** 17
~stück **198** 55
Hessen·fliege **81** 40
~mücke **81** 40
Hetz·hund **71** 25, **86** 33
~jagd **272** 58–64
Heuernte **65** 35–43
Heufler **88** 23
Heu·forke **66** 11
~gabel **66** 11, **67** 30
~harke **66** 31, **67** 21
~haufen **65** 37
~hüpfer **342** 8
~hütte **65** 42
Heulapparat **219** 45
Heu·pferd **342** 8
~raufe **76** 2
~rechen **66** 31, **67** 21
~reiter **65** 39
~reuter **65** 39
~schober **65** 36
~schrecke **342** 8
~schwade **65** 40
~springer **342** 8
~wagen **65** 41
~wender **67** 29
~wurm **81** 23
Hexaeder **330** 2
Hexagon **330** 15
Hexakisoktaeder **330** 13
Hexe **289** 6
Hexen·kraut **63** 12,31
~stich **101** 9
Hieb, hoher **277** 13
~, tiefer **277** 14
~- u. Stoßwaffe **277** 63
Hieroglyphe **324** 1
Hifthorn **272** 60
High-Hat-Becken **303** 50
Hilfe, erste **17**
Hilfestellung **279** 16
Hilfs·arbeiter **113** 19
~brücke **210** 17
~draht **193** 42
~fahrzeuge **222** 1–8
~flügel **228** 47
~kontakt **147** 57
~kranzug **140** 54
~luftbehälter **206** 47
~mannschaft **224** 14
~maschine **218** 61
~maschinenraum **216** 27, **218** 60, **223** 2

Hühner·hund **71** 41
~leiter **75** 4
~myrte **63** 27
~nest **75** 6
~ring **75** 42
~stall **75** 13
~steige **75** 4
~stiege **75** 4
~vogel **343** 22
~zucht **75** 1–46
Hülle **201** 10, **239** 13
Hüllkelch **359** 33
Hülse **59** 6, **354** 92
Hülsen·früchte **59** 1-11
~kasten **159** 21
~kopf **87** 16
~mais **69** 31
Hülsstrauch **358** 9
Humboldtstrom **15** 42
Humerale **314** 40
Hummel **342** 23
Hummergabel **46** 79
Humusandeckung **196** 64
Hund **71**, **74** 16
Hunde·abteil **203** 12
~artige **352** 11–13
~bürste **71** 28
~garnitur **71** 27–30
~halsband **71** 13
~haus **64** 23
~hütte **64** 23
~kamm **71** 29
~leib **307** 30
~leine **71** 30
~meute **86** 33, **272** 62
~rassen **71**
Hunderterstelle **326** 3
Hundert·meterstein **198** 83
~satz **327** 7
Hundertstel **326** 20
Hunde·schlitten **336** 3
~schwanz **71** 12
Hündin **74** 16
Hunds·kamille **63** 8
~kopf **93** 23
~lattich **63** 13
~quecke **63** 30
~rose **357** 26
Hünengrab **309** 16
Hunger·blume **63** 1
~korn **69** 4
Hunter **272** 24
Hupenknopf **182** 24 **186** 4
Hüpfspiel **258** 13
Hürde **272** 27, **280** 12
Hürden·lauf **280** 11 u. 12
~läufer **280** 11
Hut **36** 7, 17, 19
~ *[Böttcher]* **126** 36
~ *[Pilz]* **365** 4
~, thessalischer **338** 4
~ablage **43** 4
Hut·band **36** 14
~bord **43** 4
Hütegeschäft **36** 1–26
Hut·form **36** 32
~geschäft **36** 1–26
~haken **260** 13
~kopf **36** 12
~laden **36** 1–26
~macherin **36** 30
~nadel **36** 50
~putz **36** 49
~rand **36** 16
~salon **36** 27–57
~schachtel **201** 11
~ständer **36** 51
Hütte **282** 1
~ *[Schiff]* **218** 33
Hüttenjagd **86** 47–52
Hutze **226** 72
Hyäne **353** 1
Hydra **307** 32
~ *[Sternbild]* **5** 16
Hydrallmania **349** 9
Hydrant **255** 35
Hydrantenschlüssel **255** 27
Hydratsilo **153** 26
Hydraulik **133** 24
Hydreidpolyp **349** 9
Hydrierung **164** 16
Hydrofiner **139** 65
Hydroformer **139** 64
Hydroxylamin-zuleitung **164** 21
Hygrograph **10** 54
Hygrometer **10** 23, **25** 10, **166** 10
Hyperbel **329** 26
Hypotenuse **328** 32
Hypothekenpfand-brief **243** 11–19
Hypotrachelion **316** 22
Hypozentrum **11** 32, 33

I

identisch **327** 16
Identität **327** 5
Identitätszeichen **327** 16
Idol **309** 20
Igel **351** 5
~kopf **35** 10
~wulst **316** 21
Iglu **336** 4
Ikarier **298** 21
Ikosaeder **330** 11
Ikositetraeder **330** 12
Ilge **62** 12
Illusionist **298** 20
ILS-Gleitwegsender **230** 14
ILS-Haupteinflug-zeichen **230** 13
ILS-Kurssender **230** 11
Illuminator **110** 20
Illustrierte **47** 10
Imago **342** 10
Imker **78** 57
Imme **78** 1–25
Impair **263** 23
Imprägnierkufe **161** 32
Imprägnierungs-mittelzerstäuber **83** 34–37
Impressum **325** 39
Impuls·erzeuger **237** 17
~trennstufe **236** 15
Indexskala **241** 26
Indianer **335** 25
~frau **335** 10
~häuptling **335** 11
Indien **14** 46
Indio **335** 23
Indirektstrahler **112** 60
Indischer Ozean **15** 23
Indonesien **14** 53
Indossament **242** 25
Indossant **242** 27
Indossat **242** 26
Indossatar **242** 26
Induktionsspule **11** 44
Induktor **331** 70
Industrie·gelände **252** 58
~hafen **139** 68
~obligation **243** 11–19
~pflanzen **367**
In-Fässer-Bringen **93** 20–28
Infinitesimalrechnung **327** 13 u. 14
Influenzmaschine **331** 54
Inful **314** 46
Ingenieur **144** 23
Inhaberaktie **243** 11
Inhalation **262** 7
Inhalations·gerät **23** 33
~kur **262** 6 u. 7
Inhalatorium **262** 6
Inhalierflüssigkeit **23** 35
Initial **170** 1
Injektionsspritze **26** 28, **27** 54
Inkarnatklee **70** 4
Inkreis **328** 31
Inlett **48** 8
Innen·auslage **257** 13
~elektrode **2** 3
~kiel **269** 50
~plattform **204** 9
~ring **136** 70
~sohle **99** 51
~stadt **252** 33
~sturm **274** 18, 19, 20
~stürmer **274** 18, 20
~tasche **34** 19
~taster **129** 23
~titel **178** 45
~trommel **166** 3
~verzahnung **136** 93
Insekten **342** 3-24
~auge **78** 20-24
~fresser **351** 4-7
~sammlung **47** 35
Insel **13** 6
~ *[Schiff]* **211** 4, **222** 68
~ *[Straße]* **253** 30
~lampe **190** 30
Inserat **325** 51 u. 52
Inspizient **297** 30
Inspizientenstand **297** 29
Installateur **119** 23
Installation **119** 33-67
Instrumente, ärztliche **26** 26-62
~, chirurgische **28** 46-59
~, geodät. **110** 30-38
~, meteorolog. **10**
~, sterile **28** 14
~, topograph. **110** 30-38
Instrumenten·gehäuse **2** 5, 22
~kasten **10** 62
~-Lande-System-Kurssender **230** 11
~platte **27** 16
~schrank **27** 23
~teil **229** 3-5
~tisch **26** 20, **27** 24, **28** 12
Intarsia **47** 48
Integral **327** 14
~zeichen **327** 14
Integrand **327** 14
Integration **327** 14
Integrationskonstante **327** 14
Interferenzkomperator **110** 29
Interferometer **110** 25
Intergrator **29** 49
Integriergerät **29** 49
Intervall **300** 20-27
Intrusion **11** 30
Invalide **257** 55
Ionenfallenmagnet **236** 17
Ionisationskammer **2** 2, 17
Ionosphäre **4** 13
Irak **14** 45
Iran **14** 44
Iris **21** 42
~ *[Pflanze]* **62** 8
Irland **14** 10
Irrgarten **257** 5
Irrigator **23** 46
Ischiasnerv **20** 30
Island **14** 11
Isobare **9** 1, 2, 3
Isobathe **16** 11
Isochimene **9** 42
Isohelie **9** 44
Isohyete **9** 45
Isohypse **16** 62
Isolator **331** 64
~kette **234** 22

L

Luftbürsten-Verstreich- und -Egalisier-Einrichtung **168** 35
Luftdruck **9** 1, 4
~anstieg **227** 22
~anzeiger **228** 15
~meßgerät **10** 1–18
Luft·düse **183** 59
~einlaß **227** 2
~eintritt **227** 21
~eintrittsöffnung **255** 60
Lüfter **112** 17, **171** 61, **216** 42
Lufterhitzer **133** 2
Lüfter·kopf **218** 36
~rad **183** 18
~schalter **206** 34
Luft·feuchtigkeitsmesser **10** 23
~filter **93** 18, **184** 17
~furche **91** 17
~generatorgasanlage **148** 14–16
~gesenkhammer **133** 8
~gewehr **258** 3
~hahn **206** 26
~hebel **182** 22
~heizkammer **140** 29
~heizofen **47** 1
~holz **79** 18
~hülle **4** 11–15
~kammer **75** 50
~kanal **1** 33, **315** 4
~kissen **23** 28
~klappe **41** 44, **185** 37, **204** 31
~koffer **259** 15
~kompressor **191** 26, **206** 17
~kompressorschalter **206** 37
~leitschaufel **183** 19
~leitung **133** 5
~matratze **266** 36
~pfeifenhebel **206** 50
~pinsel **171** 51
~pistole **191** 21
Luftpost·brief **232** 18
~briefkasten **231** 28
~marke **232** 19
~zettel **232** 32
Luftpumpe **175** 6, 35, **180** 48
~, elektr. **23** 36
Luftpumpen·glocke **331** 12
~teller **331** 14
Luft·regulierschraube **183** 60
~regulierung **334** 3, 8
~reifen **180** 30
~reiniger **51** 29
~röhre **19** 50, **22** 4
~röhrenast **22** 5
~sack **336** 11
~säule **190** 27
~schacht **92** 20, **158** 63
Luft·schaukel **291** 41
~schaum- und Wasserwerfer **255** 64
~schicht **1** 32
~schiff **226** 65
~schiffpropeller **226** 78
~schiffskörper **226** 73
~schlange **291** 14
~schlauch **180** 30, **185** 36, **190** 29
~schleier **133** 6, 61
~schraube **226** 10, 78, **227** 40
~schraubentriebwerk **227** 1
~schraubenübersetzungsgetriebe **227** 39
~sprung **288** 16
~stauraum **227** 16
~strömung **9** 25–29
~tanker **226** 26
~tankverfahren **226** 25
~trichter **183** 68
~umwälzer **204** 8
Lüftung **204** 8
Lüftungs·fenster **79** 10
~holz **79** 18
~klappe **249** 24
~ziegel **117** 7
Luft·verbesserer **51** 29
~verdichter **227** 6, 27, 35
~volumenvergrößerung **227** 23
~vorwärmer **133** 58, **146** 11
~weiche **193** 30
~zufuhrrohr **140** 28
~zug **182** 30
~zuleitung **140** 16, **168** 36
Luggersegel **215** 4
Luke **64** 50, **217** 61 u. 62
Luken·deckel **217** 62
~süll **217** 61
Lumberjack **34** 23
Lumme **343** 13
Lumpenkocher **167** 21
Lünettenständer **143** 38
Lunge **20** 13, **22** 6 u. 7
~, Eiserne **24** 8
Lungen·blutader **22** 56
~flügel **22** 6
~kraut **361** 7
~lappen **22** 7
~schlagader **20** 11, **22** 55
~vene **20** 12
Lünse **131** 24
Lunte **88** 47
Lunteneinführung **157** 15
Lunula **313** 35
Lupe **26** 34, **108** 31–34, **330** 33
Lupenjustierung **294** 12
Lupine **70** 17
Lurche **350**
Lure **301** 1
Luser **88** 16, 44
Lüsterklemme **120** 40
Lutscher **30** 51
Lutschstange **257** 59
Luven **270** 52
Luxemburg **14** 14
Luxus·kabine **218** 30
~limousine **187** 9
~schuh **100** 33
Luzerne **70** 9
LW **234** 39
Lymphknoten **21** 10
Lyra **308** 64
Lyra *[Sternbild]* **5** 22

M

Mäander **13** 11, **316** 43
Maar **11** 25
Machina Pictoris **5** 47
Macis **366** 35
Macropharynx longicaudatus **349** 2
Mädchen **45** 4
~, junges **261** 23
~anorak **31** 42
~bluse **31** 60
~frisuren **35** 27–38
~hose **31** 41
~hut **31** 38
~jacke **31** 40
~kleidung **31** 1–60
~leib **307** 24, 59
~mantel **31** 37
~nachthemd **31** 1
~schihose **31** 44
~schuh **100** 23
~taghemd **31** 4
Made **78** 28, **81** 19, **342** 19
~, künstl. **89** 38
Madeiraglas **46** 84
Magazin *[Gewehr]* **87** 17
~ *[techn.]* **177** 44
~ *[Zeitschrift]* **47** 9
~gewehr **87** 2
Magd **64** 31
Magen **22** 13, 41 u. 42, **78** 16
~-Darm-Kanal **78** 15–19
~mund **22** 41
~schlauch **26** 9
mager *[Schrift]* **170** 8
Magermilchtank **77** 11
Magmatismus **11** 29–31
Magnet **2** 51, **106** 32, **136** 100
~filmspule **293** 5
~kompaß **219** 23
~kopf **295** 51
~nadel **332** 38
Magnetton·abtaster **295** 50
~anlage **234** 1 u. 2
~gerät **234** 1
~kamera **293** 2
~platte **241** 25
~zusatzgerät **295** 50
Magnetophon **293** 7
Magnet·spannplatte **143** 12
~trommelrechner **241** 35
~ventil **339** 29
Magnolie **357** 15
Maharadscha **289** 28
Mähdrescher **68** 48
Mahl **259** 40–43
~furche **91** 18
~gang **91** 21, **151** 8
~gut **91** 45
~holländer **167** 24
~stein **337** 24
~steingehäuse **91** 20
~walze **167** 26
Mähmaschine **67** 27
Mähne **73** 13, **353** 3
Maiblume **361** 2
Maierisli **361** 2
Mai·glöckchen **361** 2
~käfer **82** 1
Mailänder Andruckpresse **174** 38
Mailcoach **179** 53
Mais **69** 1, 31
Maisch·bottich **92** 26
~bütte **80** 15
Maische **80** 14
Maischer **92** 25
Maisch·kessel **92** 27
~pfanne **92** 27
Mais·kolben **69** 36
~korn **69** 37
Majuskel **170** 11
Makkaroni **98** 33
Makler **243** 4
~schranke **243** 3
~tafel **243** 8
Makramee **101** 21
Makrone **97** 51
Makroseismik **11** 45–54
Makulatur **121** 31
Mal **275** 24
Malacosteus indicus **349** 10
Malariamücke **341** 33
Malbuch **50** 25
Malen **121** 1–28
Maler **121**
~ *[Sternbild]* **5** 47
~kasten **296** 34
~leiter **121** 4
~saal **296** 29–42
Mal·feld **275** 22
~gerät **321** 6–19

Mal·kasten **50** 31, **321** 10
~kissen **275** 51
~kugel **287** 23
~leinen **321** 21
~linie **275** 21
~mittel **321** 13
~nehmen **326** 25
~pappe **321** 22
~quadrat **275** 39
~spachtel **321** 15
~stift **50** 24
Malteserkreuz-getriebe **295** 38
Mal·tisch **321** 25
~- und Zeichen-atelier **321**
~utensilien **321** 6–19
Malve **360** 13
Malz·bereitung **92** 1–21
~darre **92** 13–20
Malzeichen **326** 25
Mälzen **92** 1–21
Mälzer **92** 12
Mälzerei **92**
Malz·kaffee **98** 65
~putzmaschine **92** 21
~schrot **92** 24
~wender **92** 16
Mammutbaum **356** 69
Mänade **308** 35
Manager **281** 41
Mandarin **289** 29
Mandel **366** 51, **368** 36
~ *[Hals]* **21** 23
~krähe **344** 6
Mandoline **303** 16
Manege **290** 21
Manegen·diener **290** 27
~eingang **290** 11
Mangel **166** 25
~walze **166** 26
Manglerin **166** 28
Mangold **59** 28
Maniküre **103** 1–8
Manipel **314** 42
Manipulator **2** 38, **133** 49, **298** 19
Mann, junger **261** 22
Männchen *[Zool.]* **341** 23
Männer·frisuren **35** 1–26
~kleidung **34**
Mannloch **93** 21, **254** 51
Mannschaft **274** 11–21
Mannschafts·lampe **138** 57
~unterkunft **255** 2
~wohnraum **223** 49
Manntau **216** 47
Manometer **93** 28, **172** 9, **333** 19
Manöver·brücke **216** 17, **218** 33
~telegraph **219** 21
Manque **263** 22
Mansard·dach **116** 18
~fenster **116** 19
Manschette **33** 38
~ *[Taucher]* **224** 28
Manschettenknopf **33** 60
Mantel **34** 48, **256** 41, **338** 26
~ *[Aktie]* **243** 11
~ *[Bereifung]* **180** 30, **189** 22
~ *[Bühne]* **297** 22
~ *[techn.]* **334** 10
~ *[Zylinder]* **329** 40
~, kurzer **338** 29
~fuß **67** 56
~kleid **32** 8
~knopf **34** 50
~kragen **34** 49
~mauer **310** 15
~rohr **143** 26, **254** 64
~schnur **338** 24
~tasche **34** 37, 51
Mantisse **327** 6
Manual **301** 46, 47, **304** 48, **305** 42–45
Manuskript **169** 6, **234** 10, **292** 45
Maracas **303** 59
Marbel **258** 57
marcato **300** 41
Märchenfigur **289** 65
Marder **86** 22, **352** 14–16
Mare **7** 11
Margarine **98** 21
Margerite **360** 4
Marginalie **178** 68
Marien·gras **70** 12
~käfer **342** 37
~psalter **313** 28
~würmchen **342** 37
Marille **61** 35
Marillenbaum **61** 33–36
Marionette **298** 29
Marionetten·spieler **298** 36
~theater **298** 29–40
Mark **19** 47, **20** 24
Marke **221** 35
~*[Brief~]* **232** 40
Marken·geber **231** 29
~schild **180** 15
Marketerie **47** 48
Markierschlägel **85** 43
Markierung **197** 29
Markierungsflagge **272** 29
Markise **39** 71, **79** 42
Mark·linie **275** 23
~knochen **96** 8
~röhre **354** 14
~strahl **354** 11
Markt **252** 43
~brunnen **252** 44
~bude **252** 46
~frau **291** 65
~halle **252** 50
~platz **16** 52, **252** 43
~schreier **291** 64
Marlotte **338** 50
Marmel **258** 57
Marmelade **98** 52
Marmorierpinsel **121** 14
Marmorplatte **261** 12
Marone **368** 52
Maronenpilz **365** 15
Mars **308** 9
~ *[Planet]* **6** 25
Marschbrennkammer **227** 60
~kühlmantel **227** 61
Marschstiefel **100** 28
Mars·kanal **7** 15
~oberfläche **7** 13
~polkappe **7** 14
~rah **213** 39
~segel **213** 38
Martnets **213** 36
März·blume **62** 1
~blümchen **62** 1
~glöckchen **62** 1
Marzipan **98** 82
Masche **160** 62
Maschen·abschlagen **160** 66
~bildung **160** 65
~drahtzaun **84** 7
~größeeinstellskala **160** 42
~ware **160** 9
Maschinen für spanlose Metallbearbeitung **133** 1–61
~, landwirtschaftliche **67, 68**
~abstellhebel **157** 6, 32
~anlage **222** 60–63
~aufbau **216** 25
~bauhalle **217** 8
~bett **143** 40
~einschalthebel **156** 17
~endschild **157** 26
~gewindebohrer **143** 32
~grundrahmen **162** 54
~gruppe **241** 40–61
~haus **145** 67, **146** 22, **212** 21, **217** 30
~meister **297** 59
~nähte **102** 1–12
~raum **207** 31, **216** 26
~satz **169** 27, **241** 40–61, **261** 48
~teile **136**
~telegraph **219** 20
~tischlerei **128**
~waffe **222** 35
~wagen **207** 30
Maschinist **113** 32, **255** 13
Maserpinsel **121** 17
Mashie **276** 70
Maske **277** 47, **289** 7, **322** 37
~, komische **308** 62
Maske, tragische **308** 75
Masken·ball **289** 1–48
~bildner **292** 36, **296** 47
~fest **289** 1–48
Maskerade **289** 6–48
Maskierung **289** 6–48
Maskottchen **190** 35
Maß **144** 59
Massage **24** 1
~bürste **51** 27
~öl **24** 6
~pritsche **24** 4
~stuhl **103** 34
Massaikrieger **337** 8
Maßband **102** 73
Masse **96** 44
~, stationäre **11** 43
Maß·einteilung **249** 68
~eintragung **144** 59
Massekuchen **154** 13
Massel **140** 39
~gießmaschine **140** 33–43
Massemühle **154** 1
Massenversammlung **251** 1–15
Massestrang **154** 8
Masseuse **24** 2
Massiv·decke **113** 16, **118** 28
~treppe **118** 16
Maß·liebchen **360** 1
~stab **15** 29
Maßwerk **317** 39 u. 40
~fenster **317** 39–41
Mast **214** 1–9, **215** 16
~darm **22** 22, 61
Master **272** 61
Mastfesselgerät **226** 67
Matador **287** 65
Mater **172** 7
Material **98** 46–49
~behälter **196** 45
~fluß **148** 1–9
~träger **161** 27–30
Matestrauch **366** 11
Mathematik **326, 327**
~, höhere **327** 11–14
Matratze **48** 10, **279** 13
Matratzenfüll- und -beziehmaschine **124** 3
Matrize **169** 31, **170** 37, **240** 38
Matrizen·bohrmaschine **170** 49
~prägepresse **172** 8
~rahmen **169** 42, 46
~spanner **27** 55
~spannvorrichtung **170** 59
Matrosenanzug **31** 28

Modell·kufe **271** 45
~rohbau **271** 44
Modepuppe **256** 34
Moderator **1** 26, 34
Mode·zeitschrift **256** 36
~zeitung **102** 71
Modistin **36** 30
Modulator **237** 33, 36, 37
Mohn **63** 2
~blüte **63** 4
~kapsel **63** 5
~samen **63** 5
~stange **97** 55
~Möhre **59** 17
Mohrenkopf *[Gebäck]* **97** 14
~ *[Vogel]* **343** 14
Mohrrübe **59** 17
Moire **308** 53–58
Moiréband **36** 41
Mokassin **100** 42, **335** 18
Mokka·maschine **42** 17, **261** 50
~mühle **41** 63
~tasse **261** 51
Molche **350** 20–22
Mole **212** 15
Molkerei **77**
Molldreiklang **300** 17
Molle **96** 43
Mollenhaue **126** 12
Molltonart **300** 1–15
Mollusken **340** 25–34
Molterbrett **68** 5
Momentverschluß **111** 44
Monats·erdbeere **60** 16
~zeitschrift **47** 9
Mönch **314** 3, 13
~ *[Dach]* **117** 58
~-Nonnen-Dach **117** 56
Mönchs·habit **314** 14–16
~kopf **365** 25
~kutte **314** 8
~zelle **314** 4
Mond **7** 1–12
~ *[Eislauf]* **284** 5
~bahn **7** 1
Möndchen **21** 81
Mond·fleck **350** 39
~krater **7** 12
~mare **7** 11
~meer **7** 11
~oberfläche **7** 10
~phase **7** 2–7
~scheinkraut **363** 5
~sichel **7** 3, 7
~umlauf **7** 1
~viertel **7** 6
~wechsel **7** 2–7
Monierzange **114** 85
Monitor **222** 64
Monogramm **37** 4
Monokel **108** 27
„Monotype"-Gießmaschine **169** 39
~-Normalsetzmaschine **169** 32
Monsun **9** 52
Monstranz **312** 48, **313** 33
Montage·gerät **209** 80
~gerüst **229** 32
~hebel **192** 4
~messer **120** 63
~roller **192** 67
~tisch **173** 35
~- und Prüfhalle **145** 1-45
Monteur **213** 43
~kasten **192** 37
Montiereisen **192** 5
Moor **13** 14–24, **16** 20
~bad **262** 37-49
~brei **262** 39
~huhn **343** 20
~küche **262** 37
~pflanzen **361**
~tümpel **13** 23
~vollbad **262** 43
~wanne **262** 38
Moos **361** 17
~torfmasse **13** 20, 22
Mop **52** 11
Moped **181** 33
~armatur **181** 34–39
~leuchte **181** 40
~motor **181** 49
Mops **71** 9
Mopsea **349** 8
Moräne **12** 55
Morchel **365** 27
Mordent **300** 34
Morgen·rock **33** 6, **48** 56
~schuh **48** 34
Morse·anlage **233** 52–64
~empfänger **233** 54–63
~kegel **143** 29
~konus **143** 29
~lampe **218** 7
Mörser **27** 52, **333** 9
~keule **27** 53
Morse·schreiber **233** 54–63
~schrift **233** 62
~taste **233** 64
~zeichen **233** 62
Mörtel·bett **118** 27
~kasten **113** 20
~kübel **113** 84
~pfanne **113** 39
Mosaik **321** 37
~figur **321** 38
~spiel **50** 18
~stein **321** 39
Moschee **319** 12
Moschusochse **352** 10
Moskito **342** 16
Motor **68** 56, **76** 27, **254** 45
~baumspritze **83** 45
~block **184** 25
~boot **269** 2
~bootsteg **211** 7
~coupé **183** 41
Motordreirad-Walze **196** 36
Motoren·aufbau **221** 46
~raum **222** 60, **223** 33
Motor·fähre **211** 6
~frachtschiff **216** 13
~-Geräteträger **67** 1
~grundplatte **157** 36
~handschneepflug **195** 30
~haube **185** 8, **187** 2
~jacht **216** 20
~kettensäge **85** 44
~kupee **183** 41
~lastfahrzeuge **189**
~lüfter **206** 16
~lüfterschalter **206** 34
~luftpumpe **190** 27, **206** 17
~modell **271** 59–63
~pumpe **255** 8
Motorrad **182**
~batterie **182** 54
~benzintank **182** 28
~brille **190** 17
~fahrer **190** 15, **253** 68, **273** 11
~hebebühne **191** 33
~kippständer **182** 38
~luftpumpe **182** 17
~marke **182** 20
~packtasche **190** 12
~rennen **273** 24–28
~rennfahrer **273** 25
~rückspiegel **190** 14
~scheinwerfer **182** 10
~sitzbank **182** 55
~stiefel **190** 19
~vergaser **183** 53–69
~werkzeugkasten **182** 41
~windschutzscheibe **182** 58
Motor·rennboot **269** 6
~rettungsboot **224** 31–43
~roller **183**
~schaltschutz **254** 46
~schiff **218**
~segelflugzeug **271** 27
~segler **271** 27
~sport **273**
~spritze **255** 5
~sprüher **83** 43
~stäuber **83** 43
~tragöse **192** 32
~vernebler **83** 43
~wagen **193** 8
~wellendrehzähler **228** 18
~zerstäuber **83** 45
Motte **341** 14
Mottensack **48** 44
Möwe **343** 14
Mozartzopf **35** 4
Mücke **342** 16
Muddeschicht **13** 15
Muff **32** 47
Muffe **120** 41, **209** 74
Muffel **71** 4
~ofen **134** 20
Mufflon **352** 6
Mühlbach **91** 44
Mühle **91**, **152** 4
~ *[Brettspiel]* **265** 24
~brett **265** 23
Mühleisen **91** 12
Mühlespiel **265** 23–25
Mühl·graben **91** 44
~rad **91** 35, 37, 39
Mühlstein **91** 16
~auge **91** 19
~kragen **338** 52
Mühlwehr **91** 42
Mulde **12** 18, **318** 48
Mulden·achse **12** 19
~gewölbe **318** 47
~kipper **153** 4
~kippwagen **208** 22
~presse **162** 38
~tal **13** 56
~wagen **140** 57
Muleta **287** 66
Muli·anhänger **202** 3
~schlepper **202** 2
Müllabfuhr·auto **195** 1
~wagen **195** 1
Mullauflage **17** 6
Müllauto **195** 1
Mullbinde **23** 55
Mülleimer **41** 11
Müller **91** 15
Müll·schaufel **52** 17
~tonne **53** 32
~tonneneinsammelwagen **195** 1
~tonnenkippvorrichtung **195** 2
~verbrennungsanstalt **252** 67
~wagen **195** 1
Mullwindel **30** 6
Multiplikand **326** 25
Multiplikation **326** 25
Multiplikationstaste **240** 66
Multiplikator **326** 25
Multiplizieren **326** 25
Mumie **335** 21
Mund **18** 13, **21** 8, 14–37
~binde **301** 5
~blasen **115** 13–15
~harmonika **303** 35
~leuchte **27** 44
~rohr **302** 29
~schenk **310** 69
~spiegel **27** 43
~spülbecken **51** 64
~stück **105** 15, **151** 13, **303** 33, 72
~tuch **28** 19, **46** 9
Mündung **13** 1

Mündungs·arm **13** 2
~waagerechte **87** 74
Mundwasser **51** 60
Mundwinkel **21** 19
~knötchen **18** 14
Münster **252** 37, **317** 22–41
Münz·armband **38** 5
~bild **244** 12
~buchstabe **244** 9
Münzen **244**
~sammlung **47** 38
Münz·fernsprecher **233** 2
~plättchen **244** 43
~prägung **244** 40–44
~sammlung **47** 38
~zeichen **244** 9
Murmel **258** 57
~spiel **258** 56
~tier **351** 18
Musche **289** 24
Muschel **340** 30–34
~horn **307** 41
~schale **340** 34
Muse **308** 59–75
Musenroß **307** 26
Museum **252** 21
Mushaus **310** 13
Musik·atelier **292** 14
~automat **291** 38, **306** 8
~clown **290** 23
Musiker **289** 3
~tribüne **290** 9
Musikinstrumente **301–306**
Musikinstrument, elektrisches **306** 11
Musik·kreisel **49** 24
~note **299** 5–9
Musiknoten **299, 300**
Musik·pavillon **272** 9
~schrank **44** 28 u. 29, **306** 45
~truhe **44** 28 u. 29
~verstärker **306** 42
Musikwerk **291** 38
~, mechanisches **306** 1–10
Musikzimmer **44**
Muskat·blüte **366** 34
~nußbaum **366** 30
Muskel **20** 34–64
~stärker **278** 49
Muskulatur **20** 34–64
Mustang **335** 4
Muster·beutel **231** 17
~kette **160** 19
~klammer **238** 43
~rolle **121** 26
Mutter **30** 30, **45** 2
~ *[Schraube]* **180** 53
~flugzeug **226** 23
~gang **82** 23
~knolle **69** 39
~kompaß **219** 28
~korn **69** 4
~mund **22** 85
Mutternschlüssel **192** 1
Mutter·pflanze **57** 15
~sau **76** 42
Mutulus **316** 13
Mütze **36** 23, **201** 42
~, phrygische **36** 2
Mützen·band **31** 33
~deckel **36** 24
~geschäft **36** 1–26
~schild **36** 25
MW **234** 38
My-Meson **4** 32
Myrte **56** 11
Myrten·kranz **313** 18
~sträußchen **313** 21
Mythologie, griech.-röm. **308**
Myrtus **56** 11
Mythos **307**
Myzel **365** 2
Myzelium **365** 2

N

Nabe **131** 27, **180** 26
Nabel **18** 34
~binde **30** 44
Naben·hülse **180** 69
~kapsel **185** 14
Nachbarhaus **53** 23
Nach·bohrer **143** 32
~brenner **227** 44
~brenner-Turbinenstrahltriebwerk **227** 42
~brust **95** 25
~gären **93** 20–28
~kühler **148** 14
~mittagskleid **32** 28
~schlag **300** 31, 32
~schlagewerk **250** 17
~schlüssel **134** 10
~synchronisierung **293** 25–29
Nacht·falter **348** 7–11
~geschirr **30** 17
~glas **108** 38
~hemd **33** 1
~hyazinthe **62** 9
Nachtigall **346** 14
Nacht·kästchen **48** 2
~kerzengewächs **56** 3
~krem **103** 11
~raubvögel **347** 14–19
~rettungsboje **216** 63
Nachtschatten, schwarzer **363** 5
~gewächs **56** 6, **363** 7
Nacht·schmetterling **82** 14, **348** 7–11
~schränkchen **48** 2
~stuhl **23** 25
~tisch **48** 2
~töpfchen **30** 17
~wolke **4** 36
Nachzwirnerei **164** 47
Nacken **18** 21
~band **36** 38
~halte **278** 7
~heber **281** 10
~kissen **48** 54
~muskel **20** 51
~pinsel **104** 18
~schutz **255** 38
Nadel **158** 37, **160** 53, **331** 66
~ *[Tanne]* **356** 11
~, chirurgische **26** 36
~barren **160** 28
~bäume **356** 1–71
~befestigungsschraube **102** 30
~bett **160** 55
~düse **183** 56
~feile **106** 50
nadelförmig **354** 34
Nadel·fuß **160** 60
~halter **26** 37, **331** 65
~heber **160** 59
~hölzer **356**
~käfig **136** 73
~kanal **160** 15
~kissen **102** 77
~lager **182** 49
~öhr **102** 58
~reihe **160** 27, 46, 47
~schloß **160** 57
~segment **156** 70
~senker **160** 58
~spitze **101** 30
~stange **102** 29
~wald **16** 1
~zeichen **323** 58
~zylinder **160** 8, 11
Nagel **136** 49
~ *[Finger, Zehe]* **21** 57, 80
~bohrer **127** 19
~bürste **51** 67
~eisen **132** 34
~feile **103** 7
~hautentferner **103** 3
~klaue **115** 75
~lack **103** 12
~lackentferner **103** 13
~ort **99** 63
~reiniger **103** 8
~schere **103** 5
~tasche **117** 72
~zange **127** 21
Nagerl **62** 6
Nagetiere **351** 12–19
Näglein **62** 6
Näherin **102** 75
Nähfaden **102** 21
Nähfuß **102** 28
~heber **102** 25
~stange **102** 28
Nahkampf **281** 27
Näh·kasten **102** 74
~klammer **124** 7
~kloben **123** 21
Nähmaschine **102** 14–47
Nähmaschinen·beleuchtung **102** 47
~kasten **102** 40
~koffer **102** 49
~nadel **102** 55
~öl **102** 48
~schrank **102** 13
~tisch **102** 46
Näh·nadel **102** 56, **123** 29
~ort **99** 62
~platte **102** 46
Nährmittel **98** 35–39
Nähroß **123** 22
Nahrungs·bläschen **340** 6
~vakuole **340** 6
Näh·schatulle **102** 74
~seide *[Med.]* **28** 51
~seidenröllchen **102** 50
~spitze **101** 30
Nahtband **102** 54
Nähte **102** 1–12
Naht·roller **121** 40
~spant **270** 24
~spantenbau **270** 23
~tisch **28** 2
Najade **307** 23
Namensschild **57** 4, **270** 16
Nansenschlitten **285** 1
Napfkuchen **45** 29, **97** 44
Naphtalinwäscher **148** 32
Narbe **60** 41, **354** 56
Nargileh **105** 39
Narkoseapparat **28** 34–41
Narkotiseur **28** 30
Narr **289** 38
Narren·fest **289** 1–48
~kappe **289** 39
~orden **289** 60
~pritsche **289** 48
~zepter **289** 59
Narzisse **62** 3, 4
Narzissengewächs **56** 8
Nase **18** 10, **73** 6, **350** 2
~ *[techn.]* **117** 51, **127** 55, **136** 27
Nasen·bein **19** 41
~höhle **19** 53
~keil **136** 72
~kleid **221** 47
~-Lippen-Furche **18** 11
~riemen **72** 7
~scheibe **180** 55
~spiegel **71** 4
Nashorn **351** 25
Naß·beize **83** 15
~filz **168** 16
~partie **168** 10–17
~presse **168** 17

Nationalflaggen **245** 15–21
Nationalitätszeichen **186** 33
Nationaltanz **288** 39
Natrium **3** 19
~-Graphit-Reaktor **3** 17–19
Natronlauge **163** 3, **164** 10
Natter **350** 38
Naturaliensammlung **47** 34–36
Natur·felsen **339** 17
~garten **257** 41–72
~schwamm **112** 15
~stein **194** 12
~steinsockel **39** 85
~theater **257** 6
~wabe **78** 60
Navigation **219**
Navigations·einrichtung **230** 22–38
~offizier **219** 19
~raum **218** 14
Nebel **9** 31
Nebelkammer, Wilsonsche **2** 24
~aufnahme **2** 26
Nebel·streifen **2** 27
~- und Stäubegerät **83** 43
Neben·altar **311** 45
~auge **78** 2
~bahn **16** 23
~bahnhof **252** 56
~blatt **59** 5, **60** 48
~fahrwasser **219** 69
~gebäude **53** 1
~haus **53** 23
~hoden **22** 73
~kern **340** 12
~niere **22** 29
~pforte **317** 13
~portal **317** 13
~produkt **164** 13
~straße **194** 2, **253** 7
~winkel **328** 14
~wurzel **354** 17
Necessaire **266** 26
~koffer **201** 9
Negativ **112** 41
~film **112** 6
~kohle **295** 41
Neger **337** 13
~hütte **337** 21
Negerin **337** 22
Negligé **48** 16
Neigungs·gewicht **238** 39
~waage **98** 12
Nektarium **61** 18
Nelke **62** 6
Nematode **81** 51
Nenner **326** 15
Nennwert **232** 22 u. 23, **243** 12
Neolithikum **309** 10–20
Neptun **308** 29
~ *[Planet]* **6** 30
Nerv **21** 33
Nervensystem **20** 22–33
Nessel **63** 33
~band **147** 46
Nest **75** 6
~loch **343** 28
Netz **52** 71, **86** 27, **90** 8
~ *[Sternbild]* **5** 48
~abweiser **223** 53
~arbeit **101** 22
~auge **78** 20–24
~ausschalter **228** 27
~ball **276** 1–35
~fabrik **220** 8
~fischerei **89** 1–6, 13–19
~flügler **342** 12
~gewölbe **318** 45
~halter **276** 14
~haut **21** 49
~hemd **33** 49
~knoten **125** 29
~knüpfen **125** 24
~nadel **101** 26, **125** 28
~pfosten **276** 15
~säge **223** 52
~schalter **306** 27
~siebdrossel **236** 19
~spieler **276** 48
~stricken **125** 24
~strumpf **33** 33, **289** 10
~teileinheit **241** 38
~transformator **235** 1
~umschalter **235** 6
~unterhemd **33** 49
~vorläufer **90** 14
~wand **90** 8
Neufundländer **71** 39
Neugeborenes **29** 6
Neuheitenverkäuferin **256** 63
Neume **299** 1
Neumond **7** 2
Neun·achteltakt **299** 41
~bindengürteltier **351** 8
~meterlinie **275** 26
~vierteltakt **299** 42
Neuseeland **14** 28
Neutron **1** 2, 14, 18, 21, 23, 24, 27, **4** 30
NF-Ziegelstein **113** 58
Nicht·raucherabteil **203** 29
~schwimmerbecken **268** 21
Nickelstahlpendel **107** 39
Nicker **20** 34, **21** 1
Niederdruck·gasleitung **148** 53
~gaszähler **148** 51
~reifen **181** 10
~vorwärmer **146** 25
~zylinder **147** 25
Niederflurpritschenanhänger **208** 46
Niederfrequenz **4** 20
~endstufe **236** 30
~transformator **235** 2
~vorstufe **236** 18
Nieder·gang **216** 41
~gangskappe**216** 41
~lande **14** 14
Nieder·schlag **8** 9, 10, 18, 19
~ *[Sport]* **281** 36
Niederschlags·form **8** 18 u. 19
~gebiet **9** 30
~messer **10** 37
Nieder·stromspule **332** 8
~tür **64** 49
Niere **22** 28, 30 u. 31
Nierenbecken **22** 31
nierenförmig **354** 38
Nieren·gegend **73** 30
~kartoffel **69** 38
~kelch **22** 30
~schale **26** 62
Nieseln **9** 33
Niet **136** 55–58, **181** 31
~böckchen **181** 30 u. 31
Niete **136** 55–58
Nietenschaft **136** 56
Niet·hammer **134** 17
~kopf **136** 55
~kopfsetzer **132** 12
~teilung **136** 58
Nietung **136** 54
Nietverbindung **136** 54
Nike **308** 43
Nilpferd **351** 31
Nimbostratus **8** 10, 11
Nimmersatt **343** 5
Nippel **136** 79
Nische **212** 70, **317** 5
Nitraphotlampe **112** 61
Nivellier·bohle **197** 3
~instrument **15** 48
Nivellierung **15** 46
Nixe **307** 23
Nock *[Bogenschießen]* **287** 45
~ *[Schiff]* **218** 16
Nocken **182** 45, **184** 60
~arretierung **67** 61
~schalter **193** 35
~schaltwerk **206** 8
~welle **182** 46, **184** 1, 59, **187** 26
Noir **263** 21
Nomade **336** 19
Nominale **232** 22 u. 23
None **300** 27
Nonius **134** 55, **219** 5, **333** 39
Nonne **314** 22
~ *[Dach]* **117** 57
~ *[Fichtenspinner]* **82** 17
Nonpareille **170** 23
Nonplusultra **170** 19
Nordamerika **14** 19 u. 30, **15** 12
Nordäquatorialstrom **15** 32
Nördliche Krone **5** 31
Nördliches Eismeer **15** 21
Nord·licht **4** 35
~ostpassat **9** 48
~pol **15** 3
~see **15** 26
~stern **5** 1
Norm **178** 69
Normal·bohrer **143** 32
~filmgeber **237** 21
~filmkamera **294** 1
~lautsprecher **235** 22
~modell **271** 41
~plattenschalter **306** 36
~setzmaschine **169** 32
~steckdose **120** 5
~uhr **200** 30
~zeituhr **234** 11
Norton·getriebe **142** 8
~kasten **142** 8
~schwinge **142** 10
Norwegen **14** 15
Not·aderpresse **17** 15
~ausgang **290** 33, **295** 7
~beleuchtung **295** 6
~bremse **203** 43, **204** 36, **209** 3, 71
~bremsventil **205** 59
~brücke **210** 17
Note *[Geld]* **244** 29–39
~ *[Musik]* **299** 1–9
~ *[Zensur]* **249** 54
Noten·balken **299** 8
~band **44** 27
~bank **244** 30
~blatt **306** 9
~fähnchen **299** 7
~hals **299** 6
~heft **44** 33
~kopf **299** 5
~linie **299** 45
~pult **305** 36
~regal **44** 26
~schlüssel **299** 10–13

O

P

Papier **175** 9
~ablagestapel **175** 9
~abreißschiene **240** 59
~anlage **240** 6
~an- u. -ablage **175** 14
~auffang **241** 9
~auslösehebel **240** 58
Papierbahn **168** 19, 26, 30, 37, **175** 43, 58, **176** 9, 13, 21, 30, 31
~führung **176** 8
~steuerung **168** 41
Papier·bandrolle **233** 63
~beutel **98** 48
~bogen **168** 50
~drachen **258** 50
~einwerfer **240** 15
~führungs- u. Registerwalze **176** 32
~geld **244** 29–39
~halter **240** 8
Papierherstellung **167, 168**
Papier·korb **39** 63, **238** 28, **253** 46
~kugel **289** 55
~laterne **55** 15, **289** 4
~leitwalze **168** 20
~löser **240** 16
~maschine **168** 6
~mütze **289** 45
~rand **178** 55–58
~rolle **175** 46, **240** 56
~rollenbremse **175** 47
~rollenlagerung **176** 40
~schere **238** 76
~schlange **289** 66
~schneidemaschine **178** 1
~stapel **174** 2, 12, 24, **175** 23, 25
Papierstoff **168** 3
~aufbereitung **167** 24–27
~holländer **167** 24
~mischbütte **168** 1
Papier·streifen **233** 61, **240** 57
~stütze **240** 9
~trommel **233** 60
~turm **169** 33, 43
~verarbeitung **168** 23–43
Papiros **105** 16
Papp·becher **201** 50
~dach **117** 90
~deckel **177** 44
~deckung **117** 90–103
Pappe **117** 62
Pappel **355** 15
Pappenzieher **177** 45
Papp·hülse **87** 50
~nagel **117** 96
~nase **289** 46
~schere **177** 16
~teller **201** 51
Pappusschopf **362** 11
Pappzwischenlage **323** 37
Paprika **59** 42
Papst **314** 54
~kreuz **313** 60
~ring **314** 58
Papyrus·säule **315** 15
~staude **367** 64
para **244** 28
Parabel **329** 14
~bogen **318** 29
Parabolspiegel **6** 4, **230** 40
Paradeaktion **277** 21
Paradeis **59** 12
~apfel **59** 12
Paradeiser **59** 12
Paradies·spiel **258** 13
~vogel **345** 3
Paraffin **139** 46
Paragraphenzeichen **325** 36
parallel **327** 21
Parallel·anschlag **128** 8, 9
~bohrer **129** 16
Parallele **328** 4
Parallel·falzung **178** 13
~führung **144** 8
Parallelitätszeichen **327** 21
Parallel·kristiania **283** 32
~manipulator **2** 47
Parallelo **32** 41
~gramm **328** 33–36
Parallel·querlenker **187** 23
~reißer **145** 30
~schraubstock **134** 12
~schwung **283** 32
~tonart **300** 1–15
Paranuß **368** 53, 59
Parapluie **43** 12
Parasit **69** 4
~flugzeug **226** 24
Parasolpilz **365** 30
Paravent **48** 47
Pardun **214** 19
Parentationshalle **312** 21
Parforce·jagd **272** 58–64
~jäger **272** 58
Parfüm·flakon **48** 27
~zerstäuber **48** 28, **104** 20
Parierstange **277** 56
Park **16** 97, **257**
~, englischer **257** 41–72
Park, französischer **257** 1–40
~anlage **252** 10
~bank **257** 16
~eingang **257** 32
Parkett **296** 19
~boden **118** 74
Park·gitter **257** 33
~leben **257** 41–72
Parkometer **253** 51
Park·ordnung **257** 29
~platz **252** 27
~teich **257** 50
~tor **257** 31
~verbotszeichen **253** 18
~wächter **257** 30
~wärter **257** 68
~weg **257** 38
~zeituhr **253** 51
Parterre **39** 2
~akrobat **298** 9
~anlage **257** 39
Parthenon **316** 1
Partie *[Sport]* **282** 26–28
~ *[Stapel]* **221** 36
~nummer **156** 6
Partikel **2** 27
Parze **308** 53–58
Pasch **265** 35
pas de chat **288** 17
Pas de trois **288** 31–34
Pasiphaea **349** 12
Paspel **32** 7, **102** 6
Paß **12** 47
~ *[Ausweis]* **247** 14
Passage **72** 3
Passagier **216** 52
~dampfer **216** 32
~flugzeug **226** 30
~gondel **226** 68
~raum **226** 45
Passant **253** 32
Passat **49** 9
Passe **31** 2, **33** 2
~ *[Roulett]* **263** 19
Passepartout **48** 18, **112** 46 u. 47
Passepoil **32** 7
passé-Stellung **288** 16
Paßgang **73** 40
Passiermaschine **41** 80
Passiflora **56** 2
Passions·blume **56** 2
~kreuz **313** 49
Paß·kontrolle **247** 14 u. 15
~zeichen **323** 58
Pastellstift **321** 19
Pastete **96** 16
Pastor **311** 22
Pastoralring **314** 47
Pate **313** 12
Patene **311** 12
Patent·anker **217** 75
~log **219** 31
~schlüssel **180** 50
Paternoster·aufzug **164** 36
~werk **211** 57
Patient **26** 17, **27** 2
Patriarchenkreuz **313** 59
Patrize **170** 36
Patrizierin **338** 48
Patrone **87** 54
~ *[Weberei]* **165** 4, 11, 13, 19, 27
Patronen·lager **87** 15
~magazin **87** 17
~sicherung **120** 35
~tasche **247** 7
Patte **34** 9
Pauke **302** 57
Pauken·fell **302** 58
~höhle **19** 60
Pausche **72** 48
~ *[Sportgerät]* **279** 37
Pauscht **168** 48
Pause **299** 22–29
Pausen·brot **249** 65
~schaltung **306** 39
~zeichen **299** 22–29
Pavian **353** 13
Pavillon **262** 15
Pavo **5** 41
Pazifischer Ozean **15** 19
Pech **99** 16
~draht **99** 19
~nase **310** 23
~nelke **360** 20
Pedal **180** 40, 78, **185** 39–41, **304** 8, 9
~achse **180** 81
~harfe **302** 60
~obertaste **305** 52
~pfeife **305** 3
~rahmen **180** 83
~rohr **180** 80
~stock **304** 42
~taste **305** 51
~turm **305** 4
~untertaste **305** 51
Peddigrohr **130** 32
Pediküre **25** 18
Peerd **214** 46
Pegasus **307** 26
~ *[Sternbild]* **5** 10
Pegel **16** 29
Peil·antenne **218** 5
~aufsatz **219** 30
~deck **218** 4–11
~kompaß **218** 6
Peitsche **272** 38, **290** 53
Peitschen·antenne **222** 22
~kreisel **258** 18
Pektorale **314** 52
Pelargonie **56** 1
Pelikan **343** 5
~-Aal **349** 2
Pelota·spiel **287** 51
~spieler **287** 52
Pelotte **23** 39
Pelz·besatz **32** 53
~futter **34** 66

Q

Quinte **300** 23
Quinten·gang **300** 1–15
~parade **277** 38
Quintole **300** 38
Quipu **335** 22
Quirl **42** 58, **129** 9
Quitte **60** 49, **357** 17
Quitten·baum **60** 46
~blatt **60** 47
Quittung **238** 51
Quotient **326** 26

R

Rabatte **55** 18
Rabe **346** 1–3
Rabenvogel **346** 1–3
Rachegöttin **308** 51
Rachen **21** 14–37
~höhle **21** 24
~lehre **142** 49
Rackenvögel **343** 24–29
Racket **276** 27
~rahmen **276** 30
~schaft **276** 28
Rad **131** 26, **181** 1, 26–32
~ *[Fahrrad]* **180, 181**
~ *[Puter]* **74** 29
Radar **219** 9–14
~anfluggerät **230** 10
~antenne **218** 8
~bild **219** 12, 13
~blindlandung **230** 34
~empfänger **219** 11, **230** 46
~gerät **219** 9–14, **222** 75, **230** 38
~karte **230** 51
~mast **219** 10
~parabolspiegel **230** 52
~richtspiegel **230** 40
~rundsichtgerät **230** 37, 39
~sender **230** 35, 45
~sichtgerät **230** 48
~stenge **223** 15, 16
~verbindung **4** 23
Radball **287** 29
~spieler **287** 30
Rad·bolzen **185** 32
~bremse **91** 8
~bremszylinder **186** 52
Räder·kasten **142** 7
~werk **107** 19–21
Radfahrer **253** 31
Radi **59** 16
Radial·bohrmaschine **143** 23
~ziegel **151** 25
Radiator **119** 67
Radier·gummi **249** 52
~messer **144** 56, **171** 55
~nadel **323** 16
Radierschablone **240** 32
Radieschen **59** 15
Radikand **327** 2
Radio **234**
~apparat **44** 29
~bühne **234** 14
~sonde **10** 59
Radium·packtisch **29** 54
~schrank **29** 51
~therapie **29** 48–55
~träger **29** 52
Radius **328** 47
~feile **134** 22
Radizieren **327** 2
Rad·kappe **185** 14
~kappenschlüssel **192** 26
~kranz **131** 29
~leier **301** 25
~lenker **198** 54
~mutter **183** 13
~netzspinne **342** 45
~profil **189** 13
~prüfhammer **201** 37
~reifen **131** 30
~reifen- und Radscheiben-Walzwerk **141** 61
~rennbahn **273** 1
~rennfahrer **273** 8
~satz **204** 62–64
~scheibenwalzwerk **141** 61
~schlagen **278** 30
~schlepper **85** 1
~speiche **131** 28
~sport **273**
~stand **189** 4
~steuerung **285** 6
~weber **342** 45
~welle **91** 5
~zierkappe **185** 14
Raffiabast **130** 29
Raffinade **98** 55
Raffinerie **139** 56–68
~lagertank **139** 24
Raglan **34** 41
Rähm **115** 58, **116** 39
Rahmen **68** 32, **78** 40, **99** 52, **160** 33
~bau **185** 59
~holz **114** 64, 74
~rohr **180** 16, 17
~trommel **336** 26
~unterbau **199** 49
~werk **318** 11
Rähmholz **115** 58
Rahm·kreiselerhitzer **77** 25
~kühler **77** 26
~reifer **77** 28
Rahsegel **213** 21, 33, **214** 55–66
Raife **341** 11
Raigras **63** 29
Rain **65** 3
~farn **364** 9
~weide **357** 6
Rakel **162** 61
~einstellung **176** 19
Rakelmesser **176** 18, 34
Rakenvögel **343** 24–29
Rakete **4** 44, 45–47, **224** 53, **227** 49, **229**
Raketen **229**
~apparat **224** 52 u. 53
~brennkammer **227** 60–63, **229** 22
~flug **229**
~flugbahn **229** 44
~hauptstufe **229** 37
~modell **271** 61
~montageturm **229** 32
~motor **229** 12–24
~nase **229** 2
~ruder **229** 27
~schwanzteil **229** 12–27
~spitze **229** 2–5
~start **229** 28–31
~starttisch **229** 29
~steuerbedienungsgerät **229** 3
~stufen **229** 39, 42
~treibsatz **227** 47
~triebwerk **229** 12–24
~vorstufe **229** 36
~wagen **187** 18
Rakett **276** 27
~rahmen **276** 30
~schaft **276** 28
Ralle **343** 20
Rambate **213** 49
Ramiebasthut **36** 8
Ramm·bär **221** 60
~brunnen **254** 60
Ramme **194** 17, **196** 26, **221** 59–62
Ramm·gerüst **221** 59
~gewicht **221** 60
Rammler **74** 18, **88** 59
Ramm·spitze **254** 61
~sporn **213** 9
Rampe **221** 10
~ *[Theater]* **297** 25
Rampen·dekoration **256** 67
~kontrolle **77** 4
~leuchte **297** 26
~licht **297** 26
Rand **159** 11, **239** 2
Rand·balken **114** 3
~beet **55** 18
~bemerkung **178** 68
~bogen **271** 49
Rändel·backe **244** 44
~eisen **244** 43
~rad **111** 30
Randich **70** 21
Rand·inschrift **244** 11
~kluft **282** 2
~löser **240** 28
~meer **15** 26
~messer **99** 65
Rand·platte **217** 48
~steller **240** 7
~stellerskala **240** 7
~träger **210** 9
~versteller **241** 6
~wasser **12** 32
~zone **6** 49
Rang **296** 16, 17, 18
Range **53** 11
Rangier·bahnhof **202** 44–54
~gleis **202** 50
~heber **192** 66
~hügel **202** 49
~lokomotive **202** 46
~meister **202** 48
~stellwerk **202** 47
Rangkrone **246** 43–45
Ranke **60** 30
Ranschel **286** 17
Ranscheln **286** 18
Ranzen **249** 41
~deckel **249** 42
Rappen *[Münze]* **244** 15
Rapport **165** 12
Rapputz **118** 6
Raps **367** 1
Rapünzchen **59** 38
Rapunze **59** 38
Rapunzel **59** 38
Rapunzlein **59** 38
Raschel·maschine **160** 23
~ware **160** 29
Rasen **54** 21, **257** 36
~bankett **196** 56
~besen **54** 16
~fläche **257** 36
~mäher **58** 34
~mähmaschine **58** 34
~randschere **58** 24
~randstecher **58** 33
~schere **58** 24
~sprenger **39** 43, **58** 41
~streifen **197** 37
Rasierapparat **51** 71
Rasieren **104** 11
Rasier·klinge **51** 72
~krem **51** 70
~messer **104** 25
~paste **51** 70
~pinsel **104** 35
~seife **51** 69, **104** 21
~spiegel **51** 81
~wasser **104** 14
Raspel **99** 22, **127** 30, **132** 41
Rassel **30** 42, **289** 40
Raste **87** 70
Raster **171** 35
~punkt **172** 32
Rasur **35** 25
Rateau **263** 5
Rathaus **252** 41
Ratsche **289** 47
Rätsche **289** 47
Ratten·falle **83** 7
~schwanz **127** 31
Raubbein **342** 5
Räuber **60** 20

Rumpf·bug **226** 13, **271** 46
~drehen **278** 12
~form **270** 1–10
~spitze **271** 46
Rumsteak **96** 20
rund **354** 33
Rund·ahle **123** 26
~amboß **192** 19
~beet **54** 6
~beil **126** 8
~blicksehrohr **223** 56
~bogen **318** 27
~bogenfries **317** 9
~brot **97** 26
~brötchen **97** 37
~eisen **136** 8, **323** 6
Runden·zählapparat **280** 19
~zähler **273** 6
Runde- u. Aufstoßgerät **177** 41
Rund·feile **134** 22
~fenster **317** 12
~flick **181** 4
Rundfunk **234, 235**
~ansager **234** 9
~empfang **234** 21–50
~empfänger **234** 35, **235** 1–23, **306** 46
~empfangsgerät **234** 35
~sendung **234** 1–20
~sprecher **234** 9
~welle **4** 16–19
Rund·gattheck **213** 25
~geschirr **115** 20
~glasschneider **122** 22
~hacke **131** 32
~haspel **161** 6
~haus **199** 6
~holz **115** 35, **149** 31
~hölzer **214** 32–45
Rundholz·förderer **149** 32
~lagerplatz **149** 30
~transportkarren **149** 27
Rund·horizont **292** 12, **297** 9
~käfig **290** 49
~kolben **334** 38
~kreis **258** 4
~kuppe **136** 20
~lauf **258** 41
~maschine **119** 22
~medaillon **322** 36
~ofen **154** 3
~pinsel **121** 15, **321** 8
~platte **172** 21, **316** 30
~plattengießwerk **172** 13
~platz **252** 12
~reiseheft **201** 55
~schaber **126** 13
~schere **119** 33
~schiffchen **102** 38
Rund·schild **310** 57
~schleifmaschine **143** 7
~sichel **58** 28
~sichter **91** 26
~sichtradargerät **230** 4
~sichtwindschutzscheibe **185** 18
~stabfräsmaschine **128** 42
~stahl **114** 80
~stamm **115** 83
~stichel **323** 20
~strickmaschine **160** 1
~stuhl **160** 1
~thermometer **173** 4
~tischglasiermaschine **154** 16
~zange **120** 50
~zelt **266** 51
Rundzugschaltung **183** 27
Rune **324** 19
Runge **85** 3, **131** 10, **208** 8
Rungen·stütze **131** 22
~wagen **202** 30
Runke **63** 16
Runkelrübe **69** 44, **70** 21
Rüsche **37** 18
Russe *[Schabe]* **341** 18
Rüssel **74** 10, **88** 53, **351** 21
~ *[techn.]* **220** 64
~käfer **81** 49
~tier **351** 20
russisch **324** 20
Rußsack **40** 34
Rüster **355** 49
Rüsthaken **310** 80
Rustika **317** 51
Rüstleiter **131** 20 u. 21
Rüstung **336** 38
Rute **130** 14
~ *[Angelsport]* **89** 20–23
~ *[Schwanz]* **71** 12
Rutenhalter **89** 11
Rutschbahn **258** 36, **291** 40
Rutsche **84** 32, **258** 36
Rutschen **288** 18
Rüttel·flasche **114** 89
~schuh **91** 14
R-Zettel **232** 33

S

Saal **289** 1
~beleuchtungsregler **295** 17
~chef **263** 7
~maschine **287** 32
Saal·schutz **251** 10
~tochter **260** 18
Saat **84** 9
~gut **65** 12
~kamp **84** 6
~kartoffel **69** 39
~kasten **67** 25
~korn **65** 12
~krähe **346** 2
~platterbse **70** 19
~rauke **63** 16
~schale **57** 2
~schnellkäfer **81** 37
~wicke **70** 18
~wucherblume **63** 7
Säbel **277** 34, 46, 63
~fechter **277** 33
~handschuh **277** 35
~maske **277** 36
Sachverständiger **248** 36
Sack **53** 40, **203** 23
~gasse **252** 40
~geige **301** 20
~hüpfen **258** 7
~karre **221** 18
~karren **202** 15
~leinen **124** 24
~packanlage **153** 28
~pfeife **301** 8
Säen **65** 10–22
Safranköpfchen **346** 10
Säge **85** 34, **115** 14, **127** 1–8, **128** 1
~ *[Schlittschuh]* **284** 32
Sägeblatt **85** 35, **128** 2, 6, **149** 11
~führung **128** 3
~gruppe **149** 3
Säge·bock **53** 6
~dach **116** 20
~ente **343** 15
~feile **127** 26
~gans **343** 15
~kette **85** 46, **115** 16
~mühle **149** 1–59
~muskel **20** 42
Sägen **84** 20
~setzer **127** 49
~welle **149** 24
Säger **343** 15
Säge·rahmen **149** 12
~schiene **85** 47
~schnitt **85** 21
~schuppen **115** 3
~- u. Hobelwerk **149** 1–59
~- u. Hobelwerkhalle **149** 29
~werk **149**
~werkarbeiter **149** 19
~zahn **85** 36
Sagittarius **5** 37, **6** 40
Sago **98** 39
~palme **367** 58
Sahne·bläser **42** 38
~kännchen **261** 21
Sahnen·gießer **261** 21
~rolle **97** 12
Saite **301** 44, 55, **302** 9, 61, **303** 6
Saiten·bespannung **276** 29
~bezug **304** 7
~halter **310** 16, **302** 7, **303** 4
~hammer **304** 3
~instrumente **302** 1–27, **303** 1–31
Sakko **34** 2
Sakralbau **319** 21
Sakrament **313** 33
Sakristan **311** 62
Sakristei **312** 13
~tür **311** 18
Salamander **350** 22
Salami **96** 13
Salat **59** 36
~besteck **46** 24
~blatt **59** 37
~gabel **46** 68
~löffel **46** 67
~pflanzen **59** 36–42
~schüssel **46** 23
~staude **59** 36
Salben·büchse **26** 10
~dose **30** 43
Saldiermaschine **240** 55
Salicional **305** 23–30
Saline **16** 32, **262** 1–7
Salmiak·geist **52** 31
~stein **119** 7
Salon **204** 50, **218** 26
~wagen **204** 49
Salta **265** 20
~spiel **265** 20
~stein **265** 21
Salto **268** 43
Salz **98** 40
~gebäck **45** 61
~mandel **45** 50
~säure **52** 35
~stange **45** 61, **97** 54
~streuer **45** 37
Sä·mann **65** 10
~maschine **66** 39
Same **59** 7
Samen **57** 3, **59** 7
~anlage **354** 63
~blase **22** 77
~haar **367** 19
~kapsel **63** 5
~korn **69** 13, 15, 25
~leiter **22** 74
Sämischleder **52** 28
Samkern **60** 23
Sämling **57** 6
Sammel·behälter **10** 39, **145** 65
~boden **68** 66
~brunnen **254** 4
~büchse **257** 65
~bütte **80** 8
~-Drahtheftmaschine **177** 52

Schlacht·maske **94** 4
~messer **94** 9
~raum **96** 29–57
~schiff **222** 31
~teile **95**
~- und Viehhof **252** 51
~vieh **94** 2
~zeug **96** 29
Schlacken·abfluß **140** 9, **146** 8
~bansen **199** 53
~hammer **135** 57
~kübel **140** 10
~rinne **141** 12
Schlafanzug **33** 3
~hose **33** 5
~jacke **33** 4
Schlafdecke **48** 55
Schläfe **18** 6
Schläfen·bein **19** 33
~blutader **20** 4
Schlafender **257** 66
Schläfen·muskel **21** 3
~schlagader **20** 3
Schläfer **257** 66
Schlaf·mohn **364** 15
~mütze **36** 2
~rock **33** 6
Schlafwagen **204** 14
~abteil **204** 15
~schaffner **204** 16
~zug **207** 38
Schlafzimmer **48**
~leuchte **48** 23
~schrank **48** 40
Schlag·ader **17** 14, **20** 21
~arm **159** 17
~armpuffer **159** 65
~bär **133** 10
~baum **247** 13
~bohle **196** 32
~bolzen **87** 21
~eisen **322** 14
Schlägel **85** 43, **137** 1
Schläger **275** 46, 49, 59, **276** 27, 36, **287** 53
~ *[Spinnerei]* **156** 25
~blatt **284** 38
~partei **275** 46
~schaft **284** 37
~träger **276** 64
Schlag·exzenter **159** 66
~feld **275** 41
~fell **302** 52
~fläche **84** 13, **276** 29
~gewicht **107** 34
~gitarre **303** 73
~hacke **66** 32
~hammer **132** 24
~holz **275** 52, 60, **322** 12
~instrumente **302** 49–59, **303** 47–58
~klöppel **301** 35
Schlag·leiste **68** 58
~mal **275** 40
~mallinie **275** 57
~mann **269** 12, **275** 59
~maschine **97** 79
~obers **97** 11, **261** 5
~rad **177** 23
~rahm **97** 11, **261** 5
~riemen **159** 22
~ring **303** 27
~sahne **97** 11, **261** 5
~schere **119** 15
~stäbchen **301** 19
~stock **159** 17
~stock-Rückholfeder **159** 68
~wagen **203** 24
~werk **107** 47
~wurf **275** 8
~zeile **325** 42
~zeug **303** 47–54
~zither **303** 21
Schlamm·bad **262** 37–49
~eimer **194** 23
~erguß **11** 51
~fang **194** 23, **253** 49
~kegel **11** 51
~kübel **195** 27
~sammler **205** 28
~saugwagen **195** 28
Schlange **336** 48
~ *[Sternbild]* **5** 20
Schlangen **350** 38–41
~beschwörer **336** 45
~bogen **284** 14
~bündel **308** 52
~fibel **309** 28
~fuß **307** 39
~kühler **333** 6
~lederschuh **100** 33
~leib **307** 2, 33
~rohrölkühler **206** 19
~schweif **307** 31
~stern **349** 11
~tänzerin **298** 14
Schlapphut **36** 9
~, schwed. **338** 55
Schlauch **135** 48, **171** 54
~ *[Bereifung]* **180** 30, **189** 22
~boot **222** 76
~brücke **220** 59
~hahn **39** 41
~haspel **58** 35, **255** 28
~klemme **334** 30
~kupplung **255** 29
~leitung **255** 30
~reifen **273** 19
~stethoskop **26** 14
~träger **195** 29
~- und Gerätewagen **255** 53
~ventil **180** 31
~wagen **58** 36
~ware **160** 1, 9
Schlaufe **37** 15, **99** 42, **283** 53
Schlechtwetter- und Blindlandung **230** 22–38
Schlegel **113** 54, **132** 39, **322** 21
~ *[Musikinstrument]* **49** 22, **302** 56
Schlehdorn **358** 27
Schlehe **358** 27
Schleiche **350** 37
Schleier **36** 47, **308** 7, **313** 19, **314** 24
~ *[Eule]* **347** 18
~ *[Pilz]* **365** 5
~eule **347** 17
Schleif·band **128** 47
~bock **134** 31
~bügel **193** 15
Schleife **31** 35, **33** 44
~ *[Schlitterbahn]* **286** 17
Schleifen **286** 18
~bildner **295** 30
Schleifer **300** 30, **331** 85
~welle **167** 17
Schleif·kasten **173** 30
~klotz **127** 11
~kontakt **193** 27
~kugel **173** 32
~lade **305** 12–14
~lager **156** 41
~leitung **145** 15
~maschine **128** 46, **134** 31, **143** 7
~ring **331** 77, 82
~scheibe **134** 34, **143** 11, **173** 28, **323** 46
~schlitten **143** 8
~schuh **128** 48
~staubabsauger **143** 15
~staubhaube **128** 51
~stück **193** 26
~tisch **128** 49
Schlepp·anhänger **189** 35
~auto **271** 3
~bock **224** 34
~dach **39** 55
Schleppe **272** 64
~ *[Kleid]* **338** 80
Schlepper **65** 25, **189** 35, **202** 2
~ *[Dampfer]* **217** 39, **220** 21
~ *[Pinsel]* **121** 21
Schlepp·flug **271** 7
~flugzeug **271** 8
~gaube **39** 56
~gaupe **39** 56
~haken **224** 35
~hänger **189** 54
~jagd **272** 58–64
~kahn **211** 25, **220** 20
~kopfsauger **211** 59
Schlepp·netzfischerei **90** 11–23
~rad **67** 6
~schiffer **211** 26
~seil **226** 63, **271** 2
~start **271** 7
~tender **208** 1
~tender-Schnellzuglokomotive **205** 38
~zug **211** 22
Schleuder **166** 18, **195** 21, **258** 9
~ *[Biene]* **78** 61
~akrobat **290** 35
~apparat **173** 1
~ball **287** 49
~ballspiel **287** 48
~brett **290** 36
~gabel **68** 43
~honig **78** 62 u. 63
~kreisel **258** 25
~maschine **166** 18
Schleudern **163** 23
Schleuder·nummer **290** 43
~rad **68** 42
~stab **48** 38
~stange **48** 38
~vorhang **48** 36
Schleuse **212** 20
Schleusen·deckel **194** 21
~griff **109** 4
~hafen **212** 26
~kammer **212** 20
~reinigungswagen **195** 25
~rost **194** 24
~schacht **194** 21
~tor **212** 18
~treppe **212** 17–25
Schlichte **158** 44
~trog **158** 45
Schlicht·feile **134** 23
~hammer **132** 31
~hobel **127** 52
~maschine **158** 40
~platte **119** 4
~stahl **142** 44
Schlickerguß **154** 15
Schliefer **351** 24
Schließanlage **231** 7
Schließe **37** 14
Schließer **296** 12
Schließ·fach **231** 8
~früchte **354** 97–102
~kopf **136** 57
~korb **52** 58
~muskel **22** 63, **78** 17
~rahmen **175** 38
~vorrichtung **90** 27
~zeug **175** 39
Schliff **284** 26
~ansatz **334** 37
Schlinge **117** 68, **125** 25, **283** 53, **335** 5
Schlingenfänger **102** 38

T

Tag·falter **348** 1–6
~pfauenauge **348** 2
~raubvögel **347** 1-24
~undnachtgleiche **5** 6 u. 7
Taifunrad **291** 46
Taille **18** 31
~, geschnürte **338** 53
Taillenmantel **32** 52
Tailleur **32** 1
Tailor **32** 1
~made **32** 8
Takelung **214** 1–72, **270** 38, 43
Takt **299** 30–44
~art **299** 30–44
~geber **237** 17
~messer **304** 19
~stock **296** 27
~strich **299** 44
Talar **248** 27, **313** 4, **314** 33
Talaue **13** 62
Taler **244** 6
Talform **13** 52–56
Talg **96** 6
Tal·gletscher **12** 49
~grund **13** 67
Talje **216** 4, 48
Taljenläufer **216** 50
Tal·landschaft **13** 57–70
~lehne **13** 65
Tallymann **221** 27
Talon **243** 19
Tal·schi **283** 26
~sohle **13** 67
~sperre **212** 57-64
~station **209** 39
~stationsbahnsteig **209** 51
~tempel **315** 8
Tambour *[Architektur]* **317** 44
~ *[Spinnerei]* **156** 43
~rost **156** 55
Tamburin **258** 47, **303** 30, 45
~spiel **258** 45
Tamper **1** 50
Tampon **323** 22
Tamul **324** 11
tamulisch **324** 11
Tändelschürze **32** 23
Tandem **179** 50
~modell **271** 43
Tang **362** 48
Tangens **328** 32
Tangente *[Geometrie]* **328** 48
~ *[Musikinstrumente]* **301** 43
Tank *[Gefäß]* **3** 2, **185** 65, **216** 30
~bodenventil **40** 49
~boot **220** 23
~decke **217** 51
~deckelöffner **192** 26
~einfüllstutzen **186** 30
Tanker **216** 22
~brücke **216** 24
Tank·insel **190** 13
~löschfahrzeug **255** 51
~löschwagen **255** 51
~pumpe **190** 2
~rahmen **181** 46
~randplatte **217** 48
~säule **190** 2
~stelle **190**
Tankstellen·beleuchtung **190** 8
~dach **190** 7
Tankwart **190** 10
~raum **190** 9
Tankzuleitung **229** 33
Tanne **356** 1
Tannen·nadel **356** 11
~zapfen **356** 2
Tanz **288**
~, klassischer **288** 29–34
~, moderner **288** 41
~ für drei **288** 31–34
Tanzen **259** 46
Tänzerin **288** 40
~, indische **289** 25
Tanz·groteske **288** 35
~gruppe **288** 29
~knopf **258** 18
~kunst **288** 29–41
~orchester **289** 2
~paar **259** 46, **288** 44 u. 45
~partner **288** 44
~partnerin **288** 45
~platz **316** 47
~pantomime **288** 37
~raum **204** 25
~rock **288** 33
~schmuck **337** 36
~schuh **100** 32, **288** 34
~stock **337** 37
~trommel **337** 14
~truppe **298** 6
~übung **288** 1–10
~wagen **204** 24
Tapete **121** 32
Tapeten·bahn **121** 36
~kleister **121** 30
~leiste **121** 33
Tapezier·bock **121** 41
~hammer **121** 39
Tapezieren **121** 29–41
Tapezierer **121**
Tapir **351** 26
Tasche **31** 10, **32** 59, **37** 10
~ *[Schiff]* **213** 57
~, aufgesetzte **32** 3
Täschelkraut **63** 9
Taschen·besatz **32** 53
~dieb **291** 16
~dosimeter **2** 15
Taschen·fahrplan **200** 44
~geige **301** 20
~klappe **34** 9
~klemme **2** 18
~lampe **120** 26
~lampenbatterie **120** 27
~messer **266** 17
~schirm **43** 10
~tuch **31** 8, **37** 2
~uhr **107** 9
Tasse **45** 7, **261** 19
Tassel **338** 23
Tasso **119** 20
Tastatur **169** 37, **241** 33, 44, **304** 4 u. 5, **306** 12
Taste **240** 26, **301** 38, 49, **304** 4, 5, **305** 8, 40
Tasten·feld **240** 25, **241** 33
~instrument **304** 1
~mechanik **304** 22–39
Taster **169** 32
Tast·fühlerkontakt **159** 31
~zirkel **129** 18, **322** 3
Taterkorn **70** 20
Tätowierung **289** 44
Tatze **353** 4
Tatzelwurm **307** 1
Tau *[Seil]* **125** 19, **224** 50, **279** 5
Taube **64** 10, **74** 33, **343** 23
Tauben·schlag **64** 8
~skabiose **359** 29
Täuberich **74** 33
Taubgerste **63** 28
Tauchbrille **267** 38
Tauchen **268** 39
Taucher **135** 46, **224** 13–19
~anzug **224** 27
~ausrüstung **224** 20–30
~boot **224** 13
~helm **224** 22
~leiter **224** 16
~schuh **224** 30
Tauch·flosse **267** 41
~huhn **343** 13
~sieder **41** 83
~versuch **4** 9
~walze **158** 42
~zelle **223** 19
Taufe **313** 1
Tauf·becken **311** 3, **313** 11
~kapelle **313** 2
~kleidchen **313** 8
Täufling **313** 7
Tauf·schleier **313** 9
~stein **311** 2, **313** 10
Tauhangeln **279** 6
Taukreuz **313** 53
Taurus **5** 25, **6** 33
Tausenderstelle **326** 3
Tausend·güldenkraut **364** 10
~schön **62** 2, 21
Tausendstel **326** 20
Tau·wurm **340** 20
~ziehen **258** 35
Taxameter **253** 36
Taxe **253** 35
Taxi **253** 35
~chauffeur **253** 37
~fahrer **253** 37
~schofför **253** 37
~stand **253** 35
Tazette **62** 4
Techniker **1** 41, **144** 23
Teckel **71** 33
Teclubrenner **334** 4
Teddybär **49** 5
Tee **98** 68
~blatt **366** 9
~-Ei **41** 81
~haube **45** 51
~kanne **45** 47
~kessel **45** 49
~löffel **45** 11
~maschine **45** 49
Teenager **261** 23
Teer·abscheider **148** 31
~destillation **164** 4
~-Gaswasser-Pumpe **148** 29
~kessel **196** 47
~spritzmaschine **196** 46
~- u. Bitumenkocher **196** 46
~- u. Phenolgewinnung **164** 3
~vorbehälter **148** 36
~vorlage **148** 12
~wagen **148** 38
Tee·seiher **42** 43, **45** 48
~sieb **42** 43, **45** 48
~strauch **366** 7
~wagen **45** 53
~wärmer **45** 51
Teich **16** 79, **54** 19, **257** 50
~karpfen **350** 4
Teig·rad **42** 50
~rädchen **42** 50
~schaber **42** 51
~teilmaschine **97** 64
~waage **97** 77
~waren **98** 32-34
Teilbaum **160** 25
Teilen **326** 26
Teiler **326** 26
Teil·flach **330** 24
~gelesekamm **158** 56
~kamm **158** 56
~kreis **109** 25, **330** 32, **331** 38
~nehmer **233** 31

V

Wand·vase **44** 23
~ventilator **260** 15
~verkleidung **234** 6, 12, 16
~wange **118** 45
Wange **18** 9
~ *[Gewölbe]* **318** 40
~ *[Treppe]* **40** 26
Wangen·bein **18** 8
~fleck **74** 23
~mauer **212** 80
Wanne **53** 69, **161** 8
Wannenbad **25** 6
Wante **214** 16
Wanze **341** 28
Wapiti **352** 2
Wappen **246** 1–6, 10, 11–13
~beschreibung **246** 17–23
~feld **246** 18–23
~feldordnung **246** 17–23
~kunde **246** 1–36
~mantel **246** 14
~pfahl **335** 1
~schild **246** 5
~tier **246** 15 u. 16
~zelt **246** 14
Waran **350** 31
Ware **159** 12, **160** 29, 48, **162** 36
Waren·abzug **160** 48
~ausgabe **256** 14, **260** 51
~auslauf **161** 39
~automat **253** 50
~ballen **221** 34
~bank **162** 37
~baum **159** 20, **160** 29
~behälter **160** 10
~einlauf **161** 38, **162** 26
~gestell **98** 14
~haus **256**
~kante **159** 11
~körbchen **256** 15
~leitwalze **162** 5
~probe **231** 17
~regal **98** 14
~schaft **165** 21, 23
~schlauch **160** 9
~schlauchbreite **160** 16
~speicher **161** 33
~stange **172** 3
Warmbeet **79** 16
Wärme·ableitung **1** 28
~austauscher **3** 7, **184** 51
~austauscheranlage **152** 6
~dehnungsfuge **197** 39 u. 40
~einstellung **48** 52
~schutzkleidung **255** 46
~segeln **271** 20
~teller **30** 18
Wärmflasche **23** 14
Warm·front **8** 5–12, **9** 26
~halteplatte **46** 45
~haus **79** 4
Warmluft·anlage **186** 24
~austritt **47** 2
~klappe **44** 16
~regulator **158** 51
~strom **271** 19
~vorhang **256** 43
Warm·meißel **132** 37
~- u. Frischlufthebel **186** 16
~- u. Kaltwasser-spritze **27** 11
Warmwasser·bereiter **119** 66
~boiler **40** 68
~einlauf **145** 66
~heizung **40** 38–81
Warn·gerät **184** 46
~glocke **145** 13
~kreuz **198** 71
~licht **198** 78, **255** 6
~schild **204** 37
~signal **206** 45
Warnungstafel **267** 6
Warnzeichen **194** 18
Warte **6** 2–11, **146** 28, **147** 1–8
~bank **201** 43
~gleis **199** 12
~häuschen **193** 7
Wärter **257** 68, **339** 8
Warteraum **200** 14
Wärterstellwerk **199** 24
Warte·tafel **147** 7
~zeichen **198** 81
Wartturm **310** 4, 35
Warzenhof **18** 29
Wasch·anstalt **166** 1–40
~bär **353** 9
~becken **28** 42, **51** 63
~benzin **52** 30
~brett **53** 70
~bürste **53** 59
~bütte **53** 69
~düse **195** 33
Wäsche **53** 35, **137** 8
~abteil **259** 31
~auflegetisch **166** 29
~behälter **48** 49
~fach **48** 41
~haken **40** 22
~klammer **53** 42
~knopf **37** 26
~korb **53** 41
~leine **40** 23, **53** 36
~monogramm **37** 4
~pfahl **53** 38
~puff **48** 49
Wäscherei **164** 56, **166** 1–40
~presse **166** 35
Wäscherin **53** 67
Wäsche·schablone **37** 5
~schleuder **166** 18
~schrank **48** 40
~stampfer **53** 73
~stapel **48** 42
~stärke **53** 57
~stütze **53** 37
~transportwagen **166** 17
~trockenapparat **166** 19
~trockenmaschine **42** 24, **166** 6
~trockenplatz **53** 35–42
~zeichen **37** 4
~zettelhalter **166** 15
Wasch·frau **53** 67
~handschuh **51** 7
~haus **53**
~haustür **53** 65
~kessel **53** 53
~kompressor **191** 25
~küche **53** 50–73
~küchenfenster **113** 5
~küchentür **113** 6
~lappen **30** 27, **51** 74
~laugeentnahme **166** 16
~laugen- u. Spül-wassergehäuse **166** 4
~maschine **42** 20, **166** 1
~mittelzusatzöffnung **166** 14
~nische **48** 39
~raum **28** 42–46
~salon **166** 11
~schale **30** 23
~schüssel **30** 23
~seife **53** 60
~toilette **51** 52–68
~trog **174** 29
~trommel **42** 22, **166** 2
~walze **174** 30, **195** 32
~wanne **53** 69
~zettel **178** 39
Wasser **12** 26, 32
~abdichtung **148** 62
~abfluß **89** 58, **254** 57
~anschluß **173** 51
~assel **342** 2
~aufnahme **292** 1
~ausquetschwalze **174** 27
~bad **333** 14
~ball **267** 18, **268** 49
~ballast **218** 68
Wasserball·spiel **268** 47–51
~tor **268** 47
Wasser·bassin **79** 29
~bau **212**
~becken **54** 19, **132** 8, **339** 37
~behälter **79** 29, **146** 17, **297** 51
Wasser·beutel **266** 16
~boot **220** 29
~dampf **3** 5
~destillationsanlage **28** 63
~eimer **30** 52
~einlaß **3** 31
~erhitzer **27** 27
~fahrrad **267** 12
~fall **11** 45, **257** 9
~fallrohr **51** 44
~farbe **321** 18
~farbenbild **44** 19
~fee **307** 23
~flugzeug **225** 32
~frau **307** 23
Wassergas·anlage **148** 25 u. 26
~speicher **148** 26
~wäscher **148** 25
Wasser·gleiter **271** 24
~graben **272** 31, **280** 22, **339** 18
~hahn **28** 43, **41** 23, **119** 34
~haltung **212** 29, 37
~haltungsmaschine **137** 32
~hochbehälter **199** 48, **254** 18
~hochreservoir **254** 18
~huhn **343** 20
~jagd **86** 40
Wasserjungfer **307** 23
~ *[Insekt]* **342** 3
Wasser·kanal **149** 36, **316** 54
~kanne **30** 24, **190** 23
~kanone **255** 66 **297** 18
~kasten **43** 9, **135** 44 **205** 67
~kessel **41** 73
~kissen **13** 16
~klosett **51** 35
~kran **199** 52
~krug **30** 24
~kunstspringen **268** 41–46
~leitung **162** 11, **194** 27
~licht **216** 64
~lilie **62** 8
~linse **362** 35
~mann **6** 42
~messer **254** 53 **339** 34
~molch **350** 20
~motte **342** 12
~mühle **16** 77, **91** 35–44
~nachtigall **346** 14
~natter **350** 38
~nixe **307** 23
~nymphe **307** 23
~pest **362** 56
~pfeife **105** 39
~pflanzen **362**
~pforte **216** 44

Weizen **69** 1, 23
~feld **65** 19
~mehl **97** 18
Wellasbestzement·-dach **117** 97
~deckung **117** 90–103
Welle **11** 53
~ *[techn.]* **136** 59, **156** 24, **157** 42, **186** 56
Wellen·ausstrahlung **230** 42
~balken **246** 6
~band **316** 39
~bereich **234** 38
~brecher **222** 16, 46
~hose **218** 53
~maschine **331** 18
~mischer **151** 10
~reiten **267** 13
~reiter **267** 14
~rückstrahlung **230** 43
~segeln **271** 23
~zahnrad **159** 55
~tunnel **185** 44, **218** 56
Weller **350** 12
Well·holz **42** 54, **97** 67
~pappe **83** 25
~tafel **117** 98
Welpe **74** 16
Wels **350** 12
Welsch·korn **69** 31 **70** 20
~kraut **59** 33
Welt·karte **15** 10–45
~meer **15** 19–26
~raum **4** 48–58
~raumstation **4** 54
~rekordmaschine **273** 31
Wende **279** 50, **284** 19
~boje **270** 55
~flagge **272** 34
~haken **84** 19
Wendekreis **15** 10
~ des Krebses **5** 4
Wendel·rutsche **137** 33
~treppe **118** 76, 77
Wendemarke **270** 55, **280** 25
Wenden **270** 52–54
Wende·pfahl **275** 64
~pflug **68** 20
~punkt **329** 21
Wender **42** 56
Wende·richter **268** 26
~schalter **206** 33
~schiene **157** 17
~stange **176** 10
~stangeneinrichtung **176** 8
~- u. Querneigungs-zeiger **228** 5
~vorrichtung **133** 32
~widerstand **206** 21
Wendung **283** 31
Werbe·annonce **325** 52
~anzeige **325** 52
~plakat **98** 2, **256** 25
~umschlag **178** 37
~wagen **189** 9
Werfen **280** 29–55
Werfer **275** 53
~platte **275** 43
Werft **217** 1–63
Werg **125** 7
Werk·arbeit **50** 20–31
~bank **119** 11, **134** 15
~bankofen **134** 20
Werkbrett **106** 20, **130** 7
~fell **106** 21
Werk·halle **145** 1–45, **217** 4
~lokomotive **207** 43
Werkstatt **122** 1, **292** 6
~, graphische **323** 27–64
~anlage **230** 7
~kran **145** 1–19
Werkstattor **115** 5
Werkstattwagen **208** 33
Werkstück **133** 31, **134** 59, **143** 49
~antrieb **143** 9
~prüftisch **145** 37
Werktisch **107** 56, **134** 15
Werkzeug **114** 77–89, **119** 33–67, **128** 24
~auflage **129** 5
~kasten **182** 41
Werkzeugmaschinen **142, 143**
Werkzeug·meß-mikroskop **145** 43
~schrank **127** 10–31
~tasche **180** 25
~träger **142** 16, **143** 45
~wagen **192** 68
Wermut **98** 62, **364** 4
Wert, reziproker **326** 16
~brief **232** 25
Werte·aufstellung **144** 3
~tabelle **144** 3
Wertkartenzähler **239** 52
Wertpapier **243** 11–19
~börse **243** 1–70
Wertstempel **232** 3
Wertzeichen·bogen **231** 14
~heftchen **231** 12
~mappe **231** 13
~rolle **231** 18
Wespe **82** 35
Wespentaille **338** 53
West-Australstrom **15** 45
Weste **34** 42, 59, **338** 75
Westen·futter **34** 43
~knopf **34** 45
~tasche **34** 44
Westwerk **317** 22
Westwind **9** 50
~drift **15** 44
Wetter **8** 1–19
~beobachtungs-schiff **9** 7
~beobachtungsstelle **9** 7
~dach **196** 38
~erscheinung **9** 30–39
~fahne **64** 5, **116** 26, **312** 4
~hahn **64** 5
~kanal **137** 11
~karte **9** 1–39
Wetterkunde I **8**
~ II **9**
Wetter·leuchten **9** 39
~lutte **138** 35
~mantel **34** 41
~schacht **137** 15
~schleuse **137** 16
~sohle **137** 25
~station **9** 7
~strecke **137** 25
~tür **137** 16
~warte **220** 4
Wett·gehen **280** 24 u. 25
~lauf **280** 1–28
~rennen **272** 1–29, 36–46
~rudern **269** 1–18
~schwimmer **268** 28
~segeln **270** 51–60
Wetz·stahl **96** 30
~stein **66** 19
Weymouthskiefer **356** 30
Whisky·flasche **47** 44
~glas **259** 57
Wichse **52** 38
Wicke **70** 18
Wickel **354** 77
~dorn **306** 16
~gestell **156** 48
~keule **147** 36
~kind **30** 26
~kommode **30** 1
~mulde **156** 15
~tisch **30** 1
~trommel **141** 69
~tuch **30** 3
~umschlagbrett **156** 19
Wicklung **147** 15
Widder **74** 13
~ *[Tierkreiszeichen]* **6** 32
Wider·druckwerk **175** 49
~lager **210** 28, **318** 20
~haken **78** 10, **90** 54, **136** 42
~rist **71** 11, **73** 17
Widerstand **147** 56, **331** 84
Widmung **178** 50, **312** 59
Wiede **84** 26
~hopf **343** 25
Wieder·belebung **17** 24–27
~belebungsgerät **255** 20
~gabetaste **306** 22
~holungsschaltung **306** 38
~holungszeichen **300** 43
~käuer **74** 1, **351** 28-30, **352** 1-10
~kreuz **313** 62
Wiege **50** 15
~ *[Messer]* **323** 19
~anlage **91** 67
~bunker **220** 46
~eisen **323** 19
~häuschen **202** 44
~messer **41** 58, **323** 19
Wieger **221** 26
Wiese **16** 18, 19, **65** 35
~ *[Festplatz]* **291** 1
Wiesel **352** 16
Wiesenaue **13** 13
Wiesenblumen **359, 360**
Wiesen·flockenblume **360** 12
~fuchsschwanz **70** 27
~hafer **70** 22
~klee **70** 1, 2
~knopf **70** 28
~knöterich **360** 10
~lolch **63** 29
~schaumkraut **359** 11
~schwingel **70** 24
Wikinger·drache **213** 13–17
~schiff **213** 13–17
Wild **88**
~entenzug **86** 41
Wilderer **86** 29
Wild·frevler **86** 29
~futterstelle **86** 28
~gatter **84** 7
~hafer **63** 29
~kalb **88** 1
~kanzel **86** 14
~kirsche **61** 5
Wildleder·bürste **52** 43
~gamasche **335** 17
~mütze **36** 44
~schuh **100** 2
Wild·sau **86** 32
~schwan **343** 16
~schwein **88** 51
~schweinjagd **86** 31
~wagen **86** 39
~wechsel **86** 16
Wilsonsche Nebel-kammer **2** 24
Wimpel **245** 29, **266** 44, **267** 11

Zwei·touren-Schnellpresse **175** 1
~unddreißigstelnote **299** 20
~unddreißigstelpause **299** 28
~vierteltakt **299** 31
~walzen-Walzwerk **141** 48
~wegefahrzeug **208** 45
~wegehahn **334** 49
~zehenfaultier **351** 11
~zylinder-Viertaktmotor **182** 1
Zwerch·fell **22** 9, 26
~haus **310** 11
Zwerg **291** 22
~arkade **317** 8
~bäumchen **261** 42
~bohne **59** 8
~falke **347** 1
~huhn **75** 44
~kiefer **356** 21
~obstbäume **55** 1, 2, 16, 17, 29
~pudel **71** 14
~schwalbe **343** 11
Zwersche **61** 20
Zwetschenkern **61** 23
Zwetschge **61** 20
Zwetschgenbaum **61** 19–23
Zwickel **316** 74
Zwicker **108** 28
Zwickmühle **265** 25
Zwieback **97** 43
Zwiebel **57** 28, **59** 24
~galle **82** 37
~kuppel **116** 25
~schale **59** 25
Zwiegriff **279** 56
Zwiesel **72** 38
Zwillinge *[Sternbild]* **5** 28, **6** 34
Zwillings·bogenlampe **171** 37
~-Fleischbearbeitungsmaschine **96** 36
~modell **172** 23
~reifen **189** 33
~turm **222** 24
~wadenmuskel **20** 62
Zwinge **43** 16, **46** 53, **282** 36
Zwinger **310** 31
Zwirl **129** 11
Zwirn **99** 3
Zwirnerei **164** 45
Zwirn·kops **157** 60
~maschine **157** 57
~rolle **102** 20
Zwischen·balken **116** 54
~bildfenster **109** 7
~boden **115** 43, **118** 68
Zwischen·bodenauffüllung **118** 69
~bühne **139** 4
~deck **218** 66
~decke **118** 61, 68 u. 69
Zwischenfrequenz·-bandfilter **235** 15
~filter **235** 18
~verstärkerröhre **235** 15
Zwischen·hängestück **297** 11
~hirn **20** 23
~lage **198** 37
~latte **113** 89
~podest **118** 52–62
~raum **170** 17, **299** 46
~riegel **115** 26, 55
~rufer **251** 15
~schicht **11** 4
~schiene **198** 57
~sparren **116** 56
~spurt **273** 2
~stiel **115** 51
~stütze **209** 29, 76
~summentaste **240** 63
~tank **220** 60
~titel **178** 67
~wagen **207** 34
Zwischenwässerungstank **112** 2
Zwitterblüte **366** 14
Zwölffingerdarm **22** 14, 43
Zyane **63** 1
Zyklone **9** 5
Zylinder *[Geometrie]* **329** 38
~ *[Hut]* **36** 20
~ *[techn.]* **134** 49, **184** 52, **227** 3
~block **184** 25
~bürste **195** 32
~durchmesser **160** 16
~einlaß **227** 5
~farbwerk **175** 7
~fuß **172** 11
~hut **179** 25
~kopf **182** 7, **184** 53
~kopfschraube **136** 34
~laufbahn **184** 70
~linse **294** 37
~mantel **160** 13
~projektion **15** 9
~schloß **134** 48
~stift **136** 38
~walke **162** 1
Zypergras **56** 17
Zypresse **356** 58
Zystoskop **26** 50

Für freundliche Mitarbeit haben wir zu danken:

AEG - Allg. Elektricitäts-Gesellschaft, Berlin • ADAC - Allgemeiner Deutscher Automobil-Club e.V. • Aesculap-Werke, Tuttlingen • AID - Land- u. hauswirtschaftlicher Auswertungs- u. Informationsdienst e.V. Bad Godesberg • Albert & Cie. AG., Frankenthal • Alexanderwerke AG., Remscheid • Gotthard Allweiler, Pumpenfabrik AG., Radolfzell • Arbeitsgemeinschaft f. Landwirtschaftliches Bauwesen e.V., Frankfurt/Main • Arena-Filmproduktion, München • Trude Arnold, Mannheim • Askania-Werke AG., Berlin • E. L. v. Aster, Goslar • Atlas Werke AG., Bremen • Josef Auffinger, Ravensburg • J. J. Augustin, Glückstadt • Verlag Auto u. Kraftrad, München • Autobahnamt Baden-Württemberg, Stuttgart • Auto-Union GmbH., Düsseldorf • Helma Baison, Hochheim/Main • Bauersche Gießerei, Frankfurt • BBC - Brown, Boveri & Cie., AG., Mannheim • Bêché & Grohs GmbH., Hückeswagen • Wolfgang Bender, Weinheim • Beratungsstelle für Stahlverwendung, Düsseldorf • BKS Gesellschaft mbH., Velbert • Otto Blersch Verlag, Stuttgart • Wilh. Blöcher, Rüsselsheim • Bohner & Köhle, Eßlingen • J. &. A. Bosch Nachf. Siegfried Bosch, Freiburg • Robert Bosch GmbH., Stuttgart • Bundesbahndirektion, Karlsruhe • Bundesinnungsverband des Glaserhandwerks, Karlsruhe • Bundesverband der deutschen Kalkindustrie e.V., Köln • Bundesverband der deutschen Ziegelindustrie e. V., Bonn • Bundesverband Naturstein-Industrie, Bonn • Büttenpapierfabrik Hahnemühle GmbH., Dassel • Daimler-Benz AG., Stuttgart • Klaus Dallhammer, Mannheim • DEMAG Aktiengesellschaft, Duisburg • Deutsche Vereinigte Schuhmaschinen-Gesellschaft GmbH., Frankfurt/Main • Deutscher Aero-Club e. V., Frankfurt/Main • Deutscher Fußball-Bund, Frankfurt/Main • Deutscher Sportverlag, Köln • Deutscher Wetterdienst, Zentralstelle, Frankfurt/Main • Deutsches Raketen- u. Raumfahrt-Museum e.V., Stuttgart • Paul Gerhard Dietrich, Wiesbaden • Dinglerwerke AG., Zweibrücken • Dürrkoppwerke AG., Bielefeld • Hans Ehlermann KG., Verden • Einkäufer-Werbung GmbH., Hamburg • Eisenwerk Hensel, Bayreuth • Emmericher Maschinenfabrik, von Gimborn & Co., KG., Emmerich • Dr. Endres, Fernmeldetechnisches Zentralamt, Darmstadt • Engelbrecht & Lemmerbrock, Melle • Escher Wyss GmbH., Ravensburg • Esso AG., Hamburg • Eumuco AG., Leverkusen • Faber & Schleicher AG., Offenbach • Feinmeßwerkzeugfabrik GmbH., Aschaffenburg • Feldmühle, Papier- u. Zellstoffwerke AG., Düsseldorf • Fichtel & Sachs AG., Schweinfurt • Prof. Dr. Wolfgang Finkelnburg, Siemens-Schuckertwerke AG., Erlangen • Dr. H. Fischer, Ludwigshafen • Gisela Fleischer, Mainz • Max Försterling, Berlin • Willy Frey, Mannheim • Brüder Fuchs, ADMI-Werke, Hannover • R. Fuess, Berlin • Industrieofenbau Fulmina, Friedrich Pfeil, Edingen • Dipl.-Ing. Heinz Gartmann, Bad Soden • Dipl.-Ing. Gatting, Mannheim • Alex. Geiger, Masch.-Fabrik, Ludwigshafen • Prof. Dr. Hanns Gläser, Kassel • Maschinenfabrik Ferdinand Gothot GmbH., Mülheim • Görickewerke, Nippel & Co., Bielefeld • K. & H. Greiser, Rastatt • E. u. K. Grimm OHG., Mainflingen • Hans-Hermann Groch, Mannheim • Herwig Groth, Wiesbaden • Grundig, Radiowerke GmbH., Fürth • Direktor Dr. B. Grzimek, Zoologischer Garten Frankfurt/Main • Günther & Co., Frankfurt/Main • Günter Hädeler, Auringen/Taunus • Ing. Helmut Gürth, Mannheim • Emil Hammer, Orgelbau, Hannover • Karl Händle & Söhne, Mühlacker • Hans Häusele, Kolbermoor/Obb. • Haver & Böcker, Oelde • Hermann Fr. Henneberg, Wiesbaden • Karl Herzog, OLYMP-Sanitäre Friseur-Einrichtungen, Stuttgart • Direktor Herbert Hildebrandt, Molkerei Speyer eGmbH. • Herbert Hofmann, Wiesbaden • Matth. Hohner AG., Trossingen • Hopf & Co. OHG., Wehen • Chr. Hostmann-Steinberg'sche Farbenfabriken, Celle • Industrievereinigung Chemiefaser, Frankfurt/Main • Institut für experimentelle Krebsforschung, Heidelberg • Institut für ev. Kirchenmusik, Köln • Institut für Strahlen- u. Kernphysik der Universität Bonn • Internationale Tabakwissenschaftliche Gesellschaft e.V., Köln • Intertype Setzmaschinen GmbH., Berlin • Jagenberg-Werke AG., Düsseldorf • Arn. Jung, Lokomotivfabrik GmbH., Jungenthal • Druckfarbenfabrik Kast & Ehinger GmbH., Stuttgart • Keystone GmbH., München • Eduard Kick, Schnaittenbach • Oberregierungsrat Dr. v. Kienle, Wetterwarte Mannheim • Kienzle Apparate GmbH., Villingen • Prof. Dr. Kiepenheuer, Freiburg • Johannes Klais, Orgelbauanstalt KG., Bonn • Kleemann's Vereinigte Fabriken, Stuttgart • Dieter Kliesch, Wiesbaden • Klimsch + Co., Frankfurt/Main • Klöckner-Humboldt-Deutz AG., Köln • August Klönne, Dortmund • Karl-Ludwig Koch, Neu-Isenburg • Schnellpressenfabrik Koenig & Bauer AG., Würzburg • Verlag Kurt Kohlhammer, Stuttgart • Krause-Biagosch GmbH., Bielefeld • Krupp-Ardelt, Wilhelmshaven • Bahnoberinspektor Kucka, Karlsruhe • Laboratorium für angewandte Physik, Posthalde • Wilhelm Lambrecht, Göttingen • Marianne Lambrich, Wiesbaden • Landes-Erdbebendienst Baden-Württemberg, Stuttgart • Landesinnungsverband des Glaserhandwerkes Baden-Württemberg, Stuttgart • Landwirtschaftsamt - Landwirtschaftsschule,

Ladenburg • Landwirtschaftliche Hochschule, Stuttgart • Langbein-Pfannhauserwerke AG., Neuß • Theo Lässig, München • Dr. E. Leistner, München • Ernst Leitz GmbH., Wetzlar • Wilhelm Leschhorn GmbH., Frankfurt/Main • Leybold-Hochvakuum-Anlagen GmbH., Köln • Liba-Maschinenfabrik GmbH., Naila • Linotype GmbH., Frankfurt/Main • Ing. Richard Lorenz, Kolbermoor • Priv.-Doz. Dr. Waldemar Madel, Ingelheim • Branddirektor Dr. Magnus, Mannheim • MAN-Maschinenfabrik Augsburg-Nürnberg AG., Augsburg • Rolf Märtz, Hockenheim • Maschinenfabrik Oerlikon, Zürich-Oerlikon • Flügel- u. Klavierfabrik Carl Matthaes KG., Stuttgart • Mauser-Meßzeug GmbH., Oberndorf • Dr. Peter Mittelstaedt, Genf • Mix & Genest, Stuttgart • J. D. Möller, Optische Werke GmbH., Wedel • C. H. F. Müller, AG., Hamburg • Text.-Ing. Müller, Kolbermoor • Landeshauptstadt München, Abt. Straßenbau • Musterschmidt-Verlag, Göttingen • Dr. Werner Nickold, Düsseldorf • NSU-Werke AG., Neckarsulm • Adam Opel AG., Rüsselsheim • Günter Oehlbach, Mannheim • Orbis, Baumaschinen und Geräte GmbH., Duisburg • Studienrat Hans Ott, Schwäbisch Hall • Papyrus-Maschinenhandelsgesellschaft m.b.H., Stuttgart • „Perlon"-Warenzeichenverband e.V., Frankfurt/Main • Peter KG., Garmisch-Partenkirchen • Physikalisch-Technische Werkstätten, Wiesbaden • Phywe AG., Göttingen • Prakma, Maschinenfabrik GmbH., Berlin • Dr. Prüsse, Seefahrtsschule d. Freien und Hansestadt Hamburg • Rahdener Maschinenfabrik August Kolbus, Rahden/Westf. • Waggonfabrik Jos. Rathgeber AG., München • Dipl.-Ing. Hubert Reichert, Karlsruhe • Ernst Reime, Präzisions-Werkzeugfabrik, Nürnberg • Louis Renner, Stuttgart • Rheinpfälzische Maschinen- u. Metallwarenfabrik Carl Platz, GmbH., Ludwigshafen • Rheinstahl Union Brückenbau AG., Dortmund • Rosenthal-Porzellan AG., Selb/Bayern • Heiner Rothfuchs, Wiesbaden • Roths Molkereimaschinenfabrik GmbH., Stuttgart • Sartorius-Werke AG., Göttingen • Joachim Schmidt, Ludwigshafen • P. F. Schneider, Architekt B.D.A., Köln • Schnellpressenfabrik AG., Heidelberg • Emil Scholz, Hamburg • Schomandl KG., München • Linde Schünzel-Undeutsch, Wiesbaden • Dorle Seidel, Wiesbaden • Senat für Bau- und Wohnungswesen der Stadt Berlin • Setzmaschinen-Fabrik Monotype-Gesellschaft m.b.H., Frankfurt/Main • Farbenfabrik G. Siegle & Co. GmbH., Stuttgart • Siemens & Halske AG., München u. Karlsruhe • Sonor-Werke Johs. Link KG., Aue/Westf. • Albin Sprenger KG., St. Andreasberg • Albert Stahl OHG., Stuttgart-Zuffenhausen • Steinkohlenbergbauverein, Essen • Optische Werke, C. A. Steinheil Söhne GmbH., München • Steinway & Sons, Hamburg • Schriftgießerei D. Stempel AG., Frankfurt/Main • Dr. W. Steyer, Ludwigsburg • Stoe & Cie., Heidelberg • Waggonfabrik Talbot, Aachen • Teckharmoniumfabrik KG., Kirchheim-Teck • Telefonbau- und Normalzeit GmbH., Frankfurt/Main • Telefunken GmbH., Hannover • J. A. Topf u. Söhne, Mainz • Mechthild Traub, Wiesbaden • Triumph-Werke AG., Nürnberg • Trixon, Musikinstrumentenfabrik, Karl-Heinz Weimer KG., Hamburg • A. J. Tröster, Butzbach • Union, Fröndenberg-Ruhr • Verein Deutscher Zementwerke e.V., Düsseldorf • Dr. Vogel, Botanisches Institut der Mainzer Universität • Joseph Vögele AG., Mannheim • J. M. Voith GmbH., Heidenheim • H. W. Voltmann, Bad Oeynhausen • Dozent Dr. F. Wachsmann, Med. Universitäts-Klinik, Erlangen • Hermann Waldner KG., Edelstahl-, Aluminium-, Eisen-, Blech- und Holzverarbeitungswerke, Wangen/Allgäu • Ferdinand C. Weipert, Heilbronn • Eugen Weisser & Co., Heilbronn • Hermann Weitemeyer, Erfurt-Meensen • Verlagsgesellschaft Wellhausen + v. Keller, Bad Godesberg • Westfalia Dinnendahl Gröppel AG., Bochum • Westofen GmbH., Wiesbaden • Wippermann jr. GmbH., Hagen • Naturweinkellerei Eduard Witter, Neustadt a. d. Weinstraße • Wilhelm Woeckel, Stuttgart • Wohlenberg & Co. KG., Hannover • Carl Zeiss, Oberkochen • Zellstoffabrik Waldhof, Wiesbaden • Dipl.-Ing. Herbert Zimmer, Hamburg • Franziska Zörner-Bertina, Wiesbaden • Zündapp-Werk GmbH., Nürnberg.